MONTEIRO LOBATO

Obra completa

Biblioteca
Luso-brasileira
Série brasileira

Monteiro Lobato
Obra completa em
três volumes

volume 1
Livros infantis e juvenis
Caderno iconográfico

volume 2
Livros infantis e juvenis

volume 3
Livros adultos
Álbum de memórias

Monteiro Lobato. [Foto: arquivo familiar.
Cedida por Cedae/IEL/Unicamp.]

Monteiro Lobato

Obra completa

VOLUME 1
Livros infantis e juvenis
Caderno iconográfico

Editora
Nova
Aguilar

Nota editorial

Monteiro Lobato faleceu em 1948, depois de ter sido acometido por um espasmo vascular. Deixou um monumento literário para os leitores brasileiros de todas as idades, com seus vinte e três livros infantojuvenis e quinze para adultos. São esses livros que compõem esta edição de sua *Obra Completa*.

Quando um autor não tem ainda uma edição crítica preparada por filólogos ou especialistas em edótica, as boas práticas editoriais recomendam que se sirva da última edição revista pelo autor.

Um editor consciente de seu papel, Monteiro Lobato editou, junto aos profissionais da Editora Brasiliense, sua *Obra Completa* em trinta volumes entre 1946 e 1947. A julgar pelas datas anotadas nas edições, alguns saíram em 1948, mas seguramente preparadas no ano anterior.

Em uma edição como a da Nova Aguilar, de *Obra completa*, é muito importante seguir um critério coerente durante todo o processo de produção. Desse modo, o critério desta edição foi se servir dessa última edição de 1946 e 1947, quando Lobato ainda estava vivo e ativo.

Quanto ao grupo dos livros infantis paradidáticos, seguimos com o mesmo critério. Portanto mantivemos os conceitos gramaticais, aritméticos, historiográficos e geográficos, como eram aceitos e estudados no tempo de sua criação e escrita.

Apesar de a edição ter respeitado o texto dessas edições, é natural que alguns pequenos aspectos de estabelecimento dos textos precisaram ser atualizados, devido a certas alterações da norma ocorridas durante os séculos 20 e 21. Elas ocorreram basicamente nos seguintes aspectos:

- Atualização ortográfica, seguindo-se o atual Vocabulário Ortográfico da Língua Portuguesa.

- Uniformização do uso dos travessões em diálogos, que, em autores da época, alternavam-se com o uso de vírgulas nos verbos de elocução.

Desse modo, os livros que compõem a *Obra Completa* de Monteiro Lobato estão distribuídos assim:

Volume 1 –
Fortuna Crítica e os livros que compõem os seguintes grupos: Imaginário e Recontos.

Imaginário: Reinações de Narizinho, Caçadas de Pedrinho, Viagem ao céu, Memórias da Emília, A chave do tamanho, O Picapau Amarelo, O saci, Reforma da natureza.

Recontos: Aventuras de Hans Staden, Dom Quixote das crianças, Os doze trabalhos de Hércules.

Volume 2 –
Recontos: Fábulas, Histórias de Tia Nastácia, Histórias diversas.
Paradidáticos: Emília no País da Gramática, Aritmética da Emília, Geografia de Dona Benta, História das invenções, História do mundo para crianças, O Minotauro, O poço do Visconde, Serões de Dona Benta.

Volume 3 – Adultos
FICÇÃO
Contos: Urupês, Cidades Mortas, Negrinha,
Romance: O presidente negro (1926)

NÃOFICÇÃO:
Problema vital, Ideias de Jeca Tatu, A onda verde, Mundo da Lua, Mister Slang e o Brasil, Ferro, América, Na antevéspera, O escândalo do petróleo, A barca de Gleyre – Tomo I, A barca de Gleyre – Tomo II, Miscelânea e Fragmentos.

Os Editores.
2022.

Sumário

8   Nota editorial

Fortuna Crítica

15   A obra infantil de Monteiro Lobato sob o viés das ilustrações
ANA LÚCIA DE OLIVEIRA BRANDÃO

25   Monteiro Lobato revisitado
GILBERTO FREYRE

34   Monteiro Lobato e suas faces
REGINA ZILBERMAN

43   A modernidade em Monteiro Lobato
MARISA LAJOLO

49   Monteiro Lobato, o inovador
LAURA SANDRONI

62   Itinerário de Monteiro Lobato até o encontro com a literatura infantil
JOÃO CARLOS MARINHO

71   Nele, a mulher tinha vida
JÚLIO GOUVEIA

73   Literatura Infantil e Monteiro Lobato
TATIANA BELINKY

74   Pinceladas essenciais quanto à obra adulta de Monteiro Lobato e seu projeto de país
ANA LÚCIA DE OLIVEIRA BRANDÃO

Imaginário

83   Reinações de Narizinho

253   Caçadas de Pedrinho

295 Viagem ao céu

365 Memórias da Emília

419 A chave do tamanho

503 O Picapau Amarelo

579 O saci

623 A reforma da natureza

RECONTOS

667 Aventuras de Hans Staden

713 Dom Quixote das crianças

799 Os doze trabalhos de Hércules

FORTUNA

CRÍTICA

A obra infantil de Monteiro Lobato sob o viés das ilustrações
ANA LÚCIA BRANDÃO

Vou convidar você, leitor, a embarcar comigo de volta ao início do século XX. A um tempo anterior à organização feita pelo próprio escritor de suas obras completas, que incluem dezessete volumes em capa dura verde, vermelha ou ilustrada por Manuel Victor Filho. Todas essas edições foram publicadas unicamente pela Editora Brasiliense de Caio Graco e Caio Graco Júnior que foram representantes únicos da obra do escritor com seu aceite – no período que vai entre o final dos anos 40 ao final dos anos 90. Lá podemos encontrar a saga do Sítio do Picapau Amarelo, que contém vinte e cinco histórias passadas no Sítio da Dona Benta Encerrabodes de Oliveira. "Uma obra espantosa em vivacidade, inteligência e expressão", no dizer do professor da UnB e pesquisador incansável da obra de Lobato, Cassiano Nunes.

No final dos anos 70 Nunes ainda afirmou categoricamente que, no universo ibero-americano, a mais extensa e a mais criativa saga criada para crianças no mundo hispânico foi a obra de Monteiro Lobato. O professor comparou o estilo do autor e sua instigante preocupação social com a do escritor americano Mark Twain, autor do clássico *Aventuras de Tom Sawyer*, obra ilustrada por True Williams e publicada em 1876 no mercado editorial americano, pela primeira vez.

Então focalizemos a cidade de São Paulo entre 1915 e 1925 baseados nos estudos de Yone Lima. Nesse tempo o Rio de Janeiro era a capital do país e São Paulo ainda era uma cidade provinciana. Por isso mesmo o único jornal da cidade e de maior renome era *O Estado de S. Paulo* e as revistas estrangeiras como as francesas e inglesas induziram o surgimento de um mercado nacional de revistas. *A Revista do Brasil* (1918) é comprada por Monteiro Lobato & Cia em 1918 e totalmente renovada com novos autores e com a tiragem entre 5.000 e 10.000 exemplares. Há também as revistas *A Novíssima, Papel e tinta* e posteriormente a modernista *Klaxon*. Na área dedicada às crianças, surge uma revista em tabloide, com histórias em quadrinhos e trechos de romances clássicos chamada *O Tico-Tico*, dedicada às crianças e com uma tiragem assombrosa para a época – um sucesso absoluto entre elas, produzida no Rio de Janeiro e com farta distribuição em São Paulo. Nesse tempo o Rio de Janeiro era a capital da República e São Paulo tateava ainda a sua identidade que viria a ser a de a maior capital industrial do país.

Em 1915, a Cia. Melhoramentos (Weizflog & Irmãos Ltda.) publicou o seu primeiro título de literatura infantil, em pequeno formato, com ilustrações coloridas na capa e no miolo, realizadas pelo ilustrador tcheco radicado no Brasil, Franta Richter. Tratava-se do conto de fadas *O patinho feio*, história escrita pelo dinamarquês Hans Christian Andersen. Esse livro foi o primeiro título de uma grande e longa coleção chamada "Biblioteca Infantil". Longa porque chegou a praticamente cem títulos e só terminou em 1958. Essa coleção envolveu o trabalho de um bom número de ilustradores para histórias adaptadas do universo imaginário da literatura infantil estrangeira e alguns esparsos títulos com histórias de escritores brasileiros como Ofélia e Narbal Fontes. Franta Richter foi tido como o grande ilustrador da Editora Melhoramentos, no livro do historiador Hernani Donato sobre os cem anos da Editora e na exposição realizada no MASP (Museu de Arte de São Paulo) em 1990, assim como no livro sobre a literatura infantil e juvenil publicado pela profa. Nelly Novaes Coelho, diz em uma passagem rápida sobre essa questão que nunca a interessou de perto – a capa e as ilustrações dos livros infantis.

Entretanto, ao me debruçar sobre a produção infantil da editora, ficou claro que o grande ilustrador da casa, que inclusive chegou a ter um contrato específico de ilustrador exclusivo com a editora, foi Oswaldo Storni, filho de Alfredo Storni, que ilustrou muitas tiras de quadrinhos para a Revista *O Tico-Tico*. Naquele momento de pesquisa o professor e escritor de livros infantis contemporâneo a Lobato, Hernani Donato, foi consultado. Ele disse que, entre os ilustradores de Monteiro Lobato, o seu preferido foi Jean Gabriel Villin, que contribuiu com um olhar caipira para a obra do Sítio do Picapau Amarelo. Não à toa, já que o professor Hernani Donato foi um menino que cresceu na cidade de Botucatu, interior de São Paulo. Em várias conversas nossas foi possível perceber o quanto o texto escrito foi soberano frente à ilustração dos livros infantis, desde os anos vinte até praticamente 1985 do século XX. Donato e a profa. de Literatura infantil Nelly Novaes Coelho foram testemunhas vivas desse posicionamento e foram profissionais atuantes na área de Educação e Cultura por mais de quatro décadas. Ficou dessa convivência a certeza de que a ilustração, sem dúvida alguma, desempenhou o papel de ornamento do livro infantil e não o de linguagem durante um grande período histórico. E quando o fez, como é o caso das narrativas de *Juca e Chico* de W. Busch, não foi visto como tal naquele momento histórico.

Monteiro Lobato, como ser arrojado que foi, apresenta já no início das publicações de suas obras infantis, uma concepção moderna sobre a questão, talvez por ser um homem que valorizava as artes plásticas como um todo e os desenhistas e ilustradores como seres de expressão artística própria, num país que cultuava mais as belas artes do que as histórias em quadrinhos, mas que sempre apresentou nos jornais e revistas charges plenas de crítica política e social bem-humoradas e em alguns casos mordazes, como as criadas por Belmonte sobre Getúlio Vargas. O curioso disso tudo é observar que a ilustração do livro infantil conversa com todas essas expressões e passeia entre elas desde sempre, tecendo um diálogo contínuo entre elas e em muitos casos, buscando ir além, momento em que se torna uma narrativa visual paralela, que amplia, conta outra história ou faz uma paródia divertida.

Voltemos a Monteiro Lobato: de forma quase concomitante à publicação da Editora Melhoramentos, ele publica em 1921 *A menina do nariz arrebitado* com ilustrações de Voltolino. Esse é o primeiro álbum ilustrado genuinamente brasileiro em termos de autor e ilustrador, uma obra extremamente ousada em termos gráficos para a época, de grande formato (29x22 centímetros), com capa dura a quatro cores e miolo a duas, que inclusive apresenta a incipiência do chargista Voltolino ao criar sequências narrativas para os episódios das aventuras de Narizinho no Reino das Águas Claras.

A partir desta dupla de Lobato e Voltolino, outros chargistas e ilustradores vieram a se dedicar a ilustrar a obra infantil de Monteiro Lobato, ainda em germinação, conforme veremos nas pranchas de imagens contidas nesse artigo, que apresentam os ilustradores da personagem Emília feitas para a exposição "Emília: a boneca de Lobato", realizada na Biblioteca Monteiro Lobato, da cidade de São Paulo, em 2008, a partir do material coletado no Acervo Monteiro Lobato pelos pesquisadores da Seção de Bibliografia e Documentação, o professor Nelson Somma e o funcionário Oiram Antonini. As imagens foram gentilmente cedidas pela diretora Marta Nosé Ferreira para a composição desse texto e revelam diversos olhares sobre essa personagem em germinação e a de tantos outros presentes na obra do Sítio do Picapau Amarelo.

Voltolino (1884-1926), nome com o qual assinava João Paulo Lemmo Lemmi foi o primeiro a dar forma à boneca Emília. Por ser o primeiro ilustrador a criar situações para as personagens de Lobato, ele colaborou com soluções divertidas para as personagens mais improváveis do microcosmo dos insetos e pequeninos seres que viviam no riacho do Sítio, por meio da humanização deles pela boneca Emília – como o besourão de óculos e bengala e a Dona Carochinha, de vestido e *pince-nez*, ou a famosa Dona Aranha Costureira, personagem que coordena a confecção do vestido de noiva de Narizinho, junto às demais aranhas costureiras. Vale lembrar que nesse episódio Narizinho aceita casar-se com o Príncipe Escamado, a principal personagem do Reino das Águas Claras. Voltolino criou inclusive a primeira imagem para o Príncipe Escamado, noivo da personagem Narizinho – um lambari – caracterizado como um cavaleiro da corte francesa, usando coroa de ouro, um manto vermelho, calças justas brancas e botas altas. O Visconde de Sabugosa, um sabugo de milho de pince-nez, cartola e fraque inteiro e o Marquês de Rabicó também de cartola e gravata. Voltolino criou figuras satíricas, desenhadas com os contornos firmes de seu traço, fazendo forte alusão às personagens respeitadas da República Velha do Brasil para a obra de Lobato, do mesmo modo humorístico com que fez suas charges para as revistas do universo adulto de então.

Vale acrescentar que Voltolino inseriu elementos de estilização de personagens por meio de sombras, bem no estilo da art nouveau francesa. Lobato provavelmente conheceu seus traços, tanto nas revistas cariocas dessa época *O Malho* e *O parafuso*, quanto na revista *O Pirralho*, dirigida pelo escritor e amigo Oswald de Andrade.

No dizer de Magno Silveira, a política e os políticos, a nova configuração social de uma cidade como São Paulo já apontavam para um forte processo de industrialização. Eu acrescento ainda que nela fervilhavam "tipos" frutos de uma diversidade cultural, oriundos das recentes imigrações de origem italiana, alemã, árabe e outras; assim como as desigualdades sociais afloravam a emergência do proletariado urbano, que vivenciava o chão das fábricas – enfim, todos foram temas do nanquim irônico de Voltolino. A linguagem nova de suas caricaturas também empolgava a vivaz vida intelectual da época, inclusive por parte dos modernistas.

Infelizmente Voltolino faleceu em 1926, quando o criador da personagem Emília ainda esboçava episódios esparsos, publicados na forma de álbuns ilustrados como *O Marquês de Rabicó, Fábulas de Narizinho* da terceira edição, ambos ilustrados por Voltolino. Inclusive esta edição aumentada das *Fábulas de Narizinho*, edição que foi aprovada pela Diretoria de Instrução Pública dos Estados de São Paulo, Paraná e Ceará, que contou com o traço dele e espalhou seu trabalho criativo, garantiu-lhe a eternidade na lembrança de uma geração de leitores crianças da obra de Lobato.

A boneca Emília, na primeira versão de Lobato de *A menina do Narizinho arrebitado*, é apenas um esboço de personagem. Basta vocês observarem o desenho dela feito por Voltolino e que expressa fielmente o olhar inicial do escritor para essa personagem secundária, que pertence à menina Lúcia, a única protagonista da obra naquele momento de sua criação. Há claro uma cena de destaque dado à boneca nessa primeira versão, no momento em ela aprende a falar por meio das pílulas do Dr. Caramujo, mas sua fala lembra a de um papagaio, ou seja, uma fala atropelada e repetitiva, ainda sem expressão própria, tartamuda mesmo.

Um pulo no tempo – ano de 1982

Em 1982, para festejar o centenário de nascimento do autor, a editora Brasiliense lançou uma edição comemorativa, em que encontramos um primeiro esboço de estudo a respeito dos ilustradores na obra de Monteiro Lobato realizado pela escritora e diretora do CELIJU (Centro de Literatura Infantil e Juvenil) Camila Cerqueira César e a editora Cecília Regianni Lopes que dedicam algumas páginas às ilustrações dos primeiros artistas da obra infantil de Lobato até à morte do autor em julho de 1948. A personagem de grande destaque, sob o ponto de vista delas, foi a figura da Emília, por suas características marcantes na obra conclusa de Lobato e pelas possibilidades criativas que oferece, não só ao leitor, como ao ilustrador. Quantas mudanças e transformações se deram com a personagem Emília no decorrer da escrita dos episódios das aventuras do Sítio, não é mesmo? Através das ilustrações é possível acompanhar o desenvolvimento da personagem no próprio texto. De boneca de trapo, feia e muda, desenvolve-se em termos de personalidade e de ideias próprias até chegar à criatura atuante e impositiva – a personagem que dominou seu criador, sem dó nem piedade. O próprio Lobato atesta isso em carta a Godofredo Rangel: "Emília começou uma feia boneca de pano, dessas que nas quitandas do interior custavam 200 réis. Mas rapidamente evoluiu, e evoluiu cabritamente – cabritinho novo – aos pinotes. Teoria biológica das mutações. E foi adquirindo tanta independência que, não sei em que livro, quando lhe perguntam: – Mas o que você é, afinal de contas, Emília, ela respondeu de queixinho empinado: 'Eu sou a independência ou morte!' E é. Tão independente que nem eu, seu pai, consigo dominá-la. Quando escrevo um desses livros, ela me entra nos dois dedos que batem as teclas e diz o que quer, não o que eu quero."

Ora, a transformação fica bem clara ao compararmos a Emília de Voltolino com as interpretações dos ilustradores seguintes, a começar com Belmonte. O quase informe começa a definir-se, chegando à característica (explícita no texto) de boneca de pano. A força da personagem fez alguns ilustradores inclusive se esquecerem desse aspecto e vale pontuar que a boneca toma forma humana, tem até covinhas no joelho, uma vez que Emília vira "gentinha" no livro *A chave do tamanho* e continua assim em *Os doze trabalhos de Hércules*, última obra da saga do Sítio escrita por Lobato, em que Emília agora gentinha vira-e-mexe reclama de fome.

O segundo ilustrador das obras infantis de Monteiro Lobato foi Benedito Barros Barreto, conhecido como Belmonte (1902-1947), nascido em São Paulo, onde viveu a vida toda. Não conseguia se afastar da cidade sequer por dois dias. Segundo Gonçalo Junior, Belmonte se tornou, a partir de 1930, cada vez mais onipresente na vida cultural paulistana, graças à multiplicidade de seus talentos. Além de chargista e caricaturista, destacava-se como retratista, pintor, escritor e jornalista. E em 1932 viu despertada sua veia de historiador e pesquisador obcecado pelo passado de São Paulo, quando pesquisou a história dos bandeirantes, a ilustrou e publicou pela Edições Melhoramentos. Essa obra tornou-se um marco da "identidade" paulista, que tornou os bandeirantes verdadeiros heróis, questão que só foi contestada recentemente, por volta de 2015, pelos novos historiadores.

Aos vinte e cinco anos Belmonte assumiu uma página semanal no jornal *Folha da noite* e, em 1922, em *A Cigarra*. Seu trabalho apresentava um estilo corajoso e contundente no humor utilizado para lidar com temas políticos e sociais. Mas foi em 1923 que a revista carioca *Frou-Frou*, uma das mais sofisticadas publicações da História da Imprensa brasileira, impressa a três cores e com excelente papel *couché* trouxe, em suas primeiras edições de capa, as caricaturas e desenhos de Belmonte. E assim Belmonte passou a ser reverenciado por seu trabalho em todo Brasil.

Gonçalo Junior nos diz que coube a Belmonte ser um dos primeiros artistas a dar traço aos personagens infantis criados por Monteiro Lobato: Dona Benta, Pedrinho, Tia Nastácia, Visconde de Sabugosa, Emília, Narizinho e tantos outros – no que está certo e digo mais –, o primeiro a dar a noção ao autor do universo de sua obra que tomava corpo naquele momento histórico. Entretanto, como o foco de Gonçalo Junior foi o de reunir informações sobre a vida e obra de Belmonte enquanto chargista, o que já foi um grande feito, dada a riqueza e do quão frutífero foi esse chargista e ilustrador, que ele não se deteve na importância de seu traço para as obras de Lobato, como nós buscamos aqui evidenciar.

Entre 1929 e 1937, Belmonte desenhou um álbum ilustrado com uma história de Lobato antes de ela ser absorvida como episódio de *Reinações de Narizinho* em 1931: *O circo do Escavalinho*. Dois outros álbuns, *Pena de papagaio* e *O irmão do Pinóquio*, foram ilustrados por Jean Gabriel Villin. *Aventuras do Príncipe, A cara de coruja* e *O Gato Félix* foram ilustrados por Nino (Sebastião de Camargo Borges), que estudou desenho com o professor Benjamin e foi muito influenciado por Walter Disney.

Outro desses livros álbuns foi *A caçada da onça*, ilustrado por Kurt Wiese, que também foi chamado a ilustrar a primeira edição de *As caçadas de Pedrinho*, quando o livro saiu, com muitos outros episódios. *A caçada da onça* se caracteriza por ilustrações em preto e branco e uma cor em que o olhar do leitor é chamado a correr de um lado ao outro da página com extrema rapidez, criando visualmente as eletrizantes aventuras de Pedrinho pela mata do Sítio caçando a primeira onça de sua vida.

Kurt Wiese (1887-1974) foi um ilustrador alemão que passou por muitas desventuras até chegar no Brasil, ao fim da primeira guerra mundial. Foi Monteiro Lobato quem lhe deu a primeira chance de ilustrar um livro infantil. Em 1927 ele se muda para New Jersey nos Estados Unidos e vai ser lá que sua carreira enquanto ilustrador vai tomar corpo, tendo ilustrado vários clássicos da literatura como *Bambi* de Felix Salten e *Freddy the pig* de Walter R. Brooks e publicado por Alfred A. Knopf (1927 a 1958). Wiese é tido como um dos ilustradores mais prolíficos da literatura infantil americana, tendo ilustrado por volta de quatrocentos livros no decorrer de sua carreira. Todos os seus trabalhos estão ligados à temática do mundo animal e à natureza. Segundo uma pesquisadora de sua obra, Wiese pertence à Escola de pintores de Dusseldorf. Seus trabalhos eram sempre realizados em litografia. Ele recebeu com Phil Stong a medalha Newberry de literatura pelo livro *Hoonk the Moose* e a medalha Caldecott pelo livro de imagens que compôs com Marjorie Flack chamado *Ping*. Fora isso, ele escreveu e ilustrou várias histórias de sua própria imaginação. Wiese também fez a capa da primeira edição de *Jeca Tatuzinho* nesse ano em que passou pelo Brasil e se embrenhou em suas matas e florestas.

Bom, voltemos aos álbuns ilustrados por Belmonte. Eles formaram episódios de *Reinações de Narizinho,* livro publicado pela Cia. Editora Nacional em 1931 e totalmente ilustrado por Belmonte, com capa a quatro cores e ilustrações internas a nanquim. A conclusão desta obra trouxe consigo a inauguração de uma nova literatura para crianças no Brasil em que a criança se apresenta como um ser curioso, aberto a aprender sobre todas as questões que cercam a realidade ao seu redor, sem por isso perder as possibilidades do mundo da imaginação. Foi essa a grande razão da obra infantil de Monteiro Lobato ter se tornado a obra de fundação da nova literatura infantil brasileira. E ainda deu o parâmetro para o autor das possibilidades de diálogo e diversidade de temas que ainda viriam a surgir na saga do Sítio do Picapau Amarelo como a questão do petróleo, a questão da segunda guerra mundial e por fim a questão da paz mundial com Tia Nastácia e Dona Benta em viagem para discutir essa questão nos Estados Unidos. Enquanto isso, Emília retoma as ideias de Américo Pisca-Pisca (protagonista de um conto de Lobato) e reforma a natureza segundo suas ideias amalucadas ou "na batata", como ela mesma dizia.

Belmonte então foi o ilustrador a dar vida à nova Emília de Lobato, a Emília asneirenta e plena de ideias. E dali em diante, só mesmo sendo um ilustrador de grande produção e traço rápido para dar conta de ilustrar: *Viagem ao céu* (1932), *História do mundo para crianças* e *As caçadas de Pedrinho* (Cia. Editora Nacional, 1933), *Emília no país da gramática* e *Aritmética da Emília* (Cia. Editora Nacional, 1934), *Geografia da Dona Benta* (1935), *História das invenções* (1935), *Dom Quixote das crianças* (1936), *Memórias da Emília* (1936), *Reforma da natureza* (1941), *O poço do Visconde* (1944), *Serões da Dona Benta* e *Histórias da Tia Nastácia* (1937). Sobre o livro *Aritmética da Emília* há uma edição na Coleção Biblioteca Pedagógica Brasileira, série 1 – Literatura infantil, vol. XXI, na qual a capa de Belmonte apresenta o título do jeito que Emília acreditava ser o correto: *Arimética da Emília*. A boneca Emília achava uma inutilidade da gramática as palavras com "t" mudo. Resta-nos imaginar como foi a receptividade de mais essa "arte" da Emília entre os professores da época. Como conseguiu acolhida pela Biblioteca Pedagógica coordenada pelo educador Fernando Azevedo, parece-nos que a boneca conseguiu um feito gramatical dos mais interessantes e contou com a parceria do ilustrador para realizar essa façanha. Coisas da Emília...

Uma questão muito afetuosa, discorrida por Gonçalo Filho, sobre a relação de Lobato com Belmonte foi ele dizer que o contato com Lobato incentivou Belmonte a criar as próprias personagens infantis, que apareceram na *Folha da manhã* e no suplemento "A Gazetinha", do jornal *A Gazeta*. Assinala ainda que Belmonte fez sucesso com as histórias em quadrinhos da dupla Bastinho e Bastião, um branco, outro negro, amigos inseparáveis, que, com a ajuda da magia de um saci, partem para conhecer o mundo em educativas aventuras, na série chamada *As viagens fantásticas de dois garotos*.

Portanto, dessa convivência de Monteiro Lobato com Voltolino, Belmonte e Kurt Wiese já notamos que o criador do Sítio do Picapau Amarelo sempre respeitou e incentivou a criação alheia, sem nunca interferir no trabalho de arte realizado para seus livros. Mas vamos conhecer outros criadores do Sítio de Dona Benta.

Jean Gabriel Villin (1906-1979) nasceu em Amiens, na França. Cursou a escola de desenho "Bernard Palisay". Com dezenove anos veio para o Brasil. Trabalhou na fábrica de porcelanas Porto Ferreira por um ano, como desenhista. Em 1927 muda-se para São Paulo a convite de Lourenço Filho, então diretor geral do Departamento de Educação, quando ingressa como cartógrafo por concurso público. Paralelamente a essa atividade profissional, faz trabalhos esporádicos no meio publicitário. Villin foi considerado o maior *layout man* do Brasil. Entre 1929 e 1930 começa a ilustrar os livros infantis de Monteiro Lobato, momento em que no livro álbum *Pena de papagaio* ele cria o primeiro mapa do mundo das fábulas, que apresenta o Castelo da Bela Adormecida, a terra das fábulas, o mar dos piratas, o Sítio de Dona Benta, o arquipélago dos anões, o mar das sereias, a ilha de Robinson, o país do era uma vez, a terra do Nunca, Lilliput – a terra de Gulliver, – o chiqueiro do Rabicó, o país das maravilhas e a casa da Alice. Ele foi o primeiro a inserir o Sítio do Picapau Amarelo como "um lugar" no imaginário infantil brasileiro e quiçá universal, verdadeira antevisão de uma obra que, naquele exato momento, estava ainda em germinação e que talvez tenha semeado aí o livro futuro de Lobato *O Sítio do Picapau amarelo*.

Décadas mais tarde, Alberto Manguel, o famoso bibliotecário argentino e amigo de Borges, apresenta um verbete para "Sítio do Picapau Amarelo" de Monteiro Lobato no seu livro *Dicionário de lugares imaginários*. Curiosamente, essa ideia tomará corpo no livro *O Sítio do Picapau Amarelo* cuja trama apresenta as personagens do mundo da imaginação infantil em plena mudança para as terras do Sítio (1937). Por fim esse mapa das terras da imaginação retornará na confecção das obras infantis completas de Monteiro Lobato sob a expressão do ilustrador LeBlanc.

Villin é o ilustrador responsável por elaborar um novo olhar para as aventuras do Sítio do Picapau Amarelo. É dele a visão de um sítio caipira, com características dos sítios brasileiros de então. Seu olhar torna o *Sítio do Picapau Amarelo* um sítio palpável, com a verossimilhança típica da cultura brasileira dos tempos do café, que mesmo vivendo a decadência econômica, continua a ser um ícone da cultura paulista do interior do Estado.

Vale lembrar que Villin é o primeiro a desenhar as personagens do Sítio saindo do livro de Narizinho e indo para o mundo, uma imagem poética e clássica de que as personagens do Sítio foram criadas para dialogar com o mundo de fora dos livros (vejam a ilustração na prancha). Ele cria também a primeira visão panorâmica do Sítio do Picapau Amarelo, cuja casa é tão bem descrita em palavras pelo autor, no início de *Reinações de Narizinho*. Seu trabalho apresenta capas a quatro cores e ilustrações com desenhos a nanquim que apresentam alguma das situações vivenciadas pela turma do Sítio nesse universo caipira e pleno de situações engraçadas.

Como Jean Villin casou-se em Porto Ferreira e constituiu família lá, o seu acervo criado para as obras de Monteiro Lobato se encontra guardado e exposto no Museu Histórico e Pedagógico de Porto Ferreira, assim como outras pinturas e obras. Ele ilustrou onze livros de Monteiro Lobato como a primeira edição de *Reinações de Narizinho, Viagem ao céu* e *Caçadas de Pedrinho* (2ª edição). O próprio Jean Villin comentou certa vez que começou a ilustrar as obras de Lobato, quando ele e J. U. Campos estavam vivendo em Nova Iorque. A distância de Lobato do Brasil deve ter contribuído para endossar a visão tão brasileira, tão caipira no estilo dos quadros de Almeida Júnior para as histórias do Sítio. Tal gesto de Jean Villin revela realmente um carinho grande pelo país que o adotara e registra seu "olhar estrangeiro" que curiosamente elege a identidade caipira presente na obra de Lobato, bem no estilo dos viajantes das antigas expedições estrangeiras que vieram ao Brasil, séculos antes.

Augustus (1917-2008) foi o grande capista das obras infantis de Monteiro Lobato. Nascido em Santos, Augusto Mendes da Silva foi um grande retratista a óleo e a *crayon*. Realizou mais de mil quadros de personalidades brasileiras. Certa época veio morar em São Paulo e montou um escritório comercial de desenho no mesmo edifício que Monteiro Lobato. Ele conta em uma entrevista que Lobato andava desgostoso com a venda de seus livros e resolveu promover um concurso de ilustradores para mudar as capas das obras. Diz Augustus: "Ele gostou mais do meu, e me deu a coleção inteira. Tive dez dias para desenhar cada uma das capas. Fiz a capa e a contracapa que se completavam quando o livro ficava aberto."

Nessa época, a editora Brasiliense, junto com Lobato, resolve fazer uma nova ação de marketing de vendas – publicaram o livro *Os doze trabalhos de Hércules* em doze volumes. A cada trabalho, um volume, com capa de Augustus. As capas de Augustus pinçam alguma cena crucial da obra e a registra – um bom exemplo está no encontro de Narizinho com o príncipe Escamado no livro *Reinações de Narizinho*. Suas capas contribuem com um tom dramático e aventureiro à obra de Lobato, talvez por influência da atuação de Mendes e Silva como cantor de ópera. Ele foi barítono e cantou em várias apresentações de ópera.

As capas de Augustus apresentam o uso do contraste entre o nanquim preto e as cores vibrantes comuns aos *crayons* e imagens em movimento. Elas marcaram a memória de várias gerações de leitores das obras infantis de Lobato. É preciso dizer que as edições dos exemplares soltos continuaram no mercado, quando as obras completas saíram. Afinal, as obras completas sempre exigiram um investimento maior por parte do leitor.

Jurandir Ubirajara Campos (1903-1972) foi desenhista, ilustrador e pintor paulista. Em 1928 embarca para Nova Iorque e trabalha como desenhista e propagandista do *New York Times*. Ele se casou com a filha de Lobato chamada Martha e eles tiveram uma única filha chamada Joyce. As primeiras obras de Lobato que ele ilustrou foram *História do mundo para crianças* e *Geografia da Dona Benta* (1935). São trabalhos mais didáticos e portanto exigiram um traço mais realista para as obras. Basta observarmos suas ilustrações da turma do Sítio visitando o Empire State Building, ilustração realizada a quatro mãos com Belmonte. Vai ser na década de 1940 que ele será chamado a ilustrar as obras mais criativas de Monteiro Lobato, momento em que se percebe a influência americana na composição enxuta das personagens do Sítio.

Em 1944 foi chamado a ilustrar *Dom Quixote das crianças*, edição para a qual confeccionou uma bela capa de fundo azul e com o cavaleiro da triste figura. Na primeira página da obra, o leitor se depara com a famosa ilustração de Gustave Doré em que Dom Quixote está sentado entre os livros de sua biblioteca – verdadeira homenagem conjunta de autor e ilustrador brasileiros ao fantástico ilustrador francês e aos dois volumes da obra, na edição portuguesa realizada pelo Visconde de Castilho e Azevedo e publicada no Brasil em 1898. A edição seguinte das obras completas suprime essa homenagem provavelmente por receio de um possível processo para a editora, porque os direitos de imagem começam a entrar em voga. Muito provavelmente.

Vivendo no Brasil, Campos se dedica à pintura, sob conselho do sogro, fazendo aulas com Pedro Alexandrino. Há quadros seus de natureza-morta e paisagens até hoje no mercado de arte. Muitas das reproduções de pranchas a óleo acompanham todos os volumes da coleção completa de Lobato. Desse fato, resultam novas capas para as obras infantis de Lobato, com a marca do traço comum à escola americana de ilustração, distinguindo sua obra completamente das demais do mercado naquela época. Fato semelhante ocorre com o futuro ilustrador das obras infantis de Lobato.

O ilustrador seguinte da obra de Lobato foi André Leblanc (1921-1998). Ele nasceu no Haiti e emigrou para os Estados Unidos, onde foi educado. Nos anos 1940 foi assistente do célebre quadrinista Will Eisner, em *The Spirit*, e de Sy Barry, em *O Fantasma*. Foi aclamado por seu trabalho com Flash Gordon e por inúmeras tiras de jornal. Era desenhista, pintor e ilustrador. Deixou uma vasta obra no Brasil, abrangendo inclusive ilustrações dos clássicos de nossa literatura em quadrinhos. André LeBlanc teve o privilégio e a oportunidade única de ser o ilustrador contratado pela Brasiliense para ilustrar as obras completas de Monteiro Lobato.

Vale lembrar que LeBlanc foi casado com a diplomata brasileira Elvira Telles e ao voltar para o Brasil nos anos 1940, foi um dos primeiros professores do Museu de Arte Moderna do Rio de Janeiro. Curiosamente, durante toda sua estadia nos Estados Unidos ele nunca teve oportunidade de assinar seus trabalhos por trabalhar sempre com criadores de quadrinhos renomados. Portanto, foi só no Brasil que seu trabalho apresentou sua assinatura, e onde ele teve seu trabalho reconhecido pelo governo brasileiro ao ser condecorado com a medalha do Cruzeiro do Sul.

Por último temos o trabalho de ilustração de Manoel Victor Filho (1927-1995). Victor Filho já sabia precocemente o que seria na vida: ilustrador. Por isso, aos quinze anos de idade ele se matriculou na *Art Students League of New York*, a mesma que foi frequentada por Anita Malfatti. Entre os vários professores de renome que ali lecionaram, escolheu a classe de Frank Rilley, um dos afamados mestres da ilustração americana. Ele foi o primeiro ilustrador brasileiro a usar óleo nos trabalhos de ilustração. A coleção das obras infantis de Monteiro Lobato desse momento histórico, os anos 1970, apresentam as obras na forma de capas a quatro cores, que vão da capa, lombada e contracapa em um formato ousado – o tamanho A4, ou seja retoma o formato de 29 por 22 centímetros do primeiro álbum *A menina do nariz arrebitado* de 1921. Esse formato grande permitiu realmente que as crianças morassem dentro de seus livros, tão portentosos e ousados visualmente eles ficaram.

Em 1982, centenário de vida do escritor Monteiro Lobato, a editora Brasiliense apresentou ao público três diferentes edições para as obras infantis do autor. A primeira com a obra completa de capa marrom e tipografia em ouro, uma em fascículos em capa dura (um artigo luxuoso para a época) com ilustrações a quatro cores na capa e moldura azul e por fim uma edição em capa mole e grampeada a custo mais baixo. Nessa coleção encontramos no primeiro fascículo uma variada fortuna crítica sobre o autor e o artigo citado acima com os ilustradores da personagem Emília e uma terceira obra de *Reinações de Narizinho* com uma verdadeira galeria dos trabalhos de Victor Manuel Filho a quatro cores.

Victor Manuel Filho recebeu o prêmio Jabuti de melhor ilustrador no ano de 1971. De lá para cá, cada título de obra infantil de Lobato passou a apresentar a capa a quatro cores, algumas páginas inteiras ilustradas a quatro cores mescladas a outras menores e vinhetas a duas cores. Foi muito oportuna essa edição dos anos 1970 porque a televisão brasileira também se tornou colorida e as crianças começaram a exigir que os livros acompanhassem esse novo mundo tecnicolor e que veio naturalmente a dialogar com a série produzida para a televisão pelo escritor Marcos Rey para a Rede Globo de televisão.

Manuel Victor Filho foi também publicitário de relativa importância, nos anos 1960 e 1970. Trabalhou em agências como diretor de arte. E por fim, fundou a Escola Panamericana de Arte, que se mantém até hoje enquanto escola de formação de novos desenhistas e ilustradores, na cidade de São Paulo.

Portanto, depois dessa verdadeira saga dos ilustradores da obra infantil de Monteiro Lobato, das quais selecionamos os nomes mais significativos de criadores, profissionais estes que inclusive vivenciaram todo o desenvolvimento de formas de impressão da imagem nos livros brasileiros nas primeiras seis décadas do século XX. E ainda acompanharam, uns mais, outros menos, o surgimento meio desorganizado, em alguns momentos caótico mesmo, de um gênio criador até que o Sítio do Picapau Amarelo se consolidasse enquanto obra imaginativa tanto para o autor quanto para seu público. Esse público infantil que acompanhou, uns mais, outros menos, esse processo do escritor, chegando mesmo a sugerir histórias, mudanças e que tais por meio de cartas enviadas com constância ao autor, como bem registra o trabalho acadêmico da pesquisadora Patrícia Rafainni. Por fim merece registro que a editora Brasiliense de Caio Prado Júnior e Danda Prado levaram avante o legado da obra infantil de Monteiro Lobato até o ano de 1998. Depois disso a obra completa – infantil e adulta – passou para as mãos da Editora Globo, mas essa é uma história que fica para uma outra vez.

"A MENINA DO NARIZINHO ARREBITADO"

"Emília nascera simples boneca de pano, morta, boba, muda como todas as bonecas. Mas misteriosamente se foi transformando em gentinha. Como explicar esse mistério..."
(Dona Benta)

Emília, A Boneca de Lobato

Acervo Monteiro Lobato - BML - PMSP - 2008

ARITMÉTICA DA EMILIA

Manoel Victor Filho - 1974

Augustus - 1962

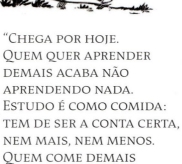
Paulo Ernesto Nesti - 1971

"Chega por hoje. Quem quer aprender demais acaba não aprendendo nada. Estudo é como comida: tem de ser a conta certa, nem mais, nem menos. Quem come demais tem indigestão."
(Dona Benta)

Sua alma, sua palma. Quem ficar zangado com o que eu digo só prova que não tem "senso de humor."

Belmonte - 1935

André Le Blanc - 1950

Acervo Monteiro Lobato - BML - PMSP - 2008

CAÇADAS DE PEDRINHO

"Que danada essa Emília!
Não tem medo de coisa nenhuma..."
(Narizinho)

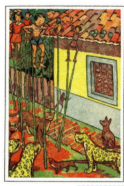

Ora, graças! Vamos ter enfim
uma aventura importante.
A vida aqui no sítio anda
tão vazia que até me sinto
embolorada por dentro.
Irei, sim, e juro que quem vai
matar a onça sou eu...

"Realmente! Para mim a
Emília é alguma fadinha
que anda pelo mundo
disfarçada em boneca
de pano.
Passear a cavalo com um
rinoceronte!"
(Dona Benta)

Acervo Monteiro Lobato - BML - PMSP - 2008

A CHAVE DO TAMANHO

Manoel Victor Filho - 1975

J. U. Campos - 1945

Sim eu mexi na chave do tamanho e todas as criaturas vivas ficaram pequenas.

Manoel Victor Filho - 1975

Augustus - 1949

J. U. Campos - 1942

Não tenham medo! Também sou gente. Sou a Emília, lá do sítio de Dona Benta, que fiquei pequenininha e ando em explorações pelo mundo.

J. U. Campos - 1945

André Le Blanc - 1947

Manoel Victor Filho - 1975

Acervo Monteiro Lobato - BML - PMSP - 2008

Os Doze Trabalhos de Hércules

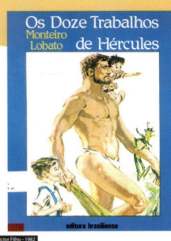

Somos do sítio de Dona Benta, Senhor Hércules. Este aqui é o Pedrinho, o neto número um e primo de Narizinho. Fugimos lá do sítio, montados no pó de pirlimpimpim, unicamente para acompanhar os onze trabalhos de Hércules que nos faltam. Já temos um na coleção.

Emília no País da Gramática

Nome é nome; não precisa ter relação com o "nomado": Eu sou Emília.

Se tudo na vida muda, porque as palavras não haveriam de mudar? Até eu mudo. Quantas vezes não mudei esta carinha que a senhora está vendo.

Meu caro senhor eu sou a redatora do Grito do Picapau Amarelo.

GEOGRAFIA DE DONA BENTA

Aves marinhas!
Vem vindo em nossa direção
uma gaivota! Também estou
vendo pedaços de pau e ramos
de árvores flutuando
— sinal de terra próxima.
Mas que terra será, meu Deus?

ACERVO MONTEIRO LOBATO - BML - PMSP - 2008

HISTÓRIAS DIVERSAS

A língua universal, com que a humanidade sonha, não é em nenhuma universidade que está se formando e sim no maravilhoso sítio de Dona Benta.

Peguei! Não há no mundo emoção maior do que a de pegar um saci...

"Não tenha medo, isso de não cumprir a palavra é coisas dos homens. Saci sempre cumpre o que promete".

MEMORIAS da EMILIA

DIZEM QUE NÃO TENHO CORAÇÃO.
É FALSO. TENHO, SIM,
UM LINDO CORAÇÃO...
MAS ELE DÓI QUANDO
VÊ UMA INJUSTIÇA.
QUANDO VEJO CERTAS MÃES
BATEREM NOS SEUS FILHINHOS,
MEU CORAÇÃO DÓI...
ACHO QUE O ÚNICO LUGAR DO
MUNDO ONDE HÁ PAZ E FELICIDADE
É O SÍTIO DE DONA BENTA.
TUDO AQUI CORRE COMO UM SONHO.
A CRIANÇADA SÓ CUIDA DE DUAS
COISAS: BRINCAR E APRENDER.

ACERVO MONTEIRO LOBATO - BML - PMSP - 2008

O MINOTAURO

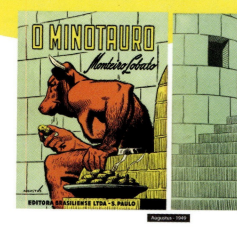

Ele é o sábio, e os sábios só gostam de carregar coisas na cabeça.

"Porque para o homem o clima certo é um só: o da liberdade. Só nesse clima o homem se sente feliz e prospera harmoniosamente".
(Dona Benta)

O PICAPAU Amarelo

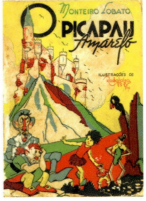

Hum! Agora compreendo esse jogo de cupido. Só há amor perfeito quando se espeta um par.

Eu sei o que quer dizer "abstrato": é tudo quanto a gente não vê, nem cheira, nem ouve, nem prova, nem pega — mas sente que há.

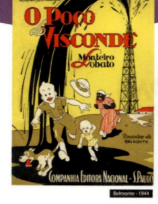

MAS EU SOU BONECA. NÃO PERTENÇO À RAÇA HUMANA.

ASNEIRA! ASNEIRA! ACHAM ASNEIRA TUDO QUANTO EU FALO, MAS NOS MOMENTOS DE APERTO QUEM SALVA A SITUAÇÃO É SEMPRE A ASNEIRENTA. SÓ UMA COISA EU DIGO: SE EU FOSSE REFAZER O MUNDO ELE FICAVA MUITO MAIS DIREITO E INTERESSANTE DO QUE É.

A REFORMA DA NATUREZA

Não se afobe doutor o nosso segredo é "Faz-de-Conta".

Oh, não! – Sou inimiga do tamanho.
Acho que as coisas quanto mais se aperfeiçoam menores ficam.

Minha reforma das borboletas não é na beleza delas e sim no gênio delas. Quero que se tornem "pegáveis".

Reinações de Narizinho

Manoel Victor Filho - 1982

J. G. Villin - 1933

Paulo Ernesto Nesti - 1971

J. G. Villin - 1933

Falo, sim, e hei de falar. Eu não falava porque era muda, mas o doutor Cara de Coruja me deu uma bolinha de barriga de sapo e eu engoli e fiquei falando e hei de falar a vida inteira, sabe?

J. G. Villin - 1933

J. G. Villin - 1933

J. U. Campos - 1943

J. G. Villin - 1933

Emília, A Boneca de Lobato

Acervo Monteiro Lobato - BML - PMSP - 2008

SERÕES DE DONA BENTA

Augustus - 1949

André Le Blanc - 1949

André Le Blanc - 1949

André Le Blanc - 1949

Manoel Victor Filho - 1982

Manoel Victor Filho - 1982

"A RIQUEZA QUE QUERO PARA MEUS NETOS, COMPADRE, É UMA QUE ELES POSSAM GUARDAR ONDE NINGUÉM A FURTE: NA CABEÇA. A RIQUEZA MATERIAL É AREIA DO DESERTO: ORA SE ACUMULA AQUI, OU ALI. MAS QUEM TEM A RIQUEZA NO MIOLO, AH, ESSE ESTÁ GARANTIDO CONTRA OS AZARES DA VIDA".
(DONA BENTA)

DIGO O QUE ME VEM À CABEÇA. VOU DIZENDO O QUE QUERO, SEM DAR SATISFAÇÃO A NINGUÉM, PORQUE NÃO SOU "BONECA ENSINADA..."

Emília A Boneca de Lobato

ACERVO MONTEIRO LOBATO - BML - PMSP - 2008

VIAGEM AO CÉU

O anjinho olhou para ela sem nada compreender. Nunca tinha visto boneca, e não podia fazer a menor idéia de quem Emília fosse.

Eu sou a antiga Marquesa de Rabicó ... e agora vou ser a sua mãezinha querida. Esta meninota aqui ao lado é a neta de Dona Benta, Narizinho. E aquele senhor de quatro pés é o único burro falante que existe lá na Terra.

Monteiro Lobato revisitado[1]
GILBERTO FREYRE

A cem anos de distância do dia em que nasceu Monteiro Lobato, qual a avaliação predominante, entre brasileiros, de sua por vezes vulcânica presença na cultura e na vida nacionais?

Mais homem de letras que de ação ou o contrário? Mais crítico social – a maneira de um Mencken paulista – que escritor literário? Mais individualista que solidarista nas suas abordagens dos assuntos que mais o preocuparam? Ou à revelia de especializações de atitude ou de critério, terá sido, em síntese, um generalista como que tentacular nas suas curiosidades e anárquico nas suas inquietações e, para alguns, contradições, embora de ânimo sempre construtivo?

Que foi um grande inquieto, parece ponto tranquilo. Que lhe faltou sistemática, quer ao pensar, quer ao agir, parece outra caracterização tranquila de sua personalidade ao mesmo tempo que inquieta, inquietante. Até chegou a ser policiado.

Pois inquietante ele foi em torno de diferentes realidades nacionais da maneira por que se apresentaram no Brasil de sua época: saúde pública, literatura infantil, petróleo, educação, ferro, os Estados Unidos de um ponto de vista brasileiro, relação entre autor e público: comunicação, portanto. E essa inquietação, menos a de um simples agitador que a de um vigoroso intelectual animado pela flama de uma muito sua criatividade: uma criatividade capaz de projetar-se em modelos concretos. Exemplo: um novo tipo, não só no Brasil como em qualquer parte do Ocidente, de literatura infantil. Uma das mais criativas das expressões do seu ânimo inovador.

E já do seu próprio modo de comunicar-se podia dizer-se o mesmo: ter sido criativo e original. Um modelo concreto no gênero. Uma nova maneira de um escritor literário em língua portuguesa – notada por Mestre Fernando de Azevedo na sua monumental introdução a uma síntese da cultura brasileira – afastar-se de convenções acadêmicas de estilo ou de frase, sem resvalar em modernismos também convencionais. Aqueles em que resvalaram os dois Andrades sem se aperceberem de por vezes se tornarem quase acacianos nos seus antiacacianismos.

Daí o inconfundível modo de Monteiro Lobato ser moderno, sem de maneira alguma ter se tornado modernista como que de opereta, no seu escrever. Nem no seu escrever nem no seu procedimento.

Em *Urupês* surge um escritor brasileiro de um novo tipo, quer pelas atitudes de crítico social, quer pela expressão, pela frase, pela forma, pela retórica: sua argumentação e sua persuasão através de palavras que sugerem gestos. Um ora artista ora técnico da comunicação.

E, é claro, como quase toda personalidade de tipo principalmente criativo – recorde-se a classificação do sociólogo Thomas – um grande contraditório. O Lobato inovador, revolucionário, criativo no escrever, foi, em artes plásticas, um acadêmico, um "pompier", um caturra, até, célebre por seu violento repúdio, não só ao

---

[1] Publicado na revista *Ciência & Trópico*, Recife, v. 9, n. 2, p.155-167, julho-dezembro de 1981.

modernismo ousado de Anita Malfatti como ao inacademicismo rústico das esculturas do Aleijadinho: um Aleijadinho que, para ele, não teria sido mais que um desprezível santeiro. E a propósito cabe acolher-se a informação de ter esse convencional e anti-inovador em crítica de pintura, antes de se afirmar escritor vigorosamente criativo, tentado a pintura e, nessa aventura, fracassado. Fracasso, entretanto, relativo. Pois não haverá no seu modo brasileiramente novo de escrever, antes um visual ou plástico do que um escritor eloquente, sonoro, musical?

Lembro-me de ter sido iniciado na leitura de *Urupês* por um sábio geólogo estadunidense que à sua ciência juntava saudável humanismo. Como humanista, voltado para a literatura em língua portuguesa, pela qual, nos seus contatos de cientista com o Brasil, tornou-se tão entusiasta quanto do café e da culinária. Tornou-se particularmente, esse grande geólogo, um leitor atento não só de clássicos como de novos, na língua do país cuja geologia estudou quase palmo a palmo. Entre os, para ele, novos, deixou-se sensibilizar pelo autor cearense de *Terra de Sol*, Gustavo Barroso. E, ainda mais, pelo de *Urupês*, o paulista Monteiro Lobato. Refiro-me a John Casper Branner, que chegou a Presidente da Universidade de Stanford. Reitor de uma universidade da Califórnia que, de repente, tornou-se rival de Harvard e Colúmbia: excedendo-as em arrojos de iniciativa. Entre estes, a pesquisa sobre gênios, de Terman, e o ensino da Sociologia da Economia, por algum tempo confiado a Veben.

Foi quando me descobriu, eu estudante na menos esplendorosa, porém honesta e bem do Sul, ao mesmo tempo que do Oeste, Universidade de Baylor: ele Reitor Emérito de Stanford. Não cheguei a conhecê-lo pessoalmente. Mas durante mais de ano, houve uma correspondência entre nós: eu, ainda na adolescência, estudante em Baylor; ele provectíssimo, reverenciado como cientista e acatado como humanista, a tratar-me como se para ele eu fosse já alguém.

Um dia escreveu-me que estava com um texto em português, pronto, de uma sua *Geologia do Brasil*. Perguntava-me se podia rever esse texto. Disse-lhe que sim e entreguei-me, envaidecido, à tarefa. Minha revisão, porém, chegou tarde à Imprensa da Universidade.

Pela mesma época, tendo aparecido *Urupês*, Branner enviou-me, sem demora, o próprio exemplar especial, que recebera do Brasil. Devorei imediatamente o livro sensacional. Quase um novo *Os Sertões*. Era realmente a afirmação de um escritor como não parecia haver outro, tão inovador, na língua portuguesa e de crítica social de uma violência que me lembrou a do estadunidense Henry L. Mencken. Diferente. Pessoal. Insólito. Renovador. Inovador. E, muito à sua maneira, caricatural.

O cacogênico – cacogênico: neologismo lançado há anos, na língua portuguesa, por escritor brasileiro e do qual ainda não tomou conhecimento o excelente Mestre Aurélio – Jeca Tatu, de cócoras, amarelecido por mais de uma doença, sem ânimo nem para sentar em tronco de árvore, Lobato o opõe ao eugênico sertanejo, "antes de tudo um forte", de Euclydes: um e outro, o idealizado e o caricaturado, figuras simbólicas não de um típico brasileiro geral mas, para seus autores, de extremos de brasileiro, um positivo, outro negativo. O positivo limitado por Euclydes à área sertaneja tornada célebre pelo embate entre os soldados do Exército brasileiro e os devotos rústicos de Antônio Conselheiro reunidos em Canudos.

O contato graças ao sábio Branner, de minha adolescência, com o novo revolucionário das letras brasileiras, de certo modo oposto a Euclydes, quer pelas atitudes nada bacharelescas, mas sob perspectivas novas, de crítico social, quer pelos novos modos de expressão literária na língua portuguesa, foi decerto um dos acontecimentos maiores da minha vida de estudante universitário no estrangeiro: estudante que já sugeri ter sido um tanto semelhante a russos do fim do século XIX preocupados com a materna Rússia.

Estava eu, ainda, em boa e honesta Universidade estadunidense de província, que me vinha proporcionando o conhecimento do que, nos Estados Unidos de então, era gente provinciana, com um conservadorismo tanto de aspectos positivos como negativos. E não me faltava, na Universidade de Baylor, um mestre, misto de estadunidense anglo-saxônico e cosmopolita, que à condição de, ele próprio, homem que, por suas origens de família, era do velho Sul, vencido na Guerra Civil pelo progressista Norte, juntava a essa sua autenticidade, a de um ainda jovem professor de Literatura inglesa e de Literatura Comparada. E como tal, em constantes contatos diretos com a Europa, dado o seu já destaque internacional como notável intérprete da filosofia e da poesia do inglês, ainda naqueles dias, quase como nos dias de Eça de Queiroz, para muitos ingleses um poeta quase Deus, Robert Browning; e dentro dos Estados Unidos, esse Armstrong dinamicamente simpatizante da chamada "New Poetry" em língua inglesa, que então irrompia, triunfalmente, mais dos mesmos Estados Unidos do que da Inglaterra. Junto a essa "New Poetry" irrompera também, dos Estados Unidos, além de um novo romance social – o de Dreiser e Sinclair Lewis, um novo teatro – o de O'Neill. E através do ensaio, uma nova filosofia e uma nova crítica, tanto literária como social, com o seu misto de arte e de potência social, encarnada, de modo saliente – vulcânico até – pelo depois meu amigo Henry L. Mencken. Aquele que, conhecedor do texto da minha tese de mestre na Universidade de Colúmbia, me advertiria para não resvalar em ph. Deísmo, expandindo a tese, para ele, de tanto interesse, em livro: em livro inacadêmico. Circunstâncias essas a me cercarem no estrangeiro nos dias em que John Casper Branner me pôs em contato com *Urupês*. E que me faziam perguntar: o que pode vir a ocorrer de semelhante no Brasil? O que recordo para sugerir desse meu primeiro contato com um surpreendente Lobato que coincidiu com um nada insignificante impacto, sobre minha adolescência, de uma revelação literária e de crítica social em língua inglesa cujas fontes eram para mim realidades vivas e imediatas que eu podia quase apalpar. E que tinha no citado Mencken uma de suas figuras mais expressivas. Não se aparentaria com ele Monteiro Lobato?

Esta coincidência permitiu-me colocar *Urupês* num contexto intelectual e socialmente revolucionário no mundo de língua inglesa que me pareceu antecipar um provável futuro começo de renovação de perspectivas culturais no Brasil. *Urupês* seria, talvez, para mim, naqueles dias, o início dessa provável renovação. Pelo que suponho ter encontrado, ainda adolescente, em Monteiro Lobato, um brasileiro, um paulista, um jovem escritor, com alguma coisa de Henry L. Mencken no seu modo de afirmar-se pioneiramente renovador mais que literário: um escritor literário desdobrado em crítico social.

E pungentemente necessário a um Brasil, para meus olhos de então, mediocremente literário, embora não lhe faltassem um Machado e um Nabuco olimpicamente acadêmicos e um Euclydes inacadêmico mas, ele próprio, prejudicado na sua criatividade de um novo tipo pelo excesso de uma muito sua retórica.

Na Universidade de Columbia, onde seguiria cursos de pós-graduação com mestres dos maiores da época, ficaria vizinho de Oliveira Lima, voluntariamente exilado em Washington. Note-se que o autor de *Dom João VI no Brasil* não só concordava comigo quanto a vários dos problemas brasileiros que me inquietavam como, em particular, quanto a importância de Monteiro Lobato como uma presença saudavelmente nova nas letras brasileiras. Foi quando Oliveira Lima informou-me que a *Revista do Brasil*, dirigida, em São Paulo, pelo autor de *Urupês*, estava transcrevendo artigos meus, dos da minha colaboração de ainda estudante para o *Diário de Pernambuco*. Senti, alvoroçado, que havia uma reciprocidade. Ao mesmo tempo em que, graças a John Casper Branner, eu tomara um aliciante contato com Monteiro Lobato, Monteiro Lobato me descobrira no provinciano *Diário de Pernambuco* e me considerara merecedor de ser irradiado pela então triunfal *Revista do Brasil*.

A essa constatação de uma reciprocidade de simpatias, sucedeu que, ainda eu estudante na Universidade de Baylor, recebera de Oliveira Lima um exemplar do seu recém-aparecido *Na Argentina*, que eu comentara em artigo. E já na Universidade de Colúmbia, recebera de Oliveira Lima exemplar de outra sua ainda mais nova produção: uma pedagógica *História da Civilização*. Livro de dimensão e importância maiores que *Na Argentina*, um comentário a seu respeito pareceu-nos a Oliveira Lima e a mim – caber antes a revista que a jornal. Oliveira Lima – aliás, sem conhecer o comentário, onde eu o acusava de subestimar o fator econômico na análise das civilizações – lembrou a *Revista do Brasil*. A remessa da colaboração seria – e foi – por intermédio do próprio Oliveira Lima. Monteiro Lobato, ao recebê-la, escreveu a Oliveira Lima carta entusiástica sobre o autor, perguntando-lhe quem era, afinal, esse desconhecido cujos artigos no *Diário de Pernambuco* ele vinha seguindo e fazendo transcrever na revista que dirigia. E de quem Oliveira Lima conseguira que se tornasse colaborador da *Revista do Brasil*.

A essa colaboração se seguiram outras. Uma, sobre o livro do crítico literário de Boston Isaac Goldberg sobre *Brazilian Literature*. Outra intitulada "Notas a lápis sobre um pintor independente", escrita não mais dos Estados Unidos mas da Europa: artigos que espero encabeçarem o meu *Palavras Repatriadas* – livro que está sendo coordenado pelo *scholar* admirável Edson Nery da Fonseca. O pintor independente, Vicente do Rego Monteiro, cujo modernismo em pintura coincidia muito mais com o meu – em Artes, Letras, Ciências do Homem – que com o Modernismo paulista dos Andrades e do carioca Graça Aranha, a surgirem então, ruidosamente, no Rio e em São Paulo. Daí Vicente vir a recusar ostensivamente sua adesão à célebre Semana de Arte Moderna de São Paulo, que conseguiu anexar publicamente às suas hostes um Villa-Lobos mais afim de Vicente e dos regionalistas do Recife do que da aliás expressiva Semana. Recorde-se sempre que o nosso Modernismo brasileiro – meu e de Vicente e com o tempo o de Villa-Lobos – foi o da opção, no caso, muito significativa, de Blaise Cendrars, que decerto teria encontrado o que admirar na crítica social de Monteiro Lobato, como encontrou na historiografia de Paulo Prado: uma e outra senão repudiadas, consideradas arcaicas, por modernistas do Rio e de São Paulo.

A Monteiro Lobato, por sua vez, talvez tenha faltado abrangência de perspectiva cultural para assimilar dos Modernistas da célebre Semana o que foi a pintura modernista de uma Tarsila do Amaral, de raízes tão brasileiras quanto a música de

Villa-Lobos em suas abordagens inovadoramente modernas, de temas tradicionais e regionais: afinidade com o Movimento do Recife.

Creio poder afirmar-se, de Cendrars como de Lobato, que foram particularmente simpáticos ao Movimento Regionalista, Tradicionalista e, a seu modo, Modernista, que começou a partir do Recife na década de 20 e do qual um e outro viriam a assinalar ter iniciado uma nova maneira de fazer-se História Social, com a gente anônima e até o escravo considerados personagens essenciais, ao lado de senhores e elites.

Quando, algum tempo depois, no Recife, jovem recifense – Diogo de Mello Menezes – concluiu – isto já no começo da década de 40 – um livro de comentário ao então mais nacionalmente conhecido líder desse Movimento partido do Recife, foi de Monteiro Lobato que lembrou-se para dele solicitar prefácio para esse livro: iniciativa editorial da então lúcida direção da Casa do Estudante do Brasil, do Rio de Janeiro, assessorada por Ana Amélia Carneiro de Mendonça.

Seria um prefácio, o escrito por Lobato, de extrema simpatia para com o por ele já conhecido colaborador de sua revista, e tornado autor do livro *Casa-Grande & Senzala,* em quem destacara, em termos enfáticos, já um, para ele, escritor jovem, com uma visão excepcionalmente nova de situações e de passados brasileiros.

Note-se que no testemunho mais que generoso que é esse prefácio, Monteiro Lobato recorda a carta que escrevera a Oliveira Lima, agradecendo ter-lhe apresentado o autor estudado por Diogo de Mello Menezes, quando, segundo ele, Lobato, ainda "menino" a terminar estudos na Universidade de Colúmbia. Assinala não ter errado, então, ao surpreender nesse, para ele, ainda menino de vinte anos, a capacidade de vir a tratar, além do passado social, do *ethos* do brasileiro, como estes não haviam sido ainda abordados, revelados e esclarecidos. O autor estudado por Diogo de Mello Menezes estava já, segundo Lobato, contando o que somos e porque somos assim e não de outro modo. Contando como escritor o que descobrira como analista.

Descontados excessos de generosidade, era um Lobato renovador de abordagens do comportamento brasileiro, através de crônicas e de contos, a desejar de um autor ainda jovem, dada sua presença de pouco mais que principiante nas letras do País, que se aprofundasse, com sua ciência e com sua percepção, em continuar a fazer o Brasil ver-se a si próprio na sua totalidade, desimpedido, de, sempre segundo Lobato, "tendenciosas deformações da realidade". Exatamente o que vinha sendo o empenho do próprio Lobato, não seria encontrar resistências a esse seu bravo esforço intelectualmente honesto.

No prefácio de Monteiro Lobato ao livro de Diogo de Mello Menezes intitulado *Gilberto Freyre* (Rio de Janeiro, Casa do Estudante do Brasil, 1944), há todo um testemunho interessantíssimo do autor de *Urupês* sobre o que vinham sendo, para o brasileiro médio, as Ciências Sociais, e, em particular, a Sociologia. Era um brasileiro, segundo ele, esse médio, cheio de dúvidas – "sérias dúvidas", nas suas exatas palavras – com relação a quanto fosse ciência: a "isso de ciência". Para esse brasileiro médio o usual, em matéria de Sociologia era acolher o que surgisse sob esse aspecto com "reservas" e com "a tangente de que isso de sociologia era coisa de Augusto Comte". Pois, acentuava Lobato do Brasil de então, que nele "ser culto era saber conversar literatura nas rodinhas. 'Oh, o Eça...' Como o cultivo das ciências exigia concentração, pulávamos por cima".

Monteiro Lobato refere-se ao papel a ser desempenhado no Brasil, pelos que chama, "os grandes Esclarecedores". Os capazes de revelarem e esclarecerem realidades. Destaca um desses: o que dera ao Brasil, "o súbito relâmpago de *Os Sertões*. Novidade, lembra Lobato, "das grandes". "Arrojo de síntese." Estilo – o de Euclydes para Lobato – "nervoso, aqui e ali cortado de curtos-circuitos chispantes". E depois de Euclydes, Oliveira Viana. Outra novidade. Outra visão sociológica do Brasil. Um citando Gumplowicz. O outro, Lapouge e Le Play. Até surgir, em *Casa-Grande & Senzala*, um livro que, segundo Lobato, despertou a princípio não poucos "olhares desconfiados". Desconfiados, esses olhares, de quê? Do que nele em vez de arrevesado, era "caseiro". Pois, pergunta Lobato, "era lá possível que na tal sociologia coubessem vatapás baianos e mais coisas gostosas? E que fosse ciência verdadeira tanto negrinho insinuado nas casas-grandes, e tanta mucama a fazer cafunés nos príncipes herdeiros dos latifúndios?".

Pelo que, segundo Lobato, "nos primeiros momentos, o Brasil ficou na dúvida ou 'interdito', como dizem os franceses, sem saber ao certo que gênero de literatura ou ciência era a tal *Casa-Grande & Senzala*. Os críticos juravam ser ciência, mas o tom era muito alegre, sadio e pitoresco para ser ciência", É que "um livro de ciência tinha de adormentar o leitor, já nos primeiros capítulos". Enquanto o novo livro dado como ciência social aplicada ao esclarecimento dos *ethos* do brasileiro e da sua formação, era – observação de Lobato – "uma ciência viva" e "riquíssima de tons humanos". Mais: "... era uma casa inteira, com sala de visitas, sala de jantar, quartos de dormir, banheiro, copa, cozinha e quintal". E ele próprio perguntava: "Pois ciência então não era apenas sala de visitas?". E acrescenta o prefaciador do livro de Diogo de Mello Menezes do escritor desconcertante de quem esse livro foi o primeiro perfil a ser impresso, ter esse escritor, e não apenas cientista social, ensinado ao país "a *Gaia Ciência* de Nietzsche. Ciência misturada com arte – com todas as artes, inclusive a culinária, tão vital nos destinos humanos, e a erótica, a mais cultivada de todas". Ciência, segundo Lobato, aprendida por um brasileiro com os maiores mestres. Um deles, Boas.

E o próprio Lobato lembra nesse prefácio tão magnificamente seu o que ele escrevera ao futuro autor desse livro, – recebido, na verdade, com sussurros, dúvidas, malícias – isto é, quando esse futuro autor de livro tão falado, ainda não se definira de modo tão amplo, tão provocador, tão excitante, – palavras como que proféticas: teria, contra ele "a legião inteira dos medíocres". Era Lobato nesse desabafo, a pensar um tanto no violento choque cultural – como hoje se diria, em linguagem sociológica – o que fora o embate da sua própria literatura inovadora ou da sua própria crítica social veemente, com as letras e as atitudes intelectuais mais fechadamente acadêmicas, convencionais, infecundas, do Brasil, no meio das quais surgiu o escandaloso *Urupês*.

Registre-se a esta altura o paradoxo de ter sido um acadêmico egrégio, um clássico quase religiosamente cioso de sua condição de clássico, um purista intransigente na defesa da língua ainda só lusitanamente portuguesa – Ruy Barbosa – a grande voz que alertou o Brasil para a revelação de amargas e desconcertantes realidades brasileiras: *Urupês*.

E a esse registro, junte-se a observação de, em 1944, – ao prefaciar Lobato livro de jovem impressionado por autor de outra revelação desconcertante, surpreendente, até inovadora no Brasil – ter sido esse Lobato um equivalente do que fora para com o vulcânico *Urupês* o prestigiosíssimo Ruy Barbosa. Ele, Lobato, junto com João Ribeiro, com Roquette-Pinto e com Yan de Almeida Prado.

Ao apontar para *Urupês* como livro vigorosamente revelador de um Brasil quase desconhecido, na sua realidade social mais crua, Ruy Barbosa juntara-se, em 1919, aos muitos brasileiros desconhecedores desse Brasil ignorado. E confessava-se esclarecido por Monteiro Lobato sobre uma angustiosa realidade nacional que ele, Ruy, envelhecera, no alto do seu apolíneo gabinete de político, de parlamentar, de tribuno, de constitucionalista, de jurisperito, de purista, de sabedor da língua e dos clássicos, desconhecendo-a, tanto quanto, meio século antes dele, Positivistas do Rio de Janeiro e de São Paulo haviam amadurecido nos seus saberes matemáticos, lógicos, abstratamente sociológicos, de discípulos brasileiros de Comte, ignorando haver na Bahia sertanejos do tipo dos de Canudos. Dos revelados pelo grande autor de *Os Sertões*.

O que nos leva a outra página do prefácio lúcido e pungente de Monteiro Lobato ao livro de um então jovem – Diogo de Mello Menezes – do Recife: a página em que Lobato clama por uma História total e profunda do Brasil como o Brasil realmente vinha sendo e não, segundo ele, "as de outros Lacerdas e as de outros Pombos", não as, para ele, de "datas ultrainsignificantes", não as, ainda segundo ele, sobre "guerras de Mascates e guerras de Emboabas", "com tudo reduzido" – dizia ele – "aos passes da Administração e da Política: aquela *congérie* de fatos" – palavras exatamente suas – "sem alcance social e sem travamento no universal". E sim a história da formação brasileira voltada para "a vida como a vida foi e para gentes como as gentes eram". O que – ele talvez acrescentasse hoje – teria que implicar em reconstituições, interpretações, sínteses, ligações de passados com presentes e com futuros, sem desonestas deformações ideológicas. As politicoides. As economicoides.

Ao livro do autor então – 1948 – ainda jovem, exaltado por Lobato, – *Casa-Grande & Senzala* – quando havia ainda tanto quem se insurgisse contra tal livro e contra o seu autor – não faltara, ao aparecer – recorde-se mais uma vez – o aplauso de mestres dentre os maiores do Brasil de então e de sempre: um João Ribeiro, um Roquette-Pinto, um Yan de Almeida Prado, um Manuel Bandeira, um Prudente de Moraes, neto, um Rodrigo Mello Franco de Andrade. Mas ao lado deles, – elite – também o apoio público espontâneo que, do Rio ao Amazonas, ao Rio Grande do Sul, a Minas Gerais, a Mato Grosso, como que sentiu-se haver ao livro insurgente. Um público que adotou esse livro se ele fosse resposta a um seu apelo ou a uma sua exigência. Mas sem que deixassem de continuar a se fazer ouvir, senão vozes, sussurros furiosamente hostis, Repetição, portanto, do que ocorrera com *Urupês*: a caricatura de Jeca-Tatu foi acusada de crime de antibrasileiro como, pela defesa do sertanejo de Canudos como um insurreto válido, o próprio Euclydes. Assunto agora reconsiderado, em notáveis páginas de análise e de reinterpretação, por um *scholar* inglês formado em Cambridge, Bacon, cujos originais venho lendo com o maior encanto.

A palavra de Monteiro Lobato, dez anos depois do aparecimento de outro, sob alguns aspectos, *Urupês* ou outro *Os Sertões* – um livro, para alguns, antibrasileiro, antirreligioso, antipatriótico, imoral, pornográfico, chulo – foi de mais decisivo apoio a esse talvez mais que livro que, não sendo convencional, não era, na sua maneira de ser inovador, de modo algum, marxista ou marcado por qualquer admiração ideológica pela União Soviética: marxismo e admiração em que é evidente ter resvalado, a certa altura, o, em ideias, por vezes contraditório, Lobato, da mesma maneira que, dizendo-se "ateu" ou materialista, resvalaria, noutra altura, em adesão a um para ele, "espiritismo científico". Isto é, adesão a uma 'ciência" que supôs capaz de levá-lo à crença no sobrenatural.

Como sugere, talvez com algum exagero, o devotado estudioso das letras e das ações, de Lobato, o também escritor e também paulista Cassiano Nunes, em recente discurso de posse na Academia Paulista de Letras – Nunes, concordando com o também paulista e contemporâneo de Lobato Nelson Palma Travassos – "tudo que o autor de *Urupês* fez na vida foi literatura, só literatura. Campanhas médicas, babaçu, ferro, petróleo, não passam de projeções, sonho literário de Lobato". Um sonho literário, entretanto, a que parece não ter faltado, por vezes, senão ciência, visão sociológica, por um lado, e intuição crítica – crítica social – por outro lado.

João Ribeiro, Roquette-Pinto, Yan de Almeida Prado, Bandeira, Prudente, Rodrigo Mello Franco de Andrade, cada um deles e todos em conjunto, já haviam dito do livro insurgente que foi, ao aparecer, *Casa-Grande & Senzala* que, em vez de antibrasileiro, era brasileiríssimo; em vez de imoral, ético; em vez de chulo, na linguagem, realizava em setor além de literário, científico, aproximação do português escrito com o falado teluricamente pelo Brasil.

Pelo que, o autor de *Urupês*, ao solidarizar-se com tais pronunciamentos, revelou-se, além de escritor por vezes, quase solitário, pela coragem de ser, quando necessário, só, escritor, quando também, a seu juízo, necessário, solidário. Solidário com escritores mais jovens, quando esses mais jovens, alvo dos hoje chamados patrulheirismos, fossem quais fossem as origens, as cores, as raízes desses patrulheirismos e fossem quais fossem suas táticas: desde as calúnias às deformações de ideias, às malícias, aos silêncios. Silêncios em jornais, em semanários, em televisões, em rádios. As tentativas de se matar um escritor, um pensador, um artista pelo silêncio em torno desse escritor: de suas ideias e de suas criações. Um silêncio que ainda hoje há quem deseje opor à irradiação de um Lobato evidentemente imortal enquanto existir a língua portuguesa.

Essa sua sobrevivência magnífica independente de seus, por vezes, cientificismos. No critério de análise científica de assuntos sociais brasileiros e de outros assuntos – pode-se admitir que tenha dado, por vezes, colorido extraliterário – e este, quase sempre fugaz – às suas expressões de escritor literário. Mas o que lhe deu o máximo de criatividade foi o seu vigor literário de percepção e de expressão. Aquele vigor literário que resiste, nele, ao próprio antiliteratismo do seu cientificismo: um cientificismo por vezes desvariado e que o levou a ateísmos vulgares, a sovietismos simplistas, a anticristianismos de quem, no íntimo, tendia inconfundivelmente a ser franciscano com relação tanto ao próximo como em relação à natureza: à defesa das árvores, por exemplo. Ao carinho pela criança. À proteção dos jecas-tatus tanto de doenças, como de abandonos da parte de coronéis e de governos. À própria opção pelo uso de uma língua portuguesa, como disse a seu respeito Tristão de Athayde do ponto de vista de uma crítica mais que literária: uma língua portuguesa abrasileirada e não acaipirada. Mas sem esmeros de correção acadêmica que a distanciasse de gente do povo. Pode-se dizer que, nesse particular, Lobato foi, em São Paulo, uma espécie de nordestino empenhado teluricamente e, pelo sofrimento do brasileiro pobre ou desvalido, em franciscanizar a língua portuguesa, abrasileirando-a em língua de brasileiro mais do Nordeste que dos Brasis ricos.

Outro crítico mais que literário da época de Lobato, Agrippino Grieco, surpreendeu nele "erros sociológicos" a lhe serem perdoados: o próprio tipo de Jeca Tatu teria sido um nada sociológico exagero caricaturesco. Mas, a seu lado, havia em *Urupês* – e há, com efeito – além de veracidade, "seiva de ternura regional". E cita o *Boca Torta* como "digno de um Maupassant". Um Maupassant voltado para flagrantes brasileiríssimos.

Será que não é sociológico um expressionismo que tenha de criar tipos sociologicamente ou weberianamente ideais? De qualquer maneira, Lobato não pretendeu, em *Urupês*, surgir como sociólogo. E sim como escritor. O que não impediu de haver coincidências entre esse escritor e sociólogos do tipo mais aberto que os tecnocráticos.

O que torna oportuno notar-se de Lobato, haver, um tanto contra ele próprio, considerado o Aleijadinho "santeiro vulgar". Contra ele próprio, porque há parentesco – no modo de serem expressionistas – entre os dois. Sérgio Milliet notou essa incoerência em Lobato: repudiar o Aleijadinho por academicamente incorreto e elogiar em artistas mediocremente acadêmicos "figuras bem desenhadas".

Incoerências em Lobato. Não é a única, decerto. O que é preciso é aceitar-se nele, como sugere o mesmo Milliet, um "sentimental apaixonado".

E será, como sugere ainda Milliet, ter sido o Jeca Tatu "quase uma vingança do fazendeiro malogrado" que teria havido em Lobato? O que levou Milliet a prever, há trinta anos, uma necessária revisão de juízos acerca do autor de *Urupês*, da qual, entretanto, ele emergiria, com todos os descontos, "figura definitiva em nossa literatura".

Se é verdade, como sugere de Lobato outro crítico literário perspicaz, Josué Montello, ter pintado o Jeca "menos pelo gosto de compor com seus traços uma página literária do que pelo propósito de denunciá-lo à nação", é difícil separar num escritor do tipo por vezes freneticamente solidário, no transbordamento social o estritamente literário. É possível que Lobato, a despeito do seu cientificismo, tenha resvalado em erros científicos tanto quanto Euclydes da Cunha em *Os Sertões*. Mas quase sempre redimido pelos acertos de sua palavra militantemente social, e esta palavra, uma das mais incisivamente brasileiras que já houve.

Mais incisivamente brasileira que a de Euclydes. Mais contagiantemente brasileira que a de Nabuco. E mais cotidianamente brasileira, pelo seu não literatês, que a do grande Guimarães Rosa. E também como que franciscanamente solidária com a gente brasileira por sua defesa, de um petróleo e de um ferro a serviço não de magnatas, mas dessa sua gente no seu todo. O que torna difícil deixar-se de ver nele alguma coisa daqueles escritores russos do século XIX com os quais ele parece ter-se um tanto identificado, como o sentimental impulsivo que era nas suas preocupações sociais. Nessas preocupações, diferente dos soviéticos hoje na projeção dos sonhos literários dos russos de ontem e dos próprios soviéticos dos primeiros anos de sovietismo, porventura atraentes para Lobato.

Recentemente (janeiro/82) apareceu na revista *Porque, Interpretação do que acontece*, de São Paulo, longo trabalho assinado por Padre Sales Brasil intitulado "Corrução de Menores", em que à literatura infantil de Monteiro Lobato é atribuído um sistemático empenho – marxista ou Comunista – de afastar a criança, ou o menor, do Catolicismo ou do Cristianismo e aproximá-lo apologeticamente da União Soviética. Mas sem que se deixe de observar de Monteiro Lobato seu repúdio a pertencer passivamente a qualquer sistema. Citam-se, é verdade, dele, algumas explosões de "ateísmo", de "materialismo" e, ao mesmo tempo, de contraditório espiritismo científico. Explosões que deixam ver no autor de *Urupês* esta condição de intelectual deficiente: não ser *scholar*. A de, mostrar-se, por vezes, negação do *scholar*. A de ter pertencido ao número de escritores de algumas erudições aos quais falta a inconfundível qualidade do *scholar*. Não houve, nele, intuição bastante para salvá-lo de todo da incapacidade de autocrítica quanto à qualidade de conhecimentos acumulados por suas leituras.

Mas espantam, no escritor sempre senhor admirável da arte de comunicação e de expressão, os conhecimentos que lhe permitiram dar à sua literatura infantil tanta assimilação de ciência saudável, no meio de erudição precária e de filosofia, não raro de todo simplista. Compreende-se que um Católico ou um Cristão ortodoxolamente, na sua pedagogia, a ausência de orientação Católica ou Cristã que entretanto, atualmente talvez, o situasse entre clérigos, dos que se apresentam Católicos e Cristãos, sem nem crerem em Deus nem admitirem a divindade de Cristo. Mas considerando-se e dizendo-se "Católicos" ou Cristãos".

O que não aconteceu com Monteiro Lobato. Nunca se apresentou como Católico. Chegou entretanto, a dizer-se, "espírita científico": admitindo, de certo modo, um sobrenatural acatólico.

Pena, do ponto de vista Católico, que o Catolicismo não tenha produzido no Brasil, um exato equivalente de Lobato, capaz de enriquecer literatura infantil em língua portuguesa com estórias para crianças do encanto, da arte, da sedução, das escritas admiravelmente pelo criador de um Sacy brasileiríssimo na sua forma literária. Mas não deixa de haver hoje, neste particular, um magnífico equivalente de Lobato: Luis Jardim como biógrafo de Jesus e de São Francisco de Assis meninos. Duas obras-primas no gênero escritas com palavras que vêm atraindo as crianças brasileiras.

Monteiro Lobato e suas fases[2]
REGINA ZILBERMAN

Nascido em 1882, Monteiro Lobato falece com 66 anos, em 1948, tendo acompanhado ao longo de sua vida adulta os principais acontecimentos da primeira metade do século XX brasileiro. Seus primeiros feitos notáveis datam de 1914, quando

---

[2] Publicado na revista *Estudos de Literatura Brasileira Contemporânea*, n. 36, p. 141-152, 2011.

publicou, no jornal *O Estado de S. Paulo,* "Velha praga", artigo em que critica o comportamento predador do caipira brasileiro, rompendo com uma tradição de idealização da vida rural, desde o Romantismo tão arraigada na cultura brasileira. A partir daí, o escritor, natural de Taubaté-SP, torna-se uma figura pública, escritor de sucesso e empreendedor original, de modo que sua biografia e sua obra se transformaram, de certo modo, na síntese das opções que o Brasil oferece a seus artistas e intelectuais, bem como aos empresários nacionalistas associados não apenas à área da cultura, mas também às da economia e da política.

À "Velha praga", de 12 de novembro de 1914, segue-se, em 23 de dezembro do mesmo ano, "Urupês", outro artigo contundente publicado no mesmo jornal, com o fito de levar adiante o debate sobre a depredação do meio ambiente desencadeada pela atitude predatória do caipira paulista. No primeiro texto, Lobato denuncia as queimadas, modo fácil, porém, prejudicial, de ocupar a terra a ser lavrada; em "Urupês", vale-se da imagem do parasita para caracterizar a indolência, a preguiça e a falta de iniciativa da população associada à vida agrícola, especialmente nas regiões pujantes no apogeu do cultivo do café, mas ao tempo de Lobato já decadentes. É quando ele cria sua primeira grande personagem, com a qual se celebrizará ainda nas primeiras décadas do século XX, o Jeca Tatu, citado no parágrafo final de "Velha praga":

> *Quando se exaure a terra, o agregado muda de sítio. No lugar fica a tapera e o sapezeiro. Um ano que passe e só este atestará a sua estada ali; o mais se apaga como por encanto. A terra reabsorve os frágeis materiais da choça e, como nem sequer uma laranjeira ele plantou, nada mais lembra a passagem por ali do Manoel Peroba, do Chico Marimbondo, do Jeca Tatu ou outros sons ignaros, de dolorosa memória para a natureza circunvizinha. (MONTEIRO LOBATO, 1947b, p. 240)*

Em "Urupês", provavelmente já ciente do sucesso de sua primeira incursão no tema, Lobato investe com mais segurança na definição da personagem que corporifica o caboclo, segundo ele, responsável por muitos dos males da agricultura brasileira do período. O termo chama a atenção, primeiro, para a idealização do "caboclo", espécie de "ai-Jesus nacional" (MONTEIRO LOBATO, 1947a, p. 243), de acordo com suas palavras, em decorrência do "caboclismo", vertente sucessora do Indianismo na trajetória da cultura nacional. À desconstrução do mito por intermédio do sarcasmo com que trata os defensores da corrente regionalista, segue-se a caracterização do Jeca Tatu, doravante marca registrada de Monteiro Lobato e da vida brasileira:

> *O caboclo continua de cócoras, a modorrar...*
> *Nada o esperta. Nenhuma ferroada o põe de pé. Social, como individualmente, em todos os atos da vida Jeca, antes de agir, acocora-se.*
> *Jeca Tatu é um piraquara do Paraíba, maravilhoso epítome de carne onde se resumem todas as características da espécie. (MONTEIRO LOBATO, 1947a, p. 244)*

Os dois textos, oriundos de *O Estado de S. Paulo,* são reeditados em *Urupês,* de 1918, livro com que, de certo modo, Lobato estreia na literatura brasileira. Antes dessa obra, ele tinha publicado apenas crônicas e ficção na imprensa ou em periódicos, como a *Revista do Brasil,* e *O Saci-pererê:* resultado de um inquérito, obra, contudo, de edição limitada, patrocinada, mais uma vez, por *O Estado de S. Paulo*. No entanto, *Urupês* não é um livro de primícias literárias: em 1918, Lobato somava mais de 35 anos e já passara por algumas profissões, como as de cartunista, na juventude; de promotor, pois era bacharel em Direito, e de fazendeiro, por ter herdado, do avô, terras no interior de São Paulo.

Ao contrário do fazendeiro – que acaba por vender o legado para comprar a *Revista do Brasil*, iniciativa que dá início à sua carreira de editor –, o escritor é bem-sucedido: *Urupês* é um *best-seller*, o que leva Lobato a acreditar que o negócio dos livros era talhado para ele. Ciente de que seu êxito estava associado à personagem que criara, o escritor de certo modo incorpora a figura, com a qual assina *Ideias de Jeca Tatu*, de 1919, obra em que, na sequência de *Problema vital*, de 1918, discute questões relativas à saúde pública e à vida política brasileira em geral.

Um ano depois, em 1920, Lobato começa a mudar o rumo de sua literatura, ao publicar, por ocasião do Natal, *A menina do narizinho arrebitado*, livro de produção gráfica qualificada, com capa ilustrada e cartonada, e texto acompanhado pelos desenhos coloridos de Voltolino (1884-1926). Poder-se-ia dizer que, com o começo da nova década, encerrava-se a fase "Jeca Tatu" de Monteiro Lobato. Contudo, não se pode esquecer que, além de editar, em 1919, os contos de *Cidades mortas*, e, em 1920, os de *Negrinha*, e de reimprimir em várias e diferentes edições o *best-seller Urupês*, o escritor ainda lança, ao longo dos anos 1920, *Mundo da lua* (1923), *A onda verde* (1921), *O macaco que se fez homem* (1923), *O choque das raças*, intitulado depois *O presidente negro* (1926), e *Mister Slang e o Brasil* (1927).

A fase "Jeca Tatu" ainda renderia muitos frutos nesse período. O sucesso da personagem – ou, pelo menos, das qualidades de um tipo de ser humano, qualidades sintetizadas em seu nome – fizera com que Lobato identificasse parte de sua produção literária com aquela figura paradigmática. Mas os dividendos foram maiores, quando o escritor resolve, em 1924, torná-la protagonista da narrativa *Jeca Tatuzinho*, que relata a mutação do caboclo indolente em um exitoso empreendedor rural graças à identificação da doença de que era acometido: anquilostomíase ou amarelão. Acusado o mal por um médico de passagem pela fazenda de Jeca, e receitada a medicação adequada, bem como aconselhado o uso de calçados, o caboclo e sua família transformam-se completamente, a ponto de tornarem-se exemplo a ser copiado pelos homens do campo.

Talvez o texto sucumbisse ao esquecimento, não fosse ele adquirido pelo Laboratório Fontoura, produtor do Biotônico Fontoura que, nas versões subsequentes do conto, passa a ser o remédio que cura as doenças da família dos caipiras tomados pela verminose[3].

A história passa a circular em folheto independente e fartamente ilustrado, distribuído pelo patrocinador por todo o país (teria alcançado, até 1960, a tiragem de 18 milhões de exemplares). Monteiro Lobato, que já se destacara na imprensa por suas ideias progressistas, e paulatinamente se projetava graças à sua ação editorial, converte-se, a partir da segunda metade da década de 1930, em nome conhecido, público e prestigiado. Jeca Tatu, ícone do atraso e do anacronismo

---

[3] No endereço http://www.miniweb.com.br/Literatura/artigos/jeca_tatu_historia1.html (acessado em 10 de janeiro de 2010), encontra-se reproduzido um anúncio em que o remédio receitado ao Jeca ainda porta o nome de Ankilostomina Fontoura.

nacional, metamorfoseia seu criador em celebridade midiática, posição que ocupa por algumas décadas.

A fase "Sítio do Picapau Amarelo" poderia, de um lado, ser considerada a continuação do período "Jeca Tatu", já que se trata do mesmo universo rural paulista motivado pela fazenda Buquira da infância de Lobato e que ele, adulto, herda e, depois, vende. Por outro lado, há diferenças radicais entre os dois mundos: Dona Benta, que compartilha com seu criador o nome,[4] é uma administradora sábia, que confere ampla liberdade aos netos Pedrinho e Narizinho e que, mesmo quando se surpreende com as inovações ou provocações de Emília, respeita as opiniões da boneca de pano, com a qual mantém discussões em pé de igualdade.

É preciso acompanhar a trajetória dos moradores do Sítio para perceber que nem sempre foi assim. Quando Lobato publica, no final de 1920, *A menina do narizinho arrebitado,* a figura principal era a personagem apontada pelo título, que vive uma aventura imaginária, no Reino das Águas Claras, equiparável ao universo maravilhoso dos contos de fadas europeus ou das modernas narrativas dirigidas ao público infantil, algumas em circulação no Brasil, como *Alice no país das maravilhas,* de Lewis Carroll (1832-1898), *O mágico de Oz,* de Frank Baum (1856-1919), ou *Peter Pan,* de James M. Barrie (1860-1937), todas protagonizadas por garotas que, por certo período de tempo, libertavam-se de seu contexto cotidiano e realista para mergulhar em outro ambiente, pautado quase exclusivamente por seres e comportamentos conduzidos pela fantasia.

Tanto quanto Jeca Tatu, Narizinho dá certo. Mas as vendas do livro dirigido ao público infantil não são apenas espontâneas, mas também induzidas: em 1921, *Narizinho Arrebitado,* livro de 181 páginas formado por *A menina do narizinho arrebitado* e mais algumas histórias inéditas, é adotado pela rede escolar paulista. São impressos 50 mil exemplares, adquiridos e distribuídos pelo governo do estado de São Paulo.[5]

O segundo grande passo editorial de Monteiro Lobato, portanto, associa-o ao Estado e, por tabela, à escola, parceria que se repete em 1922, quando são lançados *O marquês de Rabicó* e *Fábulas,* também aprovados pela Diretoria de Instrução Pública do Estado de São Paulo para uso didático. Ciente de que seus livros eram favoravelmente acolhidos pelas crianças, o escritor começa a produzi-los com regularidade anual, conferindo estabilidade ao espaço da ação de suas histórias – o Sítio do Picapau Amarelo – e ao elenco de suas personagens: os adultos Dona Benta e Tia Nastácia, as crianças Pedrinho e Narizinho, e os bonecos falantes e, cada um a seu modo, sábios Emília e Visconde de Sabugosa. Assim, lança em 1924 *A caçada da onça,* além de *O garimpeiro do Rio das Garças* (narrativa que só veio a ser republicada quando o autor organizou o volume *Histórias diversas); em* 1928, *O noivado de Narizinho, O Gato Félix, Aventuras do príncipe* e *A Cara de Coruja;* em 1929, *O irmão de Pinocchio* e *O circo de escavalinho;* em 1930, *A pena de papagaio;* e, em 1931, *O pó de pirlimpimpim.*[6]

Lobato não perde de vista, porém, a importância das adaptações, processo que, desde seu aparecimento enquanto gênero literário, garantiu à literatura infantil

---

[4] Monteiro Lobato foi batizado com o nome de José Renato, chamando-se seu pai José Bento Marcondes Lobato. Teria mudado um dos prenomes ao receber do pai uma bengala onde estavam gravadas as iniciais J.B.-M.L. Cf. LAJOLO, 2000, p. 12.

[5] Conforme Francisco de Assis Barbosa, a tiragem somou 60 mil exemplares, "segundo os arquivos da gráfica". Cf. BARBOSA, 1982, p. 51.

[6] Os dados cronológicos foram extraídos de MERZ et al., 1996.

farto acervo de obras para leitura. Assim, em 1927, apresenta a primeira versão de *As aventuras de Hans Staden*, cujo subtítulo indica seu destino: adaptação para o público infantil de *Meu cativeiro entre os selvagens do Brasil*. De 1930 data a adaptação de *Peter Pan*, apropriando-se, nesse caso, de uma narrativa cujos direitos autorais ainda vigoravam, já que seu criador, o britânico James M. Barrie, ainda vivia. As adaptações revelar-se-ão um rico filão literário, e Lobato procede a um modo original de elaborá-las: consciente da popularidade do Sítio e de seus habitantes, o escritor faz com que Dona Benta leia para seus netos narrativas famosas, porém, a seu jeito, como comenta o narrador em um de seus livros:

> *A moda de Dona Benta ler era boa. Lia "diferente" dos livros. Como quase todos os livros para crianças que há no Brasil são muito sem graça, cheios de termos do tempo do Onça ou só usados em Portugal, a boa velha lia traduzindo aquele português de defunto em língua do Brasil de hoje. Onde estava, por exemplo, "lume", lia "fogo"; onde estava "lareira" lia "varanda". E sempre que dava com um "botou-o" ou "comeu-o", lia "botou ele", "comeu ele" – e ficava o dobro mais interessante. (MONTEIRO LOBATO, 1956b, p. 199)*

Se a fase do "Sítio do Picapau Amarelo" ocupa Monteiro Lobato a partir da publicação de *A menina do narizinho arrebitado*, de 1920, até sua morte, em 1948, ela não foi sempre idêntica. Em sua primeira década, o escritor aposta em livros contendo uma única história protagonizada pelos moradores do Sítio, ocorridas de preferência nas terras de Dona Benta, visitadas por personagens vindas do exterior, fosse do mundo da fábula (figuras extraídas dos *Contos da carochinha*, que Figueiredo Pimentel [1869-1914] popularizara), da moderna literatura infantil, como Pinóquio, herói do livro de C. Collodi (1826-1890), ou dos emergentes meios de comunicação de massa, como os hollywoodianos Gato Félix, herói de histórias em quadrinhos e cartuns, Tom Mix (1880-1940) e Shirley Temple (1928-2014).

Na segunda década, porém, o escritor muda de tática: dedica-se à produção de livros com histórias variadas, ligadas pelas personagens, que passam de uma aventura a outra. A primeira experiência, ele a faz com seus próprios textos: em 1931, reúne as narrativas publicadas na década anterior e lança *Reinações de Narizinho*, onde se encontram não apenas os já então legendários Pedrinho, Narizinho, Emília e Visconde de Sabugosa, mas também figuras de aparecimento esporádico, como o Peninha.

O livro é outro marco na história da literatura brasileira e, mesmo em seu tempo, provoca reações controversas. Cecília Meireles (1901-1964), por exemplo, rejeita o tipo de atitude adotado pelas personagens de Lobato, criticando as crianças que elas representam. A poeta e educadora expressa sua opinião em correspondência dirigida a Fernando de Azevedo (1894-1974):

> *Recebi os livros de Lobato.[7] Preciso saber o endereço dele para lhe agradecer diretamente. Ele é muito engraçado, escrevendo. Mas aqueles seus personagens são tudo quanto há de mais*

---

[7]   Por que Monteiro Lobato enviaria um exemplar de seus livros a Cecília Meireles? A escritora assinava desde 1930 a "Página da Educação", no *Diário de Notícias*, do Rio de Janeiro, em que discutia temas pedagógicos segundo a ótica da Escola Nova, tendência emergente desde os anos 1920, propalada por teóricos como Anísio Teixeira (1900-1971) e Fernando de Azevedo. Monteiro Lobato era amigo de Anísio Teixeira desde a época em que residira nos Estados Unidos, no fim dos anos 1920, podendo-se então cogitar que o pedagogo tivesse sugerido ao autor de *Reinações de Narizinho* o encaminhamento da obra a Cecília Meireles, a quem confiara pesquisa sobre leituras infantis, realizada em 1931 (em que constata a predileção das crianças por *A menina do narizinho arrebitado*). Se essas hipóteses são válidas, elas mais uma vez indicam o grande interesse de Monteiro Lobato em ver-se aceito por educadores, bem como em assistir à sua validação pelas instituições escolares e professores, a respeito da atuação de Cecília Meireles no campo da educação. Cf. NEVES *et al.*, 2001.

malcriado e detestável no território da infância. De modo que eu penso que os seus livros podem divertir (tenho reparado que divertem mais os adultos que as crianças) mas acho que deseducam muito. É uma pena. [...] Por nenhuma fortuna do mundo eu assinaria um livro como os do Lobato, embora não deixe de os achar interessantes. (MEIRELES, 1996, p. 229)

Clarice Lispector (1920-1977), por sua vez, tem opinião oposta, como se lê em sua crônica "Tortura e glória", de 2 de setembro de 1967, que, em 1971, é publicada como conto com o título "Felicidade clandestina", no livro de mesmo nome.[8] Nesse texto, a narradora relembra um episódio da infância, protagonizado por ela, cuja família experimentava grandes dificuldades financeiras, e uma colega, filha do proprietário de uma livraria, que acabara de receber *As reinações de Narizinho,* de Monteiro Lobato, que conforme comenta a narradora, "era um livro grosso, meu Deus, era um livro para se ficar vivendo com ele, comendo-o, dormindo-o" (LISPECTOR, 1998, p. 10).

Tanto quanto Cecília Meireles, Clarice Lispector deve ter-se deparado com as primeiras edições dos volumes de Lobato, pois relembra o livro com seu título dos anos 1930 – *As reinações de Narizinho* –, que se transformou em *Reinações de Narizinho,* sem o artigo definido feminino plural, apenas em 1947, quando o escritor organizou sua obra completa.

Não é apenas em "Felicidade clandestina" (ou, antes, em "Tortura e glória") que a escritora apresenta esse episódio de sua adolescência. Em crônica datada de 24 de fevereiro de 1973, ela retoma aquele acontecimento, resumindo-o e, ao mesmo tempo, assegurando sua preferência por Monteiro Lobato:

> *Tive várias vidas. Em outra de minhas vidas, o meu livro sagrado foi emprestado porque era muito caro:* Reinações de Narizinho. *Já contei o sacrifício de humilhações e perseveranças pelo qual passei, pois, já pronta para ler Monteiro Lobato, o livro grosso pertencia a uma menina cujo pai tinha uma livraria. A menina gorda e muito sardenta se vingara tornando-se sádica e, ao descobrir o que valeria para mim ler aquele livro, fez um jogo de "amanhã venha em casa que eu empresto". Quando eu ia, com o coração literalmente batendo de alegria, ela me dizia: "Hoje não posso emprestar, venha amanhã". Depois de cerca de um mês de venha amanhã, o que eu, embora altiva que era, recebia com humildade para que a menina não me cortasse de vez a esperança, a mãe daquele primeiro monstrinho de minha vida notou o que se passava e, um pouco horrorizada com a própria filha, deu-lhe ordens para que naquele mesmo momento me fosse emprestado o livro. Não o li de uma vez: li aos poucos, algumas páginas de cada vez para não gastar. Acho que foi o livro que me deu mais alegrias naquela vida. (LISPECTOR, 1999, p. 452)*

Lobato, portanto, continuava polêmico; porém, era lido em livros consumidos independentemente de sua aprovação pelas instituições escolares que haviam distribuído largamente suas primeiras experiências com literatura infantil. Mesmo quando se dissocia do aparelho estatal vinculado ao ensino, o escritor procura manter um relacionamento seguro com a educação, caracterizado pela abordagem de assuntos disciplinares na maioria das histórias redigidas ao longo da década de 1930.

Assim, de modo indireto – como em *Viagem ao céu,* de 1932, que aborda questões relativas à astronomia – ou direto – como em *História do mundo para crianças,*

---

[8] Na condição de crônica, o texto aparece também em *A descoberta do mundo,* de 1984.

de 1933, *Emília no País da Gramática*, de 1934, *Aritmética da Emília, Geografia de Dona Benta* e *História das invenções*, de 1935, *O poço do Visconde* e *Serões de Dona Benta*, de 1937 –, os títulos das narrativas de Monteiro Lobato dirigidas ao público infantil configuram um currículo de disciplinas provavelmente. adaptável aos moldes em que se organizava o ensino brasileiro nos anos 1930, quando passava por transformações dignas de nota. Por outro lado, ainda que adequado ao ensino primário e secundário que então se estruturava, pode-se perceber que Monteiro Lobato não deixa de manifestar suas próprias posições pedagógicas e intelectuais, caracterizadas pela ênfase na ciência (astronomia, aritmética, geologia e ciências naturais), mas também pelo teor transgressivo, expresso no modo como se posiciona diante da gramática e da história, nos volumes dedicados a esses temas.

Se, desde sua fase "Jeca Tatu", o escritor já manifestava seu inconformismo diante de hábitos consolidados na vida brasileira, é na década de 1930 que esse comportamento se agudiza, aspecto verificável em sua biografia e em sua obra. Frise-se que a época não era muito apropriada para atitudes que desafiassem o autoritarismo *e o status quo:* na combalida Europa do pós-guerra e, especialmente, depois da crise econômica decorrente da quebra da bolsa de Nova York, em 1929, governos democráticos eram derrubados e substituídos por regimes ou autoritários, como na Itália, na Espanha e em Portugal, ou francamente totalitários, como na Alemanha e na União Soviética. O Brasil não ficou atrás: o movimento conhecido como Revolução de 1930 permitiu a Getúlio Vargas (1882-1954) tomar o poder, que conservou de modo ditatorial até 1945. Se, nos primeiros anos, o presidente flertou com a constituição, prometendo eleições para os cargos executivos do Estado, após 1935, e principalmente depois de 1937, seu governo endureceu, perseguindo adversários políticos, implantando a censura e centralizando os veículos de comunicação de massa e de propaganda.

Monteiro Lobato, ao contrário de muitos artistas e intelectuais, não busca um cargo no governo, nem se exila no exterior. Além disso, não abre mão de sua veia satírica e mordaz, que aparece, por exemplo, na crítica à burocracia, em *Caçadas de Pedrinho,* de 1933, livro que, partindo do já então publicado *A caçada da onça*, de 1924, permite a Lobato divertir seus leitores com a paródia do comportamento indolente e ineficaz dos serviços prestados pela administração pública nacional. Nesse período, *Memórias da Emília* é provavelmente seu livro mais transgressor, desde as atitudes da boneca, agora autora, que duvida, já nas primeiras linhas da narrativa, da veracidade do gênero autobiográfico que escolhe, até a exposição, de modo original, de seus conceitos, como quando explica para Dona Benta o que entende por verdade: "Verdade é uma espécie de mentira bem pregada, das que ninguém desconfia. Só isso" (MONTEIRO LOBATO 1956a, p. 5). É no mesmo livro que Emília se proclama "a Independência ou Morte!" (*ibid.*, p. 115), divisa que facilmente poderia ser transferida para seu criador.

Data do mesmo ano das *Memórias da Emília* o lançamento de outro dos livros polêmicos de Monteiro Lobato, como *O escândalo do petróleo*, obra que confere visibilidade pública à sua campanha em prol da exploração do cobiçado ouro negro em solo brasileiro. No ano seguinte, o assunto migra para a literatura infantil, fazendo de *O poço do Visconde* o livro mais programático do autor. E, se Getúlio Vargas não ouviu o apelo de Lobato, acabando por fazê-lo vítima da Lei de Segurança

Nacional, o que o levou à prisão em 1941, Dona Benta deu ouvidos às crianças e bonecos, transformando o Sítio em uma região extremamente próspera e a ela mesma em rica proprietária de terras.

Talvez se possa dizer que a terceira etapa da fase "Sítio do Picapau Amarelo" comece com *O poço do Visconde*, já que não havia como retornar à situação anterior no que diz respeito à condição das terras de Dona Benta e de seus moradores. É certo que, de um livro para outro, Lobato incorpora personagens e eventos dos volumes anteriores. Assim, o anjinho de *Viagem ao céu* permanece no Sítio até *Memórias da Emília*, não retornando em narrativas posteriores. O rinoceronte Quindim, adotado pelo grupo em *Caçadas de Pedrinho*, acompanha as histórias subsequentes, o mesmo ocorrendo com o burro Conselheiro, introduzido em *Reinações de Narizinho*.

Contudo, a partir de *O poço do Visconde*, o *status* da população do Sítio é outro: são ricos e famosos, assediados por aqueles que precisam de seu auxílio ou desejam explorá-los. Por outro lado, a situação política brasileira e internacional piorou no fim dos anos 1930: o Estado brasileiro assumiu definitivamente o perfil autoritário, a Europa viu-se dominada pelo nazismo e pelo fascismo, deu-se a anexação da Áustria e a ocupação da Tchecoslováquia pela Alemanha de Adolf Hitler (1889-1945). A invasão da Polônia pelas tropas do Reich formalizou o início da guerra entre a Alemanha e sua aliada Itália contra as democracias europeias remanescentes, representadas por França e Inglaterra.

Resta a Lobato formular ficcionalmente suas utopias, expressas nas obras que representam essa última etapa de sua fase literária. Em *O Picapau Amarelo*, de 1939, apresenta o Sítio como o espaço imaginário onde todos são acolhidos sem qualquer discriminação e onde reina a democracia igualitária presidida, de modo, digamos, parlamentarista, por Dona Benta. Em *O Minotauro*, também de 1939, o escritor coloca a liberal Dona Benta a filosofar sobre política, arte, cultura e democracia com um de seus fundadores, o ateniense Péricles (c. 495/492 a.C.-429 a.C.), celebrada figura histórica que servirá de contraponto à amarga situação dos brasileiros no período da produção do livro.

Contraposição similar entre o amargo presente que, contudo, pode ser alterado, e a expressão de uma utopia futura, que tem no passado ateniense sua inspiração, pode ser encontrada em duas obras lançadas nos primeiros anos da década de 1940. A primeira, *A chave do tamanho*, de 1942, redigida quando o confronto entre as potências do Eixo (Alemanha, Itália e Japão) e os Aliados (Inglaterra, União Soviética e Estados Unidos) não permitia prever quem venceria a guerra, narra os desacertos provocados por Emília, quando a boneca resolve interferir nos acontecimentos bélicos. E se o livro relata episódios penosos, resultantes dos prejuízos sofridos pelas personagens, ele também expõe a perspectiva pacifista do autor, pautada pela aspiração de que os mais capacitados liderem as mudanças sociais e políticas por ele consideradas essenciais.

A segunda obra é formada pela publicação, em partes, de *Os doze trabalhos de Hércules*, em 1944. Outra vez, os habitantes do Sítio – Pedrinho, Visconde e Emília – retornam no tempo e chegam à Grécia mitológica. De novo, atravessa a narrativa a ambição doutrinária de evidenciar ao leitor – que é criança ou adolescente – as virtudes da inteligência e da prática da democracia, que seria restaurada no Brasil do fim de 1945, na esteira da vitória dos exércitos aliados sobre os países adeptos de regimes autoritários e militaristas, como a Alemanha de Hitler, a Itália de Benito Mussolini (1883-1945) e o Japão do imperador Hirohito (1901-1989).

O Lobato do último livro dedicado ao público infantil talvez se distinga do escritor que, em meados da década de 1920, criou o Jeca Tatu. Dificilmente este teria algo em comum com o exemplar herói mítico que, no imaginário helênico, representou a imposição da civilização sobre a barbárie, do intelecto sobre a força bruta, do indivíduo sobre a natureza.

Contudo, o Jeca era real, e Hércules, ideal. Para mediar esses extremos, Monteiro Lobato posiciona seus pequenos heróis – frutos de sua imaginação, mas que sintetizam sua aspiração de um Brasil melhor, em particular, de um futuro mais promissor para seu país –, já que eles – assim como seus leitores, que a eles se identificariam – cresceriam e se tornariam os cidadãos de que a nação carecia.

Fase a fase, Monteiro Lobato modifica-se. Mas nunca deixa para trás a perspectiva militante que se anunciava no começo de sua trajetória.

BIBLIOGRAFIA

BARBOSA, Francisco de Assis. Monteiro Lobato e o direito de sonhar. In: MONTEIRO LOBATO. *A menina do narizinho arrebitado*. Ed. fac-sim. São Paulo: Metal Leve, 1982.

LAJOLO, Marisa. *Monteiro Lobato*: um brasileiro sob medida. São Paulo: Moderna, 2000.

LISPECTOR, Clarice. Felicidade clandestina. In: _. *Felicidade clandestina*. Rio de Janeiro: Rocco, 1998.

LISPECTOR, Clarice. O primeiro livro de cada uma de minhas vidas. In: _. *A descoberta do mundo*. Rio de Janeiro: Rocco, 1999.

MEIRELES, Cecília. Correspondência de 9 de novembro de 1932 [a Fernando de Azevedo]. In: LAMEGO, Valéria. *A farpa na lira*: Cecília Meireles na Revolução de 30. Rio de Janeiro: Record, 1996.

MERZ, Hilda Junqueira Villela; BRANDÃO, Ana Lúcia de Oliveira; MANZANO, Sylvia; OBERG, Sílvia. *Histórico e resenhas da obra infantil de Monteiro Lobato*. São Paulo: Brasiliense, 1996.

MONTEIRO LOBATO. *Memórias da Emília*. São Paulo: Brasiliense, 1956a.

MONTEIRO LOBATO. *Reinações de Narizinho*. 6. ed. São Paulo: Brasiliense, 1956b.

MONTEIRO LOBATO. Urupês. In: _. *Urupês*. 2. ed. São Paulo: Brasiliense, 1947a.

MONTEIRO LOBATO. Velha praga. In: _. *Urupês*. 2. ed. São Paulo: Brasiliense, 1947b.

NEVES, Margarida de Souza; LÔBO, Yolanda Lima; MIGNOT, Ana Chrystina Venancia (Orgs.). *Cecília Meireles*: a poética da educação. Rio de Janeiro: Loyola; Editora PUC-Rio, 2001.

A modernidade em Monteiro Lobato[9]
MARISA LAJOLO

Até quase às vésperas da Semana de Arte Moderna de São Paulo, em 22, a infraestrutura de nossa vida cultural – em particular as condições para a produção literária – era bastante precária, mesmo na Pauliceia que, logo depois, Mário de Andrade chamaria de desvairada. Éramos provincianos, muito embora Abolição, República, imigração e urbanização tivessem arejado certas feições arcaicas de nossa sociedade e o aumento da escolaridade e das classes médias tivesse aumentado, ao menos virtualmente, o público consumidor de livros em geral.

Em 1920 a capital paulista tinha uma população total de 579.033 habitantes, dos quais 58% eram alfabetizados o que torna irrisórios os mil exemplares das tiragens comuns na época. Essa desproporção entre o público virtual e o consumo real da literatura em circulação na São Paulo do começo do século talvez se deva a fatores mais socioeconômicos do que especificamente literários, como em 1923 diagnosticava Lobato:

> Não há sobras nos orçamentos para a compra dessa absoluta inutilidade chamada livro.
> **Primo vivere.**[10]

A imersão de crise da leitura numa crise bem maior, parece continuar até hoje, novamente evocada na lúcida observação de Ana Maria Machado, escritora contemporânea para quem

> A principal barra é a situação social da criança brasileira. Como é que esse leitor pode ter acesso ao livro? Como é que vai saber ler? E, antes disso, ter o que comer para poder ler, ter saúde, um teto decente, condições de uma vida compatível com a dignidade do ser humano. Só depois disso, é que vêm os problemas do livro mesmo [...][11]

Mas essa situação econômica que confina a literatura ao rol dos artigos de luxo, e que ainda hoje dificulta o contato público/obra não é o tema deste trabalho, que pretende focalizar alguns mecanismos de produção e circulação da literatura na São Paulo dos arredores dos anos vinte para, a partir deles, discutir e modernidade de Monteiro Lobato.

No abnegado trabalho de Olímpio de Souza Andrade[12] e no não menos abnegado de Terezinha del Fiorentino (ainda inédito, a ilustrar dolorosamente a tese da autora, que discute a precariedade do objeto livro)[13] ficamos sabendo que, em 1919, o país contava com apenas 35 livrarias, que grande parte das obras em circulação era impressa fora do Brasil e que as tiragens poucas vezes ultrapassavam mil

---

[9] Publicado na revista *Letras de Hoje*, v. 15, n. 3, p. 15-22, 2014.

[10] LOBATO M. *A Barca de Gleyre*. 7. ed. São Paulo: Brasiliense, 1956. v. 2. p. 260.

[11] MACHADO. A. M. & BUARQUE DE HOLANDA, H. A Literatura Infantil nos Anos 70. *Revista Tempo Brasileiro*, n. 63, p. 32, out.-dez. 1980.

[12] ANDRADE, O. de Souza. *O livro brasileiro desde 1920*. 2. ed. Rio de Janeiro: Cátedra; Brasília: INL, 1978.

[13] FIORENTINO, Terezinha del. *A produção e o consumo de prosa de ficção em São Paulo (1900-22)*. (no prelo – ed. Hucitec).

exemplares. E este heroico milheiro, no depósito empoeirado das editoras, cumpria, silencioso, seu destino de encalhe: o depoimento é de Lobato:

> Impossível um negócio desse jeito – assim privado de varejo. Mercadoria que só dispõe de 40 pontos de venda está condenada a nunca ter peso no comércio de uma nação. Temos de mudar, fazendo uma experiência em grande escala, tentando a venda do livro no país inteiro, em qualquer balcão que exista e não somente em livraria.[14]

O desencontro público-obra, na soleira dos anos vinte, antecedia, portanto, considerações estéticas. Vanguarda europeia, nacionalização de matéria e forma literárias... tudo o que tanto preocupou os líderes da semana de 22 esbarrava em uma pedra no começo do caminho: a quase inexistência – tal era sua precariedade – de canais disponíveis entre escritores e leitores, para a circulação do que se produzia.

É neste contexto e desta perspectiva que a figura de Monteiro Lobato torna-se fundamental, na medida em que sua prática literária foi, de certa forma, pioneira: ele inaugurou uma concepção de literatura que incluía a noção de livro como objeto sem aura: como linguagem, como texto, como mercadoria. Nessa linha, sua atividade como editor perde seu sentido maior ao ser vista como simples acréscimo à criatividade do escritor Lobato. O editor Lobato não se soma ao escritor Lobato. Ambos são um só, e esse um pôs em prática uma concepção moderna do escrever, que incluía o leitor não só como virtualidade presente no texto, mas como território a ser conquistado, a partir da criação de mecanismo de circulação entre obra e público.

Ao que parece, o próprio Lobato, de forma bastante ingênua e muito imodesta, reconhece seu pioneirismo, quando comenta com Edgard Cavalheiro, em 1946:

> Parece incrível, mas a vida literária do Brasil, de 15 a 25, girou em redor de mim e de minha editora. [...] Não havia quem não me procurasse, e eu ia lançando nomes e mais nomes novos, depois de haver aberto o país inteiro à entrada de livros. Aquela história de pular das trinta e tantas livrarias que tínhamos pelo país inteiro, para os mil e duzentos e tantos consignatários de Monteiro Lobato & Cia, foi uma das etapas da emancipação cultural do Brasil.[15]

A inserção de Lobato, pois, na história da literatura brasileira, dá-se num nível mais complexo do que o nível de um escritor; e, consequentemente, sua produção não pode ser medida pelo metro exclusivo da aceitação ou rejeição polêmicas de posturas artísticas contemporâneas suas e que, aos olhos da crítica brasileira, parecem representar a única forma de rebeldia estética na pauliceia dos anos vinte. O que este trabalho pretende, em resumo, é sugerir que foi Lobato quem viabilizou a circulação do texto literário entre nós e, nesta viabilização, trouxe para primeiro plano a necessidade da inserção do livro em premissas capitalistas que, no Brasil dos anos vinte, em termos de indústria editorial, constituía, sem dúvida, um processo de modernização.

O que se propõe aqui, então, é que os *entretantos* restritivos que nossa melhor crítica apõe à obra lobatiana sejam matizados, dado que se enraízam numa

---

[14] LOBATO, M. *Prefácios e entrevistas.* 7. ed. São Paulo: Brasiliense, 1956. p. 190.
[15] LOBATO, M. *Cartas escolhidas.* São Paulo: Brasiliense. s. d., v. 2. p. 189.

perspectiva que lida com o literário como texto-em-si, sem levar em conta suas condições de produção, circulação e consumo.

E Lobato é exemplar para sugerir outro percurso de reflexão: da mesma forma que um agudo senso de engajamento transforma muitos de seus textos em libelos, sua ação editorial – primeiro na *Revista do Brasil,* depois na Monteiro Lobato & Cia. e mais tarde na Editora Nacional – constitui outra manifestação de um projeto literário igualmente engajado, mas agora extremamente condizente com os ventos de modernidade e cosmopolitismo que insuflaram tantos pronunciamentos da geração de 22.

Parece possível, então, discutir a modernidade de Lobato e seu papel renovador de nossa literatura a partir da modernização que ele imprimiu ao *modo de produção* da literatura brasileira. Uma arraigada consciência do livro como objeto de consumo é bem anterior à sua prática editorial. Já em 1916, em carta a Godofredo Rangel, Lobato ironizava:

> Vendem se bem porcos de ceva e milho que está a sete mil réis o alqueire, um preção. Letras é mentira. Nunca se vendeu bem um livro neste país, exceto os pornográficos.[16]

Mais tarde, em 1921, já editor, confirmava:

> O nosso sistema não é esperar que o leitor venha; vamos onde ele está, como o caçador. Perseguimos a caça. Fazemos o livro cair no nariz de todos os possíveis leitores desta terra. Não nos limitamos às capitais, como os velhos editores. Afundamos por quanta biboca existe.[17]

O paralelo estabelecimento entre porcos, milho e livros – até hoje chocante, diga-se de passagem – ilustra a concretude emiliana que Lobato atribuía ao texto, e que parece alicerçar o projeto editorial do escritor que consistia, basicamente, na multiplicação dos pontos de venda e no anúncio do livro em jornais.

> O *meu Narizinho*, do qual tirei 50.000 – a maior edição do mundo! – tem que ser metido bucho a dentro do público, tal qual fazem as mães com o óleo de rícino. Elas apertam o nariz da criança e enfiam a droga e a pobre criança ou engole ou morre asfixiada. Gastei quatro contos num anúncio de página inteira num jornal daqui. Faz de conta que é Gelol. "Dói? Gelol."[18]

É preciso cautela, no entanto, ao atribuir-se a Lobato um "projeto" para a indústria editorial brasileira; sua vida de editor consistiu muito mais uma novela de aventuras e desventuras do que a firme consecução de planos rigorosos. Numa entrevista a Silveira Peixoto para *Vamos Ler*, Lobato conta que suas inovações na esfera editorial não corresponderam a um projeto, no mesmo sentido em que petróleo e ferro – anos depois – constituíram um legítimo projeto lobatiano de âmbito nacional. Referindo-se às circulares enviadas para as agências de correio e que tiveram como resultado elevar de 40 para 1200 os pontos de venda do livro, Lobato desmente qualquer interesse menos pessoal e financeiro neste começo:

---

[16]   LOBATO, M. *A Barca de Gleyre.* 7. ed. São Paulo: Brasiliense, 1956. v. 2. p. 123.

[17]   Idem, Ibidem p. 239.

[18]   Id., Ibidem p. 230.

...: estava a mil léguas de imaginar o que iria sair daquilo. Não pensei na Pátria, não pensei em coisa alguma, a não ser em alargar o campo de vendas das ediçõezinhas que andávamos fazendo.[19]

O projeto editorial da nascente Monteiro Lobato & Cia. não correspondeu a um plano cultural de fôlego, do qual Lobato tivesse previsto os passos e as consequências. Mas isso não anula sua importância, nem o torna irrisório, principalmente porque a obra literária lobatiana – quer a infantil, quer a adulta – confirma a importância de que se reveste para Lobato o ato de leitura e, por extensão, o objeto livro: Dona Benta vive recebendo livros pelo correio e os lê para os netos; Alice conversa em português com Tia Anastácia "porque já foi traduzida"; os moradores de Oblivion fazem circular de mão em mão os três livros que constituem o acervo literário da cidadezinha; inúmeros narradores dos contos evocam suas leituras a propósito dos casos que contam. E até o Zé Brasil, autocrítica do Jeca Tatu, alude à posse do pequeno almanaque Fontoura que espalhou, de norte a sul do país, a odisseia e redenção do caipira opilado.[20]

São estas preocupações, de um lado com a produção do livro, e de outro com sua recepção, um primeiro índice a sugerir a modernidade e mesmo a vanguarda da obra de Lobato, a quem a tradição crítica brasileira insiste em rotular de pré-modernista.

Mas, se já foi grande o salto que Lobato imprimiu ao modo de produção de sua literatura (e por extensão da brasileira em geral) superando os acanhados mecanismos de uma concepção anacrônica de editora, inaugurando uma prática editorial que incluía a distribuição e a propaganda, há ainda outros aspectos da produção literária lobatiana que justificam uma revisão crítica deste escritor. E entre estes outros aspectos, destaca-se o fato de que o sucesso grande do escritor Lobato viesse de sua produção infantil, começada em 1921 com o *Narizinho Arrebitado*.

Num breve parêntesis, é preciso lembrar que Monteiro Lobato passa à história literária como fundador da literatura infantil brasileira. Antes dele, Olavo Bilac e Figueiredo Pimentel eram o que havia disponível para as crianças. Em 1919 surge *Saudade* de Thales de Andrade, mas toda esta produção pré-lobatiana, quer pelo predomínio do tom didático, e moralizante, quer por constituir mera tradução e cópia de modelos europeus, não chega a configurar uma literatura infantil nacional.

O parêntesis prossegue além fronteira, na Europa, na constatação de que a literatura infantil como produção literária diferenciada da não infantil é recente, obra do século XVIII, quando se começa a perceber a infância como faixa etária de características específicas e, como tal, passível de uma moldagem que otimize sua participação na sociedade burguesa que então se implantava.[21]

É voltada para este público de cidadãos em formação, satisfazendo-o, ampliando ou reduzindo suas expectativas, e cumprindo as funções ideológicas que lhe reservavam sociedade e escola burguesas, que a literatura infantil vai se afastando – para a Teoria da Literatura, por exemplo – da literatura não infantil. E aqui fecha-se o parêntesis e retorna-se a Lobato.

---

[19] LOBATO, M. *Prefácios e entrevistas*. 7. ed. São Paulo: Brasiliense, 1956. p. 190.

[20] ZILBERMAN, Regina. Literatura infantil: livro, leitura, leitor. In: *A produção cultural para criança*. Porto Alegre: Mercado Aberto, 1982.

[21] ZILBERMAN, Regina. *A literatura infantil na escola*. São Paulo: Global, 1981.

O empenho de Lobato na criação de uma literatura infantil brasileira constitui, agora sim, um autêntico projeto, amplamente debatido com o fidelíssimo Rangel, desde sua gênese, por volta de 1916, nas atribulações de um pai zeloso de sua prole:

> ... ando com várias ideias. Uma: vestir à nacional as velhas fábulas de Esopo e La Fontaine, tudo em prosa e mexendo nas moralidades. Coisas para crianças. Veio-me diante da atenção curiosa com que meus pequenos ouvem as fábulas que Purezinha conta.[22]

E prossegue mais tarde, já então comunicada a Rangel em termos de sua viabilização editorial:

> Pretendemos lançar uma série de livros para crianças, como Gulliver, Robinson, etc... os clássicos, e vamos nos guiar por umas edições do velho Laemmert, organizadas por Jansen Muller. Quero a mesma coisa, porém com mais leveza e graça de língua. Creio até que se pode agarrar o Jansen como burro e reescrever aquilo em linguagem desliteraturizada.[23]

Numa perspectiva, portanto, que leve em conta a modernidade de um projeto de criação da literatura infantil brasileira, não pode passar despercebido nem minimizado o que se poderia chamar de senso de modernidade de quem o formulou.

É exatamente porque a literatura infantil – como formação histórica – é moderna, que o fato de Lobato ter-se distinguido nela é significante do ponto de vista de sua modernidade. Formação tardia da sociedade burguesa europeia, a literatura infantil brasileira surgindo na segunda década deste século sugere a maturidade da formação burguesa de certos segmentos de nossa população, que já se estratificava em diferentes públicos, consumidores da produção cultural para eles orientada. E o sucesso de Lobato na criação de nossa literatura infantil atesta sua sintonia com o mundo moderno de seu tempo.

Mas todos os índices de modernidade de Lobato (modernização do modo de produção da literatura, a concepção moderna de livro e de leitura, projeto de criação de uma literatura infantil) poderiam ser insuficientes se outros aspectos, agora internos à sua obra, não apontassem também para um projeto e uma prática de modernidade e mesmo de vanguarda presidindo à sua produção literária. Tanto sua obra infantil como a não infantil ilustram uma série de procedimentos literários já sancionados como modernistas e de vanguarda pela nossa tradição crítica a partir das obras dos modernistas de 22.

Nos contos de seus três livros (*Urupês, Cidades Mortas* e *Negrinha*) Lobato desanca com humor violento a literatice acadêmica, o alambicado parnasiano, a importação de modelos do escrever e do fazer literatura. Manifestação formal de tudo isso, sua narração oraliza-se e, não raras vezes, é emitida por um narrador participante ou testemunha dos casos narrados[24]. O ambiente popular em que se movem tais narradores afiança, nesta situação de oralidade da narrativa, sua desliteralização, O oralismo assumido, então, ao mesmo tempo em que aligeira o texto

---

[22] LOBATO, M. *A Barca de Gleyre*. 7. ed. São Paulo: Brasiliense, 1956. v. 2. p. 104.

[23] Idem, Ibidem, p. 233.

[24] LAJOLO, M. *Monteiro Lobato*. Biografia por Ruth Rocha: panorama da época por Ricardo Maranhão; Seleção de textos, contextualização, notas, cronologias características e exercícios. São Paulo, Abril, Série Abril Educação (Literatura comentada).

FORTUNA CRÍTICA *Marisa Lajolo*

(a década de vinte era, sob muitos aspectos, ainda o tempo do principado de Coelho Neto na prosa) dá margem a um trabalho de linguagem que incorpora tanto os modos de dizer do caipira paulista quanto a criação de uma linguagem que, do léxico à sintaxe, tem momentos de extrema ruptura com o que se vinha fazendo: dizer que alguém é "olhodaruável", por exemplo, é suficientemente oswaldiano para não deixar dúvidas sobre o que se quer dizer. Como também oswaldiano é estruturar um conto a partir de cenas e letreiros, sobrepondo, ironicamente, um discurso sentimentaloide e outro de inspiração cinematográfica como Lobato fez em "Marabá".

E, se quisermos olhar para sua obra infantil – sem dúvida onde se encontra o melhor Lobato –, encontraremos aí o agenciamento de uma série de procedimentos literários que estão muito próximos – senão colados, a procedimentos que integram todos ou quase todos os manifestos que por aqui circularam nos anos vinte.

Na saga lobatiana do Picapau Amarelo, o sítio de Dona Benta retoma e transfigura Itaoca, cidade símbolo das cidades mortas[16]. Mas exatamente porque transfigura sua referência histórica pode-se ver, no intercâmbio do sítio com outros espaços mágicos (por exemplo; o mundo grego de Hércules ou Péricles, o mundo de fadas da mitologia europeia) um procedimento muito próximo da colagem; a mudança das personagens do mundo encantado para o sítio de dona Benta, o estar neste a porta para o Reino-das-Águas-Claras e a plataforma para uma viagem ao céu... tudo isso não torna o sítio de Lobato vizinho daquele sertão que, com Guimarães Rosa, vai ser o mundo? A ruptura de limites geográficos, o tempo de eternidade que nunca se esgota, o pó de pirlimpimpim e o jogo do faz de conta não lembram o *modus operandi* do Macunaíma de alguns anos depois?

Na presença de personagens infantis tradicionais e europeias, como Branca de Neve, Peter Pan ou Chapeuzinho Vermelho no sítio de Dona Benta manifesta-se outro aspecto no qual o projeto lobatiano parece coincidir com outros profetas de vanguarda: a retomada da tradição literária, recriando-a, passando-a a limpo, fecundando sua significação quer pela irreverência em relação a seu contexto tradicional, quer pela sua imersão em outro contexto, agora moderno e nacional. Não podem constituir tais procedimentos, muitas vezes estruturais na obra de Lobato, manifestações do mesmo espírito de antropofagia que, em outras obras, é lido como penhor de modernidade e vanguarda?

Em muitas passagens, Emília – a personagem lobatiana por excelência – subverte a lógica, exatamente por levá-la ao extremo, chegando, com isso ao absurdo. É o que se dá, por exemplo, quando ela oferece uma tesoura de uma perna só para que La Fontaine apare sua barba. Alertada da ineficiência da meia tesoura, sugere que o fabulista corte meia barba. Se é verdade que esta espécie de lógica do absurdo pode coincidir com certas práticas mentais que se costuma atribuir às crianças, ela coincide também com certas práticas e propostas dadaístas e surrealistas que pretendiam subtrair a literatura ao império do mundo cartesiano.

Por tudo isso é que parece que uma leitura de Lobato que o restrinja à esfera do pré-modernismo e o relegue ao escalão segundo dos escritores do começo deste século corre o risco de não lê-lo com os olhos que ele mesmo instaura ao longo de seu texto por tantos anos e obras.

Monteiro Lobato, o inovador[25]
LAURA SANDRONI

O HOMEM E SUA VISÃO DO MUNDO

Com a publicação de *A Menina do Narizinho Arrebitado* em 1921, José Bento Monteiro Lobato inaugura o que se convencionou chamar de fase literária da produção brasileira destinada a crianças e jovens. Como veremos, sua obra foi um salto qualitativo comparada aos autores que o precederam, já que é quase toda permeada do ânimo de debates sobre temas públicos contemporâneos ou históricos[26] que problematiza de modo a ser compreendido por crianças e expressa em linguagem original e criativa, na qual sobressai a busca do coloquial brasileiro, antecipatória do Modernismo.[27]

Originário da aristocracia rural paulista, neto do Visconde de Tremembé, Lobato cursou a Faculdade de Direito de São Paulo e desde cedo preocupou-se com os problemas sociais brasileiros colocando-se em consonância com as posições mais progressistas do pensamento nacional.

Inteligente e dinâmico, sentia-se atraído por variados campos de atividades e a elas se dedicava com entusiasmo. Ainda na Faculdade começa a escrever artigos e crônicas publicados na imprensa e a participar dos meios literários. Mas é com a morte do avô e a consequente mudança para a fazenda Buquira que tenta pôr em prática suas ideias sobre técnicas modernas de produção agrícola. Verifica ser isto totalmente impossível ante uma política econômica arcaizante, orientada para a manutenção do *status quo*. Outra dificuldade, na sua maneira de ver as coisas, era o homem do campo, o caboclo, ignorante, preguiçoso, nada parecido ao homem idealizado pela literatura romântica regionalista.

Desiludido, volta a São Paulo e pouco depois torna-se diretor da *Revista do Brasil*, da qual acaba proprietário. Publica então *Urupês*, livro de contos que o coloca imediatamente entre os grandes escritores brasileiros. Entusiasmado com o sucesso da primeira edição, torna-se editor, o primeiro grande editor de autores brasileiros não só na área da ficção mas também na de História e Ciências Sociais, dando oportunidade ao surgimento dos primeiros estudos de temas nacionais.

É nessa fase de sucesso editorial que inicia sua obra destinada a crianças e na qual, mais do que em qualquer outra área de sua atuação, conhece o sucesso de público e da crítica.

Em 1927, exerce o cargo de Adido Comercial nos Estados Unidos e entusiasma-se com aquela civilização em pleno progresso material e crescimento econômico: anseia por um Brasil também moderno. Ao regressar, em 1931, investe na siderurgia, funda a Cia. Petróleo do Brasil, inicia uma grande campanha na imprensa apostando na existência de petróleo no solo brasileiro. Preso por três meses em 1941 no governo Vargas, ao ver-se em liberdade continua escrevendo na defesa de suas ideias; ao mesmo tempo publica mais e mais livros para crianças.

---

[25] Publicado na obra *De Lobato a Bojunga*: As Reinações Renovadas. Rio de Janeiro: Agir, 1987. p. 47-72.

[26] José Guilherme Merquior, 1983, p. 14.

[27] Alfredo Bosi, 1978, p. 273.

Zinda Vasconcelos, autora do excelente livro *Universo Ideológico da Obra Infantil de Monteiro Lobato*, afirma:

> A partir do exame da vida de Lobato e da leitura dos seus *Prefácios e Entrevistas*, poderíamos resumir sua ideologia econômico-social, por um lado, como a de alguém rebelde contra a estrutura oligárquica do poder vigente; nacionalista; cada vez mais preocupado com a miséria do povo e consciente de que a prosperidade das elites dela dependia; adversário de ideias, crenças, valores – principalmente os da educação católica – que favorecessem a manutenção do *status quo*; vago defensor, em teoria, de ideias socializantes contra o obscurantismo autoritário do poder. Mas, por outro lado, poderíamos definir essa ideologia como a de uma pessoa que na prática acreditava no desenvolvimento econômico capitalista para a resolução dos problemas brasileiros e na ação da iniciativa privada – de preferência a de indivíduos bem-intencionados, modernos e arejados, iluminados pelo conhecimento científico; que tinha profundo horror à estatização, associada por ele à ineficiente e corrupta máquina burocrática brasileira, que estaria irremediavelmente ligada à velha ordem de coisas e que queria libertar o país; presa, de um modo geral, aos termos liberais (liberdade, democracia, etc.).[28]

Desiludido com os adultos, acredita que só as crianças poderão modificar o mundo, torna-as suas interlocutoras privilegiadas. Por isso trata em sua obra de temas sérios e complexos que até então não eram considerados apropriados à infância, como: guerras, política, ciência, petróleo. Os problemas são apresentados de maneira simples e clara, por vezes didática, de modo adequado à compreensão do leitor. A simplicidade da linguagem, marcada pelo coloquialismo e por "brasileirismos" inovadores, visam tornar agradável a leitura: Esse aspecto foi analisado por Eliana Yunes:

> A obra de Monteiro Lobato oferece justamente uma interessante dualidade de produção, uma vez que dirigida intencionalmente a crianças considera as características desta faixa etária quanto a temas, interesses e linguagem, sem, contudo, se descuidar do índice ficcional, articulado sobretudo através de situações originais não conformistas e da criatividade linguística [...]. A ludicidade não se ausenta em nenhum momento dos trabalhos do autor, capaz de surpreender por sua linguagem, ainda hoje. Tampouco a relação catártica desaparece, e, sendo compromisso com a história, reflete a saciedade ora de modo crítico ora de forma a endossar alguns valores.[29]

Enquanto o Sítio do Picapau Amarelo é situado no espaço e no tempo por dados referenciais esparsos, seus habitantes são, ao contrário, descritos minuciosamente a partir do primeiro capítulo de *Reinações de Narizinho*, título que reúne as primeiras histórias escritas por Lobato.

Dona Benta, proprietária do sítio e principal figura adulta da narrativa, é "uma velha de mais de sessenta anos... de cestinha de costura ao colo e óculos de ouro na ponta do nariz... a mais feliz das vovós". Tia Nastácia é a cozinheira e faz tudo da casa, negra de estimação que carregou Lúcia em pequena. "Lúcia, a menina do narizinho arrebitado, ou Narizinho como todos dizem, sete anos, é morena como jambo, gosta muito de pipoca e já sabe fazer uns bolinhos bem gostosos." "... e Emília, uma boneca de pano bastante desajeitada de corpo."[30]

---

[28] Zinda Vasconcelos, 1982, p. 35.
[29] Eliana Yunes, 1982, p. 6.
[30] Lobato, 1968, p. 11.

Os demais personagens são, por ordem de apresentação, um leitão muito guloso, que recebera o nome de Rabicó; Pedrinho, neto de Dona Benta, que morava na cidade e de início só passava as férias no sítio; um visconde de sabugo, bem respeitável, de cartola na cabeça e um sinal de coroa na testa; o burro-falante incorporado ao bando nos últimos capítulos de *Reinações*, e Quindim, um rinoceronte fugido do circo e salvo da sanha dos caçadores na segunda parte de *As Caçadas de Pedrinho*.

É com esse material básico, acrescido de inúmeros outros personagens, coadjuvantes variáveis, que Monteiro Lobato cria o seu universo ficcional, lido no sentido original grego da palavra ler (*logos*: reunir, reunir dados referenciais da realidade circundante), nos remete a uma cosmovisão idealizada: a visão de um Brasil (ou de um mundo) onde reinam a paz, a sabedoria, a liberdade. Para isso recorre à fantasia do pó de pirlimpimpim ou do faz de conta, instaura o seu universo recriando a realidade e também a linguagem.

No Sítio do Picapau Amarelo quem detém a autoridade é Dona Benta (a figura paterna é sequer mencionada, enquanto a da mãe de Pedrinho é apenas referida), e ela a exerce de forma sábia e democrática: "era a democracia em pessoa – jamais abusou da sua autoridade para oprimir alguém [...]. Todos eram livres no sítio e justamente por essa razão nadavam num verdadeiro mar de felicidade."[31] Dona Benta não é apenas uma espectadora das aventuras de seus netos, mas também participante ativa em várias delas. Com a mesma tranquilidade com que recebe no sítio os habitantes do Reino das Águas Claras, vai até a sala conhecer os heróis do País das Maravilhas. E reconhece: "Esse mundo em que você e Pedrinho vivem é muito mais interessante do que o nosso." A partir daí entra no mundo das maravilhas com desenvoltura, não resistindo à tentação de visitar o país das fábulas ou mesmo liderando algumas aventuras como em *Geografia de Dona Benta*.

Além desse papel de autoridade liberal, Dona Benta é ainda quem fornece as informações científicas que serão aprendidas e trabalhadas pelas crianças e quem conta as histórias a cada noite antes da hora de dormir, alimentando assim a fantasia e o sonho, matéria mesma da vida no sítio.

Tia Nastácia representa o povo, cheio de sabedoria intuitiva e experimentada da tradição. No dizer de Emília, ela é "a ignorância em pessoa, Isto é... ignorante, propriamente, não. Ciência e mais coisas dos livros, isso ela ignora completamente. Mas nas coisas práticas da vida é uma verdadeira sábia."[32] Ela supre o sítio de todas as necessidades materiais e ainda encontra tempo para dar vida a alguns de seus principais personagens, já que Emília, Visconde, João-faz-de-conta, saíram de suas mãos. Participa também de várias aventuras, embora em alguns casos à revelia, como em *Viagem ao Céu*, e sempre amedrontada.

Narizinho e Pedrinho são todas as crianças do mundo. Ávidos de conhecimento e de aventura, descobrem a vida através da palavra de Dona Benta, da bondade de tia Nastácia e de sua própria experiência, reelaborando as informações recebidas nesse universo idealizado.

Rabicó é o "mau-caráter" do bando. Capaz de fugir nas horas de perigo, comer o que não deve nos momentos mais inoportunos. Nem por isso, no entanto, é menos querido, aproveitando aí Lobato para colocar-se contra a dicotomia bom x mau

---

[31] Lobato, 1954, p. 15.

[32] Lobato, p. 121.

tão característica da literatura destinada a crianças, notadamente na época em que ele escreveu. Uma de suas antecipações, a ser analisada mais adiante.

Entre esses personagens é Emília, sem dúvida, o mais significativo. Visto por muitos como o *alter ego* de Lobato, através de quem ele emite os seus pontos de vista, denuncia os absurdos do mundo civilizado, ri da empáfia dos sábios e poderosos. Sendo uma boneca, embora evolua e vire gente de verdade, ela está livre das obrigações sociais impostas pela educação à criança. Ela pode dizer o que pensa sem nenhum tipo de coerção. Representa desse modo os impulsos reprimidos, mesmo em crianças tão livres quanto Pedrinho e Narizinho.

Observa com agudez Zinda Vasconcelos:

> Abordando a questão da contraposição da representação dos adultos e das crianças na obra, veremos que as características mais importantes do modelo de criança proposto por Lobato são *a capacidade de iniciativa* e *a liberdade em relação às ideias assentes sobre o mundo*; a criança é o suporte do desejo de modificação social de Lobato. Daí a pouca importância dada à obediência e ao bom comportamento em si mesmos. Os adultos são representados, nos livros de aventuras, como empecilhos para o desenvolvimento da atividade própria das crianças: sua excessiva prudência e seus hábitos arraigados os levariam em princípio a dizer não a tudo que fosse novo... Donde a necessidade das crianças fazerem suas aventuras escondido, que chega a ser explicitamente defendida por Lobato. São também as crianças que encontram as soluções para as horas de crise, em que as medidas conhecidas estão fora de cogitação. Algumas vezes essas soluções são conseguidas com auxílio de elementos mágicos, mas Lobato prefere recorrer a eles só em último caso, e explica isso: seu objetivo é fazer as crianças analisarem todos os elementos de uma situação conflitiva e poderem utilizá-los criativamente. Educam-se futuros cidadãos que possam encontrar soluções para os problemas brasileiros...[33]

Com Lobato, os pequenos leitores adquirem consciência crítica e conhecimento de inúmeros problemas concretos do País e da humanidade em geral. Ele desmistifica a moral tradicional e prega a verdade individual. Instaura, portanto, a liberdade. Sem coleiras, pensando por si mesma, a criança vê, num mundo onde não há limites entre realidade e fantasia, que ela pode ser agente de transformação.

As características do literário e a brasilidade na obra de Lobato

No conjunto de textos que compõem a obra lobatiana, alguns têm afinidades que permitem agrupá-los para efeito de análise. O mais importante para o presente trabalho é aquele em que preponderam o lúdico e a fantasia, embora esteja sempre presente o desejo de transmitir ensinamentos. Dele fazem parte *Reinações de Narizinho*, *Caçadas de Pedrinho*, *Viagem ao Céu*, *O Picapau Amarelo*, *A Reforma da Natureza*, *A Chave do Tamanho* e *Memórias da Emília*. Colocamos no mesmo grupo as histórias inspiradas no folclore brasileiro: *O Saci*, *Histórias de Tia Nastácia*, *Emília no País da Gramática*, *História do Mundo para Crianças*, *O Minotauro*, *Os Doze Trabalhos de Hércules*.

---

[33] Vasconcelos, op. cit., p. 58-9.

Outro grupo é o das adaptações de obras clássicas com que Lobato presenteou as crianças brasileiras, libertando-as das "traduções galegais" que tanto atacava (cf. *A Barca de Gleyre*): *Dom Quixote para Crianças, Aventuras de Hans Staden, Peter Pan, Pinóquio, Robinson Crusoé, Contos de Grimm, Alice no País das Maravilhas.* Em alguns Lobato fazia de Dona Benta a narradora e até mesmo criava uma pequena trama paralela (como em *Peter Pan*), visando aproximar ainda mais a criança brasileira do universo narrativo.

O que permite a unificação de todo esse legado escrito numa obra coesa é, basicamente, a galeria de personagens criados pela imaginação de Monteiro Lobato e o microcosmo em que habitam: o Sítio do Picapau Amarelo. Como foi anteriormente observado, cada um dos seus habitantes corresponde a uma faceta da personalidade desse escritor múltiplo e representa um aspecto da realidade com a qual a criança brasileira se identifica.

Os personagens secundários são, muitas vezes, tomados às histórias clássicas da tradição europeia, do folclore brasileiro e até da incipiente indústria cinematográfica de Hollywood, como o Tom Mix de *Reinações de Narizinho* ou heróis de desenhos animados como o Gato Félix do mesmo livro ou o Marinheiro Popeye de *Memórias da Emília*.

Como se pode notar por essa presença do núcleo básico de personagens, há uma intertextualidade constante que permite a reinvenção ou reinterpretação das histórias de cada um dos personagens em novas aventuras ao lado do "bando", questionamento de suas posições originais e muitas vezes uma revisão destas levando a novas propostas como no caso dos personagens das histórias da Carochinha ou do reino das fábulas (*Reinações de Narizinho*).

Note-se que mesmo nos livros classificados como "didáticos" há uma história que se desenvolve em forma de aventura, com os mesmos personagens já conhecidos intercalados a outros da história universal transpondo espaço e tempo através do uso de elementos mágicos, como o pó de pirlimpimpim ou o faz de conta. Observa Eliana Yunes:

> Então, o que se verifica é que, por um lado, pelas situações criadas, há uma dominância do aspecto pedagógico em Lobato, dado que o real próximo se apresenta às personagens e estas devem compreender o momento histórico, a situação política, o crescimento econômico. Por outro lado, se reafirma o discurso literário onde a *mimesis* não se deixa confundir com a mera reprodução do real, mas aponta para seu questionamento e a consideração crítica das situações, à altura da inteligência e sensibilidade infantis.[34]

Há, portanto, um tratamento ficcional, com características do literário, embora prepondere no texto a função informativa.

Pode-se observar em Lobato alguns aspectos básicos que evidenciam o nível de criação artística. O primeiro diz respeito à linguagem, cujo registro é predominantemente coloquial e na qual se nota a busca da fala brasileira, o tom de oralidade que pouco depois o Modernismo iria consagrar. Como observa Maria Teresa Gonçalves Pereira em sua dissertação de mestrado:

---

34 Yunes, op. cit., p. 36.

Lobato busca constantemente uma renovação nas possibilidades inúmeras que a língua oferece, dinamizando-a, explorando ao máximo suas potencialidades, as suas diversas realizações, não se prendendo ao convencional, mesmo quando dele precisa para reavaliá-lo ou reaproveitá-lo.[35]

Nesse trabalho, a Autora levanta inúmeros procedimentos linguísticos em relação ao uso da derivação sufixal criando novos verbos (condessar, para virar condessa), substantivos (mentirada, emilice), adjetivos (entrante e sainte), advérbios (pernilongamente). Seus neologismos abrangem também os superlativos absolutos e sintéticos e os graus aumentativo e diminutivo através de sufixos intensivos como são exemplos: "quadrupedíssimo" ou "barbudíssimo" para o primeiro caso e "anão" (de ano grande) ou "nuvenzona" e "pertinhas" (no feminino por analogia ao referente que é "as luas") ou "assinzinha" em que se nota ainda a busca da oralidade.

A derivação prefixal é usada frequentemente ("bisótimo", "desacontece", "superpó", "re-olhava") assim como as palavras compostas: "abris-de-lagarto", "dorme-e-acorda", que muitas vezes são nomes atribuídos a pessoas e a coisas e refletem características destes: "Major-agarra-e-não-larga-mais", "Flor-das-Alturas", "Hiena-dos-Mares", etc.

A flexão através do gênero e número dos nomes como em "Floriana Peixota", "peixa" ou "tias Nastácias do rio" e "peses de tartaruga". Uma leitura atenta encontrará ainda incontáveis ocorrências semânticas, consubstanciadas em jogos de palavras, recursos sonoros, aliterações, redundâncias, além de infrações à norma culta e até o requinte do uso de arcaísmos (bofé), palavras estrangeiras (*nursery*), termos técnicos ou regionalismos. Observa, ainda, Maria Teresa Gonçalves Pereira:

> Monteiro Lobato tinha ideias revolucionárias sobre língua, conceitos próprios e incomuns [...]. Parece-nos que Lobato quer atingir os puristas do seu (e do nosso) tempo, os que o acusaram de "poluir" a língua, ou lhes dar uma resposta operando num nível linguístico totalmente incompatível com os padrões estabelecidos na época, utilizando a língua para chamar a atenção para o discurso em si.[36]

Além desses aspectos com que Lobato procurava despir seu estilo de toda "a literatura" no sentido da retórica tradicional, a criatividade que demonstra é marcada pelo humor e aponta no sentido da modernização que preconiza.

Com frequência valia-se do recurso de dar a D. Benta a função de contadora de histórias. É ela quem muitas vezes se incumbe de traduzir, para os demais habitantes do Sítio, textos que de outra maneira seriam de difícil acesso. É o caso de suas adaptações de obras universalmente conhecidas. Também nas obras originais muitas vezes D. Benta usa uma palavra mais erudita, apenas para depois explicá-la de forma coloquial. Essa simplificação na linguagem significa para Lobato a busca de clareza, do entendimento o mais direto possível. Jamais um empobrecimento, como é fácil constatar lendo qualquer de seus livros.

Lobato foi o primeiro a fazer do folclore tema sempre presente em suas histórias através das personagens do Sítio como Tia Nastácia e Tio Barnabé. A primeira,

---

[35] Maria Teresa Pereira, 1982, p. 71.

[36] Ibidem, p. 100.

ponte de ligação entre o mundo racional representado por D. Benta e as superstições e crendices próprias das populações analfabetas; o segundo, conhecedor dos mistérios, dos mitos que habitam o folclore.

Em alguns livros, como *O Saci* e *Histórias de Tia Nastácia*, o folclore é a temática central. Não se trata mais aqui de um pesquisador que registra a tradição oral como fizeram Alexina de Magalhães Pinto e os demais já citados, mas de buscar nessa fonte inesgotável da literatura, que é o folclore, os elementos necessários a uma criação original.

Outra das grandes inovações de Lobato é a de trazer para o universo da criança os grandes problemas até então considerados como parte exclusiva do mundo adulto. Assim, discutem-se no Sítio as terríveis consequências das guerras em *A Chave do Tamanho*, os problemas do desenvolvimento brasileiro em *O Poço do Visconde*, o conhecimento intuitivo frente ao predomínio da lógica e da razão em *O Saci*.

Lobato acreditava profundamente na democracia como forma de governo e não se contentava em transmitir suas convicções de maneira abstrata. O Sítio do Picapau Amarelo é um microcosmo onde cada um é livre para expressar sua opinião e onde as decisões são tomadas pelo voto.

Ao lado dessa realidade evidente no texto e que reflete o contexto histórico e social de seu tempo e do ambiente rural em que se criou, Lobato mostra-nos um mundo mágico do qual a fantasia é parte integrante. Nele reina o faz de conta, solução para todos os problemas, o pó de pirlimpimpim, que permite viagens através do tempo e do espaço. Convivem aí personagens do mundo real, ou seja, os habitantes do Sítio e personagens do mundo das maravilhas, protagonistas dos contos tradicionais, na mais perfeita harmonia. Seja através de deslocamentos do bando como, por exemplo, quando vão ao país das fábulas em *Reinações de Narizinho* ou quando, em *O Sítio do Picapau Amarelo*, recebem o mundo encantado de príncipes e princesas que muda para o Sítio em terras especialmente compradas por D. Benta.

Interessante é notar-se como Lobato estabelece a relação real/mágico numa ótica perfeitamente adequada à psicologia infantil. Ele intui que na criança realidade e fantasia são uma só e mesma coisa e que o adulto se sente dividido entre a razão e a afetividade, entre o mundo da lógica e o mundo do sentimento. Por isso suas soluções são tão simples quanto o berro de D. Benta – "Pedrinho! Narizinho! Emília! Desçam já daí cambada!" – ouvido na lua pelos meninos em *Viagem ao Céu*.[37]

O Sítio é o espaço da magia, por isso ele se integra na natureza. Como muito bem observou Francisca Nóbrega, em recente conferência, a sala e a varanda da casa são os domínios de D. Benta ou da racionalidade. A cozinha é o reino de Tia Nastácia onde já transita a superstição e a crendice, o povo em processo de integração em outras realidades culturais. Na entrada da floresta está Tio Barnabé, representante legítimo da cultura primitiva, do folclore, dos domínios do inconsciente. No Capoeirão dos Taquaraçus moram os sacis, as mulas sem cabeça, os caiporas, os mitos e as lendas de nossa tradição.

É importante salientar, no entanto, que em Lobato a fantasia é sempre uma forma de iluminar a realidade, nunca ela é alienante.

---

[37] Sandroni, 1982, p. 94.

Outros meios empregados pelo escritor para levar à reflexão são o humor, a ironia, a crítica. Nesse aspecto Emília é seu porta-voz. Personagem transgressora por excelência, sempre contestando as verdades estabelecidas em busca de suas próprias verdades. Emília é a "independência ou morte" na sua autodefinição, em *Emília no País da Gramática*. Suas intenções reformistas revelam-se em todos os campos: nas relações internacionais em *A Chave do Tamanho*, na ordem natural das coisas em *A Reforma da Natureza*, ou na própria língua portuguesa em *Emília no País da Gramática*.

Em outros momentos, como na sua relação de dominação com o Visconde, vemos a predominância da sátira em que *Memórias da Emília* é exemplar. Sátira ao sistema econômico no qual uns trabalham para que outros enriqueçam.

Monteiro Lobato foi o primeiro escritor brasileiro a acreditar na inteligência da criança, na sua curiosidade intelectual e capacidade de compreensão. Seus textos estão cheias de citações e alusões que remetem a outros personagens, a outras épocas históricas e seus protagonistas. Ele foi um autor engajado, comprometido com os problemas do seu tempo. Tinha um projeto definido: influir na formação de um Brasil melhor através das crianças. A partir dele, no Brasil, a Literatura Infantil perde uma de suas principais características, a de ser um instrumento de dominação do adulto e de uma classe, modelo de estruturas que devem ser reproduzidas. Passa a ser fonte de reflexão, questionamento e crítica.

A obra de Lobato educa no sentido etimológico da palavra *(ex-ducere*: conduzir para fora). Sua mensagem está sempre presente, mas é aberta a discussões. Sua palavra propõe uma tomada de posição consciente ante todos os problemas que o afligiam.

A década de 70 e suas raízes lobatianas

A obra de Lobato revestiu-se de tanta importância e conheceu tão grande sucesso de público, concretizado em sucessivas reedições, que durante largo tempo o panorama da Literatura destinada a crianças e jovens permaneceu semiestagnado, com várias e frustradas tentativas de imitação.

Destacam-se alguns autores que souberam manter sua originalidade e escreveram livros que até hoje permanecem nos catálogos das editoras, enquanto os demais foram rapidamente esquecidos. Entre os primeiros não podemos deixar de citar Menotti Del Picchia, Malba Tahan, José Lins do Rego, Viriato Correia, Érico Veríssimo, Vicente Guimarães, Ofélia e Narbal Fontes, Francisco Marins, Orígenes Lessa, Lúcia Machado de Almeida e Maria José Dupré que, em maior ou menor grau, realizaram obras nas quais o imaginário e o lúdico encontraram uma linguagem adequada para expressar-se abordando temas históricos, ou de inspiração folclórica ou ainda criando aventuras maravilhosas.

A partir dos anos 70 notam-se algumas modificações nesse quadro, que se vai alterando no sentido de uma grande diversificação da produção, com o aparecimento de novos autores para atender ao crescimento do público leitor criado pela lei da reforma de ensino que obriga a adoção de livros de autor brasileiro nas escolas de 1.º grau. Mais uma vez a Literatura Infantil se vê ligada ao sistema de ensino. Esse fato que por um lado põe em risco a leitura como fonte de prazer e fruição quando a escolha do professor recai sobre textos que não conseguem prender a atenção da criança, por outro lado tem propiciado um clima favorável ao aparecimento de autores que voltando às raízes lobatianas vêm produzindo obras que, sem perder de vista o lúdico, o imaginário, o humor, a linguagem inovadora e poética, tematizam os atuais problemas brasileiros levando o pequeno leitor à reflexão e à crítica.

Glória Pondé observa:

> [...] a relação entre o crescimento da Literatura Infantil e os períodos de redemo-cratização do País. Juntamente com as outras manifestações artísticas de seu tempo, ela também se engaja nos problemas e os reflete criticamente, reelaborando o real, através da fantasia que, por isso, em vez de ser alienante é emancipatória e participante.[38]

Tentou-se aqui reunir esses autores em torno de algumas das inovações introduzidas por Lobato, buscando estabelecer paralelos e analogias, que levem a uma visão geral do caminho percorrido pela Literatura Infantil até nossos dias.

Uma das principais conquistas de Lobato foi trazer para o universo infantil a discussão de temas atuais, antes pertencentes exclusivamente ao mundo adulto. Essa representação da realidade pode dar-se de várias maneiras, sob diferentes enfoques e tratamentos e, talvez por isso, aí encontramos um maior número de obras significativas.

Seguindo uma ordem cronológica quanto às primeiras edições dos títulos citados tem-se, em 1971, *A Fada que Tinha Ideias* e *Soprinho* de Fernanda Lopes de Almeida. Aqui se retoma a linha de ficção lobatiana na qual realidade e fantasia se interpenetram com absoluta naturalidade, para a discussão de temas tais como os abusos do poder totalitário, no primeiro caso, ou a alegórica caminhada do universo psicológico infantil em direção à maturidade e ao mundo adulto, no segundo. Com *O Reizinho Mandão* (1978), *O Rei que Não Sabia de Nada* (1980) e *O que os Olhos Não Veem* (1981), especialmente, Ruth Rocha retoma a discussão decompondo os elementos do conto de fadas tradicional para reconstruí-los invertendo as relações do poder.

Ana Maria Machado realiza o que talvez seja o texto exemplar desse grupo de autores com *História Meio ao Contrário* (1978), em que mantém, para desmistificá--los através da paródia, alguns dos clichês da linguagem típica da tradição oral. Assim, por exemplo, começa discutindo o conceito de "E foram felizes para sempre", fecho comum de tantos contos tradicionais, para terminar com o conhecidíssimo "Era uma vez..." Desta forma está também, como Lobato, retomando personagens conhecidos do leitor, parte de suas referências culturais, para renová-los, enriquecê--los, reinventá-los. *O Rei de Quase Tudo* (1974) de Eliardo França e *Onde Tem Bruxa, Tem Fada* (1979) de Bartolomeu Campos de Queirós situam-se na mesma vertente guardando-se os diferentes estilos e as particularidades de cada um dos autores. Claro está que neles encontramos, em maior ou menor grau, outras qualidades como o humor, o lúdico verbal, a linguagem poética, mas todos dão à criança um papel ativo e transformador identificando-a com os personagens. No gênero contos de fadas – e explicitando na apresentação do livro: "meu interesse e minha busca

---

[38] Glória Pondé, 1983, p. 1848.

se voltam para aquela coisa intemporal chamada inconsciente" – Marina Colassanti redescobre em *Uma Ideia Toda Azul* (1979) e *Doze Reis e à Moda do Labirinto do Vento* (1982) o encanto de um gênero desgastado por incontáveis pastiches.

Longe das fadas mas com muita fantasia, a obra de Lygia Bojunga Nunes situa-se ainda nesse mesmo grupo de escritores que tematizam os problemas da sociedade contemporânea, seja no aspecto das relações humanas, seja nas implicações psicológicas de que a criança é vítima. Com altíssimo nível de criação e grande originalidade de linguagem, a autora se coloca entre os grandes autores brasileiros contemporâneos e mesmo internacionais, como o comprova o prêmio internacional Hans Christian Andersen que recebeu em 1982 pelo conjunto de sua obra, a ser examinada detalhadamente neste trabalho.

Outro tratamento dado à representação da realidade na literatura destinada a crianças e jovens e que muito tem a ver com Lobato é o de Viriato Correia em *Cazuza* (1938). Nelly Novaes Coelho nota neste livro:

> O paralelismo entre a experiência-de-vida do menino em sua evolução para a idade adulta e a do progresso brasileiro. Evolução ou progresso que, em ambos, radicam em um dado comum: a conquista da cultura através da Educação, em clima de aberto otimismo, apesar de não ignorar o lado precário ou limitado da realidade.[39]

A intenção iluminista, portanto, aproxima os dois autores além da linguagem simples e ágil, aproximada do coloquial.

Na mesma linhagem situam-se *Cabra das Rocas* (1966) de Homero Homem e *Justino o Retirante* (1970) de Odete de Barros Mott, ao incorporar a seca nordestina aos temas tratados pela moderna Literatura Infantil brasileira:

Carlos Marigny, com *Lando das Ruas* (1975) e *Detetives por Acaso* (1976), e Eliane Ganem, com *Coisas de Menino* (1978), acrescentam à amplitude dos temas do momento histórico nacional personagem do pivete, o menor abandonado, que vive em grupos nas áreas urbanas constituindo um dos mais graves problemas sociais de nosso tempo. Ambos aprofundam uma das aberturas de linguagens inauguradas por Lobato: o uso da gíria. Aqui, como não poderia deixar de ser para obtenção da verossimilhança, o vocabulário é tão marginal quanto os personagens retratados, correndo o risco de ver comprometido o tempo de vida desses textos que, no entanto, são vigorosos e belos na denúncia que fazem.

Há ainda uma corrente que se quer realista mas cuja filiação ao naturalismo é evidente na escolha temática de situações-problemas da sociedade contemporânea e dos temas considerados tabus para o público infantil. Ela está representada na "Coleção do Pinto", que conta hoje com mais de trinta títulos de qualidade desigual e que tem entre seus autores nomes já consagrados nas letras nacionais. É o caso de Wander Piroli com *O Menino e o Pinto do Menino* (1975) e *Os Rios Morrem de Sede* (1976). Escritos numa linguagem direta e concisa, despida de adjetivações, transmitem, no entanto, a tristeza de uma sociedade que se afasta cada vez mais da natureza contribuindo para sua destruição. Na mesma coleção, abordando diferentes temas tabus, encontram-se *Eu Vi Mamãe Nascer* (1976) de Luiz Fernando Emediato, que trata das tentativas de uma criança em procurar entender a morte de sua mãe,

---

[39] Coelho, op. cit., p. 902.

ou *O Primeira Canto do Galo*, de Domingos Pellegrini, em que um menino descobre sua sexualidade, mesmo tema de *Rita Está Acesa*, de Teresinha Alvarenga, ambos de 1979. As injustiças sociais por demais flagrantes em nossa época são tematizadas por Henry Corrêa de Araújo em *Pivete* (1977), e os preconceitos em relação às diferentes raças por Ary Quintella em *Cão Vivo, Leão Morto* (1980).

A revalorização da cultura popular através de suas raízes orais, uma das vertentes do modernismo enquanto busca de valores nacionais trazida por Lobato para a Literatura Infantil, é retomada na década de 70 por alguns autores que fazem do folclore ponto importante de sua obra. Ziraldo com sua *Turma do Pererê* (1972/1973) é, sem dúvida, um momento significativo, pois realiza a simbiose de traço e palavras, através da linguagem dos quadrinhos, trazendo a problemática rural para este moderno meio de comunicação de massa. Antonieta Dias de Moraes, entre outros temas que aborda em seu trabalho, reconta lendas da mitologia indígena em *A Varinha do Caapora* (1975) e posteriormente em *Contos e Lendas dos Índios do Brasil* (1979). Joel Rufino dos Santos dedica muito de seus livros à reelaboração de contos folclóricos ou ainda à criação original inspirada na tradição oral. *O Caçador de Lobisomem* (1975), *O Curumim que virou gigante* (1975) e *Histórias do Trancoso* (1983) são bons exemplos de seu fazer literário em que a poesia se alia a uma linguagem de cunho marcadamente oralizante. Poesia e folclore são também fios com que Walmir Ayala tece seu texto. Veja-se *Histórias dos Índios do Brasil* (1971) e *O Burrinho e a Água* (1982), entre outros.

Ana Maria Machado faz constantemente alusões e citações de elementos colhidos do folclore como em *Bem do seu Tamanho* (1980), ou reconta em histórias cumulativas por ela descritas como "as que a nossa gente gosta de inventar, contar e ouvir" na Coleção Conte Outra Vez (1980/1981) e em vários outros contos. Vale lembrar ainda seu *De Olho nas Penas*, que recebeu o Prêmio Casa de Las Américas de 1980, onde o folclore transpõe as fronteiras do País e abarca o continente sul-americano e a África. Para os jovens com o hábito da leitura já enraizado, há dois textos primorosos de Haroldo Bruno nos quais preponderam elementos do folclore nordestino: *O Viajante das Nuvens* (1975) e *O Misterioso Rapto de Flor-de-Sereno*, (1979).

O humor como instrumento de desmistificação e reflexão crítica sobre dados do contexto histórico e social foi, como já visto, outra das inovações lobatianas. É claro que tais elementos são fartamente encontrados nas histórias da tradição oral, desde aquelas que remontam ao romance picaresco ibérico, como as aventuras de Pedro Malasartes, até a literatura de cordel. No entretanto, os textos que no início do século traziam o rótulo de "Literatura Infantil" eram sisudos e exemplares, o que faz do criador da irreverente Emília o reintrodutor do riso como arma da crítica, nos livros destinados a crianças. Edy Lima, em sua série iniciada com *A Vaca Voadora* (1972), mistura o insólito de uma vaca não antropomorfizada a personagens que fazem uso da magia e da alquimia para obter o riso e ainda questionar as várias faces de uma sociedade consumista, alheia ao mágico e à fantasia. Elvira Vigna, escritora e artista gráfica, criou *Asdrúbal, o Terrível* (1978), um engraçado monstrinho para exorcizar o medo. Mesmo quando apenas ilustra, como em *O Sofá Estampado*, seu desenho cria uma história paralela ao texto em que o humor é fundamental. Sylvia Orthof, embora questione a autoridade constituída, como em *Mudanças no Galinheiro Mudam as Coisas por Inteiro* (1981), estrutura sua narrativa em situações inesperadas ou absurdas que provocam riso e reflexão. *Os Bichos que Eu Tive* (1983) talvez seja o texto em que melhor desenvolve suas potencialidades de humorista. João Carlos Marinho, escrevendo para jovens adolescentes, expressa através do humor e da ironia, como em *O Gênio do Crime* (1969) e *O Caneco de Prata* (1971), ou ainda da sátira, como no recente *Sangue Fresco* (1982), uma severa crítica social, inovando ainda na estrutura narrativa muito fragmentada.

Na prosa poética, Bartolomeu Campos de Queirós é o primeiro a ser lembrado com *O Peixe e o Pássaro* (1974) e os premiados *Pedro* (1977) e *Ciganos* (1983). Neles a ambiguidade e a imprecisão são estímulos à imaginação criadora do leitor. A rima, as aliterações, a sonoridade da língua, sua possibilidade de jogo, ou seja, o lúdico na linguagem, campo em que Monteiro Lobato também abriu novas possibilidades, estão presentes não só na obra de Campos de Queirós, como na de Ruth Rocha, em livros destinados a crianças bem pequenas como *Palavras, Muitas Palavras* e *Marcelo, Marmelo, Martelo*, ambos de 1976. Ana Maria Machado trabalha igualmente seus textos sob este aspecto. *Um Avião e uma Viola* (1982) é um bom exemplo, entre vários outros. Há ainda os livros de Maria Mazzetti, precursora dos Autores aqui lembrados e cuja obra para o pequeno leitor é exemplar, graças à linguagem poética e coloquial adequada às suas histórias simples e encantadoras, como *O Casacão Mágico* (1966) ou as da "Coleção Curupira" (1968-1969).

A poesia pós-modernista destinada às crianças até recentemente resumia-se a quatro poetas. Dois precederam a década de 1970: Sidônio Muralha e Cecília Meireles; os outros situam-se dentro dela: Vinicius de Moraes e Mário Quintana. Sidônio Muralha, poeta português da geração neorrealista, exilou-se por motivos políticos e viveu no Brasil de 1962 até sua morte em 1982. Aqui lançou, logo de chegada, *A Televisão da Bicharada*, inaugurando a "Coleção Giroflê-Giroflá" e sua editora, na qual em 1964 Cecília Meireles publicava *Ou Isto ou Aquilo*, um clássico da lírica infantil. Sidônio e Cecília fazem de seus versos brincadeiras sonoras e encantam crianças e adultos com a redescoberta da beleza das coisas simples. Não consideramos poesia a quantidade de versos reproduzidos em livros didáticos e que se destinam a comemorar datas cívicas ou festas do calendário escolar. A poesia que aqui referimos é aquela que só tem compromisso com a beleza, a emoção e a reinvenção da linguagem. Nessa linha, Vinícius de Moraes destaca-se com *A Arca de Noé* (1971), onde os versos captam a sensibilidade e o lirismo que perpassa toda sua obra: a graça da exploração lúdica dos sons atinge plenamente a alma infantil. Mário Quintana com *Pé de Pilão* (1975) inova na forma poética com narrativa em que o *nonsense* e o humor prevalecem. Seu recente *Lili Inventa o Mundo* (1983) é também prova de que, como Lobato, acredita na inteligência e na sensibilidade das crianças. A lembrar ainda o belo *O Menino Poeta*, de Henriqueta Lisboa, recentemente editado.

Muitos dos grandes poetas brasileiros têm em suas obras poemas que poderiam ser amados pelas crianças se as editoras acreditassem que a poesia é necessária. Em Bandeira e Drummond, por exemplo, encontram-se vários poemas que fariam a delícia da garotada à espera de uma adequada edição. Esta dificuldade, no entanto, vem sendo aos poucos vencida. Alguma poesia começa a ser publicada e pode-se citar entre os novos autores Elza Beatriz com *Pare no P da Poesia* (1980), Elias José com *Um Pouco de Tudo*, Antonieta Dias de Moraes com *Jornal Falado*, Sérgio Caparelli com *Boi da Cara Preta*, todos de 1983.

Outro componente importante na produção editorial para crianças e jovens é a ilustração. Num mundo em que o visual tem função preponderante sobre o texto através dos meios de comunicação de massa, o livro infantil não poderia deixar de aperfeiçoar seus aspectos gráficos a fim de competir no mercado, como objeto de consumo que é. Por outro lado, é importante lembrar que, num país onde o analfabetismo continua desafiando planos e campanhas governamentais e em que a maior parte dos que ingressam na rede oficial de ensino provém de famílias que não aprenderam a ler, a linguagem pictórica tem valor próprio já que, no processo de elaboração da linguagem, exerce papel primordial. Também nesse aspecto Lobato foi antecipador. Suas primeiras histórias – que hoje reunidas e mal editadas constituem o volume *Reinações de Narizinho* – eram inicialmente álbuns ilustrados a cores por Voltolino. Assim, ele foi fiel à sua ideia: fazer livros em que as crianças quisessem morar dentro.

Também aí existem precursores e dos mais notáveis. Paulo Werneck, Santa Rosa e Luiz Jardim concorreram ao primeiro concurso de álbuns ilustrados promovido em 1937 pelo Ministério da Educação e Saúde. Seus livros foram editados e hoje são raridades bibliográficas à espera da atuação de órgão que preservem a memória literária nacional. Portinari foi recentemente resgatado com seu belo trabalho para Maria Rosa de Vera Kelsey, traduzido por Laura Sandroni. Os desenhistas de humor e quadrinhos que brilhavam nas páginas de *O Tico-Tico* como Renato de Castro, Luís Gomes Loureiro, Alfredo Storni, Max Yantock, Ângelo Agostini, Luiz Sá e J. Carlos foram rapidamente postos de lado com a invasão do produto norte-americano mais barato.

A qualidade do desenho nos livros infantis brasileiros voltou a crescer em consequência da ampliação do mercado que se situa na década de 70. Data de 1972 a ilustração de Gian Calvi para *Os Colegas*, de Lygia Bojunga Nunes, e de 73 *A Toca da Coruja* de Walmir Ayala, ambos premiados no concurso promovido pelo Instituto Nacional do Livro. Eliardo França, já com alguns livros publicados, recebeu em 1975 menção honrosa da Bienal de Ilustrações de Bratislava – a mais importante mostra internacional do setor – com *O Rei de Quase Tudo*. A mesma distinção é dada, em 1979, a Jeanette Musatti por seu trabalho *Sonhos de Pondji*, e já em 1985 a Apon pelas ilustrações de *Macacos me Mordam,* de Fernando Sabino.

Em 1980 Rui de Oliveira recebe o prêmio Noma do Centro Cultural da Unesco, em Tóquio, por seu trabalho para *A Menina que Sabia Ouvir*, de Michel Ende. A mesma láurea é ganha por Gian Calvi em 1982 com *Um Avião e uma Viola*, de Ana Maria Machado, e Ângela Lago é agraciada em 1986 com *Chiquita Bacana e as Outras Pequetitas*.

A Câmara Brasileira do Livro dá outro impulso à produção de nossos artistas instituindo o Prêmio Jabuti para ilustração, ganho por Ângela Lago e Regina Yolanda em 82 e 83. Mas são poucos os prêmios e muitos os artistas. Entre eles citamos Gê Orthof, Patrícia Gwinner, Ana Raquel, Gerson Conforto, Flávia Savary, Walter Ono, Humberto Guimarães, Ivan e Marcelo e ainda Ricardo Azevedo, premiado em Bratislava em 1983, e Eva Furnari que vem-se especializando em livros sem texto especialmente destinados ao pré-leitor.

O teatro infantil é outro gênero em que as editoras tradicionalmente não gostam de investir. Embora existam no país inúmeros grupos amadores necessitando de bons textos para seu repertório, são poucos os autores que têm sua obra publicada. Maria Clara Machado é a exceção. Realizando há mais de trinta anos seu trabalho artístico no Tablado, tem nos cinco volumes do *Teatro de Maria Clara Machado* editadas quase todas as suas peças. Dentre elas destacamos *Pluft, o Fantasminha* e *O Cavalinho Azul*, duas pequenas obras-primas traduzidas e publicadas em vários países. Ambas foram adaptadas pela autora em forma de narrativa e encontram-se entre os mais bem editados livros infantis brasileiros. Sylvia Orthof teve seus primeiros sucessos como escritora através do teatro com *A Viagem do Barquinho* (1975) e *Eu Chovo, Tu Choves, Ele Chove* (1976), nas quais sua inventividade já era marcante. Ilo Krugli com sua bela *História de Lenços e Ventos* é outro importante autor do gênero que Ana Maria Machado também domina.

Por trás desse crescimento, que se pode ainda aferir através das muitas livrarias especializadas que surgem por todo o País, está um trabalho fecundo realizado nas Universidades através dos cursos de Literatura Infantil, nos seminários, mesas-redondas e congressos promovidos por entidades públicas, como as Secretarias de Educação, e privadas, como a Fundação Nacional do Livro Infantil e Juvenil, dos quais participam centenas de professores e bibliotecários que atuam no primeiro grau de ensino. E ainda nas colunas de crítica que começam a ocupar espaços em vários jornais.

O trabalho na área da cultura é lento e o que agora se denomina impropriamente *boom* do livro infantil nada mais é do que o resultado da semeadura não tão recente, aliada ao crescimento natural do público leitor e ao crescimento da classe média urbana. Muito há, ainda, a ser feito, especialmente na área do acesso ao livro, seja através da melhor distribuição comercial, na qual Lobato também interferiu, seja através da melhoria da rede de bibliotecas públicas e escolares.

Conscientes de que o bom leitor adulto é aquele que cedo teve a oportunidade de leitura, todos os envolvidos no processo de produção, do autor ao livreiro, passando pelo editor e pelo crítico, devem trabalhar para permitir o acesso cada vez maior ao livro destinado a crianças e jovens e o permanente processo de melhoria do produto.

Itinerário de Monteiro Lobato até o encontro com a literatura infantil[40]
João Carlos Marinho

O livro, *A Barca de Gleyre*, onde estão reunidas as cartas que Monteiro Lobato escreveu a Godofredo Rangel, desde os tempos de estudantes, em 1903, até a véspera da sua morte, em 1948, mostra o itinerário artístico de Lobato.

---

[40] Publicado na obra *Conversando de Monteiro Lobato*. São Paulo: Editora Obelisco, 1978. p. 3-17.

Monteiro Lobato deixa claro, ao começar a vida, que trabalhava e trabalharia muito para alcançar o sonho de ser um grande escritor, através da fórmula "reduzir o senso estético a um sexto sentido" (Carta de 1904).

Nem lhe passava pela cabeça ser um escritor para crianças, a literatura infantil era (e ainda é) considerada uma arte menor, não constava de nenhum compêndio sério de literatura, não era tema das discussões dos jovens ambiciosos. É normal que Lobato se voltasse para a glória modelo da literatura adulta, queria chegar onde chegaram Machado, Sthendal, Camilo.

Este tipo de glória parecia ter acontecido com *Urupês*, várias edições em um ano, o autor é chamado a todos os lugares, o Brasil inteiro fala do livro. Sucedem-se outros livros adultos, todos bem engendrados, de estilo vivo, mas nada de especial, assim como *Urupês*, um brilho de circunstância.

Alfredo Bosi em *História Concisa da Literatura* (Editora Cultrix), mostra com precisão a tibieza literária de Lobato, escritor para adultos:

> No que tange à composição, querendo imitar a objetividade de Maupassant, sem o gênio do mestre, Lobato concentrava-se no retrato físico, na busca dos defeitos do corpo ou dos aspectos risíveis do temperamento ou do caráter. Um antirromantismo algo pragmático, que o desviava continuamente da interioridade, fazia-o descansar na superfície dos seres e dos fatos cuja sequência se revela por isso desumanamente funcional, no sentido daqueles mesmos efeitos de cômico e patético que o autor queria produzir. A indicação dos limites da arte lobatiana parece colidir com a relevância da figura humana que vive na história brasileira onde já assumiu um papel simbólico.

Alfredo Bosi não diz uma palavra da literatura infantil de Lobato, confirmando o conceito de arte menor em que ainda é tida pelos estudiosos. Mas a arte adulta de Lobato é o que disse Alfredo Bosi.

De 1921 em diante, com a publicação do *Narizinho Arrebitado* e a história do peixe que esqueceu de nadar, começa a surgir em Lobato a ideia da saga do Picapau Amarelo. Mas Lobato estava muito atarefado, voltado para a literatura adulta e com inúmeros outros projetos a realizar. É aos poucos, em surtos episódicos, que vão se amiudando, que a verdadeira vocação de Lobato irá se afirmar, culminando com o ano de 1934, quando decide, aos cinquenta e dois anos, construir a saga do Picapau, como um todo coerente e como centro de sua atividade literária.

Lobato toma inteira consciência, finalmente, que nascera com o dom de escrever para crianças e não nascera com o dom de escrever para adultos. É na saga do Picapau Amarelo que Lobato conseguiu reduzir o senso estético a um sexto sentido, e, de fato, enquanto para adultos escrevia como que fora do seu "eu", na saga do Picapau passa a escrever de "dentro de si", produzindo uma vasta obra genial.

Esta tomada de consciência, esta decisão de dizer-se "eu sou um escritor infantil", foi resultado de longa e alternativa batalha contra o preconceito, antes aceito pelo próprio autor, de que a literatura infantil é uma arte menor e não é o lugar para os grandes talentos. Lamentando o tempo perdido e também satisfeito por ter-se encontrado, Lobato diria a Edgard Cavalheiro (Em *Homens de São Paulo* – Livraria Martins Editora) pouco antes de morrer:

> Se eu previsse essas coisas não teria perdido tanto tempo com literatura para adultos, nem com o ferro, petróleo e outras baboseiras em que andei metido.

Traços Principais da Arte de Lobato para crianças

Lobato não despreza a inteligência da criança. Sua sintaxe e seu vocabulário, embora simples, não são diminuídos à infantilidade, usa sinônimos, não força encurtamento de frases, escreve literariamente e melhor do que o fazia para adultos.

Os efeitos do cômico em que falhara no *Urupês* maneja-os agora muito bem, no humor fino e *"pince sans rire"* ou levando o leitor para a grande gargalhada, sabendo lançar o humor gratuito com igual maestria que o humor satírico e crítico da sociedade.

O humor constante é um dos traços principais da saga do Picapau Amarelo. Nenhum autor infantil conseguiu a façanha de escrever uma obra infantil marcadamente humorística como Monteiro Lobato. Compare-se com o Pequeno Príncipe: afora o primeiro lance, bem conseguido, do desenho da jiboia, Saint-Exupéry persegue cansativamente o "humor fino", não o alcançando; caindo na estereotipação de diálogos e imagens desfibrados, na tentativa de criar a antítese adulto-criança. Humor é uma das coisas mais raras em literatura, adulta ou para crianças, e Lobato conseguiu.

É curioso que a maioria dos escritos que elogiam Lobato e analisam o efeito de sua leitura pela criança, não tenha colocado em destaque este traço relevante.

Salvo algumas exceções, os analistas do Picapau têm insistido demasiadamente no aspecto "Inovador" de Lobato, ou outros aspectos não literários, os quais, sem deixarem de ser importantes, colocariam a importância da saga apenas na temporalidade. A obra infantil de Lobato está a reclamar uma ótica de análise mais puramente literária, a exemplo do que vêm fazendo Tatiana Belinky e Júlio Gouveia.

A popularidade de Lobato é um aspecto que merece ser lembrado. Seus personagens foram adotados pelo povo. Uma escola de samba do Rio de Janeiro pega como motivo para seu desfile carnavalesco o Mundo Encantado de Monteiro Lobato.

E não falo de sucessos populares efêmeros, como tantos escritores tiveram, sempre haverá alguém na moda. Falei da imortalização, da perenidade de seus personagens, inseparáveis para sempre da cultura de nosso povo.

Esta glória de popularidade perene só a conheceu José de Alencar com seus personagens Ceci, Peri e Iracema.

Os diálogos são outro traço importante: a dialogação sempre foi o ponto preferido pelas crianças nas histórias infantis, Lobato não escapa desta regra, grande parte da saga do Picapau é tomada por diálogos, mostrando-se Lobato um profundo conhecedor do arsenal da teatralização.

Lobato era pintor, não é por acaso que seu descritivismo é perfeito, como naquela descrição da floresta do sítio, no Saci, das mais belas páginas paisagísticas de nossa literatura.

Monteiro Lobato encontra também a perfeição no desenvolvimento da ação aventuresca. As primeiras páginas das *Caçadas de Pedrinho* são exemplo de ação bem levada, rápida, com alternativas, com *punch*, onde num abrir e fechar de olhos começa a história, trama-se a caçada à onça, faz-se a caçada com o quase insucesso e variações – e caça-se a onça, em quatro páginas, num modelo de densidade de texto e economia de palavras. É o melhor texto de Lobato, iguala-se aqui aos grandes mestres da ação aventuresca, como Edgard Rice Burroughs quem, ultimamente, vem sendo reabilitado por vários críticos que o tiram do segundo plano de mero entretenedor para colocar o autor de Tarzan entre as maiores figuras literárias deste século e como um dos melhores escritores de ação que a literatura conheceu.

A literatura para crianças de Lobato é fertilíssima em achados interessantes.

A Emília para conseguir falar deve passar por um processo lógico que são as pílulas do Dr. Caramujo. O Visconde de Sabugosa entra falando desde o começo sem que nenhuma criança do mundo fique intrigada com esta diferença.

O Visconde, ao contrário da Emília, não tem corpo necessário. Qualquer sabugo vira Visconde e, tendo morrido afogado, a turma do sítio pega outro sabugo, um sabugo qualquer, arranja-o, penteia-o, e pronto!, o Visconde volta a viver outra vez, num processo aproximado de antiempatia, feito com grande naturalidade, o autor não alardeia o processo, é assim e acabou-se, ninguém fica admirado. O Visconde é um ser imanente, só deixaria de existir quando acabassem as espigas do mundo, e apesar desta imortalidade ela não o diferencia dos outros, quando está em perigo sentimos temor pela sua vida.

Em *Caçadas de Pedrinho* a menina Cleo chega ao sítio no momento em que Emília escondia um rinoceronte (o Quindim), o que ninguém suspeitava, e Cleo vai já dizendo: Você está escondendo um rinoceronte. Emília nega, pergunta por quê, e Cleo diz: Porque você tem cara de menina que está escondendo um rinoceronte. Emília corre ao espelho, fica um tempo olhando bem nos seus próprios olhos e conclui desanimada que realmente, indubitavelmente, sem a menor possibilidade de engano, ela estava com cara de menina que esconde rinoceronte. Temos aí outra aula de Lobato, de teatralização (movimento cênico), originalidade, surpresa, diálogo e troca de papéis (de Cleo para Emília e do Espelho para Emília), partindo de uma ideia simples e desenvolvido com simplicidade também.

O realismo é também uma característica da saga. Lobato consegue o acasalamento maravilha-realidade; usando de recursos do "maravilhoso", nunca deixa de, no conjunto, fazer com que a tônica principal de suas histórias seja o mundo real. Real como real, e o maravilhoso como real. A disposição das cenas e a psicologia dos personagens nunca se afasta do universo concreto. Muitos têm classificado sua obra com o adjetivo de "fantasia", o que é errado. O traço realista é predominante, a partir do realismo constrói a fantasia e por isso a criança lê a saga do Picapau como se fosse uma história verídica e não como uma proposição de acompanhar o autor no mundo do sonho.

O outro traço da saga do Picapau é um traço negativo: a mania de ensinar, o instrui-diverte.

Millôr Fernandes em uma crônica chamada Cientifismo (*Lições de um ignorante* – José Álvaro – Editor) diz a respeito do instrui-diverte:

> Vejo, com tristeza, uma enorme tendência atual para se escrever histórias *orientadas*, que visem dar à criança, não apenas a magia dos acontecimentos narrados, mas também, hábil ou grosseiramente disfarçados no meio disso, conhecimentos úteis, noções culturais, dados científicos, em suma: educação!

A separação frequente em Lobato da "Magia dos acontecimentos narrados" para as maçantes intervenções do instrui-diverte, chatice em que a escamoteação em "educador anticonvencional" não consegue enganar a criança, embora entusiasme muitos pais zelosos, deve-se a que Lobato, além de escritor, era um homem de ação, um reformador, bastando ver a sua luta pelo petróleo e o ferro; quis utilizar a saga do Picapau como instrumento de uma vasta reformulação de nosso ensino. Talvez também um resquício do preconceito sobre a literatura infantil "arte menor", em que a ligação escritor-leitor seja paternalista ou professoral.

Lobato não percebeu que a própria irreverência, atrevimento e anticonvencionalismo das histórias livres que narra já era por si uma revolução suficiente para a cultura infantil.

É evidente que há uma dose de "ensinamentos" que é inseparável das próprias histórias livres e aí lhes dá sabor. A Dona Benta, humanista, deve atuar querendo ensinar. Na *Viagem ao Céu*, assim como se aprende bastante coisa com um *science-fiction* moderno, o estudo do sistema solar e de outras leis físicas não se destaca da história, nos *Doze Trabalhos de Hércules* e no *Minotauro* há dados sobre história grega sem os quais a criança não teria condições de acompanhar a aventura.

O exagero, e o chato, está quando Lobato, não se contentando com o entrosamento necessário do campo didático com a história, aquele subordinado a esta, mete-se em trechos de puro educativismo, em que os personagens se desliteralizam e passam a ser meros pedaços de um jogo de armar "instrutivo".

OS PERSONAGENS DO PICAPAU AMARELO

Os personagens mais literariamente acabados da saga do Picapau Amarelo são a Emília, Dona Benta, Visconde de Sabugosa, Tia Nastácia, Marquês de Rabicó e o Saci (embora apareça em uma história só).

Narizinho e Pedrinho são bons personagens, *indispensáveis* à formação do grupo, mas são meninos comuns, não atingem a perfeição de um personagem antológico.

Percebe-se, lendo *Reinações de Narizinho*, que a Lúcia estava destinado o papel de estrela asneirenta e livre, que ela executa em grande performance até o momento em que Emília absorve-lhe a personalidade, começando a falar e mexer por aí. Como seria impossível manter duas sósias atuando no mesmo conjunto, o apagamento de Narizinho foi obrigatório.

Pedrinho é pouco original, mas é o único homem de um grupo feminino, como salientou Júlio Gouveia ("Nele a mulher tinha vida" – *Folha de S. Paulo* 18/4/78). Sua função de homem é de capital importância para a movimentação do livro nos trechos aventurescos e para contrapor o masculino ao feminino. Atua mais pela atividade do que pela personalidade.

Emília é o astro, o Brasil sabe disto. Representa a criança livre, asneirenta, arguta observadora; egoísta também, além de boa companheira, a resposta sempre na ponta de língua, zombadora implacável da burrice dos outros, não é apenas um grande personagem de literatura infantil, pertence à galeria dos grandes personagens da literatura. Em repetidas cartas a Rangel, Lobato vai contando seu maravilhamento com a boneca que lhe escapava das mãos:

> Quando escrevo um desses livros, ela me entra nos dois dedos que batem as teclas e diz o que quer, não o que eu quero. Cada vez mais, Emília é o que quer ser, e não o que eu quero que ela seja. (Carta de 1/2/43)

Gilberto Mansur em sua monografia *Atualidade de Monteiro Lobato* conta o espanto provocado nas mentes convencionais diante do atrevimento da Emília e da turma do Picapau Amarelo. Houve queima de livros de Lobato em praça pública e um boletim da Liga Católica Feminina analisava a obra infantil com frases assim:

> Há em toda ela situações, episódios, conselhos, conclusões morais que expressam grande pessimismo no valor dos homens, na sua capacidade de aperfeiçoar-se, numa ironia nada construtiva, mas quase sempre ao alcance da inteligência infantil, e, por isso mesmo, perigosa.

Dona Benta é um personagem complexo e interessante. É ela quem governa o sítio, permite e incentiva o atrevimento das crianças, participa das aventuras, sabendo conforme o livro ou trecho de livro ser a protagonista principal ou a contracenadora, diz coisas engraçadas, é lépida na réplica e na tréplica e traz aquilo que nenhum outro personagem pode trazer que é a enorme emoção protetora da avó.

Este papel de avó terna, líder e livre, que ela encarna magnificamente, é mais sentido pelo leitor criança do que pelo adulto. Lembro-me que, em criança, lendo avidamente Lobato, discutia com outros meninos quem era o "melhor" do sítio, e, não só na minha opinião, como na de outros amigos, a escolhida era Dona Benta.

Tatiana Belinky descobriu um dos segredos de Dona Benta e do sítio. Diz Tatiana:

> Os adultos não pressionam nem atrapalham, porque a autoridade do sítio *não é pai nem mãe,* e sim a avó. E as relações entre avós e netos são afetuosas e descontraídas. Especialmente, no caso de uma avó como Dona Benta Encerrabodes de Oliveira, inteligente e culta, enérgica e compreensiva, sensata e carinhosa, realista mas capaz de topar as mais fantásticas brincadeiras. Lobato teve a habilidade de eliminar de suas histórias o elemento perturbador que seriam os pais, com as ansiedades, atritos e problemas que assolam normalmente até as melhores relações entre pais e filhos. Pedrinho e Narizinho não são órfãs, eles têm pais que devem ser ótimos, mas são invisíveis, não estão no Sítio. (Em *Literatura Infantil é Monteiro Lobato,* inserto em circular da Livraria Informática Ltda.)

Os pais de Narizinho são mais impalpáveis que os de Pedrinho. Sabemos que Pedrinho mora em São Paulo, sua mãe se chama Dona Antonica, algumas vezes referida nos livros (do pai nada se diz, confirmando a observação de Júlio Gouveia sobre o feminismo da saga do Picapau) ao passo que Narizinho mora no sítio e em momento nenhum se coloca a questão de saber se ela tem pai ou não, o leitor não se preocupa.

O Visconde de Sabugosa é outro magistral achado de Lobato. Uma grande parte da comicidade da saga do Picapau vem da dupla humorística Emília e Visconde. É o sábio do sítio, em quem a Emília manda e desmanda, mas tem muita personalidade, em ocasiões sem conta ele é o ponto do desenvolvimento literário de uma situação. Sua atuação lembra a de certos desajeitados famosos do cinema, como o Magro, da dupla o Gordo e o Magro, ou de um Woody Allen em seus melhores momentos. A dupla humorística Emília e Visconde é impagável, cada um no seu tipo de humorismo, completando-se.

Nem sempre o escritor é o melhor crítico de seus escritos. Lobato não dava muita fé no Visconde, como diz a Rangel em carta de 1/2/43:

> Já o Visconde de Sabugosa é um *raté*. Tentou várias evoluções e sempre "'regrediu" ao que substancialmente é: um sábio. Um sábio é coisa cômoda, espécie de microfone: não tem, não precisa ter personalidade muito bem definida.

Tia Nastácia é a vivificante representação da empregada negra recém-saída da senzala, meio mãe, meio amiga íntima da patroa, a cozinheira dos quitutes, a supersticiosa, invocadora da Virgem, de Jesus e de todos os santos, depositária do folclore, cultura e crendices populares, a ignorância alerta, a que fala sozinha, o coração terno e aberto, faladeira, palpiteira, atenta a tudo e muito espirituosa também. A palpiteirice de Tia Nastácia, assim como seus "duetos" com Dona Benta são de alta literatura.

Monteiro Lobato não se envergonha em colocar a "pretice" de Tia Nastácia, que é um elemento físico e racial que a distingue, Lobato era um descritivista, não teria cabimento esconder a pretice da cozinheira, seu beição de negra, seus trejeitos de negra, de onde um crítico incriminou-o de racista, observação sem cabimento, não vale a pena contestá-la e sim registrá-la como curiosidade.

Tia Nastácia não é o único personagem preto. Temos o Saci, personagem principal de um dos melhores livros de Lobato (o melhor é *Caçadas de Pedrinho*), talvez o escrito em estilo mais inspirado.

O negrinho de uma perna só mostra o mundo mágico da floresta para Pedrinho, agindo como um líder inteligente, ativo, corajoso, peralta, zombeteiro, amigo e, como os grandes personagens de Lobato, um humorista.

Aqui a antítese entre o atrevimento da criança e o convencionalismo do adulto muda de figura: o de ideias convencionais, com o seu humanismo livresco reduzido a pó é o Pedrinho, quem sabe enxergar livremente é o Saci.

Os livros de Lobato são inesquecíveis. Nunca mais deparei com um gomo de bambu ou um redemoinho de folhas sem lembrar do Saci.

O Marquês de Rabicó, além de porco, é o personagem covardão, egoísta e comilão, indispensável em uma história de humor. Aquele suspense de ser comido no Natal deixa a criança com o coração aos pulos.

O PROTAGONISTA PRINCIPAL É O SÍTIO E O GRUPO

O Sítio do Picapau Amarelo é o protagonista fundamental da saga, grupo de pessoas que não agem isoladamente, *é uma enturmação*, e lugar em si, moradia, sítio, com as suas peculiaridades arquitetônicas e de natureza (as jabuticabeiras, a floresta, a varanda, as galinhas, o pinto Sura, a vaca Mocha, o clima, o mês do ano, os marimbondos, os insetos, o riacho, os passarinhos, etc.).

A interligação dos personagens entre si e de dentro de si para com o sítio forma uma unidade inseparável, é motivo principal do sucesso de Lobato.

O sítio é uma referência fortíssima de lugar estável, onde tudo começa e tudo acaba, mesmo que a turma vá parar na Grécia antiga ou no céu. O gênio descritivista de Lobato, suas cores de pintar, sua observação aguda em mostrar as coisas, foram decisivos.

O sítio realiza o sonho dos ecólogos e arquitetos: a adequação perfeita das pessoas entre si, com a natureza e com o lugar de moradia.

É um lugar que acalma a criança, a embala suavemente, sendo importante o que observaram Júlio Gouveia e Tatiana Belinky: não existe pai nem mãe, a chefe é a avó, a figura mais calmante que possa haver para uma criança, e as mulheres predominam.

A criança, ao ler os livros, passa a *morar* no sítio do Picapau Amarelo. Lobato anteviu e escreveu a Rangel em 7/5/1926:

> Ainda acabo fazendo livros onde as crianças possam morar.

É por isto que o adulto que não tenha lido Lobato em criança jamais poderá compreender o alcance formidável das sensações do sítio do Picapau Amarelo. Nunca terá a condição biológico-imaginativa para entrar no mundo do sítio, com suas mil minúcias, por mais aproximações que tente fazer.

Quem não leu Lobato em criança "perdeu o trem", irremediavelmente, não há mais possibilidade de alcançá-lo, o que não quer dizer que a leitura do Picapau Amarelo por um adulto sensível calhe insossa, é gostosa, o que ele não conseguirá é *viver lá dentro* do sítio como se fosse a própria realidade.

Eu morei neste sítio e foi uma das coisas mais marcantes e emocionantes e inesquecíveis que me aconteceram na infância.

Lobato achou o tom, o ritmo e a mágica de fazer alta literatura *só* para crianças, diferente de outros livros *duplos,* como Tarzan e outros assim, que admitem dois ângulos, porém muito aproximados de leitura, a feita pela criança e pelo adulto. Em Lobato não há condições de aproximação destes ângulos de leitura.

Daí saem as deformações de apreciação de críticos de Lobato que não o leram em criança, mesmo quando o elogiam, ou a deformação da própria leitura da criança quando orientada por estes adultos.

VISÃO GERAL DOS LIVROS INFANTIS DE MONTEIRO LOBATO

Dos trinta e dois títulos, nove são traduções e adaptações, e vinte e três constituem a saga do Picapau Amarelo.

Esta se divide em:

A) Livros onde há uma história livre ou uma história livre bem acasalada com propósitos didáticos: *Reinações de Narizinho, Saci, Caçadas de Pedrinho, Viagem ao Céu, Minotauro, Doze Trabalhos de Hércules, Reforma da Natureza, Chave do Tamanho, Memórias da Emília* e *Sítio do Picapau Amarelo* (dez títulos).

B) Livros onde predomina a intenção didática e não há literatura: *Poço da Visconde, Aritmética da Emília, Emília no País da Gramática, Geografia de Dona Benta, História das Invenções, História do Mundo para Crianças* e *Serões de Dona Benta* (sete títulos).

C) Histórias de "fora do sítio", contadas nas reuniões do sítio, onde um personagem, geralmente Dona Benta, é narrador, e os demais são ouvintes e palpiteiros: *Histórias Diversas*, *Fábulas*, *D. Quixote das Crianças*, *Hans Staden*, *Peter Pan* e *Histórias de Tia Nastácia* (seis títulos).

A saga do Picapau Amarelo não é uniforme. Os livros geniais são os da primeira categoria, os literários, e os menos bons são os da categoria **B**, os didáticos.

Nos primeiros encontram-se todas as qualidades que imortalizaram Lobato. E não são poucos, são dez títulos, sendo que os *Doze Trabalhos de Hércules* é um livro longo, dando dois volumes grossos.

Os escorregões para o instrui-diverte viscoso, mais frequentes em uns e menos em outros, não comprometem estas obras fundamentais.

Na categoria **B**, tirante o *Poço do Visconde*, em que a escamoteação história-livre como pretexto de educar é evidente, os livros anunciam com sinceridade o seu propósito instrutivo e já não se trata de saber se o autor está escamoteando ou não e sim se ele está ensinando bem ou não, usando a forma dialogada, com os personagens do sítio ou a ação da *Emília no país da Gramática*. Estamos declaradamente fora da literatura, são compêndios escolares com pretensões de originalidade. Acho que não era o forte de Lobato, este de professor, nem método original consegue ter.

Na terceira categoria, as histórias de fora do sítio mas contadas dentro do sítio, *Hans Staden* e *Peter Pan* são obras-primas, os demais são bons, menos *D. Quixote para Crianças*, não por falha do autor, mas pela impossibilidade de fazer do universo de Cervantes um universo infantil. A criança, embora tenha condições de inteligência, não tem condições de experiência para alcançar a complexidade de Quixote, assim como não tem condições de experiência para entender um suposto *Hamlet* para crianças.

O segredo de toda literatura infantil é este: confiar extremamente na inteligência e percepção da criança, excluindo temas que pressuponham uma experiência de vida adulta.

Lembro-me que, aos onze anos, o sucesso entre minha roda de amigos era o *Pif-Paf* do Millôr Fernandes, especialista em humor abstrato. A capacidade de percepção humorística é na criança, em muitos pontos, superior ao adulto, por uma simples questão de ritmo cerebral e ludicidade biológica. E foi aí que Lobato acertou.

Das nove traduções e adaptações, todas são boas, mas o *Robinson Crusoé* destaca-se com muitos corpos de vantagem.

Esta divisão é importante para os pais ou professores que vão dar os livros de Lobato para crianças. Têm obrigatoriamente que começar dando os da categoria **A**, os literários iniciando pelas quatro pérolas da literatura infantil que são *Caçadas de Pedrinho*, *Saci*, *Viagem ao Céu* e *Reinações de Narizinho*, pulando depois para a categoria **C** e finalmente, saindo da saga, entregando-lhes as traduções, principiando pelo *Robinson Crusoé*.

É claro que não vai se impedi-las de ler os didáticos, da categoria **B**, poderão ser úteis, sobretudo a *História do Mundo para Crianças* e a *História das Invenções*, mas deixem por conta da criança. Uma criança que se inicie em Lobato lendo o *Poço do Visconde*, ou *Gramáticas e Aritméticas da Emília* poderá se assustar e achar Lobato um chato, com razão.

Convido pais e professores a colaborarem na divulgação da obra de Montei-ro Lobato, marco capital da literatura para crianças em nossas letras, lembrando que ele, embora bastante publicado, não é tão lido como merece. Segundo dados da Unesco a criança que não adquire o hábito de leitura até os onze anos só em casos excepcionais o adquirirá posteriormente e é com livros interessantes que daremos a nossa criança o hábito de ler, indispensável para a formação do pensamento.

(Nota: Além das obras citadas, foi-me preciosa a leitura de *Literatura Infantil Brasileira*, de Leonardo Arroyo – Edições Melhoramentos, 1967.)

Nele, a mulher tinha vida[41]
JÚLIO GOUVEIA[42]

A característica que mais nos chama a atenção no mundo do "Sítio do Picapau Ama-relo" é o tratamento dado por Lobato às personagens femininas. Estas personagens são sempre abordadas com muito respeito, com certa admiração, e sempre com uma especial valorização. Podemos dizer que Lobato foi o primeiro escritor brasileiro não só antimachista, mas até mesmo o primeiro a colocar a mulher em posição privile-giada, de destaque, de autoridade e até mesmo de inegável liderança.

Por exemplo, Dona Benta, a "dona" do Sítio, é apresentada como uma vovó in-teligente, habilidosa no trato com os netos e com a Tia Nastácia, simpática, intuitiva e muito culta. Pedrinho e Narizinho a adoraram por isso, e também porque ela é compreensiva, bem-humorada, participa das aventuras, sugere brincadeiras e sabe, como ninguém, ler os livros mais maravilhosos. Dona Benta é a melhor "ledeira" de livros, como diz a Emília.

E ainda por cima, é ela quem sabe como acalmar as brigas provocadas pela Emília, ora com uma palavra amável, carinhosa ou engraçada, ora "ralhando" bra-va – com aquela brabeza que todos respeitam e sabem que dura apenas o tempo necessário para restabelecer a paz.

Dona Benta conhece todos os assuntos, e é capaz de conversar até com si-sudos cientistas, como no episódio da visita dos astrônomos que vieram ao Sítio para indagar das perturbações causadas pela Emília, Narizinho e Pedrinho durante a famosa viagem ao céu. Dona Benta foi informada pelos astrônomos de que os três peraltas estavam mudando perigosamente as órbitas da lua e dos planetas – e não teve dúvidas: tranquilamente, como se fosse a coisa mais natural do mundo, desceu da varanda, olhou para o alto e soltou o seu "berro" infalível: "Emília, Pedrinho, Na-rizinho! Já para casa, cambadinha!" E num piscar de olhos, os três aterrissavam, com um pequeno trambolhão, a poucos metros da varanda.

Também Narizinho revela em diversas ocasiões sua inequívoca satisfação em ser menina. Assim, quando Pedrinho chega ao sítio, trazendo de São Paulo presentes

---

[41] Publicado na obra *Conversando de Monteiro Lobato*. São Paulo: Editora Obelisco, 1978. p. 25-28.

[42] Por Júlio Gouveia, médico psicoterapeuta, produziu, dirigiu e apresentou durante quase trinta anos o *Sítio do Picapau Ama-relo* nas TV brasileiras. Este artigo foi publicado na *Folha da Manhã*, de 18/4/78.

para todos, e esconde atrás das costas uma caixa embrulhada, pergunta todo animado: "Narizinho, adivinhe o que eu trouxe para você?"

"Já sei – responde a menina incontinente – uma boneca que chora e abre e fecha os olhos".

Pedrinho fica desapontado: "como é que você adivinhou?" E Narizinho: "Grande coisa! Adivinhei porque conheço você. E fique sabendo, seu bobo, que as meninas são muito mais espertas que os meninos..."

Mas Lobato não tem parcialidade. Ao contrário, logo de início revela o perfeito relacionamento das duas crianças. Pedrinho exibe a dureza do seu bíceps e responde: "É, mas não têm mais muque! E nós dois, você com a sua esperteza e eu com o meu muque, quero ver quem pode com a nossa vida!"

A outra personagem feminina é Tia Nastácia. Apesar da sua simplicidade e sua instrução precária, ela não se deixa "engrupir" facilmente. É ela, logo nas primeiras histórias, quem desconfia das intenções do Gato Félix, e alerta o Visconde para que este inicie as suas investigações Sherlokianas. E na viagem à lua, é a Tia Nastácia quem acalma o perigoso dragão de São Jorge, oferecendo-lhe um dos seus apetitosos bolinhos de frigideira.

E sempre que a Emília prega uma peça na Tia Nastácia, como quando da flechada de Cupido, ou quando a Emília usa o mágico "alfinete de pombinha carijó" para transformar a Nastácia em Onça, assim que os efeitos perturbadores se desfazem, é a própria Nastácia quem estabelece a Justiça, agarra a Emília, deita-a de bruços no seu colo e lhe aplica umas palmadas memoráveis.

Finalmente, a personagem feminina de maior destaque, a Emília. Emília, é ainda mais esperta que Narizinho e autossuficiente, é mandona (e obedecida!), tem ouvidos de ouvir formigas conversando e olhos de enxergar micróbios, é inventadeira de ideias e é muitíssimo vaidosa de todos os seus dons, pois não possui "falsas modéstias".

É a Emília quem resolve fazer a Reforma da Natureza, para tornar o mundo melhor e, principalmente, inventar situações que tornem impossível haver novas guerras entre os povos.

Se a Vovó Benta é a "chefe" do Sítio, Emília é a verdadeira líder. Ela pode até influir nas decisões da Vovó, já sem falar nas influências exercidas sobre todos os demais – não com o objetivo de se beneficiar propriamente, mas, sem dúvida, para conseguir as coisas da maneira que ela deseja.

Convém explicar que Lobato criou a Emília com as características mais típicas da criança, e que são a espontaneidade, a tendência ao egoísmo, à matreirice e à sonsice, para obter o que deseja. Assim, a Emília, no episódio dos preparativos do Circo do Escavalinho, escamoteia os óculos da Vovó, para depois poder "encontrá-los" e ganhar o prêmio em dinheiro, necessário para comprar o toldo do circo.

A Emília usa o Visconde de Sabugosa, às vezes através de lábia, outras vezes com ameaças. Na estória do Anjinho, por exemplo, quando Narizinho e Pedrinho resolvem esconder o Anjinho para protegê-lo das dezenas de milhares de crianças que vêm, de todo o mundo, para conhecê-lo, Emília consegue convencer o Visconde a vestir um camisolão, se polvilhar inteirinho de branco, pôr umas asas de urubu e se encarrapitar numa árvore, fingindo de anjinho.

A Emília é a personagem feminina onde Lobato juntou todos os possíveis atributos da sua concepção de mulher bem dotada e bem-sucedida.

Aliás, este conceito de Lobato sobre a mulher é uma constante. Transparece em algumas cartas a Godofredo Rangel, e surge claramente numa das suas crônicas que compõem o livro *América*. Numa delas, Lobato escreve: "Aqui neste país quem manda são as mulheres. E como funcionam bem! impossível imaginar!"

Sem dúvida, Lobato foi o precursor dos movimentos feministas dos nossos dias...

Literatura Infantil é Monteiro Lobato[43]
TATIANA BELINKY[44]

O que é um bom livro para crianças de uns 10-11 anos para baixo, que são, guardadas as diferenças individuais, as que ainda necessitam de uma literatura especificamente infantil?

Em primeiro lugar, é o livro que a criança aceita, do qual ela gosta, que ela quer ler e reler. Esta é a condição *sine qua non*. Mas existe um outro primeiro lugar: o bom livro para a criança é também aquele que é escolhido pelo responsável pela criança, o "educador", o adulto que voluntária e conscientemente coloca o livro nas mãos da criança – um livro que deve corresponder a sua (do adulto) ideia do que é *bom* para ela, além de lhe ser agradável. Bom do ponto de vista literário, artístico, informativo, formativo ou lúdico. De preferência, tudo isso reunido.

Porque a meta da literatura que se dirige à criança é, em última análise, a mesma da própria educação, ou melhor, do que essa deveria ser: ajudar a criança a se desenvolver criativamente, com espontaneidade e respeito por si mesma e pelo próximo, e a se abrir para o mundo e para a vida. A ver, ouvir, perceber, entender, criticar, em suma, a se preparar para mais tarde saber julgar, aceitar ou recusar livremente, usando a própria cabeça.

Entre nós, quiçá o único escritor que chegou a atingir essa difícil meta foi, e ainda é, Monteiro Lobato. Em sua vasta e maravilhosa obra infantil coexistem, tranquilamente, o lúdico e o didático, o real e o imaginário, o informativo e o formativo, o estético e o ético. Encarnado na figura da Emília está o próprio espírito de Monteiro Lobato: crítico, bem-humorado, questionando tudo, contestando o que é cediço e superado, numa irreverência atrevida e cômica. Sobre os personagens e a obra infantil de Monteiro Lobato pode-se escrever volumes. Aqui, porém, queremos apenas chamar a atenção para um ponto curioso, entre os muitos em que Lobato foi inovador, com suas intuições de gênio, que o levaram a soluções inéditas!

No Sítio do Picapau Amarelo ele criou uma constelação familiar *sui-generis*, a única talvez na qual seria possível, sem parecer forçado, aquele relacionamento ideal, livre das naturais tensões que existem na família normal. As crianças, Narizinho

---

[43] Publicado na obra *Conversando de Monteiro Lobato*. São Paulo: Editora Obelisco, 1978. p. 21-23.

[44] Por Tatiana Belinky, autora, tradutora, adaptadora e crítica de livros e espetáculos infantis, fez a teatralização para TV de trezentos episódios do *Sítio do Picapau Amarelo*, e formou com Júlio Gouveia e a inesquecível Lúcia (Emília) Lambertini, o tripé doador de encantos e alegrias para muitas crianças de todas as idades.

e Pedrinho, não são irmãos mas primos, não vivem na mesma casa, e o seu encontro no Sítio não é uma rotina mas uma festa permanente. Os adultos não pressionam nem atrapalham, porque a autoridade no sítio *não é pai nem mãe*, e sim a avó. E as relações entre avós e netos são afetuosas e descontraídas. Especialmente, no caso de uma avó como Dona Benta Encerrabodes de Oliveira, inteligente e culta, enérgica e compreensiva, sensata e carinhosa, realista mas capaz de topar as mais fantásticas brincadeiras. Lobato teve a habilidade de eliminar de suas histórias o elemento perturbador que seriam os pais, com as ansiedades, atritos e problemas emocionais que assolam normalmente até as melhores relações entre pais e filhos.

Pedrinho e Narizinho não são órfãos, eles têm pais que devem ser ótimos, mas são invisíveis, não estão no Sítio. No Sítio, os adultos que existem podem ser curtidos e amados sem maiores complicações: Tia Nastácia tem uma ascendência sem mandonismo, proveniente da afeição mútua e aceita com naturalidade. Dona Benta é a autoridade máxima, tácita e livremente aceita, com amor e respeito, sem qualquer receio ou tensão. No Visconde de Sabugosa, "gente grande" mas boneco, pode ser descarregada, sem prejuízo da consideração devida à sua sapiência sabugal, a crítica ao adulto pomposo e professoral. E Emília, em que pese toda sua brilhante personalidade lobatiana, por ser boneca e não gente, pode demonstrar e fazer desfilar impunemente todos os "pecados" infantis: a malcriação, o natural egoísmo de criança, a rebeldia, a birra, a teimosia, a esperteza marota e interesseira e até uma certa maldade ingênua – tudo imediatamente esquecido, sem maiores consequências nem sentimentos de culpa.

Pela síntese genial entre o didático e o lúdico, pela sua incrível intuição psicológica e pedagógica, pelo seu amor e respeito pela criança, Monteiro Lobato foi e ainda é o grande autor-educador brasileiro, exemplo e paradigma do que pode ser uma verdadeira literatura infantil.

Pinceladas essenciais quanto à obra literária adulta de Monteiro Lobato e seu projeto de país
Ana Lúcia de Oliveira Brandão

Quando mergulhamos na leitura de Monteiro Lobato, temos como base a obra infantil passada no Sítio do Picapau Amarelo em dezessete volumes, a obra adulta formada de quatro livros de contos, um romance experimental de Ficção Científica, as obras de reflexão política e econômica que são verdadeiros desdobramentos de sua atuação enquanto adido comercial em Nova Iorque, no tempo da presidência de Washington Luís: obras como *América, Ferro, O escândalo do Petróleo e Mister Slang e o Brasil* e como esteio disso tudo – os dois volumes de cartas escolhidas e os dois volumes das cartas trocadas por quarenta anos com Godofredo Rangel intituladas *A barca de Gleyre* e um volume contendo prefácios e entrevistas dadas a diversos órgãos da imprensa e textos publicados no meio editorial.

Uma obra de grande fôlego realizada entre 1918 e 1948 organizada pelo próprio autor na forma de obras completas.

A leitura de suas obras é uma verdadeira aventura intelectual que apresenta questionamentos de diversas ordens: ética, estética, social, filosófica, econômica e comunicativa. Como pano de fundo, temos a questão do atraso econômico, dada a passagem do Brasil rural para o Brasil urbano e cosmopolita.

Historicamente, sua vida e obra atravessam o exercício de um regime republicano incipiente, valendo destacar desde a presidência do Sr. Washington Luís, governo com a qual o escritor partilhou suas diretrizes e participou de forma atuante enquanto adido comercial em Nova Iorque, até o governo de longa duração que foi a ditadura getulista, com a qual o escritor buscou diálogo. Por fim, Eurico Gaspar Dutra até julho de 1948.

Vale ressaltar que a obra como um todo é democrática em si mesma porque permite a entrada do leitor nesse universo por diversos caminhos, os mais variados. Em quaisquer dessas escolhas, seja de forma proposital ou ao acaso, como em uma grande partida de xadrez, o leitor irá se deparar com uma inteligência vivaz, questionadora em si mesma e do ser humano frente a vida, aos conflitos advindos dela e da luta e reivindicação pelos direitos humanos e sociais, como também os de ordem geopolítica – afinal, esse período compreende as grandes guerras mundiais, a 1ª e a 2ª e, por fim, notamos uma fundamental e estonteante necessidade de comunicação e expressão deste escritor, editor e jornalista que transbordou o universo literário e que, em muitos momentos, revelou-se um cidadão rebelde, ousado e por vezes desrespeitoso segundo alguns pontos de vista, principalmente quando se trata de um tempo de liberdades vigiadas em que até as paredes parecem ter ouvidos, tal a vigília constante do Departamento de Informação e Propaganda (DIP) do governo de Getúlio Vargas em 1941, para o qual inclusive o presidente convidou Monteiro Lobato a dirigir em 1939 e ele respondeu ao convite se ausentando a um almoço com o presidente em Campinas.

Enfim, chegamos ao "x" da questão. Monteiro Lobato sempre revelou um forte senso de justiça, seja por sua voz ou pela voz de uma de suas personagens, dentre as quais, a mais marcante, foi a personagem de suas obras infantis – a Emília, dedicada às crianças, e na voz de Dona Benta, dedicada mais aos adultos. E a personagem de Jeca Tatu, ícone do homem do campo abandonado à própria sorte.

Lobato retornou de sua estadia nos Estados Unidos em 1931. Vivera lá entre 1927 e 1931 disposto a resolver os problemas sociais do país com o beneficiamento do ferro e a exploração do petróleo. Voltou de lá com uma ânsia enorme de colaborar com o desenvolvimento econômico do país trazendo consigo os contatos certos de profissionais ligados a estas áreas e se empenhou em manter negociação com diversos interventores ligados aos vários pontos de atuação do Conselho Nacional do Petróleo (São Paulo perto de Águas de São Pedro, Mato Grosso, Bahia, Alagoas e Pará). Chegou inclusive a investir em ações de várias delas, como na Companhia Nacional de Petróleo Matogrossense.

Paralelamente a essa atuação, o escritor amadureceu a idéia de uma obra de literatura infantil situada em um sítio imaginário chamado Sítio do Picapau Amarelo, verdadeira Ágora grega incrustada no interior paulista. Em 1937, por exemplo, o pessoal do sítio se aventura na perfuração de petróleo e Dona Benta enriquece com o petróleo no sítio, o que vem a ocorrer em Lobato, no estado da Bahia, justamente no local indicado por Visconde de Sabugosa na obra, só que, na realidade, ocorreu o mesmo em 1939, exatamente na mesma cidade. Coincidência, quem sabe... Às vezes, ficção e realidade se encontram inesperadamente.

A obra infantil de Monteiro Lobato foi logo um grande sucesso de público e de crítica. Para se ter uma noção do aporte dela, em 1943 o escritor recebeu a notícia de que as suas tiragens já tinham ultrapassado um milhão e quinhentos mil exemplares. Mais de dois terços eram de Literatura Infantil. (In:_____ linha do tempo de Monteiro Lobato, por Margarida de Souza Neves e Ilmar Rohloff de Mattos, 2.000). Vale registrar também sua atuação como editor de autores e autoras novos e de renome. E mais, determinado que era, introduziu no mercado brasileiro traduções de obras de Literatura Inglesa e Americana.

Como se não bastassem tantos feitos, Monteiro Lobato dedicou parte de seu tempo precioso à questão do beneficiamento do ferro, que resultou na criação por Getúlio Vargas da Companhia Siderúrgica Nacional e por dez anos; acompanhou a perfuração de poços de petróleo em várias regiões do Brasil. Como patriota que foi, enviou diversas cartas em forma de verdadeiros dossiês sobre estas questões ao então presidente do Brasil, Getúlio Vargas. Obteve, no geral, o silêncio como resposta.

Parece-nos, entretanto, que tal silêncio foi chegando perto de ser quebrado feito os passos de um gato de sobreaviso. Em dezembro de 1940, justamente quando o governo brasileiro, de atuação fascista, estava iniciando algumas negociações de vulto com a Alemanha em plena 2ª Guerra Mundial, Monteiro Lobato deu uma entrevista a BBC de Londres, ocasião em que apontou:

> Súbito, a guerra deflagra – e o mundo entra no maior pesadelo da História. Um a um dos aliados da Inglaterra vão caindo, até que, com assombro universal, sobrevém o sinistro desmoronamento da velha França.
>
> E a Inglaterra, cuja defesa se esteava num jogo de peças do tabuleiro de xadrez europeu, completamente sozinha em sua ilha, forçada a resistir ao gigantesco choque de todos os recursos bélicos do continente concentrados na mais cruel das mãos. O mundo ficou em suspenso. A longa vida de vitórias do povo inglês habituara-nos a admitir como eterna a supremacia inglesa tão longamente justificada pela moral britânica e o fulgor dessa galáxia que vinha ininterupta de Shakespeare a Shaw.

Lobato então dá continuidade à entrevista ao afirmar:

> (...) No Brasil veneramos de coração a Inglaterra. Porque desde os começos de nossa História vimo-la interessar-se por nós e cooperar para o nosso desenvolvimento. A quase totalidade de nossas estradas de ferro e dos nossos portos foi obra dos ingleses ou do capital que os ingleses forneceram. Podemos dizer que a eles devemos o arranque da partida do nosso carro. Foi a Inglaterra que mais confiou no futuro do Brasil nascente e mais lhe abriu crédito. [...] Depois tudo mudou com a passagem ao regime republicano, caracterizado pela progressiva restrição das liberdades civis e da garantia dos direitos, segundo a curva clássica do despotismo sul-americano. Mas se tudo mudou no Brasil, não mudou a nossa velha admiração pelos ingleses. A palavra "inglês" sempre foi, e continua sendo, um sinônimo de solidez, lealdade e resistência a novidades mal cosidas. O pensamento de Lobato faz então digressões ao passado até afirmar que no momento atual, dezembro de 1940, ele nota: "a humanidade tonteia diante do surto dos valores da violência, que os partidos vitoriosos que assaltam o poder forçam sobre o indefeso homem comum. O justo passa a injusto, o certo é o errado, o errado é o certo; o bom é mau, o mau é bom; o pensamento livre é o crime e a delação é a virtude; a História é falseada nas escolas para que também se torne instrumento dessa obra de inversão de valores. E termina dizendo que poeta nenhum, a

não ser um inglês, poderia ter composto "IF" de Kipling, assim também raça nenhuma, a não ser a inglesa, tem elementos para com maior fidelidade cumprir o seu dever, neste momento em que o pêndulo oscila entre a indignidade humana e o campo de concentração.

Essa entrevista ousada foi irradiada em Português, Italiano, Francês, Alemão e outros idiomas.

Curiosamente, foi no ano de 1941 que o governo Vargas suspendeu a liberdade de imprensa e aboliu as liberdades individuais, notícias sobre o Petróleo proibidas pelo DIP (Departamento de Imprensa e Propaganda) e dele só era possível obter informações através de comunicados oficiais do "Conselho Nacional do Petróleo".

Este foi o momento em que a ditadura getulista apertou o cerco aos participantes do Partido Comunista do Brasil, prendendo um grande número de comunistas pelo Brasil todo – Belém, Fernando de Noronha, Recife, Rio de Janeiro e São Paulo. O PC do B era o único partido que se opunha ao governo getulista. Os integralistas de Plínio Salgado já tinham sido desbaratados antes.

Arthur Neves, Octalles Marcondes Ferreira da Companhia Editora Nacional e Caio Prado Júnior, que viria a funda a Editora Brasiliense, pertenciam ao PC do B. Monteiro Lobato sempre contou com o apoio da família Mesquita, dona do jornal *O Estado de S. Paulo*, para o qual Lobato contribuíra muitas vezes com matérias jornalísticas. O dono do jornal era conservador e apoiava o governo, mas os jornalistas, em sua maioria, intelectuais ligados ao Partido Comunista. Este foi o caso do jornalista José Maria Crispim e do Capitão Davino Francisco dos Santos, que mais tarde escreveu e publicou o livro "*A marcha vermelha*". Ambos compartilharam da prisão com Monteiro Lobato e lhe deram muitas informações sobre a proposta comunista baseada nos preceitos de Karl Marx e Engels.

Monteiro Lobato simpatizava com Luiz Carlos Prestes e realmente se envolveu com propostas que seriam uma semente para o futuro. Achava-se idoso para se envolver mais, notava como a elite intelectual brasileira estava aderindo a estas idéias, mas nunca se filiou ao partido, informação que esclarece de uma vez por todas em uma carta trocada com Daví Pimentel em 23 de março de 1948. Nela, ele afirma que parou na simpatia, "(...) como o demonstrei recusando entrar para a chapa dos deputados federais, e a entrar para o P.C.B. Jamais consegui me registrar sob partido nenhum, me dá a idéia de pôr em mim mesmo um cabresto".

Entre os efeitos do cerceamento da liberdade de expressão, a antipatia e posterior represália do governo getulista quanto a essa entrevista dada pelo escritor Monteiro Lobato à BBC londrina se reverte no recolhimento da obra traduzida e adaptada de J.M. Barrie chamada *Peter Pan*, publicada originalmente na Inglaterra, em 1911. A obra foi censurada pelo DIP por tecer elogios a maneira dos ingleses tratarem a infância na Inglaterra e fazer uma comparação pouco elogiosa acerca de como as crianças eram tratadas na sociedade brasileira.

Deste modo, todas as delegacias de Polícia do Estado de São Paulo e de outras unidades da federação fizeram buscas e apreensões da 4ª. Edição de *Peter Pan* publicada pela Companhia Editora Nacional, com tradução e adaptação de Monteiro Lobato no ano de 1941. No prontuário com seu processo, há páginas e mais páginas das mais diversas delegacias contabilizando números de exemplares apreendidos e os locais em que eles se deram. Toda a Polícia foi mobilizada para tal tarefa.

Monteiro Lobato: o preso no. 1 do Pavilhão 1 do Presídio Tiradentes, na cidade de São Paulo

Em 30 de janeiro de 1941, Monteiro Lobato foi chamado a comparecer a delegacia especializada na Ordem Política e Social. Lá, ele declarou ser verdade que havia enviado em maio do ano anterior uma carta ao senhor Presidente da República, na qual, entre outras cousas, acusou o Conselho Nacional do Petróleo de retardar a criação da grande indústria petrolífera nacional, como ainda perseguir sistematicamente as empresas nacionais, opor embaraços legais à exploração do subsolo, defender secretamente a idéia de monopólio legal, e finalmente, haver disparado o tiro de misericórdia nas referidas empresas, com exigências estabelecidas no decreto lei no. 2179, de 8 de abril de 1940; que, na mesma carta "o declarante afirmava que, assim procedendo, o Conselho Nacional do Petróleo agia única e exclusivamente no interesse do 'trust' Standard-Royal Dutch; que confirma inteiramente os dizeres da carta em questão, esclarecendo que suas afirmativas ali se encontram plenamente justificadas pelos fatos apresentados no original dessa carta e que se encontra nas fls 15 a 29; que mais ou menos na mesma ocasião o declarante escreveu ao General Góis Monteiro outra carta sobre o mesmo assunto e quase nos mesmos termos. Esta confirmação o escritor mais comunicativo de seu tempo foi recolhido, preso, na prisão especial, incomunicável por delito de supostas injúrias aos poderes públicos" (1)

Sobre ficar incomunicável, Monteiro Lobato comenta por meio de carta para sua esposa, Dona Purezinha: "(...) Não há castigo maior. Mil vezes a cadeira elétrica ou a forca – dores do momento. Estou preso há quase três dias e já me parecem três séculos. As horas tem 60.000 minutos. As noites não tem fim. Sou obrigado a não fazer nada de nada. Não há o que ler – nem jornais. E a incomunicabilidade em que estou, agrava tudo, porque me isola completamente do mundo exterior. Não posso falar com ninguém , nem comunicar-me com ninguém". Ele então agradece objetos pessoais que ela lhe deixou, envia abraços a ela e aos filhos e termina dizendo: "Estou escrevendo por escrever, para dar vazão aos sentimentos, porque não há jeito de fazer este papel chegar a você. Incomunicável! Agora entendo o horror desta palavra." (In:____ *Cartas escolhidas, 2o. tomo*. São Paulo: Brasiliense, 1964, págs. *70-73)*

Em 18 de março de 1941, Monteiro Lobato entrega carta de próprio punho declarando o interesse da Editora Claridad de Buenos Aires em publicar a sua obra infantil lá e alega que ele pretendia dirigir as traduções e fazer as necessárias adaptações. Com isso, ele justificava a razão para o seu pedido de um passaporte. Naquela circunstância o escritor seria questionado a respeito de uma carta de sua lavra enviada a Getúlio Vargas de 31 de março de 1938 e encontrada em cópia de papel carbono na sua casa, qual era a sua opinião sobre a reputação do doutor Domingos Fleury da Rocha. A isso ele responde dizendo que desde 1933 considera Fleury da Rocha o criador de todos os obstáculos para a mobilização das riquezas do subsolo. Perguntado sobre quais elementos que tinha para dizer ter sido o senhor Fleury da Rocha responsável por isso, ele apontaria para as informações obtidas por ele no Ministério da Agricultura.

No dia 23 de março de 1941, Lobato escreve ao amigo Cândido Fontoura anunciando que o tribunal o achara muito magro e resolveram mudá-lo para a "sala livre", com mais três companheiros de nível universitário, dois presos por assassinato e outro por falsificação. E avisa ao amigo que ficará lá por seis meses ou até três anos.

Na realidade, Monteiro Lobato ficou aprisionado de março a maio, quando houve a possibilidade de ser solto, a ponto de os advogados enviarem a ele um telegrama comunicando sua soltura. Todavia, este comunicado acabaria sendo invalidado por um mandado de prisão por seis meses, do governo federal do Rio de Janeiro, a mando do presidente da República. Portanto, Monteiro Lobato esteve preso por seis meses.

Em 19 de abril, Teófilo Siqueira lhe aconselha prudência. Ele havia sido absolvido mas preso por haver apelação. Em 22 de abril preso novamente, mas não incomunicável. Mostra-se animado em ter sua máquina de escrever e trabalhar em traduções. Sobre elas, Lobato diz: "Meio excelente pois permite fugas. Passei o mês passado na Índia de Kipling, acompanhando o terrível Kim na sua perseguição com o Lama Vermelho do Tibete. Agora estou traduzindo – *'From whom the Bell Tools'*, e passo meu tempo na Espanha da última guerra" (In: _____ *Cartas escolhidas. 2º. Tomo.* São Paulo: Editora Brasiliense, 1964 págs. 77-79, carta a Alarico da Silveira).

No primeiro julgamento do Tribunal de Segurança Monteiro Lobato, é absolvido graças à defesa de Hilário Freire e Medrado Dias, que alega que há dez anos Monteiro Lobato enviava cartas a Getúlio Vargas e que elas sempre tinham sido de foro pessoal, não sendo portanto, um gesto de injúria. E quanto ao pedido de passaporte, haviam provado ter sido para uma viagem de cunho comercial apenas. Entretanto, no julgamento com o Tribunal pleno, o escritor condenado a seis meses de prisão, grau mínimo do art. 3º. , inciso 25, do decreto-lei no. 431, de 1938. A prisão pode ter sido tanto pelo momento histórico, como pelo fato de Getúlio Vargas e demais autoridades apontadas pelo escritor, terem se sentido desacatadas moralmente.

Segundo dados da linha do tempo de Margarida Neves (3): "Lobato contribuiu para tal sentença visto que logo ao receber a notícia do primeiro resultado, que provavelmente seria coonfirmada no segundo, prepara duas inoportunas e esperadas 'bombas'. Escreve uma carta ao general Horta Barbosa, DD Comandante do Conselho Nacional do Petróleo em que ironicamente agradece o tempo passado na prisão a ponto de meditar sobre o livro de Walter Pitkin (*A Short Introduction to the History of Human Stupidity*). A segunda 'bomba' foi a enviada a Getúlio Vargas: "Atirei no petróleo e acertei na cadeia, o que prova má pontaria. Discorre sobre os tribunais, política e petróleo e conclui: "o verdadeiro amigo dum chefe de Estado não é o que anda com retratinhos dele na lapela; mas sim o que desassombradamente o adverte dos crimes cometidos em seu nome (...). Mais uma vez os meus agradecimentos, Sr. Dr. Getúlio Vargas, e sinceros votos para menos retratos nas paredes e mais coragem no coração dos que lhe escrevem. Assina como o *impenitentemente Monteiro Lobato* e pede em P.S. "Pelo amor de Deus, não mande esta carta ao Conselho do Petróleo."

Em 24 de maio de 1941, os presos políticos enviam uma carta escrita a mão em papel pautado a Monteiro Lobato. Esta carta foi encontrada no material doado pela família para o acervo Monteiro Lobato da Biblioteca de mesmo nome na cidade de São Paulo. Esta missiva pede ajuda a Lobato, chamam-no ao seu senso de Justiça e de solidariedade, ao que ele responde prontamente, tocado pelos horrores das torturas vistas e ouvidas no Presídio Tiradentes.

Não havia passado um mês e o Dr. Fernando Costa assume o cargo de prefeito na cidade de São Paulo, enquanto Adhemar de Barros assume o de governador. Lobato o cumprimenta pelo novo cargo de forma irônica, sarcástica até, defendendo abertamente os presos do Presídio Tiradentes (In: _____*Cartas escolhidas. 2º. Tomo. São Paulo: Brasilense, 1964* pág. 78 a82):

> Os presos da cadeia não vão poder ir cumprimentá-lo pela grande vitória que, se enche os 'soltos' de alegria, mais ainda o fez a estas pobres vítimas do esquecimento e da crueldade humana. Há aqui cerca de 600 detidos para os quais o seu advento de Poder em São Paulo significa o sol depois de uma semana de chuva. Não pense que isto é engrossamento, porque é justamente por não ter esse hábito que estou aqui entre eles. É verdade. Os presidentes de São Paulo se sucedem e nenhum se lembra de corrigir as falhas horrendas dessa coisa monstruosa que se chama Polícia de São Paulo, com a sua Câmara de Torturas, que se chama Gabinete de Investigações. Foi preciso que eu viesse passar uma temporada aqui entre as vítimas para me convencer da hedionda realidade.
>
> Inda ontem entraram os moços do furto dos 5 mil contos – e quem os viu chegar sentiu engruvinhamento do coração. Eram espectros que se arrastavam, tontos, bobos, idiotizados – tantas foram as torturas que lhes infligiram no famoso e infame Gabinete. E entre os presos comuns tenho visto sinais horríveis – mãos com cicatrizes de rachaduras feitas pelas palmatórias do Gabinete. O preto Cotrim, um inocente absolvido pelo Júri, mas mesmo assim aqui detido há dois anos, mostra a quem quer ver os colhões rachados pela borracha do Gabinete. E há o suplício de meter cunhas de taquara nas unhas. E há os que ficaram ou foram postos nus nos ergástulos de lá, cubículos de metro quadrado ou pouco mais, onde tinham de ficar de braços para o ar para caber, e depois, baldes d´água por cima, e vidros de amoníaco. Não tem fim, Fernando, a lista de horrores desse nefando Gabinete. E há o suplício das muquiranas, em que esses nojentos bichos criados no Gabinete quase devoram os pacientes. Um homem aqui da administração me disse textualmente de uma das vítimas: 'quando o rapaz chegou aqui, semimorto, a roupa que tiramos do corpo dele mexía-se no chão – andava...Muitos chegam e vão para a enfermaria – para morrer.
>
> Ora, não me consta que haja alguma lei autorizando a aplicação de torturas no Brasil. E se não há essa lei, então esses atos constituem monstruosos crimes da polícia. A solução tem que entrar nesse dilema: ou a polícia suspende as torturas, ou então o Estado Novo as legaliza. Ficar assim como está é que é impossível, no governo Fernando Costa. Nós, seus amigos e amigos de São Paulo, mesmo presos, nos esforçamos para que a coisa mude – e eu faço voz de todas estas miseráveis vítimas. Pelo amor de Deus, Dr. Fernando, reforme esse tumor maligno que já vem durando muito."

É realmente contundente e tocante que um escritor como Monteiro Lobato, passando por uma situação de vulnerabilidade de seus direitos civis, tenha prontamente assumido a voz de tantos homens fragilizados pela opressão de um governo truculento. Sua solidariedade com os demais presos se espalhou pela família, amigos e sociedade. Empenhou-se em ajudar os presos que seriam soltos a encontrarem trabalho, vários deles, inclusive, ensinou a ler e a escrever na cadeia.

Por fim, como estamos escrevendo sobre o homem e escritor Monteiro Lobato, faz-se necessário revelar um pouco da sua verve humorística, que migrava da indignação, sarcasmo para a ironia fina e debochada num piscar de olhos. Eis que ele se põe a escrever uma carta de agradecimento a dona Regina Ribeiro pelos 'home made eclairs' (In: _____Cartas escolhidas. 2o Tomo. São Paulo: Editora Brasiliense, 1964. Págs. 82 a 84 – Cadeia, 5 de junho de 1941) a respeito dos quais ele descreve: "Nunca doces feitos em sua casa D. Heloisa foram degustados por gente mais 'especial', barba-azuis tremendos e operadores de garrafões'. Os pobres doces afeitos a só serem mastigados pela gente fina da sua casa, Dona Heloísa, devem estar assombradíssimos com a verificação de como é variada a fauna humana. E hão de murmurar lá consigo: 'enfim, tudo é de esperar do Estado Novo'. Mais adiante Lobato comenta: " O Estado Novo impede até a proliferação de mártires! Vim com a intenção de construir o Mártir Número 1 do Petróleo, mas já vi que não vai. Onde já se viu mártir alimentado com éclairs, presenteado com pinturas de Antonio Carneiro, iluminado por lâmpadas Phillips, lavado com água da Cantareira a quase cem graus. Já desisti do meu martírio.

E com essa declaração da diluição do possível papel de mártir do Petróleo e da ditadura do Estado Novo damos um ponto final neste quadro cheio de pinceladas sobre aspectos do homem e do escritor Monteiro Lobato.

BIBLIOGRAFIA:

Arquivo Público do Estado de São Paulo. Prontuário Monteiro Lobato. Consulta presencial.

MONTEIRO LOBATO, José Bento. *Cartas escolhidas. 2º. Tomo.* São Paulo: Editora Brasiliense, 1964.

Site Modernos descobrimentos do Brasil. Margarida de Souza Neves & Ilmar Rohloff de Mattos, 2.000 (WWW.historiaecultura.pro.br-modernosdescobrimentos –linhadotempodemonteirolobato).

DULLES. John W.F. *O Comunismo no Brasil (1935-1945)*. 2a. ed. Trad. Raul de Sá Barbosa. Rio de Janeiro: Nova Fronteira, 1985.

NETO, Lira. *Getúlio: Do governo provisóiro à Ditadura do Estado Novo (1930-1945)*. São Paulo: Cia das letras, 2013.

Entrevista com o jornalista Silvio Lefevre, filho do médico que cuidou de Monteiro Lobato depois da prisão, que atuou como o primeiro personagem Pedrinho da Televisão Brasileira. Agosto de 2019. Presencial.

Imaginário

REINAÇÕES DE NARIZINHO

Narizinho arrebitado
Narizinho

Numa casinha branca, lá no Sítio do Picapau Amarelo, mora uma velha de mais de sessenta anos. Chama-se Dona Benta. Quem passa pela estrada e a vê na varanda, de cestinha de costura ao colo e óculos de ouro na ponta do nariz, segue seu caminho pensando:

"Que tristeza viver assim tão sozinha neste deserto..."

Mas engana-se. Dona Benta é a mais feliz das vovós, porque vive em companhia da mais encantadora das netas – Lúcia, a menina do narizinho arrebitado, ou Narizinho como todos dizem. Narizinho tem sete anos, é morena como jambo, gosta muito de pipoca e já sabe fazer uns bolinhos de polvilho bem gostosos.

Na casa ainda existem duas pessoas – Tia Nastácia, negra de estimação que carregou Lúcia em pequena, e Emília, uma boneca de pano bastante desajeitada de corpo. Emília foi feita por Tia Nastácia, com olhos de retrós preto e sobrancelhas tão lá em cima que é ver uma bruxa. Apesar disso, Narizinho gosta muito dela; não almoça nem janta sem a ter ao lado, nem se deita sem primeiro acomodá-la numa redinha entre dois pés de cadeira.

Além da boneca, o outro encanto da menina é o ribeirão que passa pelos fundos do pomar. Suas águas, muito apressadinhas e mexeriqueiras, correm por entre pedras negras de limo, que Lúcia chama as "Tias Nastácias do rio".

Todas as tardes Lúcia toma a boneca e vai passear à beira d'água, onde se senta na raiz dum velho ingazeiro para dar farelo de pão aos lambaris.

Não há peixe do rio que a não conheça; assim que ela aparece, todos acodem numa grande faminteza. Os mais miúdos chegam pertinho; os graúdos parece que desconfiam da boneca, pois ficam ressabiados, a espiar, de longe. E nesse divertimento leva a menina horas, até que Tia Nastácia apareça no portão do pomar e grite na sua voz sossegada:

– Narizinho, vovó está chamando!...

Uma vez...

Uma vez, depois de dar comida aos peixinhos, Lúcia sentiu os olhos pesados de sono. Deitou-se na grama com a boneca no braço e ficou seguindo as nuvens que passeavam pelo céu, formando ora castelos, ora camelos. E já ia dormindo, embalada pelo mexerico das águas, quando sentiu cócegas no rosto. Arregalou os olhos: um peixinho vestido de gente estava de pé na ponta do seu nariz.

Vestido de gente, sim! Trazia casaco vermelho, cartolinha na cabeça e guarda-chuva na mão – a maior das galantezas! O peixinho olhava para o nariz de Narizinho com rugas na testa, como quem não está entendendo nada do que vê.

A menina reteve o fôlego de medo de o assustar, assim ficando até que sentiu cócegas na testa. Espiou com o rabo dos olhos. Era um besouro que pousara ali. Mas um besouro também vestido de gente, trajando sobrecasaca preta, óculos e bengala.

Lúcia imobilizou-se ainda mais, tão interessante estava achando aquilo.

Ao ver o peixinho, o besouro tirou o chapéu, respeitosamente.

– Muito boas tardes, Senhor Príncipe! – disse ele.

– Viva, Mestre Cascudo! – foi a resposta.

– Que novidade traz Vossa Alteza por aqui, Príncipe?

– É que lasquei duas escamas do filé e o Doutor Caramujo me receitou ares do campo. Vim tomar o remédio neste prado que é muito meu conhecido, mas encontrei cá este morro que me parece estranho – e o príncipe bateu com a biqueira do guarda-chuva na ponta do nariz de Narizinho.

– Creio que é de mármore – observou.

Os besouros são muito entendidos em questões de terra, pois vivem a cavar buracos. Mesmo assim aquele besourinho de sobrecasaca não foi capaz de adivinhar que qualidade de "terra" era aquela. Abaixou-se, ajeitou os óculos no bico, examinou o nariz de Narizinho e disse:

– Muito mole para ser mármore. Parece antes requeijão.

– Muito moreno para ser requeijão. Parece antes rapadura – volveu o Príncipe.

O besouro provou a tal terra com a ponta da língua.

– Muito salgada para ser rapadura. Parece antes...

Mas não concluiu, porque o Príncipe o havia largado para ir examinar as sobrancelhas.

– Serão barbatanas, Mestre Cascudo? Venha ver. Por que não leva algumas para os seus meninos brincarem de chicote?

O besouro gostou da ideia e veio colher as barbatanas. Cada fio que arrancava era uma dorzinha aguda que a menina sentia – e bem vontade teve ela de o espantar dali com uma careta! Mas tudo suportou, curiosa de ver em que daria aquilo.

Deixando o besouro às voltas com as barbatanas, o peixinho foi examinar as ventas.

– Que belas tocas para uma família de besouros! – exclamou. Por que não se muda para aqui, Mestre Cascudo? Sua esposa havia de gostar desta repartição de cômodos.

O besouro, com o feixe de barbatanas debaixo do braço, lá foi examinar as tocas. Mediu a altura com a bengala.

– Realmente, são ótimas – disse ele. Só receio que more aqui dentro alguma fera peluda.

E para certificar-se cutucou bem lá no fundo.

– Hu! Hu! Sai fora, bicho imundo!...

Não saiu fera nenhuma, mas como a bengala fizesse cócegas no nariz de Lúcia, o que saiu foi um formidável espirro – atchim!... e os dois bichinhos, pegados de surpresa, reviraram de pernas para o ar, caindo um grande tombo no chão.

– Eu não disse? – exclamou o besouro, levantando-se e escovando com a manga a cartolinha suja de terra. É, sim, ninho de fera – e de fera espirradeira! Vou-me embora. Não quero negócios com essa gente. Até logo, Príncipe! Faço votos para que sare e seja muito feliz.

E lá se foi, zumbindo que nem um avião.

O peixinho, porém, que era muito valente, permaneceu firme, cada vez mais intrigado com a tal montanha que espirrava. Por fim a menina teve dó dele e resolveu esclarecer todo o mistério. Sentou-se de súbito e disse:

– Não sou montanha nenhuma, peixinho. Sou Lúcia, a menina que todos os dias vem dar comida a vocês. Não me reconhece?

– Era impossível reconhecê-la, menina. Vista de dentro d'água parece muito diferente...

– Posso parecer, mas garanto que sou a mesma. Esta senhora aqui é a minha amiga Emília.

O peixinho saudou respeitosamente a boneca, e em seguida apresentou-se como o Príncipe Escamado, rei do Reino das Águas Claras.

– Príncipe e rei ao mesmo tempo! – exclamou a menina batendo palmas. – Que bom, que bom, que bom! Sempre tive vontade de conhecer um príncipe-rei.

Conversaram longo tempo e, por fim, o Príncipe convidou-a para uma visita ao seu reino. Narizinho ficou no maior dos assanhamentos.

– Pois vamos e já – gritou – antes que Tia Nastácia me chame.

E lá se foram os dois de braços dados, como velhos amigos. A boneca seguia atrás sem dizer palavra.

– Parece que Dona Emília está emburrada – observou o Príncipe.

– Não é burro, não, Príncipe. A pobre é muda de nascença. Ando à procura de um bom doutor que a cure.

– Há um excelente na corte, o célebre Doutor Caramujo. Emprega umas pílulas que curam todas as doenças, menos a gosma dele. Tenho a certeza de que o Doutor Caramujo põe a Senhora Emília a falar pelos cotovelos.

E ainda estavam discutindo os milagres das famosas pílulas quando chegaram a certa gruta que Narizinho jamais havia visto naquele ponto. Que coisa estranha! A paisagem estava outra.

– É aqui a entrada do meu reino – disse o Príncipe.

Narizinho espiou, com medo de entrar.

– Muito escura, Príncipe. Emília é uma grande medrosa.

A resposta do peixinho foi tirar do bolso um vaga-lume de cabo de arame, que lhe servia de lanterna viva. A gruta clareou até longe e a "boneca" perdeu o medo. Entraram. Pelo caminho foram saudados, com grandes marcas de respeito, por várias corujas e numerosíssimos morcegos. Minutos depois chegavam ao portão do reino. A menina abriu a boca, admirada.

– Quem construiu este maravilhoso portão de coral, Príncipe? É tão bonito que até parece um sonho.

– Foram os Pólipos, os pedreiros mais trabalhadores e incansáveis do mar. Também meu palácio foi construído por eles, todo de coral rosa e branco.

Narizinho ainda estava de boca aberta quando o Príncipe notou que o portão não fora fechado naquele dia.

– É a segunda vez que isto acontece – observou ele com cara feia. – Aposto que o guarda está dormindo.

Entrando, verificou que era assim. O guarda dormia um sono roncado. Esse guarda não passava dum sapão muito feio, que tinha o posto de major no exército marinho. Major Agarra-e-Não-Larga-Mais. Recebia como ordenado cem moscas por dia para que ali ficasse, de lança em punho, capacete na cabeça e a espada à cinta, sapeando a entrada do palácio. O Major, porém, tinha o vício de dormir fora de horas e, pela segunda vez, fora apanhado em falta.

O Príncipe ajeitou-se para acordá-lo com um pontapé na barriga, mas a menina interveio.

– Não ainda! Tenho uma ideia muito boa. Vamos vestir este sapo de mulher, para ver a cara dele quando acordar.

E sem esperar resposta, foi tirando a saia da Emília e vestindo-a, muito devagarinho, no dorminhoco. Pôs-lhe também a touca da boneca em lugar do capacete, e o guarda-chuva do Príncipe em lugar da lança. Depois que o deixou assim transformado numa perfeita velha coroca, disse ao Príncipe:

– Pode chutar agora.

O Príncipe – *zás!*... – pregou-lhe um valente pontapé na barriga.

– Hum!... – gemeu o sapo, abrindo os olhos, ainda cego de sono.

O Príncipe engrossou a voz e ralhou:

– Bela coisa, Major! Dormindo como um porco e ainda por cima vestido de velha coroca... Que significa isto?

O sapo, sem compreender coisa nenhuma, mirou-se apatetadamente num espelho que havia por ali. E botou a culpa no pobre espelho.

– É mentira dele, Príncipe! Não acredite. Nunca fui assim...

– Você de fato nunca foi assim – explicou Narizinho. – Mas, como dormiu escandalosamente durante o serviço, a Fada do Sono o virou em velha coroca. Bem feito...

– E por castigo – ajuntou o Príncipe – está condenado a engolir cem pedrinhas redondas, em vez das cem moscas do nosso trato.

O triste sapo derrubou um grande beiço, indo, muito jururu, encorujar-se a um canto.

No palácio

O Príncipe consultou o relógio.

– Estou na hora da audiência – murmurou. Vamos depressa, que tenho muitos casos a atender.

Lá se foram. Entraram diretamente para a sala do trono, no qual a menina se sentou a seu lado, como se fosse uma princesa. Linda sala! Toda dum coral cor de leite, franjadinho como musgo e penduradinho de pingentes de pérola, que tremiam ao menor sopro. O chão, de nácar furta-cor, era tão liso que Emília escorregou três vezes.

O Príncipe deu o sinal de audiência batendo com uma grande pérola negra numa concha sonora. O mordomo introduziu os primeiros queixosos – um bando de moluscos nus que tiritavam de frio. Vinham queixar-se dos Bernardos-Eremitas.

– Quem são esses Bernardos? – indagou a menina.

– São uns caranguejos que têm o mau costume de se apropriarem das conchas destes pobres moluscos, deixando-os em carne viva no mar. Os piores ladrões que temos aqui.

O Príncipe resolveu o caso mandando dar uma concha nova a cada molusco.

Depois apareceu uma ostra a se queixar dum caranguejo que lhe havia furtado a pérola.

– Era uma pérola ainda novinha e tão galante! – disse a ostra, enxugando as lágrimas. Ele raptou-a só de mau, porque os caranguejos não se alimentam de pérolas, nem as usam como joias. Com certeza já a largou por aí nas areias...

O Príncipe resolveu o caso mandando dar à ostra uma pérola nova do mesmo tamanho.

Nisto surgiu na sala, muito apressada e aflita, uma baratinha de mantilha, que foi abrindo caminho por entre os bichos até alcançar o Príncipe.

– A senhora por aqui? – exclamou este, admirado. – Que deseja?

– Ando atrás do Pequeno Polegar – respondeu a velha. – Há duas semanas que fugiu do livro onde mora e não o encontro em parte nenhuma. Já percorri todos os reinos encantados sem descobrir o menor sinal dele.

– Quem é esta velha? – perguntou a menina ao ouvido do Príncipe. – Parece que a conheço...

– Com certeza, pois não há menina que não conheça a célebre Dona Carochinha das histórias, a baratinha mais famosa do mundo.

E voltando-se para a velha:

– Ignoro se o Pequeno Polegar anda aqui pelo meu reino. Não o vi, nem tive notícias dele, mas a senhora pode procurá-lo. Não faça cerimônia...

– Por que ele fugiu? – indagou a menina.

– Não sei – respondeu Dona Carochinha –, mas tenho notado que muitos dos personagens das minhas histórias já andam aborrecidos de viverem toda a vida presos dentro delas. Querem novidade. Falam em correr mundo a fim de se meterem em novas aventuras. Aladim queixa-se de que sua lâmpada maravilhosa está enferrujando. A Bela Adormecida tem vontade de espetar o dedo noutra roca para dormir outros cem anos. O Gato de Botas brigou com o Marquês de Carabás e quer ir para os Estados Unidos visitar o Gato Félix. Branca de Neve vive falando em tingir os cabelos de preto e botar ruge na cara. Andam todos revoltados, dando-me um trabalhão para contê-los. Mas o pior é que ameaçam fugir, e o Pequeno Polegar já deu o exemplo.

Narizinho gostou tanto daquela revolta que chegou a bater palmas de alegria, na esperança de ainda encontrar pelo seu caminho algum daqueles queridos personagens.

– Tudo isso – continuou Dona Carochinha – por causa do Pinóquio, do Gato Félix e sobretudo de uma tal menina do narizinho arrebitado que todos desejam muito conhecer. Ando até desconfiada que foi essa diabinha quem desencaminhou Polegar, aconselhando-o a fugir.

O coração de Narizinho bateu apressado.

– Mas a senhora conhece essa tal menina? – perguntou, tapando o nariz com medo de ser reconhecida.

– Não a conheço – respondeu a velha –, mas sei que mora numa casinha branca, em companhia de duas velhas corocas.

Ah, por que foi dizer aquilo? Ouvindo chamar Dona Benta de velha coroca, Narizinho perdeu as estribeiras.

– Dobre a língua! – gritou vermelha de cólera. – Velha coroca é vosmecê, e tão implicante que ninguém mais quer saber das suas histórias emboloradas. A menina do narizinho arrebitado sou eu, mas fique sabendo que é mentira que eu haja desencaminhado o Pequeno Polegar, aconselhando-o a fugir. Nunca tive essa "bela ideia", mas agora vou aconselhá-lo, a ele e a todos os mais, a fugirem dos seus livros bolorentos, sabe?

A velha, furiosa, ameaçou-a de lhe desarrebitar o nariz da primeira vez em que a encontrasse sozinha.

– E eu arrebitarei o seu, está ouvindo? Chamar vovó de coroca! Que desaforo!...

Dona Carochinha botou-lhe a língua – uma língua muito magra e seca – e retirou-se furiosa da vida, a resmungar que nem uma negra beiçuda.

O Príncipe respirou de alívio ao ver o incidente terminado. Depois encerrou a audiência e disse ao primeiro-ministro:

– Mande convite a todos os nobres da corte para a grande festa que vou dar amanhã em honra à nossa distinta visitante. E diga a Mestre Camarão que ponha o coche de gala para um passeio pelo fundo do mar. Já.

O BOBINHO

O passeio que Narizinho deu com o Príncipe foi o mais belo de toda a sua vida. O coche de gala corria por sobre a areia alvíssima do fundo do mar conduzido por Mestre Camarão e tirado por seis parelhas de hipocampos, uns bichinhos com cabeça de cavalo e cauda de peixe. Em vez de pingalim, o cocheiro usava os fios de sua própria barba para chicoteá-los – *lept! lept!*...

Que lindos lugares ela viu! Florestas de coral, bosques de esponjas vivas, campos de algas das formas mais estranhas. Conchas de todos os jeitos e cores. Polvos, enguias, ouriços – milhares de criaturas marinhas tão estranhas que até pareciam mentiras do Barão de Münchausen.

Em certo ponto Narizinho encontrou uma baleia dando de mamar a várias baleinhas novas. Teve a ideia de levar para o sítio uma garrafa de leite de baleia, só para ver a cara de espanto que Dona Benta e Tia Nastácia fariam. Mas logo desistiu, pensando: "Não vale a pena. Elas não acreditam mesmo...".

Nisto apareceu ao longe um formidável espadarte. Vinha com o seu comprido esporão de pontaria feita para o cetáceo, que é como os sábios chamam a baleia. O Príncipe assustou-se.

– Lá vem o malvado! – disse ele. – Esses monstros divertem-se em espetar as pobres baleias como se elas fossem almofadinhas de alfinetes. Vamo-nos embora, que a luta vai ser medonha.

Recebendo ordem de voltar, o Camarão estalou as barbas e pôs os "cabecinhas de cavalo" no galope.

De volta ao palácio o Príncipe deixou a menina e a boneca na gruta dos seus tesouros, indo cuidar dos preparativos da festa. Narizinho pôs-se a mexer em tudo... Quantas maravilhas! Pérolas enormes aos montes. Muitas, ainda na concha, punham as cabecinhas de fora, espiavam a menina e escondiam-se outra vez – de medo da Emília. Caramujos, então, era um nunca se acabar – de todos os jeitos possíveis e imagináveis. E conchas! Quantas, Deus do céu!

Narizinho teria ficado ali a vida inteira, examinando uma por uma todas aquelas joias, se um peixinho de rabo vermelho não viesse da parte do Príncipe dizer que o jantar estava na mesa.

Foi correndo e achou a sala de jantar ainda mais bonita que a sala do trono. Sentou-se ao lado do Príncipe e gabou muito a arrumação da mesa.

– Artes das senhoras sardinhas – disse ele. – São as melhores arrumadeiras do Reino.

A menina pensou consigo: "Não é à toa que sabem arrumar-se tão direitinhas dentro das latas...".

Vieram os primeiros pratos – costeletas de camarão, filés de marisco, omeletes de ovos de beija-flor, linguiça de minhoca – um petisco de que o Príncipe gostava muito.

Enquanto comiam, uma excelente orquestra de cigarras e pernilongos tocava a música do fium, regida pelo Maestro Tangará, de batuta no bico. Nos intervalos três vaga-lumes de circo fizeram mágicas lindas, entre as quais foi muito apreciada a de comer fogo. Para lidar com fogo não há como eles.

Encantada com tudo aquilo, Narizinho batia palmas e dava gritos de alegria. Em certo momento o mordomo do palácio entrou e disse umas palavras ao ouvido do Príncipe.

– Pois mande-o entrar – respondeu este.

– Quem é? – quis saber a menina.

– Um anãozinho que nos apareceu aqui ontem para contratar-se como bobo da corte. Estamos sem bobo desde que o nosso querido Carlito Pirulito foi devorado pelo peixe-espada.

O candidato ao cargo de bobo da corte entrou conduzido pelo mordomo, e logo saltou para cima da mesa, pondo-se a fazer graças. Narizinho percebeu *incontinenti* que o bobinho não passava do Pequeno Polegar, vestido com o clássico saiote de guizos e uma carapuça também de guizos na cabeça. Percebeu mas fingiu não ter desconfiado de nada.

– Como é o seu nome? – perguntou-lhe o Príncipe.

– Sou o gigante Fura-Bolos! – respondeu o bobinho sacudindo os guizos.

Polegar não tinha o menor jeito para aquilo. Não sabia fazer caretas engraçadas, nem dizer coisas que fizessem rir. Narizinho teve um grande dó dele e disse-lhe baixinho:

– Apareça lá no sítio de vovó, Senhor Fura-Bolos. Tia Nastácia faz bolinhos muito bons para serem furados. Vá morar comigo, em vez de levar essa vida idiota de bobo da corte. Você não dá para isso.

Nesse momento reapareceu na sala a baratinha de mantilha, de nariz erguido para o ar como quem fareja alguma coisa.

– Achou o fugido? – perguntou-lhe o Príncipe.

– Ainda não – respondeu ela – mas aposto que anda por aqui. Estou sentindo o cheirinho dele.

E farejou outra vez o ar com o seu nariz de papagaio seco.

Apesar de ser muito burrinho, o Príncipe desconfiou que o tal Fura-Bolos fosse o mesmo Polegar.

– Talvez esteja – disse ele. – Talvez Polegar seja o bobinho que veio oferecer-se para substituir o Carlito Pirulito. Para onde foi? – indagou correndo os olhos em redor. –Estava aqui ainda agora, não faz meio minuto...

Procuraram o bobinho por toda parte, inutilmente. É que a menina, mal viu entrar na sala a diaba da velha, disfarçadamente o tinha agarrado e enfiado na manga do vestido.

Dona Carochinha remexia por todos os cantos, até dentro das terrinas, sempre resmungona.

– Está aqui, sim. Estou sentindo o cheirinho dele cada vez mais perto. Desta feita não me escapa.

Vendo-a aproximar-se mais e mais, Narizinho perturbou-se. E para disfarçar gritou:

– Dona Carochinha está caducando. Polegar usa as botas de sete léguas e, se esteve aqui, já deve estar na Europa.

A velha deu uma risada gostosa.

– Não vê que não sou boba! Assim que desconfiei que ele andava querendo fugir, fui logo tratando de trancar suas botas na minha gaveta. Polegar fugiu descalço e não me escapa.

– Há de escapar, sim! – gritou Narizinho em tom de desafio

– Não escapa, não! – retrucou a velha – e não me escapa porque já sei onde está. Está escondido aí na sua manga, ouviu? – e avançou para ela.

Foi um rebuliço na sala. A velha atracou-se com a menina, e certamente que subjugaria, se a boneca, que estava na mesa ao lado de sua dona, não tivesse tido a bela ideia de arrancar-lhe os óculos e sair correndo com eles.

Dona Carochinha não enxergava nada sem óculos, de modo que ficou a pererecar no meio da sala como cega, enquanto a menina corria a esconder Polegar na gruta dos tesouros, bem lá no fundo de uma concha.

– Fique aqui bem quietinho até que eu volte – recomendou-lhe.

E regressou à sala, muito lampeira da sua façanha.

A COSTUREIRA DAS FADAS

Depois do jantar o Príncipe levou Narizinho à casa da melhor costureira do reino. Era uma aranha de Paris, que sabia fazer vestidos lindos, lindos até não poder mais! Ela mesma tecia a fazenda, ela mesma inventava as modas.

– Dona Aranha – disse o Príncipe – quero que faça para esta ilustre dama o vestido mais bonito do mundo. Vou dar uma grande festa em sua honra e quero vê-la deslumbrar a corte.

Disse e retirou-se. Dona Aranha tomou da fita métrica e, ajudada por seis araninhas muito espertas, principiou a tomar as medidas. Depois teceu, depressa, depressa, uma fazenda cor-de-rosa com estrelinhas douradas, a coisa mais linda que se possa imaginar. Teceu também peças de fitas e peças de renda e peças de entremeio – até carretéis de linha de seda fabricou.

– Que beleza! – ia exclamando a menina, cada vez mais admirada dos prodígios da costureira. – Conheço muitas aranhas em casa de vovó, mas todas só sabem fazer teias de pegar moscas; nenhuma é capaz de fazer nem um paninho de avental...

– É que tenho mil anos de idade – explicou Dona Aranha – e sou a costureira mais velha do mundo. Aprendi a fazer todas as coisas. Já trabalhei durante muito tempo no Reino das Fadas; fui quem fez o vestido de baile de Cinderela e quase todos os vestidos de casamento de quase todas as meninas que se casaram com príncipes encantados.

– E para Branca de Neve também costurou?

– Como não? Pois foi justamente quando eu estava tecendo o véu de noiva de Branca que fiquei aleijada. A tesoura caiu-me sobre o pé esquerdo, rachando o osso aqui neste lugar. Fui tratada pelo Doutor Caramujo, que é um médico muito bom. Sarei, embora ficasse manca pelo resto da vida.

– Acha que esse tal Doutor Caramujo é capaz de curar uma boneca que nasceu muda? – perguntou a menina.

– Cura, sim. Ele tem umas pílulas que curam todas as doenças, exceto quando o doente morre.

Enquanto conversavam, Dona Aranha ia trabalhando no vestido.

– Está pronto – disse ela por fim. – Vamos prová-lo.

Narizinho vestiu-se, indo ver-se ao espelho.

– Que beleza! – exclamou, batendo palmas. – Estou que nem um céu aberto!...

E estava mesmo linda. Linda, tão linda no seu vestido de teia cor-de-rosa com estrelinhas de ouro, que até o espelho arregalou os olhos, de espanto.

Trazendo em seguida o seu cofre de joias, Dona Aranha pôs na cabeça da menina um diadema de orvalho, e braceletes de rubis do mar nos braços, e anéis de brilhantes do mar nos dedos, e fivelas de esmeraldas do mar nos sapatos, e uma grande rosa do mar no peito.

Mais linda ainda ficou Narizinho, tão mais linda que o espelho arregalou um pouco mais os olhos, começando a abrir a boca.

– Pronto? – perguntou a menina, deslumbrada.

– Espere – respondeu Dona Aranha Costureira. – Faltam os pós de borboleta.

E ordenou às suas seis filhinhas que trouxessem as caixas de pó de borboleta. Escolheu o mais conveniente, que era o famoso pó "furta-todas-as-cores", de tanto brilho que parecia "pó de céu-sem-nuvens" misturado com "pó de sol-que-acaba-de-nascer". Polvilhada com ele a menina ficou tal qual um sonho dourado! Linda, tão linda, tão mais, mais, mais linda, que o espelho foi arregalando ainda mais os olhos, mais, mais, mais, até que – craque!... rachou de alto a baixo em seis fragmentos!

Em vez de ficar danada com aquilo, como Narizinho esperava, Dona Aranha pôs-se a dançar de alegria.

– Ora graças! – exclamou num suspiro de alívio. – Chegou afinal o dia da minha libertação. Quando nasci, uma fada rabugenta, que detestava minha pobre mãe, virou-me em aranha, condenando-me a viver de costuras a vida inteira. No mesmo instante, porém, uma fada boa surgiu, e me deu esse espelho com estas palavras: "No dia em que fizeres o vestido mais lindo do mundo, deixarás de ser aranha e serás o que quiseres".

– Que bom! – aplaudiu Narizinho. – E no que vai a senhora virar?

– Não sei ainda – respondeu a aranha. – Tenho de consultar o Príncipe.

– Sim, mas não vire em nada antes de fazer destes retalhos um vestido para a Emília. A pobrezinha não pode comparecer ao baile assim em fraldas de camisa como está.

– Agora é tarde, menina. O encantamento está quebrado; já não sou costureira. Mas minhas filhas poderão fazer o vestido da boneca. Não sairá grande coisa, porque não têm a minha prática, mas há de servir. Onde está a Senhora Emília?

Narizinho não sabia. Depois que furtou os óculos da velha e saiu correndo, ninguém mais vira a boneca.

Dona Aranha voltou-se para as seis aranhinhas.

– Minhas filhas – disse ela – o encanto está quebrado e logo estarei virada no que quiser. Vou portanto abandonar esta vida de costureira, deixando a vocês o meu lugar. O encantamento continua em vocês. Cada uma tem de conservar um pedaço do espelho e passar a vida costurando até que consiga um vestido que o faça rachar de admiração, como sucedeu ao espelho grande.

Nisto o Príncipe apareceu. Narizinho contou-lhe toda a história, inclusive a atrapalhação da aranha quanto à escolha do que havia de ser.

O Príncipe observou que seu reino estava com falta de sereias, sendo muito do seu agrado que ela virasse sereia.

– Nunca! – protestou Narizinho, que era de muito bons sentimentos. – Sereias são criaturas malvadas, cujo maior prazer é afundar navios. Antes vire princesa.

Houve grande discussão, sem que nada fosse decidido. Por fim a aranha resolveu não virar em coisa nenhuma.

– Acho melhor ficar no que sou. Assim, manca duma perna, se viro princesa ficarei sendo a Princesa Manca; se viro sereia, ficarei sendo a Sereia Manca – e todos caçoarão de mim. Além do mais, como já sou aranha há mil anos, estou acostumadíssima.

E continuou aranha.

A FESTA E O MAJOR

Chegou a hora da festa. Dando a mão a Narizinho, o Príncipe dirigiu-se à sala de baile.

– Como é linda! – exclamaram os fidalgos lá reunidos ao verem-na entrar. – Com certeza é a filha única da Fada dos Sete Mares...

O salão parecia um céu bem aberto. Em vez de lâmpadas, viam-se pendurados do teto buquês de raios de sol colhidos pela manhã. Flores em quantidade, trazidas e arrumadas por beija-flores. Tantas pérolas soltas no chão que até se tornava difícil o andar. Não houve ostra que não trouxesse a sua pérola, para pendurá-la num galhinho de coral ou jogá-la por ali como se fosse cisco. E o que não era pérola era flor, e o que não era flor era nácar, e o que não era nácar era rubi e esmeralda e ouro e diamante. Uma verdadeira tontura de beleza!

O Príncipe havia convidado só os seres pequeninos, visto ser também pequenino e muito delicado de corpo. Se um hipopótamo ou baleia aparecesse por lá seria o maior dos desastres.

Narizinho correu os olhos pela assistência. Não podia haver nada mais curioso. Besourinhos de fraque e flores na lapela conversavam com baratinhas de mantilha e miosótis nos cabelos. Abelhas douradas, verdes e azuis, falavam mal das vespas de cintura fina – achando que era exagero usarem coletes tão apertados. Sardinhas aos centos criticavam os cuidados excessivos que as borboletas de toucados de gaze tinham com o pó das suas asas. Mamangavas de ferrões amarrados para não morderem. E canários cantando, e beija-flores beijando flores, e camarões camaronando, e caranguejos caranguejando, tudo que é pequenino e não morde, pequeninando e não mordendo.

Narizinho e o Príncipe dançaram a primeira contradança sob os olhares de admiração da assistência. Pelas regras da corte, quando o Príncipe dançava todos tinham de manter-se de boca aberta e olhos bem arregalados. Depois começou a grande quadrilha.

Foi a parte de que Narizinho gostou mais. Quantas cenas engraçadas! Quantas tragédias! Um velho caranguejo que tirara uma gorda taturana para valsar, apertou-a tanto nos braços que a furou com o ferrão. A pobre dama deu um berro ao ver espirrar aquele líquido verde que as taturanas têm dentro de si. Ao mesmo tempo que isso se dava, outro desastre acontecia com um besouro do Instituto Histórico, que tropeçou numa pérola, caiu e desconjuntou-se todo.

O Doutor Caramujo foi chamado às pressas para consertar a taturana e o besouro.

– Que bom cirurgião! – exclamou Narizinho, vendo a perícia com que ele arrolhou a taturana e consertou o besouro. Só sobraram duas peças – uma perna e uma antena. "E trabalha cientificamente", refletiu a menina, notando que antes de tratar do doente o doutor nunca deixava de fazer o "diagnóstico". – Amanhã sem falta vou levar Emília ao consultório dele – disse ela ao Príncipe.

– E, por falar, onde anda a Senhora Emília? – indagou este. – Desde a briga com a Dona Carochinha que não a vi mais.

– Nem eu. Acho bom que o Senhor Príncipe mande procurá-la.

O peixinho gritou para o mordomo que achasse a boneca sem demora.

Enquanto isso o baile prosseguia. Vieram as libélulas, que gozam a fama de ser as mais leves dançarinas do mundo. De fato! Dançam sem tocar os pezinhos no chão – voando o tempo inteiro. A linda valsa das libélulas estava na metade quando o mordomo reapareceu, muito afobado.

– Dona Emília foi assaltada por algum bandido! – gritou ele. – Está lá na gruta dos tesouros, estendida no chão, como morta.

Imediatamente Narizinho pulou do trono e correu em salvação da sua querida bruxa. Encontrou-a caída por terra, com o rosto aranhado, sem dar o menor acordo de si. O Doutor Caramujo, chamado com urgência, despertou-a logo com um bom beliscão, depois de fazer o indispensável "diagnóstico".

– Quem será o monstro que fez isto para a coitada? – exclamou a menina, examinando-lhe a cara e vendo-a com um dos olhos de retrós arrancado. – Não bastava ser muda, vai ficar cega também. Coitadinha da minha Emília!...

– Impossível descobrir o criminoso – declarou o Príncipe. – Não há indícios. Só depois que o Doutor Caramujo curá-la da mudez é que poderemos descobrir alguma coisa.

– Havemos de tratar disso amanhã bem cedo – concluiu Narizinho. – Agora é muito tarde. Estou pendendo de sono...

E dando boas-noites ao Príncipe, retirou-se com Emília para os seus aposentos.

Mas Narizinho não pôde dormir. Mal se deitou, ouviu gemidos no jardim que havia ao lado. Levantou-se. Espiou da janela. Era o sapo que fora vestido de velha coroca.

– Boa noite, Major Agarra! Que gemidos tão tristes são esses? Não está contente com a sua sainha nova?

– Não caçoe, menina, que o caso não é para caçoada – respondeu o pobre sapo com voz chorosa. – O Príncipe condenou-me a engolir cem pedrinhas redondas. Já engoli noventa e nove. Não posso mais! Tenha dó de mim, gentil menina, e peça ao Príncipe que me perdoe.

Tanta pena do sapo sentiu Narizinho que mesmo em camisola como estava foi correndo ao quarto do Príncipe, em cuja porta bateu precipitadamente – *toc, toc, toc*!...

– Quem é? – indagou de dentro o peixinho, que estava a despir-se de suas escamas para dormir.

– É Narizinho. Quero que perdoe ao pobre do Major Agarra.

– Perdoar de quê? – exclamou o Príncipe, que tinha a memória muito fraca.

– Pois não o condenou a engolir cem pedrinhas redondas? Já engoliu noventa e nove e está engasgado com a última. Não entra. Não cabe! Está lá no jardim, de barriga estufada, gemendo e chorando que não me deixa dormir.

O Príncipe danou.

– É muito estúpido o Major! Eu falei aquilo de brincadeira. Diga-lhe que desengula as pedrinhas e não me incomode.

Narizinho foi, pulando de contente, dar a boa notícia ao sapo.

– Está perdoado, Major! O Príncipe manda ordem para desengolir as pedrinhas e voltar ao serviço.

Por mais esforço que fizesse, o sapo não conseguiu aliviar-se das pedras. Estava empachado.

– Impossível! – gemeu ele. – O único jeito é o Doutor Caramujo abrir-me a barriga com a sua faquinha e tirar as pedras uma por uma com o ferrão de caranguejo que lhe serve de pinça.

– Nesse caso, muito boa noite, senhor sapo. Só amanhã poderemos tratar disso. Tenha paciência e cuide de não morrer até lá.

O sapo agradeceu a boa ação da menina, prometendo que se pudesse fugir das garras do Príncipe iria morar no sítio de Dona Benta para manter a horta limpa de lesmas e lagartas.

Narizinho recolheu-se de novo, e já ia pulando para a cama quando se lembrou do Pequeno Polegar, que deixara escondido na concha.

– Ah, meu Deus! Que cabeça a minha! O coitadinho deve estar cansado de esperar por mim...

E foi correndo à gruta dos tesouros. Mas perdeu a viagem. Polegar havia desaparecido com a concha e tudo...

A PÍLULA FALANTE

No outro dia a menina levantou-se muito cedo para levar a boneca ao consultório do Doutor Caramujo. Encontrou-o com cara de quem havia comido um urutu recheado de escorpiões.

– Que há, Doutor?

– Há que encontrei o meu depósito de pílulas saqueado. Furtaram-me todas...

– Que maçada! – exclamou a menina aborrecidíssima. – Mas não pode fabricar outras? Se quiser, ajudo a enrolar.

– Impossível. Já morreu o besouro boticário que fazia as pílulas, sem haver revelado o segredo a ninguém. A mim só me restava um cento, das mil que comprei dos herdeiros. O miserável ladrão só deixou uma – e imprópria para o caso porque não é pílula falante.

– E agora?

– Agora, só fazendo uma certa operação. Abro a garganta da boneca muda e ponho dentro uma falinha – respondeu o Doutor, pegando na sua faca de ponta para amolar. – Já providenciei tudo.

Nesse momento ouviu-se grande barulheira no corredor.

– Que será? – indagou a menina surpresa.

– É o papagaio que vem vindo – declarou o Doutor.

– Que papagaio, homem de Deus? Que vem fazer aqui esse papagaio?

Mestre Caramujo explicou que como não houvesse encontrado suas pílulas mandara pegar um papagaio muito falador que havia no reino. Tinha de matá-lo para extrair a falinha que ia pôr dentro da boneca.

Narizinho, que não admitia que se matasse nem formiga, revoltou-se contra a barbaridade.

– Então não quero! Prefiro que Emília fique muda toda a vida a sacrificar uma pobre ave que não tem culpa de coisa nenhuma.

Nem bem acabou de falar, e os ajudantes do Doutor, uns caranguejos muito antipáticos, surgiram à porta, arrastando um pobre papagaio de bico amarrado. Bem que resistia ele, mas os caranguejos podiam mais e eram murros e mais murros.

Furiosa com a estupidez, Narizinho avançou de sopapos e pontapés contra os brutos.

– Não quero! Não admito que judiem dele! – berrou vermelhinha de cólera, desamarrando o bico do papagaio e jogando as cordas no nariz dos caranguejos.

O Doutor Caramujo desapontou, porque sem pílulas nem papagaios era impossível consertar a boneca. E deu ordem para que trouxessem o segundo paciente.

Apareceu então o sapo num carrinho. Teve de vir sobre rodas por causa do estufamento da barriga; parece que as pedras haviam crescido de volume dentro. Como ainda estivesse vestido com a saia e a touca da Emília, Narizinho viu-se obrigada a tapar a boca para não rir-se em momento tão impróprio.

O grande cirurgião abriu com a faca a barriga do sapo e tirou com a pinça de caranguejo a primeira pedra. Ao vê-la à luz do sol sua cara abriu-se num sorriso caramujal.

– Não é pedra, não! – exclamou contentíssimo. – É uma das minhas queridas pílulas! Mas como teria ela ido parar na barriga deste sapo?...

Enfiou de novo a pinça e tirou nova pedra. Era outra pílula! E assim foi indo até tirar lá de dentro noventa e nove pílulas.

A alegria do Doutor foi imensa. Como não soubesse curar sem aquelas pílulas, andava com medo de ser demitido de médico da corte.

– Podemos agora curar a Senhora Emília – declarou ele depois de costurar a barriga do sapo.

Veio a boneca. O Doutor escolheu uma pílula falante e pôs-lhe na boca.

– Engula duma vez! – disse Narizinho, ensinando à Emília como se engole pílula. — E não faça tanta careta que arrebenta o outro olho.

Emília engoliu a pílula, muito bem engolida, e começou a falar no mesmo instante. A primeira coisa que disse foi: "Estou com um horrível gosto de sapo na boca!". E falou, falou, falou mais de uma hora sem parar. Falou tanto que Narizinho, atordoada, disse ao Doutor que era melhor fazê-la vomitar aquela pílula e engolir outra mais fraca.

– Não é preciso – explicou o grande médico. Ela que fale até cansar. Depois de algumas horas de falação, sossega e fica como toda gente. Isto é "fala recolhida", que tem de ser botada para fora.

E assim foi. Emília falou três horas sem tomar fôlego. Por fim calou-se.

– Ora graças! – exclamou a menina. – Podemos agora conversar como gente e saber quem foi o bandido que assaltou você na gruta. Conte o caso direitinho.

Emília empertigou-se toda e começou a dizer na sua falinha fina de boneca de pano:

– Pois foi aquela diaba da Dona Carocha. A coroca apareceu na gruta das cascas...

– Que cascas, Emília? Você parece que ainda não está regulando...

– Cascas, sim – repetiu a boneca teimosamente. – Dessas cascas de bichos moles que você tanto admira e chama conchas. A coroca apareceu e começou a procurar aquele boneco...

– Que boneco, Emília?

– O tal Polegada que furava bolos e você escondeu numa casca bem lá no fundo. Começou a procurar e foi sacudindo as cascas uma por uma para ver qual tinha boneco dentro. E tanto procurou que achou. E agarrou na casca e foi saindo com ela debaixo do cobertor...

– Da mantilha, Emília!

– Do COBERTOR.

– Mantilha, boba!

– COBERTOR. Foi saindo com ela debaixo do cobertor e eu vi e pulei para cima dela. Mas a coroca me unhou a cara e me bateu com a casca na cabeça, com tanta força que dormi. Só acordei quando o Doutor Cara de Coruja...

– Doutor Caramujo, Emília!

– Doutor CARA DE CORUJA. Só acordei quando o Doutor CARA DE CORUJÍSSIMA me pregou um liscabão.

– Beliscão – emendou Narizinho pela última vez, enfiando a boneca no bolso. Viu que a fala da Emília ainda não estava bem ajustada, coisa que só o tempo poderia conseguir. Viu também que era de gênio teimoso e asneirenta por natureza, pensando a respeito de tudo de um modo especial todo seu. "Melhor que seja assim", filosofou Narizinho. "As ideias de vovó e Tia Nastácia a respeito de tudo são tão sabidas que a gente já as adivinha antes que elas abram a boca. As ideias de Emília hão de ser sempre novidades."

E voltou para o palácio, onde a corte estava reunida para outra festa que o Príncipe havia organizado. Mas assim que entrou na sala de baile, rompeu um grande estrondo lá fora – o estrondo duma voz que dizia:

– Narizinho, vovó está chamando!...

Tamanho susto causou aquele trovão entre os personagens do reino marinho, que todos se sumiram, como por encanto. Sobreveio então uma ventania muito forte, que envolveu a menina e a boneca, arrastando-as do fundo do oceano para a beira do ribeirãozinho do pomar.

Estavam no sítio de Dona Benta outra vez.

Narizinho correu para casa. Assim que a viu entrar, Dona Benta foi dizendo:

– Uma grande novidade, Lúcia. Você vai ter agora um bom companheiro aqui no sítio para brincar. Adivinhe quem é?

A menina lembrou-se logo do Major Agarra, que prometera vir morar com ela.

– Já sei, vovó! É o Major Agarra-e-Não-Larga-Mais. Ele bem me falou que vinha.

Dona Benta fez cara de espanto.

– Você está sonhando, menina. Não se trata de major nenhum.

– Se não é o sapo, então é o papagaio! – continuou Narizinho, recordando-se de que também o papagaio prometera vir visitá-la.

– Qual sapo, nem papagaio, nem elefante, nem jacaré. Quem vem passar uns tempos conosco é o Pedrinho, filho da minha filha Antonica.

Lúcia deu três pinotes de alegria.

– E quando chega o meu primo? – indagou.

– Deve chegar amanhã de manhã. Apronte-se. Arrume o quarto de hóspedes e endireite essa boneca. Onde se viu uma menina do seu tamanho andar com uma boneca em fraldas de camisa e de um olho só?

– Culpa dela, Dona Benta! Narizinho tirou minha saia para vestir o sapão rajado – disse Emília falando pela primeira vez depois que chegara ao sítio.

Tamanho susto levou Dona Benta, que por um triz não caiu de sua cadeirinha de pernas serradas. De olhos arregaladíssimos, gritou para a cozinha:

– Corra, Nastácia! Venha ver este fenômeno...

A negra apareceu na sala, enxugando as mãos no avental.

– Que é, Sinhá? – perguntou.

– A boneca de Narizinho está falando!...

A boa negra deu uma risada gostosa, com a beiçaria inteira.

– Impossível, Sinhá! Isso é coisa que nunca se viu. Narizinho está mangando com mecê.

– Mangando o seu nariz! – gritou Emília furiosa. – Falo, sim, e hei de falar. Eu não falava porque era muda, mas o Doutor Cara de Coruja me deu uma bolinha de barriga de sapo e eu engoli e fiquei falando e hei de falar a vida inteira, sabe?

A negra abriu a maior boca do mundo.

– E fala mesmo, Sinhá!... – exclamou no auge do assombro. – Fala que nem uma gente! Credo! O mundo está perdido...

E encostou-se à parede para não cair.

O Sítio do Picapau Amarelo
AS JABUTICABAS

De volta do Reino das Águas Claras, Narizinho começou todas as noites a sonhar com o Príncipe Escamado, Dona Aranha, o Doutor Caramujo e mais figurões que conhecera por lá. Ficou de jeito que não podia ver o menor inseto sem que se pusesse a imaginar a vida maravilhosa que teria na terrinha dele. E quando não pensava nisso pensava no Pequeno Polegar e nos meios de o fazer fugir de novo da história onde o coitadinho vivia preso.

Era este o assunto predileto das conversas da menina com a boneca. Faziam planos de toda sorte, cada qual mais amalucado. Emília tinha ideias de verdadeira louca.

– Vou lá – dizia ela – e agarro nas orelhas da Dona Carocha e dou um pontapé naquele nariz de papagaio e pego o Polegada pelas botas e venho correndo.

Narizinho ria-se, ria-se...

– Vai lá onde, Emília?

– Lá onde mora a velha.

– E onde mora a velha?

A boneca não sabia, mas não se atrapalhava na resposta. Emília nunca se atrapalhou nas suas respostas. Dizia as maiores asneiras do mundo, mas respondia.

– A velha mora com o Pequeno Polegada.

– Polegar, Emília!

– Po-le-ga-da.

Era teimosa como ela só. Nunca disse Doutor Caramujo. Era sempre Doutor Cara de Coruja. E nunca quis dizer Polegar. Era sempre Polegada.

– Muito bem – concordou a menina. – A velha mora com Polegar e Polegar mora com a velha. Mas onde moram os dois?

– Moram juntos.

Narizinho ria-se, dizendo:

– Possa-se com uma diabinha destas!

Dona Benta era outra que achava muita graça nas maluquices da boneca. Todas as noites punha-a ao colo para lhe contar histórias. Porque não havia no mundo quem gostasse mais de história do que a boneca. Vivia pedindo que lhe contassem a história de tudo – do tapete, do cuco, do armário. Quando soube que Pedrinho, o outro neto de Dona Benta, estava para vir passar uns tempos no sítio, pediu a história de Pedrinho.

– Pedrinho não tem história – respondeu Dona Benta rindo-se. – É um menino de dez anos que nunca saiu da casa de minha filha Antonica e portanto nada fez ainda e nada conhece do mundo. Como há de ter história?

– Essa é boa! – replicou a boneca. – Aquele livro de capa vermelha da sua estante também nunca saiu de casa e no entanto tem mais de dez histórias dentro.

Dona Benta voltou-se para Tia Nastácia.

– Esta Emília diz tanta asneira que é quase impossível conversar com ela. Chega a atrapalhar a gente.

– É porque é de pano, Sinhá – explicou a preta – e dum paninho muito ordinário. Se eu imaginasse que ela ia aprender a falar, eu tinha feito ela de seda, ou pelo menos dum retalho daquele seu vestido de ir à missa.

Dona Benta olhou para Tia Nastácia dum certo modo, como que achando aquela explicação muito parecida com as da Emília...

Nisto apareceu Narizinho, com uma carta para Dona Benta trazida pelo correio.

– Letra da sua filha Tonica, vovó – disse a menina. – Com certeza é marcando a viagem de Pedrinho.

Dona Benta leu. Era isso mesmo. Pedrinho viria dali uma semana.

– Uma semana ainda? – comentou Narizinho, desanimada de tanta demora. – Que pena! Tenho tanta coisa a contar a Pedrinho – coisas do Reino das Águas Claras...

– Não sei que reino é esse. Você nunca me falou nele – disse Dona Benta com cara de surpresa.

– Não falei nem falo porque a senhora não acredita. Uma beleza de reino, vovó! Um palácio de coral que parece um sonho! E o Príncipe Escamado, e o Doutor Caramujo, e Dona Aranha com suas seis filhinhas, e o Major Agarra, e o papagaio que salvei da morte – quanta coisa!... Até baleias vimos lá, uma baleia enorme, dando, de mamar a três baleinhas. Vi um milhão de coisas, mas não posso contar nada nem para vovó nem para Tia Nastácia porque não acreditam. Para Pedrinho, sim, posso contar tudo, tudo...

Dona Benta, de fato, nunca dera crédito às histórias maravilhosas de Narizinho. Dizia sempre: "Isso são sonhos de crianças". Mas depois que a menina fez a boneca falar, Dona Benta ficou tão impressionada que disse para a boa negra:

– Isto é um prodígio tamanho que estou quase crendo que as outras coisas fantásticas que Narizinho nos contou não são simples sonhos, como sempre pensei.

– Eu também acho, Sinhá. Essa menina é levada da breca. É bem capaz de ter encontrado por aí alguma varinha de condão que alguma fada tenha perdido... Eu também não acreditava no que ela dizia, mas depois do caso da boneca fiquei até transtornada da cabeça. Pois onde é que já se viu uma coisa assim, Sinhá, uma boneca de pano, que eu mesma fiz com estas pobres mãos, e de um paninho tão ordinário, falando, Sinhá, falando que nem uma gente!... Qual, ou nós estamos caducando ou o mundo está perdido...

E as duas velhas olhavam uma para a outra, sacudindo a cabeça.

Narizinho não gostava de esperar; ficou pois aborrecida de ter de esperar Pedrinho ainda uma semana inteira. Felizmente era tempo de jabuticabas.

No sítio de Dona Benta havia vários pés; mas bastava um para que todos se regalassem até enjoar. Justamente naquela semana as jabuticabas tinham chegado "no ponto" e a menina não fazia outra coisa senão chupar jabuticabas. Volta e meia trepava à árvore, que nem uma macaquinha. Escolhia as mais bonitas, punha-as entre os dentes e *tloc*. E depois do *tloc*, uma engolidinha de caldo e – *pluf!* – caroço fora. E *tloc, pluf – tloc, pluf*, lá passava o dia inteiro na árvore.

As jabuticabas tinham outros fregueses além da menina. Um deles era um leitão muito guloso, que recebera o nome de Rabicó. Assim que via Narizinho trepar à árvore, Rabicó vinha correndo postar-se embaixo à espera dos caroços. Cada vez que soava lá em cima um *tloc!* seguido de um *pluf!*, ouvia-se cá embaixo um *nhoc!*

do leitão abocanhando qualquer coisa. E a música da jabuticabeira era assim: *tloc! pluf! nhoc! – tloc! pluf! nhoc!...*

Sanhaços também, e abelhas e vespas. Vespas em quantidade, sobretudo no fim, quando as jabuticabas ficavam que nem um mel, como dizia Narizinho. Escolhiam as melhores frutas, furavam-nas com o ferrão, enfiavam meio corpo dentro e deixavam-se ficar muito quietinhas, sugando até caírem de bêbedas.

– E não mordiam?

– Não tinham tempo. O tempo era pouco para aproveitarem aquela gostosura que só durava uns quinze dias.

Não mordiam é um modo de dizer. Nunca tinham mordido, isso sim. Porque justamente naquela tarde uma mordeu. Estava Narizinho no seu galho, distraída em pensar na surpresa que teria o Príncipe Escamado se recebesse uma jabuticaba de presente, quando levou à boca uma das tais furadinhas, com meia vespa dentro. Dessa vez em lugar do **tloc** do costume o que soou foi um berro – ai! ai! ai!... tão bem berrado que **lá** dentro da casa as duas velhas ouviram.

– Que será aquilo? – exclamou Dona Benta assustada.

– Aposto que é vespa, Sinhá! – disse Tia Nastácia. – Ela não sai da "fruteira" e, como nunca foi mordida, abusa. Eu vivo dizendo: "Cuidado com as vespas!", mas não adianta, Narizinho não faz caso. Agora, está aí...

E foi correndo ao pomar acudir a menina.

Encontrou-a já de volta, berrando com a língua à mostra, porque fora bem na ponta da língua que a vespa ferrotoara. A negra trouxe-a para casa, botou-a no colo e disse:

– Sossegue, boba, isso não é nada. Dói mas passa. Ponha a língua para eu arrancar o ferrão. Vespa quando morde deixa o ferrão no lugar da mordedura. Bem para fora. Assim.

Narizinho espichou meio palmo de língua e Tia Nastácia, com muito custo, porque já tinha a vista fraca, pode afinal descobrir o ferrãozinho e arrancá-lo.

– Pronto! – exclamou mostrando qualquer coisa na ponta duma pinça. Está aqui o malvado. Agora é ter paciência e esperar que a dor passe. Se fosse mordida de cachorro bravo seria muito pior...

Narizinho curtiu a dor por alguns minutos, de língua inchada e olhos vermelhos, soluçando de vez em vez. Depois que a dor passou, foi contar à boneca toda a história.

– Bem feito! – disse Emília. – Se fosse eu, antes de comer olhava cada fruta, uma por uma, com o binóculo de Dona Benta.

Apesar do acontecido, Narizinho não pode reprimir uma gargalhada, que Tia Nastácia ouviu lá da cozinha.

– Narizinho já sarou – disse consigo a preta – e daqui um instantinho está trepada na árvore outra vez.

E tinha razão. Indo dali a pouco ao rio com a trouxa de roupa suja, ao passar pela jabuticabeira parou para ouvir a música de sempre – *tloc! pluf! nhoc!...* Lá estava Narizinho trepada à árvore. Lá estavam as vespas com meio corpo metido dentro das frutas. Lá estava Rabicó esperando a queda dos caroços.

– Está tudo regulando! – murmurou consigo a preta, e pondo o pito na boca seguiu o seu caminho.

O ENTERRO DA VESPA

De noite, à hora de deitar-se, Narizinho lembrou-se de que havia deixado a boneca debaixo da jabuticabeira.

– Pobre da Emília! Deve estar morrendo de medo das corujas... – e pediu a Tia Nastácia que fosse buscá-la.

A negra foi e trouxe Emília, toda úmida de orvalho, danadíssima com o esquecimento da menina. E só com a promessa de um belo vestido novo é que desamarrou o burro. Um vestido de chita cor-de-rosa com pintinhas. E de saia bem comprida.

– Por que, Emília? – indagou a menina estranhando aquele gosto.

– Porque sujei a perna aqui no joelho e não quero que apareça.

– O mais fácil será lavar o joelho.

– Deus me livre! Tia Nastácia diz que sou de macela por dentro e por isso não posso me molhar. Emboloro. Um dia ainda posso virar condessa e não quero ser chamada a Condessa do Bolor.

– Testo, panela, bolor, fedor! Tem razão, Emília. O melhor é fazer um vestido de cauda. Para condessas fica bem. Mas condessa de quê?

– Quero ser a Condessa de Três Estrelinhas! Acho lindo tudo que é de Três Estrelinhas – a cidade de ***, o ano de ***, o duque de ***, como está naquele romance que Dona Benta vive lendo.

– Pois muito bem, Emília. Desde este momento fica você nomeada Condessa de Três Estrelinhas e para não haver dúvida vou pintar três estrelinhas na sua testa. Todas as criaturas do mundo vão torcer-se de inveja!...

– Todas menos uma – observou a boneca.

– Quem?

– A vespa que ferrou sua língua.

– Explique-se, Emília. Não estou entendendo nada.

– Quero dizer que a tal vespa está morta e bem enterrada no fundo da terra – explicou a boneca. – Assisti a tudo. Quando ela mordeu sua língua e você fez pluf! antes de berrar ai! ai! ai!, a jabuticaba cuspida, ainda com a vespa dentro, caiu bem perto de mim. Vi então tudo o que se passou depois que você desceu da árvore, berrando que nem um bezerro, e lá foi de língua de fora.

E a boneca contou direitinho o triste fim da pobre vespa.

– Ela ficou ainda quase uma hora metida dentro da casca, toda arrebentadinha, movendo ora uma perna, ora outra. Afinal parou. Tinha morrido. Vieram as formigas cuidar do enterro. Olharam, olharam, estudaram o melhor meio de a tirar dali. Chamaram outras e por fim deram começo ao serviço. Cada qual a agarrou por uma perninha e, puxa que puxa, logo a arrancaram de dentro da jabuticaba. E foram-na arrastando por ali afora até à cova, que é o buraquinho onde as formigas moram. Lá pararam à espera do fazedor de discursos.

– Orador, Emília!

– Fazedor de discursos. Veio ele, de discursinho debaixo do braço, escrito num papel e leu, leu, leu que não acabava mais. As formigas ficaram aborrecidas com o besourinho (era um besourinho do Instituto Histórico) e apitaram. Apareceu então um louva-a-deus policial, de pauzinho na mão. "Que há?" – perguntou. "Há que estamos cansadas e com fome e este famoso orador não acaba nunca o seu discurso. Está muito pau", disseram as formigas. "Para pau, pau!" – resolveu o soldado – e arrolhou o orador com o seu pauzinho.

As formigas, muito contentes, continuaram o serviço e levaram para o fundo da cova o cadáver da vespa. Em seguida apareceu uma trazendo um letreiro assim, que fincou num montinho de terra:

> AQUI NESTE BURACO JAZ
> UMA POBRE VESPA ASSASSINADA
> NA FLOR DOS ANOS
> PELA MENINA DO NARIZ ARREBITADO.
> ORAI POR ELA!

Feito isso, recolheu-se. Era noite quase fechada. No pomar deserto só ficou o besourinho, sempre engasgado com o pau. Queria à viva força continuar o discurso. Por fim conseguiu destapar-se e imediatamente continuou: "Neste momento solene..." Nisto um sapo, que ia passando, alumiou o olho dizendo: "Espere que eu te curo!...". Deu um pulo e engoliu o fazedor de discursos!

– Não reparou, Emília, se esse sapo era o Major Agarra-e-Não-Larga-Mais? – perguntou a menina.

– Não era, não! – respondeu a boneca. – Era o Coronel Come-Orador-Com-Discurso-e-Tudo...

A PESCARIA

Afinal acabaram as jabuticabas. Somente nos galhos bem lá do alto é que ainda se via uma ou outra, todas furadinhas de vespa.

Rabicó – *rom, rom, rom...* – volta e meia aparecia por ali por força do hábito. Ficava imóvel, muito sério, esperando que caíssem cascas; mas, como não caísse coisa nenhuma, desistia e retirava-se – *rom, rom, rom...*

Narizinho também ainda parecia de vez em quando de comprida vara na mão e nariz para o ar, na esperança de "pescar" alguma coisa.

– Arre, menina! – gritou lá do rio Tia Nastácia, numa dessas vezes. – Não chegou quase um mês inteiro de *tloc, tloc*? Largue disso e venha me ajudar a estender esta roupa, que é o melhor.

Narizinho jogou a vara em cima do leitão, que fez *coim!*, e foi correndo para o rio, com a Emília de cabeça para baixo no bolso do avental.

Lá teve uma ideia: deixar a boneca pescando enquanto ela ajudava a preta.

– Tia Nastácia, faça um anzolzinho de alfinete para a Emília. A coitada tem tanta vontade de pescar...

– Era só o que faltava! – respondeu a negra, tirando o pito da boca. – Eu, com tanto serviço, a perder tempo com bobagem.

– Faz? – insistiu a menina. – Alfinete, tenho aqui um. Linha, há no alinhavo da minha saia. Vara não falta. Faz?

A negra não teve remédio.

– Como não hei de fazer, demoninho? Faço, sim... Mas se ficar atrasada no serviço, a culpa não é minha.

E fez. Dobrou o alfinete em forma de gancho, amarrou-o na ponta duma linha e descobriu vara – uma varinha de dois palmos, imaginem! Narizinho completou a obra, atando a vara ao braço da boneca.

– E isca? – indagou depois.

– Isca é o de menos, menina. Qualquer gafanhotinho serve.

Salta daqui, salta dali, Narizinho conseguiu apanhar um gafanhoto verde. Espetou-o no anzol. Depois arrumou a boneca à beira d'água, muito tesa, com uma pedra ao colo para não cair.

– Agora, Emília, bico calado! Nem um pio, senão espanta os peixes. Logo que um deles beliscar, *zuct!*, dê um puxão na linha.

E, deixando-a ali, foi ter com a preta.

– Você me frita para o jantar o peixinho da Emília, Nastácia? Frita?

– Frito, sim! Frito até no dedo!...

– Não caçoe, Nastácia! Emília é uma danada. Ninguém imagina de quanta coisa ela é capaz.

Palavras não eram ditas e – *tchibum!*... – pescadora de pano revirava dentro d'água, com pedra e tudo.

– Acuda, Nastácia! Emília está se afogando!... – gritou a menina aflita.

De fato. Um peixe engolira a isca e, lutando por safar-se do anzol, arrastara a boneca para o meio do rio.

Tia Nastácia arranjou uma vara de gancho e com muito jeito foi puxando para a beira do córrego a infeliz pescadora, até o ponto onde a menina a pudesse agarrar.

Assim aconteceu – e qual não foi o assombro de Narizinho vendo sair d'água, presa ao anzol de Emília, uma trairinha que rabeava como louca!

A negra pendurou o beiço.

– Credo! Até parece feitiçaria! – resmungou.

Muito contente da aventura, Narizinho disparou para casa com o peixe na mão.

– Vovó – gritou ela ao entrar –, adivinhe quem pescou esta trairinha...

Dona Benta olhou e disse:

– Ora, quem mais! Você, minha filha.

– Errou!

– Tia Nastácia, então.

– Qual Nastácia, nada!...

– Então foi o saci – caçoou Dona Benta.

– Vovó não adivinha! Pois foi a Emília...

– Está bobeando sua avó, minha filha?

– Juro! Palavra de Deus que foi a Emília. Pergunte à Tia Nastácia, se quiser.

A preta vinha entrando com a trouxa de roupa lavada à cabeça.

– Não foi mesmo, Tia Nastácia? Não foi Emília quem pescou a trairinha?

– Foi, sim, *Sinhá* – respondeu a preta dirigindo-se para Dona Benta. – Foi a boneca. Sinhá não imagina que menina reinadeira é essa! Arranjou jeito de botar a boneca pescando na beira do rio e o caso é que o peixe tá aí...

Dona Benta abriu a boca.

– Bem diz o ditado, que quanto mais se vive mais se aprende. Estou com mais de sessenta anos e todos os dias aprendo coisas novas com esta minha neta do chifre-furado...

– Criança de hoje, Sinhá, já nasce sabendo. No meu tempo, menina assim desse porte andava no braço da ama, de chupeta na boca. Hoje?... Credo! Nem é bom falar...

E com a menina dançando à sua frente, Tia Nastácia lá foi para a cozinha fritar a traíra.

AS FORMIGAS RUIVAS

Só depois de comer o peixe frito é que Narizinho se lembrou da pobre boneca, encharcada pelo banho no rio.

– A coitada!... É bem capaz de apanhar pneumonia...

E foi correndo cuidar dela. Despiu-a e pô-la num lugar de bastante sol. Dum lado estendeu suas roupinhas molhadas e do outro, a pobre Emília nua em pelo. E já ia retirar-se quando a boneca fez cara de choro.

– Eu aqui não fico sozinha!...

– Por que, sua enjoada? Tem medo que o leitão venha espiar esses cambitos magros?

– Espiar não é nada, mas ele é capaz de me comer. Tia Nastácia diz que Rabicó devora tudo o que encontra.

– Nesse caso, penduro você na árvore.

– Isso também não! – protestou Emília. – Alguma vespa pode me ferrar.

– Boba! Não sabe que vespa não ferra pano?

– Mas se eu cair com o vento?

– Grande coisa! Boneca de pano quando cai não se machuca. Eu é que não posso ficar neste sol tirano à espera de que a excelentíssima Senhora Condessa de Três Estrelinhas seque! Quem mandou molhar-se?

– Mal-agradecida! Se não fosse a minha molhadela você não comia a traíra.

– Está pensando que era uma grande coisa a tal traíra? Só espinho...

– É, mas você comeu-a com espinho e tudo – e até lambeu os beiços.

– Lábios, aliás. Beiço é de boi. Comi porque quis, sabe? Não tenho que dar satisfações a ninguém, ahn! – e Narizinho pôs-lhe a língua.

Emburraram ambas. Narizinho, porém, ficou, porque lá no íntimo estava com receio de deixar a boneca sozinha.

Fazia um sol quente e parado. Nas árvores, um ou outro tico-tico só; e no chão, só formiguinhas ruivas. Para matar o tempo a menina pôs-se a observar o corre-corre delas, esquecendo a briga com a boneca.

– Já reparou, Emília, como as formigas conversam? Que pena a gente não entender o que dizem...

– A gente é modo de dizer – replicou Emília – porque eu entendo muito bem o que elas dizem.

– Sério, Emília?

– Sério, sim, Narizinho. Entendo muito bem e, se você ficar aqui comigo, contarei todas as historinhas que elas conversam. Repare. Vem vindo aquela de lá e esta de cá. Assim que se encontrarem, vão parar e conversar.

Dito e feito. As formiguinhas encontraram-se, pararam e começaram a trocar sinais de entendimento.

– Fiquei na mesma! – disse a menina.

– Pois eu entendi tudo – declarou a boneca. – A que veio de lá disse: "Encontrou o cadáver do grilinho verde?" A que veio de cá respondeu: "Não!" A de lá: "Pois volte e procure perto daquela pedra onde mora o besouro manco." Esta formiga que dá ordens deve ser alguma dona de casa lá do formigueiro. Repare seus modos de mandona; está sempre a entrar e sair do buraquinho, como quem dirige um serviço. A outra com certeza é uma simples carregadeira.

Havia de ser isso mesmo, porque logo depois chegou uma terceira, muito apressada, que cochichou com a mandona e lá se foi mais apressada ainda.

– Que é que disse esta? – perguntou Narizinho.

– Disse que haviam descoberto uma bela minhoca perto da porteira, mas que precisavam de ajutório para conduzi-la.

– Emília, você está me bobeando! – exclamou a menina desconfiada. – Vou ver, se não for verdade você me paga. Espere aí...

E disparou em direção da porteira. Procura que procura, logo achou em certo ponto uma pobre minhoca corcoveando com várias formiguinhas ferradas no seu lombo.

Teve vontade de libertar a prisioneira, mas a curiosidade de ver o que aconteceria foi maior – e deixou a triste minhoca entregue ao seu trágico destino.

Novas formiguinhas foram chegando, que de um bote – *zás*!... – ferravam a minhoca sem dó. Não demorou muito e já eram mais de vinte. A minhoca bem que espinoteou; por fim, exausta, foi moleando o corpo até que morreu bem morrida. As formiguinhas então principiaram a arrastá-la para o formigueiro.

Que custo! A minhoca era das mais gordas, pesando umas sete arrobas – arrobinhas de formiga, e além disso ia enganchando pelo caminho em quanto pedregulho ou capim havia; mas as carregadeiras sabiam dar volta a todos os embaraços.

Depois de meia hora de trabalheira deram com a minhoca na boca do formigueiro. Aí, nova atrapalhação. Por mais que experimentassem, não houve jeito de recolhê-la inteira. Nisto apareceu a formiga mandona. Examinou o caso e deu ordem para que a picassem em vários roletes.

Aquilo foi zás-trás! Em três tempos fez-se o serviço e os roletes de carne foram levados para dentro.

– Sim, senhora! – exclamou a menina depois de terminada a festa. – É o que se pode chamar um trabalho limpo! O demo queira ser minhoca neste pomar...

– Bem feito! – disse Emília. Quem a mandou ser abelhuda? Se estivesse com as outras lá dentro da terra, que é o lugar das minhocas, nada lhe aconteceria. Macaco que muito mexe quer chumbo, como diz Tia Nastácia.

Isso foi de dia. De noite a história das formigas continuou. Narizinho e Emília dormiam juntas na mesma cama. A rede armada entre pés de cadeira fora abandonada desde que a boneca aprendeu a falar. Dormiam juntas para conversar até que o sono viesse.

– Mas, Emília, como é que você entende a linguagem das formigas? – perguntou Narizinho logo que se deitou.

A boneca refletiu um bocado e respondeu:

– Entendo porque sou de pano.

Narizinho deu uma gargalhada.

– Isso não é resposta duma senhora inteligente. O meu vestido também é de pano e não entende coisa nenhuma.

A boneca pensou outra vez.

– Então é porque sou de macela – disse.

Nova risada de Narizinho.

– Também não é resposta. Este travesseiro é de macela e entende as formigas tanto quanto eu.

– Então... então... – engasgou Emília, com o dedinho na testa. – Então não sei.

Era a primeira vez que Emília se embaraçava numa resposta. Primeira e última. Nunca mais houve pergunta que a atrapalhasse.

– Pois se não sabe, durma – disse a menina, virando-se para a parede.

Dormiram ambas.

Altas horas, estavam no mais gostoso do sono quando bateram – **toc, toc, toc...**

– Quem é? – perguntou Narizinho sentando-se na cama.

– Sou eu, Rabicó! – grunhiu o leitão entreabrindo a porta com o focinho. – Está aqui uma senhora ruiva que quer entrar.

– Pois que entre! – ordenou a menina.

Rabicó escancarou a porta para dar passagem a uma formiga-ruiva, de saiote vermelho e avental de renda. Trazia na cabeça uma salva de prata, coberta com guardanapo de papel.

– Que é que deseja? – indagou a menina cheia de curiosidade.

– Quero entregar à Senhora Condessa este presente mandado pela rainha das formigas.

– Condessa? – repetiu Narizinho franzindo a testa. – Que condessa, minha senhora?

– Condessa de Três Estrelinhas – explicou a formiga.

– Hum! – fez a menina, lembrando-se de que ela mesma havia "condessado" a boneca.

Voltou-se para Emília e deu-lhe uma cotovelada.

– Acorde, pedra! É com Vossa Excelência o negócio.

Emília sentou-se na cama. Espreguiçou-se, tonta de sono. E julgando que ainda estivessem a conversar sobre a linguagem das formigas, disse, num bocejo:

– Então é... é porque sou...

– Não se trata mais disso, idiota! Está aí, à procura duma tal condessa, a criada duma tal rainha. Vamos! Acorde duma vez!

Só então Emília acordou de verdade. Viu a formiga com a salva e espichou os braços para receber o presente. Eram croquetes, lindos croquetes tostadinhos.

A boneca sorriu de gosto e orgulho. A rainha só se lembrara dela!

– Diga a Sua Majestade que a Condessa de Três Estrelinhas muito agradece o presente. Diga que os croquetes estão lindos e que ela é uma grande cozinheira.

Narizinho disparou a rir gostosamente.

– Que ideia, Condessa! Uma rainha lá pode ser cozinheira?

Caindo em si, Emília viu que tinha cometido uma coisa muito grave entre as pessoas de alta sociedade, chamada "gafe". E procurou corrigir-se.

– Isto é... diga que a cozinheira dela é muito boa, entendeu? E diga também que os croquetes estão muito gostosos, isto é... devem estar muito gostosos. Pode ir.

A criada fez um cumprimento de cabeça antes de retirar-se, mas foi detida por um gesto da menina.

– Não vá ainda – disse ela. – E voltando-se para a Emília: – Presente, Senhora Condessa, paga-se com presente. Mande à tal rainha uma perna daquele pernilongo que queimei com a vela antes de deitar.

– É verdade! – exclamou a boneca. – Não me custa nada e ela vai ficar contentíssima.

E pôs-se de gatinhas a procurar o pernilongo assado. Achou-o, tirou-lhe uma perninha, enfeitou-a com um laço de fita e, depois de embrulhá-la em papel de seda, colocou-a na salva, com um cartão que dizia assim:

À Sua Majestade a Rainha da Cintura Fina
oferece a humilde criada
Condessa de* * *

– Leve este presunto à rainha, sim? E você, para distrair-.se pelo caminho vá comendo este mocotó de pernilongo – concluiu Emília, dando à criada um cambito de inseto.

A mensageira agradeceu, retirando-se muito satisfeita da vida, com a salva na cabeça e o mocotó no ferrão.

Emília fechou a porta e veio examinar os croquetes. Cheirou-os.

– Hum! Estão de fazer vir água à boca. Quer provar um, Narizinho?

A menina torceu o nariz desdenhosamente.

– Deus me livre! Juro que é croquete de minhoca.

Percebendo que ela falava assim por despeito, a boneca disse, para moê-la:

– Quem desdenha quer comprar...

– Só? Engraçadinha!... – replicou a menina com um grande ar de pouco-caso. E vendo a boneca morder um dos croquetes, com os maiores exageros do mundo, como se aquilo fosse um manjar do céu, fez muxoxo de nojo.

– Está boa mesmo para casar com Rabicó! Comer croquete de minhoca!

– Que seja de minhoca, que tem isso? – retrucou Emília. Tanto faz carne de minhoca como de porco, vaca ou frango – tudo é carne. E muito me admira que uma senhora que comeu ontem no jantar tripa de porco, mostre essa cara de nojo por causa dum simples croquete de minhoca.

– Alto lá, Senhora Condessa Minhoqueira! Porco é porco e minhoca é minhoca.

– É "por isso mesmo" que eu como minhoca e não como porco! – replicou a boneca vitoriosa. – Não sou porcalhona.

A discussão foi por aí além. Enquanto isso o senhor Rabicó farejou os croquetes, chegou-se de mansinho e, vendo-as distraídas com a disputa, comeu-os todos de uma engolida só. Terminada a discussão, quando a boneca, para fazer figa à menina, espichou o braço a fim de pegar um segundo croquete...

– Que é dos croquetes? – gritou ela.

– Nem sinal! Emília esperneou de ódio, ao passo que Narizinho batia palmas de contentamento.

– Bem feito! Estava muito ganjenta, não é? Pois tome!

– Quero os meus croquetes! Quero os meus croquetes! – berrava Emília, batendo o pé num grande desespero.

– Se quer os seus croquetes, peça contas a quem os tirou.

– Quem foi?

– Quem mais se não Rabicó? Vai ver que está aqui pelo quarto, escondido debaixo da cama.

Emília deu busca e logo descobriu o ladrão num canto, ressonando de papo cheio.

– Espere que te curo! – gritou ela, passando a mão na vassoura. E – *pá! pá! pá!...* desceu a lenha no lombo do gatuno, enquanto Narizinho se rebolava na cama de tanto rir, pensando consigo: "Se antes de casar é assim, imagine-se depois!".

Isso porque ela andava alimentando o projeto de casar Emília com Rabicó.

PEDRINHO

Chegou afinal o grande dia. Na véspera viera para Dona Benta uma carta de Pedrinho que começava assim: "Sigo para aí no dia 6. Mande à estação o cavalo pangaré e não se esqueça do chicotinho de cabo de prata que deixei pendurado atrás da porta do quarto de hóspedes. Narizinho sabe. Quero que Narizinho me espere na porteira do pasto, com a Emília no seu vestido novo e Rabicó de laço de fita na cauda. E Tia Nastácia que apronte um daqueles cafés com bolinhos de frigideira que só ela sabe fazer".

Em vista disso Narizinho levantou-se muito cedo para preparar a recepção de acordo com as instruções da carta. Enfiou em Emília o vestido novo de chita cor-de-rosa com pintinhas e enfeitou Rabicó de duas fitas – uma ao pescoço e outra na ponta da cauda.

Pac, pac, pac... Pedrinho apareceu na porteira, trotando no pangaré, corado do sol e alegre como um passarinho.

– Viva! – gritou a menina, correndo a lhe segurar a rédea. – Apeie depressa, senhor doutor, que temos mil coisas a conversar!

Pedrinho apeou-se, abraçou-a e não resistiu à tentação de ali mesmo abrir o pacote dos presentes para tirar o dela.

– Adivinhe o que trouxe para você! – disse, escondendo atrás das costas um embrulho volumoso.

– Já sei – respondeu a menina *incontinenti*. – Uma boneca que chora e abre e fecha os olhos.

Pedrinho ficou desapontado, porque era justamente o que havia trazido.

– Como adivinhou, Narizinho?

A menina deu uma risada gostosa.

– Grande coisa! Adivinhei porque conheço você. Fique sabendo, seu bobo, que as meninas são muito mais espertas que os meninos...

– Mas não têm mais muque! – replicou ele com orgulho, fazendo-a apalpar a dureza do seu bíceps que a ginástica escolar havia desenvolvido. E concluiu: – Com este muque e a sua esperteza, Narizinho, quero ver quem pode com a nossa vida!

Os presentes dos demais foram também distribuídos ali mesmo. Rabicó teve uma fita nova, de seda – e os restos do farnel que Pedrinho trouxera (e foi isso o que ele mais apreciou). Emília recebeu um serviço de cozinha completo – fogãozinho de lata, panelas, e até um rolo de folhear massa de pastel.

– E para vovó que é que trouxe? – perguntou Narizinho.

– Adivinhe, já que é tão adivinhadeira – disse ele.

– Eu só adivinho quando é você mesmo quem escolhe os presentes. Mas o presente de vovó aposto que não foi você quem escolheu – foi Tia Antonica...

Pela segunda vez Pedrinho abriu a boca. Aquela prima, apesar de viver na roça, estava se tornando mais esperta do que todas as meninas da cidade.

– Tem razão. É isso mesmo. O presente de vovó quem o escolheu e comprou foi mamãe. Você precisa me ensinar o segredo de adivinhar as coisas, Narizinho...

Nesse momento Dona Benta apareceu na varanda e Pedrinho correu a abraçá-la.

Dali a pouco estavam todos reunidos na sala de jantar, ouvindo notícias e histórias da cidade. Tia Nastácia trouxe da cozinha a gamela de massa, para não perder uma só palavra ao mesmo tempo que ia enrolando os bolinhos. Súbito, uma brisa soprou mais forte e um ringido se fez ouvir – *nhem, nhim...*

Pedrinho interrompeu a conversa, de ouvido atento.

– O mastro de São João!... – murmurou enlevado. – Quantas vezes no colégio me iludi com os ringidos das portas, imaginando que era a bandeira do nosso mastro!... Como vai ele?

– Já desbotado pelas chuvas e com um rasgão na bandeira bem em cima da cabeça do carneirinho – respondeu a menina.

O dia de São João era o grande dia de festa no Sítio do Picapau Amarelo. Reuniam-se lá todas as crianças dos arredores, para soltar bombinhas e pistolões e dançar em torno à fogueira. Pedrinho jamais faltou a essa festa anual, como jamais deixou de queimar o dedo. Um ano em que não queimou o dedo ficou muito admirado.

Nos últimos tempos era Pedrinho quem pintava o mastro, caprichando em formar arabescos de todas as cores, cada ano dum estilo diferente. Também era ele quem fornecia a bandeira com o retrato de São João menino, de cruz ao ombro e cordeiro no braço. Trazia-a da cidade, depois de percorrer todas as casas de negócio a fim de comprar a mais bonita.

– Está bem – disse Dona Benta logo que soube das principais novidades. – Pode ir brincar com Narizinho, que tem um mundo de coisas a contar.

Os dois primos dirigiram-se ao pomar aos pinotes. Era lá, debaixo das velhas árvores que trocavam confidências e planejavam as grandes aventuras pelo mundo das maravilhas.

O assunto do dia foi o extraordinário caso da boneca.

– Parece incrível! – dizia Pedrinho. – Quando recebi sua carta contando que Emília falava, não quis acreditar. Mas hoje vejo que fala *e* fala muito bem. É espantoso!

– No começo – explicou Narizinho – Emília falava muito atrapalhado e sem propósito. Agora já está melhor, mas, mesmo assim, quando dá para falar asneiras ou teimar, ninguém pode com a vidinha dela. Sabe que já é condessa?

– Sim? Condessa de quê?

– De Três Estrelinhas, nome que ela mesma escolheu. Mas estou com vontade de mudar. Condessa é pouco. Emília merece ser marquesa.

– Marquesa de Santos?

– Não. Marquesa de Rabicó.

– É verdade!... Podemos fazer de Rabicó um marquês e casar Emília com ele!

– Isso mesmo. Tenho pensado muito nesse arranjo e até já o propus à Emília.

– E ela aceitou?

– Emília é muito vaidosa e cheia de si. Mas eu sei lidar com ela. Quando chegar a ocasião darei um jeito.

Terminado o assunto Emília, começou o assunto Reino das Águas Claras. Narizinho contou a série inteira daquelas maravilhosas aventuras, despertando em Pedrinho um desejo louco de também conhecer o príncipe-rei. De nada se admirou, conforme o seu costume. Tanto ele como Narizinho achavam tudo tão natural! Só estranhou que o Pequeno Polegar tivesse fugido da sua historinha.

– Isso, sim, não deixa de me intrigar – disse ele. – Se Polegar fugiu é que a história está embolorada. Se a história está embolorada, temos de botá-la fora e compor outra. Há muito tempo que ando com esta ideia – fazer todos os personagens fugirem das velhas histórias para virem aqui combinar conosco outras aventuras. Que lindo, não?

– Nem fale, Pedrinho! – exclamou a menina pensativa. O que eu não daria para brincar neste sítio com a menina da Capinha Vermelha ou Branca de Neve...

– Eu só queria pilhar cá o Aladim da lâmpada maravilhosa, para tirar a prosa dele! – ajuntou Pedrinho que voltara da cidade com fumaças de valentia.

– E eu só queria Capinha. Tenho tanta simpatia por essa menina... Aqueles bolos que ela costumava levar para a vovó que o lobo comeu – que vontade de comer um daqueles bolos...

Uma voz conhecida veio interrompê-los:

– Narizinho! Pedrinho! O café está na mesa.

– Duvido que fossem melhores que os de Tia Nastácia! – disse o menino erguendo-se.

E dispararam para casa.

A VIAGEM

Deitaram-se bem tarde naquela noite. Tanta coisa tinha o menino a contar, coisas da casa de Dona Antonica e da escola, que somente às onze foram para a cama. Que sono regalado! Isto é, regalado até uma certa hora. Daí por diante houve coisa grossa.

Narizinho estava justamente no meio dum lindo sonho quando despertou de sobressalto, com umas pancadinhas de chicote na vidraça – *pen, pen, pen*... E logo em seguida ouviu a voz do Marquês de Rabicó, que dizia:

– O sol não tarda, Narizinho. Pule da cama que são horas de partir.

Chegando à janela, viu o Marquês montado num cavalinho de pau à sua espera.

– E a Condessa? Já está pronta? – perguntou a menina.

– A Senhora Condessa já está lá embaixo, corcoveando no cavalo pampa.

– Pois então que me selem o pangaré. Em três tempos me visto.

Enquanto por ordem do Marquês selavam o cavalo pangaré, a menina punha o seu vestido vermelho de bolso. Precisava de bolso para levar os bolinhos de Tia Nastácia sobrados da véspera e também para trazer coisas do Reino das Abelhas.

Porque era para o Reino das Abelhas que eles iam, a convite da rainha. Reino das Abelhas ou das Vespas? Não havia certeza ainda. Na véspera chegara um maribondo mensageiro com um convite assim:

Sua Majestade a Rainha das... dá a honra
de convidar vocês todos para
uma visita ao seu reino.

Como o papelzinho estivesse rasgado num ponto, havia dúvida se o convite era da rainha das Vespas ou da rainha das Abelhas.

Narizinho respondeu ao convite por meio dum borboletograma. Não sabem o que é? Invenção da Emília. Como não houvesse telégrafo para lá, a boneca teve a ideia de mandar a resposta escrita em asas de borboleta. Agarrou uma borboleta azul que ia passando e rabiscou-lhe na asa, com um espinho, o seguinte:

Narizinho, a Condessa e o Marquês agradecem a honra do convite e prometem não faltar.

– Por que não incluiu o nome de Pedrinho, Emília? – perguntou a menina.

– Porque ele não é nobre – nem Barão ainda é!...

Pronto que foi o borboletograma, surgiu uma dificuldade. A quem endereçá-lo? À rainha das Vespas ou à das Abelhas?

– Já resolvo o caso – disse Emília, e soltou a borboleta com estas palavras: – Vá direitinha, hein? Nada de distrair-se com flores pelo caminho.

– Ir para onde? – perguntou a borboleta.

– Para a casa de seu sogro, ouviu? Malcriada! Atreve-se a fazer perguntas a uma condessa!

– Mas... – ia dizendo humildemente a borboleta. Emília, porém, interrompeu-a com um berro.

– Ponha-se daqui para fora! Não admito observações. Conheça o seu lugar, ouviu?

A borboleta lá se foi, amedrontada e desapontadíssima.

– Você parece louca, Emília! – observou Narizinho. – Como há de ela saber o endereço se você não deu endereço algum?

– Sabe, sim! – retorquiu a boneca. – São umas sabidíssimas as senhoras borboletas. Se sabem fabricar pó azul para as asas, que é coisa dificílima, como não hão de saber o endereço dum borboletograma?

Narizinho fez cara de quem diz: "Ninguém pode entender como funciona a cabeça da Emília! Ora raciocina muito bem, tal qual gente. Outras vezes, é assim – tão torto que deixa uma pessoa atrapalhada...".

O cavalo pangaré veio, a menina montou e lá partiram todos pela estrada afora – *pac, pac, pac*... Em certo ponto Narizinho disse à boneca:

– Vamos apostar corrida?

Emília aceitou, muito assanhada.

– Pois toque, então!

Emília – *lept, lept!* – chicoteou o cavalinho pampa, disparando numa galopada louca. Narizinho, porém, não se moveu do lugar. O que queria era ficar só com o Marquês de Rabicó para uma conversa reservada – o casamento dele com a Condessa.

– Mas afinal de contas, Marquês, quer ou não quer casar-se com a Condessa?

– Já declarei que sim, isto é, que casarei, se o dote for bom. Se me derem, por exemplo, dois cargueiros de milho, casarei com quem quiserem – com a cadeira, com o pote d'água, com a vassoura. Nunca fui exigente em matéria matrimonial.

– Guloso! Pois olhe que vai fazer um casamentão! Emília é feia, não nego, mas muito boa dona de casa. Sabe fazer tudo, até fios de ovos, que é o doce mais difícil. Pena ser tão fraquinha...

– Fraca? – exclamou o Marquês admirado. – Não me parece. Tão gorda que está...

– Engano seu. Emília, desde que caiu n'água e quase se afogou, parece ter ficado desarranjada do fígado. E aquela gordura não é banha, não, é macela! Emília o que está é estufada. Inda a semana passada Tia Nastácia a recheou de mais macela.

O Marquês pensou lá consigo: "Que pena não a ter recheado de fubá!", mas não teve coragem de o dizer em voz alta, limitando-se a exclamar:

– Pois pensei que fosse toucinho e do bom!...

– Que esperança! Toucinho do bom está aqui, disse a menina apalpando-lhe o lombo. Dos tais que dão um torresminho delicioso! – e lambeu os beiços, já com água na boca. – Felizmente o dia de Ano-Bom está próximo!...

Dia de Ano-Bom era dia de leitão assado no sítio, mas Rabicó não sabia disso.

– Dia de Ano-Bom? – repetiu ele sem nada compreender. – Que tem isso com o meu toucinho?

– Nada! É cá uma coisa que sei e não é da sua conta – respondeu a menina piscando o olho.

E assim, nessa prosa, alcançaram a Condessa, que estava lá adiante, furiosa com o logro.

– Não achei graça nenhuma! – foi dizendo Emília logo que a menina chegou. – Nem parece coisa duma princesa (Emília só a tratava de princesa nas brigas).

– Pois eu, Emília, estou achando uma graça extraordinária na sua zanguinha! Sua cara está que é ver aquele bule velho de chá, com esse bico...

Mais zangada ainda, Emília mostrou-lhe a língua e dando uma chicotada no cavalinho tocou para a frente, resmungando alto:

– Princesa!... Princesa que ainda toma palmadas de Dona Benta e leva pitos da negra beiçuda! E tira ouro do nariz... Antipatia!...

Calúnias puras. Narizinho nem tomava palmadas, nem levava pitos, nem tirava ouro do nariz. Emília, sim...

O ASSALTO

Nisto o mato farfalhou à beira da estrada. Os cavalinhos se assustaram e empinaram.

– A quadrilha Chupa-Ovo! – gritou Emília aterrorizada, erguendo os braços como no cinema. Narizinho também empalideceu e procurou instintivamente agarrar-se ao Marquês de Rabicó. Mas o Marquês já havia pulado no chão e sumido...

– A bolsa ou a vida! – intimou o chefe da quadrilha apontando o trabuco.

Narizinho a tremer, olhou para ele e franziu a testa. "Eu conheço esta cara!" – pensou consigo. "É Tom Mix, o grande herói do cinema!... Mas quem havia de dizer que esse famoso *caubói* tão simpático havia de acabar assim, feito chefe duma quadrilha de lagartos?..."

– A bolsa ou a vida! – repetiu Tom Mix carrancudo.

– Bolsa não temos, senhor Tom Mix – disse a menina – mas tenho aqui uns bolinhos muito gostosos. Aceita um?

O bandido tomou um bolo e provou.

– Não gosto de bolo amanhecido! – respondeu cuspindo de lado. – Quero ouro de verdade!

Assim que ele falou em ouro, Narizinho teve uma ideia de gênio.

– Perfeitamente, senhor Tom Mix. Vou dar-lhe um montinho de ouro puro, do bem amarelo. Mas há de prometer-me uma porção de coisas...

– Prometo tudo quanto quiser – retrucou o bandido já mais amável com a ideia do montinho de ouro.

– Então passe para cá o seu alforje e mais uma tesourinha.

Sem nada compreender daquilo, Tom Mix foi dando o que ela pedia. Narizinho, então, chamou Emília de parte e cochichou-lhe ao ouvido qualquer coisa. A boneca não gostou, pois bateu o pé, exclamando:

– Nunca! Antes morrer!...

Tanto Narizinho insistiu, porém, que Emília acabou cedendo, entre soluços e suspiros de desespero. Depois, erguendo a saia até os joelhos, espichou uma das pernas sobre o colo da menina. Esta, muito séria, como quem faz operação da mais alta importância, desfez-lhe a costura da barriga da perna e despejou toda a macela do recheio no alforje de Tom Mix. Em seguida ergueu-se e disse-lhe:

– Aqui tem o seu alforje cheio de ouro-macela!

– Muito bem – respondeu o bandido com os olhos a faiscarem de cobiça. – A menina está agora livre e tem em mim de hoje em diante o mais dedicado servidor. Nos momentos de perigo basta gritar: "Mix, Mix, Mix!" que aparecerei *incontinenti* para salvá-la.

Cumprimentou-a com o chapelão de abas largas e retirou-se, seguido dos seus lagartos.

Ao vê-los sumirem-se ao longe, Narizinho criou alma nova.

– Ufa! – exclamou. – Escapamos de boa! Continuemos a nossa viagem, Emília – e tratou de montar novamente. Um, dois, três – upa! Montou. Emília também – um, dois, três... e nada! Não conseguiu montar.

– Ai! – gemeu sacudindo a perninha saqueada. Não posso andar, nem montar com esta perna vazia!...

Apesar do triste da situação, Narizinho espremeu uma risadinha.

– Malvada! – exclamou Emília chorosa. – Salvei-a da morte à custa da minha pobre perna e em paga você ri-se de mim...

– Perdoe, Emília! Reconheço que me salvou, mas se soubesse como está cômica com essa perna vazia... O melhor é vir comigo na garupa do pangaré, bem agarradinha. Dê cá a mão. Upa!

Com alguma dificuldade conseguiu acomodá-la na garupa do cavalinho, recomendando-lhe que se segurasse muito bem, pois tinha de ir a galope.

– Sossegue, Narizinho, que daqui nem torquês me arranca! – respondeu Emília.

A menina estalou o chicote e o pangaré partiu na galopada erguendo nuvens de pó – *pá-lá-lá, pá-lá-lá!* De repente:

– Que fim levou o Marquês? – interrogou Emília olhando para trás.

Narizinho deteve o cavalo.

– É verdade!... Aquele poltrão comportou-se de tal maneira que a coisa não pode ficar assim. Hei de vingar-me – e é já, quer ver?

Voltando-se para o mato gritou: "Mix, Mix, Mix"! Imediatamente Tom Mix surgiu diante dela.

– Amigo Tom Mix – disse Narizinho – fui covardemente traída pelo Senhor Marquês de Rabicó, um poltrão que ao ver-nos em perigo só cuidou de si, fugindo com quantas pernas tinha. Quero ser vingada sem demora, está entendendo?

– Sereis vingada, ó gentil Princesa! – disse Tom Mix estendendo a mão como quem faz um juramento. – Mas de que forma quereis ser vingada, ó gentil Princesa?

Narizinho respondeu depois de pensar alguns instantes:

– Minha vingança tem de ser esta: quero amanhã ao almoço comer virado de feijão com torresmo, mas torresmo de Marquês, está ouvindo?

– Vossa vontade será satisfeita, ó gentil Princesa! – disse o bandido, curvando--se com a mão no peito e desaparecendo.

– Coitado do Rabicó! – exclamou Emília compungida.

– Coitado nada! Rabicó precisa levar uma boa esfrega. Dou-lhe uma lição que vai servir para toda a vida. Nunca mais cairá noutra...

Tom Mix

Assim que deixou a menina, Tom Mix voltou ao lugar do assalto, a fim de orientar-se na pista de Rabicó. Descobriu logo os rastos dele na terra úmida e os foi seguindo até a floresta. Lá se guiou pelas ervinhas amassadas e outros sinais que na fuga ele fora deixando. E andou, andou, andou até que de repente ouviu um ruído suspeito.

"É ele!", pensou Tom Mix agachando-se e, pé ante pé, sem fazer o menor barulhinho, aproximou-se do lugar donde partia o ruído suspeito. Espiou. Lá estava o Marquês, *rom, rom, rom,* de cabeça enfiada dentro duma abóbora muito grande, tão entretido em devorá-la que não deu pela presença do terrível vingador.

Tom Mix foi chegando, foi chegando e, de repente... *Nhoc!* agarrou o Marquês por uma perna.

– *Coim! coim! coim!* – grunhiu o ilustre fidalgo.

– Peço perdão a Vossa Excelência – disse Tom Mix com ironia, mas estou cumprindo ordens da Senhora Princesa do Narizinho Arrebitado.

– Que é que Narizinho quer de mim? – gemeu Rabicó desconfiado.

– Pouca coisa – respondeu o vingador. – Apenas uns torresminhos para enfeitar um tutu de feijão amanhã...

– *Coim! coim! coim!* – gemeu o Marquês compreendendo tudo. E foi com bagas de suor frio no focinho que implorou: – Tenha dó de mim, senhor bandido! Tenha piedade de mim, que lhe darei esta abóbora e ainda outra maior que escondi lá adiante...

Tom Mix parece que não gostava de abóbora. Limitou-se a puxar pela faca e a passá-la sobre o couro da bota, como que a afiando. Percebendo que estava irremediavelmente perdido, Rabicó teve uma ideia.

– Senhor bandido, poderá prestar-me um obséquio?

– Diga o que é – respondeu Tom Mix calmamente, sempre a afiar a faca.

– Quero que me conceda cinco minutos de vida. Preciso fazer o testamento e confiar minhas últimas palavras a essa libelinha que vai passando.

Tom Mix concedeu-lhe os cinco minutos. Rabicó chamou a libelinha.

– Amiga, darei a você um lindo lago azul onde possa voar a vida inteira, se me fizer um pequeno favor.

– Diga o que é – respondeu a libelinha, vindo pousar diante dele.

– É levar uma carta à Princesa Narizinho, que deve estar no Reino das Abelhas.

– Com muito prazer.

Rabicó fez a carta depressa e entregou-lhe. A libelinha tomou-a no ferrão e zzzit!, lá se foi, veloz como o pensamento. Mal a viu partir, deu Rabicó um suspiro de alívio, murmurando em voz alta: "Coragem, Rabicó, teu dia não chegará tão cedo!"

– Que é que está grunhindo aí, Senhor Marquês? – perguntou o carrasco.

Rabicó disfarçou.

– Estou pensando na sua valentia, Senhor Tom Mix. Está assim prosa porque deu comigo, que sou um pobre coitadinho. Queria ver a sua cara, se Lampião aparecesse por aqui com os seus cinquenta cangaceiros!

– Lá tenho medo de lampiões ou lamparinas? O Marquês não me conhece. Diga-me: costuma ir ao cinema?

– Nunca. Mas sei o que é.

– Se não conhece o cinema, não pode fazer ideia do meu formidável heroísmo! Não há uma só fita em que eu seja derrotado, seja lá por quem for. Venço sempre! Sou um danado!...

Rabicó olhou-o com o rabo dos olhos, pensando lá consigo: "Grandíssimo fiteiro é o que você é." Pensou só, nada disse. Aquela faca embargava-lhe a voz...

As muletas do besouro

Enquanto Rabicó suava o suor da morte nas unhas de Tom Mix, Narizinho e Emília chegavam ao palácio das Colmeias, donde vários zangãos saíram a recebê-las com gentis rapapés.

– Salve, Princesinha do Narizinho Arrebitado! – exclamaram eles, curvando-se.

– Obrigada! – respondeu a menina, dando-lhes a mão a beijar. – Recebi um convite da rainha, mas estou na dúvida se foi da rainha das Abelhas ou da rainha das Vespas. Portei aqui para saber...

– O convite foi da rainha das Abelhas – declarou um dos zangãos. Fui eu mesmo quem o redigiu. A rainha das Vespas anda furiosa com a menina por ter matado uma das suas súditas.

– Vê, Emília, de que escapamos? – cochichou Narizinho. – Se tivéssemos errado o caminho e ido parar na terra das Vespas, com certeza nos matavam a ferrotoadas... E voltando-se para os zangãos: – Permitam-me, senhores que vos apresente a Senhora Condessa de Três Estrelinhas. Esta ilustre dama foi vítima dum desastre no caminho e não consegue andar sem encosto. Poderá algum dos senhores arranjar-lhe um par de muletas?

– Podemos, sim, mas antes deverá consultar o grande médico que por acaso se acha aqui, vindo do Reino das Águas Claras.

– O Doutor Caramujo está aqui? – exclamou a menina muito alegre. Conheço-o muito! Chamem-no depressa.

Os zangãos partiram rápidos, regressando instantes depois em companhia do Doutor Caramujo, o qual, reconhecendo a menina e a boneca, saudou-as respeitosamente.

Depois arrumou os óculos para examinar a perna de Emília.

– É grave! – exclamou. – A Senhora Condessa está sofrendo duma anemia macelar no pernil barrigoide esquerdo. Caso muito sério.

– E que receita, doutor? Pílula de sapo outra vez? – indagou a menina.

– Esta doença – explicou o grande médico – só pode sarar com um regime de superalimentação local.

– Alimentação macelar, eu sei – disse a menina rindo-se da ciência do doutor. – Tia Nastácia sabe aplicar esse remédio muito bem. Em dois minutos, com um bocado de macela e uma agulha com linha ela cura Emília para o resto da vida.

– Tia Nastácia! – exclamou o médico escandalizado. – Com certeza é alguma curandeira vulgar! Macela! Alguma mezinha vulgar também! Oh, santa ignorância! Admira-me ver uma Princesa tão ilustre desprezar assim a ciência de um verdadeiro discípulo de Hipócrates e entregar a Condessa aos cuidados duma reles curandeira!...

– Reles curandeira? – exclamou a menina indignada. – Chama então Nastácia de reles curandeira? Se tem algum amor à casca retire-se, Senhor Cascudo, antes que eu faça o que fiz para a tal Dona Carochinha. Reles curandeira! Já viu Emília, um desaforo maior?

O Doutor Caramujo meteu o rabo entre as pernas e sumiu-se.

Narizinho estava ainda a comentar o desaforo quando os zangãos que tinham saído em procura das muletas apareceram.

– Aqui no palácio não há muletas, Senhora Princesa, mas aí fora costuma andar um besouro manco que possui duas. Quer ir até lá conosco?

Narizinho foi. Três esquinas adiante encontraram o besouro mendigo, de chapéu na mão à espera de esmolas. A menina já lhe ia oferecendo um pedacinho de bolo quando o mendigo perguntou:

– Não me reconhece mais?

A menina encarou-o com olhos atentos.

– Sim!... Estou reconhecendo!... Não foi você que lá na beira do ribeirão esteve passeando pela minha cara e me arrancou um feixinho de fios da sobrancelha?

– Isso mesmo – confirmou o besouro. – Por sinal que por causa daquele espirro levei um tombo de mau jeito e fiquei aleijado para o resto da vida.

Pesarosa da sua desgraça, Narizinho pô-lo no bolso, dizendo:

– Fique quietinho aí e divirta-se com esses bolos. Vou levá-lo para o sítio de vovó, onde poderá viver uma vida sossegada sem ser preciso tirar esmolas.

Depois, tomando suas muletinhas, deu-as à boneca.

– Arrume-se nisso depressa, Senhora Condessa da Perna Vazia, que a hora da audiência está próxima.

E, precedidas pelos zangãos, as duas de novo entraram no palácio.

SAUDADES

Já estava cheio o palácio, não só de personagens do Reino das Abelhas como de muitos outros reinos, inclusive o das Águas Claras. Narizinho correu os olhos em procura dalgum conhecido. Viu logo o Major Agarra.

– Viva, Major! – exclamou, dirigindo-se a ele alegremente. – Como vão todos por lá?

Antes de dar notícias, o sapo demonstrou mais uma vez a sua gratidão pelo que a menina lhe havia feito, desculpando-se também de não ter aparecido no sítio de Dona Benta, como prometera. Depois contou que o Príncipe andava cada vez mais taciturno.

– Não se casou ainda?

– Nem casa. Tem recusado a mão das mais belas princesas do reino. Todos dizem que ele sofre de paixão recolhida. Ama alguém que não faz caso dele, é isso.

O coração da menina palpitou mais apressado.

– Não dizem por lá quem é essa que ele ama?

– Dona Aranha Costureira sabe quem é, mas guarda muito bem guardado o segredo. É uma senhora muito discreta.

– E o bobinho da corte, aquele tal gigante Fura-Bolos?

– Nunca mais foi visto. Com certeza teve o mesmo fim do Carlito Pirulito...

Narizinho refletiu uns instantes. Depois:

– Olhe, não se esqueça, quando voltar, de dizer ao príncipe que me viu aqui e que vou bem, obrigada. Diga-lhe também que qualquer dia receberá um convite para vir com toda a sua corte passar umas horas comigo no sítio de vovó, sim?

O Major prometeu não se esquecer do recado. E ia dizer mais alguma coisa, quando a entrada duma libelinha mensageira o interrompeu.

– Salve, Princesa! – exclamou ela.

– Viva! – correspondeu a menina franzindo os sobrolhos. – Traz alguma mensagem para mim?

– Trago uma carta dum ilustre marquês. Ei-la.

Narizinho tomou a carta e leu:

Pesso-vos-lhe perdão da minha kovardia. Tommíques stá aqui amolando a phaca pra me matttar. Tenha ddó deste infeliz, que se assina, com perdão da palavra, criado amigo brigado

RABICO.

– O estilo, a letra, a ortografia e a gramática é tudo dele! Este bilhete corresponde a um perfeito retrato de Rabicó – ou Rabico, sem acento, como ele assina. Grandíssimo patife!

E voltando-se para a libelinha:

– Onde está ele?

– No capoeirão dos Tucanos Vermelhos, lá na terra dos lagartões. Prometeu-me um lindo lago azul em paga do meu trabalho de trazer esta carta.

Narizinho não pode deixar de sorrir, pensando lá consigo: "Sempre o mesmo! Onde Rabicó já viu lago azul?". Mas não quis desiludir a mensageira, visto precisar dos seus serviços para a resposta. Rabiscou um bilhetinho a galope.

– Leve este bilhete a Tom Mix, mas depressa hein? E quando quiser aparecer lá pelo sítio de vovó, não faça cerimônia, ouviu? Vá, vá!...

A libelinha vibrou as asas e, *zuct!*, desapareceu. Voou rápida como o pensamento. Chegou ao capoeirão dos Tucanos Vermelhos no instante em que os cinco minutos concedidos a Rabicó iam chegando ao fim e o carrasco lhe dizia, erguendo a faca:

– Está findo o prazo. Chegou a sua hora, Marquês!

Mas Tom Mix teve de interromper o serviço. A libelinha sentara-se justamente na ponta do seu nariz, com o bilhete no ferrão. Percebendo-o, Tom Mix tomou o bilhete e leu. Era ordem de perdão a Rabicó.

– Tem muita sorte o Senhor Marquês! – disse ele, enfiando a faca na bainha. – A Princesa perdoa o seu crime e comuta a pena de morte nesta outra mais leve – e pregou-lhe um formidável pontapé.

– *Uf!* – exclamou Rabicó depois que se viu livre do perigo. – Escapei de boa! Pontapé dum bruto destes não é nada agradável, mas mesmo assim deve ser mil vezes preferível às suas facadas...

Depois indagou, voltando-se para a mensageira:

– Onde está a Princesa?

– No Reino das Abelhas.

– E a Condessa?

– Também lá, num canto, muito jururu nas suas muletas.

– Muletas? – repetiu Rabicó sem nada compreender. – Será que caiu do cavalo?

– Não sei, não tive tempo de indagar.

Rabicó permaneceu pensativo por alguns instantes. Depois disse:

– Está direito. Pode ir. Passe bem, muito obrigado.

A mensageira franziu o nariz.

– E o meu lago azul?

Rabicó, que tinha muito má memória para as suas promessas, fez cara de surpresa.

– Lago? Que lago?

– O lago azul que me prometeu em troca de levar a carta...

– Ah, sim... Mas menina, para que quer você um lago e logo um lago azul? Eu prometi um lago, é verdade, mas refletindo melhor vi que é um presente muito perigoso, pois você pode vir a morrer afogada. Em vista disso achei melhor substituir esse lago por esta sementinha de abóbora. Tome!

A libelinha ficou furiosa.

– Muito agradecida, senhor. Trato é trato. Faço questão do meu lago azul!

O Marquês coçou a cabeça, embaraçado, lançando olhares gulosos para a abóbora que estivera comendo quando Tom Mix apareceu.

– Vamos deixar o caso para ser decidido amanhã – disse por fim. – Agora não posso; tenho muito serviço. Imagine que Tom Mix me condenou a comer esta abóbora inteirinha – a mim, um marquês que está acostumado a só comer bombons e presuntos...

A RAINHA

Enquanto isso se passava no capoeirão dos Tucanos Vermelhos, lá no palácio das Abelhas a menina dizia ao ouvido da boneca:

– Já reparou, Emília, como é bem arrumado este reino? Uma verdadeira maravilha de ordem, economia e inteligência! Estive no quarto das crianças. Que gracinha! Cada qual no seu berço de cera, com pernas e braços cruzados, todas tão alvas, dormindo aquele sono gostoso... O que admiro é como as abelhas sabem aproveitar o espaço, como sabem economizar a cera, tudo dispondo de modo que a colmeia funcione como se fosse um relógio. Ah, se no nosso reino também fosse assim... Aqui não há pobres nem ricos. Não se vê um aleijado, um cego, um tuberculoso. Todos trabalham, felizes e contentes.

– Isso não! – contestou a boneca. – O besouro é aleijado e pede esmolas.

– Besouro não é abelha, boba. Estou falando das abelhas.

– E quem manda aqui? Quem é o delegado? – perguntou Emília.

– Ninguém manda – e é isso o mais curioso. Ninguém manda e todos obedecem.

– Não pode ser! – exclamou a boneca. – Quem manda há de ser a rainha. Vou perguntar – e chamou uma abelha que ia passando. – Faça o favor, senhora abelhinha, de nos dar uma informação. Quem é, afinal de contas, que manda neste reino? A rainha?

– Não senhora! – respondeu a abelha. – Nós não temos governo, porque não precisamos de governo. Cada qual nasce com o governo dentro de si, sabendo perfeitamente o que deve e o que não deve fazer. Nesse ponto somos perfeitas.

Narizinho ficou admirada daquelas ideias, e viu que era assim mesmo. "Que pena que também não seja assim na humanidade!"

– De manhã saímos todas – continuou a abelha – cada uma para o seu lado, a fim de recolher o mel das flores e o pólen. É disso que nos alimentamos. Depois guardamos o mel nos favos. Se há consertos a fazer, qualquer uma de nós os faz sem que seja preciso ordem. Se a menina passasse uns tempos aqui havia de gostar tanto que depois não mais se ajeitaria no reino dos homens.

– Mas a rainha? – perguntou a menina. – Estou cansada de esperar pela hora de conhecer essa grande dama. Deve ser linda, linda!...

A abelha continuou:

– Pensa que a nossa rainha é alguma dama emproada como as rainhas dos homens? Nada disso. Nem rainha é! Os homens é que lhe chamam assim. Para nós não passa de mãe. Todas somos filhinhas dela – todas, todas! E rodeamo-la de comodidades e carinhos, sem nunca lhe darmos o menor desgosto. Olhe, menina, lá no reino dos homens costumam falar muito em felicidade, mas fique certa de que felicidade só aqui. Cada uma de nós é feliz porque todas somos felizes. Lá não sei como pode alguém ser feliz sabendo que há tantos infelizes em redor de si!

Narizinho e Emília ficaram tristes. Que pena serem gente e não poderem transformar-se em abelhas para morar numa colmeia daquelas, toda a vida ocupadas num trabalhão tão lindo como esse de recolher o mel e o pólen das flores...

– Mas a rainha, a rainha! – insistiu a menina. – Quero ser apresentada à rainha!

– Pois vamos lá – respondeu a abelha. – Sigam-me.

Foram. Depois de atravessarem vários compartimentos, chegaram aos cômodos reais. Lá estava Sua Majestade num trono de cera, conversando com vários zangãos emproados e orgulhosos (pelo menos assim pareceu à menina.)

– Bem-vinda seja! – saudou a rainha numa doce voz maternal. – Tem gostado da nossa colmeia?

– Muito, Majestade! É o reino mais bem arrumadinho de quantos vi até agora. Estou positivamente encantada!

– O meu reino é assim – explicou a rainha – porque não é reino nenhum, mas uma grande família onde a boa mãe geral vive rodeada de todos os seus filhos. Já percorreu a colmeia inteira?

– Já vi parte e tenho gostado de tudo, menos da cara desses senhores zangãos, que me parecem emproados e orgulhosos...

– É que estão a me fazer a corte. Todos os anos escolho um dentre eles para marido, e os outros...

– Já sei! Os outros casam-se com as outras abelhas.

A rainha sorriu.

– Não, menina! Os outros são condenados à morte e executados...

– Quê? – exclamou Narizinho horrorizada. – Acho que isso constitui uma crueldade – verdadeira mancha negra na organização das abelhas.

– Parece, menina. Mas é o jeito. Como não sabem trabalhar e a natureza os fez unicamente para serem esposos da rainha, as abelhas não têm a menor consideração com eles depois que a rainha elege um para esposo. Trucidam-nos e lançam os cadáveres para fora da colmeia. Estas minhas filhas acham que o sentimentalismo não dá bom resultado em matéria de organização social.

Narizinho, cada vez mais admirada da inteligência da rainha, murmurou ao ouvido da boneca:

– Vê, Emília? Isto é que é falar bem! Até parece aquele filósofo que vovó às vezes lê, o tal Rou... Rousseau, creio.

Nisto um *trrrlin, trrrlin* de esporas ressoou perto. Voltaram-se todos. Era Tom Mix que entrava. O *caubói* correu os olhos pela sala. Logo que deu com a menina, dirigiu-se para ela.

– Recebi o recado, Princesa, e aqui estou às vossas ordens!

– Que fim levou o Marquês? – perguntou a menina com ansiedade, pois nada sabia do que se passara. – Está vivo ainda ou...

– Vivíssimo, Senhora Princesa! A estas horas já deve estar atacando a segunda abóbora...

– Muito bem! – exclamou Narizinho, aliviada dum grande peso. – Quero agora, Senhor Tom Mix, que me arranje uns burrinhos de carga para levar um pouco de mel e cera para vovó.

Tom Mix retirou-se para cumprir a ordem, enquanto a menina se dirigia de novo à rainha.

– Senhora Rainha, poderá Vossa Majestade dar ordem à sua cozinheira para me oferecer um tostão de mel?

– Darei o mel e a cera que quiser – respondeu a rainha sorrindo – quanto ao tostão, guarde-o para você, que aqui entre nós não tem o menor valor o dinheiro dos homens. Ali, naquela sala dos favos, é o depósito de mel. Vá lá e tire quanto quiser.

A menina agradeceu a gentileza e retirou-se para a tal sala com a boneca.

Tudo tão bem arrumado! Potinhos de cera cheios de mel em quantidade, todos iguais, com tampinhas também de cera.

– Querem mel? – perguntou logo uma abelha de avental muito limpo que tomava conta daquela repartição.

– Queremos, sim, senhora! Mel e cera.

– De que qualidade?

– Há de muitas qualidades?

– Temos aqui mel de flores de laranjeira, mel de flores de jabuticabeira lá do sítio de Dona Benta e temos o mel mil flores, colhido de todas as flores-do-campo.

– Dê-me de flores de jabuticabeira – resolveu logo Narizinho. – E também um quilinho de cera bem branca, para Tia Nastácia.

– Quem leva é aqui a sua criada? – perguntou a abelha indicando a boneca, enquanto fazia os pacotes.

Emília abespinhou-se toda, já vermelhinha de cólera. Mas a menina salvou a situação.

– Esta senhora não é minha criada e sim a Excelentíssima Senhora Condessa da Perna Vazia, futura Marquesa de Rabicó.

A abelhinha pediu mil desculpas, e ainda estava pedindo desculpas quando a entrada de Tom Mix à frente duma tropa de grilos arreados de cangalhas e ancorotes próprios para conduzir mel a interrompeu. Tom descarregou os ancorotes e esperou que a abelha-meleira os enchesse. Depois os colocou de novo sobre as cangalhas e pediu instruções.

– Espere-me no portão do palácio com os cavalinhos prontos que também já vamos – ordenou-lhe a menina.

A VOLTA

Estavam todos prontos para a volta, exceto Emília. Narizinho refletia sobre o seu caso. Por fim pediu a opinião de Tom Mix sobre o melhor meio de a levar.

– Acho que temos de pôr a Senhora Condessa dentro dum dos ancorotes de mel.

– Que disparate, Tom! Emília ficaria toda melada!...

– Sim, mas há um vazio – respondeu ele. – Creio que ali irá mais comodamente do que na garupa do cavalinho pangaré.

Emília fez cara feia e protestou. O meio de sossegá-la foi permitir-lhe seguir na frente do bando, para que pudesse "ir vendo as coisas antes dos outros". Estava nascendo nela aquele espírito interesseiro que a ia tornar célebre nos anais da ciganagem.

Puseram-se em marcha. Meia légua adiante Emília pôs-se de pé dentro do barrilzinho e gritou:

– Estou vendo uma coisa esquisita lá na frente! Um monstro com cabeça de porco e "peses" de tartaruga!

Todos olharam, verificando que Emília tinha razão. Era um monstro dos mais estranhos que possa alguém imaginar. Tom Mix puxou da faca e avançou, dizendo a Narizinho que não se mexesse dali. Chegando mais perto percebeu o que era.

– Não é monstro nenhum, Princesa! Trata-se do Senhor Marquês montado num pobre jabuti! Vem metendo o chicote no coitado, sem dó nem piedade.

E assim era. Rabicó dava de rijo no pobre jabuti e ainda por cima o descompunha.

– Caminha, estupor! Caminha depressa, se não te pico de espora até à alma! – gritava ele.

Narizinho ficou indignada com aquilo. Era demais! Vendo-a assim, Tom Mix puxou do revólver e disse:

– Se quer, apeio aquele maroto com uma bala!

– Não é necessário – respondeu ela. – Eu mesma lhe darei uma boa lição. Deixe o caso comigo.

Nisto o Marquês alcançou o grupo, e já estava armando cara alegre de sem-vergonha, quando a menina o encarou, de carranca fechada.

– Desça já do pobre jabuti, seu grandíssimo...

Muito espantado daquela recepção, Rabicó foi descendo, todo encolhido.

– E para castigo – continuou a menina – quem agora vai montar é o senhor jabuti. Vamos, senhor jabuti! Arreie o Marquês e monte e meta-lhe a espora sem dó!

O jabuti assim fez, e sossegadamente, porque jabuti não se apressa em caso nenhum, botou os arreios no leitão, apertou o mais que pode a barrigueira, montou muito devagar e – *lept! lept!* – fincou-lhe o chicote como quem surra burro bravo.

– *Coim! coim! coim!* – berrava o pobre Marquês.

– Espora nele, jabuti! – gritava a boneca. – Espora nesse guloso que me comeu os croquetes!

– E também uma boas lambadas por minha conta! – murmurou uma voz fina no ar.

Todos ergueram os olhos. Era a libelinha enganada, que ia passando, veloz como um relâmpago.

O caso foi que naquele dia Rabicó perdeu pelo menos um quilo de peso e pagou pelo menos metade dos seus pecados...

Depois desse incidente puseram-se de novo em marcha, só parando numa figueira de boa sombra, já pertinho do sítio.

– Ponto de almoço! – gritou Narizinho, que estava com uma fome tirana. Desde que saíra de casa só comera os bolinhos trazidos.

Apearam-se. Estenderam no chão uma toalhinha. Tom Mix abriu dois barriletes de mel. Narizinho remexeu no bolso a ver se ainda encontrava algum pedaço de bolo. Não encontrou nem o besouro. Tinha fugido, o ingrato! Puseram-se a manducar mel puro, único alimento que havia.

No melhor da festa – *tzziu!* – um passarinho cantou na árvore próxima. A menina ergueu os olhos: era um tiziu.

– Emília – disse ela intrigada – não acha aquele tiziu com um certo ar de Pedrinho?

– Muito! E querem ver que é ele mesmo?

– Pedrinho! Pedrinho! Venha cá, Pedrinho! – gritou a menina, aflita.

O tiziu desceu da árvore, vindo pousar em seu ombro.

– Então que é isso, Pedrinho? Deixo você em casa feito gente e o venho encontrar virado em ave!...

– Assim é – disse ele. – Todos viramos aves lá em casa.

– Como? Explique isso! – gritou Narizinho ansiosa.

– Pois apareceu por lá uma velha coroca, de porrete na mão e cesta no braço. "Menino", disse-me ela, "é aqui a casa onde moram duas velhas dugudeias em companhia duma menina de nariz arrebitado, muito malcriada?" Furioso com a pergunta, respondi: "Não é da sua conta. Siga seu caminho que é o melhor". "Ah, é assim"? exclamou ela. "Espere que te curo!" E me virou a mim em passarinho, virou vovó em tartaruga e Tia Nastácia em galinha preta...

– Que horror! – foi o grito que escapou de Narizinho. – Que vai ser de nós agora? Já sei quem é essa velha! Não pode ser outra! Bem ela me disse que havia de vingar-se...

– Que foi que aconteceu, Princesa? – indagou Tom Mix, já de mão no revólver.

– Não sei, Tom, se desta vez nos poderá valer! Você é invencível, mas só de igual para igual. Contra uma bruxa feiticeira, não sei... não sei... e contou o que havia.

– Deixe tudo por minha conta, Princesa, e não duvide da minha arte de resolver situações complicadas. Siga viagem que eu vou dar volta pelos arredores a fim de apanhar essa velha. Juro que hei de trazê-la bem segura, para que desfaça o mal que fez...

– Os anjos digam amém! – suspirou Narizinho mais animada. E dando rédeas ao cavalo pangaré tocou para o sítio com o tiziu ainda pousado no ombro.

Que tristeza! Mal Narizinho apeou no terreiro e já ouviu uma galinha cacarejar lá dentro.

– É Tia Nastácia, coitada!... – suspirou com o coração apertado.

Entrou. Na sala de jantar viu sentada na rede, costurando, uma tartaruga de óculos.

– Vovó! – gritou a menina com desespero. – Não me conhece mais, vovó?

A tartaruga, quieta, quieta...

– Veja, Emília, que desgraça! – gritou Narizinho em lágrimas. – Vovó é aquele bicho cascudo que está na rede! Nastácia é aquela horrenda galinha preta que mais parece urubu...

Emília olhou, olhou e também rompeu em choro, abraçando-se com a menina.

– A única esperança que nos resta é Tom Mix – disse Narizinho. – Mas este caso é tão estranho que receio que nem ele possa nos salvar...

Passaram-se dois dias. Narizinho, inconsolável, não podia conformar-se com a ideia da sua querida avó tartarugando na rede, nem de Tia Nastácia volta e meia botando um ovo na cozinha.

– Sossegue, Narizinho. Tom Mix é um danado. De repente reaparece e conserta tudo, como no cinema – dizia a boneca para a consolar.

– Mas está demorando tanto, Emília!...

– Dois dias só. Você sabe que a conta para tudo é três...

Chegou afinal o terceiro dia. As duas amiguinhas, postadas à janela desde cedo, espiavam os horizontes, ansiosas. Nem uma poeira se erguia! Narizinho suspirou.

– Qual, Emília! Está tudo perdido... Se a velha tem o poder de virar os outros em bicho, também pode virar-se a si própria em pedra, árvore, tronco seco – e como há de Tom Mix saber?

– Paciência, Narizinho! Vai ver que de repente ele brota por aí com a velha na ponta da faca...

Palavras não eram ditas e um cachorrinho latiu no terreiro.

– Deve ser ele! – gritou Emília correndo para a porta.

E era mesmo. Era Tom Mix que voltava com dois revólveres apontando e a velha à frente, de braços erguidos.

– É agora! – berrou o *caubói* no ouvido da bruxa. – Vais desfazer o mal que fizeste, se não te como os fígados, já neste momento!...

Horrorizada com a feiura da velha, Narizinho fechou os olhos. Depois criou coragem e os foi abrindo devagarinho. E viu... sabem quem? Viu Tia Nastácia a olhar para ela e a dizer:

– Acorde menina! Parece que está com pesadelo...

Narizinho sentou-se na cama, ainda tonta, esfregando os olhos.

– E vovó? – perguntou.

– Lá dentro, costurando.

– E Pedrinho?

– Fazendo uma arapuca no quintal.

– E... e Tom Mix?

– Deixe de bobagens e venha tomar o seu café que já está esfriando – rematou Tia Nastácia.

O marquês de Rabicó
OS SETE LEITÕEZINHOS

Eram sete leitõezinhos. Bem sei que sete é conta de mentiroso, mas eram mesmo sete, todos ruivos, com manchas brancas pelo corpo. Quando a mamãe deles saía a passeio, os sete leitõezinhos acompanhavam-na em fila – rom, rom, rom...

O tempo foi passando e os leitões foram crescendo, e à medida que iam crescendo iam entrando...

– Para a escola, já sei!

– Sim, para a escola do forno.

– Que horror!

– Pois é verdade. Vida de leitão no Sítio do Picapau Amarelo não é das mais invejáveis. Está o lindo animalzinho brincando no terreiro, feliz, gordo como uma bola. Dona Benta olha e diz:

– Tia Nastácia, a prima Dodoca vem jantar hoje aqui. Acho bom pegar "aquele um"! e aponta para o coitado

A negra vai ao paiol, toma uma espiga de milho e grita no terreiro – *xuque, xuque, xuque!*

Os bobinhos ouvem e vêm correndo atrás do milho que ela começa a debulhar, e comem, comem, comem. De repente a malvada se abaixa e – *nhoc!* – segura pela perna o tal "aquele um". E pode o coitadinho espernear e berrar quanto queira! Não tem remédio. Vai arrastado para a cozinha, onde é assassinado com uma faca de ponta.

E se fosse só isso! Depois de assassinado é pelado com água fervendo, é destripado, temperado e, afinal, assado ao forno.

Na hora do jantar reaparece na mesa, mas muito diferente do que era. Vem num grande prato, rodeado de rodelas de limão, com um ovo cozido na boca. E ninguém lamenta a sorte do coitadinho. Todos tratam mais é de cortar o seu pedaço e comê-lo gulosamente, dizendo:

– Está delicioso!

E ainda por cima lambem os beiços, os malvados!...

Foi esse o triste destino daquela irmandade de sete leitões. Da irmandade inteira menos um, o Rabicó, assim chamado porque só possuía um toquinho da cauda. Rabicó salvou-se porque Narizinho costumava brincar com ele desde bem pequenino e acabaram amigos.

– Fique sossegado que não deixo "ela" te assassinar – tinha-lhe dito a menina.

"Ela", sem mais nada, queria dizer Tia Nastácia.

Uma tarde Narizinho ouviu Dona Benta dizer à preta:

– Amanhã, dia dos anos de Pedrinho, temos de dar um jantareco melhor. Há ainda algum leitão no ponto?

– Só Rabicó, Sinhá, mas esse Narizinho não quer que mate. É o ai-jesus dela.

– Sim, mas você dá um jeito. Mata escondido, sabe – e piscou para a negra. As duas velhas eram danadas para se entenderem.

A menina, entretanto, ouvira a conversa e fora correndo em procura do leitãozinho. Encontrou-o no pasto, fossando a terra como sempre – *rom, rom, rom.* Agarrou-o ao colo e disse-lhe ao ouvido:

– Vovó deu ordem a Tia Nastácia para assassinar você amanhã. Mas eu não deixo, ouviu? Vou escondê-lo, bem escondido, num lugar que só eu sei, até que o perigo passe.

E assim fez. Levou-o para o tal lugar que só ela sabia, amarrou-o pelo pé a uma árvore; depois trouxe-lhe várias espigas de milho, uma abóbora e uma lata d'água.

– Fique aí bem quietinho. Nada de berreiros, se não tudo está perdido. Quando não houver mais perigo, virei soltá-lo.

Chegada a hora de pegar o leitão, Tia Nastácia revirou o sítio inteiro de pernas para o ar. Procurou-o como quem procura agulha; por fim veio dizer a Dona Benta que com certeza algum ladrão o havia furtado, ou alguma onça o tinha comido.

– Que maçada! – exclamou a velha. – Nesse caso mate uma galinha bem gorda. Rabicó fica para o Ano-Bom, se aparecer.

No dia seguinte, assim que todos se levantaram da mesa depois de comido o "jantarzinho melhor", a menina correu ao lugar que só ela sabia e soltou o leitão.

– Está salvo por uns tempos – disse-lhe. – Mas na véspera do Ano-Bom tenho de prender você aqui outra vez, porque "ela" promete coisas para esse dia.

Dali a pouco, muito serelepe, como se nada houvesse acontecido, Rabicó surgiu no terreiro – *rom, rom, rom* – chegando à porta da cozinha para lambiscar umas cascas que a negra havia botado fora.

– Ué! – exclamou Tia Nastácia, admirada. – Olhe quem está aqui! Rabicó em pessoa!... Você escapou desta vez, seu maroto, mas de outra não me escapa. Uma semana antes do Ano-Bom já te tranco no paiol e quero ver!...

Rabicó não ligou a mínima importância àquelas palavras. Tratou mais foi de encher a barriguinha com as cascas, deitando-se depois ao sol para uma daquelas sonecas gozadas que só porco sabe dormir.

O PEDIDO DE CASAMENTO

Narizinho estava no seu quarto conversando com a boneca.

– Senhora Condessa, acho que é tempo de mudar de vida. Precisa casar, se não acaba ficando tia. Amanhã vem cá um distinto cavalheiro pedir a mão de Vossa Excelência.

Emília andava bem de saúde, gorda e corada. Tia Nastácia havia enchido de macela nova a perninha que fora saqueada no passeio ao Reino das Abelhas e Narizinho havia consertado uma das suas sobrancelhas de retrós, que estava desfiando. Além disso, pintara-lhe nas faces duas rodelas de carmim, bem redondinhas.

Emília não se mostrava disposta a casar. Dizia sempre que não tinha gênio para aturar marido, além de que não via lá pelo sítio ninguém que a merecesse.

– Como não? – protestou a menina. – E Rabicó? Não acha que é um bom partido?

A boneca ficou indignada e declarou que jamais se casaria com um poltrão como aquele. O fiasco feito na viagem à terra das Abelhas não era coisa que merecesse perdão.

A menina riu-se e explicou:

– Você está enganada, Emília. Ele é porco e poltrão só por enquanto. Estive sabendo que Rabicó é príncipe dos legítimos, que uma fada má virou em porco e porco ficará até que ache um anel mágico escondido na barriga de certa minhoca. Por isso é que Rabicó vive fossando a terra atrás de minhocas.

Emília ficou pensativa. Ser princesa era o seu sonho dourado e se para ser princesa fosse preciso casar-se com o fogão ou a lata de lixo, ela o faria sem vacilar um momento.

– Mas você tem certeza, Narizinho?

– Tenho certeza absoluta! Quem me revelou toda essa história foi justamente o pai de Rabicó, o Senhor Visconde de Sabugosa, um fidalgo muito distinto que vem fazer o pedido de casamento.

– Visconde? – repetiu Emília, desconfiada. – Então o pai desse príncipe é visconde só? Eu quero casar com príncipe filho de rei.

– Você é uma bobinha que não sabe nada. O Visconde finge de visconde, mas na realidade é rei e muito bom rei de um reino lá atrás do morro. Quando ele vier, repare na cabeça dele e veja que tem um sinal de coroa em redor da testa. Para esconder esse sinal ele usa cartola, que não tira nunca, nem na igreja. Desse modo, como ninguém vê o sinal da coroa, ninguém desconfia.

Emília pensou, pensou, pensou e disse:

– Pois bem, aceito! Mas desde já vou dizendo que não saio daqui. Caso-me, mas não vou morar com Rabicó enquanto ele não virar príncipe novamente.

– Muito bem! – concluiu Narizinho. – Nesse caso, vá preparar-se para receber o Visconde, que não deve tardar. Ele já está a caminho. Vista aquele vestido de pintas vermelhas e ponha mais ruge na cara, ouviu?

Enquanto a boneca se vestia, a menina correu ao pomar em procura de Pedrinho, que estava ocupado em chupar laranjas-limas.

– Depressa, Pedrinho! Arranje-me um bom visconde de sabugo, bem respeitável, de cartola na cabeça e um sinal de coroa na testa, e venha com ele pedir Emília em casamento. Enganei-a que Rabicó é filho desse visconde, o qual é um grande rei de um reino lá atrás do morro. Os dois, pai e filho, foram encantados por uma fada, só devendo se desencantarem no dia em que Rabicó descobrir uma certa minhoca com um certo anel mágico na barriga.

– E a boba acreditou?

– Acreditou piamente e declarou que nesse caso aceitará Rabicó como esposo, embora não vá morar com ele enquanto não virar príncipe novamente.

Pedrinho fez como Lúcia pediu. Arranjou um bom sabugo, ainda com umas palhinhas no pescoço que fingiam muito bem de barba, botou-lhe braços e pernas, fez cara com nariz, boca, olhos e tudo – e não esqueceu de marcar-lhe a testa com um sinal de coroa de rei. Depois enterrou-lhe na cabeça uma cartolinha e lá foi com ele à casa da boneca.

– *Toc, toc, toc* – bateu.

– Quem é? – indagou de dentro a voz da menina.

– É o ilustre Senhor Visconde de Sabugosa que vem fazer uma visita à Senhora Condessa de Três Estrelinhas e pedi-la em casamento para o seu ilustre filho, o Senhor Marquês de Rabicó.

– Esperem um minutinho que já abro – respondeu a menina.

E voltando-se para a boneca:

– Vê, Emília? Além de príncipe ele ainda é marquês. De modo que se você casar-se com ele começa já a ser marquesa e um dia virará princesa. Não pode haver futuro mais bonito para uma coitadinha que nasceu na roça e nem em escola esteve. Você vai ser a Gata Borralheira das bonecas!...

Emília deu três pulinhos de alegria e foi correndo botar mais um pouco de pó de arroz. Enquanto isso o Visconde entrou.

Narizinho fez-lhe uma respeitosa reverência e respondeu, sem dar a entender que estava falando com um rei disfarçado:

– Muito prazer, Senhor Visconde! Puxe uma cadeira e sente-se no chão. Creia que fico muito satisfeita de saber que seu filho é marquês. E como vai a Senhora Viscondessa?

– Sou viúvo – respondeu o Visconde, suspirando profundamente.

– Meus pêsames! E a senhora sua mãe, Dona Palha de Milho?

O Visconde suspirou de novo.

– Coitada! Faleceu num horrível desastre...

– Como? Conte-nos isso – exclamou Narizinho, fingindo grande aflição.

– Pois é. Foi comida pela Vaca Mocha – explicou o Visconde, enxugando nas palhinhas de milho do pescoço duas lágrimas, uma de cada olho.

– A pobre! – murmurou a menina muito triste. – Eu sinto bastante, Visconde, mas o mundo é isto mesmo. Um come o outro. A Vaca Mocha come as Donas Palhas e a gente come as vacas. A vida é um come-come danado ! Estou aqui estou apostando que também os seus filhos foram comidos pela senhoras galinhas...

O Visconde arregalou os olhos como se não soubesse que tinha mais filhos além do Marquês.

– Sim – explicou Narizinho. Os grãos de milho que Vossa Excelência já teve pregados pelo corpo, creio que podem ser chamados seus filhos.

– Ah, sim, é verdade! Foram comidos pelo galo índio há duas semanas.

Nisto Emília apareceu à porta, no seu vestidinho de chita com pintas vermelhas.

– Senhor Visconde – disse a menina – tenho o prazer de lhe apresentar a sua futura nora, a Senhora Condessa de Três Estrelinhas. Veja como é galante!...

O Visconde levantou-se para saudar a boneca e por "distração" tirou a cartola, deixando que Emília visse o sinal de coroa em sua testa.

– Tenho a mais subida honra de receber no seio de minha família esta nobre Condessa – disse ele. – Pelo que vejo é a mais linda criatura destes arredores! Acho-a ainda mais bonita que a franguinha pedrês de Tia Nastácia...

Emília fez uma cortesia para agradecer a amabilidade, embora torcesse o nariz àquela comparação com a franguinha pedrês.

– E não é só isso – interveio Narizinho. – Bonita e prestimosa como não há outra! Sabe fazer tudo. Cozinha na perfeição, lava roupa e lê nos livros que nem uma professora. Emília é o que se chama uma danada.

– Muito bem! Muito bem! – ia exclamando o Visconde.

–Também toca lindas músicas na vitrola, mia como gato, arrebenta pipocas e tem muito jeito para modista. Esse vestidinho de pintas, por exemplo, foi todo feito por ela.

Emília, que ainda não sabia mentir, interrompeu-a, dizendo:

– Não fui eu, foi Tia Nastácia quem o fez.

A menina deu-lhe um beliscão sem que o Visconde percebesse.

– Não repare, Visconde. Emília é muito modesta. Faz as coisas mas não quer que se diga. Esse vestido ela o fez sozinha, sozinha. Ela mesma escolheu a fazenda, ela mesma cortou e coseu. E olhe como ficou bem assentado nas costas. Levante-se, Emília, e vire-se de costas para o Visconde ver.

Emília levantou-se da cadeira e deu umas voltas pela sala.

– Não está dos mais elegantes mas serve – continuou Narizinho. – Emília nasceu aqui na roça e nunca foi à cidade, nem aprendeu costura. Para uma criatura nessas condições não acha que está bem-feitinho?

O Visconde olhou, olhou e disse:

– Eu, a falar a verdade, não entendo de modas. Mas acho muito bom. Só que a saia me parece um tanto curta...

– Eu também acho e já o disse a ela; mas Emília como tem perna grossa, anda com mania de mostrá-la. Só usou saia comprida durante o tempo da perna seca – e contou ao Visconde o caso do ouro-macela. Depois, mudando de assunto, pediu informações a respeito do gênio de Rabicó.

– Ele tem muito bom gênio – disse o Visconde. – Não é briguento, nem provocador. Possui belas qualidades. Quanto ao mais, gosta muito de dormir ao sol e fossar a terra para descobrir minhocas.

Nesse ponto a menina piscou para a boneca, querendo referir-se à história de certo anel que ele andava procurando dentro de certa minhoca, e Emília convenceu-se de que Rabicó era mesmo um príncipe encantado.

– O único defeito que tem – continuou o Visconde – é comer tudo quanto encontra. Rabicó não respeita coisa nenhuma!

Emília fez carinha de nojo e foi cuspir à janela. Depois, metendo-se na conversa, disse:

– Pois se se casar comigo só há de comer coisas gostosas e cheirosas. Não consinto que meu marido ande comendo o que encontra.

– Apoiadíssimo, Emília! – exclamou a menina. – Também penso desse modo e acho que você faz muito bem de exigir isso dele. Mas agora só resta saber se você aceita ou não aceita o Senhor Marquês de Rabicó como esposo. Vamos lá. Resolva...

Emília ficou meio aflitinha de ter de decidir por si mesma uma questão de tal gravidade como essa de escolher um esposo e olhou Narizinho interrogativamente, como quem pede auxílio. Mas a menina não quis intervir, porque não desejava ficar com a responsabilidade.

– Não devo dar opinião, Emília. Você tem que decidir por si mesma. Casamento não é brincadeira.

A boneca pensou, pensou, pensou e afinal, tentada pela ideia de começar marquesa e um dia virar princesa, resolveu-se.

– Pois quero!

Narizinho bateu palmas.

– Bravos! Está tudo resolvido. Senhor Visconde, abrace a sua nora, a futura Marquesa de Rabicó...

O Visconde ergueu-se bastante comovido. Abraçou a boneca e deu-lhe um beijo na face.

Emília, muito vermelhinha, foi correndo para o quarto.

O NOIVADO DE EMÍLIA

Durou uma semana o noivado de Emília. Todas as tardes, trazido à força por Pedrinho, aparecia o Marquês de Rabicó para visitar a noiva, e tinha de ficar meia hora na sala, contando casos e dizendo palavras de amor.

Mas apesar de noivo Rabicó não perdia os seus instintos. Logo que entrava punha-se a farejar a sala, na sua eterna preocupação de descobrir coisas de comer. Além disso não prestava a menor atenção à conversa. Não havia nascido para aquelas cerimônias.

Uma tarde Pedrinho zangou-se e resolveu substituí-lo por um representante.

– Rabicó não vale a pena – disse ele aborrecido. – Não sabe brincar, não se comporta. O melhor é isto, querem ver? – e saiu: foi ao quintal e trouxe um vidro vazio de óleo de rícino que andava jogado por lá. – Está aqui. De agora em diante o noivo será representado por este vidro azul – e o tal Marquês de Rabicó vai passear – concluiu pregando um pontapé no noivo.

Rabicó raspou-se gemendo três *coins*, e desde esse dia, enquanto fossava a terra no pomar atrás da tal minhoca de anel na barriga, quem noivava por ele, de cartola na cabeça, era o Senhor Vidro Azul.

Emília comportava-se muito bem embora de vez em quando viesse com impertinências.

– Eu já disse a Narizinho: caso, mas com uma condição!

– Eu sei qual é! – adivinhou o Senhor Vidro Azul. – Não quer morar na casa do Marquês, com certeza porque não se dá bem com o futuro sogro, o Visconde.

– Isso não! Até gosto muito do Senhor Visconde. O que não quero é sair daqui. Estou muito acostumada.

O Senhor Vidro Azul coçou o gargalo.

– Sim, mas...

– Não tem mas, nem meio mas! Quem manda neste casamento sou eu. O Marquês fica por lá e eu fico por cá – declarou Emília, toda espevitadinha e de nariz torcido.

O representante do noivo suspirou.

– Que pena! O Senhor Marquês já mandou construir um castelo tão bonito, de ouro e marfim, com um grande lago na frente...

Emília deu uma risada.

– Eu conheço os lagos do Marquês! São como aquele célebre lago azul que prometeu à Libelinha lá no Reino das Abelhas.

O Senhor Vidro Azul atrapalhou-se. Viu que Emília não era nada tola e não se deixava enganar facilmente. Procurou remendar.

– Sim, um lago. Não digo um grande lago, mas um pequeno lago, um tanque...

– Uma lata d'água, diga logo! – completou Emília mordendo os beiços.

Narizinho interveio, repreensiva.

– Você está aqui para noivar, Emília, para dizer coisas bonitas e amáveis, e não para brigar com o representante do Marquês. Veja lá, hein?

E dirigindo-se ao representante:

– O Senhor Marquês não escreveu ainda uns versos para a sua amada noivinha?

– Escreveu, sim – respondeu o Vidro Azul, metendo a mão no gargalo e sacando um papelzinho. Aqui estão eles.

E recitou:

> *Pirulito que bate bate,*
> *Pirulito que já bateu,*
> *Quem adora o Marquês é ela,*
> *Quem adora Emília sou eu.*

– Bravos! – exclamou Narizinho batendo palmas. São lindos esses versos! O Marquês é um grande poeta!...

Emília, porém, torceu o nariz e até ficou meio danadinha.

– O verso está todo errado! Vou casar-me com ele mas não "adoro" coisa nenhuma. Tinha graça eu "adorar" um leitão!

Narizinho bateu o pé e franziu a testa.

– Emília, tenha modos! Não é assim que se trata um poeta. Você vai ser marquesa, vai viver em salões e precisa saber fingir, ouviu?

Depois, voltando-se para o representante:

– Peço-lhe mil desculpas, Senhor Vidro Azul! Emília tem a mania de ser franca. Nunca viveu em sociedade e ainda não sabe mentir. Não é aqui como o nosso Visconde de Sabugosa, que fala, fala e ninguém sabe nunca o que ele realmente está pensando, não é, Visconde?

O Visconde fez um gesto que tanto podia ser sim como não.

Desse modo conversavam todas as noites, longo tempo, até que vinha o chá. Chá de mentira, com torradas de mentira. Depois do chá, o Visconde e o representante se despediam e Narizinho acompanhava-os até à porta, onde dizia:

– Não tenha medo, Senhor Vidro Azul. Pode dar um beijinho nela por conta do Marquês.

O representante beijava Emília na testa e retirava-se em companhia do Visconde...

Passada uma semana, a menina queixou-se a Dona Benta:

– Este noivado está me acabando com a vida, vovó. Todas as noites tenho de fazer sala para os noivos. Como isto cansa!...

– Mas que é que está faltando para o casamento, menina?

– Os doces, vovó...

– Já sei. Já sei. Pois tome lá estes níqueis e mande vir os doces.

Como era justamente aquilo que Narizinho queria, lá se foi aos pinotes, com os níqueis cantando na mão.

O CASAMENTO

Chegou afinal o grande dia e vieram os grandes doces: seis cocadas, seis pés-de-moleque e uma rapadura, doce mais que suficiente para uma festa em que quase todos os convivas iam comer de mentira.

Pedrinho armou a mesa da festa debaixo de uma laranjeira do pomar e botou em redor todos os convivas. Lá estavam Dona Benta, Tia Nastácia e vários conhecidos e parentes, todos representados por pedras, tijolos e pedaços de pau. O inspetor de quarteirão, um velho amigo de Dona Benta que às vezes aparecia pelo sítio, era figurado por um toco de pau com uma dentadura de casca de laranja na boca.

Chegou a hora. Vieram vindo os noivos. Emília, de vestido branco e véu; Rabicó, de cartola e faixa de seda em torno ao pescoço. Vinha muito sério, mas assim que se aproximou da mesa e sentiu o cheiro das cocadas, ficou de água na boca, assanhadíssimo. Não viu mais nada.

Logo depois veio o padre e casou-os. Narizinho abraçou Emília e chorou uma lágrima de verdade, dando-lhe muitos conselhos. Depois, como a boneca não tivesse dedos, enfiou-lhe no braço um anelzinho seu. Pedrinho fez o mesmo com o

Marquês: enfiou-lhe no braço uma aliança de casca de laranja, que Rabicó por duas vezes tentou comer.

– Ao menos no dia de hoje comporte-se! – disse o menino, ameaçando-o.

Os outros animais do sítio, as cabras, as galinhas e os porcos, também assistiram à festa, mas de longe. Olhavam, olhavam, sem compreenderem coisa nenhuma.

Terminada a festa, Narizinho disse:

– E agora, Pedrinho?

– Agora – respondeu ele – só falta a viagem de núpcias.

Mas a menina estava cansada e não concordou. Propôs outra coisa. Puseram-se a discutir e esqueceram de tomar conta da mesa de doces. Rabicó aproveitou a ocasião. Foi se chegando para perto das cocadas e de repente – nhoc! – deu um bote na mais bonita.

– Acuda os doces, Pedrinho! – berrou a menina.

Pedrinho virou-se e, vendo a feia ação do pirata, correu para cima dele, furioso. Agarrou o inspetor de quarteirão e arrumou uma valente inspetorada no lombo do porquinho.

– Cachorro! Ladrão! Marquês duma figa!...

Rabicó deu um berro espremido e disparou pelo campo, mas sem largar a cocada.

Foi um desastre. A festa desorganizou-se e Emília chorou e esperneou de raiva.

– É isso! Eu bem não estava querendo casar com Rabicó! É um tipo muito ordinário, que não sabe respeitar uma esposa.

Narizinho interveio e consolou-a.

– Isto não quer dizer nada. Rabicó é meio ordinário, não nego, mas com o tempo irá criando juízo e ainda acabará um excelente esposo. Depois, é preciso não esquecer que qualquer dia ele vira príncipe e faz você princesa.

Mas Pedrinho, que estava danado com a feia ação de Rabicó, estragou tudo, dizendo:

– Príncipe nada, Emília! Narizinho bobeou você. Rabicó nunca foi nem será príncipe. É porco e dos mais porcalhões, fique sabendo.

Ao ouvir aquilo, Emília caiu para trás, desmaiada...

O JANTAR DE ANO-BOM

Como era de prever, não podia dar bom resultado aquele casamento. Os gênios não se combinavam e além disso a boneca não podia consolar-se do logro que levara. Narizinho ainda tentou convencê-la de que Rabicó era realmente príncipe e Pedrinho só dissera aquilo porque estava danado. Não houve meio. Quando Emília desconfiava, era para toda a vida. E desse modo ficou casada com Rabicó, mas dele separada para sempre.

– Está aí o que você fez! – costumava ela dizer em voz queixosa. – Casou-me com um príncipe de mentira e agora, está aí, está aí...

Narizinho dava-lhe esperanças.

– Tudo se arruma. Um dia ele morre e eu caso você com o Visconde ou outro qualquer.

Afinal chegou o dia de Ano-Bom. Era costume de Dona Benta festejar essa data com um jantar onde reunia vários parentes e vizinhos. Tia Nastácia caprichava. Frangos assados. Peru recheado. Leitão de forno. Pastéis, doces e quanta coisa gostosa havia. Era assim sempre e foi assim naquele ano.

Quando bateu a hora e todos foram para a mesa, começaram a vir pratos e mais pratos, até que, de repente, apareceu, numa grande travessa, um leitão "risonho", de ovo cozido na boca e rodelas de limão pelo corpo.

Os meninos não esperavam que viesse leitão, porque a negra havia dito que o jantar seria só de peru. Narizinho imediatamente desconfiou e foi correndo ao terreiro procurar Rabicó. Chamou-o mais de vinte vezes e campeou-o por todos os lugares que ele costumava frequentar. Não encontrando nem rasto, voltou para a sala a chorar desesperadamente.

– Não coma esse leitão, Pedrinho! É Rabicó. Aquela diaba feia nos enganou e assou no forno o coitadinho...

O menino, apesar de duro para chorar, ficou com os olhos cheios d'água, e ergueu-se da mesa furioso com a preta,

Emília, porém, pulou de alegria. Estava viúva! Podia finalmente casar-se com o Visconde de Sabugosa ou outro fidalgo qualquer. Chegou a bater palmas e a cantar o "Pirulito que bate-bate", que era a sua música predileta.

Narizinho não pode suportar aquilo. Avançou contra ela, numa fúria, e pregou-lhe um peteleco.

– Vou mandar o Doutor Caramujo fazer uma operação nesta malvada para botar dentro o que está faltando...

Dona Benta perguntou, muito admirada, que era que estava faltando em Emília.

– Coração, vovó. Pois não vê? Emília não tem nem uma isca deste tamanhinho...

Quantas lágrimas perdidas! Rabicó não fora assado, não! Na véspera do dia de Ano-Bom, assim que percebeu as intenções de Tia Nastácia, tratou de pôr-se ao fresco, sorrateiramente, de orelhas em pé. Em caminho encontrou um pobre leitão da sua idade, muito parecido com ele. Teve uma ideia.

– Por que não vai amanhã cedo ao terreiro de Dona Benta? – perguntou-lhe. – Deixei lá três abóboras quase inteiras.

O coitadinho foi. Encontrou as abóboras, é verdade, e comeu-as, mas teve como sobremesa faca de ponta e forno.

Desse modo conseguiu o ilustre Marquês de Rabicó escapar à triste sina que lhe parecia reservada – e passado o perigo voltou, muito lampeiro da vida, como se não soubesse de coisa nenhuma!...

O Casamento de Narizinho
A doença do Príncipe

Depois da viagem de Narizinho ao Reino das Águas Claras o Príncipe Escamado caiu em profunda tristeza. Emagreceu. Suas escamas foram ficando fininhas como papel de seda. Permanecia horas de olho pregado no trono de onde Narizinho havia assistido ao grande baile da corte, e de vez em quando puxava uns suspiros que pareciam arrancados com torquês.

E, quanto a apetite, nada. Por mais coisas gostosas que o cozinheiro real inventasse, era sempre aquilo: o Príncipe erguia-se da mesa sem tocar em prato algum. Minhocas lindas deixavam-no tão indiferente como se fossem dessas horríveis minhocas de isca, que têm anzol dentro.

Esse estado de alma do Príncipe entristecia bastante a corte. Além de o amarem sinceramente, receavam que no caso da morte do Escamado subisse ao trono alguma piranha de má casta, ou um célebre polvo que se divertia em estrangular os pobres peixes nos seus terríveis tentáculos.

O Doutor Caramujo foi chamado para examinar o Príncipe. Tomou-lhe o pulso. Pediu para ver a língua. Depois, erguendo para a testa os óculos de tartaruga, disse com toda a gravidade:

– Vossa Majestade está sofrendo de narizinho-arrebitadite, doença muito séria, cujo único remédio é casamento com uma certa pessoa.

O Príncipe arregalou os olhos, cheio de espanto. Era a primeira vez que aquele médico não receitava pílulas.

– Tens razão, Caramujo! – disse ele. – Minha moléstia não é do corpo, mas da alma. Desde que Narizinho deixou o reino não mais houve sossego para mim. Perdi o apetite, o sono, a coragem e não tenho gosto para coisa nenhuma.

– Pois é! – continuou o médico, muito contente de ter acertado. – A doença de Vossa Majestade não passa de amor recolhido e só pode sarar com casamento. Se Vossa Majestade me permite, farei uma tentativa para obter esse precioso remédio.

Os olhos do Príncipe brilharam de esperança.

– Sim, permito, pois não. E se conseguires obter-me esse precioso remédio, saberei recompensar-te. Far-te-ei Duque da Pílula!...

O grande médico retirou-se contentíssimo com a ideia de virar duque. Seria uma grande honra para a família dos caramujos, na qual nunca houve nem sequer um comendador, quanto mais duque. E foi conferenciar sobre o importantíssimo assunto com os outros figurões da corte.

Discutiram, discutiram, e depois de muito discutir resolveram endereçar a Narizinho um pedido de casamento. O Doutor Caramujo mandou chamar uma Senhora Lula, à qual disse:

– A senhora, que é a escrevente do mar, porque tem dentro do corpo uma pena de osso e um tinteiro de tinta, faça uma carta bem bonita pedindo a mão de Narizinho para o nosso amado Príncipe.

A Senhora Lula fez a carta. O Doutor Caramujo dobrou-a, bem dobradinha, e fechou-a, bem fechadinha, dentro duma concha de madrepérola – para que não se molhasse na viagem. Em seguida entregou a concha aos peixinhos escoteiros, dizendo:

– Levem-me esta concha até à beira do ribeirão que corre pelo sítio de Dona Benta e depositem-na em lugar onde possa ser enxergada. Se se distraírem pelo caminho com alguma minhoca e perderem a concha, o Príncipe os fará eletrocutar a todos pelo peixe elétrico, estão ouvindo?

Os peixinhos juraram obediência e lá seguiram, rodando com a concha pelo fundo do mar.

O PEDIDO

Logo que os peixinhos escoteiros chegaram ao sítio de Dona Benta, foram tratando de erguer a concha e enroscá-la entre duas pedras na beirinha do ribeirão – bem perto do pé de ingá. E por ali ficaram, descansando e espiando.

Não demorou muito, apareceu Pedrinho de vara na mão; vinha pescar justamente ali. Chegou, pôs uma pobre senhora minhoca no anzol e já ia lançá-la ao rio, quando...

– Concha por aqui! – exclamou muito admirado. – Isto tem dente de coelho!...

Pegou a concha. Examinou-a. Sacudiu-a ao ouvido. Percebeu barulhinho de carta dentro. Abriu-a: era carta mesmo!

– Hum! Carta para Lúcia. Há de ser namoro – e voltou para casa a correr. — Narizinho! – foi gritando logo da porta da rua. – Uma carta para você!...

A menina estava ajudando Tia Nastácia a enrolar rosquinhas de polvilho. Assim que ouviu aqueles berros, largou da massa, limpou as mãos no avental da preta e disse:

– De quem será, meu Deus do céu?

Rasgou o envelope e leu:

> *Senhora!*
> *A felicidade do Reino das Águas Claras está nas vossas mãos. Nosso Príncipe perdeu-se de amores e só pode ser salvo se a menina o aceitar como esposo. Ou casa-se ou morre – diz o médico da corte.*
> *Quererá, a menina salvar este Reino da desgraça, compartilhando o trono com o nosso muito amado Príncipe?*
> *(Assinado) Peixinhos do mar*

– Sim, senhor! – disse Narizinho depois de lida a carta. – Estes tais peixinhos sabem escrever na perfeição. Acho que nem vovó, que é uma danada, seria capaz de escrever uma cartinha tão cheia de gramáticas...

Depois, voltando-se para Pedrinho, ordenou muito naturalmente:

– Responda que sim, que aceito. Diga que estou ajudando Tia Nastácia a enrolar estas rosquinhas e logo que acabe irei casar com ele.

Dona Benta, que ia passando, ouviu o final da frase.

– Casar com quem, menina? Que história de casamento é essa?...

– Sim, vovó! Fui pedida em casamento e aceitei. Vou casar-me com o Príncipe Escamado.

Tia Nastácia arregalou os olhos para Dona Benta, que por sua vez tinha os olhos arregalados para a menina.

Narizinho riu-se de tanto olho arregalado e continuou:

– De que é que se espantam? Se toda a gente se casa, por que não posso casar-me também?

– Sim minha filha – respondeu Dona Benta com pachorra. – Todos se casam, não há dúvida. Eu me casei, sua mãe se casou. Mas todos se casam com gente da mesma igualha. É muito diverso disso de casar com um peixe...

– Dobre a língua, vovó! Escamado é príncipe. Se se tratasse aí dum peixe vulgar de lagoa, vá que vovó falasse. Mas o meu noivo é um grande príncipe das águas!...

– Mas não é criatura da nossa espécie, menina.

– E que tem isso? A Emília, que é uma boneca, não se casou tão bem com Rabicó, que é leitão? Acho as suas ideias muito atrasadas, vovó...

Dona Benta volveu os olhos para Tia Nastácia.

– Já não entendo estes meus netos. Fazem tais coisas que o sítio está virando livro de contos da Carochinha. Nunca sei quando falam de verdade ou de mentira. Este casamento com peixe, por exemplo, está me parecendo brincadeira, mas não me admirarei se um belo dia surgir por aqui um marido-peixe, nem que esta menina me venha dizer que sou bisavó duma sereiazinha ...

A negra benzeu-se com ambas as mãos.

– Credo! Até parece bruxaria... Mas se chegar esse tempo, Sinhá, mecê que trate de arranjar outra cozinheira. Assim catacega como sou, tenho medo de escamar e fritar um bisneto de mecê pensando que é alguma traíra...

Enquanto as velhas discutiam o estranho caso, Pedrinho fez a carta de resposta. Depois dobrou-a, bem dobradinha. Depois fechou-a, bem fechadinha, dentro do mesmo envelope-concha. Depois colocou o envelope-concha no lugar onde havia encontrado.

Imediatamente os peixinhos escoteiros se aproximaram. Cheiraram a concha, viram que havia resposta dentro e com fortes narigadas a derrubaram n'água, voltando a rolar com ela pelo fundo do rio.

Quando o Príncipe leu a resposta de Narizinho, quase morreu de alegria. Apesar de ser a carta mais curta do mundo, pois se compunha apenas duma palavra – "sim!" – o Príncipe perdeu a compostura, e pôs-se a dar pinotes em cima do trono que até parecia um peixe pescado e largado no seco.

Os ministros e demais fidalgos da corte trocaram olhares de aflição. Teria enlouquecido o amado Príncipe?

Escamado, afinal, caiu em si, e ficou vermelhinho como um camarão.

– Perdoem-me estas expansões, amigos! – disse ele. – São alegrias loucas dum náufrago que vê afinal o porto da salvação. Este "sim" comoveu-me até o fundo da alma. Não é um simples sim, reparem. É um sim seguido de um ponto de admiração! Quer dizer que Narizinho não se limita a aceitar a minha proposta, mas a aceita com entusiasmo! Céus! Como me sinto feliz!...

Dando em seguida ordem para prepararem o reino para a maior festa que ainda houve nos Sete Mares, dirigiu-se à sua mesinha, molhou uma pena de beija-flor na pérola furada que lhe servia de tinteiro e principiou a escrever cartas de amor. Escreveu até acabar a tinta e a pena ficar reduzida a um toco. Ia escrevendo e mandando, e tantas escreveu e mandou que o mordomo do palácio teve de organizar um serviço de correio especial, dispondo milhares de sardinhas pelo mar afora, a pouca distância uma da outra. As cartas iam passando de mão em mão, como fazem os pedreiros com os tijolos.

Narizinho lia as cartas e respondia com presentes – ora uma flor, ora um grilinho do gramado, ora uma rosada e roliça minhoca. Mandou também uma das rosquinhas de polvilho, dizendo que fora enrolada pelas suas próprias mãos.

Foi o presente de que o Príncipe mais gostou. Mas em vez de comer a rosquinha, mandou que o melhor ourives do reino engastasse nela uma fileira de diamantes, de modo a transformá-la numa preciosa coroa.

– Ficará sendo a minha coroa real – e nenhuma porei na cabeça com maior orgulho! – disse o Príncipe, comovido.

Os brincos do Marquês

Chegou afinal o dia da partida. De manhã cedo Narizinho deu os últimos retoques no vestido novo da boneca.

Emília fez cara de pouco caso. Achou feio. Queria vestido de cauda.

– Você – disse ela – convidou-me para madrinha do casamento, lembre-se. Como, pois, posso apresentar-me na corte com este vestido de Judas no sábado de Aleluia?

– Lá arranjaremos outro, como daquela vez – respondeu a menina. – Este é só para a viagem. Se faço vestido de cauda, você vai enganchando pelo fundo do mar, onde há muito pé de coral mais espinhento que carrapicho.

O Visconde de Sabugosa também ia, para servir de padrinho. Narizinho mudou-lhe a fita da cartola e pediu a Emília que o escovasse da cabeça aos pés.

– Este Senhor Visconde – acrescentou a menina – está mudando de gênio. Depois que caiu atrás da estante de vovó e lá ficou esquecido três semanas, embolorou e deu para sábio. Parece que os livros pegaram ciência nele. Fala dificílimo! É só física praqui, química prali...

– E Rabicó? – indagou a boneca.

– Rabicó não vai! – gritou Pedrinho que ia entrando nesse momento. – Está um marquês muito mal-educado, estragador de todas as nossas festas. Não se lembra do que fez com as cocadas no dia do seu próprio casamento?

Narizinho protestou.

– Mas não fica bem, Pedrinho! Rabicó, afinal de contas, é marido de Emília e não fica bem que Emília apareça na corte sozinha. Podem falar dela...

– Pois então vai – resolveu Pedrinho – mas o meu bodoque vai também, e se ele não se comportar muito direitinho, já sabe – é cada pelotada na orelha de sair cinza!

Pedrinho ganhara um bodoque de guatambu e agora resolvia tudo a bodocadas. Mas Narizinho não se conformou.

– Coitado de Rabicó! Não sei por que você tanto se implica com ele...

– Não é implicar, Narizinho. Rabicó é mesmo capadócio e encrenqueiro por natureza. Veja o Visconde. Não passa dum simples sabugo de milho, mas como é distinto, palaciano, todo cheio de mesuras! Quando se senta numa cadeira, fica ali horas, dias, semanas inteiras sem incomodar ninguém.

Às onze horas foram todos para a beira do ribeirão, onde já estava o coche do Príncipe à espera deles no fundo da água.

– O coche já veio – disse Emília – e Rabicó ainda não está vestido. Você esqueceu-se de arrumá-lo, Narizinho.

– É verdade! Mas isso é coisa de um minuto – respondeu a menina e atou um laço de fita na caudinha encaracolada do Marquês.

– Só faltam agora uns brincos – lembrou Pedrinho, tirando do bolso dois amendoins com casca. Estalou-os e prendeu-os na ponta de cada orelha do leitão.

Depois disse de cara feia: "Não me vá comer os brincos, Senhor Marquês, senão já sabe o que acontece" – e apontou para o bodoque.

Nesse momento o Doutor Caramujo saiu d'água. Trepou a uma pedra e fez com os chifrinhos gesto de que podiam tomar o coche.

As águas imediatamente se abriram, como no Mar Vermelho quando os hebreus chegaram perseguidos pelos egípcios. Tomando a frente, Narizinho desceu ao fundo, seguida de todos os mais. Entraram no coche. Contaram-se. Faltava o Marquês!

– Sempre se espera pela pior figura! – resmungou Pedrinho já meio aborrecido. –Por que será que ele não aparece?

Nisto a cabeça do Doutor Caramujo surgiu à janelinha.

– O Senhor Marquês não quer entrar! – murmurou ele muito aflito.

– Eu não disse? – exclamou Pedrinho encolerizado. – Rabicó já começa com encrencas! Mas esperem aí... – e saltou do coche, de bodoque em punho.

Emília teve um começo de faniquito, sendo preciso que Narizinho lhe esfregasse no nariz uma folha de erva-cidreira.

Segundos depois Rabicó, esfogueteado por Pedrinho, entrava para a carruagem feito uma bala, indo encorujar-se aos pés da menina. Emília olhou para ele e danou.

– Veja, Narizinho! Rabicó já perdeu o brinco da orelha direita! E olhe como está todo amarrotado o laço de fita...

Pedrinho e o Doutor Caramujo surgiram.

– Finquei-lhe uma pelotada na orelha das de arrancar faísca! – foi dizendo o menino.

– Judiação! – exclamou a menina apiedada. – Mas o pior é que acertou no brinco, que lá se foi...

– Não faz mal – resolveu Pedrinho. –Explica-se lá na corte que a moda aqui na terra é um brinco na orelha esquerda e todos acreditam.

E voltando-se para o camarão cocheiro:

– Vamos!

O chicotinho do camarão estalou e os hipocampos partiram no galope.

O caminho por onde o coche corria era uma beleza. Florestas de esponjas. Florestas de algas. Florestas de corais. Até por uma floresta de mastros de navios naufragados o coche passou.

Os viajantes espiavam pelas janelinhas e viam deslizando no seio das águas os vultos dos mais terríveis monstros do mar – tubarões enormes, espadartes, serpentes. Até um polvo viram, ondeando os seus compridos tentáculos.

Emília gostou muito do polvo.

– Sou capaz de fabricar um! – exclamou, fazendo todos se voltarem para ouvir a asneirinha que ia sair. – Pego numa porção de cobras e amarro todas as cabeças num saco de couro e solto no mar e vira polvo!...

– Você é mesmo uma danada, Emília – disse Narizinho distraída, com os olhos postos em Rabicó, muito jururu no seu canto. – Mas era melhor que endireitasse o brinco de seu marido. Está cai não cai...

– Ele que coma o brinco duma vez – respondeu a boneca. – Toda essa tristeza de Rabicó é vontade de comer o brinco.

Rabicó passou a língua pelos beiços, com uma olhadela para o bodoque de Pedrinho – e suspirou.

Enquanto isso Pedrinho conversava com o Doutor Caramujo a respeito da serpente do mar.

– Mas há ou não há essa tal serpente? – indagava ele. – Uns dizem que há, outros dizem que não há. Qual a sua opinião, Doutor Caramujo?

– Nunca a vi – respondeu o médico. – Mas o mar é tão grande que deve haver de tudo.

– Uma coisa não há – interveio Narizinho. – Sereias! Vovó diz que sereia é mentira.

Pedrinho fez um muxoxo de dúvida.

– Como vovó pode saber, se nunca devassou todos os mares?

– Essa é boa! É de primeira. Parece até que a burrice de Emília pegou em você, Pedrinho! Vovó sabe porque lê nos livros e é nos livros que está a ciência de tudo. Vovó sabe mais coisas do mar, sem nunca ter visto o mar, do que este Senhor Caramujo que nele nasceu e mora. Quer ver?

E voltando-se para o ilustre Doutor:

– Diga, Doutor, qual é o seu nome científico?

O Doutor Caramujo engasgou, com cara de quem nem sequer sabia que tinha um nome científico.

– Não sabe, não é? – continuou Narizinho vitoriosa. – Pois fique sabendo que vovó sabe – e até o Senhor Visconde, só porque cheirou os livros de vovó, é capaz de saber. Vamos, Visconde! Dê um quinau aqui neste sábio da Grécia. Diga qual é o nome científico dos caramujos.

O Visconde limpou o pigarro e deitou sabedoria.

– O Senhor Caramujo é um molusco gastrópode do gênero Liparis.

Entusiasmada com a ciência do Visconde, Narizinho bateu palmas.

– Está vendo, doutor? O senhor é um Liparis, Li-pa-ris! Com "L" grande! Escreva na sua casca para não esquecer. O nosso Visconde sabe o nome científico de todas as coisas, menos uma... Aposto que não sabe o nome científico de Emília!...

O Visconde respondeu, depois de limpar outro pigarro:

– A senhora Emília é um animal artificial que não está classificado em nenhuma zoologia.

Narizinho deu uma gargalhada gostosa.

– Eu não aturava tamanho desaforo! – disse cutucando a boneca. – Chamar a você, uma ilustre marquesa, de a-ni-mal!...

Emília olhou para o Visconde com um arzinho de soberano desprezo.

– Não ligo a vegetais – disse ironicamente – que antes de serem viscondes andavam jogados no chão, perto do cocho das vacas, sujos de terra e outras coisas, sem cartola nem nada... O Visconde é muito importante, mas treme de medo cada vez que passa perto da Vaca Mocha...

– O senhor Visconde tem medo de vacas? – inquiriu o Doutor Caramujo muito admirado, apesar de não saber o que era vaca.

– Como não? – respondeu Narizinho. – Ele é sabugo e todo sabugo assim que vê uma vaca finca o pé no mundo. Não sabe que as vacas preferem comer um sabugo a comer um bombom? A mãe do Visconde, o pai do Visconde, os irmãos, os primos, os tios, o sogro – a parentela inteira do Visconde, todos os sabugos lá do sítio de vovó foram mascados pela Vaca Mocha. Só escapou este, porque usa cartola e vaca tem medo de sabugo de cartola.

Nesse momento o coche entrou por uma planície de areia que não tinha fim. Pedrinho olhou para aquilo com desânimo, a coçar a cabeça. Estava com preguiça de atravessar tanta areia.

– Estou farto de fundo do mar – disse ele. – O melhor é chegarmos já, já, ao palácio do Príncipe.

E sem esperar pela resposta dos outros, berrou para o camarão cocheiro:

– Chegue já, cocheiro, se não vai pelotada!...

O camarão cocheiro não discutiu. Puxou as rédeas e chegou e parou bem defronte do palácio real.

A CHEGADA

Rodeado de toda a corte e de enorme multidão de povo do mar, veio o Príncipe receber a menina. Assim que ela apeou do coche, todos bateram palmas, deram vivas e soltaram peixes fosforescentes, que eram os foguetes lá deles. O Príncipe abraçou a sua noiva, nada podendo dizer de tanta comoção que sentia. Beijou-lhe a ponta dos dedos e subiu com ela as escadarias do palácio.

– Deve estar muito cansada – disse o peixinho por fim, depois que recobrou a voz. – Vou levá-la aos aposentos nupciais, onde tudo é pérola e coral.

– Que bonito! – exclamou Narizinho. – E os outros para onde vão?

– Tenho também maravilhosos aposentos para os outros. O Visconde irá para o quarto das algas; o Marquês, para o quarto dos corais vermelhos.

Narizinho interrompeu-o com uma risada.

– O Senhor Príncipe não conhece o gosto dos meus companheiros. O Visconde, que é um sábio, só quer saber de livros. Basta enfiá-lo numa estante. E para o Marquês, nada melhor do que um chiqueirinho com três grandes abóboras do mar dentro.

– E o senhor Pedro?

– Esse é deixar solto por aí, com o bodoque. Não mexam com Pedrinho, que ele dana. Emília fica comigo.

– Julguei que a Senhora Marquêsa de Rabicó fosse ficar no chiqueiro do Senhor Marquês...

A menina achou muita graça naquela ideia.

– Emília é uma emproada, Príncipe, que não dá confiança ao marido. Casou-se só por casar, pelo título, e se encontrar por aqui algum duque, é bem capaz de divorciar-se do Marquês. A menos que não queira casar-se com o Visconde – concluiu com malícia, voltando-se para a boneca.

Emília replicou sem demora, fazendo a sua célebre carinha de pouco caso:

– "Animal" não casa com "vegetal"...

O Príncipe ia se retirando para que a menina pudesse descansar à vontade, quando Pedrinho apareceu no quarto.

– E agora, Príncipe, que é que vamos fazer agora? – indagou ele.

– Descansar da viagem – respondeu Escamado.

– E se fizéssemos de conta que já estamos descansados?

– Nesse caso, eu os convidaria para a festa de recepção na sala do trono.

– Como é essa festa, Príncipe?

– Oh, muito linda! Começa com um bonito discurso oficial; depois, outro discurso...

– Pare, Príncipe! Chega de discursos. Prefiro dar um passeio pelo fundo do mar, e Narizinho com certeza prefere ir tratar dos seus vestidos.

– É verdade! – acudiu a menina. – Preciso chegar à casa de Dona Aranha Costureira para combinar com ela o meu vestido de casamento e um de cauda bem comprida para a Marquesa. Não podemos aparecer na corte nestes trajes, não acha, Emília?

– Pois de certo. Basta a triste figura que fiz da primeira vez em que aqui estive. Em fralda de camisa, lembra-se?...

Apuros do Marquês

Enquanto Narizinho e Emília eram conduzidas à casa de Dona Aranha, Pedrinho, o Visconde e Rabicó tomavam a direção da Floresta Vermelha – a mais linda mata de coral do reino.

– Deve ser lá que moram os polvos – disse Pedrinho. – Quero ver se levo um, para assustar Tia Nastácia no sítio.

O Visconde ia abrindo a boca para dar sua opinião sobre os polvos, quando um grito agudo o interrompeu. Era Rabicó. Ao passar perto dum ouriço do mar, o bobinho julgou que fosse coisa de comer e – *nhoc!* Agora berrava com desespero, com o ouriço espetado na boca. Pedrinho correu em seu socorro e só a muito custo pôde livrá-lo do terrível bicho.

– Bem feito ! – advertiu. – Quem manda ser tão guloso? Comporte-se como o Visconde que nada acontecerá.

Rabicó respondeu soluçando e ainda com uma lágrima pendurada dos olhos:

– É muito fácil ser bem-comportado quando não se tem estômago. Mas eu tenho um estômago que vale por dois. Por mais que coma, estou sempre com fome – e hoje ainda nem almocei...

Pedrinho teve dó dele.

– Pois coma o brinco, e contente-se com isso porque não há mais nada por enquanto.

Sem esperar segunda ordem, Rabicó devorou o brinco de amendoim com casca e tudo. Não perdeu um farelinho! Depois lambeu os beiços, cheio de saudade do outro amendoim, espatifado pela pelotada de Pedrinho. Foram andando. Súbito divisaram ao longe um vulto negro.

– Quem será? – indagou o menino firmando a vista.

– Deve ser um gigantesco polvo – sugeriu o Visconde.

– Polvo o seu nariz. Onde já se viu polvo com mastros? É navio e muito bom navio.

De fato era um navio naufragado – um enorme navio de três mastros, já meio enterrado na areia. Correram todos para lá; e como vissem um rombo no casco, entraram por ele. Puderam assim percorrer o navio inteirinho – os camarotes, os salões, o tombadilho. Rabicó separou-se dos companheiros para descobrir onde era a cozinha, na esperança de encontrar algum resto de comida. De repente gritou, muito alegre:

– Achei uma linda raiz de mandioca! Venham ver!...

Pedrinho e o Visconde foram ver, mas viram coisa muito diferente. Viram Rabicó ferrar o dente na tal raiz de mandioca e viram a raiz mover-se como cobra, enlear-se nele e arrastá-lo para o fundo de um camarote.

– Que será isto? – murmurou Pedrinho aproximando-se na ponta do pé, com o bodoque armado. Espiou. Era um polvo! Estava o pobre Marquês nos braços dum enorme polvo, que o olhava muito admirado, como se jamais houvera visto leitão com laço de fita na cauda. "É o que pensei", cochichou o menino para o Visconde. "Rabicó mordeu no tentáculo deste monstro pensando ser mandioca. E agora está perdido..."

– Pelotada nele! – sugeriu o sábio.

– Não adianta – respondeu Pedrinho coçando a cabeça, sem saber o que fazer. Nisto teve uma ideia. "Senhorita", disse a uma sardinha que também estava assistindo ao espetáculo, "faça-me o favor de ir correndo ao palácio dizer ao Príncipe que o Marquês está nas garras dum polvo. Ele que mande ajuda com a maior urgência!..."

Ia a sardinha dando uma rabanada para partir, quando o Visconde a segurou pela caudinha.

– Senhorita, poderá acaso dizer-me qual é o seu nome científico?

Não sendo uma sardinha culta, julgou ela que o Visconde estivesse caçoando e ofendeu-se.

– Malcriado! Não se enxerga? – retrucou botando-lhe a língua.

E lá se foi em direção ao palácio, toda empinadinha para trás, a resmungar contra o "estafermo". O Visconde, muito desapontado, ficou a refletir consigo que era uma pena serem totalmente analfabetos os habitantes daquele reino.

O VESTIDO MARAVILHOSO

Enquanto a tragédia de Rabicó se desenrolava no camarote do navio afundado, Narizinho e Emília escolhiam figurinos em casa de Dona Aranha Costureira. Depois passaram a escolher fazendas. Dona Aranha tirou dos seus armários de madrepérola um vestido cor do mar com todos os seus peixinhos; e com o maior pouco caso, como se fosse de alguma casinha barata, desdobrou-o diante das freguesas assombradas.

– Que maravilha das maravilhas! – exclamou Narizinho, de olhos arregalados, sentindo uma tontura tão forte que teve de sentar-se para não cair.

Era um vestido que não lembrava nenhum outro desses que aparecem nos figurinos. Feito de seda? Qual seda, nada! Feito de cor – e cor do mar! Em vez de enfeites conhecidos – rendas, entremeios, fitas, bordados, *plissés* ou vidrilhos, era enfeitado com peixinhos do mar. Não de alguns peixinhos só, mas de todos os peixinhos – os vermelhos, os azuis, os dourados, os de escamas furta-cor, os compridinhos, os roliços como bolas, os achatados, os de cauda bicudinha, os de olhos que parecem pedras preciosas, os de longos fios de barba movediços – todos, todos!... Foi ali que Narizinho viu como eram infinitamente variadas a forma e a cor dos habitantes do mar. Alguns davam ideia de verdadeiras joias vivas, como se feitos por um ourives que não tivesse o menor dó de gastar os mais ricos diamantes e opalas e rubis e esmeraldas e pérolas e turmalinas da sua coleção. E esses peixinhos-joias não estavam pregados no tecido, como os enfeites e aplicações que se usam na terra. Estavam vivinhos, nadando na cor do mar como se nadassem n'água. De modo que o vestido variava sempre, e variava tão lindo, lindo, lindo, que a tontura da menina apertou e ela pôs-se a chorar.

– É a vertigem da beleza! – exclamou Dona Aranha sorridente, dando-lhe a cheirar um vidrinho de éter.

Emília espichou a munheca para apalpar a fazenda; queria ver se era encorpada.

– Não bula! – murmurou Narizinho com voz fraca, ainda de olhos turvos.

O mais lindo era que o vestido não parava um só instante. Não parava de faiscar e brilhar, e piscar e furtar cor, porque os peixinhos não paravam de nadar nele, descrevendo as mais caprichosas curvas por entre as algas boiantes. As algas ondeavam as suas cabeleiras verdes e os peixinhos brincavam de rodear os fios ondulantes sem nunca tocá-los nem com a pontinha do rabo. De modo que tudo aquilo virava e mexia e subia e descia e corria e fugia e nadava e boiava e pulava e dançava que não tinha fim... A curiosidade de Emília veio interromper aquele êxtase.

– Mas quem é que fabrica esta fazenda, Dona Aranha? – perguntou ela, apalpando o tecido sem que Narizinho visse.

– Este tecido é feito pela Fada Miragem – respondeu a costureira.

– E com que a senhora o corta?

– Com a tesoura da Imaginação.

– E com que agulha o cose?

– Com a agulha da Fantasia.

– E com que linha?

– Com a linha do Sonho.

– E... por quanto vende o metro?

Narizinho, já mais senhora de si, deu-lhe uma cotovelada.

– Cale-se, Emília. Os peixinhos podem assustar-se com as suas asneiras e fugir do vestido.

Nesse instante a porta abriu-se assustadamente e o Príncipe apareceu, mais assustado ainda.

– Uma grande desgraça! – foi ele dizendo. – Acaba de chegar uma sardinha mensageira com aviso do senhor Pedrinho, comunicando que o Marquês de Rabicó está nas garras dum polvo!...

Narizinho empalideceu de susto e exclamou:

– É preciso salvá-lo, custe o que custar, Príncipe! Se Rabicó for comido pelo polvo, vovó vai ficar danada!...

– Já mandei em seu socorro o meu melhor batalhão de couraceiros. Só resta que cheguem a tempo...

– Quem são eles?

– Os caranguejos rajados.

– Mas caranguejo anda tão devagar, Príncipe! – murmurou a menina com cara de desconsolo.

– Sim, mas partiram montados em velocíssimos peixes-elétricos. Tenho esperança de que tudo acabe bem.

– Os anjos digam amém! – suspirou a menina, ainda com o pensamento no pito que poderia levar de Dona Benta.

Emília aproveitou a oportunidade para perguntar ao Príncipe que tal achava o figurino que escolhera para o seu vestidinho de cauda.

– Muito bonito – respondeu ele maquinalmente, pensando noutra coisa.

– Pois está às suas ordens – disse amavelmente a boneca.

Narizinho chamou-a de parte e cochichou-lhe ao ouvido:

– Não se meta a conversar com o Príncipe. Você diz sempre o que não é para dizer.

Emília amarrou um pequeno burrinho, certa de que era de ciúmes que a menina não queria que ela falasse com o Príncipe.

VEM VINDO O SOCORRO

Pedrinho suava na maior aflição. O socorro que pedira não vinha nunca. Quando chegasse, talvez Rabicó já estivesse estrangulado pelo monstro. O que estava retardando isso era a curiosidade do polvo. Parecia divertir-se em olhar para o focinho aterrorizado do mísero Marquês de língua de fora, que revirava os olhos para todos os lados em procura da salvação. Pedrinho, que espiava a cena por uma fresta do camarote, fazia-lhe sinais para que não morresse antes da chegada do socorro. Quanto ao Visconde, estava, por ordem de Pedrinho, trepado à gávea do mastro grande para dar aviso logo que avistasse as tropas do Príncipe. Mas foi coisa que nada adiantou. O Visconde era um verdadeiro sábio e os sábios são muito distraídos. Logo que chegou ao alto do mastro, distraiu-se com uma baratinha do mar que andava por ali, ficando a parafusar que nome científico poderia ela ter. Por isso não viu a chegada dos couraceiros, nem pôde dar o aviso. Eram os tais couraceiros uns terríveis caranguejões rajados, de casca rija como a da tartaruga e armados de pinças piores que boticão de dentista. Por serem muito vagarosos, vinham montados em peixes-elétricos. Chegaram, apearam. O comandante perguntou ao menino onde estava o Senhor Marquês.

– No camarote número 7, bem no fundo – respondeu Pedrinho em voz baixa para que o polvo não ouvisse.

Os couraceiros foram avançando, pé ante pé. Foram avançando e, de repente, deram um pulo, todos ao mesmo tempo, e "fulminaram" o polvo. Sim, fulminaram. Como viessem montados em peixes-elétricos, tinham ficado carregadíssimos de eletricidade, como pilhas, e assim, mal seus ferrões tocaram o polvo, produziu-se o terrível choque elétrico que o fulminou. E não fulminou Rabicó também? Não. Rabicó tinha-se agarrado por acaso a um para-raio que havia ali. Isso o salvou. E mal escapou do monstro, correu – *coim, coim, coim* – para onde estava o menino. Mas apesar de salvo continuava – *coim, coim, coim* – como se ainda estivesse sofrendo alguma coisa. Pedrinho examinou-o. O pobre Marquês estava com um siri ferrado na pontinha da cauda!

– Escapei dum mas caí noutro! – gemia o mísero. – Este polvinho que me está agarrado à cauda é duas vezes mais doído que o grande...

Em vez de livrá-lo do siri, Pedrinho achou graça no caso.

– Você fica lindo assim, Marquês! Esse siri na cauda vai muito melhor que o laço de fita vermelha – e deixou-o como estava.

Pedrinho foi dali examinar o polvo moribundo, naquele momento rodeado dos valentes couraceiros. Nisto viu o Visconde que vinha descendo do mastro com a baratinha dentro da cartola.

– Acho que esta baratinha deve ser uma *Balabera gigantea* das Índias Ocidentais, começou ele a explicar.

O menino ficou danado.

– E eu acho que o Senhor Visconde é um perfeito palerma. Foi para pegar baratinha que eu o mandei subir ao mastro?

– É verdade! – exclamou o Visconde batendo na testa. – Esqueci-me completamente da sua recomendação. Mas não faz mal; volto para lá outra vez e assim que as tropas do Príncipe apontarem ao longe darei sinal.

– Vai voltar mas é para o palácio, isso sim. Não vê que as tropas do Príncipe já vieram e Rabicó já está salvo? – e pondo o Marquês em marcha tomou rumo do palácio.

O Visconde seguiu atrás, com a baratinha na mão. "Será uma *Balabera* ou uma *Stylopyga*? Que pena estar tão longe aquele livro de Dona Benta..." – ia pensando ele, todo rugas na testa. Chegando ao palácio encontraram as portas fechadas. O porteiro disse-lhes que o casamento já havia começado. Pedrinho aborreceu-se.

– Essa é boa! Será que terei de assistir ao casamento de Narizinho aqui da rua? Abra a porta! – ordenou ao porteiro.

– Só com ordem do Príncipe – respondeu este.

Pedrinho armou o bodoque; mas mudando de ideia disse a uma minhoca do mar que estava de prosa com o porteiro:

– Senhorita, faça-me o favor de passar pelo buraco da fechadura e ir dizer ao Príncipe que mande abrir a porta *incontinenti*, pois estou esperando aqui na rua...

Partiu a minhoca e Pedrinho, ansioso por saber o que estava se passando, trepou a uma das janelas para espiar lá dentro. E viu tudo. Viu Narizinho deslumbrante no seu vestido cor do mar com todos os seus peixinhos. Na cabeça trazia um diadema feito das mais raras pérolas dos sete mares, e na mão um cetro de nácar todo esculpido. Ao lado dela caminhava o Príncipe no seu maravilhoso manto de rei, feito das mais raras escamas. Atrás vinha a Emília, de vestido de cauda, braço dado a um soleníssimo Bernardo-Eremita. Este senhor trazia nas mãos uma salva de escama onde repousava a coroa com que o Príncipe ia ser coroado. Firmando a vista, Pedrinho viu que a coroa era a tal rosquinha que a menina lhe havia mandado de presente.

– Esta Narizinho é de muita sorte! – murmurou ele consigo. – Apanhou um marido que além de Príncipe tem ideias muito felizes...

Chegados aos primeiros degraus do trono, os reais noivos principiaram a subir passo a passo, ao som das mais belas músicas que se possam imaginar. Eram cantos de sereias vindas de todos os pontos do oceano. Pedrinho, que jamais vira sereia, arregalou bem arregalados os olhos pensando lá consigo: "E a boba da vovó que não acredita em sereia?". Súbito, o Príncipe parou, como se alguém estivesse a lhe mexer no pé. Olhou para baixo. Viu a minhoca com o recado. Entendeu muito bem o que ela disse e, voltando-se para Narizinho, explicou:

– É Pedrinho, o Visconde e o Marquês que acabam de chegar.

– Que bom! – exclamou a menina batendo palmas. – Mas agora temos de recomeçar a festa desde o começo, se não Pedrinho fica danado.

Quem mandava no reino já era Narizinho. Um desejo seu valia por ordem terminante, de modo que o Príncipe fez parar a festa para começar novamente. Cada qual foi para o seu posto, todos muito compenetrados, à espera de que Pedrinho, o Marquês e o Visconde entrassem e tomassem as poltronas que lhes estavam reservadas. As portas do palácio abriram-se afinal e os três aventureiros surgiram. Emília *incontinenti* notou qualquer coisa estranha na ponta da cauda do Marquês.

– Que é que Rabicó tem na cauda? – interrogou ela firmando a vista. – Parece que o laço de fita virou siri... – e correu para ver bem. Verificando que era siri mesmo, desmaiou de vergonha – Ah!...

Houve grande rebuliço. Toda a corte correu para ampará-la. Veio à pressa o Doutor Caramujo, que lhe tomou o pulso demoradamente.

– Não está morta, não! – disse ele por fim. – Apenas desacordada.

– E como há de ser para acordá-la? – perguntou Narizinho ansiosa. – Não haverá éter por aqui?

– Há coisa melhor – declarou o Doutor Caramujo. – Há siris. Para acordar uma criatura desmaiada, não conheço nada melhor do que botar um siri em cima. Tragam-me um siri! ...

O Príncipe gritou:

– Um siri! Meu reino por um siri!...

– Aqui está um – disse Rabicó voltando-se de costas para o Doutor Caramujo, muito contente de ter aparecido aquele jeito de se livrar do incômodo brinco da cauda.

O Doutor agarrou no siri, tirou-o da cauda de Rabicó e aplicou-o no nariz da Emília. A boneca imediatamente deu um suspiro.

– Onde estou eu? – murmurou abrindo os olhos, ainda apalermada.

– Sente-se melhor? – indagou o médico.

– Um pouco... Mas tenho a vista turva. Vejo tudo atrapalhado, como se o mundo estivesse cheio de pernas...

Eram as pernas do siri ainda pendurado no nariz dela! O Doutor riu-se e, afastando-lhe do nariz aquele pernudo "éter", guardou-o no bolso para outra emergência, dizendo:

– Um médico deve andar sempre prevenido...

Terminado o incidente, ia a festa começar de novo. Chegou o casamenteiro – outro Bernardo-Eremita, muito respeitado no reino pelas suas manhas. Fora convidado não só para fazer o casamento como também para coroar o Príncipe com a famosa coroa de rosquinha engastada de diamantes.

– Começa tudo de novo desde o princípio! – foi a ordem do Príncipe.

E tudo recomeçou desde o princípio. As sereias repetiram os lindos cantos que já haviam cantado e os noivos repetiram a marcha a passos lentos em direção ao trono nupcial! Enquanto caminhavam, uma chuva de pérolas em pó caía sobre eles. Subiram ao trono. Sentaram-se. O venerando Bernardo-Eremita pronunciou as palavras sacramentais e os casou, bem casadinhos. Palmas romperam, e gritos, e hurras. Narizinho estava princesa, finalmente! Restava a coroação. O venerando Bernardo pronunciou outras palavras sacramentais e concluiu pedindo a coroa.

Mas... que é da coroa? Havia desaparecido.

– A coroa sumiu! – murmurou o fidalgo que segurava a salva de escama, mais pálido que uma folha de papel. – Alguém furtou a coroa!...

– Miserável! – rugiu o Príncipe, avançando para ele, tomado de súbito acesso de cólera. – Como deixou perder-se a mais rica joia de meu tesouro? – e deu-lhe uma cetrada na cabeça.

Foi um rebuliço. A corte debandou apavorada. Todos sabiam que quando o Príncipe surrava alguém com o cetro era sinal de fim do mundo, pior que tempestade em alto mar. Narizinho e seus companheiros acharam melhor debandarem também. Saíram dali correndo e chegaram pingando ao sítio de Dona Benta. Assim que pararam para tomar fôlego, Emília voltou-se para a menina e disse:

– Eu vi, Narizinho! Juro que vi! Foi Rabicó quem comeu a coroa do Príncipe!...

Aventuras do Príncipe
O gato Félix

Num dia de sol muito quente Lúcia e Emília sentaram-se à sombra da jabuticabeira, à espera de Pedrinho que fora ao mato cortar varas para uma arapuca. Longo tempo estiveram as duas recordando as festas do casamento, terminadas dum modo tão estranho em virtude da eterna gulodice de Rabicó. De repente, um miado de gato. Narizinho admirou-se, porque não havia gatos no sítio.

– Emília – disse ela de ouvido à escuta – este miado está me parecendo miado do Gato Félix...

Era a primeira vez que a boneca ouvia falar em semelhante personagem.

– Quem é esse cidadão? – indagou.

– Oh, é um gato que você nem imagina que gato é, de tão inteligente e reinador! Mete-se nas maiores aventuras, aparece nas fitas de cinema, pinta o sete. Ninguém pode com a vida dele. O gato Félix sai vencendo sempre.

– Nem Tom Mix?

– Tom Mix vê o gato Félix e bota-se!...

Emília deu um suspiro.

– Ai, ai! Era com uma pessoa assim que eu desejava ser casada...

Nisto uma cara de gato apareceu numa moitinha próxima, a olhar para as duas com muita curiosidade.

– É ele mesmo! – exclamou a menina. – Juro que é o gato Félix!... – e fez *pshuit, pshuit...*

O gato saiu da moita, vindo com toda a sem-cerimônia sentar-se no colo dela. Narizinho alisou-lhe o pelo e indagou:

– Como é que anda por aqui, Félix? Pensei que morasse nos Estados Unidos.

– Ando viajando – respondeu ele. – Estou correndo mundo para fazer um estudo sobre ratos. Quero saber qual o país de ratos mais gostosos. Até no fundo do mar já estive, onde me empreguei numa corte muito bonita de um tal Príncipe Escamado.

– Que bom! – exclamou a menina batendo palmas. – Não sabe que me casei com esse Príncipe?

– Sei, sim. Ele mesmo me contou. Por sinal que anda morto de saudades da menina.

– E não me mandou nenhum recado?

– Mandou, sim. Mandou dizer que hoje, sem falta, vem ao sítio de Dona Benta fazer uma visita à sua querida esposa. Quer matar as saudades e também conhecer sua vovó.

– Sua de quem? Minha ou dele?

– Sua e dele. O Príncipe chama Dona Benta de vovó.

Narizinho enterneceu-se.

– Vê, Emília? Vovó virou avó dele também... Que amor!

E voltando-se para o gato:

– Mas vem hoje mesmo ou é um modo de dizer?

– Vem, sim. Quando saí de lá, o Príncipe estava aprontando a malinha de viagem, com o coche de gala já à espera na porta.

– Como é a malinha dele? – perguntou a boneca.

– Não meta o bedelho, Emília – advertiu Narizinho. – Antes vá avisar vovó e Tia Nastácia da visita do Príncipe. Mexa-se...

A boneca amarrou o burrinho, pois estava curiosa de ouvir a conversa do gato, e foi andando de corpo mole em direção à casa, sem a menor pressa de chegar. Enquanto isso a menina dizia ao gato:

– Continue, Senhor Félix!

– Não me lembro onde estava...

– No coche...

– É verdade. O coche já está à espera dele. Vem o Príncipe, vem o Doutor Caramujo, vem o Bernardo-Eremita, vêm todos.

Narizinho bateu palmas, e de tão contente chegou a dar um beijo no focinho do Gato Félix.

– Vai ser uma lindeza! A boba da vovó e Tia Nastácia vivem duvidando do que eu conto. Quero só ver a cara delas agora...

Depois chamou a boneca, que já ia meio longe:

– Emília!

– Que é, Narizinho?

– Para onde vai indo com "tanta pressa"?

– Dar o recado que você mandou.

– Volte, boba! Não viu que falei de mentira?

Emília voltou, no seu passinho duro de boneca.

– Escute – disse-lhe a menina. – Vamos hoje pregar uma grande surpresa em vovó e preciso combinar tudo com Pedrinho. Vá chamar Pedrinho. Diga-lhe que venha correndo.

– Chamar de mentira?

– Não! Desta vez é de verdade. E depressa! Vá num pé e volte noutro.

Pedrinho veio e os quatro levaram uma porção de tempo combinando a surpresa que iam pregar na pobre vovó. O Gato Félix foi mandado ao encontro do Príncipe para avisá-lo da hora justa em que devia chegar. Em seguida Narizinho fez recomendações à boneca.

– A surpresa vai ser no finzinho do almoço. Mas você não pegue a fazer cara de muito sabida, que vovó desconfia.

Chegada a hora do almoço, todos foram para a mesa. Nada se passou de extraordinário até o momento do café. Aí Dona Benta fixou os olhos na cara da Emília e disse:

– Estou desconfiada de que vocês estão me armando alguma peça. Esse ar de sonsa da Emília não me engana.

Emília nunca soube fingir. Quando ia fingir, fingia demais e estragava o fingimento. Mas Narizinho sossegou a boa velha.

– Não é nada, vovó. Emília é uma bobinha.

Nisto ouviu-se rumor lá fora, seguido de batida na porta – uma batidinha muito delicada – *tic, tic, tic...*

– Quem será? – exclamou Dona Benta, estranhando aquele modo de bater. E gritou para a cozinha: – Nastácia, venha ver quem bate.

A negra apareceu, de colher de pau na mão. Foi abrir, mas de acordo com o seu costume espiou primeiro pelo buraco da fechadura. Espiou e ficou assombrada.

– Que é, filha de Deus? – perguntou Dona Benta inquieta.

– Credo! – exclamou a preta. – O mundo está perdido, Sinhá!...

– Mas que é, rapariga? Desembuche...

– É uma bicharia, que não acaba mais, Sinhá! O terreiro está "assim" de peixe, de concha, de caranguejo, de quanto bichinho esquisito há lá no mar. Até nem sei se estou acordada ou dormindo... – e beliscou-se para ver.

– Eu bem estava adivinhando que ia haver coisa hoje! – disse Dona Benta erguendo-se da mesa para espiar também. Arrumou os óculos e, afastando Tia Nastácia, olhou pelo buraco da fechadura. E ficou ainda mais assombrada do que a preta ao ver toda a população miúda do mar rodeando a casa.

– Que significa isto? – perguntou voltando-se para Narizinho.

– Não é nada, vovó. É o Príncipe Escamado com sua corte que vem nos visitar. Ele quer muito conhecer a senhora.

Dona Benta olhou para Tia Nastácia, de boca aberta, sem saber o que dizer.

– Eles são todos muito boa gente – continuou a menina. – Vão passar aqui a tarde e garanto que não desarrumam coisa nenhuma. Vovó pode ficar descansada.

– Mas que ideia, Narizinho, de virar esta casa em jardim zoológico! Onde iremos parar com tais brincadeiras?

– Não deixe, Sinhá! – interveio a preta. – Não abra a porta. É tanto bicho esquisito que até estou tremendo de medo.

Narizinho deu uma risada.

– Eles não mordem, boba! São criaturinhas civilizadas e de muito boa educação.

A preta não se convenceu.

– Eu sei! – disse ela. – Certa ocasião um caranguejo me ferrou neste dedo que até marca deixou. Não consinta, Sinhá! Não deixe entrar em sua casa essa bicharia sem jeito.

E foi tratando de botar a tranca na porta.

Vendo que a tranca na porta iria estragar todo o seu plano, Pedrinho saiu pelos fundos para entender-se com o Príncipe, ao qual disse:

– Vovó e Tia Nastácia estão tremendo de medo, sem coragem de abrir a porta. Umas bobas. Pensam que vocês são desses bichos malvados que mordem.

O Príncipe, que esperava uma calorosa recepção por parte de Dona Benta, ficou muito ressentido.

– Nesse caso prefiro voltar – disse com dignidade. – Não me julgo com direito de perturbar o sossego duma tão respeitável senhora.

– Isso é que não! – retorquiu Pedrinho. – Já que vieram, têm que entrar, quer as velhas queiram, quer não queiram. Se não puderem entrar pela porta, entrarão pela janela. Esperem aí...

E foi correndo buscar uma escada.

ENTRAM TODOS

Enquanto Tia Nastácia, depois de colocar a tranca na porta, procurava arrastar a mesa para formar uma barricada, o Príncipe e sua comitiva iam subindo pela escadinha que o menino trouxera. Subiram e pularam para dentro da sala. Quem primeiro pulou foi o Doutor Caramujo. Tia Nastácia, ainda às voltas com a mesa, ouviu o barulhinho e voltou-se. Deu um berro.

– Acuda, Sinhá! Estão pulando pela janela! Olhe quem está atrás de mecê! Um bichinho de óculos, que é um verdadeiro "felómeno..."

Narizinho explicou:

– Não tenha medo, vovó. Este é o Doutor Caramujo, o grande médico que fez Emília falar. Tem pílulas para todas as doenças. É até capaz de curar aquele pinto sura que está com estupor.

Dona Benta havia voltado o rosto e visto atrás dela o Doutor Caramujo, de óculos, a lhe fazer um cumprimento muito amável. E o seu espanto, que já era grande, cresceu ainda mais ao ver surgir na janela um peixinho vestido de rei.

– Este é o meu esposo, o Príncipe Escamado, rei do Reino das Águas Claras – explicou Narizinho, fazendo as apresentações. – E esta senhora, Príncipe, é a minha querida vovó, Dona Benta de Oliveira.

Com uma gentil cortesia, o Príncipe murmurou, todo amável:

– Tenho muita honra em conhecê-la, minha senhora, e peço-lhe permissão para a tratar de vovó também.

A pobre velha por um triz que não desmaiou. Abanou-se muito aflita – *uff, uff!*... Depois, voltando-se para a negra:

– Ele fala mesmo, Nastácia! Fala tal qual uma gente...

A preta fez o sinal da cruz. Enquanto isso os outros fidalgos da corte foram pulando. Pulou o venerando Bernardo-Eremita. Pulou a Senhorita Sardinha. Pulou Dona Aranha Costureira. Pulou o Major Agarra-e-Não-Larga-Mais. Cada um que pulava era um novo berro de Tia Nastácia.

– E uma sardinha agora, Sinhá! – ia ela exclamando. – E agora uma aranha! E agora um sapo! O mundo está perdido...

Por fim não aguentou mais: disparou para a cozinha. Dona Benta, porém, foi se acostumando, e dali a pouco já não estranhava coisa nenhuma. Começou até a achar uma graça enorme em tudo aquilo.

– Você tem razão, minha filha – disse ela por fim. – Esse mundo em que você e Pedrinho vivem é muito mais interessante que o nosso.

E ferrou numa prosa comprida com o Doutor Caramujo a propósito da doença do pinto sura. Enquanto isso Narizinho ia mostrando ao seu amado Príncipe as coisas da sala. Mostrou o relógio da parede, mostrou os pratos do armário, mostrou o pote d'água. O que mais mexeu com o peixinho foi um guarda-chuva que estava a um canto.

– Para que serve isto? – perguntou ele.

– Para a gente não se molhar – respondeu a menina.

– Por que não o levaram, então, na viagem ao fundo do mar?

Tanta graça achou a menina nessa pergunta, que não resistiu à tentação de agarrá-lo e beijá-lo na testa.

– Você é um burrinho, sabe, Príncipe? Um amor de burrinho...

Como ignorasse o que queria dizer burrinho, o Príncipe não se ofendeu. Depois, notando a ausência do Visconde de Sabugosa e do Marquês de Rabicó, pediu notícias.

– O Visconde levou a breca – respondeu a menina. – Voltou da viagem ao fundo do mar tão encharcado que tive de pendurá-lo no varal de roupa para enxugar. Mas ficou mal pendurado. Deu o vento e caiu e ficou esquecido num canto por muito tempo. Resultado: deu nele uma doença esquisita chamada bolor. Ficou todo verdinho, coberto dum pó que sujava o assoalho. Embrulhei-o, então, num velho fascículo das Aventuras de *Sherlock Holmes* que andava rodando por aí e o botei não sei onde. Com certeza já morreu...

– Que horrível desgraça! – exclamou o Príncipe seriamente compungido. – Logo que voltar ao reino hei de decretar luto oficial por sete dias.

– Não vale a pena, Príncipe! O nosso Visconde já andava meio maluco com as suas manias de sábio. Ficou tão científico, que ninguém mais o entendia. Só falava em latim, imagine! Logo chega o tempo da colheita de milho e eu arranjo um visconde novo.

– E o Senhor Marquês?

Narizinho teve receio de contar que fora Rabicó o ladrão da coroinha do Príncipe. Limitou-se a dizer que como estivesse emagrecendo muito, Tia Nastácia o pusera num chiqueiro para engordar.

– Muito simpático o Marquês – disse o Príncipe por amabilidade. – Também acho muito simpática a Senhora Marquesa.

– Eu quero tanto bem à Emília – explicou Narizinho, que tenho vontade de desmanchar o seu casamento com o Marquês para casá-la com o Gato Félix. Emília não está sendo feliz no primeiro casamento.

– Por que, se não é indiscrição?

– Os gênios não se combinam. Além disso, Emília não se casou por amor, como nós. Só por interesse, por causa do título. Emília não é mulher para Rabicó. Merece muito mais. Merece um senhor sacudido e valente como o Gato Félix. É verdade que ele está a serviço da corte?

O Príncipe mostrou-se surpreso.

– Gato Félix? – disse franzindo a testa. – Não conheço esse freguês...

– Como não, se foi ele quem trouxe a notícia da sua visita, Príncipe?

– Não pode ser! Mandei o recado por uma sardinha...

Narizinho ficou a cismar. Lembrou-se de que quando dera o beijo no focinho do gato sentira um cheiro de sardinha. "Querem ver que ele comeu a mensageira do Príncipe com o recado e tudo?" – pensou consigo. Nada disse, porém, para não entristecer o seu querido maridinho. E, mudando de assunto, convidou-o a dar uma volta pelo sítio.

Tia Nastácia e a Sardinha

Tia Nastácia também havia perdido o medo aos bichinhos depois que viu que não mordiam. Chegou até a ficar amiga íntima da Senhorita Sardinha, ou Miss Sardine, como era chamada no reino, por ter nascido nos mares que rodeiam a Terra Nova, perto do Canadá. Como boa norte-americana, Miss Sardine mostrava-se muito segura de si. Não era acanhada como as outras. Fazia o que lhe dava na cabeça tornando-se famosa no reino pelas suas excentricidades. Uma delas consistia em dormir dentro duma latinha, em vez de dormir na cama. "Estou praticando para a vida futura", costumava dizer com um sorriso melancólico. A vida futura das sardinhas, como todos sabem, não é no céu, mas dentro de latas...

Miss Sardine fez grande camaradagem com Tia Nastácia. Logo que chegou foi se metendo pela cozinha a dentro, a examinar tudo com uma curiosidade de mulher velha. E não parava com as perguntas.

– Que monstro esquisito é este? – perguntou mostrando o fogão.

– Isso se chama fogão – respondeu a preta.

– E essa coisa vermelha que ele tem dentro?

– Isso se chama fogo.

– E para que serve?

– Serve para queimar o dedinho de quem bole com ele.

E Tia Nastácia dava risadas gostosas, vendo a cara de admiração que Miss Sardine fazia.

Em certo momento trepou a uma prateleira. Pôs-se a remexer em tudo. Enfiou a cabecinha dentro do vidro de sal e provou.

– Hum! Estou conhecendo este gosto!...

– Isso é farinha lá da sua terra; vem do mar – explicou a preta.

Provou depois uma pitadinha de açúcar, achando-o tão bom que pediu para levar um pacote.

Quando destampou o vidro de pimenta-do-reino em pó, Tia Nastácia a advertiu:

– Cuidado! Isso arde muito nos olhos.

Antes não avisasse! Miss Sardine assustou-se, escorregou e caiu de ponta cabeça dentro do vidro de pimenta. Aquilo foi um pererecar e berrar de meter dó!

– Acuda! Estou cega...

A negra, muito aflita, tirou-a de dentro do vidro e lavou-a na bica d'água, dizendo:

– Bem feito! Quem manda ser tão reinadeira? Eu logo vi que ia acontecer alguma...

Miss Sardine não a ouvia, continuando a gritar e espernear.

– Acuda! Está pegando fogo nos meus olhos! Estou cega, não enxergo nada!...

– Isso passa – consolou a preta. – Tenha um pouco de paciência, menina. Muito pior seria se tivesse caído dentro da frigideira de gordura quente.

Por uns instantes esteve ela assim, com os olhos a arder. Afinal foi sarando, e sarou, e abriu os olhos – primeiro um, depois o outro, depois os dois. Muito admirada de enxergar tão bem quanto antes, deu uma risadinha feliz.

– Sarei! – exclamou Miss Sardine, piscando muito e olhando para tudo a fim de ver se os olhos estavam bons mesmo ou só meio bons. Depois voltou às perguntas, indagando que coisa era uma frigideira.

Tia Nastácia ficou atrapalhada. Contar a um peixinho o que é frigideira até chega a ser judiação. De dó dela a negra deu uma resposta que a deixou na mesma.

– Frigideira – disse – é uma panela rasa onde se põe uma certa água grossa, chamada gordura, que chia e pula quando tem fogo embaixo.

– Que bonito! – exclamou Miss Sardine admirada. – Um dia hei de voltar aqui para passar uma hora inteira nadando nessa água que pula.

A negra tapou a boca com as mãos para esconder a risada que ia saindo. Nesse momento Dona Benta gritou lá do fundo do quintal:

– Nastácia! Venha depressa...

– Que será, meu Deus do céu? – exclamou a preta, correndo a ver do que se tratava.

Encontrou Dona Benta perto do galinheiro, em conferência com o Doutor Caramujo a respeito da doença do pinto sura. Assim que chegou, Dona Benta disse:

– Nastácia, veja se me pega o pinto sura.

– Para que, Sinhá? – perguntou a preta estranhando a ordem.

– O Doutor Caramujo quer dar-lhe uma das suas milagrosas pílulas. Diz que não há melhor remédio para estupor de pintos suras.

Tia Nastácia abriu a boca. Seria possível que aquele bichinho cascudo entendesse até de pílulas?

– Ele está mangando com mecê, Sinhá! Onde já se viu caramujo entender de remédios? É impostoria dele, Sinhá. Não acredite.

– Eu também estou duvidando e por isso quero tirar a prova. Pegue o pinto.

Resmungando que o mundo estava perdido, foi Tia Nastácia em procura do pinto. Pegou-o e trouxe-o.

– Agora preciso dum canudinho – disse o Doutor Caramujo. – Só sei dar pílulas a pinto pelo sistema do canudo.

A negra foi resmungando procurar o canudinho. Trouxe-o. O Doutor Caramujo explicou então como se fazia. Enfiava-se o canudinho na garganta do pinto; punha-se a pílula dentro do canudinho; depois era só assoprar.

– Ora veja! – exclamou Tia Nastácia sacudindo a cabeça. – Uma coisa tão simples e eu nunca me lembrei! Estou vendo que esses bichinhos do mar são mais sabidos do que a gente, Sinhá.

A pílula foi colocada dentro do canudinho e o canudinho foi enfiado dentro da garganta do pinto.

– Preciso agora duma pessoa que assopre. Se não houver pessoa assopradeira, um fole serve.

– Assopre, Nastácia! – mandou Dona Benta.

Tia Nastácia agachou-se, pôs a boca na ponta do canudinho e ia assoprar quando deu um berro, erguendo-se a tossir como uma desesperada.

– Que aconteceu, Nastácia?

A resposta foi uma careta de quem está engasgado com alguma coisa amarga. Depois falou.

– Aconteceu, Sinhá, que o pinto assoprou primeiro e quem engoliu a pílula fui eu!...

Dona Benta não pode deixar de rir-se; a negra, porém, não achou graça nenhuma, e até se mostrou apreensiva, com medo de que a pílula lhe fizesse mal.

– Não fará mal nenhum – asseverou o Doutor Caramujo. – Até pode curar alguma moléstia que a senhora tenha lá por dentro sem saber.

E assim foi. Tia Nastácia sarou duma célebre "tosse de cachorro" que a vinha perseguindo havia duas semanas, e tanta fé passou a ter nas pílulas do Doutor Caramujo, que as receitava para todo mundo. Até para o Chico Orelha, um pobre sem orelhas que por lá aparecia às vezes a pedir esmolas.

– Tome uma dúzia, Seu Chico, que lhe nasce um par de orelhas novas ainda mais bonitas que as que lhe cortaram.

Os segredos da Aranha

Dona Aranha, apesar de manca, jamais deixara de acompanhar o Príncipe nas suas viagens – nem ela, nem o Doutor Caramujo. Médico tem sempre serviço numa viagem e costureira também – um botão que cai, um pé de meia que fura. Por isso Dona Aranha também viera. Trabalhadeira como ninguém, assim que chegou foi logo para o quarto de costuras examinar os apetrechos de Dona Benta – a cestinha, a almofadinha de alfinetes, os agulheiros, os carretéis. Só não gostou da máquina.

– Muito pesada e complicada – disse para Emília, que era a mostradeira de tudo.

Vendo-se só com a Aranha, a boneca regalou-se de fazer quantas perguntinhas quis.

– Acho muito bonito esse seu sistema de trazer o carretel dentro da barriga – disse ela. – Só não compreendo como a senhora faz para engolir um carretel...

– Eu não engulo carretéis, menina – explicou a Aranha. – Nós nascemos com carretel dentro.

– E quando acaba?

– Não acaba nunca.

– Hum! Já sei! A senhora tem fábrica de linha na barriga, não é?

– Deve ser. Nunca entrei dentro de mim para saber.

– Pois eu sei o que há dentro de mim. É só macela. Quando fiquei com a perna seca Tia Nastácia me consertou e eu vi. Ela pôs só macela da bem amarelinha e cheirosa.

– E seu marido, o Marquês? – perguntou Dona Aranha. – Também é cheio de macela?

– Creio que não, porque Rabicó é diferente de mim em tudo. Por exemplo: ele come e eu não como. Só como de mentira, por brincadeira.

– Não come? – exclamou Dona Aranha muito admirada. – É a primeira pessoa que ouço dizer isso...

– Nunca comi coisa alguma – e sinto bastante, porque comer parece uma coisa muito gostosa. Rabicó quando come arregala os olhos de gosto, e grunhe se alguém se aproxima. A Vaca Mocha, essa até baba quando come um sabugo de milho.

– Pois lá no mar não existe uma só criatura que não coma. E um come o outro. A gente precisa andar com as maiores cautelas, espiando de todos os lados e escondendo-se quando vê algum peixe. Minha mãe foi comida por uma garoupa.

– Coitada! – exclamou Emília deveras compungida. – E era também costureira?

– Era sim. Todas as aranhas são costureiras.

– E tinha também carretel na barriga?

– Está claro. Basta ser aranha para ter carretel na barriga.

– E de que cor era a linha?

– A cor não varia. É sempre a mesma para todas as aranhas.

– Que pena! – exclamou Emília triste. – Gosto muito da cor vermelha e se soubesse duma aranha de linha vermelha, iria morar com ela.

– Para quê?

– Para ver. Para sentar debaixo da jabuticabeira e ver aquela linha tão linda que sai, sai, sai e não se acaba mais...

Enquanto Emília ia dizendo suas asneirinhas, Dona Aranha, para não perder tempo, serzia meias. Serzia tão bem que não havia quem fosse capaz de perceber o serzido.

Admirada da perfeição do trabalho, Emília disse:

– Se a senhora se mudasse para a cidade havia de ganhar um dinheirão.

– E que faria do dinheiro?

– Oh, muitas coisas! Podia comprar uma casa, podia comprar um guarda-chuva. Pedrinho diz que é muito bom ter dinheiro.

– E ele tem muito?

– Muito! Pedrinho é bastante rico. Tem um cofre com mais de cinco cruzeiros dentro.

– E para que quer tantos cruzeiros?

– Diz que vai comprar um revólver. Eu, se tivesse dinheiro, sabe o que comprava? Um trem de ferro! Não há nada de que eu goste tanto como o trem de ferro...

– Por quê?

– Porque apita. A senhora já ouviu apito de trem?

Nesse ponto a conversa foi interrompida por um recado de Narizinho, ordenando que Emília se vestisse para sair a passeio.

– Adeus, Dona Aranha. Narizinho está precisando de mim. Vai passear conosco ou fica?

– Fico. Estou com fome. Quero ver se apanho umas três moscas.

– Não use vinagre – aconselhou Emília retirando-se. – Tia Nastácia diz sempre que não é com vinagre que se apanha moscas.

Valentias

Pedrinho fora dar uma volta com o capitão dos couraceiros vindos para a guarda do Príncipe. Esses valentes soldados tiveram ordem de ficar fora da casa, para que Tia Nastácia não se assustasse. Pedrinho fez logo boa camaradagem com o capitão, que era um grande contador de proezas. Contou duma terrível luta entre dois espadartes e duas baleias, a que ele assistiu de pertinho. Sua valentia consistira nisso – assistir de pertinho. Contou depois as suas próprias façanhas, lutas com as lagostas, ataque a um filhote de peixe-espada. Pedrinho tinha paixão por histórias de caçadas, guerras, lutas de boxe – aventura de terra e mar, como dizia Dona Benta. Ouvia com interesse as histórias do couraceiro e contava outras. Contou histórias de onças, tigres-de-bengala, leões de Uganda, jacarés do Amazonas.

– E qual o bicho da terra que acha mais perigoso? – perguntou o couraceiro, que ignorava completamente tudo que não se referia ao mar. – Dizem que é o leão.

– É e não é – respondeu Pedrinho para mostrar que entendia do assunto. – É porque é, e não é porque com uma boa bala na cabeça qualquer caçador dá cabo dum leão. Para mim o bicho mais perigoso é uma tal vespa, que quando morde incha o lugar e arde que nem fogo.

O couraceiro não fazia a menor ideia do que fosse uma vespa.

– Mas com uma bala na cabeça qualquer caçador não dá cabo duma vespa? – perguntou.

– Se acertar, sim – respondeu o menino. – Mas ainda está para existir um caçador que acerte uma bala em cabeça de vespa.

O couraceiro arregalou os olhos.

– Só se são encantadas...

– Pior que isso. São deste tamanhinho, e voam como umas danadas. Certa vez uma ferrou na ponta da língua de Narizinho. A coitada viu fogo! Vespa, sim, é um bicho danado. Eu, por exemplo, que não tenho medo de coisa nenhuma, confesso que respeito as vespas – e não sinto vergonha nenhuma de dizer isso.

O couraceiro, um dos caranguejos mais gabolas do mar, deu uma risada de desafio.

– Pois eu só queria encontrar-me com uma! Tenho tirado a prosa de muito bichinho valente e tirava a das vespas também.

Pedrinho riu-se.

– Sua valentia vem da couraça, capitão. Tire a casca e venha lutar com uma vespa, se é capaz!

Ofendido com o juízo que o menino fazia dele, o couraceiro replicou:

– Saiba que já me bati com uma grande lagosta e a venci em poucos minutos.

– Grande coisa! Pois eu já dei no Chiquinho Pé-de-Pato, que é o moleque mais temido lá da cidade, e no entanto corro de vespa. Corro e hei de correr, e nunca terei vergonha de contar isso, porque medo de vespa é o único medo que não desmoraliza ninguém.

Estavam nesse ponto quando Emília passou, muito requebrada no seu vestido de teia cor-de-rosa. Ia tão absorvida em altos pensamentos que nem os percebeu.

– Quem é esta senhora?

– Pois é a Marquesa de Rabicó, não sabe? Uma das damas mais ilustres dos tempos modernos.

– Hum! – fez o couraceiro lembrando-se. – Se não me engano esteve lá no reino há muito tempo, em companhia de Narizinho. Mas naquela época usava camisola e tinha os cabelos pretos.

– Emília muda muito, não é como vocês que são sempre os mesmos. Cada vez que Narizinho se enjoa da cara dela, muda. Muda tudo. Muda a boca mais para baixo ou mais para cima. Muda as sobrancelhas, muda os olhos. Houve até uma vez em que Emília passou sem olhos cinco dias.

– Como assim?

– Narizinho estava mudando os olhos dela, que são de retrós, e já tinha arrancado os velhos para pôr novos, quando viu que não havia mais retrós no carretel. Até que alguém fosse à cidade e trouxesse mais retrós, a coitada ficou sem olhos, ceguinha num canto, sem enxergar coisa nenhuma...

Apesar de ser um guerreiro de coração duro, o caranguejo murmurou apiedado:

– Coitada! Como não havia de ter sofrido...

– Mas também – continuou Pedrinho – quando a linha veio e Narizinho botou-lhe olhos novos, bem arregalados, Emília tirou a forra. Passou o dia inteiro sem fazer outra coisa senão olhar, olhar, olhar.

– Tem filhos? – perguntou ainda o curioso capitão.

– Não. Narizinho não quer. Emília é sua companheira de passeios e viagens. Se tivesse filhos, teria de ficar em casa, a dar de mamar às crianças, a lavar fraldinhas – e adeus passeios...

Os espantos do Príncipe

Narizinho e o Príncipe, de braços dados, percorriam o sítio. Já haviam visitado o chiqueirinho de Rabicó. Estavam agora sentados na grama, à espera da Emília para irem ver a Vaca Mocha. O Príncipe não fazia a menor ideia do que fosse uma vaca e mostrava-se impaciente por ser apresentado àquela.

– A Vaca Mocha – ia explicando a menina – é a senhora mais importante aqui do sítio – depois de vovó e Tia Nastácia. Muito bondosa, incapaz de fazer mal a um mosquito.

– Mas como então devorou o pai, a mãe e todos os parentes do Senhor Visconde de Sabugosa?

– É que eles eram sabugos e sendo sabugo a Mocha não perdoa mesmo. Agarra e vai mascando. Mas para gente como nós, gente de carne, ela não faz nada. Vaca não come carne, sabe? Nem minhoca! Pedrinho já fez a experiência. Pôs-lhe uma gorda minhoca no cocho. Sabe o que ela fez? Virou a cara de lado e cuspiu de nojo.

O Príncipe lá no seu íntimo achou que a vaca devia ser uma criatura de muito mau gosto. Comer sabugo e ter nojo de minhoca era para ele a coisa mais absurda do mundo. Nisto chegou Emília.

– Que demora! – disse Narizinho. – Estamos aqui à sua espera faz um século. Que esteve fazendo?

– Ajudando Dona Aranha a remendar suas meias, sabe? Oh, como Dona Aranha remenda bem! Cerze com a maior perfeição. Se eu fosse você, não deixaria Dona Aranha voltar para o reino.

E dirigindo-se ao Príncipe:

– Por que não dá Dona Aranha para Narizinho? Apesar de ser princesa, Narizinho anda sempre de meias furadas por falta duma boa aranha aqui no sítio.

– Começam as inconveniências! – advertiu a menina fazendo carranca. – Anda com meias furadas o seu nariz. Vamos visitar a Vaca Mocha que é o melhor.

Foram em direção à cocheira. Assim que o Príncipe deu com a vaca, estacou, de olhinhos muito arregalados. Nunca supôs que houvesse um bicho tão fora de propósito.

– Pois é esta a Mocha, Príncipe – disse a menina. – Veja que respeitável senhora é, que pelo macio, que pontudos chifres. Mocha quer dizer sem chifres. Esta é a única exceção que há no mundo, isto é, aqui no sítio.

O Príncipe olhava, olhava, sem entender muito bem. Depois entrou com perguntas.

– E que é isto que ela tem pendurado aqui embaixo?

– São as tetas – explicou a menina. – Teta quer dizer torneirinha de leite. Tia Nastácia espreme essas tetas para tirar uma água branca chamada leite. Todas as manhãs eu tomo um copo desse leite bem quentinho e espumante, tirado justamente dessas torneirinhas.

– E isto aqui? – perguntou o Príncipe – apontando com o cetro para a cauda.

– Isso é o espantador de moscas. Serve para espantar as moscas que vêm brincar em cima dela.

Querendo também mostrar sua ciência, Emília acrescentou :

– Esse espantador foi pregado aí por Tia Nastácia. Quando a Mocha nasceu não tinha nada atrás.

– Não acredite, Príncipe! Emília está bobeando você. Todas as vacas já nascem de espantador, como todos os peixes já nascem de cauda.

Tão interessante achou o Príncipe aquele comprido apêndice movediço com mecha de cabelos na ponta, que se declarou disposto a adotar a moda no reino. Depois examinou atentamente os chifres.

– Também são espantadores de moscas? – perguntou.

– Não! – respondeu a menina. – Isso aí são espantadores de gente. Chamam-se chifres e servem para chifrar.

– Chifrar? Que é chifrar? – indagou ele, de carranquinha.

A menina deu uma risada gostosa.

– Chifrar, Príncipe, é dar chifradas, entende? É dar uma cabeçada com dois espetos tortos na testa. Mas não tenha medo. A Mocha não chifra ninguém – só cachorro que vem latir perto dela.

– E estas quatro estacas? – perguntou o Príncipe apontando para as pernas da Mocha.

Narizinho deu outra risada ainda mais gostosa.

– Como é burrinho este meu maridinho! Pois não vê que são as pernas? Sem isso, como poderiam as vacas ficar de pé e andar?

Emília meteu o bedelho.

– Essa é boa! Quantos bichos não há sem pernas e que andam muito bem?

– Diga um, vamos!...

– O relógio de Dona Benta. Não tem pernas e ela diz sempre: "Este relógio, apesar de ser mais velho do que eu, anda muito bem".

A menina olhou para Emília com cara de dó.

– Que pena! – disse. – Tão "inteligente" e não aprende nunca a diferençar as criaturas vivas das coisas inanimadas...

O Príncipe não tirava os olhos da vaca, sempre admirado. Quis saber como é que ela fabricava o leite.

– Está aí uma coisa que não sei – respondeu a menina. – A Mocha come capim, come abóbora, come sabugo, mastiga tudo muito bem, engole – e sai leite do outro lado pelas torneirinhas. Tudo quanto come vira em leite. Se comer o Visconde, vira-o em leite também. É um mistério que não entendo.

– Pois eu entendo! – gritou Emília. – É que a Mocha todos os dias come mandioca. Leite, na minha opinião, é mandioca líquida.

– Que sandice, Emília! Que bobagem! Pois não vê que Rabicó também come mandioca e não dá leite?

– Isso é porque Rabicó não tem torneirinhas. Se Tia Nastácia pusesse nele quatro torneirinhas, juro que saía leite.

– Desculpe, Príncipe – disse a menina voltando-se para ele. – Esta nossa amiga Marquesa possui uma torneirinha de asneiras. Quando a abre, ninguém pode com a vida dela.

Mas Escamado não ouvia. Continuava de olhos pregados na Mocha. Por fim mostrou desejos de levá-la para o reino.

– Impossível, Príncipe! – respondeu Narizinho muito pesarosa. – Em primeiro lugar, Mocha é de vovó e vovó não deixa; em segundo lugar, beberia pelo caminho tanta água do oceano que o leite ficaria salgado.

– Que pena! Esta senhora faria um grande sucesso na minha corte.

Emília meteu o bedelho outra vez.

– Aposto que Dona Benta deixa! – berrou ela. – Aposto que se o Príncipe der uma boa baleia em troca, Dona Benta deixa. As baleias também dão leite.

A menina pôs as mãos na cintura.

– E onde iria vovó botar essa baleia? – perguntou muito séria.

– Aqui na cocheira, ora essa! Se a Mocha pode morar aqui por que não o poderia a baleia? Em que a tal baleia é melhor que a Mocha, diga?

Narizinho enjoou-se da burrice da Emília e enfiou-a de cabeça para baixo no bolso do avental. Justamente nesse instante a vaca deu um mugido. O Príncipe, que não esperava por aquilo, caiu para trás com o susto.

– Coitadinho do meu maridinho! – exclamou a menina precipitando-se para erguê-lo. – Não precisa assustar-se assim, bobo. A Mocha dá esses berros só de brincadeira – e ajudou-o a compor diversas escamas que haviam saído do lugar.

O Príncipe, entretanto, não quis mais saber de histórias. Pálido ainda do susto, tratou de voltar para casa.

– Sofro do coração – explicou – e se esta senhora berra outra vez, sou capaz de cair em desmaio. Vamos embora...

O DESASTRE

Voltaram de braços dados, Narizinho aborrecida com o berro da vaca e o Príncipe a se queixar de palpitações do coração. Assim que alcançaram o terreiro, novo susto veio agravar o seu estado de saúde. Ouviam-se dentro da casa gritos e choradeira.

– Que terá acontecido? – murmurou a menina, apreensiva.

Largou do Príncipe e foi a correr, com o pressentimento dalguma grande desgraça.

– Que é? Que aconteceu? – gritou logo ao entrar,

Não obteve resposta. Todos estavam chorando e não lhe deram tento à pergunta. A menina olhou espantada para os personagens presentes, dirigindo-se à cozinha em seguida. Lá encontrou Tia Nastácia também chorando.

– Que é que aconteceu, Tia Nastácia? – perguntou aflita.

A negra respondeu, enxugando as lágrimas:

– Nem queira saber, Narizinho! Antes vá-se embora...

Como a menina insistisse, a negra não teve remédio – contou.

– Pois imagine que Miss Sardine, desde que o Príncipe chegou, se meteu aqui na cozinha todo o tempo, a coitada. Remexeu em tudo, provou o sal, o açúcar, e até caiu no pote de pimenta-do-reino. Eu salvei ela, dei um banhinho nela e pus ela ali no canto para secar. No começo, enquanto a pimenta estava ardendo, ficou muito sossegada. Mas depois que a ardidura passou, principiou a reinar outra vez. Eu estava sempre avisando: "Não mexa aí! Não chegue perto do fogo! Não seja tão reinadeira que de repente acontece qualquer coisa para mecê!".

Mas era o mesmo que estar falando pra aquele pau de lenha ali. Fazia uma carinha de caçoada e continuava. Se não aconteceu desgraça foi porque meus "zoio" não saía de cima dela, vigiando. Mas de repente Sinhá me chamou para ouvir uma história do Doutor Caramujo. Fui e deixei Miss Sardine sozinha...

– E que aconteceu? – indagou Narizinho surpresa.

A negra continuou, depois de enxugar as lágrimas no avental.

– Aconteceu o que eu tinha medo que acontecesse. A coitadinha, assim que saí, trepou no fogão para espiar a frigideira de gordura. Achou linda, com certeza, aquela água que pulava e chiava – e deu um pulo para dentro da frigideira, pensando que fosse uma pequena lagoa. Gordura fervendo, imagine!...

– Coitadinha! – berrou a menina horrorizada. – Que contas vamos agora dar ao Príncipe? Miss Sardine era a dama de mais importância lá no reino – a única que tinha entrada na corte. Onde está ela, Nastácia?

– Está ainda na frigideira – respondeu a negra. – Frita! Frita que nem um lambari frito...

Não podendo conter as lágrimas, a menina rompeu num berreiro. O Príncipe ouviu lá de fora. Reconheceu o choro e veio a correr, aflitíssimo. Quando soube da tragédia, desmaiou. Corre que corre! Chama o Doutor Caramujo ! Não acham o Doutor Caramujo! Grita aqui! Berra de lá! Desmaia adiante! Que confusão horrível foi!... Enquanto isso Tia Nastácia tirava da frigideira o cadáver de Mis Sardine para mostrá-lo a Dona Benta.

– Veja, Sinhá! Tão galantinha que até depois de morta ainda conserva os traços...

E a negra cheirou a sardinha frita, e depois provou, e ficou com água na boca e comeu-lhe um pedacinho, e disse arregalando os olhos:

– Bem gostosinha, Sinhá. Prove... Muito melhor que esses lambaris aqui do rio...

Dona Benta recusou e Tia Nastácia, ainda com lágrimas, acabou comendo a sardinha inteira.

Voltando a si do desmaio, o Príncipe recaiu em profunda tristeza. Não quis comer coisa nenhuma das comidinhas preparadas para ele. Não quis continuar no passeio pelo sítio. Só queria uma coisa: voltar. Dona Benta sentiu muito e disse:

– Pois, Senhor Príncipe, nossa casa está sempre às suas ordens. Quando quiser aparecer, não faça cerimônia, apareça.

– Muito obrigado – respondeu o peixinho com voz sumida. – Também eu faço muito empenho em que a senhora nos apareça lá pelo reino.

O NOVO DESASTRE

– Isso é mais difícil. Estou muito velha e perrengue. Poderei molhar-me pelo caminho e adoecer.

Emília, que ainda estava dentro do bolso de Narizinho, espichou para fora a cabeça.

– Molhar como? – disse ela muito espevitadamente. – Pois a senhora vai de guarda-chuva!...

Narizinho empurrou-a outra vez para o fundo do bolso e, voltando-se para Dona Benta, perguntou:

– Que presente poderemos dar ao Príncipe, vovó? Ele não pode voltar de mãos abanando.

– Você é que sabe o gosto dele, minha filha.

– Escamado apreciou muito a Vaca Mocha, mas isso não convém dar. Na minha opinião acho que o melhor é dar... é dar...

Engasgou. Não sabia o que dar. Nisto apareceu Pedrinho, de volta do passeio com o capitão da guarda. Consultado, resolveu o problema imediatamente.

– Muito simples – disse ele. – Há aquelas quatro rodinhas que sobraram do despertador que consertei. Roda é coisa que não existe no oceano. Juro que o Príncipe vai ficar contentíssimo.

Todos aprovaram a ideia, e Escamado recebeu de presente as quatro rodinhas como lembrança das quatro pessoas do sítio.

Na hora de partir houve choro. Até Emília fugiu do bolso da menina, aparecendo com duas lágrimas da torneira nos olhos de retrós. Aproximou-se do Príncipe, muito cautelosa para que Narizinho não visse, e cochichou-lhe disfarçadamente:

– Se o Senhor Príncipe me conseguir uma boa aranha costureira, eu arranjo jeito de Dona Benta trocar a Mocha por um tubarão...

Terminadas as despedidas, lá se foi o Príncipe com a sua comitiva, todos de nariz vermelho de tanto chorar. Dona Benta, Tia Nastácia, Narizinho e Emília à janela acenavam saudosamente com os lenços.

– Adeus! Adeus!

Depois que desapareceram ao longe, a primeira a falar foi Narizinho.

– O que vale é que o Gato Félix não tarda por aí. Se não fosse isso, não sei o que seria de nós – nesta tristeza das saudades...

Nem bem acabou de falar e o Gato Félix surgiu no terreiro, a miar aflito.

– Acudam!... O Príncipe está se afogando...

Todos correram ao encontro do gato, sem compreenderem o que ele dizia.

– Afogando como, se o Príncipe é peixe? – exclamou a menina.

– Sim, mas passou toda a tarde fora d'água e desaprendeu a arte de nadar.

– Socorro! – berrou Narizinho, disparando como louca na direção do rio para salvar o seu amado Príncipe...

O Gato Félix
A HISTÓRIA DO GATO

Narizinho não teve o gosto de salvar o Príncipe. Quando chegou ao ribeirão do pomar, já nada viu por ali. Certa de que ele se havia salvado a si próprio voltou correndo para casa, ansiosa por conhecer as aventuras do Gato Félix. Chegou, botou o gato no colo e disse:

– Você tem que me contar a sua vida inteirinha, sabe?

– Pois não – respondeu o gato. – Mas só sei contar histórias de noite. De dia perdem a graça.

– Neste caso, vá dar um passeio e quando for de noite esteja aqui.

O gato saiu, passeou pelo sítio inteiro, caçou três ratos e de noite voltou. Tia Nastácia acendeu o lampião da sala. Depois disse: "É hora, gente!". Todos vieram postar-se em redor do ilustre personagem; Dona Benta sentou-se na sua cadeirinha de pernas serradas; Narizinho e Pedrinho sentaram-se na rede; Emília foi para o colo da menina. Até o Visconde de Sabugosa quis ouvir as histórias. Narizinho teve dó do coitado; espanou-lhe o bolor e botou-o num canto da sala, dentro duma lata para que não sujasse o chão com aquele pó verde. Logo que todos se acomodaram, Emília disse:

– Comece, Seu Félix!

E o Gato Félix começou.

– Houve na França um gato muitíssimo ilustre, que era escudeiro do Marquês de Carabás – tão ilustre que não há no mundo inteiro criança que o não conheça.

– Até eu ! – gritou Emília. – Era o tal Gato de Botas!...

– Justamente, menina. Esse famoso gato era o escudeiro do Marquês de Carabás. Fez coisas do arco-da-velha, como se sabe, até que se casou com uma linda gata amarela e teve muitos filhos. Esses filhos tiveram outros filhos. Estes outros filhos tiveram novos filhos, o veio vindo aquela gataria que não acabava mais até que nasci eu.

– Que bom! – exclamou Narizinho. – Então você é bisneto ou tataraneto do Gato de Botas?

– Sou cinquentaneto dele – disse o Gato Félix. – Mas não nasci na Europa. Meu avô veio para América no navio de Cristóvão Colombo e naturalizou-se americano. Eu ainda alcancei meu avô. Era um velhinho muito velho, que gostava de contar histórias da sua viagem.

Emília bateu palmas.

– Conte, conte! Conte as histórias que ele contava. Conte como foi que o tal Colombo descobriu a América.

O Gato Félix tossiu e contou.

– Meu avô veio justamente no navio de Cristóvão Colombo, que se chamava *Santa Maria*. Veio no porão e durante toda a viagem não viu coisa nenhuma senão ratos. Havia mais ratos no *Santa Maria* do que pulgas num cachorro pulguento, e enquanto lá em cima os marinheiros lutavam com as tempestades, meu avó lá embaixo lutava com a rataria. Caçou mais de mil. Chegou a enfarar-se de rato a ponto de não poder ver nem um pelinho de camundongo. Afinal o navio parou e ele saiu do porão e foi lá para cima e viu um lindo sol e um lindo mar e bem na frente uma terra cheia de palmeiras.

– Então era o Brasil! – disse Emília. – Aqui é que é a terra das palmeiras com sabiá na ponta!...

– Viu a terra cheia de palmeiras, e na praia uma porção de índios nus, armados de arcos e flechas, a olharem para o navio como se estivessem vendo coisa do outro mundo. Era a primeira vez que um navio aparecia por ali.

– Imaginem se eles vissem o trem de ferro!... – observou Emília.

– Colombo, então – continuou o gato – resolveu desembarcar e saber que terra era aquela, porque estava na dúvida se seria realmente a América ou outra. Entrou num bote e foi para a praia. Pulou do bote e chamou os índios.

Os índios não se mexeram do lugar, mas o cacique deles criou coragem e adiantou-se e chegou perto de Colombo.

– Meus cumprimentos! – disse Colombo, com toda a gentileza, fazendo uma cortesia com o chapéu de plumas.

– Bem-vindo seja! – respondeu o índio, sem tirar o chapéu, porque não usava chapéu.

Colombo então perguntou:

– Poderá o cavalheiro dizer-me se isto por aqui é a tal América que eu ando procurando?

– Perfeitamente! – respondeu o índio. Isto por aqui é a tal América que o senhor anda procurando. E o senhor já sei quem é. O senhor é o tal Cristóvão Colombo, não?

– Realmente, sou o tal. Mas como adivinhou?

– Pelo jeito! – respondeu o índio. – Assim que o senhor botou o pé na praia, senti uma batida na pacuera e disse cá comigo: "É o Senhor Cristóvão que está chegando, até aposto!".

Colombo adiantou-se para apertar a mão do índio. Em seguida o índio virou-se para os companheiros lá longe e gritou:

– Estamos descobertos, rapaziada! Este é o tal Cristóvão Colombo que vem tomar conta das nossas terras. O tempo antigo lá se foi. Daqui por diante é vida nova – e vai ser um turumbamba danado...

Nesse ponto da história o Visconde botou a cabeça fora da lata e disse:

– Não acreditem! A descoberta da América não foi assim, foi muito diferente. Eu li toda a história de Colombo num livro de Dona Benta. Posso afirmar que o Gato Félix está inventando.

– Não está inventando nada! – berrou Emília. – Foi assim mesmo. O livro não esteve lá e não pode saber mais do que o avó de Seu Félix, que esteve presente e viu tudo.

– Mas essa história é absurda! – berrou o sábio Visconde. – Isso é um disparate!...

– Disparate é o seu nariz – berrou Emília.

E voltando-se para a menina:

– Narizinho, por que é que você não tampa o Visconde?

Narizinho achou boa a ideia; foi lá e tampou a lata com o Visconde dentro.

Terminado o incidente, o Gato Félix continuou:

– Depois disso houve muitas coisas, e mais coisas, e outras coisas, até que meu avô se casou e nasceu meu pai, e meu pai se casou e nasci eu.

– E onde nasceu? – perguntou Pedrinho.

– Nasci nos Estados Unidos, na cidade de Nova York. As casas lá são tão altas que se chamam arranha-céus. Eu nasci no quadragésimo terceiro andar do arranha-céu mais alto de todos.

– Qua-dra-gé-si-mo! – murmurou Emília. – Que bonito nome! Eu, se fosse Dona Benta, batizava a Vaca Mocha de Quadragésima...

– Não atrapalhe, Emília, deixe o gato falar – advertiu Narizinho. E, voltando-se para o gato Félix: – Mas essas casas arranham mesmo o céu ou é um modo de dizer?

– Arranham, sim – confirmou o gato – e às vezes até o furam. O céu de lá é todo furadinho.

– Quem deve ficar furioso é São Pedro – disse a boneca. – Eu, se fosse ele, suspendia o céu um pouco mais para cima.

Narizinho tapou-lhe com a mão a boca.

– Nasci num arranha-céu – continuou o gato – e criei-me na rua. Fui o gatinho mais travesso da América, o mais atropelador dos camundongos. Depois que cresci, atirei-me para cima das ratazanas com tamanha fúria que quase todas se mudaram da cidade. Um dia me deu na cabeça viajar. Fui ao porto, onde vi uma porção de navios, uns mais novos, outros mais velhos. Escolhi o mais velho, calculando que nele devia haver mais ratos. Entrei sem pagar passagem e dirigi-me ao porão. Assim que entrei, a rataria disparou. Só pude apanhar quatro. No dia seguinte peguei dez. No terceiro dia peguei vinte. No quarto...

– Pegou quarenta! – disse Emília.

– Não, trinta e nove só – corrigiu o gato. – E assim durante quinze dias. Ao fim desse tempo, gordo que nem um porquinho, deixei a rataria em paz. Foi nessa ocasião que aconteceu o desastre.

– Que desastre?

– Espere. Estava eu comendo o último rato que comi no navio, quando rompeu lá em cima um berreiro. Subi ao tombadilho para ver o que era e encontrei o capitão dizendo que o navio tinha batido numa pedra e ia afundar.

– Credo! – exclamou Tia Nastácia, que estava cochilando e acordara nesse ponto. – Devia ser um quadro muito triste...

– Sim, ia afundar – continuou o gato. – Como houvesse arrebentado a proa, estava bebendo água que nem uma esponja. Os marinheiros corriam de um lado para outro, qual doidos. Uns tomavam os escaleres, outros amarravam à cintura os salva-vidas, outros lançavam-se à água. Eu disse comigo: "E agora, Félix, que vai ser de ti?". Pensei, pensei e por fim tive uma ideia. A única salvação seria fazer-me engolir vivo por algum dos tubarões que rodeavam o navio com as bocas abertas e aquelas dentuças que mais pareciam serrotes.

– Credo! – exclamou outra vez Tia Nastácia fazendo o sinal da cruz. – É por essas e outras que nunca hei de sair do meu cantinho...

– Tive essa ideia – continuou o gato – e tratei de pô-la em prática. Escolhi o tubarão maior de todos e quando ele passou perto de mim, dei um pulo e caí, como pílula, bem no fundo da garganta dele!

– E não se arranhou? – disse Emília. – Não esbarrou nalgum dente?

– Nada! Caí na campainha do tubarão e nela me agarrei e fui entrando por aquele corredor vermelho afora até chegar ao estômago.

– Era grande?

– Tinha o tamanho desta sala – respondeu o gato com o maior caradurismo.

Nesse ponto o Visconde empurrou a tampa da lata, botou a cabeça de fora e gritou:

– Não acreditem! É mentira! Nem baleia tem estômago desse tamanho. Além disso, é impossível a um gato permanecer vivo num estômago de tubarão.

– Impossível por que, seu Embolorado? – disse Emília. – Não se lembra da história que Dona Benta contou do profeta Jonas, que "permaneceu" uma porção de tempo dentro da barriga de um peixe?

– Sim – concordou o Visconde. – Mas Jonas era profeta.

– Jonas era profeta e Seu Félix é quadragésimo. Dá na mesma.

Todos acharam que Emília tinha razão.

– Fiquei lá muito sossegado da minha vida – continuou o gato – mas vi logo que não podia morar ali por muito tempo. Não havia ratos – e gato não sabe viver onde não há ratos. Tinha que sair, mas como? Sair era cair n'água e morrer afogado. De que modo resolver o problema?

– Muito simples – disse Emília. – Era só fazer uma canoinha e entrar nela e ir remando...

– Cale essa boca, não seja tão sapeca! – interveio Narizinho. – Quem está contando a história é o Gato Félix, não é você.

O gato continuou:

– O caso era dificílimo, e eu estava a pensar nele quando vi entrar no estômago da fera uma enorme isca com anzol dentro. Mais que depressa fisguei o anzol, bem fisgado, na pacuera do monstro. Assim que ele sentiu a dor da fisgada, pôs-se a corcovear como burro bravo com domador em cima. Corcoveou, corcoveou, corcoveou até que não pôde mais e foi morrendo. Passaram-se algumas horas sem acontecer nada. O tubarão estava bem morto. Nisto vi uma réstia de luz e uma ponta de faca aparecendo. Encolhi-me bem encolhido para me livrar da faca e compreendi que estavam abrindo a barriga do peixe. Não esperei por mais. Dei um pulo para fora e caí no meio dum grupo de marinheiros, bem dentro dum navio!... Os marinheiros ficaram assombradíssimos de ver sair um gato vivo da barriga de um peixe e só sossegaram quando lhes contei toda a minha história. O capitão olhou para mim, alisou as barbas e disse:

– Para onde pretende ir? Meu navio está de rumo à Inglaterra, onde poderei desembarcar você.

– Muito obrigado – respondi. – O país que eu procuro não é esse.

– Será a França?

– Não!

– Será a Alemanha? a Suécia? a Turquia? a Arábia? a Patagônia?

– Nada disso. A terra que eu procuro é aquela onde o demo perdeu as botas. Quero encontrar essas botas.

O capitão julgou que eu estivesse a mangar com ele e pregou-me tamanho pontapé que fui parar no porão.

Todos deram gostosas risadas e Tia Nastácia observou:

– Isso é invenção de gente sem serviço. Esse lugar nunca existiu.

– Como nunca existiu, se foi lá que o demo perdeu as botas? – replicou Emília. – Eu acho que seu Félix tem toda a razão e mais vale descobrir esse lugar do que descobrir a América. Continue, seu Félix.

O gato continuou:

– Fiquei no porão até que o navio entrou num porto. Desembarquei e fui andando por um caminho muito comprido. De repente apareceu uma velha, muito velha e coroca, de porretinho na mão.

– Vai ver que era uma fada – cochichou Emília ao ouvido de Narizinho.

– Cheguei-me para a velha e perguntei: "A senhora poderá dizer-me onde fica o lugar onde o demo perdeu as botas?".

A velha admirou-se da pergunta: arregalou os olhos, abriu uma boca de bagre sem um só dente nas gengivas e respondeu:

– Não sei, gatinho. Mas se você for andando, andando, andando sem parar, aposto que um dia chega a essa terra.

Aceitei o conselho da velha e fui andando, andando, andando até que encontrei...

– Uma coruja! – interrompeu Emília.

– Não – disse o gato –, encontrei um sábio muito velho, de grandes barbas brancas. Cheguei-me a ele e perguntei:

– Senhor velho, poderá dizer-me onde é o lugar em que o demo perdeu as botas?

– Posso, sim – respondeu o velho. – Fica pertinho dos confins do Judas.

Vi que o velho estava caçoando comigo e fui-me embora. Andei, andei, andei...

– Pare de andar, seu Félix. Chegue logo, que já está caceteando – disse Emília.

O gato desapontou um bocadinho, mas continuou:

– Andei, andei, andei, até que encontrei...

– Uma coruja! – interrompeu de novo Emília.

– Não amole mais com essa coruja, Emília! – disse Narizinho. – Ele não encontrou coruja nenhuma. Cara de coruja tem você. Continue, Gato Félix.

– Encontrei outra velha, mais velha ainda e mais coroca do que a primeira.

Emília deu uma risada gostosa.

– Que terra esquisita!... Só velho para cá, velha para lá... Com certeza foi no país de Matusalém...

O Gato Félix desapontou mais um bocadinho, mas continuou:

– Encontrei uma velha, muito velha e perguntei: "A senhora...".

– Etc. etc. – disse Emília. – E que é que ela respondeu?

O Gato Félix, ainda mais desapontado, continuou:

– Ela respondeu: "Esse lugar não existe, gatinho. O demo nunca teve botas. Você não sabe que o que ele tem são cascos?".

– E aí? – indagou Emília, que estava achando aquela história muito sem jeito.

– Aí eu... eu... parei de procurar a tal terra e fui cuidar de outra coisa.

Dessa vez o desapontamento foi geral. Dona Benta olhou para Narizinho, Tia Nastácia olhou para Dona Benta, Pedrinho olhou para o forro. Só Emília teve coragem de olhar para o gato. Arrebitou o nariz de retrós, fez um muxoxo de pouco caso e disse:

– Não valeu a pena vir de tão longe para contar uma história tão sem pé nem cabeça. Eu, que nunca saí daqui, sou capaz de contar coisa muito mais bonita.

– Pois então vamos dormir – disse Dona Benta levantando-se – e quem conta a história de amanhã vai ser a Emília.

A HISTÓRIA DA EMÍLIA

Na manhã seguinte Tia Nastácia apareceu dizendo que do galinheiro havia sumido um pinto. Eram doze e só encontrara onze.

– Que será? – murmurou Dona Benta.

– Deve ser alguma raposa que anda rondando por aqui ou algum gato vagabundo. E que pena, Sinhá! Sumiu justamente o mais bonito, um carijozinho...

Logo que os meninos souberam do caso, Pedrinho disse:

– Vamos armar uma ratoeira, mas o melhor é consultarmos o Visconde. Depois que foi embrulhado naquele folheto das *Aventuras de Sherlock Holmes*, ficou tão esperto que é capaz de descobrir o ladrão.

Foram falar com o Visconde, ao qual contaram tudo. O Visconde deu uma risadinha de detetive e disse:

– Deixem o negócio por minha conta. Irei examinar o local do crime para tomar as minhas providências.

E foi. Foi ao galinheiro onde passou o dia a examinar a poeira do chão, a catar os pelinhos que havia nele, a conversar com os pais da vítima – um lindo galo carijó e uma galinha sura. Enquanto isso Emília pensou, pensou e inventou a historinha que ia contar de noite. Quando chegou a noite e Tia Nastácia acendeu o lampião e disse "É hora!", a boneca entrou na sala, muito esticadinha para trás, toda cheia de si.

– Era uma vez... – foi dizendo.

– Espere, Emília! – advertiu Narizinho. – Não vê que o Visconde e o Gato Félix ainda não vieram?

Nisto chegou o gato e sentou-se no colo de Dona Benta. Depois apareceu o Visconde, que entrou para dentro da lata.

Emília começou de novo:

– Era uma vez um rei...

– Eu já sabia que vinha história de rei – interrompeu Narizinho. – Emília vive com a cabeça entupida de reis, príncipes e fadas...

A boneca não fez caso e continuou:

– Era uma vez um "rei", um "príncipe" e uma "fada", que moravam juntos num lindo palácio de cristal, na beira do lago mais azul de todos. Uma beleza esse palácio, todo cheio de fios de ouro, que quando dava o vento iam para lá e vinham para cá. E quando dava o sol, os cristais e os ouros brilhavam tanto que quem olhava sentia logo uma tontura e precisava agarrar-se a qualquer coisa para não cair. E o Príncipe foi e disse:

– Meu pai: quero casar-me, mas as moças daqui não são bonitas, nem boas de coração. Vou procurar uma pastora bem pobrezinha, mas que tenha um coração de ouro.

– Vai, meu filho –, disse o rei –, mas leva contigo a fada do palácio. Sozinho, não te deixarei ir.

O Príncipe chamou a fada, virou a fada numa bengalinha e virou-se a si mesmo numa formiguinha.

– Eu já sabia que vinha história de virar – disse a menina. – Sem reis e sem "viradas" Emília não passa...

– Virou uma formiguinha – prosseguiu Emília – e saiu andando por uma estrada muito comprida, com aquela bengalinha na mão. Andou, andou, andou até que encontrou uma velha.

– Você caçoou de tantos velhos que havia na história do Gato Félix mas vai pelo mesmo caminho – disse Tia Nastácia.

– Não me atrapalhe! A minha história só tem esta velha. Encontrou uma velha e disse:

– Velha dugudeia, diga-me, se for capaz, se há por aqui uma pastora assim, assim, e de bom coração.

– Há muitas pastoras por aqui – respondeu a velha –, mas se têm bom coração não sei. Só experimentando.

– E como se experimenta o coração de uma pastora?

– Virando num pobre bem pobre e indo pedir-lhe esmola.

A formiguinha virou logo num pobre bem pobre e foi pedir esmola às pastoras. Chegou-se à primeira, que estava fiando na roca enquanto o seu rebanho pastava, e disse:

– Gentil pastora, uma esmolinha pelo amor de Deus! Há três anos que não como nem durmo, e se não me dás um pão, morro de fome já neste instante.

A pastora deu-lhe uma pedra, dizendo:

– Aqui tens um pão muito gostoso.

O pobre pegou a pedra, olhou, olhou, olhou e disse:

– Que todos os pães que comas sejam gostosos como este! – e foi andando o seu caminho.

Dali a pouco a pastora sentiu fome; foi comer o pão que trazia no bolso e viu que tinha virado pedra, e quebrou todos os dentes e morreu... Mais adiante o pobre encontrou outra pastora e pediu outra esmolinha. A pastora deu-lhe um osso, dizendo:

– Leve este pão, que é muito gostoso.

– Obrigado – respondeu o pobre – e que todos os pães que comas sejam gostosos como este!

E foi andando. A pastora logo depois sentiu fome e foi comer o pão que estava na cesta e viu que tinha virado osso. Essa pastora não morreu de fome, como a primeira, mas teve de passar a vida roendo ossos feito cachorro. Tudo que ela pegava para comer virava logo em osso. O pobre foi andando, andando, andando, até que encontrou uma terceira pastora. A coitadinha parecia ainda mais pobre do que ele e estava chorando.

– Por que choras, ó gentil pastora? – perguntou o pobre.

– Choro porque minha madrasta, que é muito má, me bate todos os dias. Põe-me neste lugar, guardando estes porcos imundos, e não me dá comida a não ser este pão bolorento e tão azedo que até preciso tapar o nariz quando o como.

– Pois se eu pilhasse esse pão – disse o pobre – dava um pulo de alegria, porque estou morrendo de fome e só encontrei pedras e ossos neste país de pastoras.

A triste pastorinha olhou bem para ele e disse:

– Pois não morrerás de fome. Repartirei contigo o meu pão bolorento.

E partiu o pão bolorento em dois pedaços e deu o maior ao pobre. O pobre agradeceu e foi andando, e a pastorinha começou a comer o seu pedaço de pão bolorento. Tapou o nariz e deu a primeira dentada. Mas viu logo que o pão tinha virado no doce mais gostoso do mundo! Comeu, comeu quanto quis; e quanto mais comia mais sobrava. E voltou para casa pulando de contentamento e palitando os dentes. Sua madrasta percebeu a felicidade da pastorinha e disse:

– Ahn! Estou vendo que você comeu alguma coisa muito gostosa!

– Não comi nada! – respondeu a coitadinha tremendo de medo. – Só comi o pão que a senhora me deu.

A madrasta agarrou-a e cheirou-lhe a boca e ficou furiosa e disse:

– Sua boca está cheirando ao doce mais gostoso do mundo, e como me enganou, vou matá-la.

E foi buscar a faca da cozinha, que era deste tamanho!

A pastorinha, sabendo que ia morrer, pôs-se a rezar lá no fundo do coração:

– Pobre encantado, que transformaste o pão bolorento em doce, socorre-me!

Nem bem acabou de o dizer, a porta abriu-se e o pobre entrou.

– Esconde-te – disse a pastorinha –, que "ela" vem vindo com uma faca deste tamanho.

O pobre escondeu-se atrás dum armário e logo depois a madrasta entrou com o facão. Entrou e disse à menina:

– Reze depressa, que vai morrer.

– Não me mate! – gemeu a pastorinha, tremendo como geleia. – Não me mate, porque estou inocente!

Mas a má madrasta não quis saber de nada e avançou para a coitadinha com a faca no ar. E a faca foi descendo sobre o peito da vítima e a ponta já ia encostando nas suas carnes, quando o pobre veio por trás da madrasta e agarrou-a pelo pulso.

– Miserável! – exclamou. – Quem merecia morrer eras tu, mas vou virar-te num horrendo sapo de cidade.

Nesse ponto Narizinho interrompeu-a.

– Por que sapo de cidade, Emília? Que diferença há entre sapo do mato e sapo da cidade?

A boneca explicou:

– É que nas cidades há muitos moleques que gostam de judiar dos sapos, de modo que sapo de cidade padece mais.

Narizinho voltou-se para Dona Benta.

– Já reparou, vovó, como Emília está ficando inteligente? Não é mais aquela burrinha de dantes, não...

Emília continuou:

– E imediatamente a madrasta virou no sapo mais feio do mundo e saiu pulando, pulando, pulando, e foi para uma cidade onde havia mais de cem moleques nas ruas. Então o pobre disse à gentil pastorinha...

– Adeus, gentil pastora! Vou-me embora para longes terras.

– Que pena! – exclamou ela. – Por que não ficas morando aqui comigo? Como és pobre, trabalharei para ti e comprar-te-ei uma roupa nova e uma cartola.

– Interesseira é que ela era! – observou Tia Nastácia. – Sabia que o pobre era dos tais que viram pão bolorento no doce mais gostoso do mundo. Eu se fosse o pobre desconfiava...

– Pois o pobre não desconfiou – disse Emília. – Ele não tinha maldade nenhuma no coração; em vez de desconfiar, beijou a mão da pastorinha e disse:

– Pois aceito – mas com uma condição!...

– Dize qual é – ordenou a pastora.

– É casares comigo!

A pastorinha não vacilou um só instante e aceitou a proposta. E no outro dia veio o padre e casou-a.

– Agora – disse o pobre – vamos sair os dois pelo mundo para tirar esmolas.

E saíram. E foram andando, andando, andando, até que chegaram ao palácio do rei. Bateram na porta e entraram e foram falar com Sua Majestade. O rei estava de coroa na cabeça, sentado no seu trono de ouro e marfim, muito triste porque não tinha notícias do amado filho.

– Que é que queres, senhor pobre? – perguntou o rei.

– Quero dar a Vossa Majestade uma boa notícia.

O rei arregalou os olhos, cheio de esperança, e disse:

– Pois fala, e se a notícia for mesmo boa dar-te-ei os mais ricos presentes.

Então o pobre contou que havia encontrado o Príncipe e que ele já se tinha casado com a moça de melhor coração do mundo inteiro.

– Bravos! – exclamou o rei. – E quando esse amado filho me aparece por cá?

– Ei-lo! – exclamou o pobre, virando-se outra vez em príncipe. – E eis minha amada esposa, disse batendo com a bengalinha no ombro da pastora e virando-a na mais linda princesa de todas que existiram, existem e existirão.

O rei ficou alegríssimo e beijou a Princesa na testa e disse para o Príncipe:

– Muito bem! Só resta agora que fiques rei. Adianta-te, meu filho, e vem sentar-te neste trono, ao lado de tão formosa princesa. Deste momento em diante o rei és tu, e ela a rainha. Já estou cansado e até enjoado de ser rei. Amém.

Assim terminou Emília a sua historinha, inventada por ela mesma, sem ajutório de ninguém, nem tirada de nenhum livro. Todos bateram palmas e Dona Benta cochichou para a negra:

– Boa razão tem você de dizer que o mundo está perdido! Pois não é que essa boneca aprendeu a contar história que nem uma gente grande?

– Mas eu não gostei! – disse o Gato Félix, que andava a implicar-se com a boneca. – Histórias de virar são muito fáceis. Assim que aparece uma dificuldade, isto vira naquilo e pronto!

– Não acredite, Emília! – gritou Narizinho. – A história que você contou está muito boa e merece grau dez. Para uma boneca de pano, e feita aqui na roça, não podia ser melhor.

Emília, toda ganjenta com o elogio, botou a língua para o Gato Félix. Nisto o relógio da sala bateu dez horas.

– Vamos dormir, criançada – disse Dona Benta – e amanhã quem vai contar uma história é o Visconde.

No dia seguinte Tia Nastácia veio dizer que havia desaparecido outro pinto. Dona Benta ficou muito aborrecida; viu que naquele andar lá se ia a ninhada inteira.

– E Pedrinho? – indagou. – Que é que Pedrinho diz a isto?

– Ele e o Visconde andam lidando, lidando, lá no galinheiro, mas até agora não descobriram nada.

Pedrinho estava naquele momento em conversa com o Visconde no quintal.

– Na minha opinião – dizia ele – isto é alguma raposa que vem visitar o galinheiro de noite.

– Pois eu acho que não é raposa nenhuma – afirmou o novo Sherlock Holmes. – Examinei tudo muito bem examinado, e encontrei um pelo de animal que não é raposa, nem gambá, nem ratazana.

– Que é então?

– Ainda não sei. Tenho que examinar esse pelo ao microscópio e preciso que você me faça um microscopinho.

– Vovó tem um binóculo. Quem sabe se serve?...

– Há de servir. Vá buscá-lo.

Pedrinho foi e trouxe o binóculo de Dona Benta. O Sherlock pôs o pelinho em frente do binóculo e examinou-o atentamente. Depois disse:

– Acho que estou na pista do ladrão...

– Quem é?

– Não posso dizer ainda, mas é um bicho de quatro pernas da família dos felinos. Vá brincar e deixe-me só por aqui. Preciso "deduzir" e pode ser que de noite já esteja com o problema resolvido.

Pedrinho foi brincar, deixando o Visconde mergulhado em profunda meditação. Estava um dia muito lindo, de sol quente. Dona Benta sentou-se na sua cadeira de pernas serradas a fim de acabar um vestido de Narizinho e a menina ficou ao seu lado para enfiar a agulha e virar a máquina. E Emília? Emília, na varanda, balançava-se numa pequena rede especialmente armada para ela num canto. A boneca estava pensando na vida, com ideias de virar escritora de histórias. Nisto o Gato Félix, que ia passando, resolveu parar. Sentou-se sobre as patas traseiras e cravou os olhos na boneca, enquanto sua cauda ia desenhando um preguiçoso "S" no ar.

– Que tanto olha para mim? – disse de repente Emília. – Nunca me viu?

O gato fez um riso de ironia e miou:

– Tão importante assim, nunca! Parece que está mesmo convencida de que é uma grande contadeira de histórias.

Emília deu um balanço na rede e murmurou:

– A inveja matou Caim!...

O gato mordeu os lábios e replicou com ar de desprezo:

– Era só o que faltava, o célebre Gato Félix ter inveja duma boneca de pano feita por uma negra velha...

– A inveja matou Caim! – repetiu a boneca. – Você está mas é danado com o grande sucesso da minha historinha.

– História mais feia e sem graça nunca vi...

– Mas todos gostaram, até Narizinho, que sabe todas as histórias dos livros.

– Gostaram de dó de você. Se não gostassem, você punha-se a chorar que não acabava mais.

– Mentiroso! Eu nunca chorei nem hei de chorar, e muito menos por causa de uma simples brincadeira. Você é um grandissíssimo mentiroso, sabe?

– Por quê?

– Porque é! Você não é americano, nem nasceu em nenhum arranha-céu, nem é parente do Gato de Botas, nem foi engolido por tubarão nenhum. Tudo isso não passa de potoca. Eu sei conhecer muito bem quando uma pessoa está mentindo ou falando a verdade...

O gato ficou furioso e quis arranhar Emília. A boneca deu um berro e chamou Narizinho.

– Que é, Emília? – indagou a menina aparecendo. – Que aconteceu que está tão danadinha?

Emília ergueu-se da rede, colérica, e apontou para o gato.

– É esse cara de coruja que está querendo me arranhar! Já se viu que desaforo?

– E por quê? Por que é que vocês brigaram?

Emília empertigou-se toda.

– Ele está morrendo de inveja da minha história e veio aqui me provocar. E como eu disse que ele não é americano, nem parente do Gato de Botas, nem foi engolido por tubarão nenhum, o burrão quis arranhar-me. Esse hipopótamo!...

O gato virou-se para Narizinho:

– Veja bem quem é que está insultando. Se eu sou hipopótamo, que é ela? Uma macaca!...

Aquilo era demais. Emília perdeu a cabeça, avançou para o Gato Félix, agarrou-lhe a barba e deu tal puxão que arrancou um fio. A menina apartou os briguentos; pôs o gato para fora e deixou Emília sozinha na varanda. E foi continuar o seu serviço na salinha de costura. Emília ficou falando consigo mesma, pensando num meio de vingar-se do Gato Félix. Nisto apareceu o Visconde.

– Senhor Visconde, venha ouvir a história da minha briga com o Gato Félix.

O Visconde sentou-se na rede junto dela e ouviu a história inteira. Quando chegou no ponto do fio da barba que Emília havia arrancado ao focinho do gato, indagou:

– E onde está o fio? Como ando fazendo um estudo sobre pelos de animais, teria muito gosto em examinar esse.

Emília abriu uma caixinha, tirou de dentro o fio de barba e deu-o ao Visconde, dizendo:

– Leve, mas depois traga-o outra vez. Quero guardar esse fio como prova da esfrega que dei naquele cara de coruja...

O Visconde tomou o fio e foi examiná-lo com o binóculo de Dona Benta.

A HISTÓRIA DO VISCONDE

Logo que a noite caiu, Tia Nastácia acendeu o lampião da sala e disse: "É hora, gente!". Todos foram aparecendo e cada qual se sentou no lugar do costume.

O último a vir foi o Visconde. Antes de entrar para a lata, aproximou-se de Tia Nastácia e disse-lhe ao ouvido:

– Pegue na vassoura e ponha-a ao alcance de sua mão.

A negra achou esquisitíssima aquela ideia e pediu explicações.

– Não posso explicar coisa nenhuma – respondeu o Visconde. – Ponha a vassoura bem ao alcance de sua mão, porque no fim da minha história é bem possível que seja preciso "varrer" qualquer coisa...

A negra trouxe a vassoura e fez como o Visconde mandou, embora não pudesse nem por sombra adivinhar quais fossem as suas intenções. Liquidado o caso da vassoura, Emília disse:

– Tem a palavra o Senhor Visconde de Sabugosa!

O Visconde ergueu-se dentro da lata, tossiu um pigarrinho e começou:

– Meus senhores e minhas senhoras!

O Gato Félix espremeu uma risada irônica.

– Isso nunca foi história, Senhor Visconde! Isso chama-se discurso e muito bom discurso. Pelo que vejo, ninguém nesta casa sabe contar histórias...

Aquilo era indireta para Emília, que se remexeu toda, já danadinha e pronta para responder. Mas Narizinho interveio e acalmou-a. O Visconde não se atrapalhou com o aparte. Limitou-se a lançar sobre o gato um olhar terrível, dizendo:

– Não é discurso, não, senhor gato! É outra coisa, e quem vai explicar o que é não sou eu e sim aquela senhora vassoura, ali ao lado de Tia Nastácia...

Todos olharam muito espantados para o Visconde, sem compreender o que ele queria significar com aquilo. Em seguida o Visconde recomeçou:

– Meus senhores e senhoras! A história que vou contar não foi lida em livro nenhum, mas é o resultado dos meus estudos científicos e criminológicos. É o resultado de longas e cuidadosas deduções matemáticas. Passei duas noites em claro compondo a minha história e espero que todos lhe deem o devido valor.

– Muito bem! – exclamou Narizinho. – Mas desembuche de uma vez.

– Era uma vez um gato – começou o Visconde. – Mas um gato à toa de roça, um gato que não valia coisa nenhuma, além de que nascido com muito maus instintos. Se fosse um gato sério e decente, eu teria muito gosto em o declarar aqui, mas não era. Era o que se chama – um gato ladrão. E porque era um gato ladrão, ninguém queria saber dele. Na casa onde nasceu logo descobriram a sua má índole e o tocaram para a rua com uma boa sova. O gato saiu correndo e foi morar numa casa bem longe da primeira, dizendo que o seu dono tinha morrido e que ele era o melhor caçador de ratos do mundo. Todos acreditaram nas palavras do mentiroso e o deixaram ficar. Mas tão ordinário era esse gato, que em vez de corrigir-se e viver vida nova, continuou com maroteiras. Na primeira noite que dormiu nessa casa foi à cozinha e roubou um pedaço de carne que a cozinheira havia guardado para o dia seguinte. Roubou e ficou quietinho, deixando que a cozinheira pusesse a culpa numa pobre negrinha e a castigasse com vara de marmelo.

– Ah, eu lá! – exclamou Pedrinho. – Ferrava-lhe uma pelotada de bodoque, que ele havia de ver estrelas...

– Por fim – continuou o Visconde – também nessa casa lhe descobriram as patifarias e o puseram no olho da rua.

Ele fugiu e resolveu mudar-se para um sítio onde houvesse muitos pintos. Achou o sítio que precisava e ficou morando lá. Mas o dono observou que os pintos estavam diminuindo, um, dois e até três por dia, e falou à mulher que ia arranjar um cachorro policial para tomar conta do galinheiro durante a noite. O gato ladrão percebeu a conversa e fugiu. Andou, andou, andou até que encontrou outro sítio onde moravam duas velhas e dois meninos, um do sexo masculino e outro do sexo feminino.

– Que coincidência! – exclamou Narizinho. – Parece o Sítio de vovó...

– Escolheu esse sítio – continuou o Visconde – e foi entrando por ele a dentro com a maior sem-cerimônia deste mundo, com partes de que era um grande gato de família nobre e que tinha nascido num país estrangeiro etc.

Emília olhou para o Gato Félix.

– Deve ser algum seu parente. Os traços estão muito parecidos...

– Não tenho parentes dessa laia – respondeu o gato com orgulho. – Esse gato ladrão deve ser parente mas é dalguma senhora boneca...

– Continue, Senhor Visconde – disse Narizinho.

O Visconde tossiu outro pigarrinho e continuou:

– O tal gato ladrão ficou morando nesse sítio. Todos o tratavam com a maior gentileza, mas em vez de mostrar-se grato por tantas atenções, ele tratou de continuar a sua triste vida de gatuno. E foi e comeu um pinto carijó...

Neste ponto o Visconde parou e olhou firme para o Gato Félix. O gato sustentou o olhar do Visconde e deu o desprezo.

O Visconde continuou:

– Comeu esse pobre pinto, que era tão lindo, e no dia seguinte comeu outro pinto ainda mais bonito.

O Gato Félix levantou-se indignado.

– O Senhor Visconde está me insultando! – gritou. – Esses olhares para meu lado parecem querer dizer que sou eu o gato ladrão!...

O Visconde pulou fora da latinha e berrou:

– E é mesmo! O tal gato ladrão é você, seu patife! Você nunca foi Gato Félix nenhum! Você não passa de um miserável comedor de pintos!...

Foi um rebuliço! Todos se ergueram, sem saber o que fazer. O Gato Félix, furioso da vida, berrou ainda mais alto que o Visconde:

– Prove, se for capaz! Prove que comi os tais pintos...

– Provo e já! – urrou o Visconde. – Tenho as provas aqui no bolso.

Disse, e puxou do bolso dois pelinhos de gato.

– Eis as provas! Este pelo eu o encontrei no galinheiro, bem no local do crime e ainda manchado com o sangue da vítima. E este outro a Senhora Emília arrancou dessas fuças, seu miserável! Estão aqui as provas. Quem quiser pode vir examiná-las com o binóculo de Dona Benta. São perfeitamente iguais, até no cheiro. Ambas têm cheiro de gato ladrão!...

A prova era esmagadora. Tia Nastácia, passando a mão na vassoura, avançou feito uma onça para cima do falso Gato Félix. O gatuno deu um pulo e sumiu-se pela janela na escuridão da noite.

– Bravos! Bravos ao Visconde! – exclamaram todos. – Viva o nosso Sherlock Holmes!...

– Viva! Viva!...

E fizeram-lhe uma grande festa, e deram-lhe muitos abraços e beijos. Até Emília, que era muito envergonhada, encheu-se de coragem e beijou-o na testa.

Dona Benta tomou a palavra e disse:

– Vejam que injustiça íamos cometendo com o nosso pobre Visconde só porque havia embolorado e estava muito feio! Os acontecimentos desta noite acabam de provar que ele é um verdadeiro sábio – e dos que dão lucro a uma casa. Deste momento em diante, quem vai tomar conta dele sou eu. Vou curá-lo do bolor e botá-lo como administrador do sítio.

O relógio bateu as dez horas, e enquanto os meninos se recolhiam a velha pegou o Visconde e guardou-o bem guardadinho na sua estante, entalado entre uma Aritmética e uma Álgebra – fato que iria ter notáveis consequências futuras.

Cara de Coruja
PREPARATIVOS

Dona Benta estava ensinando Pedrinho a cortar as unhas da mão direita quando Emília apareceu na porta e piscou para ele com os seus novos olhos de seda azul, feitos na véspera. Pedrinho respondeu a essa piscadela com outra, que na linguagem do "pisco" (como dizia a boneca) significava: "Que há de novo?".

– Narizinho está chamando! – respondeu Emília, tão baixinho que Dona Benta nada percebeu.

– Para quê? – indagou o menino ainda na língua do "pisco".

– Para ajudá-la a arrumar a sala e salvar o Visconde.

Desta vez Dona Benta pilhou a palavra "arrumar" e, erguendo os óculos para a testa, perguntou:

– Que arrumação é essa, Pedrinho?

– Não é nada, vovó. Uma simples festinha que vamos dar aos nossos amigos do País das Maravilhas.

– Quer dizer que vamos ter novamente aqui o Príncipe e aqueles bichinhos todos do mar?...

Pedrinho riu-se.

– A senhora não entende disto... Eu disse amigos do País das Maravilhas, e não do Reino das Águas Claras. Há muita diferença.

– Pois vá receber seus amigos – disse Dona Benta depois que acabou de lhe aparar as unhas –, mas primeiro lave essa cara. Você comeu manga e está com dois bigodes amarelos.

– Foi de propósito, vovó – inventou o menino. – Quero que eles pensem que sou o Conde dos Bigodes de Manga!...

Narizinho estava muito atrapalhada para salvar o Visconde que uma semana atrás caíra atrás da estante. Logo que Pedrinho apareceu, gritou-lhe:

– Venha acudir o Visconde. Estou vendo um pedaço dele lá no fundo; com certeza o resto foi devorado pelas aranhas de pernas compridas. Temos que salvá-lo depressa – e vesti-lo, porque os convidados não tardam.

– Mandou os convites?

– Pois de certo. Mandei-os por um beija-flor que todos os dias vem beijar as rosas do pé de rosa da Emília. Cheguei-me a ele e disse: "Sabe ler?" – "Sei, sim!" – respondeu a galanteza. "Então pegue estas cartinhas no bico e vá entregá-las aos donos." E ele pegou as cartinhas e – *prr!*... – lá se foi...

– Para quem mandou convites?

– Para todos – para Cinderela, para Branca de Neve, para o Pequeno Polegar, Capinha Vermelha, Ali Babá, Gato de Botas – todos!

– Não esqueceu Peter Pan?

– Está claro que não. Nem Aladim, nem o Gato Félix verdadeiro. Até ao Barba Azul convidei.

Pedrinho não gostou da ideia.

– Acho que não devíamos convidar esse monstro. Vovó vai morrer de medo.

– Não faz mal – conciliou a menina. – Mandei-lhe um convite bem seco, mas se mesmo assim ele vier nós fecharemos a porta bem no nariz dele – *bá!*... Convidei-o de tanta vontade que tenho de ver se a tal barba é mesmo azul como dizem. Mas tratemos de salvar o Visconde.

Pedrinho ajudou-a a desencostar a estante de modo que pudessem pescar o pedaço do Visconde com o cabo da vassoura. Não era pedaço, não; estava inteirinho; apenas mais embolorado do que nunca – e todo sujo de poeira e teias de aranha...

– Agora é que vai ficar um sábio completo! Tia Nastácia não acredita em sábio que toma banho, faz a barba e perfuma-se. Diz que sábio de verdade é assim – bem sujinho.

Depois de limpo mal e mal, o Visconde recebeu ordem de pendurar-se no alto da janela com o binóculo de Dona Benta a fim de espiar a estrada.

– Assim que aparecer uma poeirinha lá longe, avise. Agora vou buscar Rabicó.

Rabicó veio de má vontade como sempre, porque fora obrigado a interromper uma comilança de mandioca. Pedrinho amarrou-lhe na cauda a célebre fitinha vermelha e pendurou-lhe das orelhas dois brincos de amendoim.

– Você vai ficar na porta para ir recebendo os convidados. Assim que chegar um e bater, abra, pergunte quem é e anuncie: "O senhor ou senhora Fulano de Tal!" Mas comporte-se e não vá comer os brincos como da outra vez.

A boneca estava num grande assanhamento a varrer, com o pincel de goma-arábica que lhe servia de vassoura, um lugar do chão que o Visconde sujara de verde com o seu bolor. Narizinho implicou-se.

– Chega, Emília! Assim você fura o soalho de vovó. Antes vá tomar banho e vestir aquele vestido cor do pomar com todas as suas laranjas. Ponha ruge, não esqueça. Está um tanto pálida hoje.

A boneca – *tec, tec, tec* –, muito esticadinha para trás, foi vestir-se. Assim que ela saiu, o Visconde, já no alto da janela, de binóculo apontado, anunciou, numa voz rouca de sábio embolorado:

– Estou vendo uma poeirinha lá longe!

– Ainda não, Visconde! É muito cedo. Temos de ir tomar café primeiro. Só na volta é que o senhor começa a ver poeirinhas.

O café, que já estava na mesa, foi tomado a galope. Vendo aquela pressa, Dona Benta perguntou:

– Que reinação vamos ter hoje, Narizinho?

– Nem é bom falar, vovó! Vai ser uma festa linda até não poder mais. Só reis e príncipes e princesas e fadas...

– Muito bem – disse Dona Benta – mas tenho que escrever uma carta à minha filha Antonica, por isso não façam muito barulho. Deixem-me em paz no meu canto.

– Sim, vovó, mas a senhora tem de espiar um pedacinho da festa – um pedacinho só, sim? Pelo buraco da fechadura. Isso quando ouvir uma grande salva de palmas e um hino de índios.

A pobre velha fez uma cara de quem não estava entendendo muito bem tamanha trapalhada. Narizinho teve de explicar tudo. As palmas e o hino dos índios guerreiros, escrito especialmente pela Emília, eram para saudar a chegada de Peter Pan, o famoso menino que não quis crescer e pela primeira vez os vinha visitar no sítio. Dona Benta prometeu que espiaria. Voltando à sala da festa, Narizinho gritou para o Visconde:

– É hora! Pode começar.

O pobre sábio, que estava cochilando em cima do binóculo, acordou, espiou a estrada e disse:

– Estou vendo uma poeirinha lá longe!...

– Poeirinha pequenininha ou grandinha? – perguntou Emília. – Se é grandinha, aposto que é Pé de Vento que vem vindo.

Narizinho franziu a testa.

– Não convidei Pé de Vento nenhum, Emília, nem conheço tal personagem.

– Pois eu conheço – retorquiu a boneca. – Estou escrevendo uma historinha onde há o grande Príncipe Pé de Vento, que é o maior levantador de poeira que existe. Uma vez, quando ele tinha justamente três anos, três meses, três dias e três horas de idade...

– Feche a torneira, Emília! Histórias, só de noite. Não vê que o primeiro convidado já vem vindo?

CINDERELA

Uma carruagem parou no terreiro. O Marquês de Rabicó adiantou-se para perguntar de quem era. Em seguida abriu a porta e anunciou:

– Senhorita Cinderela, a princesa das botinas de vidro!

– Como é estúpido! – exclamou Narizinho. – Cinderela é casada e não usa "botinas de vidro". Uma boa botina de vidro de garrafa precisa você no focinho...

Depois foi receber a famosa princesa, à qual fez uma grande mesura, dizendo: "Assalam alêikan"! Cinderela admirou aquele modo oriental de saudação, que Narizinho tinha aprendido num volume das *Mil e uma noites*, e como também entendesse muito de coisas orientais, porque ia a muitas festas do Príncipe Codadade e outros, respondeu na mesma língua: "Alêikan assalam!"

– Faça o favor de sentar-se, princesa! – disse a menina indicando uma cadeira de espaldar marcado com as iniciais G. B. (Gata Borralheira) em grandes letras de ouro – letras recortadas em casca de laranja por Pedrinho. Depois fez as apresentações: – Permita-me, Senhora Princesa, que apresente meu primo Pedrinho, o Conde dos Bigodes de Manga, e a minha amiga Emília, Marquesa de Rabicó.

Pedrinho saudou Cinderela com uma curvatura de cabeça. Já Emília esqueceu todas as recomendações e enfiou-se debaixo da cadeira de Cinderela para ver bem de perto os seus famosos pés calçados no menor sapatinho do mundo. A menina horrorizou-se com aquela inconveniência; Cinderela, porém, achou muita graça. Pôs Emília no colo, dizendo:

– Já a conheço de fama!

A boneca tomou conta dela imediatamente.

– Também eu conheço toda a sua história. Mas há um ponto que não entendo bem. É a respeito dos tais sapatinhos. Um livro diz que eram de cristal; outro diz que eram de cetim. Afinal de contas estou vendo você com sapatinhos de couro...

Cinderela riu-se muito da questão e respondeu que na verdade fora com sapatinhos de cristal ao famoso baile onde se encontrou com o Príncipe pela primeira vez. Mas que esses sapatinhos não eram nada cômodos, faziam calos; por isso só usava agora sapatinhos de camurça.

– E de que número?

– Trinta.

– Trinta? – exclamou a boneca admirada. – Então meu pé é muito menor, porque o meu número é 3 – e no entanto nunca me apareceu nenhum príncipe encantado!...

– Sim – disse a Princesa – mas ainda pode aparecer. Não perca a esperança, Emília!...

– Há outro ponto que me causa dúvidas – continuou a boneca. – Que é que aconteceu para sua madrasta e suas irmãs, afinal de contas? Um livro diz que foram condenadas à morte pelo Príncipe; outro diz que um pombinho furou os olhos das duas...

– Nada disso aconteceu – disse Cinderela. – Perdoei-lhes o mal que me fizeram – e hoje já estão curadas da maldade e vivem contentes numa casinha que lhes dei, bem atrás do meu castelo.

– Como a senhora é boa! Se fosse comigo, eu não perdoava! Sou mazinha. Tia Nastácia se esqueceu de me botar coração, quando me fez...

Narizinho achou que a prosa de Emília estava se prolongando muito.

– Basta, Emília – advertiu. – Conversar demais com uma princesa é contra as regras da etiqueta.

BRANCA DE NEVE

Nesse momento o Visconde gritou do alto da sua janela :

– Estou vendo outra poeirinha lá longe!...

– Deve ser a minha amiga Branca de Neve – disse a Princesa Cinderela. – Branca mora perto de mim e quando passei por lá vi que sua carruagem já estava na porta do castelo.

E foi isso mesmo. Minutos depois ouviu-se um *toc, toc, toc*. O Marquês abriu a porta e anunciou:

– A Princesa Branca das Neves.

Narizinho danou outra vez.

– Branca de Neve, bobo! – corrigiu de passagem, indo receber a recém-chegada.

Introduziu-a, fez as apresentações e levou-a a sentar-se junto de sua amiga Cinderela. Branca reconheceu imediatamente a famosa boneca, apesar de ser a primeira vez que a via.

– Eu trouxe um presentinho para você – disse tirando da bolsa um pacote. – É um espelho mágico que responde a todas as perguntas feitas. Tome.

Abriu o pacote amarrado com fita de ouro e deu-o a Emília. Que alegria! A boneca abraçou o espelho, beijou-o, bafejou nele e depois o limpou bem limpo com o seu lencinho de cambraia. Por fim não resistiu à tentação de fazer ali mesmo uma experiência.

– Diga-me, Senhor Espelho, qual a boneca que conta histórias mais bonitas?

– É a ilustre Marquesa de Rabicó! – respondeu o Espelho na sua voz mágica.

Emília suspirou. Embora nada dissesse, Narizinho percebeu que aquele suspiro era de tristeza de já ser casada e não poder portanto casar-se com o Espelho.

Branca de Neve contou toda a história de sua vida, prometendo vir mais vezes ao sítio brincar com a menina e a boneca. Prometeu também trazer os anõezinhos que a haviam salvado das unhas da má madrasta.

– Onde vivem hoje aqueles sete anõezinhos? – perguntou Emília.

– Vivem comigo no castelo. Tudo lá brilha que nem ouro, porque não pode haver no mundo criaturas mais trabalhadeiras.

– Oh! – exclamou a boneca – por que não dá um deles a Tia Nastácia? A coitada vive se queixando de que está velha e precisada de quem a ajude na cozinha.

– Impossível! – respondeu Branca. – Eles são sete, e se sair um quebra a conta. A gente não deve mexer com o número sete, que é mágico.

Nesse ponto da conversa o Visconde gritou de novo do alto da sua janela:

– Estou vendo duas poeirinhas lá longe!...

– Duas? – repetiu Branca de Neve. – Com certeza é Rosa Vermelha e sua irmã Rosa Branca. Nunca andam sem ser juntas.

Eram elas, sim. Logo que a carruagem parou no terreiro, Rabicó, com toda a sua burrice, anunciou:

– As Senhoras Pé de Rosa Branca e Pé de Rosa Vermelha!

Desta vez Narizinho deu-lhe um beliscão disfarçado, enquanto recebia as duas princesas. Rosa Branca disse logo ao entrar:

– A Bela Adormecida manda comunicar que não pode vir.

– Que pena! – exclamou Narizinho. – E por quê?

– Não sei. Suponho que está se preparando para espetar o dedo noutro espinho e dormir mais cem anos.

Emília imediatamente veio perguntar pelo urso que tinha virado príncipe e casado com Rosa Branca.

A princesa deu uma risada gostosa.

– Pois se o urso virou príncipe, como há de existir ainda?

– Sei disso – replicou Emília toda espevitada. – Mas pelo menos a pele há de existir. Eu queria tanto ver uma pele de urso que virou príncipe...

Depois contou que sabia a história das duas e que muito se indignara com as brutalidades do anão de barba comprida.

– Você querendo fazer-lhe o bem e o burro (ai!... não me belisque, Narizinho!) sempre com más-criações.

– Anões são gentinha perigosa – disse Rosa Vermelha. – Se uns comportam-se que nem anjos, como aqueles sete do castelo de Branca, outros são verdadeiras pestes. É muito perigoso lidar com essa gentinha.

O PEQUENO POLEGAR

O Visconde gritou mais uma vez:

– Vem vindo uma poeirinha tão pequenininha que até parece poeira de camundongo!...

– Quem poderá ser? – exclamaram as princesas interrompendo a conversa.

Logo depois ouviu-se um *tic, tic, tic* na porta, e Rabicó anunciou:

– Um senhor pingo de gente com umas botas maiores do que ele!

– O Pequeno Polegar! – gritaram as princesas – e acertaram.

Esquecidas de que eram famosas princesas, foram correndo receber o pequenino herói. Era ele o chefe da conspiração dos heróis maravilhosos para fugirem dos embolorados livros de Dona Carocha e virem viver novas aventuras no sítio de Dona Benta. Polegar já havia fugido uma vez, e apesar de capturado estava preparando nova fuga – dele e de vários outros. Emília ficou num assanhamento jamais visto. Agarrou o heroizinho e o não largou mais. Botou-o no colo, fê-lo contar toda a sua vidinha. Depois levou-o ao seu quarto de boneca para mostrar-lhe a porção de brinquedos que tinha.

– Antes de mais nada, tire as botas. Nem sei como o senhor tem coragem de andar com tamanho peso nos pés...

– É que sem elas não valho nada. Sou pequenino demais e fraco, mas com estas botas não tenho medo nem de gigante.

– E de elefante?

– Nem de elefante, nem de hipopótamo, nem de rinoceronte, nem de girafa, nem de anão mau, nem de serpente...

– E de jacarepaguá? – perguntou ainda a boneca, para quem jacarepaguá devia ser o monstro dos monstros.

– Nem de jacarepaguá, nem de nada. Cada passo desta bota anda sete léguas. Acha que um jacarepaguá pode me pegar?

– Que beleza! – exclamou Emília extasiada. – Eu, se fosse o senhor, deixava-as aqui no sítio por uma semana. Que bom! Poderíamos brincar o dia inteiro de estar aqui e estar lá no mesmo instante...

Das botas passou aos seus brinquedos. Mostrou-lhe uma coleção de feijões pintadinhos que Tia Nastácia lhe dera, o pincel de goma-arábica que lhe servia de vassoura e mil coisas. Polegar gostou de tudo, principalmente dum pito velho que tinha sido de Tia Nastácia – um pito sem canudo. Gostou tanto que a boneca lhe disse:

– Pois se gosta, leve, que arranjo outro. Mas, com perdão da curiosidade, para que é que o senhor quer esse pito?

– Para brincar de esconder – respondeu o pingo de gente dando um pulo para dentro do pito e ficando tão bem escondidinho que ninguém seria capaz de o descobrir.

Emília era muito interesseira. Gostava de receber presentes, mas não de dar. O único presente que deu em toda a sua vida foi aquele pito. Mesmo assim, mais tarde, quando se lembrava do pito vinha-lhe um suspiro.

Estavam naquilo quando rompeu um grande rumor na sala. A boneca foi correndo ver o que era. Encontrou Branca de Neve muito assustada dizendo a Rabicó:

– Não abra! É o malvado que matou seis mulheres !...

BARBA AZUL

Branca chegou a ficar zangada com Narizinho.

– Como é que para uma festa destas convida um monstro como esse? Se eu soubesse não vinha.

A menina desculpou-se, dizendo que não resistira à tentação de verificar se aquela barba era mesmo azul como diziam. Mas as princesas que não se assustassem, pois Rabicó não abriria a porta. E ansiosa por ver a tal barba, correu a espiar pelo buraco da fechadura.

– E é azul mesmo! – exclamou. – Azul como um céu!... Que horrendo monstro! Imaginem que traz na cintura um colar de seis cabeças humanas...

Não podendo resistir à curiosidade, as princesas também foram espiar. Cinderela observou:

– É esquisito isto! Sempre supus que o irmão da sétima mulher de Barba Azul o houvesse matado...

– É que não o matou bem matado – explicou Emília. – Outro dia aconteceu um caso assim aqui no sítio. Tia Nastácia matou um frango, mas não o matou bem matado e de repente ele fugiu para o terreiro...

Barba Azul danou de o não deixarem entrar. Deu vários murros na porta, ameaçando casar-se com todas aquelas princesas. Emília perdeu a paciência; botou a boquinha no buraco da fechadura e berrou:

– Pois case, se for capaz! Mando Pé de Vento te ventar para os confins do Judas. Vá pintar essas barbas de preto que é o melhor, seu cara de coruja!

Barba Azul virou as costas e lá se foi, furioso da vida, resmungando que nem negra velha.

Logo em seguida chegou Aladim, recebido com grandes festas. Todos queriam ver a sua lâmpada maravilhosa e o seu anel mágico. Emília perdeu a vergonha, chegando a pedir-lhe a lâmpada.

– Não seja tão pidona assim, Emília! – advertiu a menina puxando-a de lado.

– Não é dada que eu quero, Narizinho. É emprestada; depois eu a entrego outra vez.

Aladim era um belo rapaz. As princesas rodearam-no com tantas festas que os príncipes, seus maridos, haviam de ficar com ciúmes, se estivessem presentes. Depois veio o Gato de Botas. Narizinho e Emília aproveitaram a ocasião para lhe contar toda a história do falso Gato Félix, que se impingiu como o seu cinquenta-neto.

– Mentira cínica! – disse o Gato de Botas. – Nunca me casei. Não tive nem filho, quanto mais cinquentaneto!

O Pequeno Polegar veio cochichar-lhe ao ouvido alguma coisa – com certeza a respeito da tal conspiração contra Dona Carocha. Emília bem que apurou os ouvidos para ver se pescava alguma coisa, mas foi inútil. Nisto Cinderela bateu na testa, exclamando muito assustada:

– Céus! Deixei minha varinha de condão em cima do criado-mudo. É capaz dalgum mau gênio aparecer por lá e furtá-la...

Imediatamente o Gato de Botas e o Pequeno Polegar se ofereceram para irem ao castelo em busca da varinha. Cinderela aceitou, com um sorriso de alívio. Minutos depois voltavam os dois, cada qual segurando a vara por uma ponta. Tanta foi a alegria da pobre princesa que deu um beijo na testa de cada um. Emília quis por força que Cinderela lhe desse a varinha, ao menos para a segurar por uns momentos. Insistiu tanto que Narizinho teve de ralhar com ela.

– Se continua com esses peditórios, leva um beliscão, está ouvindo? – disse-lhe ao ouvido.

A boneca fez bico e emburrou. Rosa Vermelha consolou-a, pondo-a ao colo e prometendo mandar-lhe um saco de presentes cada qual mais lindo. E estava ainda dizendo que presentes eram, quando a porta se abriu com violência. Havia chegado um novo personagem, muito aflito, com ar de quem foge da perseguição de alguém. Entrou, fechou a porta com a tranca e ainda ficou a escorá-la com os ombros, de olhos arregalados de pavor.

– Ali Babá! – exclamou Cinderela, que o conhecia dos bailes no castelo do Príncipe Codadade.

O jovem voltou-lhe os olhos, como que pedindo que se calasse.

– *Psst!*... Os quarentas ladrões souberam que eu vinha. Armaram uma emboscada aí no terreiro e por um triz que não me apanham...

– Como? – exclamou Narizinho. – Pois a Morgana não matou essa gente toda com azeite fervendo?

– O azeite não estava bem fervendo – respondeu Ali Babá. – Queimou só, não deu para matar. Sararam, e agora andam me perseguindo por toda parte.

Aladim pulou à frente com a sua lâmpada na mão.

– Espere que já curo esses malandros! – disse. – Chamo o Gênio e num pingo de minuto ele espalha os quarenta ladrões.

– Que horríveis fuças! – dizia Narizinho com os olhos no buraco da fechadura. – Parece que foi nas caras que caiu o azeite fervendo. Todas ainda mostram as cicatrizes...

Aladim passou a mão pelo vidro da lâmpada. Uma fumacinha começou a surgir, que logo se transformou no Gênio.

– Amigo Gênio – disse ele – vá lá fora e espalhe duma vez para sempre esses quarenta bandidos que vivem atropelando o meu caro Ali Babá.

Ninguém sabe o que o Gênio fez, mas quem logo depois fosse ao terreiro não veria nem rasto de um ladrão, quanto mais os quarenta juntos! Ali Babá agradeceu muito a boa ação de Aladim. Abraçaram-se, ficando desde aí os maiores amigos do mundo.

Outros convidados

Em seguida veio o alfaiate que matava sete de um golpe. Veio também o soldadinho de chumbo que depois de derretido ao fogo se transformou em coração.

– E como virou soldadinho outra vez? – quis saber Emília.

– Uma fada, que leu minha história, chorou uma lagrimazinha tão sentida que virei soldado outra vez.

– E a dançarina de saiote cor-de-rosa? Morreu no fogo também?

– Essa morreu para sempre – respondeu o soldadinho, fingindo que se assoava, mas de fato enxugando os olhos. O burrinho supunha que como era soldado não podia demonstrar fraqueza, chorando.

Depois veio um Patinho Feio, filho daquele outro que virara cisne. Assim que entrou, Emília, que já tinha visto Tia Nastácia matar um pato, foi depressa cochichar-lhe ao ouvido:

– Não saia daqui, não vá à cozinha, ouviu? Lá mora uma fada preta que não tem piedade nem de frangos nem de patinhos. Pega os coitados e vai logo lhes torcendo o pescoço. Sabe para quê? Para assá-los no forno, imagine!...

Tamanho susto levou o patinho, que teve de encostar-se à parede, mais pálido que uma vela de cera – das que não são cor-de-rosa. Hansel e Gretel vieram em seguida, sendo muito festejados. Emília quis saber notícias daquele ossinho que mostravam à feiticeira cada vez que ela dizia: "Hansel, mostre o dedinho, para eu ver se está engordando". Emília achava que como tinham sido salvos por aquele ossinho, era injustiça não terem feito dele um colar para ser trazido ao pescoço. Depois chegou a Sherazade, acompanhada de todos os heróis das *Mil e uma noites*. Como não pudessem entrar na sala, muito pequena para contê-los todos, tiveram de ficar de fora. Narizinho, Emília e as princesas correram à janela, donde puderam regalar-se de ver o Pescador e o Gênio, o Cavalo Encantado, os príncipes Codadade e Ahmed, Simbad, o Marujo, Morgana e mais uma multidão de sultões, sultanas, califas e escravos núbios, pretos e lustrosos como jabuticabas.

– Por que não trouxe também o pássaro Roca? – perguntou Emília à Sherazade.

– Que ideia! – respondeu a princesa sorrindo. – Para que esse bruto derrubasse uma pedra em cima do sítio de Dona Benta e nos esmagasse a todos como fez com o navio de Simbad?

Depois vieram os heróis gregos, o valente Perseu que matou a Górgona, o heroico Teseu que matou o Minotauro e até a cabeça da Medusa, espetada na ponta de um pau, com aquela porção de cobras se mexendo em lugar de cabelos. Tantos personagens maravilhosos vieram, que o terreiro de Dona Benta ficou de não caber um alfinete. Narizinho olhava, olhava, no maior êxtase de sua vida. Só reis e príncipes e fadas e anões e madrastas boas e más, e bruxas e mágicos de chapéus em forma de cartucho, e ursos que viram príncipes, e lobos de dentuça arreganhada... Mas Peter Pan não aparecia – o que muito decepcionava Pedrinho. Seu grande desejo era justamente conhecer Peter Pan. Estavam todos à janela, regalando os olhos naquele espetáculo nunca visto no mundo, quando Emília se pôs a filosofar.

– Estou pensando na Vaca Mocha – disse ela. – A coitada costuma deitar-se aí no terreiro todas as tardes. Imaginem a surpresa dela agora! Olha dum lado, vê um rei. Vira-se de outro, dá com um anão. Sacode a cauda e bate numa princesa. A coitada deve estar que nem mover-se pode. Se não morrer de medo, é capaz de secar o leite – e amanhã Dona Benta vai ficar danada!...

A COROINHA

Depois que Narizinho e as princesas se enjoaram de ver aquela maravilha, resolveram dançar. A boneca imediatamente saiu para arranjar pares. Foi ao terreiro e trouxe de lá o príncipe Ahmed, o príncipe Codadade e outros. Narizinho agarrou Codadade antes que alguma princesa o fizesse, e saiu dançando com ele como se fosse uma princesa oriental. Branca de Neve dançou com o príncipe Ahmed. Rosa Vermelha foi tirada por Ali Babá, e Rosa Branca, pelo Gato de Botas. Só Cinderela não dançou para não estragar os seus sapatinhos de camurça. Nisto o Visconde, que ainda estava à janela, gritou:

– Estou vendo uma poeirinha lá longe...

Todos pararam de dançar, murmurando: "Quem poderá ser?". Logo depois duma batidinha na porta, Rabicó introduziu a menina da Capinha Vermelha.

– Capinha! – exclamaram todas alegríssimas, porque todas queriam muito bem a essa gentil criança. Viva Capinha!...

A menina entrou, muito corada por ter vindo a pé, e disse:

– Boa tarde para todos os presentes, ausentes e parentes!

Em seguida deu um beijo em Narizinho e outro na boneca.

– Antes de mais nada – foi dizendo Emília – quero saber o seu verdadeiro nome, porque uns dizem Capinha Vermelha e outros, Capuzinho Vermelho. Qual é o certo?

– Meu verdadeiro nome é Capinha Vermelha, porque depois que vovó me fez esta capinha todos que me viam ir para a casa dela diziam: "Lá vai indo a menina da capinha vermelha!". Mas, como vocês podem ver, esta capinha tem um capuz, que eu às vezes uso. De modo que tanto podem chamar-me Capinha, como Capuzinho, ou mesmo Chapeuzinho Vermelho.

– Coitada de sua avó! – exclamou Emília. – Você não imagina como ficamos tristes com o que lhe aconteceu! Diga-me: sua avó era muito magra?

Capinha estranhou a pergunta – mas respondeu que sim.

– Muito magra ou meio magra?

– Bem magra.

– Então não entendo aquele lobo – disse Emília – porque uma velha muito magra não é alimento. Só osso...

Todos riram-se da boneca, e Narizinho explicou que Emília, coitada, era asnática de nascença. Nisto o relógio bateu cinco horas.

– As senhoras princesas e os senhores príncipes – disse Narizinho – estão convidados para um café.

E voltando-se para a cozinha:

– Tia Nastácia! Traga um café bem gostoso para estes ilustres amigos.

Quando Tia Nastácia entrou na sala com a bandeja de café, seus olhos se arregalaram de espanto.

– Credo! – exclamou. – Não sei onde Narizinho descobre tanta gente importante e tanta princesa tão linda! A sala está que até parece um céu aberto...

– Quem é ela? – perguntou Branca de Neve ao ouvido da boneca enquanto a negra servia o café.

– Pois não sabe? – respondeu Emília com carinha malandra. – Nastácia é uma princesa núbia que certa fada virou em cozinheira. Quando aparecer um certo anel, que está na barriga dum certo peixe, virará princesa outra vez. Quem vai danar com isso é Dona Benta, que nunca achará melhor cozinheira.

Quando Tia Nastácia veio servir Narizinho, a menina notou qualquer coisa enganchada em sua saia.

– Que é isso, Nastácia? Tem jeito de uma coroinha.

A negra abaixou-se.

– Credo! – exclamou. – Até parece feitiço. Uma coroinha de rei, sim... É que fui ao quintal buscar um pau de lenha e quase nem pude andar de tanto rei e fada e princesa que vi por lá. Com certeza esbarrei nalgum reizinho e a coroa enganchou na minha saia. Mas não foi por querer, não. Credo!...

– Estou conhecendo essa coroa! – exclamou Rosa Vermelha. – É do meu sogro, o poderoso rei que mora atrás do meu castelo. Com certeza viu passar o bando de Sherazade e correu atrás e na carreira deixou cair a coroa.

E guardou-a no bolso para restituí-la ao seu dono.

Todos tomaram café, menos Cinderela.

– Só tomo leite – explicou a linda princesa. – Tenho medo de que o café me deixe morena.

– Faz muito bem – disse Emília. – Foi de tanto tomar café que Tia Nastácia ficou preta assim...

A VARINHA DE CONDÃO

Durante todo aquele tempo Pedrinho, Aladim e o Gato de Botas ficaram de parte, conversando sobre valentias. Aladim contava as mil façanhas de sua lâmpada maravilhosa. Não querendo ficar atrás, Pedrinho contou as proezas do seu famoso bodoque. Por fim chegaram a brigar.

– Pois apareça aqui um dia – disse Pedrinho – para vermos quem pode mais, você com sua lâmpada ou eu com o meu bodoque.

– Aposto na minha lâmpada! – disse Aladim.

– E eu aposto no meu bodoque! – disse Pedrinho.

O Gato de Botas interveio.

– Eu serei o juiz e em seguida desafiarei a ambos. Quero ver o que vale mais, se esse bodoque e essa lâmpada ou as minhas botas de sete léguas!...

Enquanto discutiam e marcavam a data do pega, um acidente muito grave aconteceu na sala. O pobre Visconde dormira em cima do binóculo, tão bem dormido que, de repente – *plaft!*... – caiu lá do alto um grande tombo no chão. Caiu e ficou desacordado. As princesas correram a acudi-lo com água e esfregações pelo corpo. Mas como o pobre sábio não voltasse a si, foi uma consternação geral.

– O melhor é virar o Visconde nalguma coisa – sugeriu Emília dirigindo-se a Cinderela. – Dê-lhe uma varada com a varinha de condão, princesa!

Cinderela, achando boa a ideia, assim fez. Mas antes quis saber no que havia de virar o Visconde. Narizinho achava que deviam virá-lo num grande mágico de chapéu de cartucho. Rosa Vermelha preferiu que o virassem em lobo. Venceu afinal a opinião da Emília, que era a mais prática.

– Tia Nastácia anda precisando dum pilãozinho de socar sal. Boa ocasião para virar o Visconde em pilão! Ao menos fica servindo para alguma coisa.

Aprovada a ideia, a princesa da varinha bateu nele, dizendo:

– Vira que vira, vira virando, vira pilão!

Imediatamente o Visconde virou num pilãozinho novo exatamente como Tia Nastácia queria. A princípio a negra ficou assombrada. Depois disse:

– Mas eu não tenho coragem de socar sal nesse pilãozinho ! Pego a imaginar que já foi o Visconde e morro de dó. Em todo caso, fico muito agradecida a dona Cinderela pelo lindo presente.

E guardou o pilãozinho numa prateleira, resmungando:

– O mundo está perdido!... Quando eu havia de pensar que o Visconde ia ter este fim? Não valemos nada nesta vida. Quando chega a hora de virar, pode ser rei, pode ser visconde, a gente vira mesmo – e ainda é bom quando vira pilão...

Na sala de baile estavam todos brincando de virar. Cinderela batia com a varinha e virava tudo que lhe pediam. Emília trouxe todos os seus brinquedos para os fazer virar em outros brinquedos ainda mais bonitos. Depois sentiu saudades dos brinquedos velhos e os fez desvirar novamente. E estavam ainda nessa brincadeira, quando ouviram na porta uma batida esquisita, muito diferente das demais. As princesas assustaram-se.

– Parece batida de lobo! – disse Capinha Vermelha que fora espiar pelo buraco da fechadura. – É lobo mesmo! – exclamou de lá, arregalando os olhos de pavor. Justamente o malvado que comeu vovó...

Foi uma correria. Narizinho procurou acalmar as princesas.

– Não pode ser – disse ela. – O lobo que comeu a avó de Capinha foi morto a machadadas por aquele homem que entrou. É o que dizem os livros.

– Deve ser erro tipográfico – sugeriu asnaticamente Emília, que também fora espiar o lobo. – É lobo, sim – e magríssimo! Bem se vê que só se alimenta de velhas bem velhas. Com certeza soube que Dona Benta morava aqui e...

Não pode concluir. Narizinho estava em prantos.

– Pobre vovó! – gemia ela torcendo as mãos. – Que desgraça se o lobo a devora! Chamem Pedrinho e os príncipes! Corra, Emília!...

Mas justamente minutos antes Pedrinho e os príncipes haviam saído para o terreiro a fim de fazerem uma experiência com a lâmpada de Aladim. Estavam as meninas ali sem um homem que as pudesse socorrer.

– Bata com a vara nele e vire-o numa pulga, – lembrou Emília já preparando a unhinha para matar a pulga.

– Impossível! – exclamou Cinderela aflita. – Seria preciso abrir a porta e o lobo poderia me agarrar de um bote...

Enquanto isso o lobo continuava a bater – *toc, toc, toc* – cada vez mais furioso. Depois começou a arranhar a porta, tirando lascas. Rabicó tremia como geleia; em vez de ajudar as princesas a se salvarem dos apuros, mais atrapalhava. Agarrou-se à saia de Branca de Neve, que teve de afastá-lo com um bom pontapé.

– Só o Visconde poderá nos salvar! – exclamou Emília. – Os sábios sabem meios para tudo.

Disse e foi correndo buscar o pilãozinho para que Cinderela o virasse em visconde. Cinderela, muito trêmula, bateu com a varinha e o Visconde surgiu de novo, tonto e assustado. Narizinho explicou-lhe do que se tratava e apontou para a porta.

– O lobo está arrebentando as tábuas. Mais um minuto e penetra aqui. Veja se acha um jeito de nos salvar, Visconde!...

Mal a menina acabara de pronunciar essas palavras, o lobo arrancou uma tábua e enfiou o focinho pelo buraco, farejando o ar.

– Hum... Hum!... Estou sentindo cheiro de avó de gente... – rosnou ele.

Era demais. Narizinho desmaiou. Vendo aquilo, as princesas desmaiaram também. Emília ficou na sala sozinha com o Visconde.

– Vamos, Visconde! Faça alguma coisa! Mexa-se!...

Mas o Visconde não saía do lugar, e só então Emília percebeu que ele tinha virado visconde só da cintura para cima, continuando pilão da cintura para baixo. Com a pressa e o nervoso, Cinderela só lhe havia dado meia varada...

– E agora! – exclamou Emília coçando a cabeça e pensando lá consigo se valeria a pena desmaiar também. E talvez fizesse isso, se o lobo naquele instante não arrancasse mais uma tábua e não enfiasse dentro da sala quase meio corpo. Vendo que o monstro entrava mesmo, Emília berrou com todas as forças dos seus pulmões:

– Acuda, Tia Nastácia! O lobo está entrando de verdade e vai comer Dona Benta...

Ouvindo o berro, a negra veio lá da cozinha com a vassoura e num instante espantou dali a fera com três boas vassouradas no focinho.

– Lobo sem-vergonha! Vá prear no mato que é o melhor. Dona Benta nunca foi quitute pra teu bico, seu cão sarnento!...

– Bravos! – exclamou Emília batendo palmas. – A senhora é tão valente que até merece casar com o pássaro Roca.

A preta só disse:

– Em vez de dizer bobagens, antes me ajude a acordar estas princesas. Traga depressa uma caneca de água fria, ande...

A primeira a ser despertada foi Narizinho.

– Que é do lobo? – perguntou ao voltar a si, ainda tonta e com a vista atrapalhada. – Já comeu vovó?

A negra deu uma risada com a beiçaria inteira.

– Credo! Que ideia! O lobo a estas horas já deve estar chegando na Europa!... – e contou o que havia acontecido.

Em seguida despertou as outras. Capinha Vermelha, louca de alegria, abraçou Tia Nastácia, prometendo mandar-lhe uma cesta de bolinhos. As princesas também a abraçaram, prometendo mandar pilõezinhos de verdade e mais coisas bonitas.

Nisto entrou o menino com os príncipes.

– Bonito! – exclamou Narizinho. – Os senhores vão para a troça e nos deixam aqui sozinhas à mercê das feras... – e contou tudo.

Aladim ficou aborrecidíssimo de haver perdido aquela oportunidade de mostrar o poder da sua lâmpada e Pedrinho ainda mais, pois com duas bodocadas tinha a certeza de que o lobo sairia ventando. Nesse momento um vulto entrou pela janela como um grande pássaro – Peter Pan! Assim que Pedrinho e os demais o reconheceram, reboou uma grande salva de palmas, seguida do hino dos índios guerreiros, composto pela boneca. Dona Benta, que havia acabado de escrever a sua carta, ouviu o rumor e lembrou-se da promessa feita a Narizinho. Veio espiar a festa. Entrou na sala.

– Boa tarde, senhor Peter Pan! Fico satisfeita de saber que o senhor também é amigo dos meus netos – mas quero que não faça com eles o que fez com Wendy e seus irmãozinhos. Não lhes ensine a voar, senão estou perdida. Se não sabendo voar já são assim, imagine sabendo...

– A senhora pensa que voar é perigoso? – perguntou Emília. – Levando o seu guarda-chuva como paraquedas, não há perigo nenhum!...

– Sei que não há perigo – disse a velha. – Mas sei também que se voarem começarão a ir para muito longe e poderão um dia esquecer-se de voltar.

Peter Pan sossegou-a. Disse que nada receasse, pois só lhes ensinaria a voar se obtivesse o consentimento dela.

A PARTIDA

O relógio bateu seis horas.

– Como é tarde! – exclamou Branca de Neve. – Tenho de estar no castelo às sete para receber dois príncipes que vêm jantar conosco.

– E nós também – disseram Rosa Vermelha e Rosa Branca. – Temos à noite a visita do Pássaro Azul.

Cinderela também tinha de retirar-se de modo que foi um rodopio de abraços e beijos e palavras de despedidas – tudo num grande atropelo.

– Adeus! adeus! – dizia Narizinho, passando dos braços de uma princesa para os de outra. – Voltem outra vez, agora que sabem o caminho...

Pedrinho, que havia cochichado muita coisa para Peter Pan, despediu-se dele dizendo:

– Quando voltar, veja se traz o crocodilo que comeu o Capitão Gancho. Tenho muita vontade de ver um crocodilo dessa espécie.

A Aladim lembrou o desafio:

– Venha com a sua lâmpada – e areie bem ela, ouviu?...

Emília andava de mãos em mãos. Nunca foi tão beijada e amimada. Quando chegou o momento de despedir-se do Pequeno Polegar, cochichou-lhe ao ouvido uma porção de coisas sobre Dona Carocha e aconselhou-o a fugir novamente e vir morar com eles ali no sítio.

Depois que todos partiram, a casa ficou mais vazia do que nunca. Na sala, só os dois meninos e a boneca. No terreiro, só a Mocha mascando as suas palhas e Rabicó acabando de comer a sua raiz de mandioca.

Os dois meninos trocavam impressões.

– De quem mais gostei foi de Branca de Neve – disse Narizinho. –Como é boa e linda! Contei-lhe que estive com a aranha que lhe fez o vestido de casamento e Branca ficou muito admirada. Pensou que Dona Aranha tivesse morrido daquele desastre na perna. Como Branca é branca! Nunca imaginei que pudesse haver uma criatura alva assim. Parece feita de coco ralado...

– E eu gostei muito do Gato de Botas – disse Pedrinho. – Já Aladim me pareceu um tanto prosa. Pensa que aquela lâmpada é a maior coisa do mundo.

Nisto Emília, que havia rolado para debaixo da mesa, deu um grito de espanto.

– Olhem o que está aqui! A lâmpada de Aladim! Com a pressa, ele esqueceu-se de levá-la...

– É verdade! – exclamou Pedrinho no auge da alegria. – Esqueceu-se e agora a lâmpada é minha!...

– E está aqui também a varinha de condão de Cinderela! – berrou de novo Emília mostrando o precioso talismã. – Com a pressa, ela esqueceu-se da vara e a vara é minha. Vou brincar de virar o dia inteiro.

– E olhem o que está aqui atrás do armário! – gritou por sua vez Narizinho. – As botas de sete léguas do Gato de Botas. São minhas – e quero ver quem me pega!...

Ficaram todos três no maior contentamento, a mirar e remirar aquelas maravilhas e a fazer projetos de aventuras ainda mais extraordinárias que as que os livros contam. No melhor do enlevo, porém, ouviram uma batidinha trêmula na porta – *tuc, tuc, tuc*...

Emília foi abrir. Era uma baratinha de mantilha – a célebre Dona Carocha...

– Que é que a senhora deseja? – indagou Emília.

– Boa tarde! – disse a velha, fingindo não reconhecer a boneca e sentando-se para descansar. – Sou Dona Carocha, a que toma conta de todos esses personagens do mundo maravilhoso.

– Já sei – observou a menina, de mãos na cintura e prevendo complicações. – Mas que é que a senhora quer?

– Vim buscar a lâmpada de Aladim, a vara de condão de Cinderela e as botas do Gato de Botas. Esses maluquinhos, com a pressa de voltar, esqueceram-se desses objetos.

Foi um desapontamento geral. Emília quis mentir, dizendo que não havia ali nem bota, nem vara, nem lâmpada nenhuma. Narizinho teve ímpetos de morder a velha. Pedrinho chegou a olhar para o bodoque. Mas Dona Benta estava na salinha próxima e Dona Benta fazia muita questão de que seus netos respeitassem os mais velhos. Por isso resignaram-se a entregar aquelas preciosidades.

– Pois leve – disse Narizinho, contendo-se a custo. – Mas fique sabendo que o que lhe vale é vovó estar ali na salinha. Ah, se não fosse isso...

Dona Carochinha nada disse. Foi tratando de pegar a vara, a lâmpada, as botas e até o espelho mágico que Branca de Neve dera à boneca. Em seguida raspou-se, ressabiadamente.

Mas antes que ela chegasse à porteira Emília explodiu :

– Cara de coruja seca! Cara de jacarepaguá cozinhada com morcego e misturada com farinha de bicho cabeludo – *ahn!*... – e botou-lhe uma língua tão comprida que Dona Carochinha foi arregaçando a saia e apressando o passo...

O Irmão de Pinóquio
O IRMÃO DE PINÓQUIO

– Coitada de vovó! – disse um dia Narizinho. – De tanto contar histórias ficou que nem bagaço de caju; a gente espreme, espreme e não sai mais nem um pingo.

Era a pura verdade aquilo – tão verdade que a boa senhora teve de escrever a um livreiro de São Paulo, pedindo que lhe mandasse quanto livro fosse aparecendo. O livreiro assim fez. Mandou um e depois outro e depois outro e por fim mandou o *Pinóquio*.

– Viva! – exclamou Pedrinho quando o correio entregou o pacote. – Vou lê-lo para mim só, debaixo da jabuticabeira.

– Alto lá! – interveio Dona Benta. – Quem vai ler o *Pinóquio*, para que todos ouçam, sou eu, e só lerei três capítulos por dia, de modo que o livro dure e nosso prazer se prolongue. A sabedoria da vida é essa.

– Que pena! – murmurou o menino fazendo bico. – Não fosse a tal sa-be-do-ri-a da vida, que nunca vi mais gorda, e hoje mesmo eu dava conta do livro e ficava sabendo toda a história do Pinóquio. Mas, não! Temos de ir na toada de carro de boi em dia de sol quente – *nhem, nhem, nhem*...

Sua zanga, porém, não durou muito, e assim que chegou a noite e Tia Nastácia acendeu o lampião e gritou o "É hora!", ninguém se mostrava mais assanhado que ele.

– Leia da sua moda, vovó! – pediu Narizinho.

A moda de Dona Benta ler era boa. Lia "diferente" dos livros. Como quase todos os livros para crianças que há no Brasil são muito sem graça, cheios de termos do tempo do Onça ou só usados em Portugal, a boa velha lia traduzindo aquele português de defunto em língua do Brasil de hoje. Onde estava, por exemplo, "lume", lia "fogo"; onde estava "lareira" lia "varanda". E sempre que dava com um "botou-o" ou "comeu-o", lia "botou ele", "comeu ele" – e ficava o dobro mais interessante. Como naquele dia os personagens eram da Itália, Dona Benta começou a arremedar a voz de um italiano galinheiro que às vezes aparecia pelo sítio em procura de frangos; e para o Pinóquio inventou uma vozinha de taquara rachada que era direitinho como o boneco devia falar. Os primeiros capítulos lidos não deram para fazer uma ideia da história. Mesmo assim Pedrinho declarou que se simpatizava com o herói.

– Pois eu não! – contraveio Narizinho. – Esse freguês não me está com cara de ser boa bisca. E você, Emília, que acha?

A boneca estava pensativa, de mãozinha no queixo.

– Eu acho – respondeu ela – que achei uma grande coisa.

– Diga!

– Não posso. Não é coisa de ir dizendo assim sem mais nem menos. Só direi se Pedrinho me der aquele cavalinho de pau sem rabo que está na gaveta dele.

Emília sempre fora interesseira, mas depois que encasquetou a ideia de tornar-se a boneca mais rica do mundo (rica de brinquedos), virou uma perfeita cigana, dessas que não fazem nada de graça.

– Pode ser que dê – disse o menino. – Se a ideia for aproveitável...

– Jura que dá?

– Não duvide de mim. Você bem sabe que sou menino de palavra.

– Pois minha ideia é esta: se Pinóquio foi feito de um pedaço de pau vivente, bem pode ser que ainda haja mais pau dessa qualidade no mundo.

– E que tenho eu com isso?

– Tem que, se houver mais pau dessa qualidade, você poderá arranjar um pedaço e fazer um irmão do Pinóquio!

Todos se entreolharam, admirados da esperteza da boneca. Pedrinho chegou a entusiasmar-se com a ideia.

– É mesmo! – exclamou arregalando os olhos. –A ideia é tão boa que só admiro de ninguém ter pensado nisso antes. Pode ir lá ao meu quarto, Emília, e tirar o cavalinho da gaveta.

O PAU VIVENTE

A grande ideia de Emília não deixou mais a cabeça de Pedrinho. Só pensava em ir à Itália, ver se no quintal do homem que fez o Pinóquio não existiria ainda um resto do tal pau. Mas ir como? A pé não podia ser, porque era muito longe e teria de atravessar o oceano. De navio também não, porque Dona Benta tinha um medo horrível de naufrágios e jamais consentiria que ele embarcasse. Como resolver o problema? Desta vez foi o Visconde quem teve a melhor ideia. Esse sábio estava ficando cada vez mais sabido, depois da temporada que passou atrás da estante, entalado entre uma Álgebra e uma Aritmética. Por isso só falava cientificamente, isto é, de um modo que Tia Nastácia não entendia.

– Eu acho – observou ele cuspindo um pigarrinho – que não é preciso ir à Itália para descobrir madeira com "propriedades pinoquianas". A Natureza é a mesma em toda parte; e se lá há disso, não vejo razão plausível para que não o haja aqui também. Logo, se você procurar, bem procurado, é possível que descubra em nossas matas algum "exemplar esporádico da mirífica substância".

Tia Nastácia, que naquele momento ia passando de trouxa de roupa à cabeça, parou, escutou o discurso, de olhos arregalados, e lá se foi, resmungando: "Que mania essa do Visconde de só falar inglês agora! Credo!". Para a boa negra, tudo que ela não entendia era inglês. Mas Pedrinho compreendeu perfeitamente e até se entusiasmou com o que o sábio disse.

– Boa ideia, não há dúvida. Vou amolar meu machadinho e amanhã cedo começarei as "investigações".

E assim fez. No dia seguinte, logo depois do café, botou o machadinho ao ombro e partiu para a floresta, disposto a picar todos os paus por lá existentes até encontrar um que desse sinais de vida. A semana inteira passou naquilo. Não deixava escapar uma só árvore. Golpeava-as todas, e aplicava o ouvido ao tronco para ver se gemia. Muitas choraram lágrimas de resina, mas gemer nenhuma gemeu durante todo aquele tempo.

– Acho que estou fazendo papel de bobo – disse ele um dia ao voltar. – Pau de Pinóquio só mesmo na Itália. A ideia do Visconde está me parecendo como o nariz dele.

Ouvindo-o dizer aquilo, Emília ficou de pulga atrás da orelha. Pôs-se a refletir que se o menino não achasse pau vivente, era capaz de lhe tomar o cavalinho, alegando que sua ideia também era como o nariz de alguém. Pensou, pensou, pensou e por fim concebeu um plano. Foi procurar o Visconde e disse-lhe:

– Largue esse livro (era uma Álgebra) e diga-me uma coisa: o Senhor Visconde sabe gemer?

– Nunca gemi – respondeu o sábio, estranhando a pergunta – mas não creio que seja muito difícil.

– Então gema um pouquinho para eu ver.

O Visconde, com uma careta muito feia, gemeu em vários tons o melhor que pode.

– Muito bem – aprovou a boneca. – Sabe gemer, sim, e nesse caso preciso que me preste um grande serviço. Presta?

O velho sábio parece que tinha alguma paixão oculta pela boneca, pois se apressou a fazer uma mesura e a declarar, todo delambido:

– Dona Emília manda, não pede.

– Pois então venha comigo – e Emília, sem mais cerimônias, levou-o a certo lugar no campo, para lá da porteira, onde havia um velho tronco de pau caído à beira da estrada. Parou naquele ponto e disse:

– Pedrinho tem o costume de passar por aqui quando volta da mata onde anda procurando o pau vivente. E como está que não pode passar por perto de pau nenhum sem dar um golpe, já estou vendo o jeitinho dele: chega, para e – *pã!* – machadada neste tronco. Pois bem, vosmecê vai ficar escondido aqui neste oco de pau; assim que ele chegar, parar e der o golpe, vosmecê vai gemer – mas gemer bem gemido, com voz rouca de pau velho, está entendido?

– Mas para que isso? – atreveu-se o sábio a perguntar.

– Não é da sua conta, Visconde. Faça o que estou dizendo e não discuta.

Nisto Pedrinho apontou lá longe, de machadinho ao ombro.

– Depressa! Depressa, Visconde! – disse Emília, empurrando o sábio para dentro do oco. – Ele vem vindo!...

O Visconde sumiu-se no oco e ela correu para casa antes que o menino a visse por ali e desconfiasse.

Pedrinho chegou e fez como fora previsto. Parou e – *pã!* – machadada. Mas fez aquilo por fazer, pela força do hábito, porque já não tinha a menor esperança de encontrar pau vivente nenhum. Com imensa surpresa sua, porém, o tronco gemeu – *ai! ai! ai!* – o que o fez dar um pulo para trás como se tivesse pisado cobra.

– Homessa! – exclamou, arregalando os olhos. – Será possível que este tronco tenha gemido ou foi ilusão minha?

Para certificar-se deu novo golpe, mas de longe, meio ressabiado.

– *Ai! ai! ai!* – gemeu novamente o tronco.

Embora andasse já por uma semana a procurar aquilo, Pedrinho ficou seriamente impressionado com o milagre e sem ânimo de meter o machado no pau para cortar o pedaço necessário à fabricação do boneco. Teve de ir ao riacho que corria perto beber uns goles d'água, que lhe acalmassem a agitação e lhe dessem coragem. A água fez efeito. Pedrinho criou ânimo e, apesar do pau continuar a gemer, cortou dele um bom pedaço, voltando para casa a correr, na maior alegria de sua vida.

Ao penetrar no terreiro deu com a boneca sentadinha na soleira da porta, assobiando o "Pirulito que bate bate" com a cara mais inocente deste mundo.

– Achei, Emília! – gritou o menino de longe.

E ela, com a maior indiferença:

– Que é que você achou, Pedrinho?

– O pau vivente, ora essa! Que é que havia de achar se é só isso que ando procurando?

– Nesse caso, bom proveito! – murmurou a sonsa, sem erguer os olhos e a fingir que estava cavoucando o chão com um pauzinho.

O menino danou. Disse-lhe um desaforo e entrou em casa como um pé-de--vento, ansioso por contar a história dos gemidos.

– Vocês não imaginam que coisa mais espantosa! – gritou quase sem fôlego logo que todos o rodearam. – O pau gemia que nem gente de carne e osso – *ai! ai! ai!* – numa voz que lembrava um pouco a do Visconde. Gemia de cortar o coração! Nunca imaginei que pudesse haver uma coisa assim no mundo! Um assombro!...

Pedrinho teve de repetir a história uma porção de vezes, enquanto o maravilhoso pedaço de pau corria de mão em mão, apalpado, cheirado, provado com a ponta da língua. Só Tia Nastácia não teve coragem de chegar perto. Espiou de longe – e nunca fez tantos pelos-sinais nem murmurou tantos credos.

Todos comentavam, menos o Visconde e a boneca. O Visconde fingia-se absorvido na leitura do seu livro de Álgebra, mas na realidade estava observando a cena com o rabo dos olhos; de vez em quando dava sua risadinha. E Emília, essa espiava pelo vão da porta; depois saiu tapando a boca para abafar o riso, indo conversar com o seu cavalinho. Botou-o ao colo e disse-lhe ao ouvido

– Pedrinho caiu como um pato e com certeza agora não se lembra mais de tomar você de mim. Viva! Viva! Você é meu e bem meu, e tem que brincar comigo o dia inteiro. Antes de mais nada, preciso consertar Vossa Senhoria, pois onde já se viu um cavalo sem rabo? Vou arranjar para Vossa Cavalência um lindo rabo de galo, muito mais na moda que esses rabos de cabelo com que os cavalos nascem, está ouvindo, Senhor Barão Cavalgadura Cavalcanti Cavalete da Silva Feijó?

Estava aberta a célebre torneirinha das asneiras – e aberta ficou durante todo o tempo em que Emília deu voltas pelo terreiro em procura duma boa pena de galo que servisse de cauda para o novo Barão.

O CONCURSO

Achado o pau vivente, só restava fazer com ele um boneco para que surgisse no mundo o irmão de Pinóquio. Pedrinho, entretanto, por mais que o sacudisse e espetasse com o canivete, não conseguia que o pedaço de pau desse o menor sinal de vida.

– É esquisito isto! – exclamava. – O tronco gemeu de cortar o coração, mas este pedaço nem pia. É esquisitíssimo...

Emília, sempre com a pulga atrás da orelha de medo que seu estratagema fosse descoberto, disse logo, muito espevitadinha:

– Dona Benta falou outro dia que as grandes dores são mudas. Esse pau bem que sente, mas como a dor de se ver separado do tronco pai dele é muito grande, está assim mudo como um peixe. De repente a dor diminui e ele começa a gemer que ninguém o pode aturar.

O Visconde tossiu e olhou para ela com o rabo dos olhos, admirado dos progressos "psicológicos" que Emília estava revelando. Apesar da mudez do pau, Pedrinho resolveu fazer o boneco, na esperança de que de repente vivesse. Mas, fazê-lo como? Cada qual queria que o irmão de Pinóquio fosse de um jeito, e tanto disputaram que Pedrinho resolveu abrir um concurso. O desenho vencedor seria adotado para modelo.

– Concurso de desenho, gentarada! – gritou ele batendo palmas. – Para tudo! Vovó, largue essa costura e pegue no lápis. Tia Nastácia, você também pare com esse fogão! Toca a desenhar!

Começou o concurso. Durante meia hora ninguém naquela casa cuidou de outra coisa senão de desenhar. Prontos que foram os seis desenhos, Pedrinho os pregou na parede para serem julgados. Que exposição mais engraçada! O desenho de Tia Nastácia não tinha forma de gente; parecia um coisa-ruim de carvão, tão feio que todos se riram. O de Narizinho era bastante jeitoso, mas tinha o defeito de ser parecido demais com o Pinóquio.

– Foi de propósito – explicou a menina. – Fiz um irmão gêmeo.

O de Dona Benta parecia um Judas no Sábado de Aleluia. O de Pedrinho saiu o retrato de um menino opilado que às vezes aparecia no sítio, acompanhando sua avó, Nhá Veva Papuda. O do Visconde saiu tão científico que não se entendia. Era cheio de triângulos copiados da Geometria e tinha no nariz um X de Álgebra. O de Emília era um embrulho. Emília quis botar no boneco tanta coisa que o virou numa trapalhada. Fez cacunda de Polichinelo, boca de sapo, rabo de jacaré, orelhas de morcego, pés de bode e nariz ainda mais comprido que o de Pinóquio. Tinha também um olho arregalado nas costas, "para que ninguém o pudesse agarrar de surpresa" – explicou ela – cheia de orgulho dessa lembrança que ninguém havia tido.

Por três vezes Pedrinho botou em votação os desenhos, sem o menor resultado. Cada qual achava o seu o mais bonito e votava em si próprio.

– Com votação não vai – disse ele. – O melhor é tirar a sorte.

Todos concordaram. Pedrinho escreveu o nome de cada concorrente num pedaço de papel, enrolou-os e botou-os no seu chapéu, pedindo a Dona Benta, como mais velha, que tirasse um. Emília, porém, protestou, erguendo a mão esquerda no ar e escondendo a direita no bolsinho da saia.

– Quem vai tirar a sorte sou eu! Dona Benta não sabe!

– Não é você, não! É vovó! – determinou Pedrinho.

– Sou eu! Sou eu! – insistiu a boneca.

– Já disse que é vovó. Não teime!

– Sou eu! Sou eu! – continuou a boneca, batendo o pé e sempre de mão no bolso.

Narizinho desconfiou da insistência daquela mão no bolso.

– Deixe ver a mão, Emília.

– Não deixo! – respondeu a boneca, corando até à raiz dos cabelos.

Narizinho agarrou-a e, tirando-lhe a mão do bolso à força, viu que havia nela um papelzinho do mesmo tamanho e enrolado do mesmo jeito dos que estavam no chapéu.

Foi um escândalo. Todos a criticaram, achando muito feio aquele procedimento; depois caíram na gargalhada, ao lerem o que estava no papelzinho. Emília, em vez escrever o seu nome, havia escrito, na sua letrinha torta de boneca de pano – o meu. Por isso insistia tanto em tirar a sorte. Já estava com o nome do vencedor na mão...

– Ché, que fiasco! – exclamou Tia Nastácia pendurando o beiço. – Nunca vi ação mais feia. Eu, se fosse Dona Benta, não deixava que essa cavorteiragem fosse passando assim sem mais nem menos. Dava umas palmadinhas nela, ah, isso dava mesmo! Onde se viu querer empulhar a gente dessa maneira? Credo!

Emília, cada vez mais furiosa, botou-lhe um palmo de língua, ahn!

– Tia Nastácia tem razão, Emília – observou Dona Benta. – O ato que você praticou é dos mais feios e só perdoo porque você é uma bobinha que não distingue o bem do mal. Fosse algum dos meus netos e eu o castigaria.

Era a primeira repreensão que Emília levava de Dona Benta. Sua vontade foi de também lhe botar um palmo de língua ainda mais comprida. Mas compreendeu que não devia fazer semelhante coisa e limitou-se a sair da sala, resmungando e batendo o pezinho com toda a força.

– Como está ficando! – comentou a negra. – Parece uma cascavelzinha. Credo!

Terminado o incidente, prosseguiram na tirada da sorte. Dona Benta meteu a mão no chapéu e pescou um dos papéis. Abriu-o e leu – TIA NASTÁCIA.

Foi um desapontamento geral. Ninguém esperou que a Sorte fosse tão burra de escolher justamente a autora do desenho mais feio. Mas a Sorte é a Sorte; o que ela decide está decidido e ninguém pode reclamar. Em vista disso a negra ficou encarregada de dar forma humana ao pedaço de pau vivente, pondo assim no mundo o irmão de Pinóquio.

A zanga de Emília

Narizinho foi espiar o que Emília estava fazendo. Encontrou-a no cantinho da sala onde era o seu "quarto", muito atarefada em botar os seus vestidos e brinquedos nas caixas de papelão que lhe serviam de mala. Mas notou que Emília só botava os vestidos e brinquedos que ela, Narizinho, lhe havia dado. Os outros, dados pela negra, jaziam no chão, amarrotados e pisados aos pés. Emília estava seriamente ofendida e sem dúvida nenhuma preparava-se para alguma viagem. Ia arrumando as malas, ao mesmo tempo que dialogava com o cavalinho

– Não é à toa que ela é preta como carvão.

– ?

– Mentira de Narizinho! Essa negra não é fada nenhuma, nem nunca foi branca. Nasceu preta e ainda mais preta há de morrer.

– ?

– Boa? Está muito enganado. Mais malvada que ela só o Barba Azul. Você é porque é novo nesta casa e não a conhece. Tia Nastácia não tem dó de nada. Pega aqueles frangos tão lindos e – *zás!* – torce-lhes o pescoço. Mata patos, mata perus, mata camundongos – não há o que não mate. Outro dia, no Natal, a diaba assassinou um irmão de Rabicó, tão bonitinho! Pegou naquela faca de ponta que mora na cozinha e – *fugt!* – enfiou dentro dele, até no fundo. E pensa que foi só isso? Está enganado! Depois pelou o coitadinho numa água bem fervendo e assou o coitadinho num forno tão quente que nem se podia chegar perto.

      – ?

      – Como não? Você não é melhor do que os frangos, perus e leitões. Essa é uma das razões por que quero ir-me embora: para tirá-lo daqui antes que a malvada o mate e asse no forno. Que pena não ser você grande como o cavalo de Troia!...

      – ?

      – Para quê? É boa. Para dar um coice de Troia no nariz dela.

      Nesse ponto Narizinho, que estava escondida a escutar o diálogo, apareceu.

      – Que é isso, Emília? Parece louca!...

      – É que estou arrumando minhas malas para me mudar desta casa. Não gosto de velhas, nem brancas, nem pretas.

      – Ir para onde, boba? Pensa que é só ir saindo e indo?

      – Vou para a casa do Pequeno Polegar. Quando lhe dei de presente o pito de barro, ele me disse: "Muito obrigado, Dona Emília. Tenho lá uma casa às suas ordens. Apareça". Chegou o dia. Vou aparecer e ficar morando lá.

      – E você pensa que cabe na casinha do Pequeno Polegar? Já se esqueceu, boba, de que ele é deste tamanhinho?

      Emília pôs o dedo na testa, refletindo. Afinal caiu em si e viu que realmente seria uma grande asneira. Se se mudasse para a casa do Pequeno Polegar, teria, sem dúvida, de ficar no terreiro e dormir ao relento, com perigo de ser atacada por quanta coruja e morcego existem no mundo. E como tinha medo horrível de morcegos e corujas, resolveu ficar.

      – Nesse caso fico, mas você há de me dar um vestido novo, de seda, com um laço de fita aqui e um babado. Dá?

      – Dou, diabinha, dou. Mas com uma condição!...

      – Qual é?

      – Fazer as pazes com Tia Nastácia. A coitada está lá na cozinha chorando de arrependimento de haver ameaçado você com palmadas.

      A cólera de Emília já havia passado, cedendo lugar a sentimento muito mais rendoso. Por isso tratou imediatamente de tirar vantagem da situação, pedindo uma coisa que era o seu encanto.

      – Só se ela me der aquele alfinete de pombinha que você sabe.

      – Dá, sim. Eu digo a ela que dê e ela dá.

      – Neste caso, fico de bem com ela outra vez.

      Aquele alfinete andava deixando Emília doente. Era um alfinete do tempo de dantes, que já não se encontra em loja nenhuma de hoje. De aço azul, tendo em vez de cabeça uma pombinha de vidro colorido. Tia Nastácia possuía três, um de pombinha azul, outro de pombinha verde, outro de pombinha carijó. Era este o que Emília queria – mas queria desesperadamente, como nunca neste mundo uma boneca quis qualquer coisa.

João Faz-de-conta

Tia Nastácia fechara-se na cozinha para fazer o boneco sossegadamente. Uma hora depois reapareceu com a obra-prima na mão.

– Pronto! Não ficou bonito, mas está muito simpático – disse ela, mostrando o produto do seu engenho e arte.

Houve um "Oh"! geral de decepção, porque realmente não se poderia imaginar coisa mais feia, nem mais desajeitada. Os braços saíam do meio do corpo, quase; os pés não tinham jeito de pés; o nariz era um fósforo cabeçudo espetado no meio da cara; e a cabeça, em forma de castanha de caju, estava pregada nos ombros por meio de um prego torto, cuja ponta aparecia nas costas.

Pedrinho chegou a ficar danado.

– Que vergonha, Tia Nastácia! Você fez um monstro que não pode ser mostrado a ninguém. Desmoraliza a família!

– E o pau vivente gemeu muito quando você o cortou? – quis saber Narizinho.

– Nada, nada! Não deu o menor sinal de vida. Mesmo que um pau de lenha à toa.

– É extraordinário! – observou Pedrinho. – Não posso compreender tal fenômeno. O tronco gemeu de cortar o coração da gente, e no entanto este pedaço do tronco não dá sinal de vida. Anda aqui um grande mistério!...

O Visconde, que estava a ler a sua Álgebra, piscou mais de dez vezes ao ouvir aquilo. Depois pediu a palavra e lembrou:

– Deus deu vida ao primeiro homem fazendo um boneco de barro e assoprando. Por que não experimenta o assopro, Pedrinho?...

– Boa ideia! – exclamou Emília, que vinha entrando para reclamar o alfinete. –Também acho que se você assoprar o João Faz-de-conta, bem assoprado, ele vive, bem vivinho.

Todos se voltaram para ela com caras de espanto.

– Que João Faz-de-conta é esse, Emília? Você tem cada uma...

– João Faz-de-conta é o melhor nome que acho para este boneco.

– Por quê?

– João, porque ele tem cara de João. Todo sujeito desajeitado é mais ou menos João. E Faz-de-conta, porque só mesmo fazendo de conta se pode admitir uma feiura destas. Faz de conta que não é feio. Faz de conta que não tem ponta de prego nas costas. Faz de conta que...

– Chega, Emília. Já está muito bem explicado – disse Narizinho com os olhos postos no boneco. – Você tem razão. Não pode haver nome mais bem posto.

Todos acharam a mesma coisa e classificaram a boneca como a melhor "botadeira de nome" do sítio.

– Nesse caso... – começou ela a dizer.

– Já sei! – interrompeu Narizinho. – Nesse caso você quer aquele alfinete de pombinha carijó de Tia Nastácia, não é?

A negra arregalou os olhos.

Narizinho contou então o que se havia passado e de como por um triz Emília escapou de cometer a maior imprudência de sua vida. Tia Nastácia não queria dar o alfinete, mas tanto a menina insistiu que afinal deu.

– Tome lá, ciganinha! – disse ela tirando o alfinete do peito. – Não sei por quem você puxou esse espírito interesseiro. Estou vendo o dia em que acaba pedindo os óculos e a dentadura de Dona Benta. Credo!...

Emília bateu palmas de alegria e foi correndo mostrar o alfinete ao cavalinho, que era agora o seu grande amigo e confidente. Tinha-lhe posto um lindo rabo de pena de galo e com ele passava horas, brincando de chicote-queimado, esconde-esconde e Bento-que-Bento-frade. Mas Emília não tinha sossego de espírito. Como houvesse enganado Pedrinho, receava que de um momento para outro ele descobrisse o logro e lhe tomasse o querido brinquedo. O meio de evitar isso era Faz-de-conta viver. Mas o boneco teimava em conservar-se morto como um defunto. Pedrinho, que havia achado certo fundamento na ideia do Visconde (a ideia do assopro), passara três dias a experimentar o remédio, às escondidas, para que não caçoassem dele. Chegou a ficar com as bochechas doloridas de tanto assopramento. Nada adiantou. Emília também procurou meter o boneco em brios. Chegou- se a ele, num momento em que não estava ninguém perto, e disse:

– Viva, bobo! Viva, se não Pedrinho bota você fora. Viva, que te dou aquele meu aventalzinho vermelho que tem bolso.

Faz-de-conta, porém, continuou impassível. Nem sacudidelas, nem ameaças, nem assopros, nem promessas da boneca – nada o fazia sair do seu estúpido estado de embezerramento. Um dia Pedrinho desesperou.

– Basta! Basta! Basta! Já estou ficando bochechudo de tanto te assoprar e "tu não vive" nunca, seu feiura. Vai-te pros quintos! e, agarrando-o por uma perna, jogou-o para cima do armário da sala de jantar.

Emília assistiu à cena e percebeu que ia haver questão. Pedrinho lhe dera o cavalo em troca da ideia, "se fosse boa". Quer dizer que se a ideia não se revelasse boa, o negócio poderia ser desmanchado. Não que Pedrinho fizesse conta daquele cavalo (que nem rabo tinha, na ocasião), mas só de implicância. A boneca pensou assim e pensou muito bem, pois naquele mesmo dia, à tarde, Pedrinho chegou-se a ela e foi dizendo:

– Onde está o cavalo?

Emília sentiu chegada a hora da briga. Empertigou-se toda, pronta para a luta, e:

– Não é da sua conta! – respondeu em tom de desafio.

– Passe para cá o meu cavalo! – continuou o menino, fechando uma terrível carranca de Barba Azul.

– Não sei do "seu" cavalo; só sei do "meu".

– Eu disse que dava o cavalo se a ideia fosse boa, mas a ideia saiu como o seu nariz e quero o meu cavalo.

– Pois vá querendo!

Pedrinho perdeu a paciência. Xingou-a de cara de coruja seca (o pior insulto que havia para a boneca) e deu-lhe um beliscão.

Ah, o mundo veio abaixo! Emília berrou como se houvesse sete pulmões dentro dela: "Acudam! Barba Azul está querendo me matar!" e foi tal a gritaria que todos acudiram assustados, certos de que algum grande desastre havia acontecido.

– É este Barba Azulzinho que me chamou de cara de coruja seca e me deu um beliscão – disse Emília soluçando.

Todos tomaram o partido dela, inclusive Dona Benta.

– Tamanho homem a brigar com uma pobre bonequinha de pano! Onde já se viu semelhante coisa? Se o senhor continua assim, eu o ponho no Caraça, ouviu?

Pedrinho emburrou, mas calou-se, e Emília, vitoriosa, foi ter com o cavalinho, ao qual cochichou uma porção de coisas.

Dali a pouco os dois brigados se encontraram de novo e o menino disse:

– Deixe estar que você me paga, fedor!

– Antropófago!

– Cara de...

– Não diga outra vez que eu grito e Dona Benta põe você no Caraça!

O Caraça era um velho colégio de terrível fama.

Vendo que ela gritava mesmo, Pedrinho saiu para o terreiro, muito aborrecido. Lembrou-se de ir pescar ao ribeirão; depois mudou de ideia e, tomando o machadinho, partiu para a floresta. O melhor meio de curar-se em tais ocasiões era ir para a floresta derrubar pés de embaúva. A raiva recolhida saía do corpo e ele voltava para casa perfeitamente bom. Andou por lá ao acaso por meia hora, e por fim foi parar junto ao tronco gemedor. Lembrou-se de fazer nova experiência. Pregou-lhe um golpe e escutou. O tronco não deu um pio. Outro golpe, outro, e mais de dez. O tronco, quieto, quieto!

"Como pode ser isto?", pensou o menino. "Se o tronco gemeu daquela vez, devia gemer agora. Se não geme agora, como gemeu daquela vez? Aqui há marosca..."

Começou a rodear o tronco e a tudo examinar cuidadosamente. Deu logo com o oco onde o Visconde se escondera. Olhou e viu lá dentro uma coisa esquisita, com forma de chapéu duro. Pescou-a com um gancho de pau, e com grande assombro viu que era a cartolinha do Visconde.

– Ué! – exclamou franzindo a testa. – A cartola do Visconde por aqui? Eu bem estava vendo que havia marosca...

Examinando o chão, descobriu novos sinais de que o Visconde andara por lá.

– Não resta dúvida! – murmurou consigo depois de refletir uns momentos. – O Visconde esteve escondido neste oco. Mas para quê? Com que fim? Aqui há marosca... Vão ver que foi ele quem gemeu e não o tronco. Eu bem que achei a voz parecida com a do Visconde. Mas por que havia de fazer isso? Que interesse tinha em me enganar? Hum, já sei! Ele fez isso por instigação da Emília... A diaba estava com medo de que eu lhe tomasse o cavalinho e me armou esta peça, de combinação com o tal sábio de uma figa. É isso mesmo! E eles desta vez me bobearam. Caí como um pato...

Pedrinho estava mais desapontado do que danado. Era o cúmulo dos cúmulos, aquilo! Ser bobeado por uma boneca de pano e um visconde de sabugo, ele, o menino mais esperto e sabido daquelas redondezas...

– Mas não fica assim! – exclamou em voz alta. – Qualquer dia tiro a forra e quero ver a cara dos dois...

MIRAGENS

Enquanto lá na floresta Pedrinho pensava no melhor meio de vingar-se da boneca, Narizinho resolvia dar um passeio pelo pomar. Costumava fazer isso nas tardes agradáveis, sempre em companhia da sua companheira Naquele dia, porém, Emília fez luxo.

– Não posso hoje – disse mostrando o cavalinho. – Estou ensinando o abc a este analfabeto, que anda com vontade de ler a história do Pégaso, do Bucéfalo, do cavalo de Troia e outras "cavalências" célebres.

Narizinho não gostava de passear só, por isso correu os olhos pela sala em procura de algum outro companheiro. Só viu o triste irmão de Pinóquio, que Pedrinho havia jogado para cima do armário.

– Coitado! – exclamou. – Porque é feio como o Diogo e morto como um defunto, ninguém faz conta dele. Vou levá-lo comigo. Talvez que os ares do ribeirão lhe façam bem.

Pescou-o de cima do armário com o cabo da vassoura e lá se foi com ele ao pomar, rumo do ribeirão, onde havia aquele velho pé de ingá de enormes raízes de fora. Sentou-se na "sua raiz" (havia outra de Pedrinho e outra do Visconde), recostou a cabeça no tronco e cerrou os olhos, porque o mundo ficava três vezes mais bonito quando cerrava os olhos. De todos os lugares que ela conhecia era aquele o mais gostado. Fora ali que vira pela primeira vez o Príncipe das Águas Claras, e era ali que costumava pensar na vida, resolver seus problemazinhos e sonhar castelos.

O sol ia descambando no horizonte ("horizonte" era o nome do morro atrás do qual o sol costumava esconder-se) e seus últimos raios vinham brincar de acende-e-apaga brilhinhos na correnteza. Volta e meia um lambari prateava o ar com um pulo.

De repente Narizinho ouviu um bocejo – *ahhh*! Olhou... Era Faz-de-conta que se espreguiçava, como quem sai de um longo sono.

Achando aquilo a coisa mais natural do mundo, a menina apenas disse:

– Ora graças! eu tinha certeza de que os ares do ribeirão fariam você mudar.

– Eu sou sempre o mesmo – respondeu o boneco. – Não mudei. Não mudo nunca. Quem muda são vocês, criaturas humanas. Você mudou, Narizinho.

– Como isso? – exclamou a menina franzindo a testa. – Estou no que sempre fui...

– Parece. Tanto mudou que está entendendo a minha linguagem e vai ver coisa que sempre existiu neste sítio e no entanto você nunca viu. Olhe lá!

A menina olhou para onde ele apontava e realmente viu um bando de lindas criaturas, envoltas em véus de finíssimo tule, dançando por entre as árvores do pomar. No meio delas estava um ente estranho, de orelhas bicudas como as de Mefistófeles, dois chifrinhos na testa e cauda de bode. Soprava músicas numa flauta de Pã, isto é, numa flauta feita de canudos incões, tal qual a casa de barro que umas vespas chamadas "Nhá Inacinhas" haviam feito na parede do fundo da casa de Dona Benta.

– Oh! – exclamou a menina recordando-se. – Ainda ontem vi num dos livros de vovó uma gravura com uma cena igualzinha a esta. São as ninfas do bosque e o homem é um fauno.

Apesar de ter falado baixo, as dançarinas ouviram aquelas palavras e, não se sabe porque, fugiram numa corrida louca em todas as direções. O fauno até deixou cair a sua flauta.

– É minha agora! – gritou Narizinho correndo a apanhá-la. – Ganhei uma flauta de Pã!...

Mas, ai! Agarrou a flauta com tanta força que a moeu, porque era de barro e estava cheia de vespas, que voaram numa grande aflição atrás das ninfas. Só ficou uma, presa entre o polegar e o fura-bolos da menina.

— Que vespa esquisita! — exclamou ela, examinando atentamente a prisioneira. — Parece uma velhinha coroca.

— Hein? — murmurou Faz-de-conta chegando e olhando. — Estou reconhecendo esta vespa. Quando o tronco de pau de que fiz parte era árvore viva, cheia de flores cada mês de setembro, muitas vezes a vi lá em nossos galhos. Desconfio que é uma fadazinha disfarçada em vespa.

— Se é fada — disse a menina duvidando — por que não fugiu com as outras e deixou que eu a pegasse?

— Porque queria conversar com você — respondeu a vespa.

A menina arregalou os olhos tomada de grande alegria.

— É fada mesmo, Faz-de-conta! E das que falam, porque há umas que só fazem *tlim, tlim, tlim*, como aquela fada Sininho que gostava de Peter Pan. Que pena Pedrinho e Emília não estarem aqui. Vão ficar danados de eu ter visto fada antes deles.

A vespa-fada contou-lhe sua vida desde que nasceu e disse que já de muitos anos andava a correr mundo atrás de um alfinete mágico sem o qual não poderia ser, bem, bem, bem, fada das que podem tudo e viram uma coisa noutra. Esse alfinete era uma varinha de condão das mais poderosas, que andava perdida entre os mortais. Ao ouvir aquilo o coração da menina pulou dentro do peito. Lembrou-se logo do alfinete que Tia Nastácia havia dado à boneca e imaginou que talvez fosse o tal alfinete mágico. Para certificar-se indagou...

— Não era um alfinete de pombinha carijó?

— Isso mesmo! Como sabe? — exclamou a fada, admiradíssima.

Narizinho viu que havia feito asneira dizendo aquilo, pois a vespa poderia tomar o alfinete da boneca, impedindo-a de vir a ser uma famosa fada de pano — coisa que nunca existiu. Quis remendar a imprudência e disse:

— Sonhei. Sonhei a noite passada com um alfinete assim, isto é, mais ou menos assim. Não era de pombinha, não, agora eu me lembro. Era de galo ou bicho parecido. Como a senhora sabe, os sonhos são sempre atrapalhados.

— Mais atrapalhadas são as mentiras de nariz arrebitado ! — disse a vespa, fugindo da mão da menina e indo pousar num galho de árvore. — Estou vendo que você sabe onde está o alfinete e não quer me contar.

Faz-de-conta chegou-se ao ouvido da menina e cochichou:

— Não caia nessa! Não conte! Você lá sabe se ela merece? Com fadas é preciso muita cautela, porque se algumas são anjos de bondade, outras são más como bruxas.

— Estou ouvindo tudo! — disse a vespa lá do galho. — E para castigo vou dar uma ferrotoada bem venenosa na ponta do nariz dessa menina má. Esperem aí!...

E começou a inchar, a inchar, até ficar do tamanho duma enorme aranha caranguejeira. E arreganhou os terríveis ferrões e lançou-se contra a menina.

— Acuda, Faz-de-conta! — berrou Narizinho fechando os olhos.

Ela sabia que o melhor meio de escapar dos grandes perigos era fechar os olhos, bem fechados, como a gente faz nos sonhos quando sonha que está caindo num precipício.

De um pulo Faz-de-conta colocou-se entre a vespa e a menina, pronto para sacrificar a vida em sua defesa. O boneco era feio, mas tinha a alma heroica. E como estivesse desarmado, puxou do prego que prendia sua cabeça ao corpo, como quem puxa duma espada e investiu contra a vespa. Ao fazer isso, porém, sua cabeça caiu por terra, rolou morro abaixo e foi mergulhar – *tchibum!* – no ribeirão. A vespa assustou-se ao ver tão estranha criatura avançar para ela de prego em punho e sem cabeça. Assustou-se e – *zunn!* – desapareceu no ar...

– Pronto? – perguntou a menina sempre de olhos fechados.

Ninguém respondeu.

– Ela ainda está aí? – perguntou de novo.

Ninguém respondeu.

Narizinho foi então entreabrindo os olhos, com muito medo, e afinal abriu-os de todo. Mas deu um grito de horror, ao ver o boneco na sua frente, de prego na mão e sem cabeça.

– Que é isso, Faz-de-conta? Que fim levou sua cabeça?

O boneco está claro que nada respondeu. Só tinha boca e ouvidos na cabeça e como a cabeça rolara morro abaixo não podia ouvi-la nem responder.

– E agora? – disse consigo a menina. Este lugar me parece muito perigoso, e sem auxílio de Faz-de-conta podem me acontecer grandes desgraças. Se ao menos houvesse aqui por perto alguma casinha...

Olhou em redor e viu não muito longe uma fumaça. "Deve ser casa", pensou, e correu para lá. Era casa, sim, a mais linda casa que ela viu em toda a sua vida, com trepadeiras na frente e duas janelas de venezianas verdinhas.

A menina bateu – *toc, toc, toc...*

– Entre quem é! – gritou de lá dentro uma voz.

Narizinho abriu e entrou e deu um grito de alegria.

– Capinha! Que felicidade encontrar-te aqui!

– E a minha felicidade de receber tua visita ainda é maior, Narizinho! Há quanto tempo te espero!...

Abraçaram-se e beijaram-se e ficaram de mãos presas e os olhos postos uma na outra. Era ali a casa da Menina da Capinha Vermelha, cuja avó havia sido devorada pelo lobo. Capinha já tinha estado no sítio de Dona Benta no dia da recepção dos príncipes encantados e ficara gostando muito de Narizinho e Emília, tendo-as convidado para virem passar uns dias com ela.

– Mas por que não me avisaste da tua visita, Narizinho?

– É que cheguei aqui por acaso. Vi-me só na floresta, depois que meu guia perdeu a cabeça, e não sei o que seria de mim se não fosse a fumacinha de tua casa, que vi de longe. E vim correndo, mas sem saber quem morava aqui.

Narizinho contou então tudo o que lhe havia acontecido e a terrível desgraça que sucedera a Faz-de-conta.

– Que coincidência! – exclamou Capinha. – Não faz minutos eu estava tomando banho no ribeirão e um objeto, feito castanha de caju veio rolando pela água abaixo até esbarrar em mim. Peguei-o, olhei e vi que era uma cabeça, com boca, nariz e tudo. Quem sabe se não é a cabeça de Faz-de-conta? Está guardada no bolso do meu avental.

Foi lá dentro e trouxe a cabeça.

IMAGINÁRIO REINAÇÕES DE NARIZINHO

– É essa mesma! – exclamou Narizinho satisfeitíssima daquele inesperado e feliz desenlace. – Vou consertar o meu João, já, já.

Foi um instante. Em meio minuto a cabeça do boneco estava outra vez no lugar e ele em condições de falar e contar tudo o que acontecera enquanto a menina estivera de olhos fechados. Quando Faz-de-conta concluiu a narrativa, Capinha suspirou e disse:

– Quem me dera ter um companheiro leal e valente como este! Vivo tão sozinha nestas solidões...

Narizinho prometeu que viria visitá-la sempre que pudesse.

– E não deixe de trazer a Emília. Gostei muito dela.

Narizinho contou-lhe, então, em grande segredo para que alguma vespa escondida por ali não pudesse ouvir, que a boneca estava na posse do alfinete de pombinha, que era uma vara de condão; e poderia, portanto, de um momento para outro, virar uma poderosa fada – e uma fada que nunca existiu no mundo: a Fada de Pano.

– Pois ela que se transforme e apareça por aqui para brincarmos de virar.

Nisto surgiu João Faz-de-conta, que tinha saído para o terreiro a fim de refrescar a cabeça. Vinha muito alegre, dizendo:

– Adivinhem quem passou por aqui! Peter Pan. Conversou comigo meio minuto e lá se foi, voando, para a Terra do Nunca, onde mora. Disse que qualquer dia aparece no sítio de Dona Benta para brincar com Pedrinho.

– Que pena não ter portado um minuto para tomar café conosco! – exclamou Capinha. – Ele sempre me visita e gosto muito dele.

Narizinho, que já conhecia Peter Pan, fez várias perguntas a respeito desse extraordinário "menino que jamais quis ser gente grande" e de sua inseparável companheira, a fada Sininho. E ainda estava a ouvir histórias dele, quando Faz-de-conta deu um berro de desespero, apontando para a estranha figura que acabava de pular a cerca do quintal com uma enorme faca de matar mulher na mão.

– Feche os olhos, Narizinho! – gritou ele. – Barba Azul vem vindo!...

A menina, para salvar-se, fechou os olhos com quanta força teve...

O ALFINETE

E salvou-se. Quando Narizinho reabriu os olhos, viu que estava outra vez no pomar, à beira do ribeirão, sentada na "sua raiz" com Faz-de-conta ao colo, mudo e morto como antes. Sacudiu-o, como se fosse um relógio que houvesse parado, mas o boneco não andou. Parece que havia quebrado a corda.

– Que pena! – murmurou Narizinho. – "Mudei de estado" outra vez. Estou agora no estado de todos os dias – um estado tão sem graça...

E voltou correndo para casa porque era quase noite.

– Vovó! – gritou ela ao entrar. – Faz-de-conta viveu mais de uma hora, e conversou comigo, e me acompanhou ao País das Maravilhas, lá onde mora Capinha Vermelha. E vi as ninfas dançando, e um fauno tocando flauta, e quebrei-lhe a flauta, e saiu de dentro uma nuvem de vespas, e uma delas era fada e...

– Pare, pare, menina! – exclamou Dona Benta tapando os ouvidos. – Você me deixa tonta. Não estou entendendo coisa nenhuma.

– E a fada quis me morder e fechei os olhos bem fechados, e João Faz-de-conta puxou o prego e bateu nela, e a malvada fugiu e a cabeça de Faz-de-conta rolou pelo morro abaixo...

– Pare, pare! – gritou outra vez a velha. – Vá contar essa história a Pedrinho e deixe-me em paz.

Pedrinho naquele momento já saíra da floresta. Vinha carrancudo e desapontado, pensando no melhor meio de vingar-se da boneca e do Visconde.

Quando chegou, a menina foi ao seu encontro, gritando:

– Três grandes novidades, Pedrinho! Faz-de-conta viveu por mais de uma hora e revelou-se um nobre caráter. Tem gênio muito diferente do de Pinóquio. Muito mais sensato e, além disso, valente e leal.

Pedrinho ficou inteiramente desnorteado com aquelas palavras. Não podia admitir que fosse possível semelhante coisa. Se Faz-de-conta não era feito de nenhum "verdadeiro pau vivente", como poderia ter vivido?

– Viveu, sim! – insistiu a menina. – Mas só vive quando a gente "muda de estado".

– Que história é essa?

– Não sei explicar. Só sei que em certos momentos a gente muda de estado e começa a ver as maravilhosas coisas que estão em redor de nós. Vi ninfas, e um fauno, e uma vespa que era fada, e Faz-de-conta lutou com ela e me salvou, e vi uma fumacinha lá longe e fui correndo e dei com a casa – sabe de quem?

– ?

– Da menina da Capinha Vermelha!

– Não diga!...

– E estive conversando com ela uma porção de tempo, e soube que se dá muito com Peter Pan. E Peter Pan apareceu para Faz-de-conta e prometeu chegar até aqui.

Pedrinho deu pulos de alegria, porque era aquilo o que mais desejava no mundo.

– E a terceira novidade é ainda mais importante – continuou a menina. – Imagine que descobri que aquele alfinete de pombinha que Tia Nastácia deu à Emília é uma poderosa vara de condão – e portanto Emília, se quiser, pode virar fada !

Pedrinho deu novos pulos de alegria, tal barulho fazendo que a boneca lá da sala ouviu e veio ver o que era. E o mesmo Pedrinho que minutos antes vinha formando planos para vingar-se do logro que levara, mudou completamente de ideia. Tratou mas foi de adular a futura fadinha.

– Emília – disse ele com a voz mais amável do mundo – vou fazer três cavalinhos novos para você, cada qual de uma cor, e uma casinha linda para você morar, e um fogãozinho para você cozinhar, e um trapézio para você balançar-se, e umas asinhas para você voar e uma...

A boneca espantou-se tanto com aqueles nunca vistos excessos de gentilezas, que foi arregalando os olhos, arregalando, arregalando, até que – *pluft!* – arrebentaram.

– Malvado! – berrou ela com cara de choro. – Está aí o que você me fez...

Os olhos de Emília eram de retrós e sempre que se arregalavam de mais acontecia aquilo – arrebentavam...

O Circo de Cavalinhos
A operação cirúrgica

Depois do concurso para a fabricação do irmão de Pinóquio houve no sítio de Dona Benta outro concurso muito engraçado – o concurso de "quem tem a melhor ideia". Quem venceu foi a Emília, com a sua estupenda ideia de um "círculo de escavalinho". Dona Benta, que era o juiz do concurso, achou muito boa a lembrança, mas deu risada do título.

– Não é "círculo", Emília, nem "escavalinho". É circo de cavalinhos.

– Mas toda gente diz assim – retorquiu a teimosa criaturinha.

– Está muito enganada. Eu também sou gente e não digo assim. O Visconde, que está quase virando gente, também não diz assim.

Emília teimou, teimou, e por fim acabou aceitando só metade da emenda.

– Já que a senhora "faz tanta questão", fica sendo circo de escavalinho.

Dona Benta ainda insistiu, dizendo que o diminutivo de cavalo é cavalinho e que portanto escavalinho era asneira. Mas a boneca não se deu por vencida.

– É que a senhora não está compreendendo a minha ideia – explicou. – Escavalinho é o nome do diretor do circo, o célebre Senhor Pedro Malazarte Escavalinho da Silva, está entendendo?

Dona Benta riu-se da esperteza, mas Pedrinho gostou da ideia e assentou que o circo teria o nome inventado pela boneca. Em vista disso começaram os três a formular planos e a distribuir papéis. Emília seria a dama que corre no cavalo e pula os arcos. João Faz-de-conta seria o homem que engole espadas e come fogo. E palhaço? Estava faltando justamente o principal, que era o palhaço.

– O Visconde daria um bom palhaço, se não fosse a sua mania de ciência; mas creio que podemos curá-lo, vou chamar o Doutor Caramujo.

– Acho boa a ideia – concordou Narizinho. – Além disso...

Mas não pode concluir. Rompera um bate-boca na cozinha, no qual se ouvia a voz de Tia Nastácia gritando: "Puxe daqui pra fora"! Os meninos correram a ver do que se tratava e encontraram-na tocando o Visconde com o cabo da vassoura.

– Que é? Que foi?

– Pois é este senhor Visconde que está me bobeando – explicou a negra. – Eu aqui bem quieta escamando estes lambaris para o almoço, e o "estrupício" aparece de livrinho na mão e começa a mangar comigo, com uma história de "seno" e "cosseno" e não sei que história de "mangaritmos". Eu estou cansada de dizer que não sei inglês, mas o diabo parece que não acredita...

– "Mangaritmos!" – exclamou o Visconde erguendo os braços para o céu – e plaf! – caiu por terra com ataque.

Narizinho correu a socorrê-lo e levou-o para a casinha dele, onde o acomodou dentro da lata que lhe servia de cama. Depois gritou:

– Depressa, Pedrinho. Mande Rabicó chamar o Doutor Caramujo. O nosso Visconde está muito mal.

A casa do Visconde era um vão de armário na sala de jantar. Dois grossos volumes do *Dicionário de Morais* formavam as paredes. Servia de mesa um livro de capa de couro chamado *O banquete*, escrito por um tal Platão que viveu antigamente na Grécia e devia ter sido um grande guloso. A cama era formada por um exemplar da *Enciclopédia do riso e da galhofa*, livro muito antigo e danado para dar sono. Mas desde que o Visconde ficou uma semana inteira atrás da estante e criou bolor pelo corpo inteiro, não era ali que ele dormia, para não sujar o chão com o seu pozinho verde; dormia na lata. Os outros "móveis" – armarinhos, cadeiras, estantes, também eram formados dos livros de capa de couro, que Dona Benta havia herdado de um seu tio, o cônego Agapito Encerrabodes de Oliveira. Era naquela casinha que o Visconde passava a maior parte do tempo, lendo, lendo que não acabava mais – e tanto leu que empanturrou.

Rabicó fora chamar o médico. Meia hora depois chegava o célebre Doutor Caramujo, afobadíssimo, de malinha debaixo do braço.

– Quem é o doente? – foi logo indagando.

– É o senhor Visconde de Sabugosa, que teve hoje um ataque. Venha vê-lo, Doutor.

O médico dirigiu-se para a lata do Visconde, examinou-o e franziu a testa.

– Hum! O caso é dos mais graves. Tenho de operá-lo imediatamente. Sua Excelência está empanturrado de álgebra e outras ciências empanturrantes. Tragam-me uma bacia d'água, toalha e também uma pedra de amolar.

Pedrinho trouxe as coisas pedidas; o médico amolou na pedra a sua faquinha e abriu de alto a baixo a barriga do Visconde.

– Chi! – exclamou fazendo uma careta. – Vejam como está este pobre ventre. Completamente entupido de corpos estranhos.

Pedrinho e Narizinho espiaram aquela barriga aberta e viram que em vez de tripas o Visconde só tinha lá uma maçaroca de letras e sinais algébricos, misturados com "senos" e "cossenos" e "logaritmos" – ou "mangaritmos", como dizia a Tia Nastácia.

– Coitado! – exclamaram ambos, compungidos. – Está mesmo muito mal.

O Doutor Caramujo tomou uma colherzinha e começou a tirar para fora toda aquela tranqueira científica, depositando-a num pequeno balde que Pedrinho segurava.

– Não tire todas as letras – advertiu o menino. – Se não ele fica bobo demais. Deixe algumas para semente.

– É o que estou fazendo. Estou tirando só o que é álgebra. Álgebra é pior que a jabuticaba com caroço para entupir um freguês.

Terminada a operação, o Doutor colou a barriga do doente com um pouco de Cola-Tudo.

– Temos agora de deixá-lo em repouso durante três dias – recomendou. – Depois desse prazo poderá dar seus passeios pelo campo, a fim de tomar sol e respirar as brisas da manhã. Também é preciso esconder quanto livro de álgebra exista por aqui, para evitar recaída.

Pedrinho pediu a conta, pagou-a e despediu-se do Doutor, recomendando-lhe que desse muitas lembranças ao Príncipe Escamado, à Dona Aranha e outros personagens do reino.

– Que bom médico! – exclamou a menina logo que o Doutor Caramujo partiu. – Com um doutor assim até dá gosto ficar doente. Mas estou notando que esquecemos duma coisa, Pedrinho.

– Que foi?

– Esquecemos de botar casos engraçados dentro da barriga do Visconde. Como vai ser palhaço de circo, ficaria ótimo se nós o recheássemos como Tia Nastácia faz com os perus.

– Recheio de quê? – indagou o menino.

– De anedotas, por exemplo.

– Bem pensado! Mas ainda está em tempo, porque a cola não secou.

E abrindo de novo o Visconde, puseram dentro três páginas bem dobradinhas dum livro do Cornélio Pires. Depois colaram-no outra vez e deixaram-no a secar em paz.

– Venha ver, Emília, quanta letra saiu de dentro do coitado – disse a menina, indo ao quintal despejar o balde. – Eu bem digo que é muito perigoso ler certos livros. Os únicos que não fazem mal são os que têm diálogos e figuras engraçadas.

Passados os três dias de repouso, o Visconde pulou da sua lata e foi passear pelo terreiro, conduzido pela Emília, ainda muito fraco mas perfeitamente curado das suas manias.

– Agora sim – disse Pedrinho – nosso circo vai ter um palhaço ainda melhor que o tal Eduardo das Neves que Tia Nastácia tanto gaba. Você, Narizinho, precisa fazer-lhe uma roupa bem pândega.

– Estou pensando em fazer-lhe uma roupa de palhaço de verdade, com um grande sol amarelo atrás.

– Pois vá cuidar do sol que eu vou organizar o programa da festa.

Dali a pouco o programa estava pronto – e que lindo!

GRANDE CIRCO DE ESCAVALINHO
equestre e pedestre dirigido por
PEDRO MALASARTE ESCAVALINHO DA SILVA
no Sítio do Picapau Amarelo
A famosa Emília correrá no seu cavalo de rabo de pena
O incrível homem que come fogo e engole espadas.
O célebre palhaço Sabugueira (rir, rir, rir...)
A monumental pantomima O PANTASMA DA ÓPERA
O espetáculo terminará com uma sensacionalíssima SURPRESA.
Os espectadores terão direito a uma cocada ou um pé-de-moleque da célebre
doceira ANASTAZIMOVA
HOJE HOJE HOJE
VER PARA CRER
Preços: cadeiras: Um Cruzeiro; arquibancadas: 10 centavos
Observação: é expressamente proibido entrar por baixo do pano

– Está muito bom – aprovou a menina. – Só falta a música.

– Já pensei nisso e está difícil de resolver. Você não pode ser música, porque precisa ficar recebendo os convidados. Tia Nastácia também não pode, porque precisa ficar tomando conta das cocadas. Não sei como está para ser...

– Rabicó! – sugeriu a menina. – Rabicó pode ser a música. Não é muito afinado, mas passa.

– Esse não; preciso dele para outra coisa – e Pedrinho cochichou-lhe ao ouvido um segredo.

– Ótimo! – exclamou a menina batendo palmas. – Vai ser uma sensação! Acho que é a melhor ideia que você já teve, Pedrinho!

– Mas veja lá! Não diga nada a ninguém – nem à Emília, senão a coisa perde a graça.

E ainda cochicharam por vários minutos, dando grandes risadas espremidas.

O plano de Emília

Pedrinho tirou várias cópias do programa e as pôs dentro das cartas de convite que ia enviar aos seus amigos e às amigas de Narizinho.

Quem levou as cartas? Quem mais se não esses preciosos portadores chamados Envelopes? Mas como os Senhores Envelopes não sabem chegar ao destino se não forem acompanhados dos Senhores Sobrescritos e de diversos Senhores Selos, Pedrinho arranjou diversos Senhores Sobrescritos e diversos Senhores Selos para acompanharem os Senhores Envelopes na longa viagem que tinham de fazer. E esses portadores se comportaram muito bem. Nenhum deles se distraiu pelo caminho com brincadeiras, de modo que as cartas foram parar direitinhas nas mãos de cada um dos convidados.

– Muito bem! – disse a menina depois que os portadores partiram. – Só resta agora convidarmos os nossos amigos do País das Maravilhas. Eles nunca viram um circo e hão de gostar.

– É no que estou pensando – disse Pedrinho. – Acho melhor fazer um convite geral e incumbir o Senhor Vento de ser o portador.

E o menino assim fez. Escreveu um lindo convite numa folha de papel de seda, picou o papel em mil pedaços e subiu à mais alta pitangueira do pomar para jogá-los ao vento lá de cima. E jogou em verso, porque o Vento, o Ar, o Fogo e outras forças da natureza só devem ser faladas em verso.

> Vento que vento frade,
> Estas cartas levade,
> Norte, sul, leste, oeste,
> E direitinho, se não...
> Temos complicação!

Narizinho, de nariz para o ar embaixo da árvore, riu- se daqueles versos. Depois lembrou-se de uma coisa.

– Você fez asneira, Pedrinho. Mandou convites para todos, o que não é prudente. Podem aparecer o Barba Azul, o Capitão Gancho e outras pestes.

– Não tenha medo. Se algum deles cair na tolice de aparecer, atiço-lhe o cachorro em cima.

– Que cachorro? Não temos nenhum aqui.

– Mas vamos ter. Pedirei ao Tio Barnabé que nos empreste o Maroto por uma semana. Preciso dele para não deixar que ninguém penetre por baixo do pano – e também para ser atiçado contra Barba Azul, Capitão Gancho ou qualquer outro pirata que apareça. Que acha da ideia?

– Serve.

– Neste caso, apare no avental estas lindas pitangas.

E começou a derriçar lindas pitangas, vermelhas e graúdas. Depois desceu, com os bolsos cheios e sentou-se na raiz da árvore ao lado da menina. Já comendo e falando.

– Tenho agora de levantar um empréstimo – disse ele. – Sem comprar uma peça de algodãozinho não poderei fazer o circo. Mas custa Cr$ 10,00 e no meu cofre só há Cr$ 5,30.

A menina fez a conta na areia com um pauzinho.

– Estão faltando Cr$ 4,70, se a minha conta está certa.

– Menos – advertiu Pedrinho. – Podemos contar com a renda do circo.

– Grande renda! Você bem sabe que todos vão pagar de mentira, e com dinheiro de mentira não se compra nada nas lojas.

– Sim, mas há duas cadeiras de um cruzeiro cada uma, reservadas para vovó e Tia Nastácia. Elas têm que pagar dinheiro de verdade. E vou fazer já os bilhetes, porque precisamos vender essas cadeiras hoje mesmo e receber o dinheiro adiantado.

Pedrinho engoliu apressadamente as últimas pitangas e foi fazer os dois bilhetes especiais.

C. de E.
Cadeira reservada   Cr$ 1,00

Narizinho, como era muito jeitosa para negócios, encarregou-se de vendê-las. Dona Benta não botou dúvida; comprou e pagou com uma nota muito velha, mas que ainda corria. Tia Nastácia, porém, era a negra mais regateadeira deste mundo, de tanto regatear com os mascates sírios que passavam por lá. Fez a choradeira do costume e tanto barateou que obteve a sua entrada por oitenta centavos.

– Com uma condição! – disse a menina. – Você tem que arranjar um tabuleiro de cocadas e pés-de-moleque. Circo sem cocadas não tem graça.

A negra resmungou, mas acabou prometendo. Obtidos assim mais Cr$ 1,80, ainda ficavam faltando Cr$ 2,90. Como fazer para consegui-los? Estavam os dois meninos atrapalhados com aquele difícil problema, quando a boneca apareceu com a sua colherzinha torta.

– Eu sou capaz de arranjar esse dinheiro! – disse ela depois de refletir um momento. – Mas só o arranjarei se Pedrinho me der aquele carro de rodas de carretel que ele fez outro dia.

Pedrinho soltou uma gargalhada.

– Você está pensando que dinheiro é biscoito, Emília? Por mais ativa que seja uma boneca não é capaz de arranjar nem um tostão.

– Não duvide de mim, Pedrinho. Bem sabe que sou uma boneca diferente das outras. Se me promete o carrinho, juro que arranjo o dinheiro.

– Pois vá lá, prometo!

A boneca deu uma risadinha cavorteira e foi correndo para dentro.

– Grande boba! – exclamou Pedrinho. – Pensa que dinheiro é cisco.

– Não duvide de Emília – advertiu a menina. – Ela tem lábias e não me admirarei se aparecer com o dinheiro.

– Como?

– Sei lá. Isso é com ela.

– Muito bem – disse Pedrinho mudando de assunto. – Tenho agora de ir ao mato cortar paus e cipós para a armação do circo. Enquanto isso, trate de fazer a roupa dos artistas.

– E a roupa da "surpresa?"

– Essa fica para o fim – concluiu o menino, pondo o machadinho ao ombro e partindo para a floresta.

Na tarde daquele dia Dona Benta caiu numa grande aflição. Imaginem que tinha perdido os óculos e não podia costurar, nem fazer coisa nenhuma. "Sem óculos não sou gente" – costumava dizer. Nastácia e Narizinho já haviam batido a casa inteira, mas nem rasto encontraram dos "olhos de Dona Benta". Nisto a boneca aproximou-se da pobre senhora, dizendo com o seu arzinho de santa:

– Todos já procuraram os seus óculos, menos eu. Quer que os procure?

– Que bobagem, Emília! Pois se Nastácia e Narizinho, que são gente, não acharam meus óculos, você, que é uma simples boneca de pano, os há de achar?

– Tudo é possível neste mundo de Cristo, como a senhora mesma costuma dizer. Se quer experimentar a minha habilidade de achar coisas...

– Pois procure. Quem a impede disso?

– Quanto me paga?

– Interesseira! Pago o que você quiser. Um tostão, por exemplo.

Emília deu uma risada gostosa.

– Tinha graça! Era só o que faltava eu procurar óculos para ganhar um tostão! Meu preço é Cr$ 3,00.

– Você está louca? Não sabe que Cr$ 3,00 é quase o preço de um par de óculos novos?

– Não sei, nem quero saber. Só sei que meu preço para procurar óculos de velha é Cr$ 3,00 – e em notas novas. Se quer, bem; se não quer...

– Quero, quero – respondeu Dona Benta já meio danada. – E quero também que vá brincar e não me atormente mais.

Emília saiu a procurar os óculos por todos os cantos e dali a cinco minutos gritava:

– Achei, achei o fujão! – e veio correndo, a sacudir os óculos no ar.

Dona Benta abriu a boca, de espanto.

– Onde estavam, Emília?

– Dentro do bolso de sua saia de gorgorão amarelo.

Dona Benta abriu ainda mais a boca. Não podia compreender aquilo. Havia muito tempo que não punha aquela saia; como, pois, os óculos tinham ido parar lá, e logo no bolso? Mistério...

– Agora passe-me para cá os três cruzeiros em notas novas. Promessa é dívida, como diz Tia Nastácia.

Dona Benta não teve remédio. Foi ao baú, escolheu três notas novas e deu-as à boneca. Emília dobrou-as, bem dobradinhas, e foi correndo procurar o menino que já havia voltado da floresta.

– Pronto! Aqui está o dinheiro! Passe-me um tostão de troco.

Pedrinho arregalou os olhos, assombrado, e apalpou as notas para ver se eram verdadeiras. Depois tirou um tostão do bolso e deu-o à boneca.

– Não aceito tostão velho e feio – disse Emília torcendo o nariz. – Quero um novo, alumiando.

Pedrinho teve de procurar pela casa inteira um tostão novo e teve também de consertar uma das rodas do carro de carretel, que estava solta. Só depois disso é que Emília entregou o dinheiro.

– Para que quer tostão, Emília? Dinheiro de nada vale para quem é boneca.

– Quero para rodar – respondeu ela – e saiu, muito contente da vida, rodando o tostão pela sala.

Enquanto isso, Dona Benta e Tia Nastácia cochichavam na cozinha a respeito do estranho acontecimento.

– Foi cavorteiragem dela, Sinhá! – dizia a preta. – Emília está ficando sabida demais. Juro que foi ela quem escondeu os seus óculos para apanhar os cobres. A gente vê cada coisa neste mundo! Uma bonequinha que eu mesma fiz, e de um pano tão ordinário, tapeando a gente desta maneira! Credo!...

O CIRCO

A construção do circo deu muito trabalho. Pedrinho tinha de fazer tudo, mas o pior era abrir buracos para fincar os esteios e o mastro. E quantos buracos. Mais de trinta. Suou que não foi brincadeira; chegou a criar calos d'água nas mãos. Emília, que de vez em quando vinha sapear as obras, deu-lhe uma ideia.

– Eu, se fosse você, arranjava um tatu para fazer esses buracos. Os tatus são melhores do que cavadeiras para buracos bem redondinhos.

– E eu, se fosse você – respondeu o menino de mau humor – ia pentear macacos.

Emília pôs-lhe a língua e começou a brincar com o carro de carretel. Atrelou nele o cavalo de rabo de pena, botou o tostão dentro e disse de brincadeira: "Agora, senhor cavalo, vá correndo ao palácio do rei e entregue-lhe este queijo de prata, que eu mando. Ao palácio do rei, não; ao palácio do príncipe. Ao palácio do príncipe, não; ao palácio do duque. Ao palácio do duque, não; ao palácio do marquês. Ao palácio do... Abaixo de marquês o que é, Pedrinho?", perguntou ela, já esquecida da zanga.

Mas o menino não estava para prosa, porque justamente naquele instante havia dado uma martelada no dedo.

– É martelo – respondeu assoprando a machucadura.

– Martelo, martelo! Como é bonito! Por que você não vira o Marquês de Rabicó em martelo?

– E por que você não vai lamber sabão, Emília?

A boneca botou-lhe a língua outra vez e foi queixar- se a Narizinho lá dentro. A menina estava justamente acabando o sol da roupa do palhaço; ia começar o saiote da dama que corre no cavalo.

– Aquele bobo! – disse a boneca fazendo um muxoxo. – Dei-lhe uma ideia tão boa e o bobo me mandou lamber sabão. Bobão!

– Pedrinho, quando está trabalhando, não gosta que ninguém o atrapalhe, você sabe.

– Mas eu...

– Cale a boca e venha me ajudar na costura. Estou acabando este sol para começar o saiote com que você vai correr no cavalo.

– Que bom! Mas eu também quero um sol atrás.

Narizinho deu uma risada.

– Isso é um despropósito, Emília! Sol, só os palhaços usam. Você, quando muito, poderá ter uma lua.

– Lua cheia ou minguante?

– Acho que quarto crescente fica melhor.

Emília bateu o pé.

– Quarto não quero. Quero sala crescente!

A menina riu-se de novo e abraçou-a, dizendo:

– Assim, é assim que gosto de você, Emília. Bem asneirentazinha – e não sabichona como tem andado ultimamente. Asneira de boneca é a única coisa interessante que há neste mundo.

– E no outro mundo?

– No outro há muitas. Há fadas, ninfas, sacis, sereias e há o famoso Peter Pan que Faz-de-conta ficou de convidar.

– E ele vem?

– Não sei, mas acho que vem. Peter Pan me parece um grande moleque – e os moleques gostam muito de circo.

A conversa das duas continuou naquela toada por longo tempo. Enquanto isso Pedrinho fez os últimos buracos e começou a fincar os paus. Finca que finca, bate que bate, soca que soca – três dias levou na luta, suando que nem vidraça em manhã de frio lá fora. O circo foi tomando cara de circo de verdade e quando Pedrinho armou o pano, ficou tal qual o Circo Spinelli.

A alegria do menino foi imensa. Botou as mãos no bolso e extasiou-se diante de sua obra, cheio de orgulho. Depois gritou:

– Gentarada, venham ver!

Todos se reuniram no terreiro e admiraram a obra e bateram palmas.

– É extraordinário! – disse Dona Benta à preta. – Este meu neto vai quando crescer virar um grande homem, não resta dúvida.

– É o que eu sempre digo, Sinhá – confirmou Tia Nastácia. – Pedrinho é um menino que promete. Na minha opinião, ainda acaba delegado.

Ser delegado de polícia era para Tia Nastácia a coisa mais importante que um homem podia ser – "porque prendia gente" – explicava ela.

Depois de construído o circo, começaram os ensaios. Pedrinho e a menina lá se trancaram com os artistas, não consentindo que ninguém os fosse espiar. Maroto havia chegado e já estava no serviço de montar guarda à porta, para que nem Dona Benta, ou a preta pudessem aproximar-se. Maroto tinha ordem de latir, de morder não.

Terminados os ensaios da primeira parte, Pedrinho cuidou da pantomima. Foi um custo! Essa pantomima tinha sido imaginada por Pedrinho de um certo jeito mas como todos metessem o bedelho saiu uma mexida completa. Emília fez questão de dar o título – e deu um título muito sem pé nem cabeça: o pantasma da ópera.

– Phantasma, Emília, corrigiu Narizinho. PH é igual a F, como você pode ver nesta caixa de "phosphoros." Ninguém lê póspóro.[1]

– Sei disso muito bem – replicou a boneca. – Mas quero que seja Pantasma, se não saio da companhia e não empresto o meu cavalinho, nem o meu carro, nem o meu tostão novo.

– Como é birrenta! A gente quando quer uma coisa precisa dar as razões e não ir dizendo quero por que quero. Isso só rei é que faz.

– Mas eu tenho minhas razões – tornou Emília. – Pantasma nada tem que ver com fantasma. Pantasma é uma ideia que tenho na cabeça há muito tempo, de um bicho que até agora ainda não existiu no mundo. Tem olhos nos pés, tem pés no nariz, tem nariz no umbigo, tem umbigo no calcanhar, tem calcanhar no cotovelo, tem cotovelo nas costelas, tem costelas no...

– Chega! – berrou a menina tapando os ouvidos. – Não precisa contar o bicho inteiro. Fica Pantasma, como você quer. Mas esse ópera, que é?

– Não sei. Acho ópera um nome bonito e por isso o escolhi. Se você faz muita questão, eu tiro o er e fica o pantasma da opa. É o mais que posso fazer.

Os dois primos se entreolharam.

– Acho que ela está ficando louca – cochichou Pedrinho ao ouvido da menina.

Chegam os convidados

Bum! Bum! Bum! Chegou afinal o grande dia. O terreiro estava enfeitado de bandeirolas e arcos de bambu. Às sete e meia ia começar o espetáculo. O diretor sentou-se à porta do circo para esperar os convidados. Dali a pouco a porteira do terreiro ringiu e apareceu o Doutor Caramujo, muito sério, de casca nova, carregando a sua maleta debaixo do braço. Contou que vinha muita gente do Reino das Águas Claras, menos o Príncipe Escamado.

– Por que não vem o Príncipe? – indagou Narizinho.

– Porque o Príncipe já não existe mais – murmurou o médico baixando os olhos.

– Como não existe mais? Que aconteceu? Fale!...

– Não sei o que aconteceu. Mas depois daquela viagem ao sítio de Dona Benta, o nosso amado Príncipe nunca mais voltou ao reino.

Narizinho recordou-se da cena. Lembrou-se de que o falso Gato Félix havia aparecido para avisá-la de que o Príncipe estava se afogando por ter desaprendido a arte de nadar. Lembrou-se de que correra ao rio para salvá-lo, mas nada encontrou. Ter-se-ia mesmo afogado?

– Acha que ele morreu afogado, Doutor?

– Isso é absurdo, menina. Um peixe nunca desaprende a arte de nadar. O que aconteceu, sabe o que foi?

– Diga...

– Foi comido pelo falso Gato Félix, aposto.

O choque sentido pela menina foi enorme, e não caiu com um desmaio unicamente porque os convidados estavam chegando e isso estragaria a festa. Mesmo

---

1 Isso foi no tempo da velha ortografia etimológica.

assim puxou do lenço para enxugar três lágrimas bem sentidinhas. Nisto a porteira ringiu. Era Dona Aranha com as suas seis filhas. Narizinho fez-lhes grande festa, e contou que tinha estado com Branca de Neve e mais outras princesas para as quais Dona Aranha havia costurado.

– Branca de Neve ainda é muito branca? – perguntou a famosa costureira.

– Cada vez mais – respondeu a menina. – Até dói na vista olhar para ela.

Em seguida chegaram os dois Bernardos-Eremitas – o que havia casado Narizinho e o que conduzira a salva com a coroa do Príncipe. E chegaram os siris couraceiros, e chegou o Major Agarra. De repente soou um mio ao longe.

– Será o falso Gato Félix? – disse Pedrinho. – Se for aquele patife, meu bodoque vai ter trabalho.

Mas não era, e sim o Gato Félix verdadeiro. Pedrinho ia fazendo as apresentações e acomodando os convidados nos seus lugares. Não houve nenhum que não pedisse notícias de Rabicó, do Visconde e do João Faz-de-conta. A resposta do menino era sempre a mesma: "Eles são agora artistas do circo e estão se vestindo para a função".

– E há cocadas? – quis saber o Gato Félix.

– Cocadas só no intervalo – respondeu Emília. – São de três qualidades. Umas brancas como neve, outras cor-de-rosa como rosa cor-de-rosa, outras queimadinhas como rapadura. Tia Nastácia é uma danada para toda sorte de doces e quitutes. Só não sabe fazer bonecos de pau. Faz-de-conta saiu tão feio que não tem coragem de aparecer para ninguém.

Chegada a hora de se acenderem os lampiões, entrou no picadeiro um "casaca-de-ferro". Era o pobre Faz-de-conta, com a sua ponta de prego furando as costas da casaca verde que a menina lhe havia feito. Foi uma vaia.

– Olha o arara! – gritou o capitão dos couraceiros.

– Arranca o prego! – urrou o sapo major.

O pobre boneco, que tinha muito bom gênio, não fez caso. Arrumou os lampiões muito bem, deixando o circo tão claro como o dia. Nisso um dos Bernardos berrou:

– Palhaço! Que venha o palhaço!

Todos o imitaram – e foi um berreiro de deixar a gente surda. Pedrinho teve de aparecer para explicar que ainda não tinham chegado os convidados do País das Maravilhas. A explicação causou muita alegria, porque nenhum dos presentes esperava que o pessoal do Reino das Fadas também viesse. E essa alegria se transformou em surpresa quando o primeiro deles apareceu. Era o Aladim, com sua lâmpada maravilhosa na mão. Chegou e foi trepando às arquibancadas, como se fosse um velho frequentador de circos. Depois chegou o Gato de Botas junto com o Pequeno Polegar – e todos bateram palmas. Depois veio a Menina da Capinha Vermelha. E vieram Rosa Branca e sua irmã Rosa Vermelha. Rosa Vermelha apresentou-se de cabelo cortado, moda que as princesas do Reino das Fadas nunca usaram. Foi reparadíssimo aquilo; não houve quem não comentasse. Depois veio Ali Babá sem os quarenta ladrões, e vieram Alice de *Wonderland*, e Raggedy Ann e quase todos que existem.

– Que maçada! – murmurou Pedrinho. – Justamente o que eu mais queria que viesse, não veio – Peter Pan...

– Talvez ainda venha – disse Narizinho. – Ele gosta de fazer tudo diferente dos outros.

Era hora de começar o espetáculo; o respeitável público já estava dando sinais de impaciência.

– Palhaço! – gritava volta e meia o Pequeno Polegar.

Nisto um cachorro principiou a latir furiosamente lá fora, como se estivesse dando um pega nalguém. Os espectadores fizeram silêncio, com as orelhas em pé, à escuta. Ali Babá trepou ao último banco para espiar por uma fresta do pano.

– Que é, Ali? – perguntou Aladim, que estava embaixo arrumando a sua lâmpada.

– É Pedrinho que atiçou o cachorro num sujeito muito feio, de barba azul como um céu.

– Barba Azul! – exclamaram as princesas assustadas. – Cada vez que pomos o pé no sítio de Dona Benta esse malvado aparece. Não o deixem entrar!...

Houve um rebuliço. Aladim pegou na lâmpada para chamar o Gênio. Não foi preciso. Pedrinho surgiu em cena, já vestido de diretor de circo, e disse:

– Calma! Calma! Não se assustem! O monstro já vai longe. Maroto ferrou-lhe uma dentada na barba, que até arrancou um chumaço – e mostrou um punhado de barba de Barba Azul.

Todos vieram ver e cada qual levou um fio como lembrança.

– Palhaço! – gritou de novo o Pequeno Polegar.

– Cocada! – miou o Gato Félix,

Pedrinho resolveu começar o espetáculo e deu sinal, batendo com um martelo numa enxada velha, pendurada de um barbante – *blem, blem, blem...*

O ESPETÁCULO

A alegria no circo era imensa. Ainda que o espetáculo não valesse nada, todos se dariam por bem pagos da viagem pelo simples prazer da reunião. Os convidados do Reino das Águas Claras estavam radiantes de se verem com os famosos personagens que até ali só conheciam através dos livros de histórias. E estes, como fazia muito tempo que não vinham à terra, estavam satisfeitíssimos de se verem em companhia de crianças de carne e osso.

Já soara o terceiro sinal e nada de o espetáculo ter começo. O "respeitável público" ia ficando irritado. Narizinho achou que o melhor era começar imediatamente.

– Não posso antes de vovó chegar – alegou Pedrinho. – Está se arrumando ainda. Como as princesas vieram, vovó teve de mudar de vestido e está passando a ferro aquele de gorgorão do tempo do Imperador. Tia Nastácia não sei se vem. Está com vergonha, coitada, por ser preta.

– Que não seja boba e venha – disse Narizinho. – Eu dou uma explicação ao respeitável público.

Afinal as duas velhas apareceram – Dona Benta no vestido de gorgorão, e Nastácia num que Dona Benta lhe havia emprestado. Narizinho achou conveniente fazer a apresentação de ambas por haver ali muita gente que as desconhecia. Trepou a uma cadeira e disse:

– Respeitável público, tenho a honra de apresentar vovó, Dona Benta de Oliveira, sobrinha do famoso cônego Agapito Encerrabodes de Oliveira, que já morreu. Também apresento a Princesa Anastácia. Não reparem ser preta. É preta só por fora, e não de nascença. Foi uma fada que um dia a pretejou, condenando-a a ficar assim até que encontre um certo anel na barriga de um certo peixe. Então o encanto se quebrará e ela virará uma linda princesa loura.

Todos bateram palmas, enquanto as duas velhas se escarrapachavam nas suas cadeiras especiais.

– Palhaço! – gritou o Pequeno Polegar.

– Podemos dar começo – disse Pedrinho à menina. – Vá preparar a Emília que eu vou cuidar do palhaço.

Como o primeiro número do programa era uma corrida a cavalo da Emília, Narizinho deu-lhe os últimos retoques e fez-lhe as últimas recomendações. Pela primeira vez na vida a boneca mostrava-se um tanto nervosa. *Blem, blem, blem* – soou a enxada. Era hora. Uma cortina se abriu e a boneca entrou em cena montada no seu cavalinho de rabo de galo. Foi recebida com uma chuva de palmas. Emília fez uma graciosa saudação de cabeça, atirou uns beijinhos e começou a correr. Correu várias voltas, umas sentada de banda, outras, de pé num pé só.

– Que danada! – exclamou Dona Benta. – Nunca pensei que Emília se saísse tão bem; até parece o Tom Mix...

Tia Nastácia apenas murmurou "Credo"! e persignou-se.

Quando chegou o momento de pular os arcos, surgiu lá de dentro Faz-de-conta com dois deles na mão. Coitado ! Estava mais feio do que nunca na roupa de *caubói* que Narizinho lhe arranjara. Aladim virou-se para o Gato de Botas e disse: "Este é que é o verdadeiro Cavaleiro da Triste Figura", e o Pequeno Polegar berrou: "Arranca o prego, bicho careta!".

Aquele prego de Faz-de-conta, cuja cabeça aparecia quando ele estava sem chapéu e cuja ponta furava as costas de todos os seus casacos, era um eterno assunto de discussão no sítio. Pedrinho achava que deviam chamar o Doutor Caramujo para operá-lo, cortando com a sua serrinha o extravagante apêndice. Mas a menina era de opinião que tal ponta de prego constituía a única arma do coitado. Além disso, era um bom cabide que ela costumava utilizar nos seus passeios com a boneca. Para pendurar coisas leves, como o chapéu ou o guarda-chuvinha de Emília, nada melhor. E em vista dessa utilidade a ponta de prego ia ficando nas costas do coitado.

Faz-de-conta não ligou importância às troças que o público fez à custa dele. Trepou num banquinho e segurou com toda a convicção o arco de papel vermelho que Emília ia pular. A boneca botou o cavalo no galope, correu duas voltas e na terceira – *zupt!* – deu um salto. Os espectadores romperam em palmas delirantes. O segundo arco era de papel azul e o terceiro, de papel verde. Emília pulou com a mesma habilidade o azul; mas ao pular o verde houve desastre. Imaginem que o cavalinho entendeu de pular também! Pulou, não há dúvida, mas o seu rabo de pena enganchou no prego de Faz-de-conta, onde ficou dependurado. Quando o público viu que o rabo de pena havia passado do cavalinho para o cabide do boneco, foi uma tempestade de gargalhadas. Não percebendo o que havia acontecido, Faz-de-conta recolheu-se aos bastidores balançando ao vento aquele penacho. Emília também não percebeu o desastre, e julgando que as risadas e vaias eram para ela, parou, vermelhinha como um camarão, e botou uma língua de dois palmos para o público. E recolheu-se furiosa.

– Não brinco mais! – disse lá nos bastidores, arrancando e espatifando o saiote de gaze. – Não sou palhaço de ninguém.

Foi um custo para Narizinho explicar o que havia acontecido e provar que a vaia tinha sido no cavalo e no boneco, não nela. A raivosa Emília voltou-se então contra o pobre Faz-de-conta.

– Estrupício! Onde se viu tamanho homem andar de fisga nas costas, feito anzol?

– Que culpa tenho? – gemeu o feiura tristemente. – Nasci assim...

– Pois não nascesse! – rematou a boneca – e por força do hábito pendurou-lhe na ponta do prego o esfrangalhado saiote de gaze.

O DESASTRE

Pedrinho estava numa terrível aflição. O Visconde havia desaparecido misteriosamente e o público não cessava de reclamar o palhaço. O menino não podia explicar a si próprio o estranho acontecimento. Deixara o Visconde, já vestido, num canto dos bastidores, prontinho para entrar em cena logo que Emília acabasse de correr – e não havia meio de descobrir o Visconde. Isso o obrigou a alterar a ordem do espetáculo.

– Ande, Faz-de-conta – disse ele ao boneco –, vá engolindo espadas enquanto eu campeio o Visconde – e empurrou-o para dentro do picadeiro.

Faz-de-conta entrou com um feixe de espadas debaixo de um braço e uma lata de brasas debaixo do outro. Foi colocar-se bem no meio do picadeiro, num tapetinho que havia. E começou a engolir espadas. Fez o serviço tão bem feito que o público esqueceu a feiura dele e rompeu em palmas. Depois de engolida a última espada, começou a comer fogo, e *glut, glut, glut*, deu conta de todas as brasas da lata. Ao comer a última, porém, esbarrou nela com a ponta do nariz (que, como todos sabem, era formado por um pau de fósforo) e pegou fogo.

Foi uma sensação! O público desandou num berreiro.

– Incêndio de nariz! – gritava o Polegar. – Chamem o corpo de bombeiros!

Aladim, Ali Babá, o Gato de Botas e outros pularam no picadeiro para socorrer o incendiado. Mas foi inútil. O nariz de Faz-de-conta já estava totalmente destruído, só restando um toquinho de carvão... O curioso é que o boneco melhorou bastante de aspecto. Ficou bem menos feio, porque sua feiura era causada principalmente por aquele horrível nariz de fósforo que Tia Nastácia lhe havia espetado na cara. Faz-de-conta foi levado para dentro e o público, chefiado pelo Pequeno Polegar, continuou a pedir palhaço. E como Pedrinho não conseguisse encontrar o Visconde, teve de aparecer com explicações.

– Respeitável público! – disse ele. – Uma grande desgraça aconteceu. O nosso famoso palhaço Sabugueira acaba de desaparecer misteriosamente. Com certeza algum malvado o raptou, de modo que não há mais palhaço. Também não há mais pantomima. A grande estrela Emília, que desempenhava o papel principal, está emburrada e recusa-se a representar. Em vista desses contratempos vou terminar o espetáculo com a surpresa!

Uns espectadores bateram palmas; outros assobiaram e o Gato Félix gritou:

– Cocadas, ao menos!

Nisto entrou a SURPRESA. Era – adivinhem se são capazes! – era um elefante, o menor elefante do mundo, como Pedrinho foi dizendo enquanto arrumava no picadeiro as garrafas sobre as quais o elefantinho ia caminhar. Um verdadeiro sucesso, a surpresa! Era um elefante tão perfeito que até parecia natural – com tromba, presas de marfim e grandes orelhas caídas. Deu umas voltas pelo picadeiro, naquele andar sossegado dos elefantes grandes e depois começou a caminhar, com muito medo, sobre as garrafas que Pedrinho colocara de jeito.

– Berra, elefante! – gritou Polegar.

O elefante obedeceu e berrou três vezes com toda a força. Mas berrou numa voz muito parecida com voz de porco. Maroto, que estava lá fora tomando conta do circo, ouviu o berro e ficou de orelha em pé. Depois entrou por baixo do pano para ver o que era. Ao dar com aquele bicho nunca visto, pôs-se a latir furiosamente e avançou contra ele de dentes arreganhados. Tamanho susto levou o elefante, que tremeu em cima das garrafas e veio ao chão. Maroto agarrou-o e sacudiu-o, e tanto o sacudiu que a pele do elefante se rasgou pelo meio deixando escapar de dentro – *coim, coim, coim* – um animal que ninguém esperava: o Senhor Marquês de Rabicó!... Foi um sucesso! O circo quase veio abaixo de tanta vaia e gritaria. Pedrinho coçou a cabeça; depois danou e caiu de pontapés no Maroto, enquanto Rabicó fugia para o terreiro. Para salvar a situação Narizinho entrou no picadeiro com um cabo de vassoura de tabuleta na ponta, onde se lia em enormes letras vermelhas: INTERVALO.

– Intervalo tem dois LL! – gritou o Pequeno Polegar, que era partidário da ortografia antiga, a complicada.

Mas ninguém lhe deu atenção. Todos cuidaram de descer o mais depressa possível, de medo que as cocadas não chegassem. Tia Nastácia, no seu vestido do tempo da Sinhá Moça, ergueu a toalha que cobria o tabuleiro e começou a distribuição.

– Quero uma branca, duas cor-de-rosa e três queimadas! – foi dizendo o Gato Félix.

Enquanto isso, o Gato de Botas argumentava com Pedrinho a respeito do misterioso desaparecimento do Visconde.

– Juro que foi Peter Pan quem o raptou – dizia o gato. – Peter Pan é muito amigo de pregar peças. Veio aqui às ocultas e "bateu" o palhaço. Garanto que não foi outra coisa.

Mas não era nada disso. Era apenas o seguinte. O Visconde havia encontrado uma Tri-go-no-me-tri-a velha que pertencera ao cônego Encerrabodes e Pedrinho pusera como calço dum dos esteios do circo. Tamanha foi a sua satisfação, que arrancou o livro dali e saiu de braço dado com ele para um passeio pelos arredores. E por lá ficaram até o dia seguinte, a conversar sobre "senos" e "cossenos".

– Como isso, se o Doutor Caramujo havia curado o Visconde da sua mania científica?

Muito simples. Havia curado, mas não havia curado completamente. Deixara em sua barriga algumas letras para semente e foi o bastante para que a festa de Pedrinho acabasse naquele fiasco. Não há nada mais perigoso do que semente de ciência...

Pena de Papagaio
A voz

A história de Peter Pan, que Dona Benta contara aos meninos certo dia, tinha-os deixado de cabeça virada. Narizinho só pensava em Wendy; Pedrinho só pensava em Peter Pan, "o menino que nunca quis crescer".

Pedrinho também não queria crescer, mas estava crescendo. Cada vez que apareciam visitas era certo lhe dizerem, como se fosse um grande cumprimento: "Como está crescido!" e isso o mortificava.

Um dia, em que estava no pomar trepado numa goiabeira, comendo as goiabas boas e jogando as bichadas para Rabicó, entrou pela centésima vez a pensar naquilo.

– Que maçada! – murmurou de si para si. – Tenho de crescer, ficar do tamanho do Tio Antônio, com aquele mesmo bigode, feito um bicho cabeludo, embaixo do nariz e, quem sabe, aquela mesma verruga barbada no queixo. Se houvesse um meio de ficar menino sempre...

– Há coisa ainda superior – respondeu atrás dele uma voz desconhecida.

Pedrinho levou um grande susto. Olhou para todos os lados e nada viu. Não havia ninguém por ali.

– Quem está falando? – murmurou com voz trêmula.

A mesma voz respondeu:

– Eu!

– Eu, quem? "Eu" nunca foi nome de gente.

Pedrinho, que andava com Peter Pan na cabeça, pensou imediatamente nele. Só Peter Pan, no mundo inteiro, teria a ideia de vir pregar-lhe aquela peça. Para certificar-se, perguntou:

– Que altura você tem?

– A sua, mais ou menos.

– E que idade tem?

– Mais ou menos a sua.

Se tinha a altura e a idade dele, era um menino como ele, e se era um menino como ele, quem mais se não Peter Pan? Pedrinho sentiu uma grande alegria. O endiabrado Peter Pan ia aparecer outra vez. Para certificar- se ainda mais, perguntou:

– Que veio fazer aqui?

– Ensinar a todos daqui um grande segredo.

Não podia haver dúvida. Era Peter que tinha vindo lhes ensinar o segredo de não crescer. A alegria de Pedrinho aumentou de um palmo.

– Você não me engana! – gritou, piscando o olho. – Você é Peter Pan que está escondido não sei onde.

A voz fez cara de desentendida.

– Peter Pan? Quem é? Nunca o vi mais gordo e nem de nome conheço tal freguês.

Pedrinho desnorteou. Aquela resposta veio atrapalhar todos os seus cálculos. Mesmo assim não se deu por vencido.

– É, sim – afirmou de novo –, porque só Peter Pan sabe o segredo de não crescer, e o segredo que você veio ensinar não pode ser outro.

A voz deu uma risada.

– Você quer ser esperto demais, mas não passa dum bobo. O segredo que vim ensinar é muito mais importante. Sei o jeito de tomar uma pessoa invisível como eu.

Tal impressão causaram no menino aquelas palavras que ele perdeu o pé, escorregou da árvore e veio de ponta cabeça no chão. Felizmente era goiabeira baixa e não se machucou. Pedrinho ergueu-se, deu uns tapas nas folhas secas que lhe pegaram na roupa e indagou:

– Voz duma figa, onde é que você está?

– Aqui, ali e acolá – respondeu a voz.

A pior coisa do mundo é falar com criaturas invisíveis. A gente não sabe para onde virar-se. Assim estava Pedrinho, e para mais atrapalhá-lo a voz ora vinha da direita, ora da esquerda.

– Deve ser muito bom ser invisível – disse Pedrinho. – Quantas vezes conversamos sobre isso, eu e Narizinho!...

– Quem é ela?

– Minha prima Lúcia, a menina do nariz arrebitado. Narizinho também quer ficar invisível. Você lhe ensina o jeito?

– Ensino aos dois, se merecerem.

– E que temos de fazer para merecer?

– Viajar comigo pelo mundo das maravilhas. É lá que se tira a prova de quem merece ou não merece receber este dom das fadas. O primeiro menino invisível que apareceu no mundo fui eu, mas me sinto muito só. Preciso de companheiros. Por isso vim.

– Obrigado pela lembrança. Mas onde é esse mundo das maravilhas?

– Em toda parte. Olhe, tenho aqui o mapa – disse a voz tirando do bolso um papel dobrado.

Pedrinho achou muita graça de ver o mapa dobrado abrir-se no ar, como se se abrisse por si mesmo. Espichou a mão, pegou-o e examinou-o.

– Que bonito! – exclamou depois de ler os nomes de todas as terras e mares. Até o sítio de vovó está marcado, com o chiqueirinho de Rabicó bem visível. – Como obteve este mapa?

– Viajando de lápis na mão. O mundo das maravilhas é velhíssimo. Começou a existir quando nasceu a primeira criança e há de existir enquanto houver um velho sobre a terra.

– É fácil ir lá?

– Facílimo ou impossível. Depende. Para quem possui imaginação, é facílimo.

Pedrinho não entendeu muito bem. A voz dizia às vezes coisas sem propósito – talvez para atrapalhar.

– Muitos viajantes têm visitado esse mundo – continuou a voz. – Entre eles, os dois irmãos Grimm e um tal Andersen, os quais estiveram lá muito tempo, viram tudo e contaram tudo direitinho como viram. Foram os Grimm os que primeiro contaram a história de Cinderela exatinha como foi. Antes deles já essa história corria mundo, mas errada, cheia de mentiras.

– Bem me estava parecendo – murmurou Pedrinho. – Tenho um livro de capa muito feia que conta o caso de Cinderela diferente do de Grimm.

– Bote fora esse livro. Grimm é que está certo.

– Mas o mapa? – interrogou Pedrinho. – Pode ficar comigo?

– Pode. Sei de cor todas as terras. Mas não o perca, que é o único que existe.

– Fique descansado – disse o menino guardando o mapa no bolso. Resta agora saber qual o meio de lá ir.

– Não se preocupe com isso. Tenho jeitos para tudo. Guiarei você.

– E quando?

– Quando quiser. Amanhã, por exemplo.

– Pois muito bem – concluiu Pedrinho. – Partiremos amanhã. Pela madrugada estarei neste ponto com a minha prima Lúcia. Está combinado?

– *Cócóricócó*! – foi a resposta da misteriosa voz, que dali por diante emudeceu – sinal de que o dono dela se retirara.

Pedrinho ficou no mesmo lugar ainda algum tempo, pensando, pensando. Lembrou-se de que Peter Pan tinha aquela mesma mania de cantar como galo. Suas dúvidas voltaram. Seria Peter Pan?

PREPARATIVOS

Depois voltou para casa a correr, aflito por contar a Narizinho o estranho acontecimento. E desfiou tudo, num atropelo.

A menina abriu a boca.

– Mas que jeito tinha ele? – indagou ela, ardendo em curiosidade.

– Como posso saber, se era invisível? A voz parecia de menino. Disse que tem minha altura e minha idade. Gosta de cantar como galo, tal qual Peter Pan. Desconfiei que fosse Peter Pan, mas a voz declarou que não, que nem de nome o conhece.

– É extraordinário! – murmurava Narizinho, olhando para o mapa aberto no chão. – Venha ver, Emília.

A boneca, que estava brincando de esconder com o Visconde, veio depressa, muito tesinha – *toc, toc, toc.* Olhou para o mapa, fez suas críticas e, dando com o chiqueirinho de Rabicó, berrou:

– Ande, Visconde, venha ver uma coisa!

E como o Visconde não viesse logo, correu a buscá-lo e fincou-o no mapa com tanto estouvamento que furou o Mar dos Piratas.

Depois de olhado e reolhado e decorado aquele mapa, Pedrinho pensou nos preparativos.

– Temos de resolver tudo já, porque amanhã de madrugada é a partida. Antes de mais nada preciso saber quem vai e quem não vai.

– Acho que devemos ir todos, menos Rabicó – opinou a menina. – Rabicó está muito malcriado. Vai Emília, vai Faz-de-conta, vai o Visconde...

– Faz-de-conta, não! – berrou a boneca. – Tenho vergonha de andar com uma feiura daquelas. O Visconde, sim, porque preciso dele.

Venceu a opinião da boneca. Faz-de-conta ficava e o Visconde ia.

– E a bagagem? – lembrou a menina. – Valerá a pena levar alguma?

– Acho que não – disse Pedrinho. – O menino invisível é da marca de Peter Pan, dos tais que sabem dar jeito a tudo e fazem surgir o que é preciso. Foi essa a minha impressão.

Ficou resolvido não levarem nada.

– Muito bem – disse Pedrinho. – Nesse caso, tratemos de dormir mais cedo, porque temos de sair madrugadinha.

Dona Benta estranhou aquela ida para a cama tão antes da hora e disse para Tia Nastácia: "Temos novidades amanhã!".

Só Emília não foi dormir. A boneca tinha ideias especiais sobre tudo, e tudo fazia diferente dos outros. Por isso resolveu levar bagagem e passou parte da noite a arrumar uma célebre canastrinha de couro que Dona Benta lhe dera. Botou dentro uma pena de papagaio, uma perna de tesoura de unha encontrada no lixo, o famoso alfinete de pombinha que filara da negra e mais quitandas.

– A gente precisa se precatar – dizia ela no meio do quarto, de mãos na cintura, repetindo uma frase que Tia Nastácia usava muito. Vendo que não havia esquecido de coisa nenhuma, tratou de fechar a canastra. Não pôde. Estava cheia demais.

– Visconde! – berrou. – Venha me ajudar a "espremer" esta malvada.

O pobre Visconde de sabugo, cada vez mais verde de bolor e todo duro de reumatismo, veio lá do seu canto, gemendo.

– Sente-se em cima e esprema a tampa até arrebentar.

Felizmente para o Visconde não foi preciso tanto. A canastrinha teve dó dele e deixou-se fechar antes que o pobre sábio rebentasse.

A PARTIDA

Alta madrugada os meninos pularam da cama, vestiram-se e, pé ante pé, dirigiram-se ao pomar sem que Dona Benta percebesse coisa nenhuma. Emília foi atrás, muito tesinha, também na ponta dos pés. O Visconde, de canastra às costas, fechava o cortejo. Assim que abriram a porteira, ouviram um canto de galo do lado do pé de goiaba.

– Cócóricócó!

Pedrinho reconheceu a "voz".

– É ele! – exclamou. – Já está à nossa espera no ponto marcado.

Correram todos para lá, mas como nada vissem, pararam desnorteados. Nisto um segundo cócóricócó se fez ouvir no alto da goiabeira. O menino invisível, além de guloso, não perdia tempo...

– Você está aí em cima? – perguntou Pedrinho, de nariz para o ar.

– Não está "vendo"? – respondeu a voz. – Acostume-se a saber onde estou sem me ver – e para dar a primeira lição atirou com uma casca de goiaba bem na cara de Pedrinho, dizendo – Aprendeu?...

– Aprendi – respondeu Pedrinho rindo. – Agora desça, que quero apresentar minha prima Lúcia e os outros.

– Não é preciso. Sei que Lúcia é essa de narizinho arrebitado. A outra é a tal Emília, Marquesa de Rabicó. Só não conheço o de cartolinha e canastra às costas.

– Este é o ilustre Senhor Visconde de Sabugosa, um sábio.

IMAGINÁRIO REINAÇÕES DE NARIZINHO

223

– Que é que ele sabe? – perguntou a voz, arrumando com outra casca de goiaba na cartola do Visconde.

Todos no sítio consideravam o Visconde um grande sábio, mas na realidade ninguém sabia o que ele sabia. Por isso atrapalharam-se com a pergunta. Mas Emília, que não se atrapalhava com coisa nenhuma, disse logo, toda espevitada.

– Ele sabe embolorar muito bem. Fica todo verdinho por fora, quando quer. É doutor em bolor.

Desta vez quem se atrapalhou foi a voz, que com certeza nunca tinha ouvido falar em bolor.

De repente – *pluft*! – barulho de alguém que pula de árvore ao chão. Era a "voz" que havia descido, plantando-se no meio deles.

– Estamos na hora – disse ela. – Temos de partir antes que o sol nasça. Que é do mapa?

Pedrinho tirou do bolso o mapa e apresentou-o. A voz pegou-o, abriu-o e ficou a ver.

Narizinho arregalava os olhos. Aquele mapa que se abria no ar como que por si mesmo, e ficava parado, pareceu-lhe uma coisa extraordinária. O misterioso menino era invisível, mas não tornava invisíveis os objetos que pegava. Isso deu imediatamente uma ideia a Pedrinho.

– Lembrei-me duma coisa – disse ele. – Como é muito enjoado lidar com um companheiro de viagem que a gente não pode ver, proponho que você traga uma pena no chapéu. Pela pena saberemos onde você está.

– Seria ótima a ideia – respondeu a voz – se eu usasse chapéu. Mas não uso coisa nenhuma sobre o corpo, senão todos me perceberiam e de nada valeria ser invisível.

– Ai, que vergonha! – exclamou Emília tapando a cara com as mãos. – Que não dirá Dona Benta quando souber que estamos em companhia dum ente que não usa roupas?

– Deixe de ser idiota, Emília – ralhou Narizinho. – Você não entende nada de criaturas invisíveis.

Não podendo usar a pena no chapéu, que não tinha, Pedrinho propôs que a amarrasse à testa com um fio. Foi aprovada a ideia. Mas onde pena e fio?

– Tenho uma de papagaio na minha bagagem – gritou Emília. – Arreie a carga, Visconde, e abra a canastra.

O Visconde arriou a canastra, abriu-a e passou à boneca a pena de papagaio e um rolinho de fio de linha. A pena foi atada à testa do menino invisível e desde esse momento não houve mais dificuldade em lidar com ele. A pena flutuante no ar indicava a sua presença.

– Viva o Peninha! – gritou Emília – e aquele grito foi um batismo. Dali por diante só o iriam chamar assim – o Peninha. Resolvido aquele ponto, trataram de partir. Para isso o menino invisível tirou dum saquinho certo pó de pirlimpimpim. Deu uma pitada a cada um, e mandou que o cheirassem. Todos o cheiraram – sem espirrar, porque não era rapé. Só Emília espirrou. A boneca espirrava com qualquer pó que fosse, desde o dia em que viu Tia Nastácia tomar rapé. Assim que cheiraram o pó de pirlimpimpim, que é o pó mais mágico que as fadas inventaram, sentiram-se leves como plumas, e tontos, com uma zoeira nos ouvidos. As árvores começaram a girar-lhes em torno como dançarinas de saiote de folhas depois foram se apagando. Parecia sonho. Eles boiavam no espaço como bolhas de sabão levadas por um vento de extraordinária rapidez. Ninguém falava, nem podia falar, a não ser a boneca, que em certo ponto gritou:

– Preciso mais pó, Peninha! Sinto que estou caindo!

– É que estamos chegando – respondeu a voz.

De fato. A tonteira começou a passar e as árvores foram se tornando visíveis outra vez. Segundos depois sentiram terra firme sob os pés. Tinham chegado. Os meninos abriram uns olhos do tamanho de goiabas. Olharam em torno. Um rio de águas cristalinas corria por um vale de veludo verde. Na beira do rio, um carneirinho branco preparava-se para beber. Ao fundo, alta montanha azul erguia-se majestosa, e entre o rio e a montanha era a floresta.

– Estamos no País das Fábulas, também chamado Terra dos Animais Falantes – explicou Peninha. – Vamos começar aqui a nossa viagem pelo Mundo das Maravilhas.

O Senhor de La Fontaine

– Que lindo lugar! – exclamou Pedrinho. – Aqui é que devia ser o sítio de vovó.

A menina também se mostrou maravilhada. Mas Emília fez cara de pouco caso. Tinha tido uma decepção. Que pena não terem começado a viagem pelo Mar dos Piratas! Emília andava com a secreta esperança de ser raptada por algum famoso pirata, que comesse Rabicó assado e se casasse com ela. O sonho de Emília era tornar-se mulher de pirata – para "mandar num navio."

– Mas será mesmo que os animais desta terra são falantes, ou faz de conta que falam? – perguntou Narizinho.

– Falam pelos cotovelos! – respondeu Peninha. – Falam para que possa haver fábulas. Vamos andando por este rio acima que logo encontraremos algum.

Nisto viram um homem de cabeleira encaracolada, vestido à moda dos franceses antigos. Usava fivelas nos sapatos, calções curtos e jaqueta de cintura. Na cabeça trazia chapéu de três pontas, e renda branca no pescoço e nos punhos. Apoiava-se em comprida bengala e vinha caminhando pausadamente, como quem está pensando.

– Parece uma figura que vi naquele leque de Dona Benta – disse Emília. – Com certeza é o dono do carneirinho.

– Não! – afirmou Peninha. – Aquele homem é o Senhor de La Fontaine, um francês muito sábio, que passa a vida nesta terra a observar a vida dos animais.

– Conheço-o muito – disse Pedrinho. – Tenho em casa um livro dele.

O Senhor de La Fontaine aproximou-se do rio e, escondendo-se atrás duma moita, ficou por ali a espiar. O carneirinho estava com sede. Foi se chegando ao rio, espichou o pescoço e – *glut, glut, glut* – começou a beber. Nisto, outro animal, de cara feroz e muito antipático, saiu da floresta, farejou o ar e dirigiu-se para o lado do carneirinho. Vinha lambendo os beiços.

– É o lobo! – cochichou Peninha. – Vai devorar o cordeirinho da fábula.

– Que judiação! – exclamou a menina com dó. – Não deixe, Pedrinho. Jogue uma pedra nele.

– *Psiu*! – fez Peninha. – Não atrapalhem a fábula. O Senhor de La Fontaine lá está, de lápis na mão, tomando notas.

O lobo chegou-se para junto do carneirinho e disse, com a insolência própria dos lobos:

– Que desaforo é esse, seu lanzudo, de estar a sujar a água que vou beber? Não vê que não posso servir-me dos restos dum miserável carneiro?

O pobrezinho pôs-se a tremer. Conhecia de fama o lobo, de cujas garras nenhum carneiro escapava. E com a voz atrapalhada pelo medo respondeu:

– Desculpe-me, senhor lobo, mas Vossa Lobência está do lado de cima do rio e eu estou do lado de baixo. Assim, com perdão de Vossa Lobência creio que não posso turvar a água que Vossa Lobência vai beber.

– E falam mesmo! – exclamou Emília. – Falam tal qual uma gente...

O lobo parece que não esperava aquela resposta, porque engasgou e tossiu três vezes. Depois disse:

– E não é só isso. Temos contas velhas a justar. O ano passado o senhor andou dizendo por aí que eu tinha cara de cachorro ladrão. Lembra-se?

– Não é verdade, Lobência, porque só tenho três meses; o ano passado eu ainda estava no calcanhar de minha avó.

– Toma! – exclamou Narizinho em voz baixa. – Por esta o lobo não esperava. Quero só ver agora o que ele diz.

O Senhor de La Fontaine, lá na moita, escrevia, escrevia...

Aquela resposta atrapalhara o lobo, que além de mau era curto de inteligência, ou, para ser franco, burro. Tossiu mais umas tossidas e por fim achou a resposta.

– Sim – rosnou ele – mas se não foi você foi seu irmão mais velho, o que dá na mesma.

– Como pode ser isso, Lobência, se sou filho único?

Vendo que com razões não conseguia vencer o carneirinho, o lobo resolveu empregar a força.

– Pois se não foi seu irmão, foi seu pai, está ouvindo? – e avançou para ele de dentes arreganhados. E já ia fazendo – *nhoc!* – quando o Senhor de La Fontaine pulou da moita e lhe pregou uma bengalada no focinho.

Mestre lobo não esperava por aquilo. Meteu o rabo entre as pernas e sumiu-se pela floresta adentro.

Grande alegria na meninada. Emília correu a brincar com o carneirinho, enquanto os outros se dirigiam para o lado do Senhor de La Fontaine.

EMÍLIA E LA FONTAINE

Narizinho sabia duas palavras de francês – *bon jour* e *au revoir*. Os outros não sabiam nenhuma. Em vista disso os outros a empurraram para falar com o fabulista. A menina atrapalhou-se já no começo, porque em vez de *bon jour* disse:

– *Au revoir,* Senhor de La Fontaine! Acabamos de chegar do sítio de vovó e vimos a bengalada que o senhor pregou no focinho daquele lobo antipático. Muito bem feito. Queira aceitar os nossos parabéns, *bon jour.*

O fabulista achou muita graça em tanta inocência e, erguendo-a do chão, deu-lhe um beijo na testa. Depois disse:

– Não precisa falar francês comigo, menina. Entendo todas as línguas, tanto a dos animais como a das gentes.

Os outros já o haviam rodeado – inclusive Emília, que deixou para brincar com o carneirinho depois. Estava ela muito admirada das roupas do fabulista. Homem de gola e punhos de renda, onde já se viu isso? E aquela cabeleira de cachos, feito mulher! Quem sabe se o coitado não tinha tesoura? – pensou a boneca.

O Senhor de La Fontaine conversou com todos amavelmente, dizendo que era aquele o lugar do mundo de que mais gostava. Ouvia os animais falarem, aprendia muita coisa e depois punha em verso as histórias.

– Eu já li algumas das suas fábulas – disse Pedrinho. – O senhor escreve muito bem.

– Acha? – disse o modesto sábio, sorrindo. – Fico bastante contente com a sua opinião, Pedrinho, porque muitos inimigos em França me atacam, dizendo justamente o contrário.

– Não faça caso! – gritou Emília. – Eles não sabem o que dizem. Pedrinho quando diz uma coisa é porque é. Pode acreditar nele.

– Obrigado pelo consolo, bonequinha. Tua opinião e a de Pedrinho valem muito para mim, porque em ambas vejo grande sinceridade.

Emília não tirava os olhos da cabeleira do fabulista. O coitado morava sozinho naquelas paragens e com certeza nem tesoura tinha, pensava ela. De repente teve uma lembrança. Abriu a canastrinha e, tirando de dentro a perna de tesoura, ofereceu-a ao sábio, dizendo:

– Queira aceitar este presente, Senhor de La Fontaine.

O fabulista arregalou os olhos, sem alcançar as intenções da boneca.

– Para que quero isso, bonequinha?

– Para cortar o cabelo...

– Oh – exclamou o fabulista, compreendendo-lhe afinal a ideia e sorrindo. – Mas não vês que a tua tesoura tem uma perna só?

Emília, que não se atrapalhava nunca – respondeu prontamente:

– Pois corte o cabelo dum lado só.

Narizinho interveio. Puxou-a dali e disse ao fabulista que não fizesse caso visto como a boneca sofria da bola.

Nesse momento o menino invisível, que tinha estado longe, aproximou-se. Ao ver aquela pena flutuante no ar, o Senhor de La Fontaine ficou intrigado. Pôs-se a olhar, com rugas na testa, sem poder descobrir o mistério.

Emília deu uma risada caçoísta.

– O senhor, que é um sábio da Grécia, adivinhe, se for capaz, que pena de papagaio é aquela, sem papagaio atrás?

O fabulista olhava, olhava e cada vez compreendia menos.

– Não posso – disse afinal. – É um perfeito mistério para mim.

– Pois eu sei – berrou Emília. – É a marca do menino invisível, o Peninha.

O fabulista ficou na mesma. Foi preciso que Pedrinho contasse tudo desde o começo para que o enigma se aclarasse. Mesmo assim o Senhor de La Fontaine ficou de boca aberta e olhos arregalados, porque nunca em sua vida tinha encontrado uma criatura invisível. Pedrinho chamou-o de parte e disse-lhe ao ouvido:

– Ando desconfiado que esse menino é o mesmo Peter Pan. Tem igual modo de falar e igual mania de cantar de galo. Que é que o senhor pensa disto?

O pobre fabulista, que não tinha a menor ideia de quem fosse Peter Pan, menino descoberto na Inglaterra muito recentemente, não pode dar opinião a respeito.

– Não sei, Pedrinho. Vocês estão a falar de coisas muito novas para um homem tão antigo como eu.

Depois, vendo o sol já alto, propôs:

– Aproveitemos o tempo para mais uma fábula.

Disse e dirigiu os passos para o ponto onde havia uma árvore com cigarra cantando. Todos o acompanharam. Pedrinho ia rente. Prestava a maior atenção aos menores movimentos do fabulista porque desejava aprender a escrever fábulas lindas como as dele. Até da marca e número do lápis que o Senhor de La Fontaine usava Pedrinho tomou nota, para comprar um igual. Em certo momento Emília criou coragem e, colocando-se longe de Narizinho para evitar algum beliscão, disse para o sábio:

– Em troca da tesoura eu quero uma coisa, Senhor de La Fontaine.

– Dize lá o que é, bonequinha.

– Quero uma fábula.

– Uma fábula duma perna só? – caçoou ele.

– Uma fábula onde apareça um carneirinho, uma boneca de pano e um tatu canastra.

Narizinho agarrou-a e enfiou-a no bolso, dizendo:

– É demais. Parece que os ares deste campo lhe desarranjaram a cabeça duma vez.

A formiga coroca

A cigarra estava cantando num galho seco, perto dum formigueiro. Ao aproximar-se da árvore o Senhor de La Fontaine parou.

– Gosto do canto das cigarras – disse ele. – Dá-me ideia de bom tempo, sol quente, verão. Este inseto é um pouco boêmio como em geral todos os cantores.

– Há muitas cigarras e enormes no sítio de vovó – disse Pedrinho. – Às vezes cantam até rebentar.

– Morrem cantando, como os cisnes – confirmou o sábio. – Já escrevi uma fábula sobre a cigarra e a formiga, que é outro inseto muito curioso, símbolo do trabalho incessante. Aqui temos um formigueiro onde vocês podem observá-las.

Todos se abaixaram em redor do formigueiro.

– Não param nunca, sempre ocupadas nos trabalhos caseiros – prosseguiu. – Cortam folhas, picam-nas em pedacinhos e guardam-nas em perfeitos celeiros para que fermentem. Nessas folhas um cogumelozinho se desenvolve, com o qual se alimentam. São insetos de alta inteligência. A muitos respeitos a formiga está mais adiantada que nós, homens. Há mais ordem e governo na sociedade delas. São mais felizes.

– Felizes? – exclamou Emília com carinha incrédula. – Bem se vê que o senhor nunca sentiu o horrível cheiro da bebida que Dona Benta costuma dar a elas lá no Sítio, uma tal formicida...

O fabulista riu-se com vontade e, voltando-se para Narizinho, disse que a boneca tinha uma "estranha e viva personalidade". A menina não entendeu muito bem, mas começou dali por diante a olhar para Emília com mais respeito. Se a boneca tinha uma "estranha personalidade", então tinha alguma coisa, não sendo simplesmente a boba, como lhe costumava chamar.

Nisto a fábula da cigarra e da formiga principiou de novo.

– *Pss*! – fez o fabulista. – Silêncio, agora. Vamos ver se é mesmo como eu escrevi.

Todos se calaram, imóveis em roda do formigueiro. A célebre cigarra tuberculosa, que tossia, tossia, tossia, vinha chegando, embrulhada no seu xalinho esfarrapado. Vinha de rastos, como quem está nas últimas a morrer de fome e frio. Parando à porta do formigueiro, bateu – *toc, toc, toc.*

– Como ela bate direitinho! – murmurou Emília. – Bate tal qual uma gente.

A cigarra bateu e ficou esperando, toda encolhida. Instantes depois apareceu uma formiga coroca, sem dentes, com ares de ter mais de mil anos. Era a porteira da casa e rabugenta como ela só. Abriu a porta e disse, na sua voz rouca dos séculos:

– Que é que a senhora deseja?

Vendo tanta cara feia, a pobre cigarra quase desmaiou de medo, e foi tomada de outro acesso de tosse. Nem podia falar. Em vez de sentir piedade, a formiga fechou ainda mais a carranca e disse:

– Errou de porta, minha cara. Isto aqui não é asilo de inválidos. Se está doente, vá para a casa do seu sogro.

– Perdão – disse a triste mendiga. – É que não tenho casa, nem sogro, e estou morrendo de fome e frio. Se a senhora não me dá uma folhinha para comer e um cantinho para me abrigar, certo que morrerei à míngua.

– É o melhor que tem a fazer – respondeu a formiga. – Que fazia no bom tempo?

– Eu? Eu cantava, senhora formiga. Sou cantadeira de nascença.

– Hum, já sei! Era a senhora quem cantava em cima dessa árvore o dia inteiro. Bem me lembro disso.

A cigarra sorriu, certa de que a lembrança das suas passadas cantorias tinha amolecido o coração da formiga. Ah, ela não imaginava o que era o coração duma formiga coroca de mais de mil anos!

– Bem me lembro – continuou a formiga. – Cantava de nos pôr doidas aqui dentro. Muita dor de cabeça tive por causa da sua cantoria, sabe? Agora está tísica e não canta mais, não é isso? Pois dance! Cantou enquanto era moça e sadia? Pois dance agora que está velha e doente, sua vagabunda! e – *plaft!* – deu-lhe com a porta no nariz.

A triste cigarra, com o nariz esborrachado, ia pendendo para trás para morrer, quando Emília a susteve.

– Não morra, boba! Não dê esse gosto para aquela malvada. Está com fome? Vou já trazer um montinho de folhas. Está com frio? Vou já acender uma fogueirinha. Em vez de morrer, feito uma idiota, ajude-me a preparar uma boa forra contra a formiga.

A cigarra comeu as folhinhas que a boneca lhe trouxe, aqueceu o corpo na fogueirinha que a boneca lhe acendeu. Sarou da tísica imediatamente e quis começar a cantar.

– Não ainda – disse Emília. – Primeiro temos de ajustar contas com a formiga. Depois você canta até rebentar.

O Senhor de La Fontaine, curioso de ver qual seria a vingança da boneca, pôs-se de lado, a observar disfarçadamente. Vendo isso, Narizinho não teve coragem de ralhar com Emília e deixou-a em paz. Emília mandou que a cigarra batesse na porta outra vez. A cigarra obedeceu, batendo três toque-toques. Veio a formiga espiar quem era. Dando com a mesma cigarra, disse-lhe um grande desaforo e já lhe ia batendo com a porta no nariz outra vez, quando Emília a agarrou pela perna seca e a puxou para fora.

– Chegou tua vez, malvada! Há mil anos que a senhora me anda a dar com essa porcaria de porta no focinho das cigarras, mas chegou o dia da vingança. Quem vai levar porta no nariz és tu, sua cara de coruja seca!

E, voltando-se para a cigarra:

– Amor com amor se paga. Eu seguro a bruxa e você malha com a porta no nariz dela. Vamos!

A cigarra cumpriu a ordem, e tantas portadas arrumou no nariz da formiga, que a pobre acabou pedindo socorro ao Senhor de La Fontaine, seu conhecido de longo tempo.

O fabulista interveio.

– Basta, bonequinha! – disse ele. – A formiga já sofreu a sova merecida. Pare, se não ela morre e estraga-me a fábula.

Emília soltou a formiga surrada, que lá se foi para o fundo do formigueiro com o nariz deste tamanho e mais tonta do que se tivesse bebido um cálice de formicida.

Esopo

Durante todo aquele tempo o menino invisível estivera afastado do grupo, vendo uns macacos que haviam aparecido na orla da floresta. Ao voltar anunciou sua chegada, já de longe, com o costumado *cócóricócó*. O Senhor de La Fontaine, que ignorava aquela mania do Peninha, iludiu-se, julgando tratar-se dum galo de verdade.

– Lá está um galo cantando – disse ele ingenuamente. – Gosto dessa ave, que simboliza a bravura e a vitória.

Todos sentiram vontade de rir ao perceberem o engano dum homem tão sábio. Mas contiveram-se, lembrando o respeito que Dona Benta lhes ensinara para com os mais idosos. Todos, menos Emília. A burrinha espremeu uma das suas risadas caçoístas e disse, antes que a menina pudesse atrapalhar:

– O senhor está fazendo papel de bobo, Senhor de La Fontaine! Aquilo nunca foi canto de galo, nem aqui nem na casa de sua sogra. É o Peninha que vem vindo.

Narizinho, envergonhada, tapou-lhe a boca com a mão e ralhou:

– Como chama bobo a um homem tão importante, Emília? Vovó, quando souber, vai ficar danada!...

Nisto a pena de papagaio apareceu flutuando no ar, vinda da floresta, em companhia dum homem esquisito. Todos se voltaram para ver.

– Quem será o bicho careta? Com certeza algum homem que estava tomando banho e perdeu as roupas – berrou Emília. – Vem embrulhado na toalha.

O Senhor de La Fontaine explicou quem era.

– Estás enganada, bonequinha. Aquele homem é um famoso fabulista grego. Não vem embrulhado em nenhuma toalha, mas sim vestido à moda dos antigos gregos. Chama-se Esopo. Foi o primeiro que teve a ideia de escrever fábulas.

Esopo chegou e saudou cortesmente o fabulista francês. Depois fez festas às crianças. Vendo Emília, admirou-se.

– Oh, uma bonequinha também! Era o único ente que faltava nestas terras. É falante?

– É sim: Emília fala pelos cotovelos – respondeu Narizinho.

A admiração de Esopo foi grande, porque apesar de velho nunca tinha sabido de nenhuma boneca que falasse.

– É extraordinário! – disse ele. – Bonecas vi muitas em Atenas, mas mudas. O mundo tem progredido, não resta dúvida. Como te chamas, bonequinha?

– Emília de Rabicó, sua criada.

– Lindo nome. E quem te ensinou a falar?

– Ninguém – respondeu Emília com todo o espevitamento. – Nasci sabendo. Quando o Doutor Caramujo me deu uma pílula tirada da barriga dum sapo, comecei a falar imediatamente.

– Emília fala muito bem – explicou Narizinho. – Pena é que diga tanta tolice.

O grego sorriu com malícia.

– Nós, sábios, também não fazemos outra coisa – disse ele. – Mas como dizemos nossas tolices com arte, o mundo se ilude e as julga alta sabedoria. Vamos, bonequinha, diga uma tolice para o velho Esopo ver.

Emília desapontou e, torcendo a ponta do seu lencinho de chita – respondeu com muito propósito:

– Assim de encomenda, não sei...

Os dois fabulistas trocaram um olhar de inteligência, como quem diz: "Vê?" Em seguida ferraram uma discussão a respeito da origem das fábulas – e, afastando-se dali, foram sentar-se numa pedra à beira do ribeirão.

Vendo-se sós, os meninos começaram a planejar grandes aventuras.

– Eu quero ver um leão! Quero conhecer o leão da fábula! – disse Pedrinho.

– Eu quero ver aqueles dois pombinhos do apólogo tão bonito que vovó contou – disse a menina.

– E eu quero pegar um tatu-canastra – disse Emília.

Era a terceira vez que Emília falava em tatu-canastra. Narizinho ficou intrigada.

– Que tatu-canastra é esse em que você tanto fala, Emília ?

A boneca respondeu sem demora.

– É que a canastrinha que trago sempre comigo me dá muita canseira. Tenho de carregá-la no lombo do Visconde o tempo todo. Ora, se pego um tatu-canastra, fico dona duma canastra que anda por si mesma nos seus quatro pés. Não acham que é boa ideia?

– É a maior ideia que a senhora teve até hoje, Marquesa! – exclamou o Visconde.

O pobre sábio andava que mal podia consigo, de tanto carregar às costas a tal canastrinha. Por isso não falou nem se meteu em coisa nenhuma durante todo o passeio. Não pode nem sequer debater ciência com os dois fabulistas, seus colegas em sabedoria. Se de fato houvesse um tatu-canastra, que bom!

Peninha contou que na floresta havia muito mais bichos do que ali – leões, tigres, macacos, ursos – todos os animais importantes. Em vista disso, para lá se encaminhou o bando, guiado pela pena de papagaio flutuante. Assim que entraram na floresta viram no topo de uma árvore seca um corvo de queijo no bico. Pedrinho, muito sabido em fábulas, disse logo:

– Aposto que embaixo da árvore está uma raposa. Ela vai gabar a voz do corvo, dizendo que nenhum sabiá canta mais bonito que ele. O vaidoso acredita, fica todo ganjento, abre o bico para cantar e o queijo cai e a raposa pega o queijo e foge com ele, na risada. Já sei tudo. Não vale a pena pararmos para ver isso.

– Vale, sim! – contrariou Emília. – Podemos enganar a raposa e comer o queijo.

Narizinho fez cara de nojo.

– Que coragem, Emília! Comer um queijo que já andou em bico de corvo...

– Comer de mentira, boba! Só para ver o desapontamento da raposa.

Mas não pararam. Pedrinho achava que corvo e raposa eram bichos sem importância, dos que não valem a pena. Queria feras de verdade.

– Onde mora o leão, Peninha? – perguntou ele.

– Na montanha. Vai-se pelo caminho da casa da Menina do Leite.

– Bravos! – exclamou Narizinho. – Vovó nos contou a história dessa coitadinha que foi ao mercado vender o primeiro leite da sua vaca mocha, fazendo castelos do que havia de comprar com o dinheiro. De repente tropeçou, o pote veio ao chão e a coitada viu irem-se água abaixo, com o leite, todos os seus lindos sonhos. Desejo muito conhecê-la pessoalmente.

A floresta formava ali uma clareira, de modo que puderam avistar ao longe a fumacinha, depois a chaminé, depois o telhado e por fim a casa inteira de Laura, a Menina do Leite.

– Lá vem ela! – gritou Emília.

De fato, num vestido de pintas vermelhas, Laura vinha vindo na direção deles, com o pote de leite à cabeça.

– Bom dia, Laura! – disse Narizinho ao defrontar a raparigota. – Aonde vai tão requebrada e faceira?

– Ao mercado da vila próxima, vender este leite da minha vaca mocha. Vendo o leite e compro duas dúzias de ovos. Pretendo chocar os ovos e tirar duas dúzias de pintos. Cresço a pintalhada e obtenho doze galos e doze galinhas. Vendo os galos e conservo as galinhas para botarem ovos. A duzentos ovos cada uma por ano, terei, deixe ver... – e começou a fazer a conta de cabeça.

– Não estrague a sua cabecinha, Dona Laura – disse Emília. – Temos aqui o Visconde que é um danado para contas. Visconde, arrie a canastra e faça a conta desta menina.

O embolorado sábio obedeceu. Arriou a canastrinha, enxugou o suor da testa e fez a conta na areia, com um pauzinho.

– Dois mil e quatrocentos ovos – declarou ele por fim.

– É isso mesmo – disse a Menina do Leite, que já tinha feito a conta de cabeça.

– Dois mil e quatrocentos ovos! Ponho tudo a chocar e consigo outras tantas aves. Vendo-as no mercado e compro dez porcos. Faço uma criação de porcos. Vendo os porcos e compro cinquenta vacas.

A boneca, que conhecia a fábula, estava de olho no pote para vê-lo cair. Era naquele ponto que o leite se derramava. Mas o pote não caiu e Laura continuou:

– Faço uma grande criação de vacas. Depois vendo as vacas e compro uma casa e um automóvel. Fico morando na casa e vou passear na vila de automóvel. Lá encontro um lindo moço que se apaixona por mim. Caso-me com ele e vou morar na cidade.

Emília estava na maior aflição. A Menina do Leite já passara todos os pontos em que o pote cai. Já estava casada e morando na cidade. Continuando assim, a fábula ia ficar completamente sem jeito. A boneca não pode conter-se por mais tempo.

– Pare, senhorita, e derrube o pote de leite, senão a fábula fica sem pé nem cabeça!

Laura deu uma gargalhada.

– Já se foi esse tempo, bonequinha! Isso me aconteceu uma vez, mas não acontece outra. Arranjei esta lata de metal, que fecha hermeticamente, para substituir o pote quebrado. Agora posso sonhar quantos castelos quiser, sem receio de que o leite se derrame e meus sonhos acabem em desilusões. Adeus, meninada, adeus!

Foi um desapontamento geral.

– Não valeu a pena pararmos para ver só isto – disse Pedrinho. – Vamos depressa à montanha. Talvez lá as fábulas sejam sempre as mesmas. Quero ver o leão.

Nisto avistaram a montanha onde estava a caverna do rei dos animais. Dali por diante tinham de ir com todas as cautelas, na ponta dos pés, para não despertar a atenção dalguma fera. Chegaram ao terreiro que havia em frente da caverna. Ossos de animais devorados e um cheiro de carniça mostravam que não houvera engano, era ali mesmo a caverna procurada.

– Sei duma fresta na rocha – disse Peninha, donde podemos ver o leão sem que ele nos veja. Sigam-me, sem fazer o menor barulhinho.

Todos o seguiram, pé ante pé, como gatos. Subiram pela rocha e por fim alcançaram a tal fresta, que ficava bem no topo da caverna, em ponto que os bichos não podiam alcançar nem que pulassem. Dali os meninos veriam tudo sem o menor perigo. Cada qual se ajeitou como melhor pode, com um olho na fresta.

– Lá está ele! – disse Pedrinho, que foi o primeiro a ver. Lá está o Leão da Fábula no seu trono de ossos, rodeado de toda a corte.

OS ANIMAIS E A PESTE

O leão havia reunido toda a bicharia a fim de resolver sobre a terrível peste que estava arrasando o reino. Antes de decidirem qualquer coisa, os reis costumam consultar os sábios, os astrólogos, os bobos da corte e outras notabilidades do reino. Assim também fazia o Leão da Fábula. O primeiro consultado foi um macaco de barbas brancas, sabido como ele só.

– Qual a sua opinião, senhor mono, sobre a peste que nos desgraça?

O macaco alisou a barbaça, tossiu três vezes e disse:

— Saiba Vossa Majestade que esta peste é um castigo do céu. Ofendemos as majestades celestes, foi isso. Agora, o remédio é aplacarmos a cólera dos deuses com o sacrifício de um de nós.

— Muito bem – disse o leão. – Mas sacrifício do qual?

— Do mais carregado de crimes – respondeu o macaco.

O leão fechou os olhos e pôs-se a meditar. Recordou sua vida passada, suas injustiças, a crueldade com que matara tantas zebras, gazelas, veados, carneiros e até homens. E resolveu fazer um bonito: oferecer-se para o sacrifício como o mais carregado de crimes.

Nenhum animal teria a coragem de concordar com ele, de modo que ele fazia o bonito sem correr o menor perigo. Assim procedem os reis que desejam ficar famosos na história.

— Amigos – disse o leão com cara contrita. – Nenhuma dúvida me resta: quem deve ser sacrificado sou eu. Ninguém cometeu mais crimes do que o vosso rei, ninguém matou maior número de veados, carneiros, zebras e homens do que eu. Devo ser o escolhido para o sacrifício. Que acham?

Disse e correu os olhos pela corte, com ar de quem está pensando lá por dentro: "Quero só ver quem tem o topete de achar que sim". Todos estavam convencidos de que de fato era o leão o maior criminoso da floresta, mas nenhum tinha a coragem de o dizer em voz alta. A raposa, então, adiantou-se e fez um discursinho.

— Bobagens, Majestade! – disse ela. – Se há no mundo um ente limpo de crimes, certo que é o nosso bondoso rei leão. Matou veados e carneiros e zebras e homens? Oh, isso em vez de crime constitui ato de nobre piedade. Para que servem tais bichos? Que é um veado, uma zebra ou um carneiro ou um homem, na ordem das coisas? Perfeitas imundícies, de modo que o que Vossa Majestade fez foi apenas uma obra de limpeza. Ninguém tome minhas palavras como lisonja, tenho horror a isso, mas Vossa Majestade, na minha opinião, em vez de ser um criminoso é um santo!

Uma chuva de palmas cobriu o discurso da raposa. O leão lambeu a bigodeira, de gosto, e agradeceu à raposa com um gesto cordial. Em seguida levantou-se o tigre e disse o mesmo que havia dito o leão. Acusou-se de grandes crimes e declarou que o merecedor do castigo só podia ser ele, não outro. A raposa fez novo discurso, ainda mais bonito que o primeiro, provando que o santo número dois da floresta era justamente o tigre. A cena repetiu-se com todos os animais de músculos fortes e dentuça afiada. Todos viraram santos. Por fim chegou a vez do burro.

— Pondo a mão na consciência, não me sinto culpado de coisa nenhuma – declarou a burríssima criatura. – Só como capim e outras ervas. Nunca matei um mosquito. Se mutuca me morde, o mais que faço é espantá-la com o espanador da cauda. Nunca furtei. Nunca tomei a mulher do próximo. Nem coices dou, porque sofro duma inchação nos pés, muito dolorosa. A consciência de nada me acusa.

Assim que o burro concluiu, todos os animais entreolharam-se. Era muito grave aquela sua confissão! A raposa adiantou-se e falou, como intérprete do pensamento geral.

— Eis o grande criminoso, Majestade! – disse ela apontando para o pobre burro. – É por causa dele que o céu nos mandou esta epidemia. Ele tem que ser sacrificado. Não dá coices, confessou, "porque tem os pés inchados". Quer dizer que se não tivesse os pés inchados andaria pelo mundo a distribuir coices como quem distribui cocadas. Morra o miserável burro coiceiro!

– Morra! Morra! – gritaram mil vozes.

Vendo aquilo, o rei leão também indignou-se.

– Miserável burro de carroça! – berrou. – É por tua causa, então, que o meu reino está levando a breca? Pois te condeno a ser imediatamente estraçalhado pelo carrasco da corte. Vamos, tigre, cumpre a sentença do teu rei!...

Os olhos do tigre-carrasco brilharam. Estraçalhar animais era o seu grande prazer. Lambeu os beiços e armou o bote para lançar-se contra o trêmulo burro. Mas ficou no bote. Uma enorme pedra lhe caiu no teto da caverna bem no alto da cabeça – *plaft!* Grande berreiro! Correria! Desmaios das damas. Quem é? Quem foi? Fora obra do Peninha.

– Bravos! – exclamaram os meninos. – Isso é que se chama boa pontaria.

– Fujamos enquanto é tempo – gritou Peninha. – O leão já nos farejou aqui e está lambendo os beiços.

Não foi preciso mais. Os meninos botaram-se pela montanha abaixo.

PRISIONEIROS

Na corrida Peninha cruzou com o burro, que também ia fugindo, e pulou-lhe no lombo. Isso fez que os outros ficassem para trás e se perdessem no mato. Sem o Peninha para guiá-los, andaram, andaram às tontas e por fim entraram sem o saber no país dos macacos. Assim que transpuseram as fronteiras desse reino, vários guardas lhes caíram em cima e os enlearam com cipós. Em seguida os levaram à presença de Sua Majestade Simão XIV, que os cortesãos chamavam o Rei Sol, porque quando Simão aparecia todas as caras se iluminavam de sorrisos.

– Majestade – disse um dos guardas – aqui trazemos à Vossa Sublime Presença estes quatro viajantes que estavam atravessando as fronteiras sem passaporte.

– É mentira, senhor rei! – berrou Emília. – Eu tenho passaporte, sim. Olhe aqui – e abrindo a canastrinha, sempre nas costas do Visconde, tirou de dentro o célebre alfinete de pombinha. – Este é o meu passaporte.

O Rei Sol examinou com a maior atenção aquele objeto para ele desconhecido, pois nunca vira nem alfinete simples, quanto mais de pombinha. Depois disse:

– O passaporte adotado no meu reino é uma banana-ouro, mas como sei que outros povos usam outros passaportes, aceito como válido este que esta senhora apresenta. Podem soltá-la.

Os guardas começaram a desamarrar Emília. Enquanto isso Pedrinho achou jeito de lhe dizer na linguagem do P, que os macacos não entendem:

– *A pavipisepe Pepenipinhapa quepe espestapamospos naspas upunhaspas despestapa hoporrenpendapa mapacapacapadapa.*

(Avise Peninha que estamos nas unhas desta horrenda macacada.)

– *Simpim* – respondeu Emília disfarçadamente, e mal se pilhou livre raspou-se, muito tesinha, sem olhar para trás.

Em seguida Narizinho foi trazida à presença do real come-bananas.

– Senhorita – disse ele – embora seja um crime entrar no meu reino sem licença, ouvirei de bom grado as suas explicações. Sou um rei magnânimo, mais amigo de premiar do que de castigar. Diga-me, quais são as suas impressões sobre a minha corte?

A menina correu os olhos em redor e só viu macacos e macacas, cada qual mais peludo e feio. Mas era esperta. Compreendeu que se dissesse a verdade teria de pagar caro. O melhor seria fingir-se encantada e só dizer coisas agradáveis aos ouvidos daquela horrenda bicharia. E respondeu:

– Estou maravilhada, Majestade, com a magnificência desta corte! Conheço muitas, tenho visitado muitos reis, como o Rei de Ouros, o Rei de Copas, o Rei de Espadas e outros. Mas nunca vi soberano mais bonito e nobre do que Vossa Majestade! Nem nunca vi damas da corte mais formosas que as presentes! Tão entusiasmada estou com o vosso reino, que nele ficaria morando a vida inteira, se Vossa Majestade o permitisse e vovó concordasse.

Simão XIV lambeu-se de gosto. Apesar de acostumado a só ouvir elogios, nunca tinha saboreado gabos como aqueles. Achou-os ainda mais gostosos do que a melhor banana-ouro.

– Soltem-na *incontinenti* – ordenou ele – e deem a essa encantadora visitante a árvore mais alta para morar e o mais gentil macaco para esposo! Ficará residindo aqui, como é seu ardente desejo. Mandarei emissários contar o caso a sua vovó, que certamente vai ficar radiante quando souber da honra insigne que o Rei Sol acaba de conceder à sua neta.

Narizinho, que não esperava tanto, fez uma careta. Mas conteve-se, resignada, na esperança de que Peninha viesse salvá-la. Foi conduzida dali para o alto da sua árvore, enquanto os guardas traziam à presença do rei o Visconde, sempre de canastrinha às costas.

– E você, senhor viajante de cartola e canastra, qual a sua opinião?

O pobre sábio arriou a canastra, sentou-se em cima, e enxugou o suor da testa com as costas da mão.

– O que acho? – disse ele depois de tomar fôlego. – Acho que esta canastrinha é muito pesada para um velho doente como eu.

– Não me refiro a nenhuma canastra, seu palerma! Que acha do meu reino? – berrou Simão carregando os sobrolhos.

Sempre atrapalhado e esmagado sob o peso da carga, o Visconde não havia podido prestar atenção a coisa nenhuma e portanto não podia achar coisa nenhuma.

– Vossa Majestade me perdoe – disse ele – mas ainda não vi nada, de tão cansado que estou. Deixe-me primeiro tomar fôlego e dormir um sono. Amanhã darei minha opinião mais sossegado.

O rei não gostou nada de semelhante resposta, mas deixou-a passar. Mandou que dormissem o Visconde e trouxessem o último prisioneiro.

Os guardas trouxeram Pedrinho. O menino estava furioso com o que havia acontecido. Se tivesse ali o bodoque, era a bodocadas que responderia às perguntas do macacão. Mas não tinha. Estava de mãos amarradas. Mesmo assim resolveu dizer o que realmente pensava, porque Pedrinho sempre fora um menino de caráter forte, dos que não mentem em caso nenhum. Assim que o rei lhe repetiu aquela pergunta, o menos que pode dizer foi o seguinte:

– O que acho deste reino? Não acho coisa nenhuma. Não é reino nenhum. Não vejo rei nenhum. Vejo um macacão, como todos os outros, trepado num galho que ele supõe ser trono. As damas da corte? Macacas. Simples macacas, como todas as macacas do mundo. Tudo macaco! Isto não passa dum grande macacal como os que há em todas as florestas...

– Fora da minha presença, miserável caluniador! – berrou Simão XIV no auge da cólera. – Levem-no, guardas! Amarrem-no a um tronco para ser devorado pelas formigas antropófagas.

O pobre Pedrinho viu-se arrastado dali como se fosse um cacho de bananas.

Peninha não falha

Narizinho fora levada para o alto da árvore onde tinha de morar toda a vida com o seu esposo macaco. Pedrinho fora amarrado ao tronco onde ia ser comido pelas formigas. O Visconde fora dormido num galho de pau.

Era o único feliz. Teve lindos sonhos. Sonhou com um país sossegado, onde não havia nem Emílias nem canastras.

Veio a noite. A macacada começou a cair num tal sono que dentro em pouco só se ouviam roncos naquele trecho de floresta. Da árvore onde estava, Narizinho pode ver Pedrinho amarrado ao tronco.

– *Tepenhapa papacipienpenciapia quepe Pepenipinhapa nãopão tarpardapa* – gritou-lhe ela.

Nem bem acabara e já ouviu um galo cantar longe – *cócóricócó!*

– *Épé epelepe!* – gritou de novo a menina, batendo palmas.

E era mesmo. A pena de papagaio vinha flutuando em cima do burro em disparada. Peninha saltou em terra e correu a descer Narizinho da árvore. Os macacos, que lá estavam de sentinela, não perceberam nada, tamanho era o sono.

– Estou estranhando o sono desta bicharia – disse a menina. – Por mais barulho que se faça, nenhum acorda.

– Pudera! – exclamou Peninha. – Pus tal dose duma planta dormideira no poço onde eles bebem, que só amanhã lá pelo meio-dia poderão despertar. Que é de Pedrinho?

– Ali naquele tronco!

Peninha correu a desamarrá-lo. Depois foi acordar o Visconde, que danou de ter de cortar a gostosa soneca para novamente pôr às costas a canastrinha.

– Agora é montar no burro e tocar no galope!

– Não ainda! – disse Pedrinho. – Tenho contas a justar com o macacão rei.

Foi em procura de Simão XIV, que encontrou a roncar no meio de toda a corte, igualmente adormecida.

"Que fazer para vingar-me? Ah, já sei!"

Tomou uma tesoura que andava por ali e cortou-lhe as barbas, a ponta da cauda e meia orelha, dizendo:

– Quando a macacada despertar amanhã, nenhum poderá reconhecer o grande Rei Simão Banana, e todos correrão daqui, a pau, este mono duma figa!...

Em seguida reuniu-se aos outros e pronto!

– Vamos! – gritou Peninha para o burro.

O animal saiu no galope e em menos de meia hora os levou para onde estavam os fabulistas. De longe já os meninos os viram, sentados na mesma pedra, ferrados na mesma discussão.

– Vivam! – exclamou o Senhor de La Fontaine. – Por onde andaram os meus meninos?

Cansada das aventuras do dia e ansiosa por voltar para casa, Narizinho desfiou atropeladamente, sem apear-se do burro, as principais peripécias do passeio.

– Quando estivermos juntos outra vez, contarei tudo mais direitinho. Agora não posso. Adeus, Senhor de La Fontaine! Adeus, Senhor Esopo! Até um dia!

– Para onde vão com tanta pressa?

– Jantar! – gritou Pedrinho.

– Senhor de La Fontaine – disse Emília, – fique sabendo que gostamos muito da sua pessoa. Apareça lá no sítio para tomar um cafezinho coado na hora. O senhor também, Seu Esopo. Mas vá de paletó e calça, se não Tia Nastácia se assusta. Não façam cerimônias. Dona Benta não se importa. Ela é muito boa...

Os fabulistas prometeram aparecer.

– *Au revoir!* – gritou de longe a menina.

– *Au revoir!* – repetiu o Senhor de La Fontaine com um aceno de mão – e ficou por um tempo a segui-los com os olhos.

Quando o burro desapareceu numa nuvem de pó, lá bem longe, o fabulista suspirou:

– Felicidade, teu nome é juventude!...

Em seguida voltou a sentar-se na pedra, à beira do ribeirão, e retomou a conversa com Esopo no ponto em que os meninos a haviam interrompido.

O Pó de Pirlimpimpim
O Burro Falante

Dona Benta estava na cozinha conversando com Tia Nastácia.

– Que terá havido? – dizia ela. – Os meninos ontem foram para a cama cedo demais. Percebi logo que era sinal de grossa travessura para hoje. De manhã, quando me levantei não vi nenhum. Tinham sumido sem ao menos tomarem café. Por onde andarão os diabretes?

A negra, que estava frigindo uns lambaris, apenas disse:

– Essas crianças fazem coisas da gente se benzer com as duas mãos, Sinhá. Com certeza foram visitar algum rei lá na terra das fadas. Mas não se incomode, Sinhá. Quando a fome der, largam todos os reis do mundo para virem correndo atrás destes lambarizinhos fritos.

– Inda é o que vale – concordou Dona Benta. – A fome é a única coisa que faz Pedrinho e Narizinho não se separarem de nós...

Isso foi daquela vez em que partiram com o Peninha para a primeira viagem maravilhosa. Eles ainda não tinham voltado, mas já vinham vindo.

O relógio bateu seis horas.

– Tão tarde já, Nastácia! Estou com medo que lhes tenha acontecido qualquer coisa... – disse Dona Benta apreensiva, indo postar-se na varanda, de olhos na estrada.

Minutos depois viu lá longe uma nuvem de poeira.

– Vem vindo um cavaleiro! Ande, Nastácia, você que tem melhor vista, venha ver se descobre quem é.

A negra veio da cozinha, com a colher de pau na mão, e olhou.

– São eles, Sinhá. Vêm tudo encarapitado num burro. Credo! Até parece bruxaria...

O burro vinha na galopada e breve parou no terreiro com sua penca de gente no lombo. Peninha montava no meio, trazendo o Visconde na mão; Narizinho montava à garupa, com a Emília no bolso; Pedrinho ocupava a frente.

Pularam do animal e dirigiram-se para a varanda.

– Que coisa esquisita! – murmurou Tia Nastácia. – Repare, Sinhá, que o Visconde vem pendurado no ar, com uma pena de papagaio voando em cima dele...

– Boa tarde, vovó! – gritou Narizinho ao pisar no primeiro degrau da escada. – Aqui estamos de novo, depois dum dia inteiro de aventuras espantosas...

– Estou vendo – respondeu Dona Benta, e muito contente fico de nada de mau ter acontecido. – Mas não posso compreender o que significa essa coisa de o Visconde vir pendurado no ar, com aquela pena em cima...

Os meninos deram uma gargalhada.

– Nem que a senhora pense um século é capaz de adivinhar, vovó! Veja se consegue...

Dona Benta olhou, olhou, pensou, pensou e nada. Consultou a negra com os olhos. Depois disse:

– Impossível. Diga logo, que já estou ficando aflita.

– É o Peninha! – berrou Emília.

A velha ficou na mesma.

– É o Peninha que vem carregando o Visconde! – berrou a boneca inda mais alto.

A boa senhora olhou para a negra, fazendo beiço. Não entendia nada. Narizinho então teve dó dela e contou a história inteira do menino invisível que os levara ao País das Fábulas.

– Ele vem carregando o Visconde, mas como é invisível a gente só vê o Visconde...

As duas velhas não tiveram palavras para comentar o maravilhoso caso. Limitaram-se a abrir a boca, com os olhos fixos na peninha. Nisto o burro relinchou no terreiro. Todos voltaram o rosto. Dona Benta perguntou de quem era o animal.

– De ninguém – respondeu o menino. – É nosso. Salvamo-lo das unhas do tigre e agora está tão amigo que vem morar conosco para sempre.

– É bom de marcha?

– Mais que isso, vovó. É um Burro Falante...

Os olhos da negra, já tão arregalados, arregalaram-se ainda mais e sua boca abriu, abriu, abriu de caber dentro uma laranja. Burro Falante! Era demais...

– Será possível, Sinhá? Mecê acredita?...

– Tudo é possível, Nastácia. Se papagaio fala, por que não há de falar um burro?

– Mas ele não fala como papagaio, vovó – explicou Pedrinho. – Papagaio só repete o que a gente diz. Este burro pensa para falar. Se a senhora ouvisse o discurso dele na assembleia dos animais pesteados, havia de ficar boba de espanto.

– Nesse caso, precisamos recebê-lo com toda a consideração. Nastácia, leve--lhe umas espigas de milho bem bonitas e água bem fresca.

A negra obedeceu. Foi ao paiol escolher as melhores espigas e encheu uma vasilha com água da talha. Mas quando chegou ao terreiro parou, sem ânimo de aproximar-se do burro.

– Não tenho coragem, Sinhá! – disse ela virando os olhos para Dona Benta. – Se ele me diz uma graça, caio para trás, de susto...

– Não seja boba! Ele tem cara de pessoa muito séria.

A negra deu mais dois passos e parou de novo. Não tinha coragem!... O mais que fez foi botar o milho no chão, sobre uma toalha, com a vasilha d'água ao lado, murmurando:

– Ele se quiser que venha até aqui. Eu é que não chego perto – e recuou uns passos, para ver.

O burro compreendeu o medo muito natural da negra. Foi-se chegando de-vagarinho e comeu o milho e bebeu a água tão gostosa. Mas como fosse de muita educação, lambeu discretamente os beiços e:

– Muito obrigado, Tia. Deus lhe pague – murmurou com toda a clareza.

– Acuda, Sinhá! – berrou a pobre preta. – Fala mesmo, o canhoto! – e botou-se para a cozinha, fazendo mais de vinte sinais-da-cruz.

DONA BENTA DE CABEÇA VIRADA

Não durou muito aquela situação. Tia Nastácia foi perdendo o medo que ti-nha ao burro e acabou grande amiga dele. Era quem o tratava, quem lhe dava milho e água e ainda quem lhe passava a raspadeira todas as semanas. Enquanto isso, con-versavam. Tinham prosas tão compridas que a boneca chegou a dizer, piscando os olhinhos de retrós:

– Isto ainda acaba em casamento!...

Peninha havia desaparecido na mesma noite da chegada, depois de restituir a Emília sua pena de papagaio e prometer a Pedrinho voltar mais tarde a fim de levá--los ao Mar dos Piratas.

Dona Benta ouviu a história do passeio ao País das Fábulas com especial in-teresse para tudo quanto se referia ao Senhor de La Fontaine, cujas obras havia lido em francês. Sempre tivera grande admiração por esse fabulista, que considerava um dos maiores escritores do mundo.

– Estou lamentando não ter ido com vocês – disse ela. – Uma prosinha com o Senhor de La Fontaine seria dum grande encanto para a minha velhice...

Tais palavras fizeram Pedrinho bater na testa...

– Tive uma grande ideia, vovó! – berrou ele. – Levar a senhora lá! Já sabemos o caminho e temos o Burro Falante para nos conduzir. Que acha?

A grande ideia tonteou Dona Benta como se fora uma paulada no crânio.

– Que despropósito, Pedrinho! Não sabe que sou uma velha de mais de sessenta anos? Que não diria o mundo quando soubesse dessa extravagância?

– O mundo não precisa saber de nada, vovó. A senhora vai incógnita, como os reis quando querem divertir-se. Deixe o negócio por minha conta, que sairá tudo direitinho...

A ideia de conhecer pessoalmente o Senhor de La Fontaine virou duma vez a cabeça da boa senhora. Três dias passou a pensar naquilo, vai, não vai, sem ânimo de decidir-se. Pedrinho, porém, tanto insistiu que...

– Vou, menino, vou! – disse ela afinal. – Mas pelo amor de Deus não me atropele mais.

As crianças ficaram num delírio. Levarem sua querida vovó ao País das Fábulas foi coisa que nem em sonhos lhes passara pela cabeça. Era o suco! – dizia Pedrinho dando pinotes.

A semana passou-se assim, em discussões e preparativos, tudo em segredo para que Tia Nastácia não desconfiasse. Era preciso que nem a negra soubesse da "caduquice" de Dona Benta. Afinal chegou o grande dia.

– Nastácia – disse Dona Benta sem ânimo de a encarar de frente – vou fazer hoje um demorado passeio com os meninos. Se aparecer alguém, diga que estou na casa do compadre Teodorico.

Saíram, a boa velha na frente com os netos, Emília e o Visconde atrás, este arcado ao peso da célebre canastrinha. Fingiram ir do lado da fazenda do tal compadre Teodorico, mas na primeira curva do caminho esconderam-se numa moita enquanto Pedrinho voltava para pegar o burro. Tudo para que Tia Nastácia não desconfiasse de nada.

Veio o burro e Dona Benta tentou montar. Quem disse! Não houve meio. Sem uma cadeira não ia.

– Já não tenho a agilidade dos bons tempos – suspirou ela. – Creio que nunca poderei montar neste burro...

– Ali adiante há um toco que poderá servir de cadeira – murmurou o burro na sua voz mansa de animal falante.

Apesar de corajosa, a boa velha não deixou de sentir um frio na espinha, ao ouvir tais palavras pronunciadas por tal boca. Dirigiram-se ao toco indicado e, afinal, com a ajuda dos meninos, da Emília e até do Visconde, ela pode montar. Narizinho pulou à garupa, com Emília no bolso. Pedrinho ocupou a frente e o Visconde foi amarrado à crina do animal.

– Tudo pronto? – gritou Pedrinho.

– Parece que sim – respondeu Dona Benta.

– Nesse caso, cheire isto, vovó! – disse ele, tirando dum canudo uma pitada do pó mágico e chegando-a ao nariz da velha.

– Oh, Pedrinho! – exclamou Dona Benta escandalizada. – Bem sabe que não tomo rapé.

Todos caíram na gargalhada.

– Não é rapé, vovó! É muito bom pó de pirlimpimpim, que Peninha me deu. Sem cheirar este pó nunca chegaremos ao País das Fábulas.

Ao ouvir aquilo, Emília arregalou os olhos.

– País das Fábulas? Então é para lá que vamos outra vez? Vocês prometeram que a segunda viagem seria para o Mar dos Piratas!...

– Ao Mar dos Piratas temos de ir com o Peninha. É coisa para outro dia. Hoje vamos apenas dar um pulinho ao País das Fábulas para apresentar vovó ao Senhor de La Fontaine.

– E por que não apresentar Dona Benta a um pirata? Os piratas são muito mais interessantes que os fabulistas.

– Para você. Vovó prefere meia hora de prosa com um fabulista a ver todos os piratas do mundo.

– Então não vou! – disse Emília, emburrando.

– Sua alma sua palma – respondeu secamente a menina, tirando-a do bolso. Ninguém a obriga – e fez um gesto de a arremessar ao chão.

Vendo que o negócio era sério, Emília armou cara de riso, muito desconchavada, e disse:

– Estou brincando, boba!...

Todos cheiraram o pó de pirlimpimpim, e imediatamente começaram a sentir a vista turva, a cabeça tonta, com uma zoada de pião nos ouvidos – *fiuun*...

Dona Benta, assustada, quis apear-se.

– Parece que vou morrer! – gritou. – Acudam- me!...

– Não tenha medo, vovó! É assim mesmo. Este *fiun* dura enquanto estivermos voando. Depois para – sinal de chegada.

De fato foi assim. O *fiun* zuniu no ouvido deles por algum tempo e por fim cessou.

– Chegamos – disse Pedrinho descendo do burro. – Pode apear, vovó.

Dona Benta estava mais morta que viva.

– *Uf*! – exclamou, escorregando do animal abaixo. – Estou muito velha para estas maluquices. O tal *fiun* me deixou tonta, tonta...

As árvores gêmeas

Não é fácil lidar com o pó de pirlimpimpim. A gente tem de cheirá-lo na quantidade certa, nem mais nem menos, senão vai parar para lá ou para cá do ponto que pretende alcançar. Pedrinho, sem prática ainda, errou na dose, deu-lhe pó demais, de modo que foram parar numa terra muito diferente do País das Fábulas. Em vez do lindo campo de veludo verde, cortado pelo rio à beira do qual os fabulistas tinham ficado a discutir a origem das fábulas, acharam-se num verdadeiro deserto africano, com enormes rochas negras dum lado e o mar de outro. Nem florestas, nem vegetação nenhuma – além de duas árvores gêmeas a cuja sombra o burro parara. Assim que pulou em terra, Pedrinho correu os olhos em torno.

– Erramos, vovó! – disse ele. – Isto nunca foi o País das Fábulas! Está me cheirando a alguma das terras das *Mil e uma noites*.

– E agora? – perguntou a velha, já com medo. – Melhor voltarmos. Estou sentindo uma coisa esquisita no coração...

– Sim, podemos voltar – concordou o menino, mas primeiro temos de tomar fôlego e esperar que passe a sua tontura.

Dona Benta concordou e, suspirando, sentou-se numa das raízes da árvore, a abanar-se com o lenço, muito queixosa da falta de ar. Pedrinho amarrou o burro pelo cabresto e pôs-se a examinar a paisagem.

– Que árvores tão esquisitas! – disse erguendo os olhos para cima. Os troncos sobem em linha reta, mais grosso no alto do que embaixo!...

– E repare a copa – disse a menina também de nariz para o ar. – Não parece formada de folhas, como todas as árvores, e sim de penas, ou coisa parecida. A casca também, veja, não se parece com casca de nenhum pau conhecido. Toda escamada, como pele de jacaré. Francamente, estou desconfiada destas árvores...

Os troncos tinham as raízes de fora, quatro raízes para cada árvore, terminadas em pontas curvas, como enormes chifres de boi. De repente a raiz onde se sentara Dona Benta mexeu-se.

– Acudam! – berrou a pobre senhora dando um pulo. – A raiz mexeu!...

Aquele grito assustou as árvores gêmeas, fazendo-as se destacarem do solo, com raízes e tudo, e erguerem-se no ar, levando o pobre burro pendurado pelo cabresto.

– Misericórdia! – gritou Dona Benta no auge do pavor. – Não eram árvores! Eram as pernas do pássaro Roca que confundimos com árvores! Sentei-me em cima do dedo do pássaro Roca pensando que era raiz...

Tinha sido isso mesmo. Por um desses acasos da vida, os nossos viajantes haviam parado justamente debaixo do gigantesco pássaro das *Mil e uma noites* e tomaram as suas monstruosas pernas como troncos de duas árvores gêmeas... Felizmente eles eram pequeninos demais, em comparação com o pássaro Roca. Nem foram percebidos. Do contrário, teriam sido destruídos como se fossem pulgas. Estavam salvos, com exceção do Burro Falante, que lá se balançava no espaço a espernear...

– Que pena! – exclamou Dona Benta compungida. – Um burro tão boa pessoa, tão bem falante!... Tia Nastácia vai ficar inconsolável...

– Podemos salvá-lo, vovó – disse Pedrinho abrindo o mapa do Mundo das Maravilhas. – O Barão de Münchausen tem um castelo aqui perto. Ele é o melhor atirador do mundo. Pode, com uma bala, cortar o cabresto do burro e salvá-lo. Resta que eu ache o Barão em casa...

Pedrinho resolveu ir procurar o castelo. Tomou uma pitada do pó de pirlimpimpim e cheirou-o, depois de recomendar:

– Não me saiam deste ponto. Dou um pulo ao castelo e já volto.

– Pelo amor de Deus, Pedrinho, não nos abandone neste maldito deserto! – implorou a nervosa velha. – Melhor irmos atrás desse Barão todos juntos...

Muito tarde. Pedrinho já havia cheirado o mágico pó, cujo efeito era instantâneo. Começou a virar fumaça de gente, breve desaparecendo da vista de todos. Dona Benta abanava-se, abanava-se, cada vez mais aflita. Aquilo lhe parecia o fim do mundo. Narizinho procurou consolá-la.

– Não seja tão boba, vovó! Não tenha medo, que nada adianta. Faça como eu, que estou fresca da silva. Há tanto tempo que vivo nesta vida de aventuras, que já não sei ter medo. Seja lá o que apareça, leão, cuca, saci, onça ou pássaro Roca, a gente dá um jeito e no fim sai vencendo. Para que tremer assim, justamente agora que o perigo passou?

– Não posso, minha filha. Não está em mim. Quando me lembro que uma criatura pacata como eu, de mais de sessenta anos, esteve sentada no dedo do pássaro Roca, meu coração pula dentro do peito como se fosse um cabrito...

Até Emília caçoou da coitada.

– Tamanha mulher! Tremendo porque esteve sentada num pé de galinha! Pois eu até no bico desse tal pássaro era capaz de dormir um sono sossegado.

– É que você é inconsciente, Emília. Se eu fosse de pano, era provável que também não tivesse medo. Mas sou de carne...

– Isso não, vovó! – protestou a menina. – Eu também sou de carne e não tenho medo de nada.

– Você é outra inconsciente, minha filha. Tem a inconsciência natural da idade. Quando crescer há de ficar medrosa como eu.

Estavam nessa conversa, quando Emília gritou:

– Lá vem vindo Pedrinho com o Barão de Münchausen!

Todos voltaram-se e viram o vulto dos dois, lá longe. Estava o Barão vestido de caçador, grandes botas, chapéu de três bicos, espingarda a tiracolo. Ao seu lado marchava Pedrinho, muito lampeiro de ver-se em tão nobre companhia. Vinha contando histórias das suas caçadas no sítio. Naquele momento o pássaro Roca reapareceu no céu, a grande altura, descrevendo círculos. Voava tão alto que nem dez tiros emendados poderiam alcançar metade do caminho.

– Temos de esperar que ele baixe – disse o Barão.

– Enquanto isso o senhor dá uma prosinha com vovó, que deve estar morre não morre de medo.

– Medo de quê?

– De tudo. Vovó tem medo até de baratas. Hoje foi a primeira vez que a trouxemos ao mundo das aventuras. Mas erramos de terra e viemos parar bem embaixo do pássaro Roca. A coitada sentou-se no dedo dele e agora nem pensar nisso pode. Sente uma pontada no coração.

O Senhor de Münchausen contou que construíra ali aquele castelo justamente por causa do pássaro Roca. Já havia caçado quanta fera existe, desde rinoceronte até condor, menos pássaro Roca. Por isso jurara matar aquele. Queria ter entre os troféus da sua sala de armas pelo menos uma unha da gigantesca ave, já que bico, perna ou asa não cabiam lá dentro.

– Mas com essa espingarda o senhor não faz coisa nenhuma – disse o menino. – Bala, do calibre que for, é o mesmo que poeira para tamanho monstro.

– Sei disso, e por isso não atiro com chumbo ou bala. Atiro com caroço de cereja. Esses caroços germinam na carne do pássaro e vão crescendo até virarem cerejeiras. Vou assim transformando o pássaro Roca em pomar. Um dia o peso das árvores fica demais para as suas forças e ele cessa de voar. Creio que já plantei uns cem pés de cereja no lombo do pássaro Roca!

– Oh! – exclamou Pedrinho – muito melhor seria atirá-lo com sementes de jequitibá.

O Barão, que nunca ouvira falar em tal árvore, franziu a testa. Pedrinho explicou:

– É uma árvore que fica enorme, da grossura da mais grossa pipa. Na minha opinião, com meia dúzia de jequitibás plantados a tiro no pássaro Roca ele perde a cisma de voar pelo resto da vida.

O Senhor de Münchausen muito admirou a esperteza de Pedrinho, que ficou de lhe mandar sementes de jequitibá pelo primeiro portador. Nisto chegaram ao ponto onde Dona Benta morria de medo ao lado de Narizinho e da boneca. O Barão saudou-a cortesmente, à moda dos alemães.

– Obrigada por ter vindo em nosso socorro, Senhor de Münchausen! – disse Dona Benta, retribuindo a cortesia. – Estou aqui mais morta do que viva, de medo daquele monstro que lá está voando no céu. Imagine, Barão, que estive, muito fresca da minha vida, sentada, como pata choca, no dedo dele!...

– Sossegue, minha senhora, que cá estou para defendê-la. Moro num castelo aqui perto, onde Vossa Excelência poderá repousar e acalmar os seus nervos. Já dei ordem aos meus criados para que a venham buscar na minha caleça. E esta menina? – disse mostrando Narizinho.

– Minha neta. Uma danada, Senhor Barão! Não tem medo de coisa nenhuma. Está aqui a rir-se da pobre vovó medrosa...

– Eu também não tenho medo de nada, Senhor Barão! – disse Emília com aquele seu célebre espevitamento.

– Oh – exclamou o Senhor de Münchausen, pegando-a do chão. – Se não me engano, é esta a tal boneca falante que está famosa no reino das fadas. Não há princesa que não conte histórias dela.

Emília inchou de gosto.

A conversa correu nesse tom por alguns minutos. Por fim Dona Benta abriu o cesto onde estava o mexido de galinha que trouxera.

– Aceita uma coxinha, Senhor Barão?

– Obrigado! Só como carne de animais ferozes.

– Um pedacinho só, prove! – insistiu Dona Benta. – Este mexido foi feito com o frango mais valente do terreiro.

Tão cheiroso estava o petisco que o Senhor de Münchausen perdeu a cerimônia. Sentou-se com os outros em roda do farnel e quase que sozinho deu cabo de tudo.

– Parece sonho! – pensava consigo Dona Benta ao ver aquilo. – Quando me lembro que eu, a pobre Benta Encerrabodes de Oliveira, uma coitada que nunca saiu da sua toca, está aqui, neste deserto misterioso, com o pássaro Roca a lhe voar em cima da cabeça e o mais famoso Barão do mundo a comer com tanto gosto o mexido de galinha que ela mesma fez, até fico boba...

Um soco histórico

Nisto o pássaro Roca principiou a descer, sempre descrevendo círculos em espiral. O burro ia-se tornando cada vez mais visível e a pontada no coração de Dona Benta cada vez mais forte. O Barão preparou-se. Examinou a arma e carregou-a, bem carregada. Pedrinho não podia compreender como um caçador daqueles, o mais célebre de todos, ainda usava espingarda de pederneira, em vez das modernas espingardas de fogo central. Explicação muito simples: o Senhor de Münchausen era do tempo das espingardas de pederneira e portanto não podia conhecer as de fogo central.

– Veja, vovó – disse o menino mostrando-lhe a espingarda do Barão. – Chama-se espingarda de pederneira porque tem esta pedra de isqueiro aqui junto ao ouvido. O gatilho dá na pedra e tira uma faísca, e a faísca lá vai incendiar a pólvora. Interessante, não?

Dona Benta nem ouviu. Estava de olho mas era no pássaro Roca.

– Uma vez – disse o Senhor de Münchausen – perdi a pederneira desta mesma espingarda numa das minhas excursões, e justamente quando um veado ia passando. Pensam que me atrapalhei? Fiz pontaria e, bá!, dei um formidável soco no olho. Saiu uma faísca ainda melhor que as da pederneira – e matei o veado!

Emília, assim que ouviu aquilo, ficou ansiosa por ver o Barão repetir a façanha e, sem que ninguém percebesse, deu jeito de sacar fora a pederneira da espingarda – e escondeu-a. Queria ver se ele tirava mesmo fogo dos olhos ou era peta.

O pássaro Roca ia continuando a descer.

– Atire, Barão! – berrou Emília.

– É cedo, bonequinha! O cabresto inda não está bem visível. Tenho de cortar o cabresto com uma bala no momento em que o pássaro estiver voando sobre o mar. Se não o burro cai em terra e acontece como o sapo que foi à festa do céu – esborracha-se!...

A gigantesca ave desceu mais e mais. O cabresto tornou-se por fim bem visível.

– É hora! – disse o Barão erguendo a arma à cara. Fez a pontaria e – *blef*! – o gatilho deu em seco.

– Com seiscentos milhões de trabucos! – praguejou ele. – Onde teria ido parar a pederneira desta arma?

– Soque o olho! – berrou Emília.

– Sim, é o que há fazer. Mas como a pontaria tem de ser muito bem-feita, vou segurar a espingarda com ambas as mãos e você, Pedrinho, prega o soco. Vamos, não tenha dó!...

Todos ficaram em suspenso, sentindo que algo de muito importante ia acontecer. Tal qual no circo de cavalinhos, quando a música para. Era um momento notável da vida de Pedrinho. Ia dar um soco histórico no olho do mais célebre caçador do mundo! E tinha de fazer serviço muito bem feito para não estragar o capítulo.

– Soco inglês! – gritou Emília.

O menino tirou o paletó, arregaçou a manga da camisa, girou três vezes no ar o punho cerrado e por fim – *bam*! – deu tal murro que quase arranca o olho do Barão fora da órbita. Mas valeu! Saiu uma faísca linda, que penetrou feito um corisquinho dentro do ouvido da arma e inflamou a pólvora. *Bum*! Um tiro reboou, daqueles que levam segundos ecoando por montes e vales. E certíssimo!... A bala deu bem no cabresto, cortando-o como se fosse navalha. O burro imediatamente começou a cair com velocidade crescente, até que, *tchibum*! – mergulhou no oceano.

– Afundou para sempre, o coitado! – exclamou Narizinho.

– Não tenha medo. Ele boia já – disse o Barão.

De fato. Segundos depois aparecia à tona d'água uma aflitíssima cabeça de burro, a berrar:

– Socorro! Acudam-me que não sei nadar!...

– E esta agora! – exclamou o menino. – Querem ver que o nosso burro escapa do pássaro Roca para morrer afogado estupidamente, como um carneiro?

– Vamos salvá-lo, Pedrinho! – disse o Barão despindo o casaco e sacando as botas. – Será um crime deixarmos morrer um burro que fala.

Entraram os dois pelo mar adentro, nadando a largas braçadas em direção do náufrago.

– Segurem-no pelo rabo e puxem! – berrava Emília da praia. – Mas não puxem fora de conta que podem arrancar o rabo!...

Assim fizeram os salvadores. Um agarrou o burro pelo rabo e o outro pela orelha, e o vieram puxando para terra. Estava salvo o precioso Burro Falante, único exemplar conhecido, mas em que estado!... Ou por medo, ou por ter passado tanto tempo no mar quase enforcado pelo cabresto, ou por ter bebido água demais, o caso era que nem falar podia. Apenas suspirava uns suspiros de cortar o coração de todos.

– Água! – gritou Dona Benta. – Deem-lhe água!

Emília, muito lampeira, pegou logo uma concha marinha das que abundavam por ali, encheu-a d'água do mar e despejou-a na boca do burro.

– Que burrice, Emília! – gritou Narizinho tomando-lhe a concha. – Pois não vê que ele está morrendo de tanta água do mar que bebeu? Água quer dizer água doce, boba...

– Pelo de cão se cura com a mordedura do próprio cão – respondeu a boneca, trocando as bolas dum dito que Tia Nastácia usava muito.

E não é que deu certo? Aquela água da concha enjoou de tal maneira o burro que ele começou a vomitar todo o oceano que havia engolido. Melhorou imediatamente e sentou-se na areia com as patas da frente espichadas, tal qual as esfinges do Egito.

– Está melhorzinho? – veio perguntar Dona Benta, passando-lhe a mão pela cara.

– Um pouco melhor, obrigado! – foi a resposta do delicadíssimo burro, que ainda por cima lhe agradeceu com os olhos – uns olhos muito brancos, ansiados pelas agonias da morte.

FIM DO VISCONDE DE SABUGOSA

– E o Visconde com a canastrinha? – lembrou Emília. – Estavam os "dois" amarrados à crina do burro, mas não vejo nem um nem outro.

Sumira-se o Visconde, ninguém sabia como. Devorado pelo pássaro Roca? Afogado naquele mar imenso? Impossível apurar. Emília ficou aborrecidíssima, não tanto pelo Visconde, apesar de serem muito camaradas, mas pela canastrinha que com ele se perdera. Só se consolou quando Dona Benta lhe prometeu outra ainda mais bonita. Súbito, Narizinho, que se afastara do grupo para juntar caramujos da praia, gritou:

– Corram! – achei o Visconde!...

Todos correram para lá, e de fato viram o pobre Visconde semi-enterrado na areia, morto, completamente morto!... Tinha-se afogado, e fora trazido pelas ondas. Pobre Visconde! Sem cartola, de língua de fora, olhos cheios de areia, corpo metade comido pelos peixes... Todos se comoveram profundamente, sobretudo ao verem que não largara a canastrinha. Fiel como um cão, cumpridor da palavra como um verdadeiro nobre, perdera a vida, mas não perdera a carga que lhe fora confiada!... Até o Senhor de Münchausen se comoveu. Descobriu-se, cruzou os braços e ficou de mão no queixo a contemplar aquele triste fim. Emília, porém, demonstrou mais uma vez que não tinha coração. Em vez de derramar uma lágrima, ou dizer umas palavras tristes, a diabinha limitou-se a abrir a canastra – para ver se o Visconde não havia furtado alguma coisa!... Depois teve uma ideia muito prática. "Depenou" o cadáver, isto é, arrancou-lhe as pernas e os braços roídos pelos peixes e guardou o tronco na canastrinha, dizendo:

– Tia Nastácia é uma danada. Com este toco, aposto que faz um Visconde novinho e muito mais bonito.

Por fingimento, ou porque realmente sentisse a morte do Visconde, o Barão declarou que iria tomar luto no chapéu por três meses, visto que eles, barões e viscondes, são parentes entre si – parentes em nobreza. Esse ato do Senhor de Münchausen muito sensibilizou Dona Benta, a qual cochichou ao ouvido de Narizinho:

– Bem se diz que santo de casa não faz milagres! Nunca demos grande importância ao Visconde e, no entanto, veja, até luto por ele vai o Senhor de Münchausen botar...

Nisto ouviram tropel de cavalos. Era a caleça do Barão que vinha chegando para levar Dona Benta ao castelo.

O PINTÃO

Tomaram a carruagem e foram. Pouco antes das muralhas do castelo havia um desfiladeiro por entre montanhas de pedra onde a carruagem parou de súbito. O Senhor de Münchausen espichou a cabeça para ver o que era.

– Uma enorme pedra rolou da montanha e trancou a passagem – disse o cocheiro.

– Que bucha! – exclamou o Barão apeando-se para estudar o caso. – Pedra nada! – gritou logo depois. – Isto é apenas um ovo do pássaro Roca, rolado de um ninho lá em cima. Bem desconfiado andava eu de que o ninho do monstro era aqui nesta montanha...

Todos correram para ver e foi um abrir de bocas que não tinha fim. Nem por brincadeira haviam sonhado um ovo daquele tamanho, maior do que duas pipas postas uma em cima da outra. A casca era tão dura que apesar do ovo ter rolado do alto da montanha, batendo em quanta pedra havia, não se quebrara. Trincara de leve, só...

– Que pena Tia Nastácia não estar aqui! – lamentou Dona Benta. – Havia de gostar de ver um ovo deste tamanho...

E agora? Precisavam passar, fosse como fosse. Rolar o ovo era impossível, por estar entalado entre rochas. O único meio seria despedaçá-lo. Assim resolveu o Barão, e mandou que o cocheiro fosse correndo ao castelo buscar uma picareta.

– Uma, não! Duas! Ou três! – gritou depois que o cocheiro partiu.

– Quatro! – berrou Emília. – Eu também quero quebrar ovo.

O cocheiro trouxe cinco. Cada qual pegou na sua, e malhou na casca do ovo com quanta força tinha. De repente o Barão gritou:

– Fujam, que vai escorrer clara e gema de virar tudo em omelete...

Todos fugiram para os barrancos, inclusive a pobre Dona Benta, que teve de ser içada pelos meninos.

– Viver mais de sessenta anos para acabar trepando em barrancos de medo de virar omelete! Isso nunca foi vida... – lamentava-se a boa vovó.

Inútil a debandada. O ovo partira-se sem derramar clara nem gema nenhuma, pela simples razão de não ter nada disso dentro. O que havia lá dentro era um formidável pinto, que botou a cabeça de fora, a piar uns pios agudíssimos, de se ouvirem a dez léguas dali. O Barão ficou apreensivo. Aqueles piados eram capazes de chegar aos ouvidos do pássaro Roca, que não devia andar muito longe – e se a gigantesca ave os pilhasse a mexer com o seu ovo, certo que os devoraria a todos, como se fossem minhocas.

– Cordas! – gritou ele aflito. – Corram ao castelo e tragam quantas cordas puderem...

Pedrinho e o cocheiro voaram ao castelo atrás de cordas, voltando minutos depois com quantas havia.

– Temos que amarrar o bico deste horrendo pinto sem perda de um instante, se não o Roca surge por aí e nos devora.

Não foi nada fácil. O pintão defendia-se como um tigre. Só mesmo a força hercúlea do Senhor de Münchausen, ajudado pelo cocheiro, por Pedrinho, pela menina, por Emília e até por Dona Benta, poderia amarrar o bico do pinto Roca – e ainda assim tiveram de lutar muito tempo. Afinal, amordaçaram-no.

– Conheceu, papudo? – gritou Emília de longe, quando viu o serviço feito.

De nada, porém, valeu tanto esforço. O pássaro Roca tinha ouvido os pios do filhote e vinha pelos ares como um ciclone de penas.

– Fujamos! – gritou o Senhor de Münchausen ao avistá-lo, e botou-se...

Foi uma debandada geral. Voaram todos atrás do Barão, como veados. Até a pobre Dona Benta teve de esquecer os sessenta anos, o reumatismo e a pontada, para só pensar na fuga. Arregaçou a saia, botou a dentadura no bolso e virou veado também. Chegou ao castelo mais morta que viva, pondo a alma pela boca.

– Benza-me Deus! – dizia ela. – Isto nunca foi vida...

O Barão e o menino subiram *incontinenti* à torre para espiar o pássaro Roca por uma luneta. Viram-no pairar sobre o desfiladeiro e descer como flecha sobre o ovo. Ao dar com o filhote já nascido, sentiu grande alegria. Não desconfiou nem sequer daquele bico amarrado, certo de que o pinto nascera assim...

MELHOR QUE O PÓ

Dona Benta recolheu-se muito cedo aquela noite, depois de tomar um calmante, aconselhado pelo Barão. Já os meninos deitaram-se tarde. Ficaram a ver troféus de caça e a ouvir da própria boca do Barão aventuras espantosas que nenhum dos seus livros conta. No pedaço mais interessante, porém, foram interrompidos pela chegada dum mensageiro vindo da Alemanha no galope, com carta do imperador. O Barão leu-a e disse, muito aborrecido:

– Que maçada! tenho de partir *incontinenti* para meu país, que acaba de declarar guerra aos turcos. O imperador está aflito pela minha volta.

– E nós? – perguntou Pedrinho.

– Vocês podem ficar no castelo quanto tempo quiserem. Darei ordem aos criados para que os tratem como donos.

Disse e foi arrumar as malas. Minutos depois reapareceu para despedir-se.

– Até a volta, meninada! Quando a Senhora Dona Benta acordar, digam-lhe que senti muito não despedir-me dela, mas que estarei sempre às suas ordens, na Alemanha ou na Turquia.

– Adeus, Senhor Barão! Volte logo...

– Traga um turco para mim! – gritou Emília.

No dia seguinte, quando Dona Benta acordou e soube da inesperada partida do Barão, sentiu de novo a pontada no peito. Voltou a lamentar-se.

– Que será de mim agora, neste castelo sem dono, entre criados estranhos e com um vizinho feroz como o pássaro Roca? Ah, meu Deus, por que me deixei levar pela cabeça duma criança como Pedrinho? Estou recebendo o merecido castigo...

Os meninos ficaram inquietos. Naquele andar Dona Benta acabaria doida. Era melhor levarem-na imediatamente para casa, apesar de tanta coisa que poderiam fazer naquele maravilhoso castelo do Barão.

– Maçada! – exclamou Pedrinho aborrecido. – Andar com velha é isto. Nunca mais me meto em outra.

E voltando-se para Dona Benta, de mau humor:

– Pare com a lamentação, vovó! Assim como eu a trouxe cá, levo-a para o sítio outra vez. Pare de torcer as mãos, que já me está deixando nervoso...

Tirou do canudo uma pitada de pó de pirlimpimpim e, sempre com maus modos, deu-lha a cheirar. Dona Benta cheirou o pó avidamente, como se cheirasse o pó da salvação. Com espanto geral, porém, o pó não fez efeito. Outra dose, e nada. Pirlimpimpim perdera a força... Molhara-se na água do mar quando Pedrinho entrou por ele a dentro para acudir o burro. Pirlimpimpim aguenta tudo, menos sal.

E agora? O burro ninguém sabia dele, ficara na praia transformado em esfinge. A caleça tinha seguido com o Barão para a Alemanha. Como voltar para casa? Estava Pedrinho coçando a cabeça, atrapalhado com o terrível problema, quando um rumor de asas se fez ouvir lá fora. Correu à janela e empalideceu. O pássaro Roca vinha vindo, veloz como um avião!...

– Lá vem a peste!... – exclamou o menino, mais pálido ainda.

– Socorro! – berrou Dona Benta, feito uma louca. – Acudam!...

O momento era dos mais terríveis. Ninguém sabia o que fazer. Todos corriam dum lado para outro, completamente desorientados. E aquilo acabaria muito mal se Emília não viesse com uma das suas grandes ideias.

– Fechem os olhos com toda a força! – berrou ela dando o exemplo.

Instintivamente todos obedeceram. Fecharam os olhos com toda a força, como a gente faz nos sonhos quando vai caindo num precipício. Ficaram um minuto assim. Quando de novo abriram os olhos... estavam no sítio outra vez, perto da porteira! Dona Benta respirou aliviada e assoprou várias vezes, como quem está ressuscitando. Depois disse aos meninos:

– Não contem nada a Tia Nastácia para que ela não pense que estou caducando. Vamos fingir que estivemos na casa do compadre Teodorico.

Todos fizeram cara de quem vinha chegando da casa do compadre Teodorico, abriram a porteira e entraram. Mas deram logo com a preta de mãos na cintura, plantada na varanda, sacudindo a cabeça com ar de quem está ciente de tudo.

– Sim, senhora! – disse Nastácia assim que Dona Benta começou a subir a escadinha. – Já sei que encontrou o Coronel Teodorico muito bem obrigado, não é?

Dona Benta armou a boca para pregar uma mentirinha, com um ar muito desconchavado, porque a pobre nunca havia mentido em toda a sua vida. A diaba da negra, porém, impediu-a disso.

– Não diga nada, Sinhá – resmungou. – Já sei tudo. O burro veio na frente e me contou a história inteirinha, tintim por tintim...

A pobre Dona Benta, muito passada, baixou os olhos e seguiu para o seu quarto sem dizer coisa nenhuma...

No dia seguinte chegou da cidade uma carta de Dona Antonica chamando Pedrinho.

– Que maçada, vovó! – exclamou ele aborrecidíssimo. – Justamente agora que temos o Burro Falante e o Peninha para nos levar a todos os países do Mundo das Maravilhas, mamãe me manda chamar...

Mas que remédio? Quem o governava era Dona Antonica, e portanto teve de arrumar a bagagem para seguir no dia seguinte.

No dia seguinte o cavalo pangaré foi arreado e bem cedo. Às seis horas Pedrinho tomou o seu café com mistura e montou.

– Adeus, vovó! – exclamou antes de dar no cavalo a primeira lambada. – Adeus, Narizinho! Adeus, Tia Nastácia! Adeus, Emília. Adeus, Faz-de-conta...

– Adeus! adeus! – exclamaram todos, com os olhos úmidos.

Lept... Uma lambada só – de leve, e o cavalinho partiu...

Antes, porém, que chegasse à porteira, Emília gritou-lhe que parasse.

– Você esqueceu de despedir-se do Visconde, Pedrinho ! Ele também é gente... O menino sofreou as rédeas.

– Que ideia! Pois o Visconde não morreu, Emília?

– Morreu mas não acabou ainda! – replicou a boneca correndo na direção dele com o resto do Visconde na mão. Despeça-se deste toco, que é bem capaz de virar gente outra vez.

Pedrinho riu-se e, para não descontentar a boneca, tomou-lhe das mãos o toco de sabugo e fingiu que lhe dava um beijo. Em seguida deu outra lambada no cavalinho – desta vez com bastante força, e partiu no galope. Não queria que a boneca visse duas lágrimas que já iam pingando dos seus olhos...

IMAGINÁRIO

CAÇADAS
DE PEDRINHO

Capítulo I
E ERA ONÇA MESMO!

Dos moradores do sítio de Dona Benta o mais andejo era o Marquês de Rabicó. Conhecia todas as florestas, inclusive o capoeirão dos taquaruçus, mato muito cerrado onde Dona Benta não deixava que os meninos fossem passear. Certo dia em que Rabicó se aventurou nesse mato em procura das orelhas-de-pau que crescem nos troncos podres, parece que as coisas não lhe correram muito bem, pois voltou na volada.

— Que aconteceu? – perguntou Pedrinho ao vê-lo chegar todo arrepiado e com os olhos cheios de susto. Está com cara de marquês que viu onça...

—Não vi, mas quase vi! – respondeu Rabicó tomando fôlego. – Ouvi um miado esquisito e dei com uns rastos mais esquisitos ainda. Não conheço onça, que dizem ser um gatão assim do tamanho dum bezerro. Ora, o miado que ouvi era de gato, mas muito mais forte, e os rastos também eram de gato, mas muito maiores. Logo, era onça.

Pedrinho refletiu sobre o caso e achou que bem podia ser verdade. Correu em procura de Narizinho.

— Sabe? Rabicó descobriu que anda uma onça no capoeirão dos taquaruçus!...

— Uma onça? Não me diga! Vou já avisar vovó...

— Não caia nessa, – advertiu o menino. – Medrosa como ela é, vovó ou morre de medo ou trata de nos levar hoje mesmo para a cidade. Muito melhor ficarmos quietos e caçarmos a onça.

A menina arregalou os olhos.

— Está louco, Pedrinho? Não sabe que onça é um bicho feroz que come gente?

— Sei, sim, como também sei que gente mata onça.

— Isso é gente grande, bobo!

— Gente grande!... – repetiu o menino com ar de pouco caso. – Vovó e Tia Nastácia são gente grande e no entanto correm até de barata. O que vale não é ser gente grande, é ser gente de coragem, e eu...

— Bem sei que você é valente como um galo garnizé, mas olhe que onça é onça. Com um tapa derruba qualquer caçador, diz Tia Nastácia.

O menino bateu no peito com arrogância.

— Pois quero ver isso! Vou organizar a caçada e juro que hei de trazer essa onça aqui para o terreiro, arrastada pelas orelhas. Se você e os outros não tiverem coragem de me acompanhar, irei sozinho.

A menina arrepiou-se de entusiasmo diante de tamanha bravura e não quis ficar atrás.

— Pois vou também! – gritou. – Uma menina de nariz arrebitado não tem medo de coisa nenhuma. Vamos convidar os outros.

Saíram os dois em busca dos demais companheiros. O primeiro encontrado foi o Marquês de Rabicó, que estava na porta da cozinha ocupadíssimo em devorar umas cascas de abóbora.

— Apronte-se, Marquês, para tomar parte na expedição que vai caçar a onça aparecida lá na mata.

Aquela notícia fez o leitão engasgar com a casca de abóbora que tinha na boca.

— Caçar a onça? Eu? Deus me livre!...

Pedrinho impôs energicamente:

— Vai, sim, ainda que seja para servir de isca, está ouvindo, seu covarde?

Rabicó tremia que nem geleia fora do copo.

— Um fidalgo! – prosseguiu Pedrinho em tom de desprezo. – Um filho do grande Visconde de Sabugosa a tremer assim de medo! Que vergonha...

Rabicó não replicou. Bebeu um gole d'água para acalmar os nervos e voltou às suas cascas de abóbora com esta ideia na cabeça: "No momento, hei de dar um jeito qualquer. Não tem perigo que eu me deixe comer cru pela onça".

O luxo dos leitões é serem comidos assados ao forno, com rodelas de limão em redor e um ovo cozido na boca...

O segundo convidado foi o Visconde de Sabugosa, o qual aceitou a proposta com aquela dignidade e nobreza que marcavam todos os seus atos de fidalgo dos legítimos. Iria para vencer ou morrer. Viscondes da sua marca mostram o que valem justamente nos momentos perigosos.

Depois convidaram Emília, que recebeu a ideia com palmas.

— Ora graças! – exclamou. – Vamos ter enfim uma aventura importante. A vida aqui no sítio anda tão vazia que até me sinto embolorada por dentro. Irei, sim, e juro que quem vai matar a onça sou eu...

Esse dia e o outro foram passados em preparativos. Pedrinho levaria uma espingarda que ele mesmo tinha fabricado escondido de Dona Benta, com cano de guarda-chuva e gatilho puxado a elástico. Estava carregada com a pólvora de uns pistolões sobrados da última festa de São Pedro.

A arma que Narizinho escolheu foi a faca de cortar pão, instrumento mestiço de faca e serrote.

O Visconde recebeu um sabre feito de arco de barril, bastante pontudo, mas danado para entortar. Em vista da sua importância e do seu título, também recebeu o comando da expedição.

— E você, Emília, que arma leva? – perguntou Narizinho.

— Levo o espeto de assar frangos. Tenho mais fé naquele espeto do que nas armas de vocês todos.

Restava o Marquês. Como fosse um grande medroso, em vez de arma Pedrinho deu-lhe arreios. Rabicó iria puxando um canhãozinho feito de um velho tubo de chaminé, que o menino havia montado sobre as rodas do seu carrinho de cabrito. Para carregar o canhãozinho foi necessário empregar a pólvora de três pistolões. Servia de bala uma pedra bem redondinha, encontrada no pedregulho do rio. Indo atrelado ao canhão, o grande Marquês ficaria impedido de fugir.

No dia marcado tomaram o café da manhã com farinho de milho e saíram na ponta dos pés, para que as duas velhas nada percebessem. Passaram a porteiro do pasto, atravessaram a Mata dos Tucanos Vermelhos e de lá seguiram rumo ao capoeirão da onça.

Rabicó não havia mentido. Os rastos da onça estavam impressos na terra úmida. Ao fazerem tal descoberta o coração dos cinco heróis bateu mais apressado. Dos cinco, não; dos quatro, porque, como todos sabem, Emília não tinha coração.

— Que é isso, Pedrinho – disse a boneca notando a palidez do chefe. – Será medo?

— Não é medo, não, Emília. É...

— É..., receio, eu sei – caçoou a terrível bonequinha.

— Não brinque comigo, Emília! – gritou Pedrinho avermelhando de raiva. – Você e toda gente sabem que só tenho medo de uma coisa neste mundo: marimbondo. De mais nada, hein?

O Visconde, que havia trazido a tiracolo o binóculo de Dona Benta, ajustou-o aos olhos para examinar "detetivamente" os rastos.

— É de onça, sim, e de onça-pintada – disse ele.

— Como sabe?

— Estou vendo no chão dois pelos, um amarelo e outro preto.

Aquela confirmação de que era onça mesmo, e das grandes, desanimou profundamente Rabicó. Gotas de suor frio começaram a pingar da sua testa. Teve ímpetos de soltar-se do canhãozinho e disparar para casa; só não o fez de medo que Pedrinho lhe despejasse no lombo o carga de chumbo destinada à onça. E resignou-se ao que desse e viesse.

Orientados pelos rastos da onça, os caçadores não podiam errar. Era seguir na direção deles, que fatalmente dariam com a bicha.

— Avante, Saboia! – gritou Pedrinho, espichando no ar a espingarda como se fosse espada.

— Avante! – repetiram todos os outros, menos Rabicó, que estava sem fala. E com o maior entusiasmo os heroizinhos foram caminhando durante meia hora.

Súbito, o Visconde, que ia na frente de binóculo apontado, gritou com voz firme:

— A onça...

— Onde? – indagaram todos, ansiosos.

— Lá longe, naquela moita – lá, lá...

Realmente, alguma coisa se mexia na moita indicada e não tardou que uma enorme cara de onça aparecesse por entre as folhas, espiando para o lado dos cinco heróis.

Pedrinho dispôs tudo para o ataque. Assestou na direção da moita o canhãozinho e ordenou ao artilheiro Rabicó, enquanto o desatrelava:

— Fique nesta posição. Quando ouvir a voz de "Fogo!", risque um fósforo, acenda a mecha e dispare.

— Disparo para casa? – perguntou o artilheiro, mais trêmulo do que uma fatia de manjar-branco.

— Dispare o canhão, idiota! – berrou Pedrinho.

Enquanto isso, a onça deixava a moita e com o andar manhoso dos gatos dirigia-se, agachada, para o lado deles. Era o momento. O Visconde ergueu a espada e com voz grossa de comandante superior deu um berro de comando:

— Fogo!

Rabicó, todo treme-treme, não conseguiu nem riscar o fósforo. Foi preciso que Pedrinho viesse ajudá-lo. Por fim riscou-o e deitou fogo à mecha. Ouviu-se um chiado e logo depois um tiro soou – *pum!* Mas um tiro chocho, que não valeu nada. A bala de pedra rolou a dois passos de distância, imaginem! Havia falhado a artilharia, na qual eles depositavam tantas esperanças.

Pedrinho então disparou a sua espingardinha. Outro tiro que nada valeu e só serviu para irritar a fera. Viram-na arreganhar os dentes e apressar a marcha na direção dos atacantes.

A situação tornava-se muito séria e Pedrinho, desapontado com o nenhum efeito das armas de fogo, berrou a plenos pulmões:

— Salve-se quem puder!

Foi uma debandada. Cada qual tratou de si e, como se houvessem virado macacos, todos procuraram a salvação nas árvores. Felizmente havia ali um pé de grumixama que dava para abrigar o grupo inteiro. Nele treparam, sem dificuldade, Pedrinho, Narizinho e Emília. Já o velho Visconde embaraçou as pernas na bainha da espada e com toda a sua importância estendeu-se no chão ao comprido. Foi preciso que o menino o pescasse com o gancho de um galho seco.

Rabicó fez coisa de que ninguém nunca o julgaria capaz: botou-se à árvore que nem gato e conseguiu enganchar-se na forquilha do primeiro tronco. Pedrinho e Narizinho, que estavam no galho acima, puderam agarrá-lo pela orelha e içá-lo fora do alcance da onça. Quando a fera chegou, estavam já todos muito bem empoleirados e livres dos seus botes.

A onça, desapontadíssima, ali permaneceu, sentada sobre as patas de trás, com os olhos fixos nos caçadores que a tinham logrado. Parece que sua intenção era ficar de guarda até que eles descessem.

— Espera que te curo – disse Pedrinho, lembrando-se que trazia no bolso um pouco da pólvora dos pistolões. Tomou um punhado e, ajeitando-se no galho que ficava bem a prumo sobre a onça, derramou-lhe a pólvora em cima dos olhos.

A ideia valeu. Completamente cega pela pólvora, a onça pôs-se a corcovear que nem doida, enquanto esfregava os olhos com as munhecas, como se quisesse arrancá-los.

— É hora! Avança, macacada! – gritou Pedrinho escorregando pela árvore abaixo.

Todos o imitaram. Apanharam as armas e se arrojaram contra a fera com verdadeira fúria. Narizinho esfregou-lhe a faca no lombo, como se a onça fosse pão e ela quisesse tirar uma fatia. O Visconde conseguiu, depois de várias tentativas, enterrar-lhe no peito o seu sabre de arco de barril. Emília fez o mesmo com o espeto de assar frango. Pedrinho macetou-lhe o crânio com a coronha da sua espingarda. Até Rabicó perdeu o medo e depois de carregar-lhe de novo o canhão deu-lhe um bom tiro à queima-roupa.

Assim atacada de todos os lados, a onça não teve remédio senão morrer. Estrebuchou e foi morrendo. Quando deu o último suspiro, Pedrinho, no maior entusiasmo de sua vida, entoou um canto de guerra:

— Alé guá, guá, guá...

E todos responderam em coro:

— Hurra! Hurra! Picapau Amarelo!...

Capítulo II
A VOLTA PARA CASA

Era um delírio de contentamento. Os caçadores rodearam a onça morta, discutindo as peripécias da formidável aventura. Emília reclamou logo todas as honras para si.

— Se não fosse a minha espetada com o espeto de assar frango, queria ver...

— O que decidiu tudo foram as facadas que eu dei – alegou Narizinho.

— Qual nada! Juro que foi o meu tiro de canhão – disse Rabicó.

— Pexote! – berrou Pedrinho. – A bala de canhão nem arranhou a pele da onça, não está vendo?

Como daquela disputa pudesse sair briga, o Visconde ponderou, gravemente:

— Todos ajudaram a matar a onça e todos merecem louvores. Mas, se não fosse a pólvora de Pedrinho, estaríamos perdidos; de maneira que a Pedrinho cabe a melhor parte da vitória. Depois de cegar a onça, tudo ficou mais fácil e cada qual fez o que pôde. Basta de discussões. Em vez disso, tratemos mas é de levá-la para casa.

Os heróis concordaram com o sensatíssimo Visconde e Pedrinho afundou no mato para tirar cipós, visto não terem trazido corda. Logo depois reapareceu com um rolo de cipó ao ombro.

— Segure aqui! Puxe lá! Força! Vamos!...

Pedrinho conduziu o trabalho da amarração da onça ajudado por todos, menos Emília, que se afastara dali e estava numa grande prosa com dois besouros que tinham vindo assistir à cena. Bem amarrada que foi a onça, era preciso conduzi-la até a casa. Foi o que mais custou. Em certo ponto do caminho, Rabicó, que suava em bicas, parou para tomar fôlego.

— Francamente – disse ele – prefiro matar dez onças a puxar uma só! Estou que não posso mais...

Pararam todos para um bem-merecido descanso e sentaram-se em cima do pelo macio da fera morta. Vendo que o sol já ia alto, Narizinho disse:

— Pobre vovó! Passa bem maus momentos por nossa causa. A estas horas deve estar aflitíssima, a procurar-nos por toda parte...

— Mas vai consolar-se vendo a bichona que matamos – disse Pedrinho.

"Que matamos, uma ova!", pensou lá consigo Rabicó. "Que eu matei com o meu tiro de canhão, isso sim."

Pensou apenas. Não teve coragem de o dizer em voz alta, de medo do pontapé que Pedrinho fatalmente lhe pregaria.

Descansados que foram, prosseguiram na caminhada. Duas horas depois avistavam a casa, e viram Dona Benta e Tia Nastácia, muito aflitas, procurando-os pelo pomar. Pedrinho pôs na boca dois dedos e desferiu um célebre assobio que só ele sabia dar. As velhas voltaram-se na direção do som e Tia Nastácia, que tinha melhor vista, enxergou-os logo.

— Lá vêm vindo eles, Sinhá! E vêm puxando uma coisa esquisita... Quer ver que caçaram alguma paca?

Aproximaram-se os heróis. Penetraram no terreiro. Narizinho de longe gritou:

— Adivinhe, vovó, o que matamos!

Dona Benta respondeu:

— Uns danadinhos como vocês são bem capazes de terem matado alguma paca...

A menina deu uma risada gostosa.

— Qual paca, nem pera paca, vovó! Suba!

— Então, algum veado – lembrou a velha, começando a arregalar os olhos.

— Suba, vovó!

— Porco-do-mato, será possível?

— Suba, suba!

Dona Benta principiou a abrir a boca.

— Então foi capivara...

— Vá subindo, vovó!

A boa senhora não sabia como subir além de uma capivara, que era o maior animal existente por ali. Narizinho, então, chegou-se para ela e disse, fazendo uma careta de apavorar:

— Uma onça, vovó!

O susto de Dona Benta foi o maior da sua vida – tão grande que caiu sentada, com sufocação, exclamando:

— Nossa Senhora da Aparecida! Esta criançada ainda me deixa louca...

Mais corajosa, a negra aproximou-se, viu que era mesmo onça e:

— O mundo está perdido, Sinhá – murmurou de mãos postas. – É onça mesmo...

Capítulo III
OS HABITANTES DA MATA SE ASSUSTAM

As cenas da caçada da onça haviam sido presenciadas por muitos animaizinhos selvagens, entre eles um intrometidíssimo sagui. Ficou tão admirado da proeza dos meninos que levou longo tempo a piscar muito depressa – sinal de que estava pensando alguma ideia de sagui. Por fim resolveu-se e, pulando de galho em galho, foi em busca de uma capivara que morava perto, na beira do rio.

— Sabe, Dona Capivara, o que aconteceu à onça da Toca Fria? Morreu... – disse ele, fazendo uma carinha muito assustada.

— Morreu do quê, sagui? – indagou a capivara. – De morte morrida ou de morte matada?

— De morte matadíssima. Os meninos do sítio de Dona Benta mataram-na a tiros e facadas e espetadas, e depois a arrastaram com cipós até lá ao terreiro.

E contou por miúdo toda a cena que havia assistido. A capivara abriu a boca. Aquela onça era o terror de todos os bichos das redondezas, graças à sua força e ferocidade. Por várias vezes os caçadores das terras vizinhas haviam organizado batidas a fim de dar cabo dela, sem nenhum resultado. A onça escapava sempre. Como, então, fora vítima dos netos de Dona Benta, simples crianças? Era espantoso, não havia dúvida. E se essas crianças haviam matado a onça dominadora da mata, com muito maior facilidade matariam qualquer outro filho das selvas, fosse veado, paca, tatu ou mesmo capivara.

— A situação é bastante grave – disse por fim o animalão, depois de muito pensar e repensar. – Vejo que esses meninos constituem um grande perigo para nós aqui. Vou reunir uma assembleia de todos os bichos para discutirmos o caso e tomarmos as medidas necessárias à nossa segurança.

Ia passando pelo céu azul um gavião perseguindo dois bem-te-vis. A capivara chamou-os.

— Parem com essa eterna briga e venham ouvir o que tenho a dizer. A situação de todos os viventes da floresta é muito séria.

Quando a vida dos animais selvagens se vê ameaçada de perigo geral, as velhas rivalidades cessam. A jaguatirica deixa de perseguir as lebres. A lontra esquece a fome e pode até conversar amavelmente com os peixes de que se alimenta. O cachorro-do--mato passa perto do porco-espinho sem que este erice as agulhas. Assim, ao ouvirem as palavras da capivara, tanto o gavião como os bem-te-vis esqueceram a briga e vieram sentar-se diante dela, um ao lado do outro, como se nada tivesse havido entre eles.

— Os meninos de Dona Benta mataram a onça da Toca Fria – começou a capivara. – Ora, se mataram a onça, que era a rainha da floresta, o mesmo farão, com a maior facilidade, a qualquer outro bicho menos forte do que a onça. Estamos, pois, com as nossas vidas ameaçadas de grande perigo e temos de tomar providências. Por isso quero convocar uma reunião de todos os animais. Vocês, que voam, sejam meus mensageiros. Voem sobre a mata e avisem a todos para que estejam aqui reunidos amanhã à noitinha, debaixo da Figueira-Brava.

O gavião e os bem-te-vis obedeceram. Voaram de árvore em árvore, dando uns pios que significavam reunião geral na Figueira-Brava no dia seguinte.

Essa figueira parecia ter mil anos de idade. Era a maior árvore da zona. Em seu tronco o tempo abrira um enorme oco, no qual dez homens poderiam abrigar-se perfeitamente. Erva nenhuma crescia debaixo dela, porque as ervas não crescem onde não bate sol e ali havia séculos que não batia um raio de sol.

No dia seguinte à tarde os animais foram chegando. Vieram as pacas, tão medrosinhas, vieram os veados ariscos; as antas pesadonas. Os quatis sempre alegres e brincalhões; os cachorros-do-mato e as iraras de olhar duro; as jaguatiricas de movimentos macios. Vieram os tatus encapotados em suas cascas rijas; as lontras embrulhadas em suas capas de pele macia como o veludo; as preás assustadinhas. Também vieram cobras – as jiboias enormes que engolem um bezerro taludo; as cascavéis de guizos na ponta da cauda; as lindas corais-vermelhas; as muçuranas que se alimentam de cobras venenosas sem que nada lhes aconteça. E sapos – desde o sapo-ferreiro, cujo coaxo lembra marteladas em bigorna, até a pequenina perereca, que vive pererecando pelo mundo. E aves, desde o negro urubu fedorento até essa joia de asas que se chama beija-flor. E ainda insetos – borboletas de todos os desenhos e cores, besouros de todas as cascas, serra-paus de todas as serras. E joaninhas e louva-a-deus e carrapatos...

Os macacos empoleiraram-se nos galhos da figueira e no rebordo inferior do oco. Enquanto esperavam, divertiam-se fazendo cabriolas das mais complicadas e caretas.

Logo que os viu reunidos, a capivara tomou a palavra e expôs a situação perigosa em que se achavam todos.

— Quem faz um cesto faz um cento – disse ela. – O fato de terem matado a onça vai encher de coragem esses meninos e fazê-los repetir suas entradas nesta floresta a fim de nos caçar a todos. O caso é bastante sério.

— Peço a palavra! – gritou o bugio, que estava de cabeça para baixo, seguro pelo rabo no seu galho. – Acho que o melhor meio de vocês escaparem à fúria desses meninos é fazerem como nós fazemos: morar em árvores. Quem mora em árvores está livre de todos os perigos do chão.

— Imbecil! – resmungou a capivara, furiosa de tamanha asneira. – Não é à toa que os macacos se parecem tanto com os homens. Só dizem bobagens. Esta reunião foi convocada para discutir-se a sério, visto que o caso é muito sério. Quem tiver uma ideia mais decente que a deste idiota pendurado que tome a palavra e fale.

Um jabuti adiantou-se e disse:

— O meio que vejo é nos mudarmos para outras terras.

— Que terras? – replicou a capivara. – Não há mais terras habitáveis neste país. Os homens andam a destruir todas as matas, a queimá-las, a reduzi-las a pastagens para bois e vacas. No meu tempo de menina podíamos caminhar cem dias e cem noites sem ver o fim da floresta. Agora quem caminha dois dias para qualquer lado que seja dá com o fim da mata. Os homens estragaram este país. A ideia do jabuti não vale grande coisa. Impossível nos mudarmos, porque não temos para onde ir.

— Amor com amor se paga – disse uma jaguatirica. – Matando a nossa rainha esses meninos nos declararam guerra. Paguemos na mesma moeda. Declaremos guerra a eles. Reunamos todos os animais de dentes agudos e garras afiadas para um assalto ao sítio de Dona Benta.

A capivara ficou pensativa. Isso de assaltar um sítio era realmente coisa que só onças e jaguatiricas podiam fazer, porque são animais guerreiros.

— Sim – disse a capivara –, a ideia não me parece de todo má, mas semelhante guerra só poderá ser feita por vocês, onças, ajudadas pelos cachorros-do-mato e iraras. Eu, por exemplo, e também as pacas e veados e lontras e borboletas e serra-paus e carrapatos não entendemos nada de guerra.

— Pois que fique a luta a nosso cargo – disse a jaguatirica. – Encarregar-me-ei de reunir todas as onças e jaguatiricas e cachorros-do-mato e iraras da floresta para um ataque ao sítio de Dona Benta. Havemos de vencer aqueles meninos e comer todos da casa – inclusive as duas velhas.

A assembleia aprovou a lembrança. "Muito bem!", pensaram os animais. As onças fariam a guerra. Se vencessem, a bicharia inteira das selvas estaria salva de novas incursões dos meninos. Se não vencessem, a vingança deles iria recair sobre as onças, não sobre os outros. Ótimo!

— Está aprovada a ideia – disse a capivara. – A Senhora Jaguatirica encarregar-se-á de falar com suas companheiras, com as onças grandes, as iraras e os cachorros-do-mato, combinando do melhor modo os planos estratégicos. E nós, animais pacíficos, comedores de ervas, ficaremos de lado, ajudando os guerreiros com as nossas "torcidas".

A assembleia dissolveu-se. Cada qual foi para sua casa, enquanto a jaguatirica disparava em procura das companheiras a fim de combinar os meios de conduzir a guerra.

Capítulo IV
OS ESPIÕES DA EMÍLIA

Entre os animais da floresta que iam atacar o sítio de Dona Benta havia traidores. Eram os espiões da Emília. A terrível bonequinha fizera amizade com um casal de besouros cascudos, muito santarrões, que viviam fingindo estar a dormir mas que não perdiam coisa nenhuma do que se passava na floresta. Na reunião dos animais também eles estiveram presentes, vendo e ouvindo tudo lá do seu cantinho. Em seguida foram dar parte do acontecido à boneca.

— Eles vão atacar a casa e comer toda a gente do sítio – disse o besouro com voz cautelosa.

— Eles quem? – indagou Emília.

— As onças, as iraras e os cachorros-do-mato.

— *Elas*, então – disse Emília, que implicava muito com a regra de gramática que manda pôr o pronome no masculino quando há diversos sujeitos de sexos diferentes. – *Elas* vão atacar o sítio, não é? Pois que venham. Serão muito bem recebidas. Tenho lá um espeto próprio para espetar a onça, irara, jaguatirica e cachorro-do-mato.

Mas os besouros contaram minuciosamente tudo quanto tinham ouvido na assembleia da capivara e a boneca viu que o caso não era de brincadeira. Resolveu lá consigo ir *incontinenti* avisar Pedrinho, mas para não dar a perceber os seus receios fez-se de valentona.

— Veremos! – disse aos besouros, muito admirados daquele sangue-frio. – Veremos! Nós matamos há pouco uma onça-pintada, a maior que existia por aqui, e faremos a mesma coisa até para leões e hipopótamos, se aparecerem. A bicharia há de convencer-se de que conosco ninguém brinca. Atacar o sítio! Desaforados... E para quando é a guerra?

— O dia ainda não está marcado. A jaguatirica anda a correr a mata para reunir os atacantes.

— Muito bem – concluiu Emília sem pestanejar. – Continuem espionando e avisando-me de tudo quanto souberem. Vou prevenir Pedrinho.

Emília voltou para casa de carreira e já de longe foi gritando pelo menino. Encontrou-o na varando, a fazer uma arapuca de talos de folhas de embaúba para apanhar rolinhas.

— Largue disso – gritou Emília ao galgar a escada. – Temos novidade grande. O sítio vai ser assaltado pelas onças, cachorros-do-mato e iraras.

Pedrinho olhou para ela com os olhos arregalados.

— Que bobagem está você dizendo, Emília? Assaltado, por quê? Como?

A boneca desfiou toda a conversa tida com os besouros e concluiu:

— Temos guerra, é isso. Matamos a onça e agora a onçada inteira quer a desforra.

Pedrinho refletiu por alguns instantes. Depois recomendou:

— Não diga nada a vovó, nem a Tia Nastácia, pois são capazes de morrer de medo. Vou estudar o caso e organizar a defesa. Vá depressa ver Narizinho e o

Visconde. Diga-lhes que me esperem no pomar, debaixo da jabuticabeira grande. Aqui na varanda não podemos tratar disso. Vovó descobriria tudo.

Minutos depois realizava-se debaixo da jabuticabeira grande uma segunda assembleia, menos numerosa que a dos bichos. Compareceram todos, inclusive o Marquês de Rabicó. Pedrinho pediu à boneca que repetisse a sua conversa com os besouros espiões. Emílio repetiu-a, terminando assim:

— É guerra e das boas. Não vai escapar ninguém – nem Tia Nastácia, que tem carne preta. As onças estão preparando as goelas para devorar todos os bípedes do sítio, exceto os de pena.

O Marquês de Rabicó sorriu. Se as onças iam devorar todos os bípedes, ele, na sua nobre qualidade de quadrúpede, estaria fora da matança. "Que felicidade ser quadrúpede!", refletiu lá consigo o maroto.

Pedrinho começou a estudar a defesa.

— Sabem do que mais? – disse ele. – Vou abrir uma linha de trincheiras em redor da casa.

— Inútil isso, Pedrinho – objetou a menina. – As onças são umas danadas para saltar. Pulam qualquer trincheira.

Pedrinho achou razoável a observação e refletiu um pouco mais. Depois disse:

— Nesse caso, podemos rodear a fazenda de uma cerca de paus a pique, bem pontudos. Construir uma estacada, como faziam os índios.

— Impossível – objetou outra vez Narizinho. – Para fazer semelhante estacada teríamos de contratar vários homens para cortar os paus e fincá-los – e vovó desconfiaria e viria a saber de tudo. Com estacada não vai. Temos de descobrir outro meio.

E, voltando-se para o Visconde que ainda não pronunciara uma só palavra:

— Qual a sua opinião, Visconde?

Como tivesse corpo de sabugo, o Visconde jamais mostrou o menor medo de onça ou de qualquer outro animal carnívoro. Só tinha medo de vaca, bezerro, cavalo e outros animais comedores de sabugo. Por isso, caçoou:

— Ataque de onça! Ora, ora... Que valem onças? Se fosse um ataque de vacas, sim, compreendo que estivéssemos assustados. Mas de onças...

— E você, Rabicó, o que acha? – perguntaram ao Marquês.

O Marquês nunca achava coisa nenhuma. Sua preocupação única era descobrir coisas de comer. Quando lhe pediam opinião sobre abóboras, chuchus, cascas de bananas ou mandioca, ele dava opiniões ótimas. Mas sobre onças...

— Eu acho que... que... que... – e engasgou.

— Quequerequequê... Para achar isso não valia a pena ter aberto a boca – disse Pedrinho. – Temos que achar qualquer coisa. Temos que resolver. O caso é dos mais sérios. Nossas vidas correm perigo, bem como as vidas de vovó e Tia Nastácia. Vamos! Venham ideias. Deem tratos à bola e resolvam...

— Tenho uma ideia excelente! – gritou Narizinho, batendo palmas.

— Qual é? – exclamaram todos, voltando-se para ela.

— É deixarmos isto para amanhã. As grandes coisas devem ser bem pensadas e não podem ser decididas assim do pé para a mão. A guerra não é para já, pois que a jaguatirica ainda anda a avisar as companheiras. Até que fale com todas e organizem o plano de ataque se passarão alguns dias. Para agora tenho uma coisa excelente a fazer. Uma surpresa...

Disse e ergueu-se, correndo para a margem do ribeirão, onde na véspera Tia Nastácia havia escondido qualquer coisa. Todos a seguiram, curiosos.

— Que é, que é, Narizinho? Que surpresa é essa?

Em vez de responder, a menina espalhou um montinho de folhas secas que havia junto às pedras do rio e revelou aos olhos do bando um lindo cacho de brejaúvas.

— Viva! Viva! – gritou Pedrinho, que se pelava por brejaúvas. – Como arranjou isto, Narizinho?

— Foi o Antônio Carapina que nos mandou de presente ontem à noite. Tia Nastácia recebeu o cacho e veio escondê-lo aqui para que não acontecesse como da outra vez, que sujamos de cascas a varanda.

— E por que não me disse nada?

— Para fazer uma surpresa. Não acha que foi melhor assim?

Sentaram-se todos em redor do cacho de brejaúvas e começaram a partir os cocos sobre uma grande laje que havia ali.

— Ótimo! – exclamou o menino, comendo com gula a deliciosa polpa branca e macia daqueles cocos no ponto. – O Antônio Carapina tem as melhores lembranças do mundo. Prove, Emília, este pedacinho...

Minutos depois estava o chão coberto de cascas, por entre os quais passeava o focinho de Rabicó, lambiscando o que podia. Enquanto isso, as onças lá na mata marcavam o ataque ao sítio para o dia seguinte. Felizmente os dois besouros encapotados estiveram presentes à reunião e tudo ouviram de um galhinho seco.

Capítulo V
A DEFESA ESTRATÉGICA

— Eles mataram minha esposa! – clamava com voz trêmula de cólera um enorme onção (como dizia a Emília). – Estou viúvo da minha querida onça por artes daqueles meninos daninhos do sítio de Dona Benta. Mataram-na e levaram-na de arrasto, amarrada com cipós, até o terreiro da casinha onde moram. Tiraram-lhe a pele, que depois de esticada e seca ao sol está servindo de tapete na varanda. Ora, isto é crime que pede a mais completa vingança. Guerra, pois! Guerra de morte a essa ninhada de malfeitores.

— Guerra! Guerra! – exclamaram as jaguatiricas e suçuaranas e cachorros-do-mato e iraras ali *reunidas* (como queria a Emília).

A onça agradou-se daquele entusiasmo.

— Combinemos o seguinte – disse ele. – Amanhã de manhã cercaremos a casa de modo que ninguém escape. As iraras e cachorros-do-mato guardarão os lados, e nós, onças, atacaremos pela frente.

— *Bravos! Bravos!* Assim o faremos! – gritaram em coro as feras.

— Assaltaremos a casa – prosseguiu o viúvo – e mataremos todos os seus moradores.

— Sim, matá-los-emos todos! – repetiu o coro.

— E depois os comeremos um por um!

– Sim, sim, comê-los-emos todos um por um! – uivou a bicharia, com as línguas vermelhas a lamberem a beiçaria feroz.

A assembleia dissolveu-se, indo cada qual para sua toca sem que nenhuma daquelas feras pensasse em caça naquele dia. Estavam a preparar uma fome especial para o almoço de carne humana que iam ter no dia seguinte.

Os besouros espiões tudo ouviam do seu galhinho e lá se foram a zumbir, dar parte à Emília dos grandes acontecimentos. A boneca estava ansiosa por eles, visto como não os tinha visto na véspera.

— Então? – perguntou logo que os dois sonsos entraram na varando como se fossem besouros à toa, desses que se deixam atrair pela luz dos lampiões.

— É amanhã o ataque – responderam os dois besouros, que eram gêmeos e sempre falavam e agiam juntos. – As onças acabam de resolver isso numa reunião que tiveram debaixo da Figueira-Brava. Os cachorros-do-mato e as iraras guardarão os lados da casa, e as onças, guiadas pelo onço viúvo, darão o assalto. Também juraram matar e comer a todos.

Emília não empalideceu de susto, nem tremeu que nem vara verde, como aconteceria se ela fosse gente de verdade. Emília era a mais corajosa boneca que ainda existiu no mundo. Apenas disse:

— Isso de dizer que cerca e mata e devora é fácil. O difícil é cercar, assaltar, matar e devorar realmente. Nós saberemos defender-nos. Que venham as tais onças de uma figa!

Os dois besouros não deixaram de admirar-se daquele espantoso sangue-frio.

— Mas de que armas dispõem vocês para lutar contra tantas feras raivosas? – perguntaram eles gemeamente, isto é, cada um dizendo uma palavra. O modo de os besouros conversarem com a boneca era esse. Um dizia as palavras pares e o outro dizia as palavras ímpares.

— Não sei – respondeu Emília. – Isso é com Pedrinho, o nosso generalíssimo. Ele está estudando o assunto – e eu também. Não sei ainda o que o General Pedrinho vai fazer, mas sei o que vou fazer. Pensei, pensei e repensei sobre o caso e já tenho cá uma ideia que vale ouro em pó.

— *Qual* – disse o primeiro besouro – *é* – disse o segundo – *essa* – continuou o primeiro - *ideia*? – concluiu o segundo.

— Não posso dizer em voz alta – respondeu Emília. – Só ao ouvido – e chegando-se bem pertinho dos gêmeos cochichou-lhes ao ouvido a sua ideia pelo mesmo sistema, isto é, dizendo a palavra par ao besouro número um e a palavra ímpar ao besouro número dois.

Os besouros admiraram-se da esperteza da boneca e partiram – *zunn!* – a fim de cumprir as ordens recebidas.

Logo que os viu se sumirem no espaço, Emília foi correndo contar a Pedrinho o que acabava de ouvir dos seus espiões de casaca preta.

Pedrinho já havia resolvido o problema da defesa.

— Como não temos armas de fogo para enfrentar as onças – disse ele – lembrei-me do seguinte: faço uma porção de pernas de pau bem compridas; um par de pernas para cada morador do sítio, inclusive o Marquês e as galinhas. Quando as onças nos atacarem, subiremos sobre essas pernas de pau, bem lá no alto – e quero ver!...

— E se as onças também subirem pelas pernas de pau acima? – perguntou a menina.

— Impossível – respondeu ele. – Além de serem pernas de pau muito compridas e de bambu, que é liso, ainda serão ensebadas. Cada uma corresponderá a um verdadeiro pau de sebo. Nem macaco será capaz de subir.

Foi considerada ótima a ideia e Pedrinho correu em busca da foice e do serrote. Com a foice cortou no bambuzal próximo meia dúzia de compridas varas de bambu, e com o serrote serrou-as do tamanho necessário. Depois, com um formão, abriu furos, nos quais fixou um estribo, isto é, uma travessinha em que um pé pudesse apoiar-se.

Prontas que foram as pernas de pau, tinham de exercitar-se um bocado. Nada mais fácil do que o equilíbrio sobre pernas de pau, mas mesmo assim não dispensa um pouco de prática. Quem começou foi Pedrinho e como as pernas fossem muito altas teve de trepar a uma escada para colocar-se sobre elas. Assim fez, dando em seguida umas passadas tontas pelo terreiro, até acertar o equilíbrio. Em poucos minutos ficou tão hábil naquele pernilonguismo que até parecia ter anos de experiência.

Vendo a facilidade, Narizinho imitou-o. Trepou à escada e ajeitou-se sobre o par de pernas que lhe cabia. Também em minutos ficou adestrada a ponto de dar carreirinhas.

Emília e o Visconde não ficaram atrás. Eram jeitosos. Restava Rabicó.

— Vai começar a encrenca – disse Narizinho quando chegou a hora do ilustre Marquês.

Assim aconteceu. A dificuldade principiou com aquele negócio de Rabicó ter quatro pernas, em vez de duas, como todas as criaturas decentes – os homens, as galinhas, as escadas. Rabicó tinha duas pernas mais que os outros, inutilíssimas pernas, porque se uma criatura pode viver muito bem com duas, ter quatro é ter pernas demais.

— Se eu tivesse clorofórmio e instrumentos cirúrgicos, fazia uma operação em Rabicó, transformando-o em bípede. Não deixa de ser uma vergonha um quadrúpede em nosso bando – disse Pedrinho.

Seguramente uma hora foi gasta naquilo de amarrar quatro pernas de pau nas perninhas do leitão e fazê-lo equilibrar-se sobre os espeques. Bem que ele esperneou, gritou como se o estivessem matando com uma faca de ponta bem pontuda. Atraída pelos seus gritos, Tia Nastácia apareceu na porta da cozinha para ver o que era – e quase desmaiou de susto vendo o bandinho lá em cima, pernejando pernilongalmente pelo terreiro.

— Corra, Sinhá! – gritou para dentro. – Venha ver o "felómeno" que aconteceu com a criançada. Está tudo pernilongo!...

Dona Benta apareceu à janela e assombrou-se da habilidade com que seus netos corriam e brincavam sobre pernas daquele comprimento, como se tivessem nascido pernaltas.

— Cuidado! – exclamou ela. – Se um de vocês perde o equilíbrio e vem ao chão, esborracha o nariz para o resto da vida. Mas que ideia foi essa, meninos?

Não houve remédio senão explicar-lhe tudo, mesmo porque Dona Benta e Tia Nastácia tinham também de colocar-se sobre tais pernas quando as onças chegassem.

— As onças vão atacar o sítio amanhã, vovó, umas cinquenta – disse Pedrinho –, e como não temos carabinas com que nos defender, a defesa que achei foi esta.

— Onças? Cinquenta? – repetiu Dona Benta com os olhos arregaladíssimos. – Quem contou semelhante coisa?

— Os besouros gêmeos da Emília, vovó – disse Narizinho. – Acabam de nos avisar que as onças, para vingarem a morte da que matamos, organizaram um ataque ao sítio para amanhã.

As duas pobres velhas ficaram na maior aflição do mundo, como era natural. Com semelhantes travessuras, o terrível bandinho acabaria dando cabo delas, não havia dúvida. Tia Nastácia, de olhos arregalados do tamanho de xícaras de chá, até perdeu a fala. Limitava-se a fazer pelos-sinais, um em cima do outro.

— Mas isto não tem propósito, Pedrinho! – ralhou Dona Benta. – Vocês põem-me doida. Onças e logo cin-quen-ta!... Como irei arranjar-me aqui embaixo, sozinha com Tia Nastácia?

— O remédio, vovó, é a senhora e Tia Nastácia meterem-se em pernas de pau também. Olhe, as suas já estão ali prontinhas, feitas sob medida, e as de Tia Nastácia são aquelas acolá...

A aflição das duas velhas cresceu ainda alguns pontos. O medo de serem comidas pelas onças se somou ao medo de caírem de cima de tão compridas pernas. Mas que fazer? Ficarem embaixo, sozinhas, era suicídio puro, porque seriam fatalmente comidas pelas onças.

Dona Benta coçou a cabeça, desanimada.

— Inútil procurar outra saída, vovó – disse Pedrinho. – As onças amanhã de manhã estarão aqui para o assalto e, ou a senhora se utiliza desta defesa pernil que inventamos, ou deixa-se devorar viva. Escolha.

Não havia escolha possível e, apesar dos seus sessenta anos e dos seus vários reumatismos, a pobre Dona Benta teve de trepar na escada e ajeitar-se sobre o par de andaimes que Pedrinho lhe destinara.

Custou! Além de ter os músculos emperrados, a boa velhinha era medrosíssima. Por várias vezes quis desistir e só não desistiu porque os meninos não cessavam de lembrar que nesse caso seria fatalmente devorada, como a avó da menina da Capinha Vermelha. Afinal aprendeu o equilíbrio, dando uns passos muito desajeitados pelo terreiro.

— Serve –disse Pedrinho, que dirigia a aprendizagem. – Já dá para escapar da onça. Tratemos agora de Tia Nastácia.

Aí é que foi a dificuldade. A pobre negra era ainda mais desajeitada do que Rabicó e Dona Benta somados. Quando, depois de inúmeras tentativas, ia se tenteando sobre as pernas de pau, perdeu de súbito o equilíbrio e veio ao chão, num berro. Felizmente caiu sobre um varal de roupa e não se machucou.

— Não trepo mais nesses andaimes – exclamou ela ainda enganchada no varal. – Prefiro que as onças me comam viva. Figa, rabudo!...

Mas isso de preferir que as onças nos comam vivas é conversa. Na hora em que a onça aparece, até em pau de sebo um aleijado é capaz de subir. A pobre da Tia Nastácia ia ficar sabendo disso no dia seguinte...

Capítulo VI
APARECE UMA NOVA MENINA

De noite houve discussão das hipóteses que poderiam dar-se no dia seguinte. Dona Benta disse:

— Concordo que se estivermos sobre pernas de pau as onças não poderão apanhar-nos. Mas depois? E se elas resolverem ficar por aqui até que nos cansemos e sejamos forçados a descer?

Era uma hipótese bastante provável, que não havia ocorrido a Pedrinho. Sim; se as onças ficassem por lá, como era?

— Hão de cansar-se e ir-se embora – sugeriu Narizinho. – Quando a fome apertar, não fica nenhuma aqui.

— E se se revezarem? – lembrou Dona Benta. – E se enquanto a metade das onças for caçar a outra metade ficar montando guarda?

Pedrinho não soube responder, nem Narizinho, nem o Visconde. Ficaram todos de nariz caído, pensando nessa terrível hipótese. Quem respondeu foi a Emília, que andava toda misteriosa, piscando cavorteiramente como quem tem no bolso a solução de um grande problema.

— Não tenham medo de coisa nenhuma – disse ela por fim. – Arranjei umas granadas de mão, ótimas para espantar onças.

— Granadas de mão? – repetiu Pedrinho franzindo a testa. – Que história é essa, Emília?

— Uma surpresa. Preparei as granadas com a ajuda dos meus besouros. Fiz cinco, número suficiente para espantar até cem onças.

— E onde estão?

— No telhado.

— Por que no telhado?

— Botei-as lá para estarem ao meu alcance na hora em que as onças aparecerem e nós estivermos sobre as pernas de pau. Também botei lá pão com manteiga, um guarda-chuva e mais coisas. Pode nos apertar a fome, pode chover...

Narizinho estava intrigadíssima com o negócio das granadas.

— Explique isso melhor, Emília. Que granadas são essas?

— Nada posso dizer. É segredo. Só adiantarei que são de cera e do tamanho de laranjas baianas.

Granadas de cera, do tamanho de laranjas baianas! Ou a boneca estava de miolo mole... ou... Em todo caso, como a Emília era uma danadinha capaz de tudo, os meninos e as velhas sossegaram um pouco mais.

A razão de Tia Nastácia haver desistido das pernas de pau era que não acreditava muito no tal assalto das onças. "Isso há de ser imaginação dessas crianças", refletia de si para si. "Os diabretes vivem com a cabeça quente e inventam coisas para atormentar os mais velhos. Não acredito."

Dona Benta igualmente não acreditou – no princípio. Depois, lembrando-se de outras coisas inda mais espantosas que já tinham acontecido, achou melhor acreditar.

— Qual nada, Sinhá! – insistiu a negra. – Onde já se viu onça andar em bando a atacar casa de gente? Estou com setenta anos e nunca ouvi falar de semelhante coisa.

— Nem eu. Mas lembre-se, Nastácia, que também nunca vimos contar de nenhuma boneca que falasse, nem de nenhum Visconde de sabugo que agisse tal qual uma gentinha – e aí estão a Emília e o Visconde de Sabugosa.

— Lá isso é – resmungou a preta, pendurando o beiço.

— Se é isso, como vai você arranjar-se amanhã, se as onças vierem mesmo e nos atacarem aqui?

— Como vou me arranjar? – repetiu Tia Nastácia coçando a cabeça. – Não sei. Francamente ao sei. Na hora veremos...

Ela continuava com a esperança de que o tal ataque das cinquenta onças não passasse de uma "pulha" de Pedrinho para meter medo aos "mais velhos".

Foram dormir. Cada qual sonhou pelo menos com uma onça. Emília, porém, teve sonhos cor-de-rosa, a avaliar-se pelos sorrisos que animaram seu rostinho durante a noite inteira. É que estava sonhando com as suas famosas granadas de cera...

Pela madrugada alguém bateu na porta da rua – *toque, toque, toque...* Pedrinho pulou da cama, assustado. "Seriam já as onças?" Os outros também se ergueram, inclusive Dona Benta e Tia Nastácia. Reuniram-se todos na sala de jantar, à escuta.

Nova batida – *toque, toque, toque...*

— Parece batida de nó de dedo – sussurrou Narizinho. – Onça não bate assim.

Pé ante pé, a menina aproximou-se da porta e espiou pelo buraco da fechadura. Não viu onça nenhuma. Em vez disso viu... outra menina!

— Uma menina! – exclamou Narizinho batendo palmas. – Assim do meu tamanho, lindinha! Quem sabe se não é Capinha Vermelha?... Abro ou não a porta, vovó?

— Pois se é uma menina, abra. Veja primeiro se não vem algum lobo atrás, como aquele que acompanhou Capinha.

Narizinho espiou de novo e não viu lobo nenhum. Em vista disso, abriu. Uma menina muito desembaraçada, da mesma idade que ela, entrou.

— Boa madrugada para vocês todos! Boa madrugada, Dona Benta! Boa madrugada, Tia Nastácia!

A menina conhecia todos da casa e, no entanto, não era conhecida de nenhum dali. Quem seria?

— Quem é você, menina? – perguntou Dona Benta, meio desconfiada.

— Não me conhecem? – tornou a desconhecidazinha com todo o espevitamento. – Pois sou a Cléu...

Foi uma alegria geral. Não havia ali quem não conhecesse de nome a famosa Cléu, que falava pelo rádio e de vez em quando escrevia cartas a Narizinho dando ideias de novas aventuras.

— Viva, viva a Cléu! – exclamaram todos numa grande alegria.

— Pois é – disse a menina sentando-se sobre a mesa –, cá estou para conhecê-los pessoalmente. Desde que li as primeiras aventuras de Narizinho, fiquei doida por entrar para o bando. Moro em São Paulo, uma cidade muito desenxabida, com um viaduto muito feio e gente apressada, passeando pelas ruas. Enjoei da tal São

Paulo e vim morar aqui. Fiquem certos de uma coisa: o único lugar interessante que há no Brasil é este sítio de Dona Benta.

Todos mostraram-se contentíssimos. Dona Benta, entretanto, disse:

— Mas veio em má ocasião, Cléu. Imagine que justamente hoje o sítio vai ser atacado por um exército de onças e iraras e cachorros-do-mato...

— Ótimo! – respondeu a menina. – Um dos meus sonhos sempre foi ser atacada por um exército de onças e iraras e cachorros-do-mato, de modo que adivinhei vindo em momento tão propício...

— Ché... – exclamou lá consigo Tia Nastácia. – Agora é que o sítio pega fogo mesmo. Menina de "propícios"... Credo!

O dia estava clareando e como as onças podiam chegar de um momento para outro Pedrinho tratou de ensinar a Cléu o uso das pernas de pau, explicando-lhe que fora esse o meio que descobrira para se defenderem do ataque.

Tia Nastácia foi para a cozinha acender o fogo para o café. Estava de olho parado pensando, pensando...

— A Cléu aqui! – murmurava ela olhando para o fogo. – Ché...

Capítulo VII
O ASSALTO DAS ONÇAS

Depois de tomado o café com farinha de milho, Pedrinho pendurou o Visconde no galho mais alto de uma árvore próxima, armado do binóculo de Dona Benta para dar aviso da chegada das onças. O nobre fidalgo, porém, sempre tivera o costume de acordar tarde, ali pelas dez horas mais ou menos. Em vista disso resolveu dormir no seu galhinho, certo de que só lá pelas dez horas as onças viriam. Dormiu, e portanto não pôde dar aviso da chegada das onças, que já estavam bem perto. Quem percebeu a aproximação delas foi a Emília, que tinha um faro maravilhoso.

— Estou sentindo no ar um cheirinho de onça! – exclamou em certo momento.

Por força da sugestão ou porque de fato andasse pelo ar algum cheiro de onça, todos ergueram o nariz e sentiram um forte cheiro de onça. Como é então que o Visconde não dava nenhum aviso? Pedrinho correu ao terreiro e gritou:

— Avise de uma vez, palerma! Não vê que as onças já estão chegando?

O pobre fidalgo acordou com o berro e ainda cheio de sono espiou pelo binóculo, mas em sentido contrário, de modo que viu as onças muitíssimo longe.

— Vêm, sim – disse ele –, mas tão longe, tão longe e tão pequenininhas, que até que cresçam e cheguem dá tempo de...

Não pôde concluir. Escorregou do galho e veio de ponta-cabeça ao chão.

Mas não havia tempo de acudir o pobre Visconde, caído de mau jeito bem em cima de uma lama onde ficou de cabeça enterrada. O tempo era o exatamente necessário para se colocarem sobre as pernas de pau. Corre-corre geral. Cada um tratou de apanhar o par de pernas que lhe pertencia e de ajeitar-se em cima. Em três minutos o terreiro ficou povoado daqueles estranhos bípedes pernaltas.

A primeira coisa que lá do alto viram foram as granadas de cera da Emília, arranja-dinhas sobre o telhado. Pedrinho quis examiná-las. Não pôde. A boneca espantou--o com um grito.

— Não se aproxime! Não bula, não me estrague o capítulo!...

E Tia Nastácia? Essa ficou embaixo rezando e riscando a cara e o peito de trê-mulos pelos-sinais. Apesar de descrente da vinda das onças, que lhe parecia coisa impossível, começou a sentir um horrível medo. "E se viessem mesmo?", pensava ela. "E se o tal cheirinho que a boneca sentira no ar fosse mesmo cheiro de onça?"

Súbito – *miau*! Um horrível miado ressoou no pasto. Devia ser o sinal de ata-que do onço viúvo. Logo em seguida surgiram de dentro de todas as moitas uma infinidade de caras de onças e jaguatiricas e iraras e cachorros-do-mato com olhos ameaçadores e dentuças arreganhadas.

Só então a pobre negra se convenceu de que tinha errado. Correu qual uma desvairada às pernas de pau que Pedrinho lhe tinha feito. Nada achou. A Cléu se havia utilizado delas. Olhou aflita para a escada. Bobagens, escada! As onças também tre-pariam pelos degraus. Seus olhos esbugalhados procuravam inutilmente a salvação.

— Trepe no mastro! – gritou-lhe a Cléu.

Sim, era o único jeito – e Tia Nastácia, esquecida dos seus numerosos reuma-tismos, trepou, que nem uma macaca de carvão, pelo mastro de São Pedro acima, com tal agilidade que parecia nunca ter feito outra coisa na vida senão trepar em mastros.

Foi a continha. A onçada toda já estava no terreiro.

A princípio as assaltantes não perceberam o truque inventado por Pedrinho para lográ-las. Os animais de quatro pés raro olham para o alto e como os pernaltas guardassem o mais absoluto silêncio as onças não os viram lá em cima de seus es-peques. Entraram pela casa adentro em procura deles e, não os encontrando, mos-traram-se desapontadíssimas.

— Fugiram, os covardes! – uivou com os olhos chispantes de cólera o onço viúvo. – Alguém os avisou e eles fugiram...

Nisto uma cuspidinha da Emília caiu-lhe bem no focinho. O onço olhou para cima e sorriu, lambendo os beiços.

— O nosso "almoço" não fugiu, não! – exclamou contentíssimo. – Lá estão todos os "pratos", cada qual em cima de dois "espetos".

Toda a bicharia olhou para cima, com água na boca. Não tinham comido na véspera, o apetite era forte e viram que iam ter uma bela variedade de petiscos – um menino, duas meninas, um leitão, uma boneca, uma velha branca e uma velha preta. Ótimo!

— Isso é que é almoço! – observou uma irara. – Vai ser um banquete dos bons...

Mas como devorar aqueles pernaltas? O onço, que era o mais forte do bando, experimentou o pulo. Deu quatro ou cinco pulos formidáveis, os maiores de sua vida – mas inutilmente. Os espetos tinham quatro metros de altura e os seus pulos não iam acima de três metros e noventa e cinco centímetros.

— Com pulo não vai – disse ele. – Precisamos inventar outra coisa. Que há de ser?

— Tenho uma ideia – latiu um cachorro-do-mato de talento. – Eles não po-dem ficar lá em cima toda a vida. Hão de descer logo que a fome aperte. Minha ideia é ficarmos aqui de plantão até que desçam.

— Sim – disse o onço, que era burríssimo –; mas se a fome aperta para eles, também aperta para nós – e como é?

— Revezamo-nos – resolveu o cachorro. – Metade do bando vai caçar e almoçar no mato enquanto a outra metade fica de guarda. Desse modo poderemos permanecer aqui a vida inteira, se for preciso.

— Eu não disse? – cochichou Dona Benta. – As malvadas vão revezar-se e estamos perdidos...

A situação era gravíssima. Cléu, que não tinha prática de aventuras maravilhosas, fez bico de choro. As onças estavam decididas a tudo; e se os pernaltas podiam resistir por muitas horas o mesmo não aconteceria à pobre Tia Nastácia, que já mal se aguentava no mastro.

— Vou cair! – berrou ela de repente. – Não aguento mais. Minhas mãos já começam a escorregar...

— Estão vendo? — disse o onço, passando a língua pela beiçaria. — O nosso banquete vai começar pela sobremesa. O furrundu está dizendo que não aguenta mais e vai descer...

— Emília! — gritou Pedrinho. — Estamos esperando por você! Que venha a surpresa das granadas.

A boneca tratou de tirar partido da situação.

— Muito bem — disse ela — mas só lançarei as minhas granadas sob três condições.

— Diga depressa!

— Primeiro: que todos reconheçam que sou a mais esperta e inteligente do bando. Segundo: que Dona Benta me dê um regadorzinho de jardim, dos verdes — de outra cor não quero. Terceiro que...

— Socorro! — berrou, num tom de cortar a alma, a pobre Tia Nastácia, que não podendo mais aguentar-se no mastro vinha escorregando lentamente.

Emília não esperou pela resposta às suas condições. Aproximou-se do telhado, tomou as granadas e — *zás!* — arremessou-as contra o bando de feras. As granadas romperam-se ao bater nos alvos e deixaram sair de dentro enxames de caçunungas, que são as mais terríveis vespas que existem.

Foi uma tragédia! As vespas ferraram nos focinhos e olhos das onças e iraras e cachorros-do-mato, fazendo-os fugirem dali numa desabalada louca. Em meio minuto o sítio ficou inteiramente limpo de bicho feroz.

Não foi sem tempo. Tia Nastácia já estava no chão, escarrapachada ao pé do mastro, mais morta do que viva, suando o suor da morte. Se as granadas da Emília não tivessem produzido aquele maravilhoso resultado, a boa negra realmente não escaparia de virar furrundu de onça...

— Viva! Viva a Emília! – gritou a Cléu, entusiasmada com a proeza da boneca.

— Viva! Viva a rainha das bonecas – gritaram os outros.

Prática como era, Emília tratou de aproveitar aquele entusiasmo para ganhar coisas. Obteve de Dona Benta a promessa de um lindo regadorzinho verde; de Pedrinho apanhou, ali na hora, cinco tostões novos; e de Narizinho conseguiu uma mobília de boneca.

— E você, Cléu, que me dá?

— Um beijo, Emília.

A boneca fez um muxoxo de pouco caso. Depois, voltando-se para Tia Nastácia:

— E você, pretura?

Tia Nastácia não pôde responder. O susto por que passara fora tanto que havia perdido a voz. Foi preciso darem-lhe a beber uma caneca d'água. Só então pôde abrir a boca e dizer:

— Você me salvou a vida, Emília, e não há o que pague semelhante coisa. Dou tudo quanto me pedir.

— Quero aquele pito de barro em que você pita – respondeu a boneca.

Foi assim que Emília ganhou o célebre pito de barro que mais tarde deu de presente ao Pequeno Polegar.

Capítulo VIII
OS NEGÓCIOS DA EMÍLIA

Desde essa aventura ficou Pedrinho com mania de caçadas – mas caçadas de feras africanas. Queria leões, tigres, rinocerontes, elefantes, panteras e queixava-se a Dona Benta (como se a boa senhora tivesse culpa) da pobreza do Brasil a respeito de feras. Chegou a propor-lhe que vendesse o sítio para comprar outro, bem no centro de Uganda, que é a região da África mais rica em leões.

— Aqui nem dá gosto morar, vovó – dizia ele torcendo o nariz. – Fora o jaguar, que outra fera possuímos? Só paca e veado e anta – uns pobres herbívoros que têm medo de gente. Eu queria mas era enfrentar peito a peito um rinoceronte!...

Dona Benta arrepiava-se com aquilo. Lera muita coisa sobre as grandes feras africanas e sabia que nenhuma existe mais traiçoeira e feroz do que o rinoceronte, com aquele seu terrível chifre no meio da testa. A pobre senhora esfriava da cabeça aos pés só ao lembrar-se do horror que seria uma chifrada de tal espeto.

— Veja, Nastácia, para que deu Pedrinho agora! – dizia ela. – Quer caçar rinocerontes... Não sei por quem puxou essa terrível inclinação.

Tia Nastácia benzia-se. Ignorava o que fosse um rinoceronte, não tendo visto nenhum, nem no cinema, nem em sonho; mas a simples palavra lhe metia medo. "Rinoceronte, credo!"

— E o pior – continuou Dona Benta – é que quando estas crianças encasquetam fazer uma coisa fazem mesmo. Elas viram e mexem e acabam caçando algum rinoceronte. Você vai ver.

E assim aconteceu. Parece fábula, parece mentira do Barão de Münchausen, e no entanto é a verdade pura: os netos de Dona Benta caçaram um rinoceronte de verdade!... Como?

Esperem lá... Algum tempo depois do assalto das onças havia chegado ao Rio de Janeiro um circo de cavalinhos que era uma verdadeira arca de Noé. Trazia enorme bicharada – seis leões, três girafas, quatro tigres, zebras, hienas, focas, panteras, cangurus, jiboias e um formidável rinoceronte. Quando Pedrinho leu nos jornais a notícia do grande acontecimento, ficou assanhadíssimo. Quis ir ao Rio ver as feras, chegando a escrever a Dona Tonica, sua mãe, pedindo licença e meios. Antes, porém, de receber qualquer resposta, um fato sensacional se deu no Rio: o rinoceronte arrebentou as grades da jaula durante certa noite de temporal e fugiu. Fugiu para as matas da Tijuca, tomando depois rumo desconhecido.

Esse fato causou o maior rebuliço no Brasil inteiro. Os jornais não tratavam de outra coisa. Até uma revolução que estava marcado para aquela semana foi adiada, porque os conspiradores acharam mais interessante acompanhar o caso do rinoceronte do que dar tiros nos adversários.

"UM RINOCERONTE INTERNA-SE NAS MATAS BRASILEIRAS", era o título da notícia que vinha em letras graúdas em todos os jornais. Durante um mês ninguém cuidou de mais nada. Grande número de bombeiros e soldados da polícia foram mobilizados. Os melhores detetives do Rio aplicavam toda a sua esperteza em formar planos para a captura do misterioso animal. As forças do Norte que andavam caçando o Lampião deixaram em paz esse bandido para também se dedicarem à caça do monstro. Dizem até que o próprio Lampião e seus companheiros pararam de assaltar as cidades para se entregarem ao novo esporte – a caça ao rinoceronte.

Onde estaria ele? Nas florestas do Amazonas? Nas matas virgens do Espírito Santo? Ninguém sabia. Telegramas chegavam de toda parte sugerindo pistas. Um de Manaus dizia: "Numa floresta, a dez léguas desta cidade, foi visto, dentro de um cerrado de taquaruçus, o vulto negro de um monstro que parece ser o tal rinoceronte. Pedimos providências".

Cinco detetives e numerosos bombeiros foram mandados de avião para aquele ponto, a fim de investigar. Descobriram tratar-se de uma vaca preta que ficara entalada na moita de taquaruçus.

Outro telegrama do mesmo gênero veio da cidade de Cachoeiro, no Espírito Santo. "Nas matas vizinhas ouvem-se urros que não são de onça, nem de nenhum animal conhecido por aqui. Pedimos enérgicas providências."

O avião dos detetives voou para lá. Era um papagaio que fugira de um jardim zoológico, no qual aprendera a imitar o urro de todos os animais.

Onde estará o rinoceronte? – eis a pergunta que da manhã à noite se repetia pelo país inteiro. Onde poderia ter-se escondido a tremebunda fera.?

Ninguém possuía elementos para responder. Ninguém sabia. Ninguém – exceto... Emília!

Parecerá um absurdo. Parecerá invenção de gente sem serviço, e no entanto é a verdade pura. Só a pequenina boneca do sítio de Dona Benta sabia realmente onde estava escondido o monstro!...

O caso foi assim. Logo que naquela noite de temporal o rinoceronte escapou da jaula e se internou nas matas da Tijuca deu de andar sem rumo e foi varando, sempre para diante, num trote respeitável, até que pela madrugada surgiu na mata virgem do sítio de Dona Benta. Gostou do lugar e resolveu ficar por ali pastando a viçosa folhagem das ervas que encontrou.

A presença do rinoceronte causou grande rebuliço entre os habitantes daquela mata. A capivara, que vive tanto em terra como em água, atirou-se ao rio e não teve mais coragem de sair. As onças fugiram. Os macacos empoleiraram-se na mais alta de todas as árvores. Nenhum animal podia compreender um bicho tão estranho e monstruoso. Observando aquilo, os besouros da Emília resolveram correr e avisá-la. Foram ter com a boneca.

— Apareceu lá na mata um bicho que não se parece com bicho nenhum nosso conhecido – informam eles gemeamente.

— Grande? – perguntou a boneca.

— Terá o tamanho de uma casinha de caipira.

Emília calculou logo que fosse algum boi tresmalhado, mas pela descrição que os besouros fizeram viu logo que não podia ser boi. De repente teve uma ideia.

— Escutem: o tal monstro não é preto?

— Sim.

— Não tem o couro enrugado?

— Enrugadíssimo.

— Não tem um chifre só no meio da testa?

— Isso mesmo. Um chifre pontudo.

— Come gente?

— Não, só come capim e folhas de árvore.

Emília pôs-se a refletir, com a mãozinha no queixo. "Ou era unicórnio, animal fabuloso que não existe", pensou consigo, "ou era rinoceronte", e como Emília andasse com a cabeça cheia de rinocerontes, de tanto ouvir Pedrinho ler as notícias do rinoceronte que fugira do circo, imediatamente percebeu que se tratava dele.

— É ele! – exclamou em voz alta. – Que sorte tem Pedrinho! Quis um rinoceronte e um rinoceronte apareceu!...

— Ele quem? – indagaram os besouros, com as testinhas franzidas.

— ELE! – repetiu a boneca fazendo uma tal cara de pavor que os besouros se puseram a tremer. – ELE é ELE, não sabem?

Emília teve preguiça de ensinar àqueles burrinhos o que era um rinoceronte. E para ainda mais os assustar, fez outra cara horrendíssima e repetiu em tom cavernoso:

— ELE!...

Os dois besouros desmaiaram.

Emília deixou-os lá e voltou para casa sem pressa nenhuma, pensando, pensando. Ciganinha, como era, costumava tirar partido de tudo. Por isso estava se tornando a boneca mais rica do mundo. O acaso a fizera descobrir um rinoceronte. Pois bem: Emília iria *vender* esse rinoceronte a Pedrinho...

Quando entrou na varanda já trazia o seu plano formado.

— Pedrinho – disse ela –, tenho um bom negócio a propor.

O menino estava espichado na cadeira preguiçosa lendo os últimos jornais recebidos. Sem tirar os olhos da notícia que lia, respondeu:

— Já vem ela com os tais negócios! Negócios de boneca – bobagens...

— Trata-se de um negócio muito sério, Pedrinho. Quando você souber o que é, vai arregalar um olho deste tamanho!

— Pois então desembuche logo e não amole – disse ele sem tirar os olhos do jornal. – Estou lendo uma notícia muito interessante sobre o rinoceronte fugido.

Emília fingiu-se interessada.

— Sim? E que diz a notícia?

— Diz que tudo isto, toda esta história de rinoceronte fugido, não passa de uma formidável peta. Não existe rinoceronte nenhum. O diretor do circo inventou o caso apenas para reclame.

— Que pena! – exclamou a boneca, fingindo tom compungido. – Seria tão bom se fosse verdade...

— Eu logo vi que era peta – disse Pedrinho, querendo bancar o esperto. – Percebi desde o começo que se tratava de uma formidável peta. Rinoceronte no Brasil. Impossível. Esses animais não suportam o nosso clima.

Emília sorriu de tal jeito que o menino desconfiou.

— De que está rindo assim, boba?

— Da sua esperteza, Pedrinho. Bem diz Tia Nastácia que você é um alho...

— Muito obrigado pelo elogio; mas, alho ou cebola, deixe-me em paz. Olhe, Emília, vá ver se eu estou no pomar, ouviu?

— Então não quer fazer o negócio que venho propor?

Pedrinho queria e não queria. Por fim a curiosidade o venceu.

— Que negócio é? Vamos, diga logo.

Emília preparou-se para apresentar o negócio. Antes, porém, fez um rodeio.

— Escute cá, Pedrinho. Quanto acha você que vale um rinoceronte no Brasil? Responda!

O menino tonteou com o disparate. Não podia haver pergunta mais absurda e boba do que aquela. Ficou danado.

— Foi para isso que me veio interromper a leitura do jornal? Ora, vá lamber sabão, ouviu?

Novo sorriso finório da boneca, que disse:

— Paz, paz! Não se queime. Responda à minha pergunta. Dê um preço qualquer.

— Não amole, Emília. Se continuar a insistir, leva um peteleco.

— Não sabe – disse ela. – É natural. Um menino que jamais saiu do Brasil, que não esteve nem no Rio de Janeiro, é natural que não saiba o preço de um rinoceronte. Está desculpado...

— Bobagem! – exclamou Pedrinho, queimado. – Então é preciso ter saído do Brasil, ter viajado pelo mundo, para saber uma coisa à toa como essa? Basta um pouco de raciocínio.

— Pois raciocine e responda à minha pergunta.

Pedrinho pensou um bocado e disse:

— Vale contos de réis. O valor das coisas depende da raridade delas, diz vovó. Numa terra onde haja centenas de rinocerontes, um deles vale... vale quanto? Vale o mesmo que um boi aqui ou uma vaca. Mas em terra onde não há nenhum, vale o que for pedido pelo seu dono. Eu, por exemplo, se fosse rico, era capaz de dar até trinta contos por um rinoceronte.

— Bom. Se fosse rico, dava trinta contos. E quanto dá sendo pobre? Tinha coragem de dar por um deles o carrinho de cabrito?

Esse carrinho de cabrito constituía o orgulho do menino. Fora presente do Manuel Carapina, um carpinteiro que passara lá uns dias reformando o assoalho da casa. Pedrinho dava mais valor ao carrinho do que a todos os coches dourados de todos os reis da Terra – pela simples razão de que o carrinho lhe pertencia e os coches pertenciam aos reis. Mas um rinoceronte era um rinoceronte, de modo que a resposta do menino foi a que podia ser.

— Um rinoceronte vale todos os carrinhos de cabrito do mundo inteiro – disse ele.

— Pois eu tenho um belo rinoceronte à venda e, se você quiser trocá-lo pelo carrinho, o negócio está feito.

— Basta! – gritou o menino. – Se continua a amolar-me com essa história, vou lá no seu cantinho e quebro todos os seus brinquedos – disse e absorveu-se de novo na leitura dos jornais.

Emília não contara com aquela saída. Percebeu que nem Pedrinho, nem ninguém no mundo jamais acreditaria que ela realmente tivesse um rinoceronte para vender – e desse modo estava arriscada a perder um grande negócio, talvez o melhor negócio de sua vida...

Capítulo IX
Emília vende o rinoceronte

Emília tratou de procurar outro freguês. Foi à cozinha e propôs o negócio à Tia Nastácia. A negra, que estava depenando uma galinha, nem a ouviu no começo; depois, como Emília amolasse, disse apenas, em tom de brincadeira:

— Era só o que faltava, esse bicho de nome esquisito aqui para meter medo na gente! Se fosse uma chocolateira eu fazia negócio, porque a minha está vazando.

Para Dona Benta era inútil oferecer. A boa senhora tinha horror a bichos, sobretudo depois que teve de meter-se em pernas de pau no dia do assalto das onças.

O Visconde seria capaz de aceitar, porque os fidalgos adoram as grandes caças – mas o pobre Visconde pertencia à classe dos fidalgos arruinados que só possuem o seu título de nobreza. Nunca teve de seu nem sequer um tostão furado.

Narizinho... Rabicó...

Estava Emília na maior indecisão quando a Cléu apareceu.

— Cléu – disse a boneca –, tenho um negócio excelente que ando a propor a todos e ninguém aceita. Pedrinho não acredita, Tia Nastácia não quer, o Visconde não tem dinheiro, com Rabicó e Narizinho ainda não falei.

— Que espécie de negócio é? – perguntou a menina. – Venda ou troca?

— Venda ou troca de um animal preciosíssimo que descobri na mata.

— Vai ver que é um rinoceronte! – sugeriu Cléu.

Emília ficou admiradíssima.

— Como sabe? Como adivinhou?

— Esperteza – respondeu Cléu. – Estou lendo nos seus olhos, Emília, que você é dona de um enorme rinoceronte de verdade.

— Sério?

— Seriíssimo!

Emília foi examinar-se ao espelho e achou que realmente estava com cara de dona de rinoceronte. Os sábios chamam a esse fenômeno "sugestão".

— Bem – disse Emília de volta do espelho. – Você adivinhou, Cléu. Tenho mesmo um rinoceronte para vender. Quer comprar?

— Não. Mas posso associar-me a você no negócio. Arranjarei jeito de vendê-lo a Pedrinho e metade do dinheiro é meu. Serve?

— Não quero vendê-lo por dinheiro e sim trocá-lo pelo carrinho de cabrito.

Imaginário caçadas de pedrinho

277

— Nesse caso eu terei metade do carrinho, as rodas, por exemplo – lembrou Cléu, mais para amolar a boneca do que por desejar realmente possuir as tais rodas.

Emília refletiu uns instantes. Depois disse:

— E você mais tarde me dá de presente as rodas?

Cléu teve dó da afliçãozinha dela.

— Dou, sim, dou desde já. Estou brincando. Não preciso, nem quero roda nenhuma. Ajudarei você a vender o rinoceronte sem cobrar comissão nenhuma.

Emília deu dois pinotes – e as duas foram ter com Pedrinho, que ainda estava lendo o jornal.

— Escute, Pedrinho – disse a boneca tirando-lhe o jornal das mãos. – Vou ser franca. O tal rinoceronte que fugiu do circo existe, sim, e por um acaso descobri o lugar onde ele está. Juro! Ora, se você nos promete dar o carrinho de cabrito em troca, o negócio está feito.

Pedrinho estranhou aquele nos.

— *Nos*? – repetiu ele, admirado. – *Nos*, quem?

— Eu e Cléu. Ela é sócia, tem metade do rinoceronte.

O tom com que Emília falava começou a convencer o menino.

— Sério, Emília? Está falando sério?

— Nunca na minha vida falei tão a sério, Pedrinho. Sei onde está o rinoceronte fugido, mas só direi se você *me* der...

— *Nos* der... – corrigiu Cléu.

— Sim, se você nos der o carrinho.

Um rinoceronte de verdade por um carrinho de cabrito era o melhor negócio do mundo. Pedrinho não vacilou um instante.

— Pois está fechado! –gritou ele. – Onde anda o bicho?

— Na Mata dos Taquaruçus.

— Como o descobriu, Emília?

— Os meus besouros espiões são uns amores. Tudo o que se passa no mato eles correm a me contar. Inda há pouco vieram, muito assustados, dizer do aparecimento de um animalão enorme, assim, de chifre único na testa – e percebi que se tratava do rinoceronte fugido.

Era espantoso aquilo. Pedrinho sentiu o seu coração palpitar com violência. Um rinoceronte! Um rinoceronte! Um rinoceronte de verdade morando no sítio de Dona Benta! Não podia haver nada mais fantástico...

— Resta agora decidir o que faremos dele – murmurou o menino atrapalhado. – Matá-lo, caçá-lo, prendê-lo, devolvê-lo ao circo, amansá-lo, conservá-lo?... Que fazer?

— Acho que vocês devem amansá-lo e fazê-lo entrar para o bandinho – sugeriu Cléu. – Sempre achei que fazia muita falta aqui um bicho assim, dos grandes.

— Impossível, Cléu – disse Pedrinho. – Esses animais, além de ferocíssimos e traiçoeiros, são incomodamente grandes. Não cabem em parte nenhuma. E depois há ainda vovó e Tia Nastácia – as duas maiores medrosas do mundo. Se conservarmos o rinoceronte aqui no sítio, elas se trancarão em casa pelo resto da vida. São bobíssimas. Mas é coisa que veremos depois. Agora temos de ir espiar o bicho.

Guiados pela Emília, foram os quatro ao encontro dos besouros que justamente naquele instante estavam voltando a si do longo desmaio.

— Onde está o rinoceronte? – perguntou-lhes Pedrinho ao chegar.

Mal acordados ainda e ignorantes do que significava a palavra "rinoceronte", os pobres besouros olharam apatetadamente para o menino.

Emília interveio explicando que só ela sabia falar com aqueles bichinhos.

— Escutem – disse ela –, queremos saber onde ELE está.

Os besouros entenderam e deram indicações do ponto exato onde ELE se achava escondido.

Pedrinho, que conhecia a moita de taquaruçus, encaminhou-se para lá.

Meia hora depois chegaram todos a um ponto onde a moita se abria em clareira, tendo de um lado a Figueira-Brava debaixo da qual os bichos costumavam reunir-se em assembleia e do outro a tal moita de taquaruçus. Chegaram, espiaram e nada.

— Vejo lá adiante uma pedra preta – disse Cléu, apontando para um rochedo de dorso redondo que os capins altos meio escondiam. – De cima talvez possamos avistar o monstro.

Correram todos para a tal pedra, treparam-lhe em cima e do alto espiaram por entre as árvores em todas as direções. Nada! Nem sombra do rinoceronte.

— Emília – disse Pedrinho, desapontado –, não há rinoceronte nenhum por aqui. Os senhores besouros nos tapearam da maneira mais indigna. Como castigo, merecem ser depenados de todas as perninhas. Se eu fosse você...

Pedrinho não pôde concluir. A pedra mexeu-se. Não era pedra – era o próprio rinoceronte que se tinha deitado naquele ponto para dormir...

O pulo que eles deram merecia ir para um quadro na parede, com moldura de ouro, pois foi o mais rápido e belo pulo que ainda se deu no mundo. Mas como o rinoceronte era pesadão, enquanto se punha em pé, os quatro caçadores alcançavam o mais alto galho da Figueira-Brava, de onde podiam vê-lo sem perigo nenhum.

— Realmente! – exclamou Pedrinho lá no seu poleiro. – É rinoceronte dos legítimos. Vejam que formidável chifre tem na testa e que terrível couraça no corpo...

— A onça nós matamos – disse Narizinho –, mas este bicho cascudo não há meio. Bala não entra, faca não entra. Como iremos nos arranjar?

— O jeito é passarmos um telegrama para o Rio de Janeiro, contando às autoridades que o rinoceronte que elas procuram está aqui! O pessoal lá tem canhões e metralhadoras. Que acha, Emília?

Emília estava de ruguinha na testa, sinal de "ideia mãe" em formação.

— Acho – respondeu – que não devemos mandar telegrama nenhum nem falar nisto a ninguém. Do contrário o sítio se entope de gente grande e adeus! Gente grande estraga tudo. Eu não aturo gente grande.

Os outros também, mas o caso era muito especial, muito sério mesmo, de modo que não havia remédio senão pedirem socorro à gente grande. Pelo menos Dona Benta tinha de ser avisada. O sítio, afinal de contas, era dela; o rinoceronte invadira a sua propriedade – natural pois que, como dona, ela resolvesse o caso. E foi decidido darem parte a Dona Benta do extraordinário acontecimento.

Mas como descer da árvore com aquele perigo chifrudo embaixo? O rinoceronte se havia posto de pé, embora sem mostrar intenção nenhuma de afastar-se dali. Tosava as copas dos arbustos vizinhos e mascava as folhas com um sossego de boi de carro.

Quem salvou a situação foi a boneca.

— Tenho cá no meu bolsinho do avental uma isca do pó de pirlimpimpim. Se não perdeu a força, poderá levar-nos até ao terreiro.

Pedrinho arregalou o olho. Pó de pirlimpimpim no bolso da Emília? Como isso? Será que a boneca virou gatuna?

— Não furtei coisa nenhuma – protestou Emília, percebendo na cara de Pedrinho a desconfiança. – Não sou nenhuma ladrona, fique sabendo.

— Como então obteve esse pó?

— Muito simples. Quando fomos ao País das Fábulas e você me deu a pitada que eu devia tomar, tomei só meia pitada. O resto guardei no meu bolsinho para o que desse e viesse. Chegou agora a ocasião.

Foi uma grande alegria. Graças à providência da boneca iam todos salvar-se daqueles apuros. Mas no bolso da Emília só se encontrava meia pitada. Dividida entre quatro, caberia um oitavo de pitada a cada um.

— Bastará, Pedrinho? – perguntou Cléu.

— Basta. Com um oitavo iremos parar justamente no terreiro do sítio.

Assim sucedeu. Tomaram a pitadinha do pó maravilhoso e imediatamente se acharam no terreiro do sítio. Dona Benta estava na varanda, conversando com Tia Nastácia sobre assunto agrícola – um pé de couve que Rabicó havia tosado na horta.

— Esse Marquês de uma figa está precisando mas é de ir para o forno – dizia a preta, que nunca tomara muito a sério a fidalguia do leitão. – Nesse andar, protegido desse jeito pelos meninos, acaba virando aí um cachaço inútil, que ainda nos há de dar muito trabalho. Mas vá a gente falar nisso a Narizinho! A casa cai...

Nesse momento surgiram no terreiro os meninos. Detiveram-se um instante, cochichando entre si, e depois se encaminharam para a varanda.

— Temos novidade – resmungou Tia Nastácia. – Pedrinho está de mão no bolso e Emília, de ruguinha na testa. Esses sinais não falham. Credo!

Pedrinho subiu à varanda e sem nenhum preparo de terreno foi contando a Dona Benta a história do rinoceronte encontrado.

— Quê? Um rino... – repetiu a velha sem poder concluir a palavra.

— ... ceronte, vovó, um rinoceronte real, de chifre único na testa e aquela couraça duríssima no corpo. Está lá perto da Figueira-Brava.

Dona Benta olhou para Tia Nastácia com ar de quem pede misericórdia.

— Um rinoceronte! – gemeu a boa senhora com voz moribunda. – Era só o que faltava, santo Deus! Que irá ser de nós?...

A negra, que nada sabia a respeito de rinocerontes, ofereceu-se para ir espantar o bicho com o cabo da vassoura. Mas quando Narizinho lhe mostrou, na História natural, o retrato de um desses paquidermes e lhe explicou que tamanho tinham e que terrível era o chifre que possuem no meio da testa, a pobre criatura pôs-se a tremer da cabeça aos pés.

— E agora, Sinhá? E agora, Sinhá? – murmurava no meio dos credos e figas-rabudos e pelos-sinais que não cessava de murmurar e desenhar na cara e no peito.

— Agora? – respondeu Dona Benta depois de refletir uns instantes. – Agora temos que avisar a polícia do Rio para que tome providências, e enquanto isso ninguém tem ordem de sair desta casa. Dizem os naturalistas que o rinoceronte é talvez a fera mais traiçoeira e perigosa da África. Se apanha um de nós!...

Emília quis meter a sua colherzinha torta e começou:

— Dona Benta, eu acho que...

Mas foi interrompida.

— Pelo amor de Deus, Emília, não ache mais coisa nenhuma. É por causa de tantos achados que vivo aqui de susto em susto, com a alma na boca, atacada por onças e agora até com feras africanas perto de casa...

Emília, desapontada, botou-lhe a língua, logo que a velha voltou as costas.

Capítulo X
O RIO DE JANEIRO É AVISADO

Dona Benta enviou um telegrama para o Rio de Janeiro que dizia assim: "Meus netos acabam de informar-me que o famoso rinoceronte, que andam procurando pelo país inteiro, acha-se escondido nas matas deste meu sítio. Encarecidamente peço providências imediatas. Benta de Oliveira".

Cléu, a quem ela ditara o telegrama, observou que era bom mudar a assinatura para Dona Benta de Oliveira, avó de Narizinho e Pedrinho e dona do Sítio do Picapau Amarelo, pois do contrário lá no Rio todos ficavam na mesma. Bentas de Oliveiras há muitas e "meus sítios" também há muitos.

Dona Benta concordou.

— Façam como quiserem, mas que o telegrama siga quanto antes. Chamem um camarada do Compadre Teodorico para levá-lo à cidade, no galope.

O telegrama foi passado naquele mesmo dia. Na manhã seguinte veio a resposta: "Seguem forças armadas sob comando detetive X B2".

Fazia dois meses que o governo se preocupava seriamente com o caso do rinoceronte fugido, havendo organizado o belo Departamento Nacional de Caça ao Rinoceronte, com um importante chefe geral do serviço, que ganhava três contos por mês e mais doze auxiliares com um conto e seiscentos cada um, afora grande número de datilógrafas e "encostados". Essa gente perderia o emprego se o animal fosse encontrado, de modo que o telegrama de Dona Benta os aborreceu bastante. Em todo caso, como outros telegramas recebidos de outros pontos do país haviam dado pistas falsas, tinham esperança de que o mesmo acontecesse com o telegrama de Dona Benta. Por isso vieram. Se tivessem a certeza de que o rinoceronte estava mesmo lá, não vinham!

Certa manhã, quando Tia Nastácia se levantou de madrugada e foi abrir a porta da rua, deu com o animalão a vinte passos de distância, olhando para a casa com os olhos miúdos. A negra teve um faniquito dos de cair desmaiada no chão. Ouvindo o baque de seu corpo, todos pularam da cama – e foi uma dificuldade fazê-la voltar a si. Desmaio de negra é dos mais rijos. Por fim acordou e, de olhos esbugalhados, disse, num fiozinho de voz:

— O canhoto já foi embora?

Ninguém sabia do que se tratava, porque ninguém ainda havia olhado para o terreiro.

— Que canhoto é esse? – indagou Dona Benta.

— O tal de um chifre só na testa – respondeu a negra. – Estava aí fora quando abri a porta...

Só então os meninos espiaram pela janela e viram que o rinoceronte estava de fato no terreiro. Mas quieto, de cara pacífica, sem mostra nenhuma de ânimo agressivo. Olhava para a casa com toda a atenção, como se entendesse de arquitetura rural – isto é, de arquitetura de casas da roça. Depois, mansamente, dirigiu-se à porteira e lá se deitou de atravessado.

— Pronto! – exclamou Narizinho. – Atravessou-se na porteira e quero ver agora quem entra ou sai. Estamos bloqueados...

A aflição de Dona Benta aumentou. Viu que de fato estavam com a saída do sítio bloqueada por aquele monstruoso animal que parecia não ter a mínima intenção de afastar-se dali.

Nesse momento viram um grupo de homens que se aproximavam.

— São eles! – gritou Cléu. – São os homens da polícia secreta que receberam nosso telegrama. Secretas a gente conhece de longe!...

E eram. Era o famoso grupo dos "Caçadores do Rinoceronte", que se formara logo em seguida à fuga do misterioso paquiderme e que vinha percorrendo o país inteiro em sua procura. Comandava-os o espertíssimo detetive X B2, que tinha lido todos os fascículos das *Aventuras de Sherlock Holmes* existentes nas livrarias. Esses homens traziam consigo numerosas armas e armadilhas próprias para caçar rinocerontes – mundéus desmontáveis, ratoeiras de gigantescas proporções, correntes de aço, um canhão-revólver e uma metralhadora. A única coisa que não traziam era intenção real de apanhar o monstro.

Assim que chegaram ao pasto do sítio e deram com o enorme paquiderme atravessado na porteira, começaram a discutir se atiravam ou não. Um queria que se empregasse o "mundéu desmontável". Outro queria que se armasse a "ratoeira gigante". Por fim o detetive X B2 decidiu empregar o canhão-revólver.

— Atirem – disse ele –, mas com pontaria que não venha prejudicar os nossos empregos – disse e piscou. O que todos queriam era passar toda a vida caçando aquele mamífero.

Mas a Emília, que tinha terríveis olhos de retrós, viu de longe a piscadela cavorteira e percebeu a manobra.

— Vão atirar e errar! – gritou ela muito contente, porque já estava criando amor ao "seu rinoceronte" e não queria que lhe estragassem o couro com um furo de bala; apenas admitia que o caçassem vivo.

Ao ouvir aquilo Dona Benta protestou.

— Então não quero! – disse ela. – Se esses homens não têm boa pontaria, as balas podem passar por cima do alvo e virem quebrar algum vidro das nossas vidraças. Não quero!...

E voltando-se para a Cléu, que tinha muito boa letra e sabia escrever com todos os ff e rr:

— Escreva uma carta ao chefe daqueles caçadores dizendo que não admito que atirem de lá para cá. O Visconde que leve a carta.

Cléu escreveu a carta sem um erro e pediu ao Visconde que a levasse. Como fosse pequenininho, o Visconde podia passar por trás do rinoceronte sem ser percebido – e ainda que fosse percebido e devorado não fazia mal, pois que era de sabugo e, havendo muitos sabugos no sítio, Tia Nastácia num momento fazia outro Visconde.

O nobre mensageiro nem se deu o trabalho de passar por trás do monstro. Subiu por cima dele como quem sobe um morro e desceu do outro lado sem ser percebido. Depois foi correndo entregar a carta. Chegou no instantinho em que o artilheiro ia disparar o canhão.

— Alto! – gritou o detetive X B2. – Deixe-me primeiro ler esta carta.

Leu a carta, elogiou a boa letra e depois disse aos seus homens.

— A dona da propriedade não quer saber de tiros daqui para lá. Diz que as balas poderão quebrar os vidros das suas vidraças. Acho que ela tem toda a razão.

— Nesse caso, que fazer? – perguntou o artilheiro.

— Temos de passar para o lado de lá. Podemos colocar o canhão e a metralhadora na escadinha da varanda. Desse modo, se houver balas perdidas, poderão apenas alcançar algum macaco na floresta, lá longe.

Muito bem. Mas como atravessar para o outro lado, com o canhão e a metralhadora, se a única passagem era pela porteira e o inimigo estava deitado ali de través? O problema tornava-se dos mais sérios. Requeria estudos. O detetive X B2 reconcentrou-se cheio de rugas na testa, a refletir. Refletiu e, depois de muito refletir, disse:

— Antes de mais nada, temos de construir uma linha telefônica que nos ponha em comunicação com a gente do sítio, a fim de que eu possa debater o caso com a senhora Dona Benta e agir de acordo com ela e os demais moradores. Assim, por meio de cartas, a coisa levará toda a vida. Não há como o telefone para as comunicações rápidas. Vou telegrafar para o Rio de Janeiro pedindo a remessa do material necessário para a construção de uma linha telefônica.

Resolvido isso, retiraram-se todos para a vila próxima, onde ficaram tocando violão e contando casos pândegos até que o material encomendado chegasse. Isso levou um mês. Mas afinal chegou, e o detetive deu ordem para que no dia seguinte os trabalhos fossem iniciados.

Na manhã do dia seguinte os moradores do sítio viram reaparecer no pasto os caçadores do governo, seguidos de uma turma de operários com rolos de arame, postes e mais coisas telefônicas. Nesse dia, porém, o rinoceronte falhou de vir deitar-se de atravessado na porteira, como era seu costume. O trânsito estava completamente livre.

— Ué! – exclamou o detetive X B2, muito admirado. – Para onde terá ido o malandro do rinoceronte?

Dirigiu-se à casa para falar com Dona Benta.

— Como foi isso, Dona Benta? – disse ele subindo à varanda. – Deixei o rinoceronte deitado na porteira e agora não encontro o menor sinal do bicho.

Dona Benta explicou tudo quanto sucedera durante as semanas em que eles estiveram tocando violão na vila. O rinoceronte adquirira o hábito de passar o dia na Figueira-Brava, só vindo deitar-se à porteira lá pelas três horas da tarde.

— Chega sempre a essa hora, deita-se e fica a cochilar até a noite – explicou a boa senhora. – É um animal bastante sistemático.

— Bem – disse o detetive –, nesse caso teremos toda a manhã livre para trabalharmos na construção da linha telefônica.

Dona Benta arregalou os olhos.

— Que linha telefônica é essa? – perguntou.

— A linha que resolvemos construir para ligar esta casa ao nosso acampamento.

Como naquele dia o rinoceronte estivesse atravessado na porteira, impedindo a passagem, eu não pude discutir com a senhora vários assuntos importantes. Tive então a excelente ideia de construir essa linha, com os fios passando por cima do "obstáculo".

Dona Benta admirou-se da complicação.

— Sim – disse ela –, mas já que o senhor pôde chegar até aqui, creio que a linha telefônica já não é mais necessária.

O detetive sorriu da ingenuidade da velha e explicou que o material já havia chegado e que portanto a linha ia ser construída. Terminou piscando o olho vermelho e dizendo:

— O Departamento Nacional de Caça ao Rinoceronte sabe o que faz, minha senhora.

— Pois façam lá como entenderem – concluiu Dona Benta. – Não entendo de tais serviços, nem quero entender. Aqui estamos nós para prestar aos senhores toda ajuda possível. O que quero é que o quanto antes me livrem desse animalão. Mas, meu caro senhor, esse negócio não está me parecendo sério...

O detetive sorriu indulgentemente e respondeu:

— É que a senhora não conhece as condições. Para nós é um negócio da maior importância, visto como dele tiramos o pão de cada dia...

Capítulo XI
Inaugura-se a linha

A linha telefônica foi construída com todo o luxo, como é de costume nas obras do governo. Os postes foram até pintados! Era a mais curta linha do mundo: com cem metros de comprimento e dois postes apenas, um no terreiro da casa e outro no acampamento dos caçadores. Um poste foi pintado de verde, outro de amarelo. No dia da inauguração, porém, aconteceu um fato imprevisto: o rinoceronte não veio deitar-se à porteira na hora do costume. Nem apareceu no dia seguinte, nem durante toda a semana. Os caçadores tiveram de armar barracas e ficar ali esperando pacientemente que ele se resolvesse a voltar.

Por que isso? Porque ficava sem jeito inaugurarem a linha sem o rinoceronte atravessado na porteira. Sem rinoceronte poderiam entrar de uma vez no terreiro e falar diretamente com a dona da casa. Mas precisavam justificar a construção da linha e por isso resolveram esperar que o monstro voltasse.

Vendo as coisas assim encrencadas, Emília resolveu intervir. Foi à Figueira-Brava pedir ao rinoceronte que não desapontasse a gente do governo e continuasse a ir dormir na porteira. Não se sabe de que argumentos a boneca usou; o que se sabe é que no dia seguinte, exatamente às três da tarde, o rinoceronte veio de novo, pachorrentamente, deitar-se de atravessado na porteira.

Houve vivas de entusiasmo no acampamento dos caçadores. Podiam enfim inaugurar a linha.

Trlin, trlin... soou na varanda a campainha do aparelho.

— Vá atender – disse Dona Benta ao Visconde, que estava cochilando por ali.

— Eu atendo – gritou Cléu, que tinha muita prática em falar ao telefone. E numa vozinha muito clara e espevitada atendeu: – Alô! Quem fala?

— Fala aqui o detetive X B2, chefe do Departamento Nacional de Caça ao Rinoceronte – respondeu uma voz grossa. – E quem está falando aí?

— Aqui fala Cléu, por ordem da proprietária da casa, Dona Benta Encerrabodes de Oliveira, avó de Narizinho, Pedrinho e Rabicó. Que deseja Vossa Rinocerôncia?

— Desejo participar à dona da casa que a linha telefônica está concluída e que agora podemos discutir as operações necessárias à caçada do rinoceronte, tendo o gosto de fazer que as nossas palavras passem bem por cima dele sem que o bruto perceba, ah! ah! ah!...

— Mas por que não discutiu isso durante a semana em que o rinoceronte andou sumido e a passagem pela porteira esteve completamente franca? Acho que Vossa Rinocerôncia perdeu um tempo precioso.

— Menina – respondeu meio ofendido o detetive X B2 –, não se meta no que não é da sua conta. O governo sabe o que faz. Quero falar com a dona da casa.

Cléu tapou com a mão o bocal do telefone e voltou-se para Dona Benta.

— Ele quer falar com a senhora mesma.

Mas a velha não estava pelos autos. Considerava aquela gente uma súcia de idiotas, um verdadeiro bando de exploradores.

— Diga-lhe que não me aborreça. Estou muito velha para andar servindo de instrumento a piratas.

Cléu deu o recado, com outras palavras para não ofender o governo, e então o detetive X B2 explicou que necessitava da autorização de Dona Benta para construir outra linha...

— Segunda linha telefônica? – indagou Cléu, admirada.

— Não, menina abelhuda. Agora será uma linha de transporte aéreo que nos permita levar para aí as nossas armas e bagagens. Só assim poderemos assestar o canhão-revólver e a metralhadora na escadinha da varanda, de modo a abrir fogo de barragem contra o inimigo, sem dano para os vidros das vidraças de Dona Benta.

— E foi só para pedir tal licença que os senhores levaram tanto tempo construindo esta linha telefônica? – perguntou Cléu, admiradíssima.

— Não discuta os nossos processos, menina impertinente – disse com cara feia o detetive X B2. – O governo sabe o que faz, torno a dizer.

Cléu tapou de novo a boca do aparelho enquanto consultava Dona Benta.

— Ele pede licença para construir uma nova linha – uma linha de cabos aéreos, como aquela do Pão de Açúcar...

Dona Benta respondeu que fizessem como entendessem e não a incomodassem mais.

Pedrinho estava assombrado da esperteza daqueles homens. Iam construir uma linha de cabos só para levar ao terreiro um canhãozinho e uma metralhadora!... Muitos rinocerontes já haviam sido caçados desde que o mundo é mundo, mas nenhum seria caçado tão caro e com tanta ciência como aquele. Apesar de nunca saídos daqui, tais homens bem que podiam mudar-se para a África, a fim de ensinar aos negros de Uganda como é que se caçam feras...

Tanto tempo levou a construção da linha de cabos aéreos que o rinoceronte se foi familiarizando não só com as pessoas do sítio, como ainda com o pelotão de caçadores. Várias vezes chegou até o acampamento, onde farejava com curiosidade o canhão-revólver e a metralhadora, sem saber para que serviam. Numa dessas vezes ajudou os construtores da linha a arrancarem um poste que fora fincado torto, trabalhando tal qual um elefante manso da Índia.

Emília tornara-se amiga íntima do animalão. Ia sempre à Figueira-Brava vê-lo pastar arbustos e com ele entretinha-se horas a ouvir casos da vida africana. Era um rinoceronte de boa paz, já velho, com a ferocidade nativa quebrada por longos anos de cativeiro no circo. Só queria uma coisa: sossego. Por isso fugira do circo e viera esconder-se ali no silêncio do Capoeirão dos Taquaruçus.

— Eles querem matar você – disse-lhe Emília certa manhã. – Trouxeram para esse fim um canhão-revólver e uma metralhadora.

O rinoceronte arrepiou-se todo. Jamais supusera que a atividade daqueles homens, e toda a trapalhada das linhas que andavam assentando, tivessem por fim dar cabo da sua vida.

— Mas por quê? – indagou em tom magoado. – Que mal fiz eu a essa gente?

— Nenhum, mas você é o que os homens chamam "caça" – e o que é caça deve ser caçado. Quando os homens encontram no seu caminho uma lebre, uma preazinha, um inambu, um pato-selvagem ou o que seja, ficam logo assanhadíssimos para matá-lo – só por isso, porque é caça. Mas você não tenha medo que não será caçado. Hei de dar um jeito.

— Que jeito?

— Não sei ainda. Vou ver. Mas não se incomode. Sou jeitosíssima! Dou um jeito de afugentar os homens e você ficará morando toda a vida neste sítio. Já temos em nosso bandinho um quadrúpede, o Marquês de Rabicó, que é leitão, conhece?

— Não tenho a honra.

— Pois é um senhor muito importante, apesar da sua covardia e gulodice (Emília não teve coragem de contar que Rabicó era seu marido). Tem quatro pés, como você, mas nem um pingo de chifre. Com mais um companheiro, e este de formidável chifre na testa, havemos de pintar o sete pelo mundo...

Emília estava radiante com a ideia de ver o rinoceronte incorporado à família de Dona Benta. Tia Nastácia é que iria ficar tonta de susto...

— E que tenho de fazer nesse bando? – perguntou o rinoceronte comovido com o oferecimento.

— Nada por enquanto. Mais tarde, veremos. O pelotão dos caçadores já está com a linha aérea pronta. Breve farão o transporte do canhão-revólver, da metralhadora e do resto. Vão assestar essas armas na escadinha da varanda.

— Devo então continuar a deitar-me na porteira, não é?

— Está claro. Para que eles possam utilizar-se da linha de cabos aéreos é indispensável que você esteja atravessado na porteira.

O rinoceronte não entendia aquilo.

— Mas por que já não transportaram esse tal canhão no tempo que passei sem ir deitar-me à porteira?

— Não sei – respondeu Emília, que de fato não sabia. – Dona Benta também não sabe, nem Cléu, que foi quem conversou com o detetive X B2 pelo telefone, nem

Narizinho, nem Pedrinho, nem o Visconde, nem Rabicó – ninguém sabe. Diz Cléu que são "coisas do governo", um puro mistério.

O rinoceronte ficou pensativo. Devia ser uma bem estranha criatura esse tal governo, que fazia coisas acima do entendimento até da Emília!

Às três da tarde apareceu o animalão no terreiro, indo deitar-se no seu lugarzinho do costume.

Grande alegria entre os caçadores. Podiam afinal fazer o transporte das armas e bagagens, e também de si próprios, utilizando-se da linha de cabos aéreos e em seguida dar começo ao ataque à fera. Um entusiasmadíssimo telegrama foi passado para o Rio, nestes termos: "Trabalhos linha aérea brilhantemente concluídos ponto iniciaremos hoje transporte armas e bagagens ponto vitória segura ponto saúde e fraternidade".

Os jornais publicaram a notícia com grandes elogios aos heroicos caçadores do rinoceronte, que tão bravamente arrostavam os maiores perigos a fim de limpar o solo da pátria daquele perigosíssimo animal. O detetive X B2 foi chamado "impertérrito", e outros lindos adjetivos que a imprensa só usa para homens de pulso e tremendos heróis do mais alto calibre. Choveram telegramas de parabéns pela beleza dos trabalhos realizados.

Às três da tarde, logo que o rinoceronte se atravessou na porteira, a linha de cabos foi posta a funcionar. Primeiro passou, pendurando em carretilhas, o canhão-revólver. Depois a metralhadora. Depois passaram as munições, a bagagem, as violas e por fim os caçadores

Dona Benta viu, com má cara, toda aquela gente encher o terreiro. Já andava enjoada deles e quando Tia Nastácia falou em lhes oferecer um café com bolinhos, não consentiu.

— Nada de comedorias – disse ela. – Do contrário esses heróis nunca mais me abandonam o sítio.

— É isso mesmo, Sinhá! – tornou a preta. – O meu cafezinho parece que tem visgo.

Enquanto os homens descansavam, um tanto desapontados de não aparecer o café com bolinhos, Emília foi secretamente à caixa de munições e trocou a pólvora que lá havia por farinha de mandioca. Em seguida mandou pelo Visconde um recado muito comprido ao rinoceronte, o qual terminava assim: – "... e quando eu soltar um assobio, você levanta-se e dá uma investida de rinoceronte selvagem contra esses homens".

— E se o rinoceronte errar e investir também contra algum de nós? – objetou com muita sabedoria o Visconde. – Porque aqui da casa ele só conhece você.

Emília refletiu um bocado. Depois:

— Diga-lhe para só chifrar os que não tiverem uma rodela de casca de laranja no peito.

Enquanto o Visconde dava o recado, Emília foi ao pomar com uma faca e trouxe meia dúzia de rodelas de casca de laranja, que colocou no peito de cada morador da casa sem perder tempo em explicar para que era. Só Tia Nastácia insistiu em saber as razões.

— Ah, não quer? – disse Emília. – Sua alma, sua palma. Depois não se queixe – e deixou-a sem rodela no peito.

Nisto soou a voz do detetive X B2, dirigida aos seus homens.

— Tudo pronto? – indagava ele.

— Tudo pronto! – responderam os perguntados.

— Então, fogo!

— Parem! Parem! Não ainda! – berrou Tia Nastácia lá de dentro. – Estou procurando algodão para botar nos meus ouvidos e nos de Dona Benta. Onde já se viu dar tiro de peça na escadinha da varanda sem a gente estar com um bom chumaço de algodão nos ouvidos? Credo!

Os artilheiros esperaram que os ouvidos das duas velhas ficassem perfeitamente enchumaçados. Depois, ouvindo de novo a ordem de "Fogo!", fecharam os olhos e bateram na espoleta.

A decepção foi completa. Em vez de um terrível bum! que atroasse os ares, o que saiu do canhãozinho foi pirão de farinha de mandioca. O grande tiro falhara da maneira mais vergonhosa. Nesse momento Emília, imitando Pedrinho, meteu dois dedos na boca e tirou um assobio agudíssimo.

O rinoceronte ouviu lá longe. Levantou-se de cara feia e veio, que nem uma avalancha de carne, contra os seus perseguidores.

Soou um berro de pânico, misturado com a ordem do detetive X B2 de "salve-se quem puder". Todos puderam, porque todos se salvaram, como veados, pelos fundos do quintal, imperterritamente. Naquela velocidade, em menos de uma hora estariam no Rio de Janeiro.

Ao alcançar a escadinha, o rinoceronte não encontrou um só inimigo, isto é, uma só pessoa sem rodela de casca de laranja no peito. Minto. Encontrou uma: Tia Nastácia, e ao vê-la sem rodela pensou que fosse cozinheira da gente do governo. Abaixou a cabeça e investiu. A pobre preta mal teve tempo de trancar-se na despensa, onde fez, no escuro, mais pelos-sinais do que em todo o resto de sua vida.

— Toma! – gritou a diabinha da Emília. – Quis ser muito sabida, não é? Pois toma...

Capítulo XII
RINOCERONTE FAMILIAR

A vida no sítio mudou depois da entrada do rinoceronte para o bando. No começo Narizinho e Pedrinho não podiam esconder certo medo. Quanto a Dona Benta e Tia Nastácia, isso nem é bom falar. Tremiam de pavor sempre que à tarde, conforme seu costume, o paquiderme vinha da Figueira-Brava postar-se no terreiro para longas prosas com a Emília. Nem espiar pela janela espiavam, as coitadas. Mas os meninos espiavam. Regalavam-se de espiar.

O rinoceronte vinha e dava um bufo. Emília e o Visconde largavam *incontinenti* o que estivessem fazendo e iam na volada ao encontro dele, para ouvirem histórias da África. Depois se punham os três a brincar de esconde-esconde, de chicote-queimado, de pegador. Emília logo inventou jeito de montar a cavalo no chifre dele para passear pelo terreiro. O Visconde puxava o monstruoso paquiderme por uma cordinha atada à orelha.

— Que danada esta Emília! – dizia Narizinho lá da sua janela com uma inveja louca de fazer o mesmo. – Não tem medo de coisa nenhuma...

— Grande milagre! – retorquia Pedrinho com uma ponta de inveja. – Se eu fosse de pano, como ela, até em três rinocerontes montava ao mesmo tempo.

–Não sei, não sei, Pedrinho – intervinha a Cléu, fazendo cara de dúvida. – Emília é mesmo uma exceção completa. Isso de não ter medo me parece o de menos. O que me assombra é o jeito que ela tem para tudo. Repare que neste caso do rinoceronte foi quem fez sempre o primeiro papel. Foi quem o descobriu, foi quem o amansou, foi quem passou a perna nos caçadores e os botou daqui para fora a fugirem como veados. Ora, isso é muito para uma boneca, não acha?

Pedrinho, que estava namorando a Cléu, não teve remédio senão achar que sim.

Numa dessas vezes Tia Nastácia criou coragem e entreabriu muito devagarinho a janela. Espiou pela fresta.

— Nossa Senhora da Aparecida! – exclamou com os olhos pulando da cara. – Venha ver, Sinhá! A Emília a cavalo no tal boi de um chifre só e o Visconde puxando ele por uma cordinha, como se fosse a coisa mais natural do mundo! Credo!...

Dona Benta espiou e também assombrou-se:

— Realmente! Para mim a Emília é alguma fadinha que anda pelo mundo disfarçada em boneca de pano. Passear a cavalo num rinoceronte! Vá a gente contar isso lá fora – ninguém acredita, nem pode acreditar...

— E o Visconde, Sinhá, repare o jeitinho dele, puxando o boi.

— Não é boi, Nastácia, é ri-no-ce-ron-te – emendou Dona Benta.

— Para mim é boi – insistiu a negra. – Não sei dizer esse nome tão comprido e feio. Estou velha demais para decorar palavras estrangeiras. Mas repare no Visconde, Sinhá. Puxa o boi da África como se estivesse puxando um boizinho de chuchu, daqueles que Seu Pedrinho costuma fazer...

E as duas ficavam de boca aberta, admirando aqueles assombros.

Um dia Narizinho gritou lá da sua janela:

— Emília, estou com vontade de perder o medo e montar nele também. Que acha?

— Pois venha, boba! Não há bicho mais manso que este. A *História natural* de Dona Benta está errada. Não vê como faço dele gato e sapato?

— Sim, mas você é de pano e eu não. Sou de carne...

— Por dentro; por fora é de pano como eu – os vestidos. Faça de conta que é de pano inteirinha e venha. Ele tem reparado muito na sua ausência, está até sentido. Venha e diga a Pedrinho e Cléu que venham também.

Narizinho, Pedrinho e Cléu entreolharam-se com uma vontade louca de aceitar o convite.

— Vamos? – propôs Narizinho, já meio decidida.

— Vamos! – responderam os outros corajosamente.

Minutos depois estavam os três repimpados no lombo do rinoceronte.

— Falta Rabicó! – berrou a Emília. E pôs-se a chamar: – Rabicó! Rabicó! Não seja bobo, venha também!...

Mas Rabicó estava a duzentos metros dali, no pasto, espiando a cena por detrás de um cupim. Não vê que ia!

As brincadeiras com o rinoceronte repetiam-se diariamente, por horas. Além das passeatas, inventaram novas coisas, como, por exemplo, fazê-lo puxar o carrinho de cabrito, com um passageiro de cada vez porque não cabiam dois. Ora ia Narizinho, ora o menino, ora a Cléu. Emília nunca deixava o seu posto no chifrão do monstro. Aquele lugar era dela só.

Um dia Tia Nastácia não resistiu. Foi para o terreiro ver de perto a brincadeira. Quando virou o rosto, viu Dona Benta que vinha vindo. Dona Benta também não resistira à tentação.

Os meninos fizeram-lhes uma grande festa.

— Ora graças que se estão civilizando! – berrou Narizinho. – Viva vovó! Viva Tia Nastácia!

Nisto Cléu, que estava dentro do carrinho, pulou fora e disse:

— Chegou sua vez, Dona Benta. Suba!

Era um despropósito aquilo, coisa para desmoralizar a boa velha para o resto da vida. Apesar disso a tentação foi forte e, como Cléu a ia empurrando, Dona Benta de súbito decidiu-se. Ajuntou a saia e, sem olhar para Tia Nastácia (de vergonha), subiu ao carrinho.

— Viva! Viva vovó! – berraram do alto do paquiderme os meninos. – Toca, Emília! Puxa, Visconde!

Emília deu no rinoceronte com o seu chicotinho e o Visconde o puxou quatro vezes até a porteira, ida e volta. Se houvesse por ali um aparelho de cinema podia ser tirada a melhor fita do mundo...

Nesse ponto da brincadeira, porém, aconteceu uma atrapalhada. Dois homens a cavalo surgiram na estrada. Mais que depressa Dona Benta pulou fora do carrinho e correu para a varanda.

Os homens pararam na porteira e pediram licença para entrar. Entraram. Apearam-se. Dirigiram-se para a varanda.

— Desejamos falar com a dona da casa – disseram.

Dona Benta adiantou-se.

— Sou eu a dona da casa. Que é que Vossas Senhorias desejam?

Um dos homens era alemão. O outro, brasileiro. Foi esse quem falou:

— Minha senhora – disse ele –, quero apresentar a Vossa Excelência o Senhor Fritz Müller, proprietário do circo de cavalinhos que está no Rio de Janeiro. O Senhor Müller é dono de um rinoceronte que fugiu de lá faz uns meses. Depois de longas pesquisas descobriu que o animal estava escondido aqui e veio comigo reclamá-lo. Sou seu advogado.

O rinoceronte reconheceu o Senhor Müller e pendurou o focinho, muito triste, já sem vontade de brincar.

— Que é que há? – perguntou-lhe a boneca ao ouvido.

— Aquele homem louro é o meu dono – respondeu o paquiderme – e veio buscar-me. Estou triste porque gosto muito mais daqui do que do circo...

Emília abespinhou-se toda, lançando um olhar terrível para os dois intrusos. Refletiu uns instantes e depois disse ao animalão:

— Não se aborreça. Darei um jeito de esses piratas fugirem daqui ainda mais depressa que os caçadores – disse e desceu, dirigindo-se para a varanda, onde ficou atrás de uma cadeira escutando a conversa dos homens com a velha.

— Pois não haja dúvida – dizia Dona Benta. – Se o animal é seu, pode levá-lo, apesar de que está muito acostumado aqui e não nos incomoda em nada.

— Está bem – disse o alemão. – Vou levá-lo já.

Ao ouvir tais palavras Emília não se conteve. Pulou de trás da cadeira, plantou-se diante do homem, de mãozinhas na cintura, e disse:

— A coisa não vai assim, meu caro senhor! Não basta ir dizendo que o rinoceronte é seu. Tem que provar que é seu, sabe?

O alemão ficou espantadíssimo daquele prodígio: uma bonequinha falando, e falando daquele jeito, com tal arrogância.

— Quem é esta senhorrita? – perguntou ele a Dona Benta.

— Pois é a Emília, Marquesa de Rabicó, nunca ouviu falar dela? Foi ela quem descobriu o rinoceronte no Capoeirão dos Taquaruçus. Depois vendeu a Pedrinho. Depois o amansou e agora passa o dia a brincar com ele.

O alemão estava cada vez mais assombrado. Apesar de ser homem vivido e de ter corrido o mundo inteiro com o seu circo, jamais observara fenômeno igual: uma bonequinha tão pernóstica. Quis continuar a falar e não pôde. Estava engasgado. Quem falou dali por diante foi o seu companheiro.

— Sim, sim, minha senhorinha – disse este –, o rinoceronte pertence aqui ao meu amigo Müller, que o vem reclamar. Vejo que tanto a senhorinha como os outros meninos já estão acostumados com o paquiderme. Infelizmente somos obrigados a levá-lo para o circo.

Emília empertigou-se mais ainda.

— Vamos por partes – disse ela. – Antes de mais nada, quero que o senhor me prove que ali o Senhor Müller é mesmo o dono deste rinoceronte. Exijo provas, sabe? Eu não uso anel de advogado no dedo, mas acho que em direito o que vale são as provas.

Foi a vez de o advogado abrir a boca, de espanto. A tal bonequinha sabia discutir como um perfeito rábula.

— Toda gente deste país sabe que o rinoceronte pertence ao Senhor Müller – disse ele. – Os jornais deram mil notícias a respeito de sua fuga e da busca que os homens do detetive X B2 andaram fazendo pelo Brasil inteiro. É um fato de domínio público

— Perfeitamente – replicou Emília. – Não nego que esse cara de cavalo melado...

— Emília! – repreendeu Dona Benta. – Mais modos, hem?...

— ... seja dono de um rinoceronte. Mas quero que prove que o rinoceronte dele é este, está entendendo?

O advogado deu uma risadinha amarela.

— Muito fácil provar, bonequinha. No Brasil não há rinocerontes. O Senhor Müller foi o primeiro homem que trouxe um para cá. Esse um fugiu. Em seguida aparece este rinoceronte por aqui. Logo, o presente rinoceronte é o mesmo rinoceronte do referido Senhor Müller.

— Isso nunca foi prova, nem aqui nem na casa do diabo – contestou Emília. – Quero prova de verdade. Alguma marca, algum sinal de nascença.

— A marca é aquele chifre único que ele trem na testa – disse o advogado piscando o olho, como se Emília não soubesse que todos os rinocerontes daquela espécie possuem sempre um chifre só.

Emília não respondeu. Achou um grande desaforo querer aquele idiota fazê-la de boba. Em vez de responder disse apenas:

— Espere aí.

O advogado esperou, com um sorriso nos lábios, certo de que a tinha vencido na argumentação. Enquanto esperava, ia trocando olhares velhacos com o Senhor Müller.

Emília foi mexer nos guardados de Pedrinho e trouxe uma pitada de pó de pirlimpimpim num pires.

— Vamos resolver esta questão de um outro modo – disse ela ao voltar. – Tenho aqui este tabaco, que vou dividir em duas porções. O senhor toma uma pitada e ali o "cara melada"...

— Emília!... – respondeu de novo dona Benta.

— ... toma outra. Se não espirrarem, é que o rinoceronte é o mesmo que andam procurando.

O advogado e o alemão acharam muita graça naquilo e sem desconfiança alguma resolveram tomar a pitada de pó de pirlimpimpim, certos de que não espirrariam. Era dose pequena demais para fazer espirrar dois homões como eles, acostumados ao fumo forte. Tomaram a pitada, sorridentes e... *fiunn!* – ninguém soube onde foram parar! Sumiram-se no espaço...

A vitória da Emília foi saudada com berros e palmas. Até o rinoceronte aplaudiu com urros, contentíssimo do feliz desfecho do incidente.

Dona Benta deu um suspiro de alívio e voltou ao terreiro. Queria continuar o seu passeio no carrinho. Mas não pôde. Tia Nastácia já estava escarrapachada dentro dele.

— Tenha paciência – dizia a boa criatura. – Agora chegou minha vez. Negro também é gente, Sinhá...

IMAGINÁRIO

VIAGEM AO CÉU

Capítulo I
O MÊS DE ABRIL

Era em abril, o mês do dia de anos de Pedrinho e por todos considerado o melhor mês do ano. Por quê? Porque não é frio nem quente e não é mês das águas nem de seca — tudo na conta certa! E por causa disso inventaram lá no Sítio do Pica-Pau Amarelo uma grande novidade: as férias-de-lagarto.

— Que história é essa?

Uma história muito interessante. Já que o mês de abril é o mais agradável de todos, escolheram-no para o grande "repouso anual" — o mês inteiro sem fazer nada, parados, cochilando como *lagarto ao sol*! Sem fazer nada é um modo de dizer, pois que eles ficavam fazendo uma coisa agradabilíssima: *vivendo*! Só isso. Gozando o prazer de viver...

— Sim — dizia Dona Benta — porque a maior parte da vida nós a passamos entretidos em tanta coisa, a fazer isto e aquilo, a pular daqui para ali, que não temos tempo de gozar o prazer de viver. Vamos vivendo sem prestar atenção na vida e, portanto, sem gozar o prazer de viver à moda dos lagartos. Já repararam como os lagartos ficam horas e horas imóveis ao sol, de olhos fechados, vivendo, gozando o prazer de viver — só, sem mistura?

E era muito engraçada a organização que davam ao mês de abril lá no sítio. Com antecedência resolviam todos os casos que tinham de ser resolvidos, acumulavam coisas de comer das que não precisam de fogão — queijo, fruta, biscoitos, etc., botavam um letreiro na porteira do pasto:

A FAMÍLIA ESTÁ AUSENTE. SÓ VOLTA NO COMEÇO DE MAIO.

E depois de tudo muito bem arrumado e pensado, caíam no repouso.

Era proibido fazer qualquer coisa. Era proibido até pensar. Os cérebros tinham de ficar numa modorra gostosa. Todos vivendo — só isso! *Vivendo biologicamente*, como dizia o Visconde.

Mas a necessidade de agitação é muito forte nas crianças, de modo que aqueles "abris-de-lagarto" tinham duração muito curta. Para Emília, a mais irrequieta de todos, duravam no máximo dois dias. Era ela sempre o primeiro lagarto a acordar e correr para o terreiro a fim de "desenferrujar as pernas". Depois vinha fazer cócegas com uma flor de capim nas ventas de Narizinho e Pedrinho — e esses dois lagartos também se espreguiçavam e iam desenferrujar as pernas.

No abril daquele ano o Visconde não pôde tomar parte no repouso por uma razão muito séria: porque já não existia. Dele só restava um "toco", aquele toco que a boneca recolhera na praia depois do drama descrito na última parte das *Reinações de Narizinho*.

Mas era preciso que o Visconde existisse! O sítio ficava muito desenxabido sem ele. Todos viviam a recordá-lo com saudades, até o Burro Falante, até o Quindim. Só não se lembrava dele o Rabicó, o qual só tinha saudades das abóboras e mandiocas que por qualquer motivo não pudera comer. E como era preciso que o

Visconde ressuscitasse, na segunda manhã daquele belo mês de abril, Emília, depois de um grande suspiro, resolveu ressuscitá-lo.

Emília estava no repouso, como os outros, no momento em que o grande suspiro veio. Imediatamente levantou-se e foi para aquele canto da sala onde guardava os seus "*bilongues*"; abriu a famosa canastrinha e de dentro tirou um embrulho em papel de seda roxo. Desfazendo o embrulho, apareceu um toco de sabugo muito feio, depenado das perninhas e braços, esverdeado de bolor. Eram os restos mortais do Visconde de Sabugosa! Emília olhou bem para aquilo, suspirou profundamente e, segurando-o como quem segura vela na procissão, foi em procura dos meninos.

Narizinho e Pedrinho estavam no pomar, debaixo dum pé de laranja-lima, apostando quem "pelava laranja sem ferir", isto é, quem tirava toda a película branca sem romper os "casulos que guardam as garrafinhas de caldo" — isto é, gomos.

— Está aqui o sagrado toco do Visconde — disse Emília, aproximando-se e sempre a segurar o pedaço de sabugo com as duas mãos. — Vou pedir a Tia Nastácia que bote as perninhas, os braços e a cabeça que faltam.

— Hoje? Que ideia! — exclamou a menina.

— Hoje, sim — afirmou Emília. — Tia Nastácia está "lagarteando", mas negra velha não tem direito de repousar.

Narizinho encarou-a com olhos de censura.

— Malvada! Quem neste sítio tem mais direito de descansar do que ela, que é justamente quem trabalha mais? Então negra velha não é gente? Coitada! Ela entrou no lagarto ontem. Espere ao menos mais uns dias.

— Não. Há de ser hoje mesmo, porque estou com um nó na garganta de tantas saudades desta peste — teimou Emília com os olhos no toco. — E fazer um Visconde novo não é nenhum trabalho para ela — é até divertimento. A diaba tem tanta prática que mesmo de olhos fechados, dormindo, arruma este.

E deixando os dois meninos ocupados na aposta de pelar laranjas sem feri-las, lá se dirigiu para o quarto da boa negra, com o toco seguro nas duas mãos, como um círio bento.

Capítulo II
O Visconde novo

Em virtude da lembrança da Marquesa, a grande novidade daquele dia foi o reaparecimento do Visconde de Sabugosa.

Os leitores destas histórias devem estar lembrados do que aconteceu ao pobre sábio naquele célebre passeio ao País das Fábulas, quando o Pássaro Roca ergueu nos ares o Burro Falante e o Visconde. Os viajantes haviam se abrigado debaixo da imensa ave julgando que fosse um enormíssimo jequitibá de tronco duplo — troncos inconhos. Tudo porque o Pássaro Roca estava imóvel, dormindo de pé! Mas quando a imensa ave acordou e levantou o voo, lá se foi pelos ares o pobre burro pendurado pelo cabresto, e agarrado ao burro, lá se foi o pobre Visconde.

Na maior das aflições, Pedrinho teve uma boa ideia: correr ao castelo próximo em procura do Barão de Münchausen. Só o Barão, o melhor atirador do mundo, poderia com uma bala cortar o cabresto do burro. Pedrinho sabia que o Barão já fizera uma coisa assim naquela viagem em que, alcançado pela noite num grande campo de neve, apeou-se para dormir e amarrou o cavalo a um galo de ferro que viu no chão — o único objeto que aparecia no campo de gelo. Na manhã seguinte, com grande surpresa sua e de toda gente, acordou na praça pública duma cidadezinha, e erguendo os olhos viu no alto da torre da igreja, atado ao galo de ferro, o seu cavalo de sela! Compreendeu tudo. É que na véspera, quando chegou àquele ponto e parou para dormir, a neve havia coberto totalmente a cidadezinha, só deixando de fora o galo da torre da igreja... E ele então tomou da espingarda, apontou para as rédeas do cavalo pendurado e *pum!*, cortou-as com uma bala. O cavalo caiu sem se machucar. O Barão montou e lá seguiu viagem, muito contente da vida.

Ao ver o Burro Falante pendurado pelo cabresto a uma das pernas do Pássaro Roca, Pedrinho lembrou-se dessa história e correu a pedir socorro ao Barão, o qual morava num castelo próximo.

O Barão veio e com um tiro certeiríssimo resolveu o caso: cortou o cabresto do burro, sem ferir nem a ele nem ao Pássaro Roca. E o pobre burro, sempre com o Visconde a ele agarrado, caiu no mar, donde foi salvo por Pedrinho — mas o Visconde morreu duma vez. Emília encontrou-o lançado à praia pelas ondas, sem cartolinha na cabeça, depenado dos braços e das pernas, salgadinho, todo roído pelos peixes — e guardou aquele toco em sua canastrinha com a ideia de um dia restaurá-lo.

E esse dia afinal chegou, naquele "descanso-de-lagarto" do mês de abril. Emília lá estava no quarto de Tia Nastácia, insistindo com a boa negra.

Tia Nastácia arrenegava, dizia que era o mês do repouso, etc., etc. — mas quando Emília tinha uma coisa na cabeça era pior que sarna. Tanto amolou que a negra, depois de muito resmungo, resolveu acabar com aquilo — e o meio de acabar com aquilo era um só: satisfazer o desejo da boneca.

— Está bom, diabinha, faço, faço. Que remédio? Não sei por quem puxou esse gênio de sarna. A gente está descansando da trabalheira e a malvadinha aparece com as encomendas... Dê cá o toco.

Emília entregou-lhe o toco do Visconde. A negra olhou bem para aquilo e riu-se com toda a gengivada vermelha.

— Che, não dá jeito! Isto nem toco é mais — é toco de toco. Melhor botar fora e fazer um Visconde completamente novo, dum sabugo fresco lá do paiol.

— Botar fora!... — repetiu Emília com indignação. — Fique sabendo que isto são os sagrados restos mortais do Visconde. Vou fazer um enterro, como se faz com os defuntos.

Tia Nastácia estava com preguiça de discutir.

— Pois enterre lá o seu defunto enquanto eu faço um Visconde novo — e encaminhou-se para o paiol de milho enquanto a boneca se dirigia para a horta. Por que a horta? Porque no fofo dos canteiros da horta era mais fácil abrir um buraco. E lá no canteiro das alfaces Emília enterrou os restos mortais do Visconde, pensando consigo: "Quem comer salada destas alfaces vai ficar sábio sem saber como nem por quê...".

No paiol, Tia Nastácia debulhou uma bela espiga de milho vermelho para obter um sabugo novo, e teve a luminosa ideia de deixar uma fileira de grãos, de alto a baixo, a fim de servirem de botões. Também teve a ideia de trançar as palhinhas do pescoço em forma de "barba inglesa", isto é, repartida em duas pontas. E como o sabugo era vermelho, ou ruivo, saiu um Visconde muito diferente do primeiro, que era de sabugo de milho branco.

Depois de arrumá-lo muito bem, com duas compridas pernas, dois belos braços e cartolinha nova na cabeça, foi mostrá-lo aos meninos.

Emília torceu o nariz. "Está falsificado. Não presta." Mas Pedrinho aprovou: "Está ótimo, embora pareça mais um banqueiro inglês do que um sábio da Grécia".

— E que nos adianta banqueiro aqui? — observou Narizinho. — Melhor transformá-lo em explorador africano, como aquele Doutor Livingstone de que vovó tanto fala, o tal que andou anos e anos pelo centro da África procurando as origens do Nilo. Basta trocar essa cartola por um chapéu de cortiça com fitinha pendurada e vesti-lo dum fraque de xadrez. Eu tenho um retalho que serve, daquele meu vestido de escocês.

A ideia agradou a Emília. "Sim, serve. Um explorador africano será excelente aqui — para procurar objetos perdidos. Arranjaremos diversas origens para ele procurar."

E foi desse modo que surgiu no Sítio do Pica-Pau Amarelo aquele grave personagem de fraque de xadrez, botões de milho no peito e chapéu de cortiça com fitinha caída atrás.

Mas o Doutor Livingstone veio ao mundo com um defeito: era sério demais. Não ria, não brincava — sempre pensando, pensando. Tão sério e grave que Tia Nastácia não escondia o medo que tinha dele. Não o tratava como aos demais do sítio. Só lhe dava de "senhor doutor"; e depois que Narizinho lhe disse muito em segredo que o Doutor Livingstone era protestante, a pobre preta não passava perto dele sem fazer um pelo-sinal disfarçado e murmurar baixinho: "Credo!"

— Mas será mesmo protestante, menina?

— É, sim, Nastácia. Tanto que já arranjou a bibliazinha que vive lendo.

A negra derrubou um grande beiço. Depois olhou para suas mãos cheias de calos e disse:

— Este mundo é um mistério!... Quando me lembro que estas mãos já fizeram uma bonequinha falante, e depois o tal "irmão de Pinóquio", e depois um visconde que sabia tudo e agora acaba de fazer um protestante, até sinto um frio na pacuera. Credo! Deus que me perdoe...

Na primeira semana de sua vida aconteceu com o Doutor Livingstone uma tragédia que muito consternou a todos da casa. Estava ele certa tarde lendo a sua bibliazinha no quintal, quando um frangote veio vindo. O sábio fechou a Bíblia e dirigiu algumas palavras em inglês ao frango, visto como era um frango *leghorn*, descendente dum galo vindo dos Estados Unidos e que, portanto, devia entender alguma coisa da língua de seus avós. O frango, porém, nada entendeu (ou fingiu que não entendeu); aproximou-se mais e mais, virando a cabecinha como fazem as aves quando descobrem petisco. É que tinha enxergado os lindos "botões" vermelhos do peito do inglês...

— *Do you like my buttons*? — perguntou com a maior ingenuidade o sabugo, como quem diz: "Está gostando dos meus botões?" Mas em vez de responder e elogiar a beleza daqueles botões, sabem o que o frango fez? Avançou de bicadas contra o pobre sabugo e comeu-lhe cinco botões, um depois do outro! Os berros do Doutor Livingstone atraíram a atenção de Nastácia, que veio correndo com a vassoura e tocou o frango a tempo de salvar o resto dos botões. Como fossem treze, ainda ficaram oito — mas falhados. O maldito frango tinha desfeito a obra-prima de Tia Nastácia...

— Deixa estar, mal-educado! — berrou ela furiosa. — Assim que crescer mais, eu te pego e prego na caçarola — e o senhor doutor aqui há de comer a moela. Desrespeitar desse modo uma criatura de tanta sabedoria, que não faz mal a ninguém e vive quieto no seu canto lendo a sua Bíblia! É ser muito sem compreensão das coisas... Credo! — E Tia Nastácia deu um tapa na boca porque achava inconveniente pronunciar essa palavra perto dum protestante.

Desde esse dia o Doutor Livingstone ganhou um medo horrível às aves. Bastava que uma galinha cacarejasse no terreiro, ou um galo cantasse lá longe, para que o seu coraçãozinho batesse apressado, enquanto, com mãos trêmulas, ele fechava o fraque de xadrez em defesa dos oito botões restantes.

— Vejam — disse um dia Pedrinho. — Este nosso Doutor Livingstone tem cara de não ter medo de leão, nem de rinoceronte, nem de leopardo, nem de nenhuma fera africana. Mas a gente percebe que tem um medo horrível de qualquer ave das que não sejam de rapina. Sendo de rapina, isto é, das que só comem carne, ele não dá importância, nem que seja um monstruoso condor dos Andes. Mas se é ave das que comem milho, ah, o medo dele é como o de vovó com as baratas. Se vê uma galinha, empalidece; e quando um galo canta, o seu coraçãozinho pula dentro do peito como um cabritinho novo...

Capítulo III
As estrelas

Com o reaparecimento do Visconde, agora transformado em Doutor Livingstone, a vida do sítio voltou a ser a mesma de outrora. Acabaram-se os suspiros de saudades, mas o Visconde ficou sendo duas coisas: Visconde e Doutor Livingstone. Todos o tratavam ora dum jeito, ora de outro — como saía.

Numa das noites daquele mês de abril estava Dona Benta na sua cadeira de balanço, lá na varanda, com os olhos no céu cheio de estrelas. A criançada também se reunira ali. Pedrinho, de cócoras no último degrau da escada, abria com a ponta do canivete um furo no seu pião novo de brejaúva. Diante dele o Doutor Livingstone seguia o trabalho com a maior atenção.

— Vai ser uma caviúna batuta! — exclamou o menino. — Se este piãozinho não assobiar que nem um saci, perco até o meu canivete.

— Que quer dizer caviúna? — perguntou o novo Visconde.

— É por causa da cor preta — respondeu Pedrinho, — Aquela madeira caviúna, ou cabiúna, tem exatinha esta cor de brejaúva madura. Há brejaúva, ou brejaúba, lá na sua África?

— Não há coco que não haja no continente africano — respondeu o Doutor Livingstone — mas por que essa história de caviúna ou cabiúna, brejaúva ou brejaúba? Que preocupação é essa?

Pedrinho riu-se.

— É que o tal "b" e o tal "v" parecem que são uma e a mesma coisa. As palavras com "b" ou "v" ora aparecem dum jeito, ora de outro. Tudo que aqui dizemos com "b", os portugueses lá em Portugal dizem com "v", e vice-versa; e aqui mesmo há um colosso de palavras que a gente diz com "b" ou "v", à vontade — como essas duas.

Dona Benta continuava com os olhos nas estrelas. Súbito, Narizinho, que estava em outro degrau da escada fazendo tricô, deu um berro.

— Vovó, Emília está botando a língua para mim!

Mas Dona Benta não ouviu. Não tirava os olhos das estrelas. Estranhando aquilo, os meninos foram se aproximando. Ficaram também a olhar para o céu, em procura do que estava prendendo a atenção da boa velha.

— Que é, vovó, que a senhora está vendo lá em cima? Eu não estou enxergando nada — disse Pedrinho.

Dona Benta não pôde deixar de rir-se. Pôs nele os olhos, puxou-o para o seu colo e falou:

— Não está vendo nada, meu filho? Então olha para o céu estrelado e não vê nada?

— Só vejo estrelinhas — murmurou o menino.

— E acha pouco, meu filho? Você vê uma metade do universo e acha pouco? Pois saiba que os astrônomos passam a vida inteira estudando as maravilhas que há nesse céu em que você só vê estrelinhas. É que eles sabem e você não sabe. Eles sabem ler o que está escrito no céu — e você nem desconfia que haja um milhão de coisas escritas no céu...

— Desconfio sim, vovó, mas fico nisso. Sou muito bobinho ainda.

— Bobinho como todos os grandes astrônomos na sua idade, meu filho. Os maiores sábios do mundo foram bobinhos como você, quando crianças — mas ficaram sábios com a idade, o estudo e a meditação.

Narizinho interrompeu o tricô para perguntar:

— Fala-se muito em sábio aqui neste sítio, mas eu não sei, bem, bem, o que é. Conte, vovó — e retomou o tricô.

Dona Benta, quando tinha de dar uma explicação difícil, tomava um fôlego comprido, engolia em seco e às vezes até se assoprava resignadamente. Mas não falhava.

— Os sábios, menina, são os puxa-filas da humanidade. A humanidade é um rebanho imenso de carneiros tangidos pelos pastores, os quais metem a chibata nos que não andam como eles pastores querem e tosam-lhes a lã e tiram-lhes o leite, e os vão tocando para onde convém a eles pastores. E isso é assim por causa da extrema ignorância ou estupidez dos carneiros. Mas entre os carneiros às vezes aparecem alguns de mais inteligência, os quais aprendem mil coisas, adivinham outras, e depois ensinam à carneirada o que aprenderam — e desse modo vão botando um pouco de luz dentro da escuridão daquelas cabeças. São os sábios.

— E os pastores deixam, vovó, que esses sábios descarneirem a carneirada estúpida? — perguntou Pedrinho.

— Antigamente os pastores tudo faziam para manter a carneirada na doce paz da ignorância, e para isso perseguiam os sábios, matavam-nos, queimavam-nos em fogueiras — um horror, meu filho! Um dos maiores sábios do mundo foi Galileu, o inventor da luneta astronômica, graças à qual afirmou que a Terra girava em redor do Sol. Pois os pastores da época obrigaram esse carneiro sábio a engolir a sua ciência.

— Por quê, vovó?

— Porque a eles pastores convinha que a Terra fosse fixa e centro do universo, com tudo girando em redor dela.

— Mas por que queriam isso?

— Para não serem desmentidos, meu filho. Como os pastores sempre haviam afirmado que era assim, se os carneiros descobrissem que não era assim, eles pastores ficariam desmoralizados.

— Ficariam com caras de grandes burros, que é o que eles são — berrou Emília indignada.

Dona Benta suspirou.

— Ah, meus filhos, eu até nem gosto de pensar no que os sábios têm sofrido pelos séculos afora... Aquela coitadinha da Hipácia, por exemplo...

— Quem era ela, vovó? — quis saber a menina.

— Hipácia foi uma sábia grega nascida em Alexandria no ano 370. Não só muito culta, como de grande beleza. O pai educou-a muito bem e depois mandou-a aperfeiçoar-se em Atenas, que era a Paris do mundo antigo. De volta a Alexandria, Hipácia abriu uma escola onde ensinava as grandes ideias de Sócrates e Platão. Tornou-se queridíssima do povo, sobre o qual derramava ondas de sabedoria. Pois sabe o que aconteceu com a coitada?

— Casou-se e... — ia dizendo a Emília, mas Narizinho tapou-lhe a boca. — Que foi, vovó?

— Mataram-na! Um grupo de capangas, instigados por um tal Bispo Grilo, atacou-a na rua, matou-a e esquartejou-a.

Os quatro coraçõezinhos ali presentes pulsaram de indignação. Dona Benta continuou:

— E a Sócrates, que foi um dos maiores iluminadores da ignorância dos carneiros, os pastores da época obrigaram-no a beber cicuta, um veneno horrível. E Giordano Bruno? Ah, este foi queimado vivo numa fogueira, no ano 1600 — sabem por quê? Porque era um verdadeiro sábio e estava iluminando demais a escuridão dos carneiros.

— Queimado vivo! — repetiu Narizinho com cara de horror. — Eu nem consigo imaginar o que isso possa ser. Outro dia queimei o dedo na chapa do fogão — e doeu tanto, tanto... Imagine-se agora uma fogueira queimando a gente inteira — a pele, os olhos, o nariz, as orelhas, as mãos, tudo, tudo... — e a menina tapou a cara como para não ver a cena.

Dona Benta deu um suspiro.

— Pois, minha filha, contam-se por centenas de milhares os mártires da fogueira, e quase sempre por isso: enxergar mais que os outros e ensinar aos ignorantes. Por felicidade minha, eu vivo neste nosso abençoado século; se eu vivesse na Idade Média, já estava assada numa boa fogueira — e também vocês, pelo crime de terem aprendido comigo muita coisa. Até Quindim ia para a fogueira como feiticeiro, se os pastores soubessem daquele passeio gramatical que ele fez com vocês.

— E o Burro Falante, vovó? — perguntou Pedrinho.

— Também ia para a fogueira, meu filho. O simples fato de o nosso bom burro falar, já seria considerado crime merecedor de uma dúzia de fogueiras.

— E eu? — indagou a boneca.

— Você tem dito tantas heresias, Emília, que eles a queimavam numa vela até ficar reduzida a carvão, e depois moíam esse carvão e o assopravam aos ventos, de medo que a poeirinha se juntasse e vivesse outra vez.

— E hoje, vovó? — quis saber Pedrinho. — Por que é que hoje não há mais fogueiras para os sábios?

— Porque apesar de todas as perseguições os sábios foram abrindo a cabeça dos carneiros, e os carneiros já não deixam que os pastores queimem os seus mestres de ciência. Mas mesmo assim volta e meia um sábio vai para o beleléu, destruído pelos pastores. Não os queimam vivos, é verdade, mas prendem-nos em cárceres e às vezes até os fuzilam. Ou então perseguem-nos de outras maneiras, tornando-lhes a vida difícil. Em todo caso, já melhoramos bastante, e a prova temos aqui em nós mesmos: estamos vivos!

Capítulo IV
O CÉU DE NOITE

Estava um céu lindo, transparente como cristal. O assanhamento do brilho das estrelas parecia os olhos dos meninos quando viam a bandeja de doces que o Coronel Teodorico mandava no dia dos anos de Dona Benta. Antes de levantarem a toalha da bandeja, os olhos de todos ali no sítio ficavam como as estrelas daquela noite.

Dona Benta tomou fôlego e falou, apontando para o céu:

— Olhem lá aquelas quatro formando uma cruz! É a constelação do Cruzeiro do Sul. Constelação quer dizer um grupo de estrelas. Esta constelação do Cruzeiro é a de maior importância para os povos que vivem do equador para o sul, como nós. Tem a mesma importância da célebre constelação da Ursa Maior para os povos que vivem ao norte do equador, como os europeus e norteamericanos. O Cruzeiro do Sul é o nosso relógio noturno. No dia 15 de maio de cada ano essa constelação fica bem a prumo sobre as nossas cabeças, como o sol ao meio-dia, e então sabemos que são exatamente nove horas da noite.

— Que engraçado! — exclamou Pedrinho. — Estamos em fins de abril. Logo chegaremos ao 15 de maio — e eu vou acertar o nosso relógio da sala de jantar pelo Cruzeiro do Sul. Que beleza, hein, vovó?

— Sim, meu filho. Saber é realmente uma beleza. Uma isquinha de ciência que você aprendeu e já ficou tão contente. Imagine quando virar um verdadeiro astrônomo, como o Flammarion!

— Aí, então, ele fica com cara de bobo, a rir o dia inteiro, só de gosto da ciência que tem lá por dentro — disse Emília.

Dona Benta achou graça e continuou a falar do Cruzeiro.

— As quatro estrelas do Cruzeiro — disse ela — são designadas por meio de letras gregas. Gama é a estrela do topo da cruz; alfa é a do pé da cruz; beta e delta formam os braços.

— Mas por que essas estrelas são tão importantes? — quis saber Pedrinho.

— Por causa da disposição regular em forma de cruz, disposição que as torna de fácil encontro no céu. Num instante a gente corre os olhos e encontra o Cruzeiro. Encontrar as outras constelações já é mais difícil — exige prática; mas o Cruzeiro até a boba da Tia Nastácia descobre no céu. Não há por aqui caboclo da roça, nem há negro da África, nem atorrante da Argentina, nem gaúcho do Uruguai, nem índio de todas as repúblicas da América do Sul, nem selvagem australiano, nem negro do Congo, Moçambique ou Hotentótia, nem bôer da Colônia do Cabo, nem papua da Nova Guiné, que não conheça o Cruzeiro.

— Então Robinson Crusoe também via o Cruzeiro, vovó! — lembrou Pedrinho. — A ilha dele era a de Juan Fernández, que fica ao sul do equador, perto das costas do Chile.

— Exatamente, meu filho. Quantas vezes Robinson e o seu bom índio Sexta-Feira não estiveram, como nós agora, a olhar para as quatro estrelas do Cruzeiro!...

— Estou vendo-as — disse Narizinho. — Duas estrelas maiores e duas menores... — Sim, as maiores são a alfa e a gama e são também das mais brilhantes dos céus do sul.

— E qual é a mais brilhante de todas, vovó?

— Aqui nos céus do sul é uma da constelação do Centauro, que fica logo ao lado do Cruzeiro.

— Qual é ela? — perguntou Pedrinho.

Dona Benta riscou o céu com o dedo, dizendo:

— Se você tirar uma linha que toque na delta e na beta do Cruzeiro e a prolongar nesta direção (e o dedo de Dona Benta ia riscando), essa linha vai encontrar duas estrelas da constelação do Centauro, justamente a alfa e a beta do Centauro — e pronto! Você terá achado a constelação do Centauro, que é das maiores dos céus do sul. E nessa constelação a estrela alfa é uma das mais conhecidas de todas. É a terceira em brilho de todo o céu e uma das mais próximas de nós.

— E aquela mancha negra que estou vendo lá? — perguntou a menina, apontando.

— Pois aquilo é o célebre Saco de Carvão da Via-láctea. Repare na beleza da Via-láctea, que fica atrás do Cruzeiro. Em certo ponto escurece. Isso quer dizer que naquele ponto há uma nebulosa escura que tapa as estrelas — e por isso recebeu o nome de Saco de Carvão.

Pedrinho não tirava os olhos das estrelas da constelação do Centauro.

— Por que, vovó, deram o nome de Centauro àquelas estrelas? Que relação há entre elas e os monstros meio cavalos e meio homens da mitologia grega?

Dona Benta assoprou.

— Ah, meu filho, os astrônomos, que são homens de muita imaginação, acharam que uma linha ligando todas as estrelas desse grupo lembra a forma dum Centauro.

— Mas lembra realmente?

— Olhe e decida por si mesmo — e Dona Benta indicou as principais estrelas da constelação do Centauro. Pedrinho ligou-as com uma linha imaginária e não viu formar-se centauro nenhum.

— Estou vendo, vovó, que os astrônomos possuem ainda mais imaginação do que a Emília...

— E assim são as linhas que você tirar de todas as outras constelações — continuou Dona Benta. — Umas dão uma vaga ideia de qualquer coisa; outras, só com muita força de imaginação lembram as coisas indicadas pelo nome. Temos ali (e o seu dedo apontava) a constelação do Pavão. E temos aquela ali que é a do Tucano... Ah, meus filhos, não há nada mais poético do que a astronomia, ou ciência dos astros! Está aí uma aventura que vocês podem realizar um dia: um passeio pelas constelações!... Que lindo! Podiam começar pela estrela Polar, que nós não vemos daqui, mas que para as criaturas humanas é a mais importante.

— Por quê, vovó?

— Porque foi a bússola das mais antigas civilizações. Os egípcios, os babilônios, os chineses, os hindus, todos os velhos povos ao norte do equador, guiavam-se por essa estrela, que está sempre visível e marca o polo. Fica bem em cima do polo norte. E perto dela ficam duas constelações muito célebres, a Ursa Menor e a Ursa Maior.

— Por que têm esses nomes? — quis saber Narizinho.

— Porque os mais antigos astrônomos lhes deram esses nomes. Não podiam dar o nome de Tucano ou qualquer bicho das zonas quentes, próximas do equador. Deram-lhes o nome do animal que gosta de viver nos gelos — o urso polar. Por essa estrela se guiavam os navegantes do norte, no tempo em que não havia a bússola. Depois da bússola os navegantes dispensaram as estrelas — a agulhinha da bússola está sempre voltada para o norte.

— E as outras constelações?

— Ah, meu filho, há tantas... E inúmeras designadas por meio de nomes de animais, como as do Escorpião, do Leão, do Cavalo, do Carneiro, dos Peixes, do Cisne, da Lebre, da Hidra, do Corvo, do Peixe-Voador, da Abelha, da Ave-do-Paraíso, da Girafa, da Raposa, do Lagarto, da Rena, do Gato...

— E a tal Cabeleira de Berenice, que a senhora falou tanto outro dia? — quis saber Pedrinho.

— Ah, essa constelação tem um nome muito romântico. Trata-se duma história meio compridinha...

— Conte, conte — pediram todos — e Dona Benta contou a história dos cabelos da Princesa Berenice, esposa de Ptolomeu Evergete, rei do Egito.

— Este Ptolomeu — disse ela — havia partido à frente duma expedição guerreira contra a Síria; e, tomada de medo, Berenice fez à deusa Vênus a promessa de cortar a sua linda cabeleira e depositá-la no templo da deusa, caso Evergete voltasse vivo e vitorioso. Ora, o rei voltou vivo e vitorioso e a rainha cumpriu o voto: cortou os cabelos e depositou-os no templo da deusa. Mas aconteceu uma coisa inesperada: no dia seguinte a cabeleira havia desaparecido do templo!... E vai então, um astrônomo da ilha de Samos, que acabava de descobrir no céu uma nova constelação, mandou dizer ao rei que a cabeleira de Berenice estava lá: eram as sete estrelas que ele havia descoberto entre as constelações do Leão e de Arturus — e desde esse tempo o grupo das sete estrelas passou a ser conhecido sob o poético nome de Cabeleira de Berenice.

— Que lindo! — exclamou a menina. — Quando eu tiver uma gatinha, vou botar-lhe o nome de Berenice...

— Há constelações de nomes ainda mais curiosos — continuou Dona Benta — como a da Coroa, da Lira, da Flecha, do Altar, da Balança, do Relógio, do Telescópio, da Oficina Tipográfica, etc. E há as de nome poético, como essa da Cabeleira de Berenice, a da Pomba de Noé, a dos Cães de Caça, a da Harpa de Jorge, a do Buril do Gravador, a do Escudo de Sobieski, a do Coração de Carlos II, a da Cabeça de Medusa, a do Homem Ajoelhado, etc. E há a de Sírio ou do Cão Maior, onde aparece a mais bela estrela do nosso céu, afastadíssima de nós. Imaginem que Sírio está a mais de 81 trilhões de quilômetros de distância — isto é, a 540.000 vezes a distância entre a Terra e o Sol...

— E qual é a distância entre a Terra e o Sol?

— É de mais de 150 milhões de quilômetros. Sírio está tão longe de nós que sua luz gasta quase nove anos para chegar até aqui — e, no entanto, a velocidade da luz é uma coisa louca. Vamos ver quem sabe qual é a velocidade da luz. Eu já contei.

Pedrinho lembrava-se.

— É de 300.000 quilômetros por segundo — disse ele.

— Por segundo? — admirou-se Narizinho. — Então enquanto eu pisco os olhos a luz vai daqui até... até... Trezentos mil quilômetros é daqui até onde, vovó?

— É fora deste nosso mundinho, menina, porque você bem sabe que só com 40.000 quilômetros a gente já dá a volta em redor da Terra.

— Então quer dizer que, enquanto eu abro e fecho os olhos, a luz faz sete vezes e meia a volta da Terra?

— Isso mesmo.

— Puxa! Já é ser apressadinha...

— É que a luz tem botas de 300.000 léguas — lembrou Emília. — Imaginem o coitadinho do Pequeno Polegar, com suas botinhas de sete léguas, apostando corrida com a luz! Enquanto ele dava um passo, a luz dava sete...

— Sete o quê, Emília?

— Sete voltas em redor da Terra. Maior danada não pode existir.

Capítulo V
O TELESCÓPIO

Por longo tempo lá ficaram na varanda ouvindo as histórias do céu. Dona Benta parecia um Camilo Flammarion de saia. Esse Flammarion foi um sábio francês que escreveu livros lindos e explicativos. "Quem não entender o que esse homem conta", costumava dizer Dona Benta, "é melhor que desista de tudo. Seus livros são poemas de sabedoria, claríssimos como água."

Quem mais se interessou por aqueles estudos foi Pedrinho. Sonhou a noite inteira com astros e no dia seguinte pulou da cama com uma ideia na cabeça: construir um telescópio! "Que é, afinal de contas, um telescópio?", refletiu ele. "Um canudo com uns tantos vidros de aumento dentro. Esses vidros aumentam o tamanho dos astros, de modo que eles parecem ficar mais próximos — foi como disse vovó."

E logo depois do café da manhã tratou de construir um telescópio. Canudos havia no mato em quantidade — nas moitas de taquara; e vidros de aumento havia no binóculo da vovó. Pedrinho serrou os canudos necessários, de grossuras bem calculadas, de modo que uns se encaixassem nos outros, colocou lá dentro as lentes do binóculo de Dona Benta e fez uma armação de pau onde aquilo pudesse ser manobrado com facilidade, ora apontando para este lado, ora para aquele.

Enquanto ia construindo o telescópio, dava aos outros, reunidos em redor dele, amostras da sua ciência.

— O telescópio saiu da luneta astronômica inventada por aquele italiano antigo, o tal Galileu. Um danado! Inventou também o termômetro e mais coisas.

— Mas telescópio é invenção que até eu invento — disse Emília. — É só cortar canudos de taquara e grudar uns monóculos dentro...

Pedrinho ia respondendo sem interromper o serviço.

— Parece fácil, e é fácil hoje que a coisa já está sabida. Mas o mundo passou milhões de anos sem conhecer este meio tão simples de ver ao longe, até que Galileu o inventou. Também para tomar a temperatura das coisas nada mais simples do que fazer um termômetro — um pouco de mercúrio dentro dum tubinho de vidro, mas foi preciso que Galileu o inventasse. Tudo na vida são "ovos de Colombo".

Depois de pronto o telescópio, houve discussão quanto ao astro que veriam primeiro.

— Eu acho que o primeiro tem que ser o Sol, que é o pai de todos — disse Narizinho.

— E eu acho que deve ser a Grande Ursa, porque é um bicho raro — propôs Emília.

Pedrinho riu-se com superioridade.

— A Grande Ursa não pode, boba, porque fica nos céus do norte. Estes céus aqui são os céus do sul. E o senhor que acha, Doutor Livingstone? — perguntou ele ao Visconde.

O Doutor Livingstone respondeu batendo na bibliazinha.

— Deus fez por último as estrelas, como diz aqui o Gênesis, mas Cristo disse que os últimos serão os primeiros. Logo, temos de começar pelas estrelas.

Todos se admiraram daquela sabedoria, mas Pedrinho não se contentou. Quis também consultar Tia Nastácia lá na cozinha.

— E você, Tia Nastácia, que acha? — perguntou-lhe.

A negra, que acabava de matar um frango, foi de opinião que o bonito seria começar pela Lua, "onde São Jorge vive toda a vida matando um dragão com sua lança!".

A ideia foi recebida com palmas e berros.

— O dragão! O dragão! Viva São Jorge!... — exclamaram todos — e a lembrança de Tia Nastácia foi vencedora. Uma linda lua cheia estava empalamando no céu. Pedrinho apontou para ela o telescópio. Espiou e nada viu. Emília, porém, viu coisas tremendas.

— Estou vendo, sim! — gritou ela. — Estou vendo um dragão verde, tal qual lagarto, com uma língua vermelha de fora. Língua de ponta de flecha. São Jorge, a cavalo, está espetando a lança no pescoço do coitado...

— Será possível? — exclamou Pedrinho, afastando-a do telescópio para espiar de novo — mas continuou a não ver nada. — Você está sonhando, Emília. Não se vê nem a Lua, quanto mais o dragão.

— Pois eu vejo tudo com o maior "perfeiçume" — insistiu Emília voltando ao telescópio. — Um dragão de escamas... Com unhas afiadas... Um rabo comprido dando duas voltas.

Os meninos entreolharam-se. Verdade ou mentira? A boneca tinha fama de possuir uns olhos verdadeiramente mágicos — mas quem podia jurar sobre o que ela afirmava? A ânsia de ver coisas, porém, era maior que a dúvida, de modo que resolveram aceitar como verdade as afirmações da Emília e nomeá-la a "olhadeira do telescópio". Ela que fosse vendo tudo e contando aos outros.

Emília começou. Depois de enumerar todas as coisas que viu na Lua, apontou o telescópio para uma estrela qualquer.

— Xi — exclamou fazendo cara de espanto. — Como é peluda!... E tem dois ursinhos ao colo... Está brincando com um de cara preta... Agora franziu a testa... Parece que percebeu que estamos apontando para lá... Com certeza pensa que este telescópio é espingarda... A Grande Ursa é enormíssima...

— A Grande Ursa não é estrela daqui, Emília. Vovó já disse. Você está nos bobeando — gritou Pedrinho meio zangado.

Mas Emília continuou a ver coisas e a insistir que era realmente uma estrela Ursa. "Com certeza cansou-se dos gelos polares e chegou cá a estes céus do sul para esquentar o corpo..."

Pedrinho deu-lhe um peteleco.

Capítulo VI
Viagem ao céu

Daquela brincadeira do telescópio nasceu uma ideia — a maior ideia que jamais houve no mundo: uma viagem ao céu! A coisa parecia impossível, mas era simplicíssima, porque ainda restava no bolso de Pedrinho um pouco daquele pó de pirlimpimpim que o Peninha lhe dera na viagem ao País das Fábulas. A quantidade existente bastava para levar seis pessoas.

— O bom seria irmos todos — propôs a menina. — Todos menos vovó, coitada. Sofreu tanto lá com o Pássaro Roca, que bem merece um bom descanso-de-lagarto.

— Mas Tia Nastácia não há de querer ir — lembrou Pedrinho. — É a maior das medrosas.

— Pois levemo-la à força — sugeriu Emília.

— Como?

— Muito fácil. Ninguém lhe diz nada dos nossos projetos. Na hora de partir, Narizinho faz cara de santa e lhe dá uma pitada do pó dizendo que é rapé. Ela adora o rapé...

— Não está mal pensado — disse Pedrinho. — E o Burro Falante? Vai ou fica?

— Vai — decidiu Narizinho. — Vamos ter muita necessidade dele na Lua. E se lá vive o cavalo de São Jorge, pode muito bem viver um burro.

Tudo bem assentado, puseram-se a cuidar dos preparativos. Dessa vez Emília não pensou em levar a sua canastrinha. Levou outra coisa — uma coisa que ninguém pôde descobrir o que era. Um "bilongue" pequenininho, embrulhado em papel de seda e amarrado com um fio de lã cor-de-rosa. Narizinho insistiu em saber o que era.

— Não digo, não! — respondeu a boneca. — Se eu disser vocês caçoam. É uma ideia muito boa que eu tive...

No dia seguinte, bem cedo, levantaram-se na ponta dos pés e saíram para o terreiro, enquanto Narizinho se dirigia ao quarto de Tia Nastácia. Tinha de enganá-la, mas como? Pensou, pensou e afinal resolveu-se.

— Tia Nastácia! — gritou do lado de fora da janela. — Venha ver que manhã linda está fazendo.

A negra estranhou a novidade. Levantarem-se cedo assim não era comum, e ainda menos Narizinho convidá-la para "ver a manhã", uma coisa tão à toa para uma negra que se levanta sempre às cinco horas. Mas foi ao terreiro ver o que era, com aqueles resmungos de sempre. Lá encontrou todos reunidos em redor do Burro Falante e a cochicharem baixinho:

— Hum! Temos novidade — murmurou a preta consigo, já na desconfiança. — Qual é a "peça" de hoje, Pedrinho?

— Nada, boba! Que peça havia de ser? É que nos deu na cabeça levantarmos muito cedo para assistirmos ao nascer do sol e agora estamos brincando de espirrar com este rapé que arranjei na cidade.

— Rapé? Rapé? — repetiu a preta, que era doidinha por uma pitada de rapé. — Será daquele que o Coronel Teodorico, compadre de Dona Benta, usa?

O Coronel Teodorico, fazendeiro vizinho de Dona Benta, aparecia por lá de vez em quando a visitá-la. Era compadre de Dona Benta, homem dos bem antigos, dos que até rapé ainda tomam. O tal rapé não passa de fumo torrado e moído; quem o aspira pelo nariz espirra — e parece que o gosto é esse: espirrar... Napoleão foi um grande tomador de rapé. Hoje pouca gente usa tal coisa, só os homens muito carrancas e conservadores, como aquele compadre de Dona Benta.

— Pois quero experimentar, sim — disse a negra. — O coronel chupa esse rapé com tanto gosto que sempre tive desejo de ver se a marca é boa — e assim falando tomou o pó que o menino lhe apresentava e sem desconfiança nenhuma aspirou-o. Assim que a negra fez isso, os outros fizeram o mesmo, inclusive o burro e... mais nada! Veio aquele *fiunnn* no ouvido, e depois a tonteira própria do pó de pirlimpimpim, e todos perderam a consciência. Estavam voando pelo espaço com a velocidade quase da luz.

Súbito, perceberam que haviam chegado. Começaram a abrir os olhos. No começo nada viram. Tudo muito embaralhado. Por fim as coisas se foram aclarando e puderam olhar em torno. Estavam numa terra esquisitíssima, sem gente, sem vida, toda cheia de picos de montanhas em forma de crateras de vulcões extintos. Todos haviam voltado a si, menos Nastácia. A pobre negra, que pela primeira vez naquele dia aspirava o pó de pirlimpimpim, estava escarrapachada no chão, com os olhos arregaladíssimos — mas sem ver nem sentir coisa nenhuma.

— Temos de esperar que ela acorde — disse Pedrinho. — Parece que a boba tomou dose dupla...

Esperaram alguns minutos, até que a negra começou a dar mostras de estar voltando a si. Passou a mão pela cara, esfregou os olhos e, correndo-os em torno, disse com voz sumida:

— Que será que me aconteceu? Amode que caí num poço...

— Não caiu nada, bobona. Você está conosco num astro qualquer no céu.

— No céu?!... — repetiu a preta, arregalando ainda mais os olhos. — Deixem de pulha. Para que enganar uma pobre velha como eu?

— Não estamos enganando ninguém, Nastácia — disse Pedrinho. — Estamos, sim, no céu, num astro que ainda não sabemos qual é.

O assombro da negra foi tamanho que não achou palavra para dizer. Nem o seu célebre "Credo!" ela murmurou. Quedou-se imóvel onde estava, a olhar ora para um, ora para outro, de boca entreaberta.

— Eu acho que isto aqui é o Sol — declarou Emília. — Apenas estou estranhando não ver nenhuma floresta de raios.

— O disparate está de bom tamanho! — caçoou Pedrinho. — Não sabe que o Sol é mais quente que todos os fogos e que se estivéssemos no Sol já estávamos torrados até o fundo da alma? Pelo que vovó nos explicou, isto está com cara de ser a Lua — mas não tenho certeza. De longe é muito fácil conhecer a Lua — aquele queijo que passeia no céu. Mas de perto é dificílimo. O melhor é mandarmos o Doutor Livingstone a um astro próximo para de lá nos dizer se isto é mesmo a Lua ou o que é.

Uma pequena dose do pó de pirlimpimpim foi enfiada no nariz do antigo Visconde, o qual imediatamente se sumiu no espaço. Emília deixou passar uns segundos e gritou para o ar:

— É a Lua ou não, Doutor Livingstone?

Mas nada de resposta. A distância devia ser muito grande, de modo que a vozinha rouca do Doutor Livingstone não podia chegar até eles.

— Que asneira fizemos! — exclamou Pedrinho. — Devíamos ter pensado nisso — que era impossível que a vozinha do Visconde pudesse varar a imensidão do espaço. Além disso, para onde será que ele se dirigiu? Em que astro foi parar? Há milhões e milhões de astros por essa imensidade afora...

— Milhões e milhões, Pedrinho? Não acha meio muito? — duvidou a menina.

— Pois é o que dizem os astrônomos. O espaço é infinito. Sabe o que é ser infinito? É não ter fim, nunca, nunca, nunca. Quem sair voando em linha reta por essa imensidade não volta jamais ao mesmo ponto. Fica a voar eternamente.

Emília interrompeu-o:

— Achei um jeito de resolver o caso de saber que astro é este. Basta fazermos uma votação. Se a maioria votar que isto é a Lua, fica sendo a Lua. É assim que os homens lá na Terra decidem a escolha dos presidentes: pela contagem dos narizes.

Não havendo outro meio de saírem daquela incerteza, fizeram a votação. Pedrinho foi tomando os votos.

— Você, Narizinho?

— Lua!

— E você, Emília?

— Luíssima!

— Eu, Pedrinho, também Lua. E você, Tia Nastácia?

A negra, ainda tonta, olhou para o menino com expressão idiotizada e respondeu:

— Para mim, nós estamos na Terra mesmo; e tudo que está acontecendo não passa de um sonho de fadas.

— Três narizes a favor da Lua e um a favor da Terra! — gritou Pedrinho. — A Lua ganhou. Estamos na Lua. Viva a Lua!...

A negra sentiu um calafrio. Se a maioria tinha decidido que estavam na Lua, então estavam mesmo na Lua. E isso de estar na Lua parecia-lhe um enorme perigo. A única coisa que Tia Nastácia sabia da Lua era que lá morava São Jorge a cavalo, sempre ocupado em espetar na sua lança o dragão. Com São Jorge, que era um santo, ela poderia arranjar-se. Mas que fazer com o dragão? E a pobre negra pôs-se a tremer.

— Meu Deus! — suspirou ela. — Tudo é possível neste mundo...

— Como sabe? — perguntou Emília espevitadamente. — Se você nunca esteve neste mundo, como sabe que nele tudo é possível?

— Quando eu digo este mundo, falo do meu mundo, do mundo onde nasci e sempre morei — explicou a preta.

— Bom. Se você se refere ao mundo em que nasceu e sempre morou, deve dizer *naquele* mundo, porque este mundo é a Lua, e neste mundo da Lua não sabemos se tudo é possível.

Enquanto Emília argumentava com a preta, Pedrinho afastou-se para examinar a paisagem. Sim, tudo exatamente como Dona Benta dissera. Aparentemente, nada de água e, portanto, nada de vegetação e vida animal como na Terra. Sem água não há vida. Todas as vidas são filhas da água. E o número de crateras não tinha fim.

Pedrinho ia levando o burro pelo cabresto e com ele trocava impressões.

— Se não há água neste astro, então também não há capim — dizia o pobre animal. — Não haver capim!... Que absurdo! O capim é o maior encanto da natureza. É uma coisa que me comove mais que um poema.

— E qual é a sua opinião, burro, sobre a formação da Lua? Há várias hipóteses.

— Sim. Uns sábios acham que a Lua foi um pedaço da Terra que se desprendeu no tempo em que a Terra ainda estava incandescente. Outros acham que o planeta Saturno foi vítima duma tremenda explosão causada pelo choque dum astro errante. Fragmentos de Saturno ficaram soltos no céu, atraídos por este ou aquele astro. Um dos fragmentos foi atraído pela Terra e ficou a girar em seu redor.

— E sabe que tamanho tem a Lua?

— O volume da Lua é 49 vezes menor que o da Terra. A superfície é treze vezes menor. A superfície da Lua é de 38 milhões de quilômetros quadrados — mais que as superfícies da Rússia, dos Estados Unidos e do Brasil somadas.

Pedrinho admirou-se da ciência do burro. Não havia lido astronomia nenhuma e estava mais afiado que ele, que era um Flammarionzinho... Mas não querendo ficar atrás, disse:

— Pois eu também sei uma coisa da Lua que quero ver se é certa. O peso de tudo aqui é mais de seis vezes menor que lá na Terra. Um quilo lá da Terra pesa aqui

154 gramas. Eu, por exemplo, que lá em casa peso 46 quilos, aqui devo pesar 7 quilos!... É pena não termos uma balança para verificar isso.

— Há um jeito — lembrou o burro. — Dê um pulo e veja se pula seis vezes mais longe que lá no sítio.

Pedrinho achou excelente a ideia. Os melhores pulos que ele havia dado no sítio foram: pulo de altura, 1 metro e 20; e de distância, 5 metros. Se ali na Lua ele pulasse seis vezes e pouco mais longe que no sítio, então estavam certos os cálculos dos astrônomos.

Pedrinho amarrou o burro numa ponta de pedra, marcou um lugar no chão, deu uma carreira e pulou — e foi parar exatamente a 33 metros de distância, mais de seis vezes o seu pulo recorde lá no sítio! E no pulo de altura alcançou mais de oito metros. Um assombro!...

Depois de feitas as medições, Pedrinho ficou radiante.

— É verdade, sim! — gritou ele. — Aqui na Lua eu pulo melhor que qualquer gafanhoto da Terra — e começou a brincar de pular. Deu vinte pulos de altura; e depois em cinco pulos chegou ao ponto onde estavam os outros — uma distância total de 165 metros.

— Que é isso, Pedrinho? — exclamou a menina. — Virou pulga?

— Aqui toda gente vira pulga — respondeu ele. — Experimente pular. Veja que gostosura.

Narizinho pulou e viu que estava levíssima. Emília também pulou como um grilo. E ainda estavam entretidos naquele pula-pula, quando Tia Nastácia apareceu, muito aflita, com a pacuera batendo.

— Um bufo! — exclamou a pobre preta, toda sem fôlego. — Ouvi um bufo! Há de ser do dragão...

Pedrinho riu-se.

— Dragão nada, boba. Isso de dragão é lenda. Como poderia um dragão vir da Terra até aqui, se na Terra não há dragões? Tudo é fábula. E se acaso pudesse um dragão vir da Terra até aqui, como viver num astro que não tem água nem vegetação? Isso de dragão na Lua não passa de caraminhola de negra velha...

Apesar dessas palavras, novo bufo soou. Todos voltaram-se na direção do som e com o maior dos assombros viram sair de dentro duma das crateras a monstruosa cabeça do dragão de São Jorge.

— Lá está o malvado! — berrou Emília. — Enxergou o burro e vem comê-lo.

Tia Nastácia ia dando um berro de pavor, que Narizinho teve tempo de evitar tapando-lhe a boca. "Louca! Se você grita, ele ouve e vem devorar-nos. Por enquanto só viu o burro. Temos de esconder-nos numa das crateras."

O dragão ia lentamente saindo de sua toca. Breve puderam vê-lo todo de fora — um comprido corpo de lagarto recoberto de escamas verdes e com uma enorme cauda de serra com ponta de flecha no fim. Tal qual Emília o descrevera ao telescópio. A língua também, muito vermelha, terminava em ponta de flecha.

Todos se encolheram dentro dum buraco próximo e ficaram a espiar por uma rachadura da pedra. Falavam aos cochichos.

— Ele está na Lua há séculos — sussurrou Pedrinho — e há séculos que não come coisa nenhuma. Agora viu o burro. Sua fome despertou. Olhem como está lambendo os beiços com aquela língua de flecha...

— Mas não podemos deixar que coma o nosso burro — murmurou Narizinho. — Vovó ficaria danada. Temos de salvá-lo...

— Como?

— Indo procurar São Jorge. Se existe o dragão, há de existir também São Jorge.

— Sim, mas onde morará ele? Nalguma cratera também?

O dragão aproximava-se cada vez mais, embora muito lentamente. Parece que com os séculos de imobilidade passados ali seus músculos tinham enferrujado.

— E o burro está amarrado pelo cabresto a uma ponta de pedra. Não pode fugir! Que estupidez a minha, amarrar um burro daqueles...

— Pois é desamarrá-lo — sussurrou Emília. — Não vejo outro jeito.

— E quem vai fazer isso?

— Eu, que sou de pano — e sem mais discussão Emília saiu do buraco e correu na direção do burro, o qual já estava dando visíveis sinais de terror.

O que valeu foi o emperramento dos músculos do dragão. Vinha vindo como fita em câmera lenta. Emília num instante alcançou a ponta de pedra, desfez o nó do cabresto e gritou para o burro: "Fuja, senão está perdido para sempre! Esse dragão há séculos que não come coisa nenhuma".

Com grande surpresa, porém, Emília viu que o pobre burro, paralisado pelo terror, não se mexia do lugar.

— Vamos! — gritava ela. — Mova-se! Raciocine e fuja...

E o burro imóvel, paralisado de movimentos, não conseguia nem raciocinar, quanto mais fugir!

O dragão vinha vindo, vinha vindo, balançando a língua de ponta de flecha para a direita e para a esquerda. Mais uns segundos e chegava — e adeus, Burro Falante!...

Na sua aflição Emília teve uma grande ideia. Correu a buscar com Pedrinho uma pitada de pó — e de volta assoprou-o nas ventas do pobre burro paralisado. Isso exatinho no momento em que a ponta da língua do dragão já se armava para fisgar. Ouviu-se um *fiunnn* e o burro lá se foi pelos espaços, que nem um cometa.

Vendo-se logrado, o dragão desferiu um urro medonho, ao mesmo tempo que jatos de fogo espirraram de seus olhos.

Nem de propósito. São Jorge, que estava cochilando longe dali, ouviu o estranho urro, pulou no cavalo e veio de galope.

Assim que o viu chegar, o dragão baixou a cabeça com grande humildade e foi tratando de recolher-se à sua cratera.

— Já, já para a toca, seu malandro! — gritou São Jorge sacudindo no ar a lança.

Depois, vendo por ali aquela boneca, abriu a boca, espantadíssimo.

Capítulo VII
Coisas da Lua

— Quem é você, criaturinha? — perguntou São Jorge parando diante dela.

— Eu sou a Emília, antiga Marquesa de Rabicó, sua criada — respondeu a boneca, muito lampeira e lambeta.

O santo ficou na mesma. E ainda estava na mesma, sem compreender coisa nenhuma, quando viu aparecerem Pedrinho e Narizinho com Tia Nastácia atrás, de mãos postas, rezando atropeladamente quantas orações sabia.

— Como conseguiram chegar até aqui? — perguntou ele. — Isto me parece a maravilha das maravilhas.

— Foi o pó de pirlimpimpim que nos trouxe — respondeu Pedrinho — e dessa vez São Jorge ficou na mesmíssima.

— Não conheço semelhante droga — disse ele — mas deve ser das mais enérgicas, porque a distância da Terra à Lua é de 64.000 léguas — um bom pedaço!

Pedrinho riu-se e respondeu numa gíria que o santo não podia entender:

— Para o nosso pó essa distância é a canja das canjas. Num pisco devoramos essas 64.000 léguas como se fossem uns biscoitinhos de polvilho dos que derretem na boca.

O santo admirou-se da maravilha e disse:

— Estimo muito, mas saiba que inúmeros homens têm tentado vir à Lua e bem poucos o conseguiram. O último veio dentro duma bala de canhão, num tiro mal calculado. A bala passou por cima da Lua e ficou rodando em redor dela. Não sei quem foi esse maluco.

— Eu sei! — gritou Pedrinho. — Foi um personagem de Júlio Verne, no romance *Da Terra à Lua*. Vovó já nos leu isso.

São Jorge estava ali desde o reinado do Imperador Diocleciano sem outra companhia a não ser o dragão, de modo que ficava muito alegre quando alguém aparecia por lá. Mas como era raro! Um dos "lueiros" mais interessantes foi um tal Cyrano de Bergerac, que por lá andou e escreveu a respeito uma obra célebre. E agora apareciam aquelas criaturas — duas crianças, uma negra velha, uma bonequinha... Foi com imenso prazer que o santo começou a indagar de tudo — quem eram, como se chamavam, onde moravam, e que negra tão esquisita era aquela.

— E o senhor? — quis saber Emília depois que tudo foi explicado. — Agora que sabe a nossa história, conte-nos a sua.

São Jorge contou que nascera príncipe da Capadócia e tivera no mundo vida muito agitada. A sua luta contra o poderosíssimo mágico Atanásio ficou histórica. Por fim fez-se cristão e em virtude disso padeceu morte cruel numa das matanças de cristãos ordenadas pelo Imperador Diocleciano. Depois da morte veio morar na Lua.

— E sabe que é hoje o patrono da Inglaterra? — lembrou Narizinho. — Vovó diz que o senhor é o santo mais graúdo de todos, porque dá o nome a muitas ordens de cavalaria e tem aparecido até em moedas de ouro.

São Jorge não sabia nada daquilo, nem sequer que era santo, porque só depois de sua morte é que começou a virar tanta coisa. Também não sabia o que era ser "patrono da Inglaterra", nem o que significava isto de "ordens de cavalaria". Os meninos tiveram de dar-lhe uma lição de tudo.

— Mas não posso compreender donde vem a minha importância, o meu "graudismo"... — declarou ele com toda a modéstia, pensativamente.

— Eu sei! — berrou Emília. — É por causa do dragão e dessa tremenda e bonita armadura de guerreiro. Santos de camisolão e porretinho podem ser muito milagrosos, mas não impressionam. Diga-me uma coisa: onde é que descobriu esse dragão? O santo contou que era um monstro que ele havia matado certa vez em que o encontrou prestes a devorar a filha do rei da Líbia.

— Mas se o matou, como é que o dragão está vivinho aqui?

— Mistérios deste mundo de mistérios, gentil bonequinha. Eu também fui morto e no entanto todos lá da Terra (segundo vocês dizem) me vêem aqui nesta Lua, a cavalo, de lança erguida contra o dragão. Mistérios deste mundo de mistérios.

Enquanto as crianças se entretinham com São Jorge, Tia Nastácia o espiava de longe, fazendo volta e meia um trêmulo pelo-sinal. A pobre negra não entendia coisa nenhuma do que estava se passando.

Pedrinho começou a fazer perguntas sobre a Lua, que São Jorge respondia com verdadeira paciência de santo.

— Pois isto aqui, meus meninos, é o satélite da nossa querida Terra. Satélite vocês devem saber o que é...

— Eu sei! — gritou Emília. — É como um cachorro que segue o dono!...

São Jorge riu-se.

— Sim. Satélite é uma coisa que segue outra, e na linguagem astronômica é um planeta que gira em redor de outro.

— Eu também sei o que é planeta — disse Emília com todo o oferecimento (parecia até que estava namorando São Jorge). — É um astro que gira em redor do Sol, e é também o nome duns arados que Dona Benta tem lá no sítio...

— Muito bem — aprovou o santo. — O planeta gira em redor do Sol e o satélite gira em redor do planeta. A Lua é o satélite da Terra; é uma filha da Terra, hoje mais velha que a mãe.

Os meninos admiraram-se.

— Mais velha como? — indagou Pedrinho. — De que modo uma filha pode ser mais velha que a mãe?

— Há filhas que envelhecem mais depressa que as mães — respondeu o santo — e Emília confirmou essa ideia com a citação do caso duma Nhá Viça que morava perto da casinha do Tio Barnabé. — "A Nhá Viça é filha da Nhá Tuca e está dez vezes mais velha que a mãe por causa dum tal reumatismo."

São Jorge riu-se e explicou:

— A velhice dos astros não se mede pelos anos que eles têm e sim pelo grau de resfriamento a que chegaram. O Sol, por exemplo, é o pai de todos os planetas e no entanto mostra-se muito mais jovem que esses filhos. Por quê? Porque está custando muito a resfriar.

— Eu sei a razão — declarou Pedrinho. — É por causa do tamanho. Já fiz a experiência lá em casa. Esquentei no fogão uma bola de ferro grande e uma pequenininha. A grande levou muitíssimo mais tempo para esfriar.

— Exatamente — aprovou o santo. — O Sol também há de acabar tão resfriado quanto esta Lua, mas isto só daqui a milhões de séculos. O Sol, que é muitíssimas vezes maior que a Terra, levará muito mais tempo para resfriar. A Lua sendo 49 vezes menor que a Terra tinha de resfriar-se muito mais depressa.

— E não há vida por aqui? — indagou Pedrinho. — A opinião geral entre os homens é que a Lua é um astro totalmente morto, sem vida humana.

— Eu também julguei que assim fosse — disse São Jorge. — mas ao vir para cá verifiquei o contrário. Ainda há alguma vida na Lua. Acontece, porém, que a vida está muito mais adiantada na Terra, de modo que nós nem reconhecemos os animais e as plantas daqui. São diferentíssimos. Também o ar é muito rarefeito, de modo que os animais e as plantas tiveram de adaptar-se a essa situação.

— Então o ar da Lua é rarefeito assim? — perguntou Pedrinho, já com um começo de falta de ar — e quando soube que era várias vezes mais rarefeito que o ar da Terra, ficou numa grande aflição, a respirar precipitadamente — e todos fizeram o mesmo. Emília chegou a dar escândalos com a sua falta de ar...

Depois São Jorge contou que a Lua gasta um mês para dar uma volta em redor da Terra; mas como gira sobre si mesma no mesmo espaço de tempo, está sempre com a mesma face voltada para a Terra.

— Isso eu sei — gritou Emília — porque desde que vim ao mundo sempre vi a Lua com a mesma cara. E é por isso que gosto da Lua. Tenho ódio às criaturas de duas caras...

São Jorge explicou que pelo fato de a Lua gastar um mês para dar uma volta em redor da Terra, os dias ali eram compridíssimos e as noites também.

— Cada dia aqui equivale a catorze dias lá da Terra; e cada noite equivale a catorze noites de lá. E por causa disso só há duas estações: verão e inverno. O verão é o dia; o inverno é a noite. O dia é quentíssimo e a noite é geladíssima.

— Nesse caso, quantos dias de 24 horas tem o ano aqui? — perguntou Narizinho.

— Tem doze dias — cada dia correspondendo a um mês lá da Terra.

Todos se admiraram.

— Quer dizer então — lembrou a menina — que se eu fosse nascida na Lua teria apenas 120 dias de idade — quatro meses?

— Exatamente. Se lá na Terra você tem dez anos, aqui teria quatro meses. Seria uma nenezinha...

— Que graça! — exclamou Emília. — E Dona Benta? Que idade teria Dona Benta, se fosse lunática?

— Dois anos e quatro meses — mas "lunático" quer dizer "maluco" e não "habitante da lua". Os habitantes da Lua chamam-se "selenitas".

— Por quê?

— Porque em grego o nome da Lua é "Selene". Selenita é uma palavra derivada do grego.

Pedrinho quis saber das montanhas e mares da Lua, e contou que num livro de Flammarion vira um mapa da Lua cheio de nomes de mares e montanhas. E com grande admiração do santo foi dizendo os nomes daqueles mares e montes. Falou no mar da Serenidade, no mar dos Humores, no mar das Chuvas, no mar das Nuvens, no mar do Néctar...

— Esse eu quero conhecer! — berrou Emília. — Tomar banho no mar do Néctar deve ser batatal!...

São Jorge franziu a testa. "Batatal?" Nem batata ele sabia o que era, quanto mais batatal! Pedrinho teve primeiro de contar a história da batata, que apareceu no mundo depois da descoberta da América, para depois explicar o que Emília queria dizer com o tal "batatal".

— Quando uma coisa é muito boa, mas boa mesmo de verdade, Emília vem sempre com esse "batatal"...

Em seguida Pedrinho desfiou o nome das montanhas da Lua que havia visto no mapa do Flammarion.

— Há inúmeras montanhas — disse ele — batizadas com o nome de astrônomos e sábios célebres. Há a montanha de Fabrício, a de Clávio, a de Plínio, a de Platão, a de Aristóteles, a de Copérnico... Vovó diz que a Lua é o cemitério dos astrônomos. A ciência os vai enterrando nestas montanhas aqui.

São Jorge admirou-se daquilo e contou que a montanha que dali avistavam era a mais alta da Lua. "Então deve ser o monte Leibniz, com 7.610 metros de altura, o mais alto de todos", explicou Pedrinho.

São Jorge achou muito interessante a ideia que os homens faziam da Lua, mas declarou que havia erros.

— Os mares, por exemplo, parecem mares vistos lá da Terra; mas não são mares, sim imensas florestas das plantas que existem aqui.

— E que plantas são essas? — quis saber Pedrinho.

— São as plantas que a nossa Terra vai ter quando ficar velhinha como a Lua. Hoje você olha e nem entende essas plantas. Como também não entende os animais daqui, de tão diferentes que são dos da Terra. Isso de quatorze em quatorze dias a Lua passar dum terrível verão para um terrível inverno fez das plantas e dos animais lunares umas coisas que nem entendemos. E também muito influiu a rarefação do ar. Os animais tiveram que tornar-se quase que só pulmões. São verdadeiros "pulmões animalizados". A Emília há pouco manifestou vontade de ver um gatinho e um cachorrinho da Lua — mas se os visse nem sequer os reconheceria. São mais pulmões-bichanos do que gatos...

— Eu quero ver um pulmão-bichano! — berrou Emília. — Eu quero ver um pulmão-totó!...

— É difícil — informou o santo. — Além de serem raros, esses animais andam muito bem ocultos no fundo dessas crateras, onde ainda há uns restos de água.

— Por falar em cratera, como há disso por aqui! — observou Pedrinho. — Parece que antigamente a Lua não fazia outra coisa senão brincar de vulcão.

— Realmente — concordou o santo. — O número de crateras na Lua é prodigioso, mas estas crateras não são de vulcões. São de bolhas que arrebentaram, quando isto aqui era tudo pedra derretida.

— Como bolhas de sabão de cinza no tacho — exemplificou Emília.

Capítulo VIII
A Terra vista da Lua

— Mas o mais bonito da Lua — disse depois São Jorge — é a Terra, a nossa Terra que daqui vemos perpetuamente no céu, girando sobre si mesma. Olhe como está linda!

Parece incrível, mas só naquele momento os meninos ergueram os olhos para o céu e lá viram a Terra. Tão entretidos desde a chegada estiveram com as coisas do chão, que só naquele instante deram com o espetáculo mais belo da Lua — a Terra vista de lá.

— Que beleza! — exclamou Narizinho. — Só para ver este espetáculo vale a pena vir à Lua...

A Terra é a lua da Lua. Mora permanentemente no céu da Lua, sempre girando sobre si mesma e a mostrar os seus continentes e mares. Um verdadeiro relógio. Quem quer saber das horas é só olhar para a Terra em seu giro sem fim e ver que continentes vão aparecendo.

Naquele momento a face que a Terra exibia estava completamente escura, porque era dia de eclipse do Sol. Mas depois de findo o eclipse, quando o Sol voltou a iluminar a Terra, os meninos se regalaram. Lá estava bem visível, como num mapa, o continente americano, composto de dois grandes "VV", um em cima do outro. No alto do V de cima aparecia uma brancura vivíssima — as terras de gelo do polo norte; e igual brancura aparecia embaixo do segundo V — as terras de gelo do polo sul. E apareciam umas imensidades escuras — os oceanos. E também grandes zonas de verdura.

— Aquela verdura enorme — disse Pedrinho — é o Brasil e os países que ficam perto dele — Argentina, Uruguai, Paraguai, Chile, Peru, Bolívia, etc. Está vendo aquelas minhocas que varam o continente de ponta a ponta, com brancura em certos trechos do dorso? Pois são os Andes, a grande cordilheira cheia de picos de neves eternas, e a cordilheira do México e as montanhas Rochosas. E lá em cima estão o Canadá, os Estados Unidos, o México e a América Central... Aqueles pontinhos de outra cor na imensidão do mar são as ilhas — Cuba e tantas outras...

São Jorge não estava entendendo coisa nenhuma, porque todos aqueles nomes lhe eram novidade.

— Meu Deus! — exclamou em certo momento. — Será possível que haja no mundo tantos países novos que eu não conheça?

— Se há! — exclamou Pedrinho. — Isso de países é como broto de árvore. Uns secam, apodrecem e caem — e surgem brotos novos. Quais eram os países do seu tempo?

São Jorge suspirou.

— Ah, no meu tempo o mundo era bem menor. Havia Roma, a grande Roma, cabeça do Império Romano — e o Império Romano era tudo. Quase todos os povos da Europa estavam dominados pelos romanos — como a Espanha, a Aquitânia, a Bretanha, a Macedônia, a Grécia, a Trácia, a Panônia, a Arábia Petreia, a Galácia, a Cilícia, a Mauritânia lá na costa da África...

— E a tal Capadócia onde o senhor nasceu? — perguntou a menina.

— A minha Capadócia ficava entre um país de nome Ponto e outro de nome Cilícia — junto da Mesopotâmia.

Pedrinho contou que estava tudo muito mudado. O tal Império Romano já não existia; em vez dele surgira o Império Britânico, cuja cabeça era a Grã-Bretanha.

Ao ouvir falar em Grã-Bretanha São Jorge arregalou os olhos. Percebeu que era a mesma Bretanha do seu tempo, um país que na era dos romanos não valia nada. E também muito se admirou quando Pedrinho se referiu à Rússia como o maior país do mundo, e à China, e à Índia e ao Japão.

— Onde fica a tal Rússia? — perguntou ele.

Pedrinho explicou como pôde, e por fim São Jorge descobriu que a famosa Rússia devia ser numas terras muito desconhecidas dos romanos e às quais vagamente eles chamavam Sarmácia. Da China e do Japão o santo não tinha a mais leve ideia.

— Como tudo está mudado! — exclamou ele. — Se eu voltar à Terra, não reconhecerei coisa nenhuma.

— Também acho — concordou Pedrinho. — Há continentes inteiros que no seu tempo eram totalmente ignorados, como as Américas e o continente australiano. As Américas foram descobertas mais ou menos ali em redor do ano 1500, e a Austrália em redor do ano 1800.

— Onde fica essa Austrália?

— Nos confins do Judas! — berrou Emília. — Nem queira saber. Existem lá uns tais cangurus que carregam os filhotes numa bolsa da barriga. E há o bumerangue, que a gente joga e ele volta para cima da gente.

A ignorância de São Jorge era natural, visto como vivera no tempo de Diocleciano, cujo reinado fora entre os anos 284 e 313. De modo que fez muitas perguntas a Pedrinho, grandemente se assombrando com as respostas.

Emília estava com cara de quem quer dizer uma coisa, mas não se atreve. Por fim afastou-se de Narizinho (para evitar o beliscão) e de repente disse:

— Santo, desculpe o meu intrometimento — mas lá no sítio, quando alguém quer dizer que um gajo não presta, e é vadio ou malandro, sabe como diz? Diz que é um capadócio!...

Narizinho fuzilou-a com os olhos, mas São Jorge não se zangou, até sorriu, e foi suspirando que explicou:

— Meus patrícios lá da Capadócia sempre tiveram má fama — e fama exatamente disso, de mandriões, de fanfarrões, de mentirosos. Mas o que admira é que apesar de tantos séculos, a palavra "capadócio" ainda esteja em uso até num país que nem existia no meu tempo...

— Pois existe — continuou Emília sempre com o olho em Narizinho — e acho que o senhor não deve andar dizendo que é um capadócio, porque não há o que desmoralize mais...

— Emília!... — gritou a menina ameaçando-a com um tapa. Mas São Jorge acalmou-a e, chamando Emília para o seu colo, alisou-lhe a cabeça.

— Vou seguir o seu conselho, bonequinha. Não contarei nem ao dragão que sou um capadócio...

Capítulo IX
TIA NASTÁCIA

Enquanto conversavam, Tia Nastácia, sempre à distância, rezava, e volta e meia fazia um pelo-sinal.

— Como deram com ela aqui? — perguntou São Jorge, pondo os olhos na pobre negra.

Foi Emília quem respondeu.

— Ah, santo, Tia Nastácia é a rainha das bobas. Veio conosco enganada. Cheirou o pirlimpimpim pensando que era rapé...

São Jorge quis saber o que era rapé e pirlimpimpim, e muito se admirou das prodigiosas virtudes do pó mágico. Depois fez sinal à Tia Nastácia para que se aproximasse.

— Venha, boba! — animou Emília. — Ele não espeta você com lança. É um santo. Tia Nastácia fez três pelos-sinais todos errados, e foi se aproximando, trêmula e ressabiada. Estava ainda completamente tonta de tantas coisas maravilhosas que vinham acontecendo. O dragão, o sumiço que levaram o Visconde e o burro, aquele prodigioso santo vestido de armadura de ferro, com capacete na cabeça, escudo no braço e "espeto" em punho — e lá no céu aquela enorme "lua" quatro vezes do tamanho do Sol — tudo isso era mais que bastante para transtornar a sua cabeça pelo resto da vida.

Mesmo assim veio toda a tremer, com os beiços pálidos como de defunto.

— Não tenha medo — disse-lhe Narizinho. — São Jorge não come gente. É um grande amigo nosso e muito boa pessoa.

Tia Nastácia afinal chegou-se — mas embaraçadíssima. Tinha as mãos cruzadas no peito e os olhos baixos, sem coragem de erguê-los para o santo. Estar diante dum santo daqueles, tão majestoso na sua armadura de ferro, era coisa que a punha fora de si.

— Não tenha medo de mim — disse São Jorge sorrindo. — Diga-me: está gostando deste passeio à Lua?

O tom bondoso da pergunta fez que a pobre negra se animasse a falar.

— São Jorge me perdoe — disse ela com a voz atrapalhada. — Sou uma pobre negra que nunca fez outra coisa na vida senão trabalhar na cozinha para Dona Benta e estes seus netos, que são as crianças mais reinadeiras do mundo. Eles me enganaram com uma história de rapé do Coronel Teodorico, o compadre lá de Sinhá Benta, e me fizeram cheirar um pó que mais parece arte do canhoto. Agora a pobre de mim está aqui nesta Lua tão perigosa, sem saber o que fazer nem o que pensar. Minha cabeça está que nem roda de moinho, virando, virando. Por isso rogo a São Jorge que me perdoe se minhas humildes respostas não forem da competência e da fisolustria dum santo da corte celeste de tanta prepotência...

Todos riram-se. A pobre preta achava que diante dos poderosos era de bom-tom "falar difícil", e sempre que queria falar difícil vinha com aquelas três palavras, "competência", "prepotência" e "fisolustria". Ela ignorava o significado dessas coisas, mas considerava-as uns enfeites obrigatórios na "linguagem difícil", como a cartola e as luvas de pelica que os homens importantes usam em certas solenidades.

— Fale simples, como se você estivesse na cozinha lá de casa — disse Narizinho. — Do contrário encrenca, e São Jorge até pode pensar que você lhe está dizendo desaforos...

— Credo, sinhazinha! — exclamou Tia Nastácia benzendo-se com a mão esquerda. — Quem é a pobre de mim para dizer algum desaforo a um ente da corte celeste? Até de pensar nisso meu coração já esfria...

São Jorge teve dó dela. Viu que se tratava duma criatura excelente, mas muito ignorante — e deu-lhe umas palmadinhas no ombro.

— Sossegue, minha boa velha. Não se constranja comigo. Vejo que sua profissão na vida tem sido uma só — cuidar do estômago de sua patroa e dos netos dela. Quer ficar aqui na Lua cozinhando para mim?

Aquela inesperada proposta atrapalhou completamente a pobre negra. Ficar na Lua ela não queria por coisa nenhuma do mundo, não só de medo do dragão como de dó de Dona Benta, que não sabia comer comidas feitas por outra cozinheira. Mas recusar um convite feito por um santo ela não podia, porque onde se viu uma simples negra velha recusar um convite feito por um ente da corte celeste? E Tia Nastácia gaguejou na resposta. Vendo aquela atrapalhação, Narizinho respondeu em seu nome.

— Tia Nastácia fica, São Jorge — mas só por uns tempos. Nosso plano não é passear apenas na Lua. A viagem vai ser também pelas outras terras do céu. Queremos conhecer alguns planetas, como Marte, Vênus, Netuno, Saturno, Júpiter, e também dar um pulo à Via-láctea. Em vista disso, acho que podemos fazer uma combinação. Tia Nastácia fica cozinhando para o senhor enquanto durar a nossa viagem. Quando tivermos de voltar para a Terra, portaremos de novo aqui e a levaremos. Não fica bem assim?

— Ótimo! — exclamou o santo. — Está tudo assentado. Durante o passeio que vocês pretendem fazer, Tia Nastácia ficará sob minha guarda, cozinhando para mim. Quanto ao dragão, ela que descanse. O meu dragão está muito velho e inofensivo. Lá na Terra comia até filhas de reis — mas aqui vive só de brisas. Não haverá perigo de nada.

Depois de tudo bem assentado, São Jorge foi mostrar à pobre preta onde era a cozinha, deixando-a lá com as panelas. E foi desse modo que à medrosa Tia Nastácia aconteceu a aventura mais prodigiosa do mundo: ficar como cozinheira dum grande santo, lá no fundo duma cratera da Lua...

Capítulo X
MAIS VISTAS DA TERRA

Horas depois a vista daquela enorme Terra pendurada no céu já estava completamente mudada, e Pedrinho retomou as suas lições de geografia a São Jorge.

— Lá está o continente europeu! — disse ele. — Aquelas ilhas naquele ponto (e apontava) são as ilhas Britânicas, ou Grã-Bretanha — a tal Bretanha sem nenhuma importância no tempo do seu amigo Diocleciano. Mais adiante temos a Noruega com os seus fiordes...

— E suas sardinhas também — acrescentou Emília. — As sardinhas da Noruega viajam pelo mundo inteiro nuns barquinhos, chamados "latas".

São Jorge não entendeu, porque no seu tempo não havia latas.

Pedrinho continuou:

— A tal Rússia, que o senhor queria saber onde ficava, lá está — aquele país grandão. É a terra dos russos barbudos, dos cossacos, do caviar, das danças lindas e dos soviets. Foi onde Napoleão levou a breca.

— Quem é esse leão? — perguntou o santo.

— Um grande matador de gente — explicou Pedrinho. — Depois de matar milhões de criaturas na Europa, resolveu matar russos, e invadiu a Rússia com um exército de 600.000 homens. Chegou até Moscou, que era a capital. Mas sabe o que os russos fizeram? Assim que Napoleão foi se aproximando, tocaram fogo nas casas e retiraram-se — e o pobre Napoleão, em vez de conquistar uma cidade, conquistou uma fogueira.

— Bem feito! — exclamou Emília.

— Em vista disso — continuou Pedrinho — o conquistador não teve outro remédio senão voltar para a França com o seu exército. Essa França era a Aquitânia do tempo de Diocleciano. Mas o inverno russo estava bravo; e os dois, o inverno russo e o exército russo, caíram em cima dos franceses, fazendo uma horrorosa matança. Só vinte e tantos mil homens, dos 600.000, conseguiram atravessar a fronteira, imagine! Vovó conta a história de Napoleão na Rússia dum modo que até arrepia os cabelos da gente.

São Jorge sacudia a cabeça, pensativo. Tudo lhe eram novidades.

— E lá aquela bota, Pedrinho? — perguntou Emília, apontando.

— Pois é a Itália dos italianos. Lá é que ficava a tal Roma do tal Diocleciano, amigo cá do nosso São Jorge. Repare que a bota italiana está dando um pontapé numa ilha — a Sicília.

— Bem feito! — exclamou a boneca.

— E aquelas duas ilhas perto do cano da bota? — perguntou Narizinho.

— A maior é a ilha da Sardenha ou Sardinha, e a menor é a ilha da Córsega, onde nasceu o tal Napoleão.

— Que desaforo, a ilha da Sardinha ser maior que a de Napoleão! — exclamou Emília. — Para que quer uma sardinha uma ilha tão grande assim? Eu, se fosse fazer o mundo...

— Já sei — interrompeu a menina — dava a ilha maior a Napoleão e a menor à sardinha, não é isso?

— Não! — gritou a boneca. — Dava as duas para Napoleão e à sardinha dava uma lata. As sardinhas precisam muito mais de latas do que de ilhas.

Todos riram-se, menos São Jorge, que não entendeu aquele negócio de latas.

— E aquela terra grandalhona embaixo da Europa? — perguntou Narizinho, apontando.

— Pois lá é a África, não vê? Dentro fica o deserto do Saara, com os seus oásis tão lindos, as caravanas de camelos, as palmeiras que dão tâmaras gostosas.

— E a terra dos bôeres que fizeram guerra aos ingleses? Onde fica?

— Essa é bem no fim da África, naquela pontinha. Lá existe a Cidade do Cabo, que é a capital.

Emília deu uma risada gostosa.

— Um cabo que tem cidade, ora vejam! — exclamou. — E depois dizem que a asneirenta sou eu... Onde se viu um cabo com cidade na ponta?

— É um modo de dizer — explicou Pedrinho. — Chama-se Cidade do Cabo porque fica perto do famoso cabo da Boa Esperança, que o navegador português Vasco da Gama dobrou pela primeira vez.

Emília abriu a torneirinha.

— Que danado! — exclamou arregalando os olhos. — Dobrar sem mais nem menos um cabo assim deve ser coisa difícil. Esse Vasco, ou tinha a força de dois elefantes ou o tal cabo era como o daquela caçarola de alumínio de Dona Benta, tão mole que até eu dobro quando quero.

Narizinho cochichou ao ouvido de São Jorge que Emília estava com a torneirinha aberta. "Que torneirinha?", perguntou o santo. "A torneirinha de asneiras que ela tem no cérebro. Quando Emília abre essa torneirinha, ninguém pode com a sua vida."

Depois que Emília parou de asneirar São Jorge pôs-se a dizer onde ficavam as terras conquistadas pelos romanos do seu tempo. Mostrou tudo, até o lugarzinho onde era a sua Capadócia e o ponto onde existiu Cartago, a república africana rival de Roma e por esta destruída depois de várias guerras. E contou tantas histórias do tempo de Diocleciano que as crianças, já cansadas, adormeceram.

Capítulo XI
Continua a viagem

Depois de algumas horas de bem-dormido sono, Pedrinho acordou e viu no relógio Terra, suspenso no céu da Lua, que o continente americano vinha de novo aparecendo — sinal de seis horas da manhã lá no sítio. Pedrinho foi ter com São Jorge, que estava longe dali dando ordens ao dragão. Era um dragão verde, escamudo, com dois tocos de asas nas costas. O gosto dele era enrolar a cauda como saca-rolha, com a ponta de flecha erguida para cima. Volta e meia punha de fora a língua cor de tomate, também com ponta de flecha.

Pedrinho explicou ao santo que iam continuar a viagem pelos domínios celestes, não só porque tinham vindo com esse fim como porque era indispensável descobrirem o paradeiro do Doutor Livingstone e salvarem o Burro Falante, que com certeza andava enroscado na cauda de algum cometa.

— Não sei se poderão salvar o Doutor Livingstone — observou São Jorge. — Se ele foi projetado da Lua pela força do tal pó maravilhoso, o mais certo é estar transformado em satélite da Lua.

— Já pensei nisso — tornou Pedrinho apreensivo. — Vovó diz que a força de atração dos astros puxa todos os corpos para o centro deles. Quando a gente joga para o ar uma laranja, a laranja sobe até certa altura e depois volta. Que é que a faz voltar? Justamente a força de atração que puxa todos os corpos para o centro deles. Enquanto a força que jogou a laranja é maior que a força de atração que puxa a laranja, a laranja sobe; quando a força de atração se torna maior, a laranja cai.

São Jorge admirou-se dos conhecimentos de mecânica daquele menino.

— O pó de pirlimpimpim que o Visconde cheirou — prosseguiu Pedrinho — era muito pouco, não dava nem para levá-lo até à Terra. E como ele não caiu de novo sobre a Lua e não podia ter chegado à Terra, o certo é estar parado na zona em que a força de atração da Terra empata com a força de atração da Lua — e nesse caso não sobe nem desce — fica toda vida girando em redor da Lua como um satélite. Acho que foi o que sucedeu — concluiu Pedrinho com a maior gravidade.

— Também acho — disse Emília.

Pedrinho riu-se com ar desdenhoso.

— A boba! "Também acho!..." Eu acho com base, mas que base tem você para achar?

— Eu acho com base no meu desejo de achar — respondeu Emília.

— Deseja, então, pestinha, que o Visconde fique toda vida como satélite da Lua?

— Desejo, sim. Ando me implicando com esse Doutor Livingstone. É sério demais. Não brinca. Não faz o que eu mando. Está mesmo bom para satélite da Lua. Quando voltarmos à Terra, vou pedir a Tia Nastácia para fazer um Visconde igualzinho ao antigo. Aquele é que era o bom — era o "legímaco".

Emília não dizia "legítimo", dizia "legímaco". Pedrinho e Narizinho também andavam a implicar-se com o Doutor Livingstone, de modo que deram razão à boneca e resolveram deixá-lo como satélite da Lua. Mas o Burro Falante precisava ser salvo.

— Esse, sim — concordou Emília. — Temos de virar de cabo a rabo os mundos celestes até descobri-lo, porque Dona Benta ficará furiosa se o deixarmos enroscado nalguma cauda de cometa. Sabe, São Jorge, que ele é o único Burro Falante que existe na Terra?

— Burros falantes de dois pés — respondeu o santo — conheci numerosos em minha vida terrena, mas de quatro jamais ouvi falar de algum. Mas se esse precioso burro estiver enganchado num rabo de cometa, como vão fazer vocês para alcançar esse cometa?

Pedrinho embatucou. Não havia pensado naquilo. Mas Emília veio com uma daquelas ideias do tamanho de bondes.

— Nada mais fácil — disse ela. — Basta arranjarmos um cometa mais veloz que o do burro; montamos nele e o tocamos a chicote e espora atrás do cometa do burro.

— Isso é perigoso — declarou São Jorge. — Tudo no espaço está muito bem regulado. Cada astro segue o seu caminho certo, sempre na mesma velocidade. Se um deles se apressasse demais ou diminuísse a marcha, a "harmonia universal" estaria destruída.

— Para nós não há impossíveis — afirmou Pedrinho com orgulho. — Quem tem no bolso este pó mágico, zomba das leis da natureza. Sabe o que podemos fazer? Montar num cometa e esfregar no nariz dele um pouco de pirlimpimpim — e juro que ele alcança o outro num instantinho! Ah, São Jorge, o senhor não faz ideia do que é o pó de pirlimpimpim!...

O santo ficou atrapalhado. Realmente não conhecia o tal pó, mas o fato de o pirlimpimpim ter trazido aquelas crianças à Lua queria dizer que era na verdade o mais mágico de todos os pós existentes, e capaz de outras coisas assombrosas. Por isso não duvidou da possibilidade de caçarem um cometa montados em outro. Apenas insistiu num ponto: que se eles fizessem isso, o mais certo seria atrapalharem a "harmonia universal", causando os mais sérios transtornos no universo.

— Admito a hipótese — respondeu Pedrinho com a importância dum Bonaparte diante das pirâmides — mas acha então que devemos perder o nosso Burro Falante? A tal "harmonia universal" que me perdoe. Entre ela e o nosso burro, não tenho o direito de escolher.

— Ela que se fomente! — interveio Emília.

São Jorge meditou uns instantes e depois disse:

— Bom, façam lá como quiserem, mas muito receio que por causa desse burro venha a estragar-se o maravilhoso equilíbrio celeste a que chamo "harmonia universal", e existe desde os começos do mundo. Meu conselho é um só: prudência, prudência e mais prudência.

Pedrinho ficou um tanto abalado com aquelas altíssimas palavras, e Emília de novo meteu o bedelho.

— Senhor capadócio, para nós esse burro vale mais que todas as harmonias do mundo e se o universo ficar atrapalhado, pior para ele. Havemos de pegar o burro, haja o que houver.

São Jorge ainda lembrou uma coisa. Lembrou que como o espaço é infinito, e os cometas não são inúmeros, ninguém vai pegando um cometa com a facilidade com que se pega um animal no pasto.

A discussão estava se prolongando. Por fim Narizinho veio com uma proposta que foi aceita.

— Sabem do que mais? — disse ela. — O verdadeiro é deixarmos isso para depois. Se em nossa viagem pelo espaço encontrarmos algum cometa que sirva, então pularemos nele e sairemos em procura do burro. Se não encontrarmos cometa nenhum, daremos outro jeito qualquer. Agora estou com vontade de ir ao planeta Marte, para ver se realmente existem aqueles canais de que os astrônomos tanto falam. Marte me parece um planeta muito simpático.

Todos aceitaram a ideia e imediatamente começaram os preparativos da viagem. Narizinho foi à cozinha da cratera despedir-se de Tia Nastácia. Encontrou-a de nariz muito comprido, fungando e resmungando enquanto fritava uns bolinhos para São Jorge. A pobre negra nem ânimo de falar tinha. Só suspirava — uns suspiros vindos lá do fundo das crateras de seu coração.

— Pois é, Tia Nastácia — foi dizendo a menina. — Vamos partir para o planeta Marte e você comporte-se, hein? Perigo não há nenhum. São Jorge já levou o dragão para longe daqui, de modo que nem os seus bufos você ouvirá. E não se esqueça de que a maior honra para uma cozinheira como você é ficar fazendo bolinhos para um santo de tanta importância.

— Eu sei, eu sei — soluçou Tia Nastácia. — Vou fazer tudo direitinho. Mas ninguém pode governar o coração — e o meu coração está que é uma pontada atrás da outra. Vai demorar muito essa viagem?

— Não — respondeu a menina. — Vamos apenas dar um pulo até Marte e outros planetas. Quero muito conhecer os anéis de Saturno.

Tia Nastácia benzeu-se.

— Pois até anel esse diabo tem? É algum dragão?

Narizinho, com preguiça de explicar à pobre negra o que era, prometeu contar tudo na volta.

— E agora, adeus! Se você fizer cara triste, isso até ofende ao santo. Mostre-se alegre e de boa vontade. Não desmoralize o Sítio do Picapau Amarelo...

Tia Nastácia arrancou um profundo suspiro; prometeu que sim e voltou à frigideira enquanto a menina saía correndo, leve como pluma, ao encontro dos outros.

— Tudo pronto? — perguntou.

— Sim — respondeu Pedrinho. — Já dividi o pó em pitadas. Tome a sua — e deu-lhe uma pitadinha de pirlimpimpim, dizendo: — Temos todos de aspirá-lo ao mesmo tempo, quando eu disser três. Vamos agora nos despedir de São Jorge.

As despedidas foram quase comoventes. Emília chegou a armar cara de choro, e ao beijar a mão do santo prometeu trazer-lhe um presente lá das regiões estelares.

— Que poderá ser? — indagou São Jorge.

— Um fio da Cabeleira de Berenice serve?

São Jorge, comovido, deu-lhe um beijo na testa. Terminados os adeuses, Pedrinho começou a contar:

— Um... dois... e três!...

O *fiunnn* foi agudíssimo — e lá se sumiram todos na imensidão do espaço.

Capítulo XII
O PLANETA MARTE

O que lá no sítio Pedrinho ouvira de Dona Benta a respeito de Marte estava bem fresco em sua lembrança.

— Marte é um planeta de volume seis vezes menor que o da Terra — havia dito a boa senhora. — No dia em que houver facilidades de comunicação entre os mundos, Marte há de ser uma estação balneária da Terra. Os homens irão passar lá férias ou temporadas. É pertíssimo.

— A que distância fica?

— A 56 milhões de quilômetros.

— Só? — admirou-se Pedrinho, que já andava tonto com as tremendíssimas distâncias entre a Terra e as estrelas. — Esses 56 milhões de quilômetros a luz vence em 2 minutos e 6 segundos. Sabe, vovó, que a velocidade do nosso pó de pirlimpimpim é a mesma da luz? A Emília até diz que o pirlimpimpim é luz em pó...

Dona Benta riu-se da asneirinha e continuou a falar de Marte.

— As estações lá — disse ela — correspondem às daqui, com as mesmas temperaturas. As condições de Marte assemelham-se muito às nossas, mas o ano de lá tem 687 dias.

— Que "anão"! — exclamou Pedrinho admirado. — E o peso?

— Menor que aqui. Um quilo nosso pesa 374 gramas em Marte.

— Ótimo! Quem vai para Marte deve sentir-se leve como rolha. Para corridas e pulos deve ser o planeta ideal.

Houve um ponto em que Dona Benta muito insistiu: os canais que através dos telescópios os astrônomos enxergam nesse planeta. E disse:

— Os astrônomos distinguem em Marte uma verdadeira rede de canais, em linhas retas e curvas, ligando mares; mas não são coisas naturais — parecem artificiais, ou feitas pelos homens de lá.

— Como sabem? — duvidou Pedrinho.

— Porque parecem traçados a compasso e régua, que são invenções dos homens. A natureza tem o bom gosto de não usar esses instrumentos. Já reparou que ela nada faz perfeitamente reto ou perfeitamente curvo, como as linhas e círculos traçados pela régua e o compasso?

— Isso não, vovó! — contestou o menino. — Certas palmeiras têm o tronco em linha reta, e o maracujá e outras frutas são bem redondinhos.

— Se com a régua e o compasso você conferir a linha reta duma palmeira ou o redondo de qualquer fruta, verificará que são mais ou menos — nunca exatamente. A natureza tem horror à precisão da régua e do compasso.

— Eu sei — disse Pedrinho pensativo. — O instrumento que a natureza usa é o mesmo daquele Zé Caolho que esteve consertando a casa do Elias Turco: o olhômetro! O Zé Caolho mede tudo com aquele olho torto, a que Emília deu o nome de "olhômetro". Ele não usa régua, nem compasso, nem trena, nem nível, nem prumo. É tudo ali na "batata do olhômetro", como diz a Emília.

— Pois a natureza é assim, meu filho. Parece que tem horror à geometria. Faz tudo mais ou menos — e por isso são tão belas as coisas naturais. Se você mandar a geometria fazer uma árvore, ela faz uma árvore toda cheia de linhas retas e curvas, de elipses, espirais e triângulos, tudo de uma "precisão geométrica" — e fica a feiura das feiuras. Mas com o seu olhômetro a natureza produz belezas como aquela — e apontou para o cedrão do pasto. — Veja. Não há naquela árvore nenhuma regularidade geométrica, e vem daí a beleza do nosso velho cedro. Pois os canais de Marte são assim — são duma regularidade que não é própria da natureza. Ora, se não são naturais, são artificiais.

Pedrinho admirava-se duma coisa — que os canais de Marte fossem avistados da Terra.

— Graças a Galileu, meu filho. Graças ao telescópio, filho da luneta que Galileu inventou, nós daqui enxergamos até os canais de Marte, uma coisa que está a 56 milhões de quilômetros de distância... Não é maravilhoso?

— Que quer dizer telescópio, vovó?

— *Tele* em grego é "longe" e *skopeo* é "eu examino". Telescópio quer dizer "eu examino ao longe".

— Que beleza o grego, hein, vovó? É batal...

Dona Benta estranhou aquele "batal" que volta e meia vinha à boca de seu neto.

— Que história é essa de batata pra aqui, batata pra ali, que vocês vivem usando agora? Eu já ando abatatada de tanta batata que rola por esta casa.

— É a Emília, vovó — explicou Pedrinho. — Ela inventou a coisa e nós, sem querer, pegamos na mania. Eu bem não quero falar assim, mas sai. Emília inventou até um tal "batatalífero" que é batal. E também usa o "batatalino".

— Mas donde veio isso?

— Não sei, vovó. Essas coisas vêm do ar, como os resfriados. Parece que a gente enjoa das velhas palavras e precisa de novas — e vai inventando. Batal quer dizer ótimo, otimíssimo, bis-ótimo. Mas se a gente diz "isto é ótimo" fica sem força. Parece que essa palavra está muito gasta. E Emília então diz: "Isto é batatal ou batatalino" e a gente arregala o olho.

Dona Benta filosofou sobre o pitoresco da gíria e depois voltou ao planeta Marte.

— O diâmetro de Marte é de 6.870 quilômetros. E o da Terra? Vamos ver se não esqueceu.

— É quase o dobro, vovó.

— Isso mesmo. E a circunferência de Marte também é mais ou menos metade da da Terra. Qual a circunferência da Terra, Senhor Flammarionzinho?

— Quarenta mil quilômetros! — berrou o menino — e Dona Benta deu-lhe grau dez pela boa memória.

Em seguida contou que Marte era mais velho que a Terra.

— Esse planeta destacou-se do Sol milhões de séculos antes da Terra, de modo que tudo está lá muito mais evoluído que aqui. A vida em Marte deve ser como vai ser a daqui no futuro. Nós nem podemos fazer ideia dos animais de Marte, e muito menos do homem de Marte — o marciano.

— Marciano quer dizer habitante de Marte?

— Sim. E esses marcianos têm o gosto de ver em seu céu duas luas, em vez duma só, como nós aqui.

— Duas luas? Que engraçado...

— Dois satélites, sim, meu filho, aos quais os astrônomos deram os nomes de Deimos (Terror) e Fobos (Medo).

— Por quê? Que é que o Terror e o Medo têm a ver com dois astros do céu?

— Ah, isso é uma recordação duns versos de Homero na Ilíada. Existe nesse poema um pedacinho assim: Ao Terror e ao Medo ele ordena que atrelem meus corcéis / Enquanto de suas cintilantes armas vai se vestindo.

— Mas que têm esses versos com as luas de Marte?

— Nada, meu filho. O astrônomo que deu esses nomes às luas de Marte devia ter lido na véspera a Ilíada de Homero e estava com as palavras Deimos e Fobos na cabeça. Só isso.

— E essas luas aparecem no céu de Marte do tamanho da nossa Lua aqui?

— São muito menores. Deimos tem apenas doze quilômetros de diâmetro.

— Só doze? — admirou-se o menino. — Isso é do tamanho duma cidade como Paris, Buenos Aires, São Paulo...

— Exatamente; mas como Deimos está apenas a seis mil quilômetros de Marte, aparece grandinho no céu — assim da quarta parte do tamanho da nossa Lua.

— E Fobos?

— Esse está a vinte mil quilômetros de distância e é várias vezes menor que Deimos.

Isso era tudo quanto Pedrinho sabia do planeta Marte, segundo as informações recebidas de sua avó no sítio. Agora que voava para Marte levado pelo pó de pirlimpimpim iria ter ocasião de verificar se aquilo estava certo ou não. O caso dos canais de Marte e dos marcianos era o que mais o interessava.

Logo que chegaram e abriram os olhos, os três aventureiros celestes sentiram-se desnorteados. Tudo muito diferente do que tinham visto na Lua e do que era na Terra. Canais não viram nenhum, porque coisas grandes como canais só são avistáveis de longe. É como quem está dentro duma floresta: só vê galharada e folharada, não vê a floresta em seu conjunto. Eles puseram-se a prestar atenção às coisas próximas — mas não as entendiam.

— Isto aqui devem ser plantas — disse Narizinho. — Só que estou estranhando as formas e a cor.

— Pelo que disse vovó — informou Pedrinho — as plantas daqui são evoluidíssimas — são como vão ser as plantas da Terra daqui a milhões de anos.

Era uma vegetação amarela e avermelhada. Não havia verdes, e as formas não lembravam as plantas da Terra.

— E gente? E bichos? — indagou a menina. — Não vejo nada mexer-se. Será que Marte é desabitado?

Pedrinho também desapontou. Por mais que olhasse e reolhasse, não percebia traço de vida animal. E estavam caminhando por ali, a olharem para a direita e a esquerda, quando Emília os agarrou pelas mãos e os puxou para um lado com toda a força.

— Que há? — perguntaram os dois meninos assustados. A boneca respondeu levando o dedinho à boca em sinal de "bico calado!" e fez que ambos se escondessem atrás duma pedra.

— Agachem-se e não se mexam. Depois explico.

Emília olhava como se estivesse vendo coisas e mais coisas. E assim esteve muito atenta e quietinha, imóvel atrás da pedra, até que afinal desembuchou.

— Uff! Que susto!... — exclamou ela erguendo-se. — Acabamos de passar por um grande perigo. Este astro é mais que habitado — é habitadíssimo. Aquele puxão que dei em vocês foi porque um grupo de marcianos vinha vindo em nossa direção.

Os habitantes de Marte eram invisíveis para os olhos dos meninos, mas visibilíssimos para os olhos da Emília. Ela os tinha decorado e passou a descrevê-los.

— São esquisitíssimos! Parecem grandes morcegos brancos. Em vez de caminharem com dois pés, como nós, deslizam pelo chão e erguem-se nos ares quando querem. O corpo é oval e cheio de crocotós, isto é, de coisas esquisitas que não entendo bem. Parecem ter uma porção de braços e mãos, maiores e menores; e no lugar em que devia ser a cara, há mais crocotós — tudo muito diferente das criaturas da Terra. Nós temos olhos, nariz, boca e orelhas — eles devem ter tudo isso, mas de formas diferentes. São uns seres absurdos...

— E falam?

— Devem falar, mas sem sons, sem palavras, dum modo muito diverso do nosso. Bem no meio da tal coisa que deve ser a cara existe um chicotinho flexível que eles manejam com grande rapidez.

— Antenas, como nos insetos?

— Talvez. É com os movimentos desses chicotinhos no ar que eles se entendem.

Pedrinho e Narizinho ficaram apavorados com a descrição e ansiosos por fugirem daquele misterioso planeta. Pelo que informava a Emília, os marcianos não tinham dado pela presença deles ali. Era provável que não pudessem vê-los. Mas seria realmente assim? Às vezes uma coisa parece, mas não é. Tornava-se indispensável verificar esse ponto — mas como? Emília tomou uma resolução.

— Vou tirar a limpo esse ponto — disse ela. — Se me acontecer qualquer coisa, se eles me pegarem e me comerem, não faz mal. Não sinto dor, sou boneca — e, além disso, Tia Nastácia faz outra ainda melhor que eu... Fiquem caladinhos aqui atrás da pedra. Não se mexam até que eu volte — e foi tirar a limpo aquele ponto.

IMAGINÁRIO VIAGEM AO CÉU

329

Capítulo XIII
Proezas da Emília em Marte

Os meninos quedaram-se calados e imóveis atrás da pedra enquanto Emília se afastava. Meia hora depois já estavam inquietos.

— Fomos muito egoístas, Pedrinho, deixando que Emília saísse com o seu lampeirismo por este mundo desconhecido. Se ela nunca mais voltar, vai ser uma tristeza lá no sítio.

— Não tenha medo — animou Pedrinho. — Emília é uma danada.

E tinha razão de pensar assim, porque logo depois a boneca reapareceu, com cara alegre.

— Estamos salvos! — foi dizendo muito lambeta. — Os marcianos não nos podem ver. Fiz todas as experiências. Passei rentinha duma porção deles. Cheguei até a puxar o chicotinho de um. O coitado levou um susto, mas não me percebeu. Podemos passear por aqui sem medo de nada.

E assim foi. Saíram dali sem medo nenhum e, sempre guiados pela Emília, andaram por toda parte como se estivessem na casa da sogra. Como os dois nada pudessem ver, tinham de contentar-se com as informações da Emília.

— Estamos num maravilhoso palácio — disse ela em dado momento. — Deve ser o palácio do governo dos marcianos. Lá está o rei no seu trono, todo batatal, como se fosse o dono dos mundos...

— Como é esse rei? — perguntou a menina, ardendo de curiosidade.

— Oh, um rei e tanto e diferente dos outros marcianos. Tem o chicote da cara mais comprido. Esperem... Estou vendo que o tal chicote não serve só para falar... O rei está danado com alguém. O chicote vibra no ar e dá chicotadas num marciano... Surra e fala ao mesmo tempo... Esperem, esperem ... Estou compreendendo a linguagem do chicote...

Os dois meninos começaram a ficar com medo da boneca. Parecia transformada. Não mais lembrava a Emília bobinha e asneirenta lá do sítio. Falava e raciocinava na maior perfeição como se alguma misteriosa fada lhe houvesse enxertado um novo dom.

— Já aprendi a língua dos marcianos — disse ela por fim. — Compreendo perfeitamente o que falam. E sabem o que o rei está dizendo? Está dizendo a um cara de crocotó (com certeza um ministro) que o planeta foi invadido por entes estranhos.

— Mas como pode saber disso se não nos enxerga? — observou Pedrinho.

— Não enxergam, mas sentem. O rei está falando... Está dizendo: "Há qualquer coisa de estranho por aqui. Quero que os aparelhos detectores sejam postos em ação imediatamente".

— Que aparelhos detectores serão esses? — indagou Pedrinho. — Com certeza inventaram olhos mecânicos, já que não podem enxergar como nós. Se os tais aparelhos detectores nos descobrem, estamos fritos...

— Fritos, nada! — exclamou Emília. — Havemos de tapear estes marcianos com todos os seus crocotós.

— Que tantos crocotós são esses, Emília? — volveu Narizinho.

— São as coisas esquisitas que eles têm pelo corpo e não posso adivinhar o que sejam. Crocotó é tudo que é empelotado ou espichadinho como os tais chicotes. Os marcianos são crocotosíssimos. Esses crocotós devem ser órgãos próprios deles aqui.

— E como vamos nos arranjar com gente assim?

— Eu dou jeito — declarou Emília. — Vou descobrir os tais "aparelhos detectores" — e misturo tudo, arraso com eles.

Disse e fez. Meteu-se pelo palácio na pista do ministro, o qual, depois de receber a ordem do rei, se encaminhara para o aparelho detector ali do palácio.

Era um maquinismo esquisito e incompreensível, mas Emília sabia que todas as máquinas têm um ponto comum: só funcionam quando estão com todas as peças perfeitinhas e no lugar. Uma que seja quebrada ou retirada, e já o funcionamento da máquina inteira não é o mesmo.

Pensando assim, Emília agarrou uma espécie de martelo e começou a martelar as peças mais delicadas, quebrando ou amassando as que pôde.

O pobre ministro, muito apavorado, via o amassamento das peças sem conseguir ver o autor do estrago, e tal foi a sua impressão que de súbito caiu por terra desmaiado. Emília aproximou-se para examiná-lo de bem perto.

Que ente esquisito! Não era de carne e sim duma substância branca e mole como a borracha. Emília examinou-o demoradamente sem que conseguisse entender coisa nenhuma. Via uma porção de crocotós ou órgãos muito diferentes dos nossos. Qual seria a boca? Quais seriam os olhos ou os ouvidos? Só quanto ao chicote é que ficou certa, pois era na verdade o órgãozinho com que os marcianos se entendiam entre si.

Depois de muitas pancadas no Aparelho Detector, a boneca percebeu que daquele mato não sairia coelho, isto é, que já não havia perigo de serem detectados por aquele aparelho. Para maior segurança pregou uma terrível martelada num dos crocotós do ministro desmaiado — e foi correndo para onde estavam os meninos. A despeito da martelada no crocotó, o ministro voltou a si e foi dar parte ao rei dos esquisitos acontecimentos.

— Algum estranho invadiu os nossos domínios e acaba de arruinar o detector do palácio — disse ele. — Vi os estragos irem aparecendo como por si mesmos, mas não pude ver o autor daquilo. É invisível. E também sentia a ação do intruso em meu crocotó número cinco. Deu-me tamanha martelada que quase fui para o beleléu...

— Nesse caso — ordenou o rei furioso — expeça ordem para que os quinhentos detectores do reino sejam postos em atividade — quero ver se o tal intruso tem forças para arruinar todos os nossos detectores. E logo que ele seja detectado e aprisionado, quero que o ponham num garrafão de álcool e o guardem no museu.

— Hum!... — fez Pedrinho ao ouvir essa história. — Já tive um saci na garrafa e não quero que me aconteça o mesmo. O melhor é safar-nos deste misterioso e perigoso planeta antes que nos detectem e engarrafem...

— Isso é o verdadeiro — concordou Narizinho. — Passe para cá a minha pitada de pirlimpimpim e azulemos daqui.

Pedrinho distribuiu as pitadas e deu o sinal:

— Um... dois... e três!

Mas na pressa com que fizeram aquilo esqueceram-se de determinar o rumo a seguir, de modo que em vez de irem para um novo planeta foram despertar na Via-láctea.

Capítulo XIV
A VIA-LÁCTEA

Lá no sítio, quando Dona Benta falou da Via-láctea que os meninos enxergavam no céu, Emília veio com a asneirinha do costume. Estavam na varanda por uma noite muito límpida, a espiar as estrelas.

— E aquela espécie de nuvem branca que estou vendo lá? — tinha pergunta-do Narizinho; e depois de Dona Benta contar que era a Via-láctea e que *láctea* queria dizer "de leite", Emília saíra-se com esta:

— Com que leite teriam feito aquilo? Para mim foi com leite da Grande Ursa...

Dona Benta explicou que naquele caso a palavra "láctea" não queria dizer "feito de leite", como são os queijos e requeijões, e sim que tinha *a aparência duma coisa leitosa*.

— E "leitosa" não quer dizer "feita de leite"?

— Não. Leitosa quer dizer que dá ideia da cor do leite ou da consistência do leite. Aquilo lá no céu é o que os astrônomos chamam "nebulosa". A Via-láctea é uma das muitas nebulosas que com o telescópio eles enxergam no espaço. Deram-lhe o nome de Via-láctea por causa da cor branquicenta com que a vemos daqui.

— E que é nebulosa? — perguntara Pedrinho.

Dona Benta coçou a cabeça. Não é fácil explicar às crianças o que é uma ne-bulosa. Por fim disse:

— Há várias hipóteses, meu filho. A hipótese mais aceita hoje é que são ver-dadeiros universos dentro do universo — arquipélagos de estrelas em tais quanti-dades que à distância parecem uma nebulosa, uma nuvem. São milhões de estrelas afastadíssimas.

— Todas como o Sol?

— Sim, meu filho. O Sol é uma estrela da infinidade de estrelas que há no espaço infinito. Está apenas a 150 milhões de quilômetros daqui, tão pertinho que sua luz leva só 8 minutos e 18 segundos para chegar até cá, caminhando com a velo-cidade que vocês sabem...

— Trezentos mil quilômetros por segundo — lembrou Pedrinho.

— Isso mesmo. Veja como é perto o Sol! Em 8 minutos e 18 segundos a sua luz chega até nós. Depois do Sol a estrela mais próxima da Terra está a quarenta trilhões de quilômetros ou quatro anos-luz. Quer dizer que a luz dessa estrela leva quatro anos para chegar até nós.

— Irra!...

— E sabe que essa estrela está também muito perto de nós?

— Será possível? — exclamou Pedrinho assombrado. — Haverá ainda coisas mais distantes?

— Sim, meu filho. Os modernos telescópios revelam nebulosas a quinhentos milhões de anos-luz da Terra...

— Quinhentos milhões, vovó? — repetiu Pedrinho no maior dos assombros. — Isso também é demais; chega a ser desaforo...

— Quando inventarem telescópios ainda mais poderosos que os de hoje, é possível que essas nebulosas sejam consideradas próximas. Descobrir-se-ão outras a bilhões de anos-luz... Pois as nebulosas são isso — verdadeiros universos dentro do universo, a tremendas distâncias do nosso sistema planetário. E quando nos pomos a pensar no número de estrelas, então é que ficamos tontos de uma vez. A nossa galáxia, isto é, o universo onde está o nosso Sol e mais as estrelinhas que vemos no céu, compõe-se de mais de quarenta bilhões de estrelas...

— Quarenta bilhões, vovó? Estou ficando totalmente tonto...

— Pois tonteie duma vez, sabendo que os telescópios revelam a existência de mais de cem milhões de nebulosas, isto é, de universos dentro do universo, cada uma delas com bilhões e bilhões de estrelas...

Pedrinho fingiu que caía para trás...

Isso no sítio, nas conversas astronômicas de Dona Benta. Mas agora que estavam no céu e o *fiunnn* os levara justamente à Via-láctea, não quiseram saber daquela Via-láctea dos astrônomos.

Quiseram a Via-láctea da Emília, muito mais interessante. E foi na Via-láctea da Emília que eles brincaram, lá nos espaços infinitos.

Emília estava que nem doida. Viu por ali inúmeras estrelinhas em formação e começou a brincar com elas como se fossem amigas de infância e a contar-lhes histórias lá do sítio, proezas de Rabicó, façanhas do extinto Visconde de Sabugosa e do novo Doutor Livingstone. As estrelinhas divertiam-se com as novidades, mas confessavam não terem a menor noção da Terra.

— Parece incrível a ignorância destas bobinhas! — exclamou Emília quando suas amigas estrelas começaram a piscar para dormir. — Não sabem nada de nada. Falei do nosso grande planeta Terra, falei da Lua, falei de Marte — e todas arregalaram os olhos e abriram a boca. Era a primeira vez que estavam ouvindo tais palavras...

— Ah, Emília! — suspirou Pedrinho. — Isso prova como o universo é infinitamente grande e como a nossa Terra é pulga. Menos que pulga: é espirro de espirro de espirro de pulga. Cada uma dessas estrelinhas quando cresce vira um sol

— E sabe, Emília, quantas vezes a massa do nosso Sol é maior que a da Terra? Emília não sabia.

— Um milhão e trezentas mil vezes! — declarou o menino. — O Sol é dum tal tamanho que até dá dor de cabeça nos astrônomos — e há estrelas muitíssimo maiores que ele. Mas quando o Sol nasceu devia ser um coitadinho como estas suas amigas daqui.

— Então é a isto que Dona Benta chama de "massa cômica"? — perguntou Emília.

Pedrinho riu-se.

— Massa cósmica, bobinha. Cômico quer dizer outra coisa. Cômico é o que é engraçado. Cósmico quer dizer relativo ao mundo, ou aos mundos, ou ao universo, que é o conjunto dos mundos.

— Mas que tem a palavra cósmico com mundo? Devia ser "massa múndica" e não massa cósmica.

— Vovó já explicou esse ponto. É porque em grego mundo é kosmos.

Enquanto falava, Emília ia fazendo um montinho de estrelas das menores, para enfeite de seu museu lá no sítio. E Narizinho, longe dali, pulava de cima das estrelas mais graúdas, sobre outras, tal qual lá no sítio pulava dum capim para trepar em outro.

Mais adiante havia um ponto onde a massa cósmica estava ainda pura, sem nenhuma estrelinha formada. Emília correu para lá e pôs-se a enrolar entre as palmas das mãos aquela massa luminosa, como Tia Nastácia enrolava massa de trigo para fazer bolinhos.

— Olhem que linda fiz agora! — disse ela mostrando uma enrolada em forma de rosquinha de polvilho. — Estrelas de rosca não existem no céu. Vou fazer uma porção e soltá-las no espaço para irem crescendo. Imaginem a cara dos astrônomos em seus telescópios, quando derem com as "estrelas emilianas", todas em forma de rosca...

Pedrinho só queria saber de cometas. Juntou uma dúzia dos mais engraçadinhos para os levar — e ria-se de gosto, imaginando a cara de Dona Benta ao vê-lo ir tirando do bolso filhotes e mais filhotes de cometa. — Parecem sapinhos de cauda, só que estes não perdem o rabo quando crescem. Ficam de caudas cada vez maiores. Aquele cometa de Halley que vovó viu em 1.910 tinha uma cauda de 45 milhões de quilômetros...

E Pedrinho começou a contar o que sabia dos cometas.

— São uns astros muito curiosos — disse ele. — Também giram em redor do Sol como os planetas, mas têm as órbitas diferentes.

— Que é órbita? — perguntou Emília.

— Órbita é o caminho percorrido por um astro. A órbita dos planetas é quase um círculo, mas a dos cometas tem a forma do que os sábios chamam "elipse".

— E que é elipse? — tornou a perguntar Emília.

— É a forma dos balões dirigíveis ou daqueles bolinhos compridos que Tia Nastácia faz. Os cometas passam muito perto do Sol e depois se afastam a distâncias tremendas. E levam assim toda a vida: a se aproximarem e depois a se afastarem do Sol. Segundo diz vovó, esse cometa de Halley, depois de passar perto do Sol, afasta-se até para lá da órbita de Plutão, que é o fim dos nossos mundos (estes mundos que giram em redor do Sol). Afasta-se sabe quanto? Afasta-se um bilhão e trezentos milhões de léguas. Quando chega ao extremo da elipse, sente-se tão enregelado que volta para aquecer-se novamente ao calor do Sol. E assim toda a vida. Dá uma volta completa em setenta e seis anos.

— Que bobo! — exclamou a boneca. — Muito melhor se girasse sempre à distância em que a Terra gira, porque então teria um calorzinho sempre igual.

— Eles que usam o sistema da elipse é porque gostam — disse a menina. — Devem ter suas razões. E que mais você sabe dos cometas, Pedrinho?

— Sei a história do cometa Biela, que é muito interessante. Esse Biela costumava dar o seu giro completo em seis anos e meio, mas da vez em que passou à vista da Terra em 1.846 aconteceu-lhe uma coisa extraordinária: partiu-se em dois! Dividiu-se em dois cometas de órbitas paralelas, cada qual com o seu "núcleo", ou cabeça, e a respectiva cauda.

— Que engraçado! E apostaram corrida no céu?

— Sim. Um começou imediatamente a afastar-se do outro. Um mês depois já estava a 60.000 léguas na frente. Seis anos e meio mais tarde a parelha de cometas foi novamente vista nos céus da Terra, mas separados por uma distância de 500.000 léguas.

— E depois?

— Depois decorreram diversos períodos de seis anos e meio sem que os dois Bielas voltassem, até que no dia 27 de novembro de 1.872 reapareceram desfeitos em milhares de fragmentos luminosos, sempre a correrem pela mesma órbita.

— Que história é essa?

— É que os dois Bielas se haviam espatifado completamente e agora estavam girando transfeitos em farelo de cometa. Os astrônomos calcularam em 160.000 o número dos pedaços dos Bielas que riscaram o céu naquela noite...

— Que assombro dos assombros não devia ser! — exclamou a menina entusiasmada. — Que beleza!...

— Também acho — concordou Pedrinho — e creio que nunca em tempo algum houve pelos céus da Terra um espetáculo mais portentoso. Cento e sessenta mil pedaços de cometa, imaginem!...

— Que regalo para os astrônomos, não?

— Sim, e deu-se um caso muito cômico. O Flammarion, que era um dos maiores astrônomos da época, estava naquele mês em Roma, convalescendo de um ataque de malária. E por causa da doença tinha de recolher-se muito cedo todos os dias. Pois na famosa noite de 27 de novembro aconteceu-lhe a coisa mais terrível de todas.

— Já sei! — gritou Emília. — Caiu-lhe na cabeça um dos 160.000 pedaços do Biela...

— Não! Coisa muito pior. Flammarion foi para a cama às seis horas da tarde e a maravilhosa chuva de estrelas começou uma hora depois, exatamente às sete, e durou seis horas. Durou das sete até uma hora da madrugada — e ele roncando lá na cama, com as janelas fechadas!... No outro dia, quando se levantou e soube do acontecido, quase morreu de sentimento.

— Mas não houve por lá uma alma caridosa que o acordasse a tempo?

— Não houve nada. Todo mundo estava de nariz para o céu e ninguém se lembrou dele.

— Eu me matava — disse Emília. — Se eu fosse astrônoma e perdesse um espetáculo desses, juro que...

— ...que pregava um tiro de canhão na orelha, já sei — concluiu Pedrinho.

Muitas outras coisas ainda disse o menino sobre os cometas. Só parou quando viu Emília bocejar — então foi encher os bolsos de cometinhas novos. Enrolava-lhes a cauda em redor do núcleo e guardava-os. Narizinho, que também estava a lidar com aquilo, teve de repente uma ideia cômica.

— Sabem o que vou fazer? Amarrá-los uns nos outros pelas caudinhas e soltá-los no éter. Imaginem como vão ficar engraçados quando crescerem! E a dor de cabeça dos astrônomos do futuro para decifrar o mistério...

— Eles não se apertam — disse Pedrinho. — Armam logo uma hipótese e pronto.

— Que é hipótese, Pedrinho? — perguntou Emília. — Dona Benta usa muito essa palavra, que acho ótima para nome do bezerro da Vaca Mocha.

— Hipótese — explicou Pedrinho — é quando a gente não sabe uma coisa e inventa uma explicação jeitosa.

Emília gostou tanto daquela palavra que se pôs a repeti-la de todos os modos, como era seu costume com as palavras importantes. Hipótese — tesehipo, setepohi, pohitese...

IMAGINÁRIO VIAGEM AO CÉU

— Pare, Emília! — ralhou a menina. — Pelo menos aqui neste canteiro de mundos não mexa na torneirinha...

Mas a boneca nem ouvia. Estava às voltas com uma estrela dupla, coisa rara como trevo de quatro pétalas num jardim.

— Achei uma das duplas! — gritou ela. — Vou levá-la de presente ao meu cavalinho sem rabo.

Depois, voltando aos cometas, teve uma ideia excelente.

— Que tal, Pedrinho, se eu plantar um rabo de cometa no meu cavalinho sem rabo? — e sem esperar resposta arrancou o rabo dum dos cometinhas, enrolou-o e guardou-o no bolso do avental, enquanto ia murmurando lá consigo: "Como ele vai ficar contente!".

— Você falou em cavalo, Emília — disse Pedrinho — e me fez lembrar do Burro Falante. Com certeza está enganchado na cauda dum desses grandes cometas que andam como malucos girando pelos espaços; e o meio de o acharmos é um só: sairmos em procura deles montados em outro cometa. Foi o que eu disse a São Jorge. É possível que aqui encontremos um cometa já crescidote que nos aguente no lombo. Vamos ver se descobrimos um que sirva.

E puseram-se a procurar um cometa já taludote. Súbito, Emília, que se afastara dos meninos, gritou lá longe:

— Estou vendo um que serve. Corram depressa!...

Pedrinho e Narizinho correram para lá e realmente viram um cometa de linda cauda e do tamanho exato que queriam. Um verdadeiro potrinho.

Mas não foi fácil agarrá-lo. Era um cometa arisco e manhoso, sabido como ele só; nunca tinha visto gente, de modo que corcoveava e fugia assim que eles se aproximavam. Mas, cerca daqui, cerca dali, conseguiram afinal pegá-lo, e Pedrinho, que era bom cavaleiro, montou-o dum pulo. Depois, dando a mão à menina e à boneca, fez que as duas também montassem.

— E rédea? Como arranjar rédea para guiar este potro pelos espaços?

— Faça uma rédea de caudas de outros cometinhas — gritou Emília. — Rabo de cão se cura com mordedura do próprio cão, como diz Tia Nastácia.

Pedrinho gostou da ideia, e mesmo montado conseguiu alcançar e arrancar vários rabos de cometinhas menores, que num instante teceu em forma de rédea e passou pelo "núcleo" do potro. Os pobres cometinhas derrabados olhavam para trás desapontadíssimos e muito sem jeito. Quem se acostuma com rabo não sabe viver sem ele.

— Não se aflijam! — gritou-lhes a boneca. — Lá em casa há um ilustre marquês que também não tem rabo e vive muito bem. E chama-se Rabicó justamente por isso. Rabicó quer dizer sem rabo. Vocês ficam sendo os rabicós celestes...

Depois de bem domado aquele Potro dos Céus, Pedrinho perguntou:

— Pronto? Podemos partir?

— Não ainda! — gritou Emília. — Esqueci de pôr no bolso o meu montinho de estrelas. Espere que já volto — e apeando-se foi encher de estrelinhas o bolso do avental. Depois montou de novo e berrou para Pedrinho:

— Pronto! Podemos fincar as esporas nesta "hipótese".

Pedrinho não fez isso; fez coisa mais importante: esfregou no nariz do cometa uma boa pitada do pó de pirlimpimpim.

O potrinho celeste espirrou e saiu ventando.

Capítulo XV
A CAVALGADA LOUCA

Aquilo até parecia fábula. Estarem montados num cometa, a voarem com velocidade de cavalos-luz, era coisa que quando fosse contada aos povos da Terra havia de provocar sorrisos de incredulidade.

— É o que me aborrece — ia dizendo Pedrinho. — Quando contarmos esta proeza, ninguém na Terra vai acreditar...

— Vovó acredita, juro! — disse Narizinho. — Vovó está tão treinada em nossas maravilhas que não há nada em que não acredite. E Tia Nastácia também.

— Isso sei eu — mas os outros? Todos os outros adultos hão de dizer que é fantasia nossa.

— Ora os adultos! — exclamou Narizinho com ar de pouco-caso. — Não há maior sem-gracismo do que ser adulto. Bem razão tinha Peter Pan em não querer crescer, em não querer nunca virar gente grande — ou "adulto", como eles dizem com todo o pedantismo. A tal gente grande não sabe fazer a única coisa interessante que há na vida...

— Que é, Narizinho?

— Ora que é! Brincar, bobo. Tirando o brinquedo, que é que resta na vida? As gentes grandes arrumam a casa, varrem, lavam roupa, guiam bondes nas ruas, entregam pão nas portas, constroem navios, escrevem livros, jogam no bicho, guerreiam — fazem tudo, menos a grande coisa que é brincar, brincar, brincar até arrebentar, como nós...

— É verdade — concordou o menino. — Mas por que será que os adultos não brincam?

— De medo de parecerem crianças. Eles morrem de medo de parecer crianças, como se não fosse dez vezes mais importante ser criança do que ser uns homões de bigodes feito taturanas debaixo do nariz, ou umas mulheronas gordas, cheias de rugas na cara, sardas e pés-de-galinha.

— É como eu penso — volveu Emília lá da garupa. — Se em vez de boneca eu tivesse nascido gente grande, sabem o que fazia? Suicidava-me com um tiro de canhão na orelha.

Enquanto isso o cometinha voava pelos espaços com uma velocidade incrível. Quanto tempo durou aquela corrida? Impossível calcular.

— Estamos devorando anos e mais anos-luz — dizia Pedrinho.

E na corrida louca passavam perto de quantas constelações existem pelos céus.

— Lá está a Grande Ursa — explicava Pedrinho. — E agora vamos nos aproximando da constelação de Cassiopeia e da constelação da Girafa...

Todos se admiravam da sabedoria de Pedrinho. Parece que sabia de cor todas as estrelas do céu. Em certo ponto Emília pediu:

— Não se esqueça de me chamar a atenção quando passarmos perto da Cabeleira de Berenice. Fiz aquela promessa a São Jorge e tenho de cumprir.

— E aquela lá longe é a constelação da Lira — continuou Pedrinho. — Recebeu esse nome porque lembra a forma de vaso duma lira.

— Isso não! — contestou a boneca. — A lira sempre foi redonda.

— Redonda? Você está sonhando, Emília.

— Sim, sim — insistiu a bobinha. — Dona Benta tem várias moedas na gaveta e entre elas uma lira bem redonda.

Pedrinho deu uma gargalhada.

— Boba! A lira dessa constelação não é a lira moeda da Itália — é a lira grega, um instrumento de música dos antigos, quando não havia violão nem piano. Os poetas até hoje falam muito em lira. Eles vivem "tangendo a lira...".

— E não se pode dizer "tocando a lira"? — quis saber a boneca.

— Não — respondeu Pedrinho. — A lira tange-se, não se toca. Tocar é para sino, viola ou piano.

— E para frango também — acrescentou Emília. — Tia Nastácia vive tocando os frangos que entram na cozinha.

Emília quis saber a forma da lira, quantas cordas tinha e de que modo era "tangida". E Pedrinho estava a explicar tudo isso minuciosamente, com muitos gestos e micagens, quando, de repente, perdeu o equilíbrio e caiu do cometa abaixo, exatinho como quem cai dum cavalo xucro — e lá rodou pelos espaços infinitos.

— Acudam! — berrou Narizinho na maior aflição. — Pedrinho caiu no éter.

A situação era na verdade gravíssima. Dos três viajantes só Pedrinho era astrônomo e, além disso, só em seu bolso havia o maravilhoso pó de pirlimpimpim. Sem Pedrinho e sem o pó, como se arrumariam — como voltariam para casa? E Narizinho começou a sentir todas as angústias do terror.

— E agora? — gemia ela. — E agora, Emília, que vai ser de nós, largadas sozinhas nestes desertos infinitos? Gritar não adianta. Chorar, ainda menos. Que havemos de fazer, Emília?

A boneca não se apertou.

— O que temos a fazer, Narizinho, é não fazer coisa nenhuma. É ficarmos agarradinhas a este cometa e deixarmos que ele corra pelo espaço até que se canse e pare. Depois veremos.

A calma da boneca não sossegou a menina; mas ao lembrar-se de que muitas vezes se vira em aperturas tremendas e tudo acabou bem, resolveu sossegar — e foi sossegando. A falta de Pedrinho, entretanto, era enorme. Só ele sabia a ciência do céu, o nome das estrelas e planetas, de modo que sem ele um voo pelos espaços de nada adiantava — iam passando perto das mais lindas constelações sem saber como se chamavam.

E assim rodaram as duas em silêncio durante minutos e minutos. A velocidade do cometa parecia cada vez maior. Se Dona Benta pudesse prever por onde elas andavam... Súbito, Emília deu voz de alarma.

— Um cometão! — gritou. — Um cometão enorme vem vindo ao nosso encontro.

Narizinho, que estava de cabeça baixa, pensativa, ergueu os olhos e viu. Viu realmente um cometa de enormíssima cauda avançando na direção do delas. Pelo jeito os dois iam encontrar-se e chocar-se — e ai do pequenino! Narizinho lembrou-se da conversa de Dona Benta sobre a atração que os astros exercem uns sobre os outros, e viu que a força de atração do cometa grande estava puxando para si o cometinha. Era talvez por isso que a velocidade aumentava tanto. E a consequência seria fatal: o grande engoliria o pequeno.

— Vamos ficar sem cavalo, Emília! O cometa grande está atraindo o nosso...

— E que tem isso? — foi a resposta da boneca. — Se o cometa grande atrair o nosso, apenas mudaremos de cavalo. Em vez de montadas num cavalinho, iremos devorar o éter num verdadeiro cavalão de Troia.

O cometa grande rapidamente crescia de vulto. Foi ficando imenso, imensíssimo, até que...

Bum!... os dois se chocaram com horrível estrondo. Narizinho e Emília perderam os sentidos.

Capítulo XVI
Aparece o burro

Quanto tempo estiveram desmaiadas lá em cima do cometa grande? Ninguém sabe. Só se sabe que em certo momento Narizinho estremeceu e foi lentamente abrindo um olho. Depois abriu o outro. Depois arregalou os dois — e viu pendurado sobre o seu rosto um focinho com duas ventas pretas. Apesar da tonteira em que ainda estava, reconheceu naquilo uma cara de burro. E súbito um clarão lhe iluminou o cérebro. O Burro Falante! Aquelas ventas, aquele focinho, aquelas pontas de orelhas só podiam ser do Burro Falante, porque o Burro Falante é que havia rolado pelo éter e na opinião de Pedrinho devia andar enganchado nalguma cauda de cometa.

O animal permanecia imóvel, de cabeça pendida. Com certeza estava naquela posição já de muito tempo, à espera de que a menina acordasse — e de tanto esperar dormiu também. Sim. O Burro Falante estava dormindo!

— Emília! — gritou Narizinho sacudindo a boneca desmaiada. — Acorde! Parece que estamos salvas e com o Burro Falante aqui às nossas ordens.

A boneca arregalou os olhos e esfregou-os.

— Burro Falante? — murmurou ainda tontinha, e só então seus olhos deram com o animal adormecido. Emília levantou-se e deu a mão a Narizinho já de pé. Ficaram as duas a olhar para o pobre burro de cabeça caída, imerso em sono profundo.

— Vou acordá-lo — disse Emília, e fazendo "Hu!" acordou-o. O aspecto tristonho do burro mudou para um ar de riso — um ar só, porque os burros não sabem rir, não podem nem sorrir, os coitados. O Burro Falante fez um ar de riso e falou na sua voz antiga de bicho do tempo dos animais falantes.

— Bofé! Até que enfim apareceram. Eu já estava cansado de esperar, e de tanto esperar dormi. Onde ficou o dragão? — e ao falar no dragão tremeu sem querer, com medo de que o monstro tivesse vindo atrás delas.

— Não tenha receio de nada, Senhor Burro — respondeu Emília. — O dragão está lá numa cova da Lua, amarrado na corrente.

O tremor do burro cessou.

— E a Senhora Anastácia?

Ele era a única pessoa no mundo que dizia "Senhora Anastácia", em vez de "Tia Nastácia", como os outros. Nunca houve burro mais bem-educado nem mais respeitador da gramática. Falava como se escreve, com a maior perfeição, sem um errinho. E falava num português já fora da moda, com expressões que ninguém usa mais, como aquele "Bofé!".

— Tia Nastácia ficou na Lua como cozinheira de São Jorge — respondeu a menina — e a estas horas ou está fritando bolinhos ou está fazendo pelos-sinais e dizendo credos.

— E o Senhor Pedro Encerrabodes?

O burro nunca disse Pedrinho; era sempre Encerrabodes.

— O Senhor Pedro sumiu! — gritou a boneca. — Vinha guiando pelos ares o Potro dos Céus, comigo na garupa, quando se pôs a explicar como é que os gregos tangiam a lira (não lira italiana, mas a tal lira que era a viola deles) e tantos gestos fez no ar que perdeu o equilíbrio e caiu no éter.

O burro empalideceu.

— Oh, isso é muito grave! — murmurou em seguida, franzindo a testa e erguendo as orelhas. — O Senhor Pedro Encerrabodes sempre foi o nosso guia. Sem o seu adjutório (ele não dizia ajutório) não sei como nos avirmos nestas terras desconhecidas. Estou aqui há horas (ou há séculos, não posso saber). Já galopei milhares de toesas por esses luminosos campos infinitos, sem encontrar sequer uma pequena touça de capim.

— E está com fome, Senhor Burro? — perguntou Emília.

— Nada mais natural, Senhora Marquesa.

— Pois se quer servir-se de estrelinhas recém-nascidas, tenho muitas aqui no bolso. É o que há...

O Burro Falante respondeu com toda a gramática:

— Não creio, Senhora Marquesa, que meu estômago aceite de bom grado semelhante iguaria. Antes continuar jejuando do que contrariar as leis da natureza com a ingestão dum alimento que nem eu nem meus antepassados jamais provamos.

— Faz muito bem — disse Narizinho. — Quem vai comendo a torto e a direito tudo o que encontra acaba estourando. Vovó sempre diz que o "animal se faz pela boca", isto é: nós somos o que comemos. Um burro que se alimentar de estrelas é capaz de virar cometa.

O burro quis saber o que havia acontecido desde o momento em que Pedrinho lhe assoprou o pó de pirlimpimpim nas ventas. A menina sentou-se e foi contando. Enquanto isso a boneca pôs-se a passear por ali em procura de coisinhas pelo chão, como costumava fazer nas praias. Por causa desse hábito vivia encontrando coisas. Emília pôs-se a andar, e foi andando, e afastou-se para longe.

Em dado momento, quando Narizinho, depois de contar a chegada à Via-láctea, ia entrando na história do cometa-potro-xucro, uma voz distante chegou-lhe aos ouvidos: "Corra, Narizinho! Venha ver uma coisa do outro mundo...".

A menina ergueu-se e correu na direção da voz, até que avistou Emília sentada no chão com qualquer coisa ao colo. De longe não pôde distinguir o que era — pareceu-lhe uma criancinha nova. Mas seria absurdo admitir uma criança nova naquelas alturas.

Narizinho foi se aproximando. Chegou bem perto. Arregalou os olhos e esfregou-os, porque lhe custava acreditar no que seus olhos viam.

— Um anjinho, Emília? ... — exclamou afinal no maior dos espantos. — Onde descobriu semelhante maravilha? — e acocorou-se diante do anjinho lindo que a boneca tinha ao colo.

Era um anjinho mesmo! O mais lindo anjinho dos céus, a maior das galantezas. O rosto parecia feito de pétalas de rosa. Os cabelos em cachos pareciam feitos de fios de luz.

— Achei-o caído por aqui —: respondeu a boneca com os olhos irradiantes de gosto. — Deve ser um pobre anjinho que rolou dalguma nuvem e quebrou a asa. Está desmaiado. Olhe que galanteza! Louro que nem macela, de asas alvas como paina...

A menina ajoelhou-se ao lado da boneca e caiu em contemplação da maravilha. Que encanto de criaturinha! Teve vontade de comê-lo, como quem come um doce cristalizado.

Seu encantamento crescia. Ela olhava, olhava e não cessava de olhar. Depois bateu palmas. Ergueu-se e começou a dar pulos de contentamento.

— Corra! — gritou para o Burro Falante. — Venha ver o assombro dos assombros — um anjinho de asa quebrada...

E para a boneca:

— Imagine, Emília, nós lá no sítio com um ente destes pra brincar! Tia Nastácia sabe quanto remédio existe; há de saber também um bom para asa quebrada — e ele sara e vai voar para nós vermos. Vovó, coitada, juro que desta vez derruba o queixo, quando nos vir chegar com esta galanteza...

Passados alguns instantes o anjinho deu o primeiro sinal de vida, enquanto a menina lhe fazia esfregação pelo corpo. Seus olhos foram se abrindo. Eram azuis como o céu azul. Por fim falou na vozinha mais límpida e sonora.

— Onde estou eu? — foram suas primeiras palavras.

— No meu colo! — respondeu Emília cheíssima de si.

O anjinho olhou para ela sem nada compreender. Nunca tinha visto boneca, e não podia fazer a menor ideia de quem Emília fosse.

— E quem é a senhora? — perguntou em débil voz.

— Eu sou a antiga Marquesa de Rabicó — respondeu Emília toda ganjenta — e agora vou ser a sua mãezinha querida. Esta meninota aqui ao lado é a neta de Dona Benta, Narizinho. E aquele senhor de quatro pés é o único Burro Falante que existe lá na Terra. Nós o salvamos das garras dum leão terrível numa das nossas aventuras do pirlimpimpim, e o levamos para o sítio. Não tenha medo dele, não, bobinho. É muitíssimo bem-educado, incapaz de dar um coice numa mosca. Nossa história é essa. Agora conte-nos a sua.

Depois de olhar muito assustado para a menina e o burro, o anjinho falou. Explicou que andava de passeio pelo éter quando ouviu um tremendo estrondo (o choque dos dois cometas). O seu susto foi enorme, porque jamais tinha ouvido um trovão assim. O estrondo fê-lo perder o equilíbrio do voo e cair desmaiado. Na queda havia batido em qualquer coisa dura no espaço e estava agora sentindo uma dor na asa esquerda

— Que engraçado! — exclamou Emília. — O mesmo nos aconteceu, com a diferença que não nos machucamos e não quebramos a asa. Às vezes é bom não ter asas.

Só então o anjinho percebeu que tinha a asa esquerda quebrada. Quis erguê-la, como erguia a direita, e não pôde. Isso fez que ele se pusesse a chorar um chorinho muito sentido.

— Que vai ser de mim? — murmurou soluçando. — Com uma asa só não posso voltar para minha nuvem, lá onde moram meus irmãos celestes...

— Melhor! — disse Emília. — Irá morar conosco lá no sítio de Dona Benta, que é o lugar mais bonito dos mundos. Temos uma porção de árvores no pomar, e um rio cheio de peixes, e a Vaca Mocha, e os bolinhos de Tia Nastácia. E eu tenho uma canastrinha que até dou para você.

O anjinho nunca tinha visto árvore, nem rio, nem vaca, nem bolos, de modo que nada entendeu de tudo aquilo. Começou a fazer perguntas e mais perguntas, que ora Emília respondia, ora Narizinho. O que mais lhe interessou foi a Vaca Mocha, cuja descrição, feita pela boneca, era mesmo de despertar a curiosidade de todos os anjos do céu.

— Mas esse estranho animal não come gente? — perguntou ele muito admirado.

— Só come capim e palha — respondeu Emília. — E também abóbora, batata, milho e outras coisas assim.

— Capim? Que é capim? — indagou a galanteza com uma ruga de interrogação na testa.

Emília olhou para Narizinho e sorriu. Depois respondeu:

— Não vale a pena explicar. Essas coisas lá da Terra são facílimas de ser compreendidas, vendo. Assim de longe, só explicadas e sem amostras, não podem ser entendidas. Lá na Terra mostrarei o que é capim, o que é milho, o que é flor, o que é árvore, o que é tudo. Não tenha pressa.

— E lá nesse sítio a gente pode voar? — perguntou ele. — Eu gosto muito de voar.

— Pode, como não? — respondeu Emília. — Os patos de lá voam, os gaviões, os marrecos e até as galinhas-d'angola. Os passarinhos todos voam. O tempo voa. As borboletas, as abelhas, as içás — tudo voa que é uma beleza!...

— São anjos também, esses patos, gaviões e galinhas-d'angola?

Emília não pôde conter uma gargalhada gostosa — e voltando-se para Narizinho disse na "linguagem do P", para que o anjo não percebesse: *"Épé mapaispis bupurripinhopo dopo quepe opo Primpimcipipepe Espescapamapadopo"*. (É mais burrinho do que o Príncipe Escamado.) E depois, para o anjinho:

— Não são anjos, não, meu amor. Os anjos que há lá são só os de procissão, isto é, crianças com asas de pato nas costas. Fingimento. E há também os "anjinhos" defuntos. As crianças que morrem viram "anjinhos" — mas em vez de voar, vão para os cemitérios em caixões cheios de flores. Anjo de verdade, dos "legímacos", você vai ser o primeiro.

Outra vez o tal "legímaco"!

— E nunca mais poderei voltar para o céu com os meus irmãos? — perguntou o anjinho depois de refletir uns instantes.

— Poderá, sim, mas duvido que volte. É tão interessante a Terra, toda cheia de homens e mulheres e bichos e plantas, que anjo que cai lá nunca mais pensa em sair.

Nisto Emília bateu na testa e disse: "Não é que me ia esquecendo!" — e tirou do bolso do avental o célebre embrulhinho em papel de seda que lá guardara no dia da partida — o misterioso embrulhinho que não quis explicar a ninguém o que era.

Enquanto a boneca desfazia o embrulho, a menina espichou o pescoço para ver do que se tratava. Uma bala puxa-puxa!

— Tome este presente que eu trouxe da Terra para você — disse Emília oferecendo a bala ao anjinho. — Desconfiei que ia encontrar por aqui alguém que merecesse uma bala e por prevenção vim com esta no bolso. Tome.

O anjinho tomou a bala com ar de quem nunca tinha visto semelhante coisa. Examinou-a por algum tempo; depois olhou para a boneca e para a menina como que pedindo mais explicações.

— É sua, bobinho! — disse Emília. — Ponha na boca e prove. Não tenha medo.

O anjinho obedeceu. Pôs a bala na boca e sem demora fez cara de estar gostando.

— É bom, sim! — disse ele. — Há muitas coisas gostosas como esta lá no sítio?

— Montes! — respondeu Emília. — Tia Nastácia faz desses doces (isso chama-se "doce", decore) em quantidade, e de todas as cores e gostos. Há um amarelo, chamado "doce de abóbora", que é muito bom. Há um roxo chamado "doce de batata". Há as "cocadas", que são branquinhas como a neve. Também há cocadas cor-de-rosa, com as quais eu me implico. Gosto só das brancas. Lá em casa você vai ter tudo isto até enjoar e ficar com dor de barriga e lombrigas. Ah, a nossa vida no sítio é uma beleza de suco...

Tão entretidas ficaram as duas na conversa com o anjinho, que se esqueceram de lamentar a sorte do "Senhor Pedro Encerrabodes", perdido na imensidão do éter. Felizmente Pedrinho não se esquecera delas e, de repente, apontou ao longe.

— Olhem Pedrinho! — berrou Emília que foi a primeira a vê-lo. — Lá está ele, mais serelepe do que nunca...

Que alegria! Nunca a chegada dum personagem foi recebida com tantas demonstrações de contentamento.

— Pedrinho! Pedrinho!... Conte, conte tudo que aconteceu depois do tombo da lira.

— Nada de importante — respondeu o menino. — Também caí neste cometa, como vocês. Caí e perdi os sentidos, ficando desacordado até agora. Afinal voltei a mim. Olhei em redor: só vi este infinito campo luminoso, que logo adivinhei ser a cauda do cometa de Halley.

— Como sabe que é o cometa de Halley? — duvidou a menina, um tanto desconfiada de tanta ciência.

— Pelo jeito — respondeu Pedrinho — e tratou de mudar de assunto. — Logo que voltei a mim olhei para todos os lados. Não vi coisa nenhuma senão esta poeira luminosa. Pus-me a andar, sempre na mesma direção, com esperança de descobrir qualquer coisa. Tive sorte. Vim ter exatamente ao ponto onde vocês estavam. A primeira pessoa que avistei de longe foi o Burro Falante, coitado. Mas... — e Pedrinho interrompeu a narrativa, só então percebendo aquela criança no colo de Emília. — Que é isso? Parece um anjinho...

— E é de fato um anjo — respondeu a menina. — Um anjinho dos legítimos, que Emília achou por aqui. De asa quebrada — tombou lá das nuvens. Na queda bateu em qualquer coisa dura pelo caminho. Vai morar conosco no sítio. Imagine que lindeza...

Em vez de responder, Pedrinho pôs-se a dar pulos de contentamento. Ter um anjo no sítio era coisa que jamais havia passado pela sua imaginação.

IMAGINÁRIO VIAGEM AO CÉU

— Que beleza, Narizinho! — exclamou ele depois de sossegar. — Até Peter Pan vai roer-se de inveja. Um anjinho de verdade na Terra é coisa que nunca houve desde que a Terra é Terra.

O Burro Falante, com as orelhas caídas e os olhos úmidos, contemplava enternecidamente aquele maravilhoso quadro.

Capítulo XVII
SATURNO

Por mais agradável que fosse ficarem boiando naquela cauda de cometa, entretidos em conversar com o maravilhoso anjinho, era preciso pensar na viagem.

— A fome está chegando — disse Pedrinho. — Temos de concluir a nossa viagem celeste e voltar para casa à hora da ceia. Podemos ficar por aqui ainda algum tempo — mas não sei para onde ir agora. É tão grande o universo que até enjoa...

— Que tal uma chegadinha ao planeta Vênus? — lembrou a menina. — É o mais simpático de todos.

— Também acho — concordou Pedrinho — mas Vênus é como uma irmã gêmea da Terra. Assemelham-se em quase tudo, no tamanho, nas estações — só que Vênus está muito mais perto do Sol e, portanto, deve ser muito mais quente. Vênus está a 108 milhões de quilômetros do Sol. Está, portanto, 42 milhões de quilômetros mais perto do terrível fogareiro do que a Terra.

— E se formos ao planeta Mercúrio?

— Nem pense nisso, Narizinho! O tal Mercúrio, além de ser o planeta menor de todos, está a apenas 58 milhões de quilômetros do Sol. O calor de Mercúrio deve ser de derreter pedras. Ir a Júpiter, sim, vale a pena. Júpiter é o rei dos planetas — colossal! Gira a 780 milhões de quilômetros do Sol, tem quatro luas formidáveis e um ano igual a onze anos e tanto dos nossos. Júpiter é enorme. Tem 1.390 vezes o volume da Terra!

— E os outros planetas?

— Há o tal Saturno, com dez luas, a 1.400 milhões de quilômetros do Sol e de volume oitocentas vezes o da Terra.

— E que comprimento tem o ano em Saturno?

— Vinte e nove anos dos nossos. O ano de Saturno até desanima a gente. Você lá seria uma criancinha de pouco mais de quatro meses...

— E os outros?

— Há ainda o tal Urano e o tal Netuno. Urano gira longíssimo do Sol a 2.872 milhões de quilômetros, veja que colosso! Tem um ano horrivelmente longo, igual a 84 anos da Terra. Vovó lá estaria apenas com dez meses de idade. E o tal Netuno, então? Esse fica no fim do nosso sistema planetário, quase nas fronteiras. É o antepenúltimo. O último é Plutão.

— A que distância do Sol?

— A 4.500 milhões de quilômetros... E tem um ano que não acaba mais. Imagine que o ano de Netuno corresponde a 165 anos dos nossos lá da Terra...

— Quer dizer que se vovó nascesse em Netuno estaria com cinco meses de idade — mamando ainda, coitadinha... e o tamanho?

— Netuno tem 78 vezes o volume da Terra.

— E os outros planetas, aqueles planetoides de que vovó falou?

— Ah, esses não contam. Existem em número incalculável. São quireras de planetas. São guaruzinhos das águas do céu. Para ser planeta verdadeiro é preciso ter o tamanho de lambari para cima. Guaru não conta.

— E o tal que usa anéis? — quis saber Emília.

— Esse é o planeta Saturno. Está aí uma ideia! Podemos ir a Saturno ver como são os seus anéis...

Todos aprovaram. Uma visita a Saturno era da mais absoluta novidade. Criatura nenhuma da Terra jamais pensara nisso. Se eles dessem um passeio pelo planeta Saturno haviam de ficar imortais — a maçada é que quando lá na Terra contassem a proeza nenhum adulto acreditaria...

Ficou assentado irem para Saturno, mas antes disso Narizinho pediu que o pequeno Flammarion contasse tudo quanto Dona Benta lhe havia dito sobre o maravilhoso planeta dos anéis.

— Esse planeta — disse Pedrinho com a maior importância — está a 1.400 milhões de quilômetros do Sol...

— Espere! — interrompeu Narizinho. — Antes de mais nada eu quero saber uma coisa. Como é que os homens descobriram que tais e tais astros são estrelas, e tais e tais outros são planetas? Numa noite estrelada a gente olha para o céu e vê tudo igual — as estrelas e os planetas. Tudo são pontinhos luminosos e mais nada. Responda a isso, se é capaz.

Pedrinho deu uma risada gostosa.

— Nada mais fácil, menina. A mesma pergunta fiz a vovó e ela respondeu imediatamente. Aquela vovó é uma danada! Não há o que não saiba.

— Então explique.

— O caso é simples. Desde os começos da humanidade os homens viam à noite o céu cheio de estrelas, mas de tanto olhar para o céu foram percebendo uma coisa: que certos astros apareciam sempre no mesmo ponto e outros variavam.

— Como sabiam que eles variavam de lugar?

— Muito simples. Eles viam que em certa noite esses astros estavam perto de certas constelações; na noite seguinte estavam um pouquinho mais adiante, e mais adiante na terceira noite, etc. Viam perfeitamente que esses astros eram móveis, isto é, caminhavam em certas direções. E também observaram que depois de certo tempo eles voltavam. E assim passavam a vida, indo e vindo, indo e vindo — ao passo que as estrelas permaneciam fixas, sempre firmes no mesmo ponto. Depois notaram que esses astros móveis caminhavam numa direção durante um certo número de meses e voltavam em igual tempo. Um ia e vinha em sete meses e meio — era Vênus. Outro ia e vinha em um ano e 332 dias — era Marte. Outro ia e vinha em onze anos e 314 dias — era Júpiter, e assim por diante. Entendeu?

— Entendi — declarou Narizinho — e era verdade, pois havia entendido mesmo. Pedrinho continuou:

— Mas não pense que as estrelas são realmente fixas. Elas também andam girando pelo espaço. Mas como estão longíssimas, parecem fixas.

E voltando a Saturno:

— Quando vovó começa a falar desse planeta até fica que nem a Emília. Diz que é o maior do céu, uma beleza que nem em sonhos podemos imaginar. É um planeta bem grande, oitocentas vezes o volume da Terra e com dez luas.

— Dez? — admirou-se a menina.

— Dez, sim, e três delas mais próximas do que a nossa Lua o é da Terra. E eu tenho aqui em meu caderninho o nome das dez luas saturninas. Saturnino quer dizer de Saturno.

— Não precisava explicar. Quem não adivinha semelhante coisa?

Pedrinho tirou do bolso o caderno de notas e leu o nome das luas de Saturno.

— Mimas, Encélado, Tétis, Dione, Reia, Titã, Têmis, Hiperion, Jápeto e Febo.

— Então Mimas, Encélado e Tétis são as "pertinhas"! — adivinhou Emília, que estava com o anjo adormecido no colo.

— Sim. São as que ficam mais próximas de Saturno do que a Lua o é da Terra — confirmou Pedrinho. — Que beleza não deve ser, hein? Uma lua no céu da noite já é tão bonito, imaginem dez!... Os habitantes de Saturno devem viver enjoados de luas. E como se isso fosse pouco, ainda tem no céu, permanentemente, a maravilha das maravilhas que são os anéis.

— Conte o que vovó disse dos anéis — pediu a menina.

— Ah, vovó explicou tudo muito bem. Como ela sabe! Esses anéis são três, ou um só dividido em três faixas distintas, sempre iluminadíssimas pela luz do Sol. Eu até fico tonto ao imaginar a beleza que devem ser!

— E que tamanho têm os anéis?

— A palavra anel atrapalha a gente — disse Pedrinho. — O melhor é dizer "disco", porque aquilo é na realidade um disco de milhões de fragmentos de astros a girarem em redor do planeta. E para você ter ideia do tamanho, é preciso primeiro que saiba duma coisa: que o diâmetro de Saturno tem 120.000 quilômetros. Muito maior que o da Terra. Pois bem: a largura do disco de Saturno tem 64.000 quilômetros...

— E a grossura?

— É de apenas 60 quilômetros.

— Só? — admirou-se a menina. — Então, então, então...

— Eu sei o que você quer dizer, Narizinho. Você quer dizer que o disco é da finura duma folha de papelão para a folha inteira do papelão, não é isso? Pois está muito enganada. Suponha um disco de papelão de 1 metro de diâmetro por 1 milímetro de espessura. Pois nessa proporção, sabe qual seria a espessura do disco de Saturno? Seria de 426 quilômetros — vovó já fez a conta. Mas a espessura do disco de Saturno é só de 60 quilômetros. Logo, o disco é proporcionalmente muito mais fino que o papelão.

— Da finura dum papel de seda para uma folha inteira de papel de seda?

— Exatamente. O diâmetro do disco de Saturno está para a sua espessura como o tamanho duma folha de papel de seda está para a finura do papel de seda. Compreendeu?

— Isso até o anjinho compreenderia — berrou a boneca — se estivesse acordado e soubesse o que é papel de seda — e pôs-se a alisar os lindos cabelos da criaturinha adormecida em seu colo.

O pequeno Flammarion continuou a expor o que sabia de Saturno.

— O mais interessante que vovó me contou — disse ele — foi o que os sábios imaginam da vida em Saturno. Tudo é diferentíssimo de lá da Terra.

— Por quê?

— Porque as condições de Saturno são diferentes. O ano de Saturno é enormíssimo (ano você sabe o que é: o tempo que um planeta gasta para dar uma volta em redor do Sol). O ano de Saturno tem 29 anos dos nossos lá da Terra! E os dias são de apenas dez horas. Dia você sabe o que é...

— Sei. Os planetas giram em redor do Sol e também giram em redor de si mesmos. Quando giram em redor de si mesmos, há sempre uma parte que fica dando para o Sol e outra que fica no escuro. Temos aí o dia e a noite. Certo?

— Exatinho. Você está ficando tão boa quanto eu na ciência da astronomia...

— Gabola!... Mas continue. Como são os habitantes de Saturno?

— Ninguém sabe ao certo, mas os homens de ciência imaginam. Acham que devem ser umas criaturas tão diferentes de nós que nem podemos compreendê-las. Uns seres gelatinosos, transparentes, adiantadíssimos, com órgãos diferentes. Devem alimentar-se de fluidos e não de coisas líquidas ou sólidas, como nós. E terão muitos mais órgãos dos sentidos do que nós. Nós não passamos de uns coitadinhos. Só temos cinco sentidos. Cinco, imagine que pobreza! Eles lá devem ter dez, vinte, cem... Para saber as coisas, nós precisamos estudar. Eles vibram no ar o "órgão da ciência" e já ficam sabendo.

Emília meteu o bedelho.

— Isso quer dizer que os saturninos ainda têm mais crocotós que os marcianos.

— Não creio — duvidou Pedrinho. — Crocotó dá ideia de coisa dura e eles são gelatinosos.

— Há também crocotó do mole — resolveu Emília.

— Pois então — continuou Pedrinho — o que pode acontecer é o seguinte: quando eles querem "sentir" qualquer coisa, espicham lá de dentro da gelatina um crocotó do mole, e esse órgão "detecta" o que é preciso. Se um saturnino, por exemplo, quer saber que horas são, espicha para fora o "crocotó do tempo" e detecta a hora no ar... E se quer saber se a Terra é habitada, espicha para fora o "crocotó da distância..."

— O telecrocotó! — lembrou Emília.

— ...e vê tudo lá na Terra como se estivesse pertinho.

Emília assustou-se.

— Então já me viram aqui com o anjinho e são capazes de qualquer coisa — e cobriu o anjinho com o avental.

— Será possível que eles espiem tudo quanto fazemos lá no sítio? — imaginou a menina. — Ah, meu Deus! Não existe sossego neste universo. A gente pensa que faz coisas escondidas — e esses diabos de Saturno estão vendo! Imaginem como não se divertem com essas espiações por meio do "crocotó da distância..."

— Os outros astros devem ser o cinema lá deles — sugeriu Pedrinho. — Eu, por mim, já estou cansado da Terra. Queria ser saturnino. Delícia maior não há. O dia inteiro com o cinema do universo diante de nós! O dia inteiro a espiarmos as reinações de todos os seres que existem...

Capítulo XVIII
NO PLANETA MARAVILHOSO

Depois de muita imaginação resolveram partir para Saturno; mas antes disso consultaram o Burro Falante.

A gravidade daquele burro já vinha de muito tempo impressionando a boneca, de modo que ao ouvi-lo responder tão "sentenciosamente" (falar sentenciosamente quer dizer falar como aquele animal falava), Emília bateu na testa e disse:

— Heureca! Achei um nome para o Burro Falante: Conselheiro! ... Tudo que ele diz parece um conselho de velho — e é sempre um conselho muito bom. Viva o Conselheiro!...

E a partir daquele momento o Burro Falante passou a chamar-se Conselheiro.

Resolvido aquele ponto, Pedrinho distribuiu as pitadas de pirlimpimpim e contou — um... dois... e três! O *fiunnn* foi tremendo — e os cinco viajantes (inclusive o anjinho) foram despertar bem em cima dos anéis de Saturno.

Que maravilha! Os tais anéis, ou discos, eram uma planície sem fim de luz, como o arco-íris — uma lisura luminosa que rodeava o imenso planeta. Pedrinho explicou que a força de atração de Saturno era em certo ponto neutralizada pela força de atração do disco, de modo que naquela zona os seres perdiam o peso — ficavam parados no ar, flutuando na maior das gostosuras. E eles estavam justamente nessa zona onde não havia peso! Começaram, pois, a flutuar, a flutuar...

— Parece um sonho! — dizia a menina. — Estou boiando como num mar de delícias. Oh, gosto dos gostos! Oh, fenômeno!...

E boiaram, boiaram, viraram-se em todas as posições, como se estivessem sobre um invisível colchão de paina solta. O Conselheiro, coitado, sentia-se atrapalhadíssimo, porque, como boiava como os demais, ora se via com as quatro patas para cima, ora para baixo, ora para os lados. Emília jogava o anjinho no ar e ele ficava boiando sem cair. Estiveram naquela zona um tempo enorme, brincando duma coisa que nenhuma criança da Terra nem sequer imagina — brincando de boiar num fluido luminoso e deliciosíssimo.

— É uma gostosura que até enjoa a gente — disse Pedrinho num momento em que estava de pernas para cima, segurando o Conselheiro pelo rabo. — Tudo sem peso! Só agora compreendo a estupidez que é o tal peso lá na Terra. A gente vai fazer qualquer coisa e cansa, por quê? Por causa do peso...

— Mas ter um pesinho é bom — disse a menina, já com saudades dos seus quarenta quilos. — Estou tão acostumada a ter peso que isto aqui me dá a ideia de que estou aleijada — de que está me faltando um pedaço. O peso é um verdadeiro pedaço da gente...

Pedrinho explicou que se conseguissem sair daquela zona chegariam a outra em que o peso volta.

— Então vamos para lá — propôs a menina.

E lá se foram, arrastando-se como puderam. Deu certo. Na segunda zona começaram a sentir um pouco de peso, e com isso a sensação tornou-se-lhes ainda mais agradável. Podiam andar como na Terra, mas com muito cuidado, porque o esforço exigido para cada passo era mínimo. Pareciam em câmara lenta. Tiveram de aprender a andar ali. No começo faziam força demais e com um passo iam parar longe. Por fim acertaram o jogo.

Súbito, Emília gritou:

— Estou vendo uma coisa que deve ser um saturnino — e apontou em certa direção.

Era verdade. Um ser esquisitíssimo vinha na direção deles, exatinho como Dona Benta dissera — todo gelatinoso e transparente; mas sem forma definida — ia mudando de forma segundo as necessidades. O mais assombroso, porém, foi que o estranho saturnino parou diante deles e falou do modo mais claro e natural possível. Falou, sabem como? Falou espichando lá de dentro da gelatina o "crocotó que falava" — um crocotó que parecia uma dessas águas-vivas que há no mar.

— Bem-vindos sejam aos nossos domínios — disse ele. — Temos acompanhado a viagem de vocês através dos espaços. Sabemos tudo. Ouvimos tudo que vocês conversaram com São Jorge lá na Lua.

— Então daqui enxergam até a Lua, que é uma isca de satélite? — perguntou Pedrinho muito admirado.

— Sim, para nós não há distâncias. Temos sentidos que vocês não podem compreender. Acompanhamos a vida de todos os seres em todos os astros dos céus. Aqueles pobres telescópios dos astrônomos da Terra fazem-nos sorrir de piedade. São puras "cegueiras" em comparação dos nossos teleolhos.

— Eu bem disse! — gritou Emília. — Eu bem disse que eles tinham telecrocotós. São os tais teleolhos...

— Sim, são os nossos olhos de ver a qualquer distância por maior que seja. E o nosso principal divertimento é esse: ver, ver tudo quanto se passa no universo. Sabemos de toda a vidinha de vocês lá no sítio. Assistimos à morte do Visconde quando caiu no mar. Vimos o tiro com que o Barão de Munchausen cortou o cabresto do burro. Rimo-nos do susto de Dona Benta ao perceber que estivera sentada no dedo do Pássaro Roca, julgando que fosse raiz de árvore.

— Não viu também aquele murro que dei no olho do Barão? — perguntou Pedrinho.

— Perfeitamente — e achamos muita graça na ideia.

O assombro dos meninos não tinha limites. A boneca pediu:

— Diga então o que Dona Benta está fazendo lá no sítio.

O saturnino virou o telecrocotó em certo rumo e respondeu:

— Está sentada na redinha da sala de jantar, chorando...

— Chorando? — repetiu a menina, admirada. — Por quê?

— Porque é uma avó muito boa e não sabe por onde andam os seus netos. Meu conselho é que voltem o quanto antes.

Pedrinho fez cara de choro.

— Voltar, justamente agora que encontramos o planeta dos nossos sonhos? Isso é doloroso...

— Concordo, mas vocês têm de admitir que é um crime deixarem uma tão boa criatura largada sozinha naquele planeta feio e triste. A Terra é um dos planetas mais atrasados e grosseiros do nosso sistema solar. Voltem. Tenham dó da velhinha. Um dia poderão dar novo pulo até aqui e trazê-la. Já sabem o jeito.

Os dois meninos concordaram, depois de um longo suspiro. Sim, tinham de voltar para aquele sem-gracismo da Terra, onde os homens não sabem fazer outra coisa senão matar-se uns aos outros.

— Não há dúvida — fungou Pedrinho. — Volto; depois venho cá de novo me naturalizar saturnino. Mas será possível semelhante coisa? Temos a nossa forma, temos só cinco sentidos e estes braços e estas pernas. Aqui em Saturno todas as coisas são diferentes...

— Isso não quer dizer nada. Nós enxertaremos em vocês todos os nossos crocotós, com licença ali da Senhorita Emília.

Aquela conversa com o saturnino foi o maior dos assombros. O que ele disse, o que contou do universo, o que falou a respeito de Sírio e outras estrelas famosas, tudo era da mais absoluta novidade — e um encanto! Os meninos não cessavam de fazer perguntas, que ele respondia com a maior clareza. Quando Pedrinho indagou do que comiam, a resposta foi:

— Nós nos alimentamos de fluidos aéreos. Lá na Terra vocês vivem indiretamente da luz do Sol. A luz do Sol cria as plantas e vocês não passam de praguinhas das plantas, de animais que vivem das folhas das plantas, das sementes das plantas, das raízes das plantas. E como a planta é uma criação da luz do Sol, vocês vivem da luz do Sol — mas indiretamente. Aqui é o contrário. Vivemos diretamente da luz do Sol. Nosso corpo embebe-se da luz solar e vive — e vive muito mais que vocês lá na Terra. Vivemos trinta vezes mais. Dona Benta, por exemplo, não viverá na Terra mais que oitenta ou noventa anos — anos lá de vocês. Aqui ela viveria trinta vezes isso — ou sejam 2.400 ou 2.700 anos...

— E não ficam doentes?

— Não há doenças em Saturno. Isso de doenças quer dizer "imperfeição adaptativa". Vocês lá na Terra são seres ainda muito pouco evoluídos, seres bastante rudimentares. Não passam de "experiências biológicas". Seres que ainda vivem de plantas são seres que ainda estão engatinhando na estrada larga da evolução.

Os meninos piscavam os olhos no esforço de entender o que o saturnino dizia.

— Bom, brinquem mais um pouco e voltem para a Terra. Dona Benta está dando suspiros cada vez maiores...

Disse e afastou-se gelatinosamente.

Assim que se viram sozinhos, os três tiveram uma ideia para a despedida: brincarem de patinar nos anéis de Saturno. Com o pouco peso que sentiam, a coisa seria facílima e deliciosa — e puseram-se a patinar, todos, até o anjinho. Todos, menos o Burro Falante. O pobre animal ficou de lado, vendo a linda brincadeira.

Numa das voltas que Emília estava dando aconteceu passar rentinho dele.

— Venha também! — gritou-lhe a boneca. — Aproveite!

O burro sentiu uma vontade imensa de aceitar o convite. Nunca havia brincado em toda a sua vida e a ocasião era ótima.

Não havia por perto "gente grande" para "reparar". Mesmo assim se conteve. Ele era o Conselheiro, um personagem austero e grave. Precisava respeitar o título — e continuou imóvel onde estava, com as orelhas ainda mais murchas e o olhar ainda mais triste. Jamais brincara em criança — e também não brincaria naquele momento. Seu destino era passar a vida inteira sem regalar-se com as delícias do brincar. E o Conselheiro deu um suspiro arrancado do fundo do coração.

Os meninos por fim cansaram-se daquilo. Cansaram-se de patinar nos anéis de Saturno e pararam.

— Chega — disse Pedrinho. — Estou com remorso. A coitada da vovó chorando lá na rede. Isso é judiação.

E tratou de voltar à Terra. Antes, porém, tinham de portar na Lua para pegar Tia Nastácia.

Capítulo XIX
De novo na Lua

Terminado o *fiunnn* que os levou de Saturno à Lua, viram-se bem em cima duma cratera.

— Onde será que mora São Jorge? — disse Pedrinho sondando os horizontes. — Só vejo crateras e mais crateras. Casa nenhuma. Nenhum castelo...

— O meio de descobrir onde ele mora é um só — sugeriu a menina. — Como é hora do lanche, Tia Nastácia deve estar no fogão. Procure uma fumaça. Onde houver fumaça, lá mora São Jorge.

Pedrinho achou boa a ideia e pôs-se a procurar a fumacinha. Todos fizeram o mesmo. Quem primeiro a descobriu foi o Conselheiro.

— Ou muito me engano — disse ele — ou aquele fio de "fumo" que aparece a sudoeste indica a residência do Senhor São Jorge.

Todos correram naquela direção. De longe já avistaram o santo sentadinho num rochedo, com a lança ao colo.

— Viva! Viva! — gritou-lhe a boneca, que seguia adiante dos outros puxando o anjinho pela mão. — Aqui estamos, São Jorge, com o nosso Conselheiro encontrado na cauda dum cometa e este anjinho que descobri na Via-láctea — e foi contando atropeladamente as principais peripécias da grande aventura.

São Jorge não se espantou de coisa nenhuma, porque já não se espantava de nada, tantas e tantas coisas maravilhosas havia visto. Só estranhou o passeio pela Via-láctea. Sua ideia sobre as nebulosas era a mesma dos astrônomos — que aquilo era um imenso aglomerado de estrelas em certas direções do céu. Mas deixou passar. Estava com preguiça de discutir.

— E Tia Nastácia? — perguntou Narizinho. — Como vai ela?

— Mal, coitada! — respondeu o santo. — Não se acostuma aqui. Continua tão boba como no primeiro dia. E não consegue dominar o medo que tem do dragão. Já lhe expliquei que o meu dragão é o que há de inofensivo, mas de nada adiantou. Cada vez que ele urra ela fica de pernas moles no fundo daquele buraco.

Narizinho foi correndo à cratera que o santo indicava. Encontrou a pobre negra fritando bolinhos, mas com o ar mais desconsolado desta vida. De seu peito brotavam suspiros de cortar o coração.

Ao ver a menina, o rosto de Tia Nastácia iluminou-se como um sol de alegria.

— Meu Deus do céu! Será verdade o que estou vendo? Não será sonho?

Imaginário viagem ao céu

— Não é sonho, não, boba! Sou eu mesma que voltei dos espaços infinitos com Pedrinho, Emília, o Conselheiro e o anjo — e agora vamos seguir para a Terra.

— Conselheiro? Anjo? — repetiu a negra, tonta. — Que história é essa, menina? Não estou entendendo nada...

— Conselheiro é o nome que Emília pôs no Burro Falante. E o anjo... ah, o anjo é uma coisa que só vendo. Um anjinho de verdade que Emília achou na Via-láctea. De asa quebrada, o coitadinho. A esquerda... o ente mais galante do mundo, Nastácia! Vovó vai abrir a boca. Nunca houve anjo de verdade na Terra, como você não ignora. O nosso vai ser o primeiro. E gulosinho, sabe? Chupou uma bala puxa-puxa que Emília lhe deu e gostou, apesar de nunca haver chupado bala em toda a sua vida.

— Credo! — exclamou a preta.

— E o dragão? Como se tem arrumado com ele?

— Nem fale, Narizinho! — exclamou a negra fazendo o pelo-sinal. — Não sei por que São Jorge não mata duma vez esse horrendo bicho. Dá cada urro que meu coração pula dentro do peito que nem cabritinho novo...

— Dragão que urra não morde, bobona! — disse a menina. — São Jorge afirma que é mais manso que um cordeiro.

— Essa não engulo! — rosnou a preta. — Cada vez que o estupor me vê lambe os beiços e põe de fora uma língua vermelha deste tamanho! Não come gente? É boa!... Pois não ia comendo o burro?

— Mas burro não é gente, Nastácia. Há uma diferença.

— Diferença? Qual é a diferença que há entre gente e aquele burro que fala e diz cada coisa tão certa que até eu me benzo com as duas mãos?

Conversaram sobre mil coisas, inclusive as comidinhas que ela havia feito para São Jorge.

— Coitado! — suspirou a negra. — Santo bom está ali. E é um bom garfo, sabe? Comeu uma panqueca que eu fiz e lambeu os beiços que nem o dragão. E para comer bolinhos não há outro. É dos tais como o Coronel Teodorico: não deixa nem um no prato para remédio.

— Que pena! — exclamou a menina. — Se ele houvesse deixado algum, seria para mim um regalo. Estou com uma fome danada...

Saindo dali a menina foi ter com os outros. Encontrou Emília contando com todo o espevitamento mil coisas a São Jorge, algumas já bastante aumentadas.

— E o meu presente? — perguntou o santo. —, Esqueceu-se?

Eles não haviam passado perto da Cabeleira de Berenice e, portanto Emília não pudera arrancar o fio de cabelo que havia prometido ao santo. Mas não se deu por achada. Respondeu com o maior cinismo:

— Não me esqueci, não. Vou buscá-lo.

E saindo dali sabem onde foi? Foi conferenciar com o Burro Falante. Ninguém ouviu o que disseram, mas o caso é que Emília voltou com um embrulhinho muito malfeito.

— Aqui está! — disse ela com todo o desplante, entregando a São Jorge o embrulhinho. — Em vez dum fio só, como prometi, eu trouxe três...

Se alguém fosse contar os cabelos da cauda do Burro Falante, era muito possível que encontrasse a falta de três fios...

Capítulo XX
A AFLIÇÃO DOS ASTRÔNOMOS

Certa vez, lá no sítio, Dona Benta explicou aos meninos o que era "sistema planetário". Parecia um bicho-de-sete-cabeças, mas a boa velha costumava explicar as coisas mais difíceis de um modo que até um gato entendia.

— Sistema — disse ela — é um conjunto de coisas ligadas entre si. E sistema planetário é um conjunto de planetas ligados entre si e o Sol, em torno do qual giram. Este sítio, por exemplo, é um pequeno sistema...

— Sistema de quê? — perguntou Pedrinho. — Planetário não é, porque nós não somos planetas.

— Não somos aqui no sítio um sistema planetário, mas somos um sistema de gentes e coisas. Eu sou o centro, a dona das terras e da casa e das coisas que há por aqui. Vocês são meus netos. Tia Nastácia é minha cozinheira. O Tio Barnabé é meu agregado, isto é, mora em minhas terras com meu consentimento. Há aqui estes objetos caseiros — a mesa, as cadeiras, as camas, o relógio da parede...

— O guarda-chuva grande, os travesseiros de paina, o pote d'água — ajudou Emília.

— Sim, há todos os objetos que nos rodeiam. E lá fora há os animais, a Vaca Mocha, o Burro Falante, o Senhor Marquês de Rabicó, o pangaré de Pedrinho. São entes vivos e coisas inanimadas que giram em redor de mim. São os meus planetas. Eu sou o Sol de tudo isso. Se eu morrer, tudo isso se dispersa. Um vai para cá e outro para lá. Os objetos mudam de dono. Alguém é até capaz de comer o Rabicó assado e de botar o Burro Falante numa carroça. Mas enquanto eu estiver viva e aqui no meu posto de dona, tudo permanece como está e me obedece. Isto quer dizer que formamos aqui um "sistema familial", em que todas as pessoas e coisas se relacionam à minha pessoa.

— Compreendo, vovó — disse Pedrinho. — As cadeiras e o pote do seu compadre Teodorico, a negra velha que cozinha para ele, as vacas e cavalos da fazenda dele, tudo que há lá não pertence ao nosso sistema aqui — pertence ao outro sistema — ao sistema familial do Coronel Teodorico — não é isso?

Dona Benta sorriu de gosto diante da esperteza do neto.

— Exatamente, meu filho. Gosto de ver como você compreende depressa.

— E eu também não compreendo depressa? — reclamou a menina em tom queixoso.

Dona Benta abraçou-a e botou-a no colo.

— Sim, Narizinho. Em matéria de inteligência você é em tudo igual a Pedrinho. Eu tenho a honra de ser avó de dois netos que são dois amores.

Foi a vez de Emília enciumar-se.

— E eu? E eu? — gritou ela.

— Você também, está claro, porque nunca houve no mundo uma boneca mais viva, mais esperta e inteligente.

Emília derreteu-se toda.

— Pois é isso — volveu a boa senhora retornando ao assunto. — Formamos aqui no sítio o nosso "sistema de pessoas, animais e coisas". Ali adiante o Coronel

Teodorico é o centro de outro sistema do mesmo gênero. O Elias Turco é centro dum terceiro sistema. O próprio Tio Barnabé, que faz parte do nosso sistema, também é centro dum sistemazinho lá dele, composto da mulher, dos filhos e dos cacarecos que possui no casebre — aquele pote d'água, aquelas esteiras, aquelas panelas de barro tão velhas...

— E aquele cachorro sarnento também, o Merimbico — lembrou Emília.

— Sim, tudo isso forma um sistemazinho ligado ao nosso sistema familial. Pois com os astros do céu se dá a mesma coisa. Há pelo éter infinito milhões de sistemas planetários em que certo número de astros giram em redor dum sol, como vocês giram em redor de mim. Vem daí o nome de "sistema planetário", porque os astros que giram em redor de um sol são os planetas desse sol.

— Já sei — gritou Pedrinho. — E dentro desse sistema planetário do sol, há outros sistemazinhos menores, como aqui o do Tio Barnabé. Os satélites.

— Exatamente — concordou a velha. — Temos o nosso Sol como a Dona Benta celeste. Em redor do Sol giram os planetas Mercúrio, Vênus, Terra, Marte, Júpiter, Saturno, Netuno e também grande número de planetoides.

— Se a senhora é o Sol — lembrou a menina — Emília é Mercúrio — o planeta menor. E eu sou Vênus, o mais bonito.

— Olha a gabola!

— E você, Pedrinho, é Marte, o mais valente. E Tia Nastácia é Júpiter — o mais gordo de todos. E Saturno é a Vaca Mocha — sempre lá fora, já mais longe aqui do centro...

— E Urano, que é longíssimo? — perguntou Pedrinho.

— Urano é aquele cedrão do pasto. E Netuno é o Tio Barnabé que mora nas divisas do sítio.

— Muito bem — aprovou Dona Benta. — Nós moramos no sistema planetário do Sol. Mas cada estrelinha do céu visível a olho nu ou graças ao telescópio, é também um sol com, talvez, o seu sistema planetário.

Emília interrompeu-a com uma das suas.

— Dona Benta, olho nu não é indecente? — perguntou ela com a maior simplicidade, fazendo que todos rissem.

A boa velha achou que não valia a pena responder e prosseguiu:

— Deve haver milhões de sistemas planetários por esse universo infinito. Nós vivemos num deles. O Sol é o pai de todos nós aqui — nós planetas; nós plantas; nós bichões ou bichinhos. Se o Sol desaparecer, todos nós levaremos a breca. Os planetas rolarão pelo espaço, desgovernados e tontos, até se escangalharem, e nós aqui, bichinhos da Terra, morreremos de frio e horror...

Essa conversa fora dias antes do passeio dos meninos pelo céu e muito contribuíra para que eles se animassem a tentar a grande aventura, com o fim de ver com os próprios olhos como eram as coisas por lá.

Mas o sistema planetário do Sol é uma coisa muito bem arranjadinha, tal qual o maquinismo dum relógio. Um relógio só funciona bem quando tudo está em seu lugar — todas as rodinhas e pecinhas. Se alguma delas se desarranja, ou se cai entre elas um grão de poeira, o relógio para, ou começa a "reinar" — a atrasar-se ou adiantar-se.

Foi o que se deu com o sistema planetário do Sol durante a reinação celeste dos meninos. Esse sistema sempre vivera quieto, bem arrumadinho, sem perturbações, até o dia em que eles começaram a atrapalhar tudo. E tais coisas fizeram lá por cima, que até produziram um satélite novo: lá estava o Doutor Livingstone girando em redor da Lua como um satelitezinho pernudo!...

Ora, os astrônomos são uns sábios admiráveis aos quais não escapa coisa nenhuma do céu. Sempre a espiarem pelos seus telescópios, vão vendo tudo, tomando nota de tudo e fazendo cálculos. Logo que os meninos chegaram à Lua, começaram os astrônomos a observar "perturbações inexplicáveis", e de repente perceberam um satélite da Lua, coisa que nunca tinham visto antes — e um satélite diferente de todos os satélites conhecidos — em vez de redondo, tinha perninhas, braços e chapéu de explorador africano, com fitinha atrás! Em seguida observaram uma grande perturbação na cauda do cometa de Halley, como se um burro andasse pastando por lá. E depois deram com manchas nos anéis de Saturno, como se alguém andasse patinando por lá.

Essas perturbações, jamais observadas, causaram a maior sensação no mundo da ciência. Numerosos artigos foram publicados na imprensa, e o povo ignorante tremeu de medo, julgando que fossem sinais de "fim do mundo".

Infelizmente os telescópios ainda não eram bastante poderosos para que os sábios pudessem ver os meninos reinando no espaço; eles verificavam as perturbações, mas não descobriam a causa — e começaram a formular hipóteses. E ainda estavam nisso, quando foi inaugurado o gigantesco telescópio de Palomar, na Califórnia, que custou seis milhões de dólares e tinha uma lente de cinco metros e meio de diâmetro. Por meio desse potentíssimo óculo de alcance puderam eles descobrir o mistério das perturbações celestes: os famosos netos de Dona Benta andavam reinando por lá!

E enquanto isso, a pobre vovó suspirava sentidamente lá em sua redinha da sala de jantar. Seus amados netos haviam desaparecido misteriosamente, e Tia Nastácia também, e o Burro Falante e o Doutor Livingstone. Por onde andariam? Dona Benta mandou procurá-los por toda parte, pelos vizinhos e pela vila — chegou até a dar parte à polícia e pôr aviso nos jornais. Tudo inútil. Ninguém dava a menor notícia das crianças — e ela suspirava tristemente em sua redinha da sala de jantar.

Mas assim que os astrônomos descobriram a causa das perturbações celestes, trataram imediatamente de pedir providências à avó dos "perturbadores" e vieram em comissão ao sítio de Dona Benta.

Isso foi por uma linda tarde de abril. Dona Benta havia acabado de dar um profundo suspiro quando ouviu barulho na porteira. Estavam batendo palmas e gritando, "ó de casa!". Ela ergueu-se da redinha e foi espiar.

— Que será, meu Deus do céu! — murmurou, vendo parados na porteira uma porção de homens esquisitíssimos, de cartola, grandes barbas e óculos.

— Dá licença? — gritou o maioral do grupo assim que a avistou.

— Entrem! — respondeu a boa velha. — A casa é de Vossas Excelências.

Mas notou que os tais homens vacilavam, como se estivessem com medo de entrar e gritou de novo: "Entrem. Não façam cerimônias".

Os homens barbudos e cartoludos pareciam sem ânimo de abrir a porteira — e Dona Benta percebeu a razão: a Vaca Mocha estava deitada no caminho, mascando umas palhas de milho. Tamanhos homens com medo de vaca, imaginem!

— Entrem sem susto! — gritou ela de novo. — A Mocha é mansíssima. Nunca chifrou ninguém.

IMAGINÁRIO · VIAGEM AO CÉU

Criando coragem, os sábios abriram a porteira e, arrepanhando as sobrecasacas como se fossem saias, deram uma cautelosa volta por trás da Mocha, a qual nem se mexeu. O pacífico bovino não ligava a menor importância a astrônomos.

Aproximaram-se todos da varanda e pararam, com o maioral à frente. Era o mais barbudo e de óculos mais fortes que os outros.

— Minha senhora — disse ele tirando o chapéu — viemos aqui em comissão pedir o apoio de Vossa Excelência num caso que muito nos está preocupando. Somos astrônomos.

Dona Benta estremeceu. Astrônomos? Que queriam com ela aqueles astrônomos tão importantes? E convidou-os a subir. Os astrônomos subiram os sete degraus da varanda e apertaram a mão da boa velha, um depois do outro. O maioral tossiu o pigarro e disse:

— Minha senhora, as perturbações que temos observado em nosso sistema planetário nos induziram a vir aqui em comissão pedir enérgicas providências...

Dona Benta estranhou aquelas palavras. Se havia perturbações no sistema planetário, que tinha ela com isso? E como também fosse uma excelente astrônoma, interrompeu o discurso do maioral para dizer:

— Se tem havido perturbações em nosso sistema planetário, com certeza será devido a alguma nova mancha do Sol recentemente aparecida. Tenho aqui a obra do Padre Secchi sobre o Sol, e sei das terríveis influências que tais manchas exercem sobre o nosso planeta.

Os sábios entreolharam-se. Ouvir aquela velhinha, ali naquele sítio, falar em manchas do Sol e no Padre Secchi, era um estranho fenômeno. Mas aceitaram o estranho fenômeno e o chefe prosseguiu:

— Não, minha senhora. Desta vez a causa das perturbações não decorre das manchas do Sol e sim de dois meninos, uma boneca, um burro e um sabugo de cartola que andam a fazer estrepolias no éter. Foi o que o telescópio de Palomar nos fez ver — e aqui estamos para pedir a preciosa intervenção de Vossa Excelência.

— Será possível? — exclamou Dona Benta tirando os óculos. — Será possível que meus netos andem pelo éter?... Há já vários dias que desapareceram daqui, e também a minha cozinheira, o Burro Falante e o Doutor Livingstone — mas nem por sombras me passou pela cabeça que tivessem ido para o céu. Parece incrível!...

— A nós também, minha senhora. Muita dor de cabeça tivemos para decifrar o enigma, mas hoje estamos seguros do que afirmamos. A causa de vários transtornos observados na "harmonia universal" são as reinações de seus netos lá em cima.

— Meus senhores — respondeu Dona Benta botando de novo os óculos — muito sinto o que está acontecendo, e quando eles aparecerem hei de passar-lhes um bom pito. Podem ficar sossegados que outra não acontecerá. Vou chamá-los.

Os astrônomos abriram a boca diante daquele "Vou chamá-los".

— Mas... mas como vai Vossa Excelência comunicar-se com eles? — perguntou o maioral.

— Nada mais simples. Desde que sei onde estão, é só chamá-los com um bom berro.

Disse e, chegando ao gradil da varanda, levou à boca as mãos em forma de concha e com toda a força dos pulmões gritou:

— Pedrinho! Narizinho! Emília! Desçam já daí, cambada!

E voltando-se para os astrônomos:

— Pronto, meus senhores. Posso garantir a Vossas Excelências que daqui a pouco estão de volta — e mortinhos de fome, como sempre acontece no fim de cada aventura. Em seguida ofereceu-lhes café.

— Estou sem cozinheira. Sentem-se por aqui enquanto vou eu mesma preparar um café com bolinhos. Não façam cerimônias.

Os astrônomos sentaram-se por ali e a boa senhora foi para a cozinha preparar o café. O maioral, que era um sueco de mais de dois metros de altura, ocupou justamente a banquetinha de pernas serradas de Dona Benta — e ficou um perfeito N invertido — assim: И — com os joelhos à altura do queixo...

Capítulo XXI
O grito de Dona Benta

Enquanto isso, os meninos lá na Lua contavam a São Jorge como eram as coisas em Saturno.

— Gostosura maior não pode haver! — dizia Narizinho. — A gente boiava, boiava como peixe na lagoa — e aquele saturnino de geleia ali a conversar como se fosse um amigo velho. Eles têm uns crocotós que saem de dentro da gelatina — são os órgãos lá deles.

São Jorge não sabia o significado de "crocotó" e a menina teve de explicar que era uma das melhores palavras do vocabulário da boneca.

— A Emília gosta de usar termos de sua invenção e às vezes saem coisas bem boas. Esse crocotó é ótimo.

— Mas afinal de contas que é crocotó? — indagou o santo.

— Crocotó é uma coisa que a gente não sabe bem o que é. Crocotó é tudo que sai para fora de qualquer coisa lisa. O seu nariz, por exemplo, é um crocotó da sua cara — mas como sabemos que nariz é nariz, não dizemos crocotó. Mas se nunca tivéssemos visto o seu nariz, nem soubéssemos o que é nariz, então poderíamos dizer que o seu nariz era um crocotó... São Jorge franziu a testa no esforço de entender aquilo — e se não entendeu fingiu que entendeu e passou adiante. Pôs-se a contar a história do dragão, nos tempos da sua mocidade na Terra. Falou do rei da Líbia e da bela princesa que o dragão quase havia devorado.

— Mas apareci de repente — disse ele — e dei um grande brado: "Sus! Sus!". O dragão, que já estava com a boca aberta e a língua de fora, entreparou e virou a horrenda cabeça para meu lado — e eu então, *zás!* Fisguei-o com a lança.

— Esta mesma? — quis saber Emília, apontando para a lança no colo do santo.

— Sim — respondeu São Jorge. — Fisguei-o, e ele, então...

Foi exatamente nesse "então" que o berro de Dona Benta chegou até lá — "Pedrinho! Narizinho! Emília! Desçam já daí, cambada!"

O santo capadócio interrompeu a frase e todos puseram-se de ouvido alerta.

— Lá está vovó nos chamando! — disse Pedrinho. — Como será que descobriu que estamos aqui?

— E temos de voltar já, numa voada — acrescentou a menina. — Mas... e o Doutor Livingstone? — Como deixá-lo perdido por estas imensidades infinitas?...

Pedrinho andava com uma hipótese na cabeça.

— Para mim — disse ele —, o Doutor Livingstone está girando em redor da Lua como um satélite. Está na zona neutra — na zona em que a força de atração da Terra equilibra-se com a força de atração da Lua, e por causa disso não cai nem na Terra nem na Lua — fica girando eternamente em redor da Lua. Temos de passar por essa zona e agarrá-lo por uma perna.

Mas como arrancar o Doutor Livingstone de sua órbita? Era um problema dos mais difíceis. No voo para a Terra eles iriam cortar a órbita do novo satélite da Lua, isso era evidente: mas o satélite podia estar muito distante do ponto da órbita que eles cortariam. Como fazer para cortar a órbita exatamente no ponto em que estivesse o satélite Livingstone?

— Só fazendo cálculos astronômicos — lembrou a menina. — Os astrônomos descobrem no céu tudo quanto querem por meio de cálculos. Lembra-se do que vovó contou do tal astrônomo Halley?

São Jorge quis saber o que era. Narizinho tentou explicar.

— Pois esse Halley previu que um grande cometa ia passar pelo nosso céu em... em... em que ano mesmo, Pedrinho?

Pedrinho, que sabia aquilo na ponta da língua, gritou:

— Em 1758! Halley previu isso por meio de cálculos. Mas não pôde ver se seus cálculos deram certo, porque morreu em 1742.

São Jorge estava de boca aberta, admirado da ciência do menino.

— Pois bem — continuou Pedrinho —, dezessete anos depois da morte de Halley o tal cometa apareceu de novo, exatinho no ponto indicado e no ano que ele disse — 1758. Só que em vez de aparecer em meados de abril, como Halley previra, apareceu a 12 de março — menos de um mês de diferença. Era um errinho insignificante para um cometa que só aparece de setenta e tantos em setenta e tantos anos.

— Mas isso é estupendo! — exclamou São Jorge sacudindo a lança no ar de tanto entusiasmo. — Prever por meio de cálculos que um cometa vai aparecer em tal ponto do céu, em tal mês e tal ano, parece-me o assombro dos assombros!...

— Pois é para ver! — tornou Pedrinho. — A matemática é o que há de batatal, como diz a Emília, e esse Halley era batatalino na matemática. Depois de 1758 outros astrônomos calcularam que o cometa ia aparecer de novo em 1834 e a 24 de maio de 1910.

— E apareceu?

— Apareceu, sim. Vovó o viu muito bem quando apareceu em 1910, no dia 6 de maio. O erro foi ainda menor — só de dezoito dias. Batatalífero, não?

São Jorge ficava tonto com as batatalidades daquele menino...

— Pois é isso, Pedrinho — disse a menina. — Você também é astrônomo. Faça os cálculos e marque o momento e o ponto em que o Doutor Livingstone vai passar, e nós cheiraremos o pó nesse momento exato.

A boca de São Jorge não se fechava. Aquelas crianças falavam que nem um livro aberto...

Mas Pedrinho, com medo de errar nos cálculos e desmoralizar a astronomia, veio com uma desculpa.

— Não posso fazer os cálculos porque não tenho papel nem lápis.

— Isso é o de menos! — gritou Emília. — Papel eu tenho aqui no bolso — o papelzinho da bala puxa-puxa, e lápis Tia Nastácia tem no fogão — um pedacinho de carvão serve — e correu a buscar o "lápis" depois de entregar ao menino o papel da bala.

O pequeno Flammarion não teve remédio senão fazer todos os cálculos — e foi com base nesses cálculos que marcou o instante da partida, dizendo:

— Neste momento exato o Doutor Livingstone deve estar passando no ponto X de sua órbita. Partiremos então daqui e de passagem o agarraremos por uma perna.

E assim foi. Depois das comoventes despedidas do santo, o qual deu um beijo na Emília e outro no anjinho, os aventureiros celestes sorveram o pó de pirlimpimpim na horinha indicada pelas contas do jovem Flammarion.

Fiunnn!...

Tudo deu certissimamente certo. Eles cruzaram a órbita do satélite Livingstone no momento exato em que o sabugo de cartola ia passando. Pedrinho agarrou-o pelo pé e lá se foram todos para a Terra.

Capítulo XXII
O CAFÉ DOS ASTRÔNOMOS

Os meninos, mais o burro, o Doutor Livingstone, Tia Nastácia e o anjinho desceram no pasto, perto do cupim grande e, depois de passada a tontura, foram correndo para casa, ansiosos por abraçar a vovó — todos, menos o burro, que ficou por ali pastando avidamente. Assim que entraram na varanda e deram com as cartolas e bengalas dos sábios, entrepararam.

— Gente importante aqui em casa! Quem será? — exclamou a menina. E foi espiar. — Xi, Pedrinho! A sala de jantar está cheia de corpos estranhos...

Pedrinho também espiou e viu que sim — e foi entrando, seguido pelos outros. Dona Benta ergueu-se da mesa, numa grande alegria.

— Ora graças! — exclamou. — Bom susto vocês me pregaram... Não quero mais isso, não. Quando saírem para novas aventuras, não deixem de me avisar.

E voltando-se para os sábios:

— Meus senhores, permitam-me que eu faça a apresentação de meus netos. Este é Pedrinho, filho de minha filha Tonica. Esta é Narizinho, sobre a qual já muito conversamos. E esta bonequinha é a tal Emília do chifre furado, que anda revolucionando o mundo.

— E aquele cidadãozinho ali, de chapéu de explorador africano? — perguntou o maioral.

— Ah, esse é o Doutor Livingstone, avatar daquele antigo Visconde de Sabugosa que morreu afogado em nossa aventura no País da Fábula.

Os astrônomos gostaram do "avatar", mas ficaram na mesma. Nisto o maioral deu com o anjinho e enrugou a testa.

— E essa criança linda? — perguntou, apontando. Dona Benta, que estava sem óculos, não havia reparado no anjinho, que, muito atrapalhado com tantas novidades, ficara atrás de todos, de dedinho na boca. Mas pôs os óculos e olhou, e com o maior dos espantos deu com a maravilha. Ficou tonta. Nem pôde falar. Só pôde abrir a boca — e de boca aberta ficou.

— Não tente adivinhar que não consegue, vovó! — gritou Narizinho. — É um anjo de asa quebrada — a esquerda — que Emília encontrou perdido na Via-láctea...

Dessa vez quem arregalou os olhos foi o maioral e o mesmo fizeram todos os outros sábios. Na Via-láctea! Que absurdo!

— Como é isso, menina? — volveu o maioral. — Faça o favor de repetir o que disse porque não entendi bem. Parece que falou em Via-láctea...

— Sim — respondeu Narizinho. — Via-láctea, sim. Que tem isso? Encontramos este anjo no nosso passeio pela Via-láctea.

O espanto dos astrônomos subiu mais uns pontos. A linguagem daquela menina era nova para eles. Mas como fossem "adultos" de sobrecasaca e cartola, desses que tratam as crianças como seres inferiores e não acreditam em nada, breve voltaram a si do espanto e sorriram com ironia, como quem diz: "Bobagens de criança!". Ofendida com aquele sorriso, a boneca empertigou-se toda e replicou:

— Estou vendo que os senhores marmanjos não acreditaram em nossa história. Estamos pagos. Nós também não acreditamos nas suas "hipóteses" muito sem jeito...

Os astrônomos não esperavam por aquela resposta, de modo que abriram de novo as bocas. Uma boneca que falava que nem gente e sabia o que era hipótese! Maior assombro era impossível. Mas em vez de apenas assombrar-se, só sem mais nada, o maioral caiu na asneira de sorrir de novo, com superioridade ariana, e de dizer, como que ofendido:

— Bravo! Com que então não acredita em nossas hipóteses? Muito bem. E que vem a ser hipótese, senhora bonequinha impertinente?

Emília pôs as mãos na cintura.

— Hipótese são as petas que os senhores nos pregam quando não sabem a verdadeira explicação duma coisa e querem esconder a ignorância, está ouvindo, seu cara de coruja? Pouco se me dá que os senhores acreditem ou não que estivemos ou não estivemos na Via-láctea. Estivemos e acabou-se. E estivemos também em Marte e Saturno, e até brincamos de escorregar naqueles anéis. E na Lua conversamos com um santo muito bom, que ouvia tudo quanto dizíamos sem esses sorrisos que estamos vendo nessas reverendíssimas caras cheias de crocotós dos ruins...

— Emília! — ralhou Dona Benta, levantando-se. — Não posso admitir que você insulte em nossa casa estes luminares da ciência.

— Então também não admita que esses besourões casacudos duvidem do que estamos dizendo. Amor com amor se paga. Comigo é ali na batata...

Emília tinha perdido as estribeiras e estava que nem uma vespa. Dona Benta quis de novo ralhar com ela, mas calou-se. Lá por dentro estava lhe dando razão. Quem não respeita as ideias dos outros não pode esperar que respeitem as suas.

Os astrônomos, vendo que a velha havia parado de ralhar com a boneca, ofenderam-se. O maioral ergueu-se da mesa, e sem mais explicações retirou-se da sala seguido dos demais.

— Passe muito bem! — foi tudo quanto disseram lá na varanda, depois de tomarem as cartolas e bengalas.

Emília, vitoriosa, plantou-se de mãos à cintura no topo da escadinha para vê-los sair. E quando o chefe dos astrônomos, já no terreiro, olhou para trás, ela botou-lhe uma língua deste tamanho.

— Ahn!...

O maioral, furiosíssimo, perdeu a compostura e também botou para ela um palmo de língua. Uma língua muito feia e preta. Mas para fazer isso teve de virar a cabeça mesmo andando — e tropeçou na Vaca Mocha, sempre deitada no mesmo lugar, caindo um grande tombo no chão.

Emília estava mais que vingada, mas mesmo assim ainda lhe gritou:

— Passe muito bem, seu cara de coruja que comeu amora!...

Capítulo XXIII
AS IMPRESSÕES DE TIA NASTÁCIA

Os meninos tinham tanta coisa a contar, que depois de tomado o café ainda ficaram na mesa até tarde.

— Que beleza, vovó! — dizia Narizinho. — Se a senhora pudesse imaginar o que é a Via-láctea, vendia este sítio e mudava-se para lá. Uma verdadeira horta cósmica de estrelas e cometas novinhos, calcule! E, por falar nisso, onde estão as estrelinhas que você trouxe, Emília?

— Aqui! — respondeu a boneca tirando do bolso do avental um punhado de astros do tamanho de grãos de ervilha, que espalhou sobre a mesa.

Que assombro! Aquelas ovas de estrelas brilhavam mais que diamantes — brilhavam tanto que Dona Benta teve de tapar os olhos com as mãos.

— E que vai fazer com elas, Emília? — perguntou Pedrinho. — Quer trocar três por um cometa? — e com grande espanto da vovó também tirou do bolso mais estrelas — estrelas não: cometas! Como estivessem com as caudinhas enroladas sobre os núcleos, à primeira vista pareciam estrelas.

— Estrelas! Cometas!... Mas isto é demais, meus filhos! Nunca imaginei uma coisa semelhante. E ainda há o anjinho. Onde anda ele?

Todos saíram correndo em procura do anjinho, que havia fugido dali e estava na cozinha conversando com Tia Nastácia e provando um bolinho de frigideira. A negra, plantada diante dele, babava-se de gosto.

— Este mundo está perdido! — dizia ela. — Quando eu havia de pensar que até os santos e os anjos haviam de comer os meus bolos fritos? Credo...

Nisto a voz de Dona Benta soou lá na sala, chamando-a.

— Já vou, sinhá! — respondeu a preta, e depois de lavar as mãos na bica foi ver o que a patroa desejava.

— Escute, Nastácia — disse Dona Benta. — Você ainda não me contou as suas impressões. Estou curiosa de saber como se arranjou lá por cima.

A boa negra botou as mãos como quem reza e revirou os olhos para o céu.

— Nem queira saber, sinhá! Credo! De manhãzinha, naquele dia, os meninos me empulharam — me deram para cheirar o tal pó mágico dizendo que era rapé. Eu, muito boba, cheirei, e no mesmo instante perdi os sentidos — e quando abri os olhos estava num lugar esquisito, que a votação disse que era a Lua.

— Parece incrível! — exclamou Dona Benta. — Não foi à toa que os astrônomos não acreditaram em coisa nenhuma e lá se foram danados com a Emília. Mas continue. E depois?

— Depois? Ah, nem queira saber, sinhá!... Depois apareceu aquele estupor do dragão que São Jorge vive matando com a lança lá na Lua — um bicho horrendo, sinhá, que a Emília diz que é mestiço de lagarto com flecha de índio.

— Por quê?

— Porque tem a língua e o rabo em ponta de flecha. Mas o tal bicho, que era verde, adiantou-se para o burro, lambendo os beiços, imagine! E então Emília, que é uma danada, avançou sem medo e esfregou o tal pó mágico no nariz do burro. E o coitado, *vupt!*... — se sumiu da Lua, ventando. Narizinho disse que ele tinha caído no "ete...".

— É espantoso o que você me conta, Nastácia, e difícil de acreditar. Pobres dos astrônomos! Como poderiam engolir tudo isto? E depois?

— Depois, quer saber quem apareceu? Apareceu São Jorge em pessoa, sinhá, vivinho, com uma espécie de pratão de ferro — prato-travessa — no braço...

— Devia ser o escudo, Nastácia.

— ...e um pau comprido de ponta pontuda na mão...

— Devia ser a lança, Nastácia.

— ...e os meninos, sem medo nenhum, garraram a falar com ele como se falassem com Tio Barnabé lá na casinha da ponte. E o santo respondia com a maior delicadeza. Foi uma conversa que não tinha fim. Depois São Jorge me chamou e perguntou se eu queria ficar cozinhando para ele. Eu me atrapalhei toda na resposta; e então Narizinho respondeu e disse que eu ficava só por uns dias — e fiquei, sinhá, fiquei feito cozinheira de São Jorge, eu, uma pobre de mim, e ele aquele santo tão prepotente, com a fisolustria de escudo e espeto, numa correspondência da corte celeste...

A pobre negra estava outra vez falando difícil. Dona Benta fê-la voltar ao simples e perguntou:

— E você lá ficou a cozinhar? ...

— Que remédio, sinhá? Fiquei, apesar do medo que tinha do dragão. Que bicho feio, credo! Dava cada zurro de se ouvir nas estrelas. Acho que é por isso que elas piscam tanto...

— E onde mais estiveram os meninos?

— Não sei, sinhá. Eles que contem. É uma embrulhada que não entendo. Estiveram até num tal mundo que tem anéis do dedo — será possível?

— Sim, o planeta Saturno.

— Mas sinhá acredita que tenha anéis? — Eu... eu não sei. Eu acredito e desacredito tudo, porque acho tudo possível e impossível. Mas os meninos dizem que tem. E depois eles andaram galopando pelo "ete..."

— Éter, Nastácia.

— ...montados num cometa xucro, sinhá, de rabo dum tamanho sem fim.

— E onde acharam o anjinho?

— Eles dizem que foi na via de leite, que não sei o que é.

— Por falar no anjinho, Nastácia, como vai ser ele aqui? — perguntou Dona Benta.

— Vai ser muito bem, sinhá. Além da galanteza que é, não pode haver pessoinha mais bem-comportada e boa.

— Está claro. Desde que é anjo, tem que ser bom e bem-comportado.

— Podia ser anjo mau, sinhá — filho daquele tal Lúcifer... Mas sinhá pode ficar sossegada. Hei de tomar conta dele direitinho.

Nesse momento soou uma gritaria no pomar.

— Corra, Nastácia! Vá ver o que aconteceu — disse Dona Benta assustada.

A negra disparou na direção do barulho. Minutos depois reapareceu furiosa.

— Não foi nada de grave, sinhá — disse ela. — Foi o frango sura que deu outro pega no Doutor "Livinsto" e comeu o resto dos milhos que ele tinha no peito. Hoje mesmo esse frango vai para a panela. O diabo me paga...

Imaginário

MEMÓRIAS DA EMÍLIA

Capítulo I
EMÍLIA RESOLVE ESCREVER SUAS MEMÓRIAS. AS DIFICULDADES DO COMEÇO.

Tanto Emília falava em "Minhas Memórias" que uma vez Dona Benta perguntou:

– Mas, afinal de contas, bobinha, que é que você entende por memórias?

– Memórias são a história da vida da gente, com tudo o que acontece desde o dia do nascimento até o dia da morte.

– Nesse caso – caçoou Dona Benta – uma pessoa só pode escrever memórias depois que morre...

– Espere – disse Emília. –O escrevedor de memórias vai escrevendo, até sentir que o dia da morte vem vindo. Então para; deixa o finalzinho sem acabar. Morre sossegado.

– E as suas memórias vão ser assim?

– Não, porque não pretendo morrer. Finjo que morro, só. As últimas palavras têm de ser estas: "E então morri...", com reticências. Mas é peta. Escrevo isso, pisco o olho e sumo atrás do armário para que Narizinho fique mesmo pensando que morri. Será a única mentira das minhas Memórias. Tudo mais verdade pura, da dura – ali na batata, como diz Pedrinho.

Dona Benta sorriu.

– Verdade pura! Nada mais difícil do que a verdade, Emília.

– Bem sei – disse a boneca. –Bem sei que tudo na vida não passa de mentiras, e sei também que é nas memórias que os homens mentem mais. Quem escreve memórias arruma as coisas de jeito que o leitor fique fazendo uma alta ideia do escrevedor. Mas para isso ele não pode dizer a verdade, porque senão o leitor fica vendo que era um homem igual aos outros. Logo, tem de mentir com muita manha, para dar ideia de que está falando a verdade pura.

Dona Benta espantou-se de que uma simples bonequinha de pano andasse com ideias tão filosóficas.

– Acho graça nisso de você falar em verdade e mentira como se realmente soubesse o que é uma coisa e outra. Até Jesus Cristo não teve ânimo de dizer o que era a verdade. Quando Pôncio Pilatos lhe perguntou: "Que é a verdade?", ele, que era Cristo, achou melhor calar-se. Não deu resposta.

– Pois eu sei! – gritou Emília. –Verdade é uma espécie de mentira bem pregada, das que ninguém desconfia. Só isso.

Dona Benta calou-se, a refletir naquela definição, e Emília, no maior assanhamento, correu em busca do Visconde de Sabugosa. Como não gostasse de escrever com a sua mãozinha, queria escrever com a mão do Visconde.

– Visconde – disse ela –,venha ser meu secretário. Veja papel, pena e tinta. Vou começar as minhas Memórias.

O sabuguinho científico sorriu.

– Memórias! Pois então uma criatura que viveu tão pouco já tem coisas para contar num livro de memórias? Isso é para gente velha, já perto do fim da vida.

– Faça o que eu mando e não discuta. Veja papel, pena e tinta.

O Visconde trouxe papel, pena e tinta. Sentou-se. Emília preparou-se para ditar. Tossiu. Cuspiu e engasgou. Não sabia como começar – e para ganhar tempo veio com exigências.

– Esse papel não serve, Senhor Visconde. Quero papel cor do céu com todas as suas estrelinhas. Também a tinta não serve. Quero tinta cor do mar com todos os seus peixinhos. E quero pena de pato, com todos os seus patinhos.

O Visconde ergueu os olhos para o teto, resignado. Depois falou; fez-lhe ver que tais exigências eram absurdas; que ali no sítio de Dona Benta não havia patos, nem o tal papel, nem a tal tinta.

– Então não escrevo! – disse Emília.

– Sua alma sua palma – murmurou o Visconde. – Se não escrever, melhor para mim. É boa!...

Emília, afinal, concordou em escrever as memórias naquele papel da casa, com pena comum e tinta de Dona Benta. Mas jurou que havia de imprimi-las em papel cor do céu, tinta cor do mar e pena de pato.

O Visconde disparou na gargalhada.

– Imprimir com pena de pato! É boa!...Imprime-se com tipos, não com penas.

– Pois seja – tornou Emília. –Imprimirei com tipos de pato.

O Visconde ergueu novamente os olhos para o forro, suspirando.

Estavam os dois fechados no quarto dos badulaques. Servia de mesa um caixãozinho, e de cadeira um tijolo. Emília passeava de um lado para outro, de mãos às costas. Ia ditar.

– Vamos! – disse ela depois de ver tudo pronto. –Escreva bem no alto do papel: *Memórias da Marquesa de Rabicó*. Em letras bem graúdas.

O Visconde escreveu:

Memórias da Marquesa de Rabicó

– Agora escreva: "Capítulo Primeiro".

O Visconde escreveu e ficou à espera do resto. Emília, de testinha franzida, não sabia como começar.

Isso de começar não é fácil. Muito mais simples é acabar. Pinga-se um ponto final e pronto; ou então escreve-se um latinzinho: finis. Mas começar é terrível. Emília pensou, pensou, e por fim disse:

– Bote um ponto de interrogação; ou, antes, bote vários pontos de interrogação. Bote seis...

O Visconde abriu a boca.

– Vamos, Visconde. Bote aí seis pontos de interrogação – insistiu a boneca. –Não vê que estou indecisa, interrogando-me a mim mesma?

E foi assim que as *Memórias da Marquesa de Rabicó* principiaram dum modo absolutamente imprevisto:

Capítulo Primeiro I
? ? ? ? ? ? ?

Emília contou os pontos e achou sete.

– Corte um – ordenou.

O Visconde deu um suspiro e riscou o último ponto, deixando só os seis encomendados.

– Bem – disse Emília. – Agora ponha um...um...um...

O Visconde escreveu três uns, assim: 1, 1, 1.

Emília danou.

– Pedacinho d'asno! Não mandei escrever nada. Eu ainda estava pensando. Eu ia dizer que escrevesse um ponto final depois dos seis de interrogação.

O Visconde começou a assoprar e a abanar-se. Por fim disse:

– Sabe que mais, Emília? O melhor é você ficar sozinha aqui até resolver definitivamente o que quer que eu escreva. Quando tiver assentado, então me chame. Do contrário a coisa não vai.

– É que o começo é difícil, Visconde. Há tantos caminhos que não sei qual escolher. Posso começar de mil modos. Sua ideia qual é?

– Minha ideia – disse o Visconde – é que comece como quase todos os livros de memórias começam – contando quem está escrevendo, quando esse quem nasceu, em que cidade etc. *As aventuras de Robinson Crusoé*, por exemplo, começam assim: "Nasci no ano de 1632, na cidade de York, filho de gente arranjada etc.".

– Ótimo! – exclamou Emília. –Serve. Escreva: Nasci no ano de... (três estrelinhas), na cidade de...(três estrelinhas), filha de gente desarranjada...

– Por que tanta estrelinha? Será que quer ocultar a idade?

– Não. Isso é apenas para atrapalhar os futuros historiadores, gente muito mexeriqueira. Continue escrevendo: E nasci duma saia velha de Tia Nastácia. E nasci vazia. Só depois de nascida é que ela me encheu de pétalas duma cheirosa flor cor de ouro que dá nos campos e serve para estufar travesseiros.

– Diga logo macela, que todos entendem.

– Bem. Nasci, fui enchida de macela que todos entendem e fiquei no mundo feito uma boba, de olhos parados, como qualquer boneca. E feia. Dizem que fui feia que nem uma bruxa. Meus olhos Tia Nastácia os fez de linha preta. Meus pés eram abertos para fora, como pés de caixeirinho de venda. Sabe, Visconde, por que eles têm os pés abertos para fora?

– Há de ser da raça – respondeu o Visconde.

– Raça, nada. É o hábito de ficarem desde muito crianças grudados ao balcão vendendo coisas. Têm de abrir os pés para melhor se encostarem no balcão, e acabam ficando com os pés abertos para fora. Eu era assim. Depois fui melhorando. Hoje piso para dentro. Também fui melhorando no resto. Tia Nastácia foi me consertando, e Narizinho também. Mas nasci muda como os peixes. Um dia aprendi a falar.

– Sei como foi a história – disse o Visconde. – Você engoliu uma falinha de papagaio.

– Está errado! Narizinho teve dó do papagaio e não deixou que o matassem para tirar a falinha. Fiquei falante com uma pílula que o célebre Doutor Caramujo me deu.

Narizinho conta que a pílula era muito forte de modo que fiquei falante demais. Assim que abri a boca, veio uma torrente de palavras que não tinha fim. Todos tiveram de tapar os ouvidos. E tanto falei que esgotei o reservatório. A fala então ficou no nível.

– Tenha, paciência, Emília – disse o Visconde. –Ficou muito acima do nível, porque a verdade é que você ainda hoje fala mais do que qualquer mulherzinha.

– Mas não falo pelos cotovelos, como elas. Só pela boca. E falo bem. Sei dizer coisas engraçadas e até filosóficas. Inda há pouco Dona Benta declarou que eu tenho coisas de verdadeiro filósofo. Sabe o que é filósofo, Visconde?

O Visconde sabia, mas fingiu não saber. A boneca explicou:

– É um bicho sujinho, caspento, que diz coisas elevadas que os outros julgam que entendem e ficam de olho parado, pensando, pensando. Cada vez que digo uma coisa filosófica, o olho de Dona Benta fica parado e ela pensa, pensa...

– Ficam pensando o quê, Emília?

– Pensando que entenderam.

O Visconde enrugou a testinha e quedou-se uns instantes de olho parado, pensando, pensando. Aquela explicação era positivamente filosófica.

– E como sou filósofa – continuou Emília – quero que minhas Memórias comecem com a minha filosofia da vida.

– Cuidado, Marquesa! Mil sábios já tentaram explicar a vida e se estreparam.

– Pois eu não me estreparei. A vida, Senhor Visconde, é um pisca-pisca. A gente nasce, isto é, começa a piscar. Quem para de piscar, chegou ao fim, morreu. Piscar é abrir e fechar os olhos – viver é isso. É um dorme-e-acorda, dorme-e-acorda, até que dorme e não acorda mais. É portanto um pisca-pisca.

O Visconde ficou novamente pensativo, de olhos no teto.

Emília riu-se.

– Está vendo como é filosófica a minha ideia? O Senhor Visconde já está de olhos parados, erguidos para o forro. Quer dizer que pensa que entendeu... A vida das gentes neste mundo, senhor sabugo, é isso. Um rosário de piscadas. Cada pisco é um dia. Pisca e mama; pisca e anda; pisca e brinca; pisca e estuda; pisca e ama; pisca e cria filhos; pisca e geme os reumatismos; por fim pisca pela última vez e morre.

– E depois que morre? – perguntou o Visconde.

– Depois que morre vira hipótese. É ou não é?

O Visconde teve de concordar que era.

Capítulo II

O visconde começa a trabalhar para Emília. História do anjinho de asa quebrada.

Nesse ponto um urro veio distrair-lhes a atenção. Era Quindim, chamando Emília para uma prosa.

– Escute, Visconde – disse ela. –Tenho coisas muito importantes a conversar com Quindim. Fique escrevendo. Vá escrevendo. Faça de conta que estou ditando. Conte as coisas que aconteceram no sítio e ainda não estão nos livros.

– A história do anjinho de asa quebrada serve? – indagou o Visconde.

– Ótimo! Ninguém lá fora sabe o que aconteceu por aqui com o anjinho que cacei na Via-láctea. Conte isso e mais outras coisas. O que quiser. Vá contando, contando.

– Mas assim as Memórias ficam minhas e não suas, Emília.

– Não se incomode com isso. No fim dou um jeito; faço como na *Aritmética*... Disse e saiu correndo.

O Visconde ficou de pena no papel, a pensar, a pensar. Por fim começou:

O Anjinho de asa quebrada

As crianças que leram as *Reinações de Narizinho* com certeza também leram a *Viagem ao céu*, onde vêm contadas as aventuras dos netos de Dona Benta, da Emília e também as minhas no país dos astros. Não recordarei, portanto, nada disso. Só direi que houve lá por cima tais estrepolias que os astrônomos da Europa vieram queixar-se a Dona Benta das brincadeiras que estavam perturbando a harmonia celeste. Dona Benta, então, nos chamou para baixo com um bom berro: "Desçam já daí, cambada!".

Descemos todos, e com grande espanto Dona Benta viu que Emília tinha trazido o anjinho de asa quebrada, que descobrira, muito triste da vida, lá entre as estrelas. Ninguém descreve o rebuliço que houve na casa. A vida parou. Os pintos ficaram sem quirera. A Vaca Mocha ficou sem palhas. O feijão queimou na panela. Ninguém queria saber de outra coisa senão ver, cheirar, apalpar, conversar com o anjinho.

E havia razão para isso, porque jamais descera ao mundo uma criatura tão mimosa. É até difícil dar ideia da galanteza daquela florzinha das alturas. Muito louro, cabelos cacheados, olhos azuis, asas mais brancas que as do cisne. Como era lindo! Infelizmente uma das asas se partira no ossinho do encontro, o que o impedia de voar. Infelizmente para ele; para nós foi felizmente. Se não fosse o quebramento da asa, Emília não o pegaria e nós não teríamos o gosto de conhecer em pessoa aquele mimo dos céus.

Uma criatura do céu não pode saber nada das coisas da Terra, de modo que o anjinho se mostrou duma ignorância absoluta de tudo quanto aqui por baixo a gente sabe até de cor. Teve de ir aprendendo com Emília, a professora.

– Árvore, sabe o que é? – perguntava ela.

E como o anjinho arregalasse os olhos azuis esperando a explicação, Emília vinha logo com uma das suas.

– Árvore – dizia – é uma pessoa que não fala; que vive sempre de pé no mesmo ponto; que em vez de braços tem galhos; que em vez de unhas tem folhas; que em vez de andar falando da vida alheia e se implicando com a gente (como os tais astrônomos), dão flores e frutas. Umas dão pitangas vermelhas; outras dão laranjas doces ou azedas – e é destas que Tia Nastácia faz doce; outras, como aquela enorme ali (as lições eram sempre no pomar) dão umas bolinhas pretas chamadas jabuticabas. Vamos, repita: ja-bu-ti-ca-ba...

O anjinho atrapalhava-se e repetia errado: "ja-ti-bu-ca-ba...", fazendo Emília rolar de rir.

As perguntas do anjinho eram sempre duma infinita ingenuidade.

– Mas por que essas tais árvores nunca saem do mesmo lugar?

– Porque têm raízes – explicava, a Emília. –Raiz é o nome das pernas tortas que elas enfiam pela terra adentro. Bem que querem andar, as pobres árvores, mas não conseguem. Só saem do lugarzinho em que nascem quando surge o machado.

– Que animal é esse?

– Machado é o mudador das árvores – muda a forma delas, fazendo que o tronco e os galhos fiquem curtinhos. Muda-lhes até o nome. Árvore machadada deixa de ser árvore. Passa a ser lenha. Lenha. Repita.

– É algum deus esse machado tão poderoso assim?

Emília ria-se, ria-se...

– Deus, nada, burrinho! É antes um diabo malvadíssimo, mas diabo sem chifres, sem cauda, sem pés de cabra, sem cabeça, sem braços, sem nada. Só tem corte e cabo...

– Que é cabo?

– Cabo é uma perna só por onde a gente segura. Faca tem cabo. Garfo tem cabo. Bule tem cabo (e bico também). Até os países têm cabo, como aquele famoso Cabo da Boa Esperança que Vasco da Gama dobrou; ou aquele Cabo Roque, da Guerra de Canudos, um que morreu e viveu de novo. Os exércitos também têm cabos. Tudo tem cabo, até os telegramas. Para mandar um telegrama daqui à Europa os homens usam o cabo submarino.

O anjinho ficava de boca aberta, sem entender coisa nenhuma.

– Então o "submar" também tem cabo?

– Como não? E compridíssimos, que vão dum continente a outro.

– E é por esses cabos que a gente pega no mar?

Emília ria-se, ria-se. O pobre anjinho não tinha ideia nenhuma das coisas da Terra, porque sempre vivera no céu, lá nas nuvens. Emília era obrigada a explicar tudo, tudo...

– Oh – disse ela –,você não imagina como é interessante a língua que falamos aqui! As palavras da nossa língua servem para indicar várias coisas diferentes, de modo que saem os maiores embrulhos. O tal cabo, por exemplo. Ora é isto, ora é aquilo. Há os cabos de faca, de bule, de panela, como eu já disse, que são as pontas por onde a gente pega nesses objetos. Há os cabos da geografia, que são terras que se projetam mar adentro. Há os cabos do exército, que são soldados. Há os cabos submarinos, que são uns fios de cobre compridíssimos por meio dos quais os homens passam telegramas dum continente a outro por dentro dos mares. E há um tal "dar cabo" que é destruir qualquer coisa.

– Mas por que é assim?

– Para atrapalhar a gente. Eu penso que todas as calamidades do mundo vêm da língua. Se os homens não falassem, tudo correria muito bem, como entre os animais que não falam. As formigas e as abelhas, por exemplo. Esses bichinhos vivem na maior ordem possível, com suas comidinhas a hora e a tempo – e que comidas! O mel é uma perfeição que você nem sonha! Exatinho da cor de seus cabelos, mas sem cachos; em vez de cachos tem favos. E qual o segredo da felicidade desses animaizinhos? Um só: não falam. No dia em que derem de falar, adeus ordem, adeus paz, adeus mel! A língua é a desgraça dos homens na Terra.

– Se é assim, por que eles não cortam a língua?

Emília ria-se, ria-se.

– Cortar a língua? Essa palavra língua quer dizer duas coisas: um órgão da boca, onde está localizado o paladar, e também a fala dos homens. Há línguas do Rio Grande, que vêm em latas e servem para comermos e há as línguas da falação – a língua latina, a grega, a portuguesa, a inglesa. Estas não servem para comer – só para armar bate-boca...

– Que é isso?

– Brigas sonoras. Antes de brigar com socos e tapas e tiros, as criaturas brigam com desaforos.

– Que é desaforo?

– Desaforo é fazer certos elogios a uma pessoa. Vou dar um exemplo. Temos por aqui um animal chamado cachorro ou cão, bicho de muito bons sentimentos, o mais amigo do homem. É tão dedicado e amoroso, que o consideram o símbolo da fidelidade. É o cão que guarda os quintais contra os homens ladrões. É o cão que descobre a caça no mato. É o cão que puxa os trenós nas regiões só de gelo. É no cão que o homem faz experiências de laboratório. O cão é um colosso. Pois bem. Quando um homem compara outro homem ao cão, dizendo "Tu és um cão", o outro puxa faca. Desaforo é isso...

– Não estou entendendo – murmurou o anjinho. –Se o cão é um animal com tais qualidades, chamar cão a um homem devia até ser uma honra.

– Pois é coisa de puxar faca ou dar tiro. Outro exemplo. Há por aqui certo animal ainda mais precioso que o cão – a vaca. A maior maravilha de bondade e utilidade que existe no mundo é a vaca. Dá leite para os filhotes dos homens. Dá queijo. Dá manteiga. Além disso dá os bezerros, que crescem, viram bois e vão puxar os carros dos homens e os arados com que eles remexem a terra para fazer suas plantações. Dá a carne com que os homens fazem bifes e picadinhos. Dá o couro com que os homens se calçam. Dá o mocotó com que as cozinheiras preparam as geleias, um doce gostosíssimo. Dá os ossos com que se fazem botões e mil coisas.

– Então é a maravilha das maravilhas! – observou o anjinho, entusiasmado com a vaca.

– Se é! Tão maravilha que em certos países, como no Egito, a vaca era adorada, virou deusa. Além disso a vaca é duma docilidade infinita. Basta dizer que eu, que sou deste tamanhinho, faço o que quero da Vaca Mocha de Dona Benta. Aquele animalão me obedece em tudo – vai para lá, vem para cá, vira para a esquerda, vira para a direita – é só eu falar com ela. E de medo de mim não é, porque com uma chifrada a Mocha me joga longe. Por bondade apenas, por docilidade de gênio. Pois muito bem. A vaca é tudo isso que acabo de dizer e ainda muito mais. No entanto, se você comparar a mais suja negra da rua com uma vaca, dizendo: "Você é uma vaca", a negra rompe num escândalo medonho e se estiver armada de revólver dá tiro...

– Que coisa interessante! – exclamou o anjinho, assombrado.

– E vice-versa – continuou Emília. –Há por aqui uns animais que são malvadíssimos, umas verdadeiras pestes, como a tal cobra, que tem veneno nos dentes e o tal tigre que é estúpido e crudelíssimo. Todos os homens têm tamanho ódio às cobras e aos tigres que não podem ver um só sem o destruir imediatamente. Mas se num verso um poeta compara uma mulher a uma cobra, dizendo, por exemplo, que ela tem movimentos de serpente (serpente é o mesmo que cobra), a "elogiada" rebola-se de gosto. E se um homem compara outro a um tigre, este outro sorri. Existiu na França um célebre Clemenceau que foi apelidado o Tigre. Pensa que ele puxou faca? Nada disso. Babava-se todo, quando o tratavam de tigre. Mas fosse alguém tratá-lo de cão ou vaca!...Ah, vinha tiro na certa...

O anjinho ouvia, ouvia e ficava a cismar. Realmente, era-lhe impossível entender as coisas da Terra.

– Todo o mal vem da língua – afirmava a boneca. –E para piorar a situação existem mil línguas diferentes, cada povo achando que a sua é a certa, a boa, a bonita. De modo que a mesma coisa se chama aqui dum jeito, lá na Inglaterra de outro, lá na Alemanha de outro, lá na França de outro. Uma trapalhada infernal, anjinho.

Quem ficava atrapalhado era o anjinho. Emília tinha um modo desnorteante de pensar. Assim, por exemplo, as suas célebres "asneirinhas". Muitas vezes não eram asneiras – eram modos diferentes de encarar as coisas, como quando explicou ao anjinho o caso das frutas do pomar.

– Frutas são bolas que as árvores penduram nos ramos, para regalo dos passarinhos e das gentes. Dentro há caldos ou massas de todos os gostos. As maçãs usam massas. As laranjas usam caldo. E as pimentas usam um ardor que queima a língua da gente.

– Então têm fogo dentro? Fogo é que queima.

Emília ria-se.

– Ah, anjinho! Você vai custar a compreender os segredos da língua humana. Este "queima" é outro caso. Queimar é uma arte que só o fogo faz, mas quando uma coisa arde na língua nós dizemos que queima.

– Mas queima mesmo?

– Não queima, mas nós dizemos assim. Um ácido que pingamos na pele nós também dizemos que queima. Uma loja que está em liquidação nós dizemos que está "queimando" as suas mercadorias. No brinquedo do esconde-esconde, quando o que está de olhos vendados chega perto do escondido, nós dizemos que está "queimando".

– Então... então...então – dizia o anjinho – a trapalhada deve ser medonha.

Emília ria-se, ria-se.

– Eu já estive no País da Gramática, onde todos os habitantes são palavras. E um dia hei de contar por miúdo como a Gramática lida com elas e consegue dar ordem ao pensamento.

– Dar ordem não é mandar uma pessoa fazer uma coisa?

– É e não é. Às vezes é, outras vezes não é. Dar ordem pode ser mandar fazer uma coisa e também pode ser botar cada coisa no seu lugar.

– E como a gente sabe quando é dum jeito ou de outro?

– Pelo sentido.

– E que é sentido?

Emília desanimou. Não há nada mais difícil do que ensinar anjinhos.

– Escute cá, Flor. Quem entende bem disto de línguas e gramáticas é o Quindim. Tome umas aulas com ele.

– Que é aula?

Emília saiu correndo, senão ficava louca...

Capítulo III

A história do anjinho corre mundo. O rei da Inglaterra manda ao sítio de Dona Benta um navio cheio de crianças.

As conversas de Emília com o anjinho não tinham fim, e por mais que ela explicasse as coisas da Terra, ele cada vez as entendia menos. Uma terrível embrulhada foi se formando em sua cabecinha.

Enquanto isso as duas velhas tratavam-lhe da asa quebrada com unguentos e emplastos. Emília não gostou daquilo.

– Se o anjinho sarar – disse ela –, é bem possível que voe e fuja daqui – e como é?

– Não voa, não! – sossegou Tia Nastácia, que tinha muita prática de criaturas que voam: galinhas, marrecos e patos. – Corto a ponta duma asa dele e quero ver.

A presença do anjinho no sítio foi causa de muitas brigas, porque a boneca se considerava dona dele. Ela o descobrira; logo, era seu. Daí os terríveis pegas com Pedrinho e Narizinho.

– Ela está monopolizando o anjo, vovó! – queixava-se a menina. –Não o larga, atropela o dia inteiro o coitadinho com as tais filosofias da vida. Eu, se fosse a senhora, tomava o anjinho dela.

Mas Dona Benta achava graça naquilo e ia deixando.

A história do anjinho começou a correr mundo. Toda gente das redondezas veio vê-lo. Os jornais deram notícias. O rádio e o telégrafo transmitiram essas notícias para todos os países. E de tal modo a novidade se espalhou que as crianças do mundo inteiro ficaram assanhadíssimas para conhecer o anjinho. Queriam à viva força vir ao sítio brincar com ele.

Mas virem como, se as crianças do mundo são milhões? Os pais e as mães explicavam aos filhos que era o maior dos absurdos pensarem em semelhante coisa. Acontece, porém, que quando uma criança quer vivamente uma coisa e não consegue, dá de emagrecer, fica doentinha, cheia de bichas. E as crianças do mundo inteiro começaram a ficar doentinhas e lombriguentas de tanto desejo de virem ao sítio.

A situação tornou-se tão grave que o Rei da Inglaterra, o Presidente Roosevelt, o Füehrer da Alemanha, o Duce da Itália, o Imperador do Japão e o Negus da Etiópia se reuniram em conferência para tratar do assunto. Depois de muita discussão ficou assentado que todas as crianças do mundo seriam levadas ao sítio de Dona Benta. Mas por partes. Primeiro as de um país; depois as de outro – e assim até o último.

Para saber quais iriam primeiro, foi preciso tirar a sorte. O Presidente Roosevelt escreveu o nome de cada país num pedacinho de papel e os botou, bem dobrados, dentro do chapéu de dois bicos do Imperador do Japão. Em seguida pediu ao Negus, que era o mais velho, para tirar um. A sorte favoreceu as crianças da Inglaterra.

Quando saiu nos jornais a notícia desse fato, foi um hurra imenso no Império Britânico e uma choradeira ainda maior nos outros países.

O Rei da Inglaterra, então, mandou preparar um grande navio cheio de doces, brinquedos e livros de figuras, e nele embarcou a criançada inglesa sob as ordens dum dos seus melhores almirantes – o Almirante Brown. Ele iria levá-las ao sítio de Dona Benta.

Viva! Viva! Viva! A criançada inglesa, no dia marcado para o embarque, encheu o enorme transatlântico *Wonderland*, na maior algazarra e pinoteamento.

Ficou aquilo que nem um enorme viveiro de periquitos louros. O pobre Almirante levava as mãos aos ouvidos, murmurando:

– Será possível que este barulho dure até chegarmos ao sítio de Dona Benta?

Quase ficou doido o pobre homem, porque, como era a única gente grande de bordo (sem contar os marinheiros da tripulação), tinha de atender a tudo, apaziguar as terríveis brigas que a cada instante surgiam, por causa dum doce maior que outro ou dum livro de figuras que várias crianças queriam ver ao mesmo tempo.

Felizmente não houve temporal durante a viagem, de modo que as crianças não enjoaram, chegando ao Brasil em perfeito estado.

O momento da invasão do sítio de Dona Benta foi importante. A boa senhora não fora avisada, de modo que teve a maior surpresa de toda a sua longa vida de mais de sessenta anos.

Estava Dona Benta na varanda, remendando umas meias furadas de Pedrinho, quando viu lá longe uma poeira na estrada.

– Nastácia – gritou ela –,traga o meu binóculo. Estou vendo uma poeira muito esquisita lá longe. Será boiada?

A negra trouxe o binóculo. De nada valeu. Pedrinho havia tirado os vidros para fazer aquele célebre telescópio com que espiou o dragão de São Jorge na Lua. Dona Benta, que ignorava isso, olhou pelos canudos vazios e ficou na mesma.

– Minha vista está tão cansada que nem com este binóculo, que é excelente, consigo enxergar melhor. Não está vendo uma poeirada, Nastácia?

– Estou, sim, Sinhá. Mas boi não é. Por este caminho nunca passa boiada. Coisa dos meninos, Sinhá vai ver. Alguma nova reinação com o tal pó de pirlimpimpim. Eles não dormem...

Nisto apareceu Narizinho, que estivera no pomar ensinando Flor das Alturas (nome do anjo) a descascar tangerinas.

– Vovó! – gritou ela assanhadíssima. –Vem vindo um bando enorme de crianças! Juro que souberam lá fora do nosso anjinho e vêm brincar com ele...

– Credo! – exclamou Tia Nastácia. –Se aquilo tudo é criançada, onde vamos parar, Sinhá? Cada um é uma fome – e onde vou arranjar bolinho para tanta fome? Nem uma barrica inteira de farinha dá para contentar metade do povaréu que vem vindo...

Dona Benta começou a sentir palpitações do coração.

– Não se aflija, vovó – disse a menina. –Havemos de dar um jeito. A senhora bem sabe que sabemos dar jeito a tudo.

Disse e foi correndo conferenciar com Pedrinho e Emília. Encontrou-os no alto da pitangueira, espiando a estrada.

– Estamos fritos, Narizinho! – gritou o menino lá do galho. –Vem um tal bando de crianças, que se entenderem de nos furtar o anjo não haverá meio de resistir, furtam mesmo...

Pedrinho desceu da árvore. A ideia de que a criançada de fora vinha raptar o anjinho enchia-o de apreensões. Criança é criança. Isoladas ainda passam, mas em bandos são os bichos mais daninhos do mundo.

– E agora? – dizia ele. –Que havemos de fazer?

Emília meteu o bedelho.

– Só há um jeito – disse ela–, escondermos o anjinho no oco da figueira e vestirmos o Visconde de anjo. Se a criançada o raptar, raptará um anjo falso – o verdadeiro ficará aqui.

Imaginário memórias da emília

Pedrinho e Narizinho entreolharam-se.

– Não está má a ideia da Emília – disse o menino. –Tenho aquelas asas do gavião que o compadre Teodorico matou outro dia. Temos a camisola nova que vovó fez para a Emília. Com isso e mais alguma coisa faremos do Visconde um anjo bem regular.

– Mas anjo tem asas brancas – objetou a menina–; as do gavião são pintadinhas.

– Com farinha de trigo eu faço asa de qualquer cor ficar branca como neve – resolveu Pedrinho. –É isso. Vamos! Corra, Emília, e pegue o Visconde.E você, Narizinho, veja barbante para amarrar as asas e o resto. Não temos um minuto a perder.

Nunca se viu no sítio correria tamanha. O anjinho verdadeiro, muito assustado sem compreender coisa nenhuma, foi escondido por Pedrinho no oco da figueira.

– Fique aqui muito quietinho. Não se mexa, não faça o menor barulho.

– Tenho medo deste escuro – disse ele. –Aqui há ratos de asas.

– E lá há raptores, que vêm vindo em bando enorme. Antes rato sem *p* do que rato com *p*. Fique quietinho, se não tudo está perdido.

Largou-o lá bem no fundo do oco e voltou correndo. Narizinho já trouxera as asas do gavião, barbante e a camisola nova da Emília. Só faltava eu, Visconde.

–Depressa, Emília! – gritou o menino.

– Ele está resistindo – respondeu de longe a boneca. –Diz que não tem vocação para anjo...

– Traga-o à força! Depressa! Não há tempo a perder.

Emília puxou-me pelo braço e eles me agarraram, me enfiaram na camisola, me pregaram as asas e polvilharam tudo com uma nuvem de farinha de trigo. Fiquei um anjo esquisitíssimo – mas anjo.

– Muito bem – disse Pedrinho, afastando-se para apreciar o efeito. –Parece um fantasma, mas serve. Agora, vou pô-lo naquele galho da pitangueira. Assim todos poderão vê-lo e ninguém poderá pegá-lo. Ficando embaixo, os inglesinhos o espandongam num minuto. Criança é o diabo.

Fui então enganchado numa forquilha da pitangueira, onde fiquei suspirando. Era impossível imaginar-se anjo mais triste e cômico. As asas foram arrumadas com tanta pressa que uma logo pendeu.

– Não faz mal – disse Pedrinho. –Todos sabem que o anjinho tem uma asa quebrada. Escute, Visconde: saiba comportar-se como anjo, está entendendo? Cruze os braços no peito, e quando as crianças chegarem faça carinha de riso celestial, com os olhos erguidos. E não se meta a falar. Quem fala somos nós, aqui embaixo.

Narizinho, que subira à pitangueira, berrou lá de cima:

– Estão chegando, Pedrinho! Quase na porteira já. É hora de ir recebê-los.

Pedrinho foi. Trepou à porteira e ficou à espera. À frente do bando de crianças vinha um velho fardado, de grande chapéu de dois bicos na cabeça. A criançada parou. O velho adiantou-se. Fez uma saudação e disse:

– Senhor, a notícia da viagem ao céu que os netos de Dona Benta fizeram chegou até nós lá na Inglaterra, e Sua Majestade o Rei Eduardo VIII houve por bem permitir que as crianças inglesas, comandadas por mim, que sou o Almirante Brown, viessem visitar o anjo que a Senhora Marquesa de Rabicó trouxe da Via-láctea.

Pedrinho correspondeu à saudação do Almirante e disse:

– Temos muita honra em receber no sítio de vovó as crianças inglesas comandadas pelo ilustre Almirante Brown. Estamos, entretanto, muito receosos de que no meio de tanta criança venham alguns elementos perversos, que nos queiram fazer mal, raptando o anjinho. Em vista disso resolvemos só dar entrada a essas crianças, se por acaso o Senhor Almirante nos entregar um refém.

Aquelas palavras, ditas em tom firme, aborreceram o velho Almirante, que não havia pensado em semelhante hipótese.

– A sua desconfiança, senhor – disse ele – nos ofende. Os inglesinhos que trago são todos da mais fina educação.

– Sei disso – tornou Pedrinho. –Mas como pode o Senhor Almirante provar que entre eles não se acha oculto algum malfeitor? Eis porque resolvemos exigir um refém, sem que isso queira significar a menor ofensa ao Rei da Inglaterra, nem a Vossa Honra, nem a toda esta criançada.

O Almirante pensou por uns instantes e disse:

– Muito bem. Compreendo tudo e aceito as condições propostas. Quanto ao refém, ofereço-me a mim mesmo. Ficarei na sala, conversando com a sua excelentíssima avó, enquanto o meu bandinho de crianças se diverte no pomar.

– Perfeitamente, Senhor Almirante – disse Pedrinho. –Está aceita a sua proposta. Vou abrir a porteira.

Disse e, descendo da porteira, abriu-a.

– Podem entrar...

Aquilo foi o mesmo que erguer a portinhola duma tulha de café bem cheia. Rolou criança para dentro do terreiro como rolam grãos de café da tulha aberta. Lindas todas, de todos os louros possíveis e dum corado de maçã ou pêssego. Olhos azuis, pele alvíssima. Como são lindas as crianças inglesas! Para transformá-las em anjos bastaria colar nas costas de cada uma duas asinhas.

Enquanto a onda de crianças inundava o terreiro, Narizinho, lá no pomar, me fazia as últimas recomendações, a mim, Visconde.

– E comporte-se, hein? – dizia ela. – Mãos cruzadas no peito, olhos no céu – assim... E levante um pouco a asa esquerda... Está muito caída. Assim..."

Emília veio com um caixão vazio, que colocou rente ao tronco da pitangueira.

– Para que isso, Emília? –indagou a menina.

– Para guardar os presentes. Impossível que não tragam muitos presentes. Ninguém visita anjo com as mãos abanando.

Lá no oco o anjinho tremia de medo. Um dos tais "ratos de asas" viera pendurar-se bem sobre sua cabeça. Mesmo assim o anjinho não deu o menor grito, nem fez o menor movimento. Era obedientíssimo.

Dona Benta estava na varanda, muito bonitona no seu vestido preto de babados. Pedrinho conduziu para lá o Almirante.

– Vovó – disse ele –,tenho a honra de apresentar o Senhor Almirante Brown, que Sua Majestade o Rei da Inglaterra mandou comandando as crianças que morriam de vontade de brincar com o anjinho. O almirante concordou em ficar como refém aí na sua sala.

Dona Benta empertigou-se toda e respondeu:

– Tenho imenso orgulho em conhecer Vossa Honra, Senhor Almirante Brown. Só não estou entendendo essa história de refém a que meu neto acaba de referir-se...

Pedrinho explicou rapidamente que era uma garantia contra qualquer depredação que as crianças fizessem no sítio.

– Que absurdo, meu filho! – exclamou Dona Benta. – Só me admiro de o Almirante não ter ficado magoado com uma desconfiança dessa ordem. A honra altíssima que nos faz o Rei da Inglaterra é a maior com que poderíamos sonhar, e se você, Pedrinho, mostrou desconfiança, a ponto de obrigar o Almirante Brown a oferecer-se como refém, bem triste ideia ficará ele fazendo da nossa hospitalidade...

– Tudo isso é muito lindo, vovó – respondeu Pedrinho –, mas a senhora bem sabe como são crianças. Podem revoltar-se contra o Almirante e nos furtar o anjinho, e como é? Ele é um e elas são muitas.

O velho inglês sorriu.

– Se fosse assim, meu menino, não poderia haver exércitos no mundo, nem esquadras. Os generais e almirantes, que comandam exércitos e esquadras enormes, não os mantêm na disciplina por meio da força física – sim da força moral. Com a força moral, um homem sozinho domina milhões.

– Ele é bobinho, Almirante – explicou Dona Benta. –Não faça caso do que disse. Vá entrando sem a menor cerimônia, porque esta casa é sua. E a criançada que vá com Pedrinho e brinque à vontade. Laranjas temos bastante.

O Almirante subiu os seis degraus da varanda, com o chapéu de dois bicos debaixo do braço. Apertou a mão de Dona Benta com tal força que ela fez uma careta.

– Queira sentar-se, Senhor Almirante – disse a boa velha disfarçando a dor. – E para dentro: – Nastácia, veja depressa um cafezinho.

– Eu preferiria um uísque, minha senhora – murmurou o Almirante, que estava morto de sede, mas sede de inglês, dessas que só uísque mata.

Não havendo uísque na casa, Dona Benta fez sinal a Pedrinho para que mandasse buscar na venda do Elias Turco uma garrafa. E depois, para o ilustre personagem:

– Creia, Almirante, que esta sua visita em nada me espanta. E sabe por quê? Porque estou acostumada aos maiores prodígios do mundo. O que acontece neste sítio, meu Deus do céu!, nem queira saber, Almirante! No começo está claro que muito nos assustávamos, eu e Tia Nastácia. Mas hoje... As aventuras dos meus netos não têm conta. Até pelo céu já andaram – pela Via-láctea, imagine...

– Sei disso, minha senhora. Os jornais de Londres trataram do caso dos astrônomos que aqui estiveram em comissão, e com o saudoso Rei Jorge v, que Deus haja, tive ensejo de conversar a respeito. Ele achava a Marquesa de Rabicó um serzinho muito interessante, embora um tanto *shocking* às vezes...

–Pobre Rei Jorge! – suspirou Dona Benta. –Senti imensamente a morte sua. Que carga pesada não há de ser a do rei dum grande império! Eis uma vida que eu não invejo.

– Nem eu – ajuntou o Almirante. –Prefiro comandar os meus cruzadores a reinar sobre o mundo.

– E a rainha viúva, como vai indo? Mais consoladinha já?

– Vai vivendo, minha senhora. O golpe foi terrível.

Dona Benta suspirou.

– Não valemos nada nesta vida, Almirante. Quando chega o nosso dia, o gancho da morte nos pesca, sejamos reis ou mendigos. Mas... parece que está bem cansado, Almirante...

– Mais que cansado, minha senhora. Estou meio morto. É então brincadeira uma viagem destas, de duas semanas no mar, lidando com um carregamento de mil crianças endemoninhadas? *Uf!...*

– Realmente! Eu aqui no sítio, com dois netos apenas, às vezes me vejo doida. São dois que valem por dois mil, tais as maluquices que inventam, ou as reinações, como eles dizem. Mas não faça cerimônia, Almirante. Tenho ali a minha redinha. Deite-se e tire um corte de sono.

O Almirante não esperou segundo convite. Acomodou-se como pôde na redinha de Dona Benta e foi fechando os olhos.

Quando Tia Nastácia apareceu com a bandeja de café, ele roncava.

– *Pssiu!* Não o acorde...– sussurrou Dona Benta. – O Almirante está morto de canseira. Imagine que passou duas semanas no mar, lidando com mil crianças, isso da Inglaterra até aqui...

– Credo! – exclamou a preta. –Esses ingleses têm cada uma!... Bem diz Seu Pedrinho que eles são *"cêntrico"*.

– Excêntricos, Nastácia – corrigiu Dona Benta. – E a criançada? Como está se comportando lá no pomar?

– Nem sei, Sinhá. Não espiei ainda – nem tenho coragem de espiar. Estou só imaginando os "horrores"...

Capítulo IV

O anjo falso. protesto das crianças inglesas. Aparece Peter Pan. Conversas com o anjinho verdadeiro.

A criançada inglesa, depois que o Almirante entrou na sala de Dona Benta, foi com Pedrinho para o pomar.

– O anjo!– gritavam todas. –Queremos ver o anjo!...

Pedrinho deteve-se diante da pitangueira e apontou para a estranha figura de mãos cruzadas no peito e olhos no céu, enganchada na forquilha da árvore.

– Lá está ele! O anjo é aquilo.

Fez-se grande silêncio. Milhares de olhos azuis se enfocaram na figurinha. Súbito, uma das crianças exclamou: "Que anjo feio!", e a barulhada começou. "Não valia a pena virmos de tão longe para vermos isso", gritou outra. E terceira: "Em qualquer casa de brinquedo em Londres temos coisa melhor". E quarta: "Parece anjo de pau...Nem se mexe".

Narizinho me fez sinal, a mim, Visconde, para que me mexesse e fiz uns movimentos muito desajeitados.

– Quê? – berrou de repente uma menina. – Anjo de cartola? Onde já se viu isso? De fato. Na pressa da arrumação os meninos esqueceram-se de tirar da minha cabeça a célebre cartolinha, de modo que lá estava o anjo de cartola na cabeça, muito branca, porque também fora polvilhada de farinha de trigo.

Emília salvou a situação. Trepando no caixãozinho, pediu silêncio e disse:

– Vou explicar o motivo da cartola. Dona Benta nos contou que a cartola é uma invenção inglesa; daí a nossa ideia de botar uma cartolinha na cabeça dele como homenagem às crianças inglesas que o vinham visitar.

Os inglesinhos entreolharam-se. A explicação era boa. Mas continuaram a estranhar o anjo.

– Os que conheço dos livros de figura – disse um – são muito mais bonitos. São gordinhos. Esse é magro como bacalhau.

Emília explicou:

– É que andou doente. O pobrezinho quebrou a asa num tombo que deu lá nas estrelas. Está sarando; logo fica tão gorducho como antes. Não notam que está com a asa esquerda caída? Quebrou-a bem no encontro. Tia Nastácia já botou cola-tudo.

– Mas a cara dele não é de anjo – observou outra criança. –Parece cara feita com faca. Verdadeira cara de pau...

– É da doença – insistiu Emília. –Vocês que não têm asas não imaginam como quebradura de asa esquerda desfigura um pobre anjo...

Apesar das belas explicações as crianças inglesas continuavam de nariz torcido. Não conseguiam engolir aquele anjo tão feio.

– Francamente, perdemos a nossa viagem – murmuraram diversas – e o melhor é levarmos de volta os presentes trazidos. Esse anjo não merece nenhum, nem merece que brinquemos com ele. Só merece um pontapé...

E a vaia começou.

– Fora o anjo magro!...

– Morra o anjo feio!...

– Lincha o anjo cartoludo!...

O berreiro tornava-se cada vez maior, e a coisa acabaria em desastre, se um lindo menino não surgisse berrando:

– Parem! Nem mais uma palavra! Quem vai agir agora sou eu.

– Peter Pan!... – exclamou Pedrinho, reconhecendo o famoso menino que jamais quis crescer.

– Sim, sou Peter Pan, e já sei de tudo. Esse anjo é falso, é o tal Visconde disfarçado em anjo. O anjinho verdadeiro está escondido em qualquer parte.

– E se for assim? – gritou Pedrinho assustado.

– Se for assim – tornou Peter Pan – ou você nos mostra o anjinho verdadeiro, ou nós damos uma busca em regra neste sítio até o descobrirmos.

Pedrinho encheu-se de coragem e disse com voz firme:

–Nós estamos em nossa casa e saberemos defendê-la contra tudo e contra todos. Medo não temos – de nada! Quem manda aqui no sítio sou eu – depois de vovó. Por bem a coisa vai, Senhor Pan, mas por mal a coisa não vai, não! Nem a pau! Nem a tiro de revólver! Lembre-se que o Almirante Brown está como refém lá na sala de vovó. A vida daquele velho nos foi confiada em garantia do bom comportamento de vocês...

Peter Pan caiu em si. Além disso, não queria brigar; queria apenas ver o anjinho verdadeiro; de modo que perdeu a empáfia e disse conciliatoriamente:

– Reconheço que está em sua casa, Pedrinho, mas você há de admitir que é uma verdadeira judiação nos receberem deste modo. Fizemos uma viagem longuíssima, por ordem do Rei, para visitar o anjinho, e ao chegarmos vocês nos impingem um macaco de sabugo! Ora, é preciso concordar que isso é um pouco meio muito...

– Macaco de sabugo dobre a língua! – gritou Emília. – O Visconde é um verdadeiro sábio, estimadíssimo de todos daqui, até de Dona Benta. Retire o macaco!...

Peter Pan, que não queria brigar, retirou o macaco e disse, voltando-se para Pedrinho:

– Vamos. Responda à minha interpelação.

Pedrinho confessou tudo.

– Sim, é verdade. Confesso que o anjo verdadeiro é outro – e está bem escondido. Fizemos isso porque sabemos o que são crianças e tivemos medo que nos escangalhassem o anjinho.

– Muito bem! – exclamou Peter Pan. – Agora que lealmente nos confessou a maroteira, mostre-nos o anjo real. Não receie coisa alguma. Eu me responsabilizo por tudo. Não deixarei que criança nenhuma toque nele.

– Isso muda o aspecto da questão – tornou Pedrinho. – Já que você se responsabiliza, poderei mostrar o anjinho verdadeiro. Mas ninguém há de pegar nele! É delicadíssimo, um verdadeiro vidro, e assusta-se com qualquer coisa.

– Não tenha medo de nada, Pedrinho. Eu não deixarei que as crianças da Inglaterra quebrem o anjinho.

Enquanto os dois discutiam, Emília se atracava com Alice do País das Maravilhas, que também viera no bando. Alice estava torcendo o nariz a tudo e achando que aquele sítio não parecia digno dum anjinho.

– Uma casa velha, estas árvores tortas por aqui, aquele leitão lá longe nos espiando – então isto lá é morada digna dum anjinho caído do céu? Os anjos querem nuvens bem redondas. Se o levássemos para Londres, havíamos de dar-lhe um palácio de cristal cheio de nuvens de ouro – ouro fofo, bem macio.

– A senhora está muito enganada – rebateu Emília. – O anjinho anda muito satisfeito por aqui. Tem se regalado de brincar. Outro dia me disse que estava enjoado de nuvens redondas e não trocava todas as nuvens do céu por este pomar.

– Disse isso por simples delicadeza – volveu Alice. – Os anjos são as criaturas mais delicadas que há. Mas se você entrar bem dentro da ideia dele, vai ver que está doidinho por ir conosco para a Inglaterra.

– Pois daqui não sai, nem que o mundo venha abaixo! – gritou Emília. – Se fazem muita questão de possuir um anjo, podem levar o da pitangueira...

Estavam nesse ponto quando Pedrinho e Peter Pan chegaram a acordo. Depois de tudo bem combinado, o reizinho da Terra do Nunca bateu palmas e gritou:

– Criançada! Pedrinho cedeu aos meus argumentos. Vai mostrar-nos o anjinho verdadeiro, mas com uma condição: ninguém tocar nele, porque é um verdadeiro vidro. Espero que essa condição seja respeitada por todos, visto como acabo de dar a Pedrinho a minha palavra de honra.

Houve um murmúrio de descontentamento. As crianças inglesas são como todas as mais: não se contentam com ver as coisas, querem pegar também. Em todo caso, como Peter Pan dera a sua palavra de honra não houve remédio senão se conformarem.

– Emília – disse então Pedrinho –, vá depressa ao oco e traga o anjo.

Emília foi correndo. Instantes depois voltava, muito cheia de si, trazendo pela mão a encantadora criaturinha celeste.

Que delírio! Na maior curiosidade a criançada inglesa se reuniu em redor dele; como fossem muitas, as que não conseguiram lugar na frente treparam às árvores para ver melhor. As árvores do pomar ficaram mais cheias de crianças do que de frutas. Volta, e meia um galho estalava e caía com diversas, num berreiro medonho.

Quem primeiro dirigiu a palavra ao anjinho foi Alice. Ajoelhou-se diante dele, no maior dos enlevos, e murmurou:

– Encantinho, como é o seu nome?

– Meu nome é Florzinha das Alturas para a servir – foi a galanteza da resposta.

– Como é delicado! – exclamou Alice voltando-se para Peter Pan. –Florzinha das Alturas para me servir!... E que idade tem, anjinho?

– Não tenho idade – respondeu ele. – Sou parado, não cresço. Há séculos que vivo sempre deste mesmo tamanhinho...

– Está vendo, Peter Pan? –gritou Alice. –Tal qual você. É parado. Não cresce...

– É como eu também – juntou Emília. –Eu também não cresço. Nasci deste tamanho e deste tamanho ficarei sempre. Sabem que a professora do anjinho sou eu? Eu, sim!... Tenho lhe ensinado mil coisas. Pergunte-lhe, por exemplo, o que é flor.

Alice perguntou ao anjinho o que era flor.

– Flor – respondeu ele – é um sonho colorido e cheiroso, que com as raízes as plantas tiram do escuro da terra e abrem no ar. Foi como Emília me ensinou.

Todos se admiraram da poesia daquela definição, mas Alice não queria ouvir o anjinho repisar as coisas ensinadas pela Emília; queria saber como eram as coisas lá no céu.

– Conte-nos como é lá. Deve ser lindo, não? Conte a sua vidinha toda...

O anjinho contou:

– Não me lembro quando nasci. Acho que sou filho das nuvens e das estrelas, porque sempre me achei rodeado de nuvens e estrelas. Meu principal brinquedo era fazer bolinhos de massa cósmica para jogá-los no éter. Esses bolinhos iam crescendo no espaço e viravam novas estrelas...

– E os cometas de cauda? Fazia também bolinhos de cometas? – quis saber Alice.

– Sim. É muito fácil. Basta fazer um bolinho redondo e depois dar um puxo dum lado, deixando um começo de rabinho. Quando a gente joga esses bolinhos no espaço, a velocidade vai fazendo que o rabinho se encompride cada vez mais, e se abra todo, muito fofo, adquirindo aquela forma, de cauda de cometa que vocês aqui conhecem...

A criançada inglesa estava maravilhada e doida por ir brincar de "bolinhos de estrelas" no céu. Emília torceu o nariz, e como uma das crianças lhe perguntasse se também não estava doida por aquilo, respondeu com ar de farta:

– Já me enjoei disso. Fiz tanto bolinho de estrela e cometa lá na Via-láctea que hoje até prefiro fazer bolinhos de barro. Estou farta...

As crianças inglesas olharam-na com profunda inveja. Alice prosseguiu nas perguntas.

– E as nuvens? Muito macias?

– Mais que a paina daqui. Não existe nada mais lindo que as nuvens, porque não param nunca de mudar de forma e cor. Eu rolava por cima das redondas, como se fossem travesseiros de sonho. Atirava-me de uma para outra, às vezes de grande altura. Quando caía, mergulhava até ao meio. Uma gostosura!...

– Mas brincava sozinho?

– Não. Há lá milhões de anjinhos como eu. Brincávamos o dia todo. Foi numa dessas brincadeiras que houve o desastre.

– Conte como foi esse desastre – pediu Alice.

– Eu estava com os outros brincando de rolar de nuvem em nuvem. Nisto formou-se embaixo de nós uma grande. Dei um pulo. Quando caía, afundei dentro da nuvem até ao meio, gostosamente. Súbito, um choque aqui no encontro da asa esquerda. Dei um grito. Eu havia esbarrado num corpo estranho.

– Corpo estranho? – exclamou Alice. – Pois há corpos estranhos nas nuvens?

– Não há – disse o anjinho –, mas nesse dia houve. Dentro da nuvem estava um corpo estranho que eu só enxerguei no momento do choque. Tinha pernas e braços, cabeça e cartola...

– Era o Visconde! – berrou Emília. –Na nossa viagem ao céu ele caiu da lua e ficou girando no espaço como satélite. Numa das voltas com certeza esbarrou no anjinho.

– E depois? – indagou Alice, cada vez mais curiosa.

– Depois perdi os sentidos. Não vi mais nada. Quando meus olhos se abriram, encontrei-me na imensa planície da Via-láctea, no colo duma criaturinha estranha. Era aqui a Emília...

Emília voltou-se para a criançada, radiante de orgulho, para que todos vissem que era ela mesma.

– E que mais?

– Emília me ninava, e quando abri os olhos me falou uma porção de coisas que não entendi. Depois vieram vindo os outros. Apareceu aquela lá – e apontou para Narizinho; –e aquele lá – e apontou para Pedrinho. –E também um senhor muito sério, de grandes orelhas e olhar triste.

– O Burro Falante! – gritou Emília.

Peter Pan cochichou para Pedrinho que fazia muita questão de conhecer o burro.

– E depois? – volveu Alice.

– Depois descemos do céu – disse o anjinho. –Dona Benta nos havia chamado com um berro: "Já para baixo, cambada!". Os astrônomos estavam aqui neste sítio, se queixando das reinações feitas lá nas alturas. Quando cheguei e vi esses homens, tive medo. Umas barbas grandes, óculos no nariz, carecas...

– E como vai se dando por aqui?

– Otimamente! – respondeu o anjinho. –Todos me querem muito e me tratam na palma da mão. Nastácia faz uns quitutes que não existem lá no céu. É das pipocas que eu gosto mais. Também dos bolinhos...

– Bolinhos de estrelas?

– Não. Dum pó branco...

– Farinha de trigo! – berrou Emília.

– Ela amassa esse pó com gema de ovo e gordura – continuou o anjinho. –Enrola os bolinhos entre as palmas brancas de suas mãos pretas e os põe em latas num buraco muito quente chamado forno. Passado algum tempo os bolinhos ficam no ponto – e é só comer.

– Que galanteza! – exclamou Alice. – Que amor! Com que graça ele conta uma simples receita de bolinho!... E frutas? Também come?

– Se come! – berrou Emília. –Gulosíssimo, até. Para devorar pitangas, não há outro.

– Sim — confirmou o anjinho –, gosto muito de pitangas, quando estão com o vermelho já bem escuro. Das verdes, amarelas ou apenas um pouco vermelhas, não gosto. Muito azedas. Outra fruta de que gosto muito são as jatibucabas...

– Ja-bu-ti-ca-bas! – emendou Emília. –Não há meio dele dizer certo...

– Também vocês aqui no Brasil arranjam cada nome para as frutas! – observou Alice, que nunca tinha visto jabuticaba. – Essa, a avaliar pelo nome, deve ser do tamanho duma melancia.

– Ao contrário – disse Narizinho. – O nome é grande, mas a fruta é das menores que temos. Pretinha e assinzinha...

– E agora é tempo? – quis saber Peter Pan, já com água na boca.

– Antes "sesse"! – suspirou Emília. – Agora só temos laranja. Gosta de laranja-lima, Peter?

– Se gosto! – respondeu, ele. –Pelo-me! Qual é o pé?

– Aquele baixinho, perto da cerca. Tem canivete?

Peter Pan correu a apanhar meia dúzia de laranjas, que veio chupar perto do anjinho. Ao verem aquilo as outras crianças também ficaram com água na boca. Foi uma correria.

– *Oranges, Oranges!*–gritavam em inglês.

O avança foi tamanho que não ficou no pomar uma só laranja para remédio."Eu quero de cuia!", dizia uma. "Eu quero de gomo!", dizia outra. Um amarelo tapete de cascas recobriu o chão.

– Que coisa gostosa – murmurou Alice – chupar laranja-lima, ao lado de um anjinho do céu que conta as coisas de lá! Estou mudando de opinião, Emília. Estou achando que este sítio de Dona Benta é ainda mais gostoso que o nosso Kensington Garden lá de Londres...

– E é mesmo – observou Narizinho. –Não há lugar no mundo que valha o sítio de vovó. Quem o vê pela primeira vez, com estas árvores velhas, todo espandongado, não dá nada por ele. Mas depois que o conhece, não troca nem pela Califórnia, que é um paraíso. O sítio de vovó é gostoso como um chinelo velho.

E a menina pôs-se a contar as mil coisas passadas ali, as aventuras do pó de pirlimpimpim, o encontro do Burro Falante lá no País das Fábulas, o casamento dela com o Príncipe Escamado, a ida ao País da Gramática e outros episódios aventurescos.

– Até ao País da Gramática vocês foram? – exclamou Alice admirada.

– E saiba que nos divertimos muito. O Visconde raptou um ditongo e Emília desmoralizou completamente uma velha coroca implicantíssima, chamada Ortografia Etimológica. Olhe, Alice, se você passar dois dias aqui conosco, juro que não quer mais saber da Inglaterra.

– Estou vendo – respondeu Alice. – Isto aqui parece que vale a pena...

Capítulo v

O Almirante assombra-se com o que vê.

Lá na sua salinha Dona Benta conversava com o Almirante Brown sobre a política do Império Britânico. O Almirante já dormira uma boa soneca e agora, sentado na rede, ia bebendo o uísque mandado vir da venda do Elias Turco. Era falsificado. Mesmo assim o velho inglês o bebia, embora com caretas a cada gole.

– Pois é isso, minha senhora. Cá estou feito capão de pintos, a atravessar os mares com o meu exército de crianças. A trabalheira que me deram na viagem! Até suo só de lembrar-me disso...

– E por falar, Almirante, como há de ser para enchermos tantas barriguinhas? O mantimento que há aqui no sítio não dá para a décima parte.

O velho inglês sorriu.

– Não se incomode, minha senhora. Providenciei sobre tudo. Dentro em pouco chegarão os meus marinheiros com um grande carregamento de comedorias. Poderá a senhora ter a bondade de levar-me ao pomar? Preciso ver o anjinho. Mas aqui entre nós: é mesmo um anjinho do céu ou trata-se de alguma reinação dos seus netos, um simples anjo de procissão?

– É dos legítimos, Almirante, posso garantir e o senhor o verificará com os seus próprios olhos. Por mais prodigioso que isto seja, não passa da mais pura realidade. Ah, Almirante, Vossa Honra não imagina o que acontece neste sítio! Só vendo. Tanta e tanta coisa, que hoje, como já disse a Vossa Honra, não me admiro de mais nada. Se o Sol aparecer ali na porteira e me disser:"Boa tarde, Dona Benta!", eu o recebo como se fosse o Compadre Teodorico."Entre, Senhor Sol. A casa é sua." Positivamente não me admiro de mais nada, nada, nada..."

Os dois velhos saíram de braços dados para a visita ao anjinho. Foi difícil abrir passagem no bolo de crianças apinhadas em redor dele. Ao ver o anjinho, lindo, lindo de não poder mais, o Almirante Brown arregalou os olhos e puxou os óculos. Examinou o anjinho atentamente, sempre desconfiado de algum embuste; apalpou o encontro das asas para ver se não eram asas de anjo de procissão.

Emília advertiu-o:

– Não pegue com muita força que quebra. Ele é um vidro.

O Almirante sacudia a cabeça, pensativo.

– É extraordinário, não há dúvida! Tenho setenta anos e jamais me defrontei com um prodígio assim. Quando chegar a Londres e der ao rei o meu testemunho, é bem possível que Sua Majestade se assanhe e queira vir também – queira vir ver com os seus reais olhos este assombroso prodígio...

– Ótimo! – exclamou Dona Benta. – Que venha, que venha sem a menor cerimônia. A única pessoa que ainda não apareceu por aqui foi um rei de verdade. Reis da fábula e dos países maravilhosos, desses que usam coroinhas de ouro, temo-los tido aos montes.

O Almirante não cessava de assombrar-se.

– Que coisa extraordinária! Um anjinho caído do céu...

– Caído não, Almirante – corrigiu Emília. – Trazido. Quem o trouxe fui eu.

– Quem é esta estranha senhorita? – indagou o Almirante, pondo os olhos na boneca.

– Pois é a Emília, não vê? – disse Dona Benta. – De fato foi ela quem trouxe o anjinho lá da Via-láctea, onde o "caçou", como costuma dizer.

– Ahn! A Emília, sim, a Senhora Marquesa de Rabicó! – disse o Almirante recordando-se. – Sei, sei. Sua Majestade a Rainha Viúva já me falou das proezas desta famosa criaturinha,mostrando até muito desejo de conhecê-la pessoalmente.

– Foi pena eu não ter sabido disso antes – volveu Dona Benta. – Já estivemos em Londres, na nossa viagem em torno do mundo para estudar geografia. Se eu soubesse do desejo da rainha, teria feito uma visita a Sua Majestade para a apresentação da Emília...

Depois de bem visto o anjinho, e duma prosa com ele, o Almirante afastou-se, sempre de braço dado a Dona Benta. Foram dar uma volta pelo sítio.

– Estou achando tudo por aqui muito poético – disse o inglês correndo os olhos pelas árvores. – Que lindo este imenso tapete amarelo com que a senhora forrou o pomar!...

Dona Benta riu-se. O Almirante tinha a vista ainda mais fraca que a dela, de modo que tomou o chão forrado de cascas de laranja por um imenso tapete amarelo.

Nisto uma vaca mugiu.

– É a Mocha – explicou Dona Benta –, uma vaca excelente que temos aqui há já muitos anos.

– Meu pai foi criador de vacas Jérsei – disse o Almirante – e eu ainda conservo algumas da sua criação. Quando voltar à Inglaterra hei de mandar para aqui uma de presente. Leiteiras melhores não existem.

– Pois ficarei imensamente agradecida – respondeu Dona Benta. – A pobre da Mocha está bastante velha. Mal dá o leite necessário ao consumo da casa.

No estábulo a Mocha teve a honra de ser apresentada ao Almirante Brown, o qual foi saudado por um *Mu!* especial, em português, visto que a pobre vaca não sabia uma só palavra de inglês, nem *yes*. O Almirante gabou os seus enormes olhos cheios de bondade.

– Vê-se que é uma vaca de muito bons sentimentos mas pouco leite – disse o velho marujo. – Quantos litros dá?

– Não chega a três – respondeu Dona Benta.

O filho do criador de vacas Jérsei riu-se.

– As de meu pai davam dez vezes isso.

Dona Benta arregalou os olhos.

– Ah! Eu aqui com uma assim até montava uma fábrica de queijo...

– Há de tê-la, minha senhora. Há de tê-la.

Nisto um zurro muito discreto soou.

– Quem é? – quis saber o Almirante.

– É o Conselheiro, o nosso Burro Falante – explicou Dona Benta. – Nele é que os meninos foram para o céu.

O Almirante Brown sorriu, pensando lá consigo: "Pobre velha! Visivelmente está caduca". Mas quando foi apresentado ao Burro Falante e este murmurou, na sua voz grave de burro da fábula: "Tenho muita honra em conhecer Vossa Senhoria", o Almirante quase caiu para trás. Teve de segurar-se no rabo que o burro lhe estendeu.

– É espantoso, minha senhora! Está aqui um fenômeno que se eu contar ao Rei Eduardo ele julgará que é caduquice minha. Um Burro Falante! Isto positivamente me deixa com as ideias atrapalhadas...

Dona Benta gozou o atrapalhamento do inglês.

– Foi o que me sucedeu no começo, Almirante. Fiquei também atrapalhada, sem saber o que pensar. Depois fui me acostumando. Hoje acho tão natural que esse burro fale, como acho natural que uma laranjeira produza laranjas. Todas as tardes chego até aqui para dois dedos de prosa. Além de falante, o nosso Conselheiro é um puro filósofo.

– De que escola?

– Um filósofo estoico. Costumo ler-lhe trechos das *Meditações* de Marco Aurélio. Os comentários que ele faz mereciam ser escritos e publicados.

O Almirante não conseguia voltar-se do assombro.

– Mas... mas, Dona Benta, a senhora já refletiu que isto é um fenômeno que contradiz tudo quanto a ciência estabeleceu a respeito da fala e da inteligência dos animais?

– Refleti, sim. Eu sei o que tenho em casa, Senhor Almirante.

Um tropel e uma algazarra interromperam o diálogo. Pedrinho e Peter Pan vinham correndo para ali, acompanhados de mais de cem crianças.

– O burro que fala! O burro que fala! –gritavam todas. – Vamos conversar com o burro que fala!...

Chegaram. Em torno do excelente animal formou-se uma roda enorme. Todos falavam ao mesmo tempo, perguntando mil coisas ao pobre Conselheiro, que se via tonto para atender a tantos clientes.

Dona Benta e o Almirante deixaram-nos naquele divertimento que não existia na Inglaterra e recolheram-se à salinha. Estavam lá, ainda comentando o prodigioso caso do Burro Falante, quando Tia Nastácia veio dizer que um grupo de marinheiros se aproximava. O Almirante sorriu.

– São as comedorias que vêm vindo – disse ele – e não é sem tempo. Com o aperitivo das laranjas que chuparam, as crianças devem estar tinindo de fome.

E assim era. Mal avistaram os marinheiros do almoço, uma gritaria atroadora encheu os ares.

– O lanche! O lanche!...

Abandonaram o anjinho, o Burro Falante e as árvores em que estavam repimpadas para só cuidarem dos estômagos.

Que suculento lanche foi aquele! Bem se via andar ali o dedo do Rei da Inglaterra. Sanduíches de todas as qualidades, queijos, geleias de frutas, maçãs e peras, cremes e pãezinhos em quantidades enormes.

Tia Nastácia veio espiar. Aquela abundância encantou-a.

– Ora graças! – murmurou a velha preta. –Se não chegasse esse reforço, isto por aqui ficava como fazenda por onde passou nuvem de gafanhotos. Nem a casca das árvores se salvaria... Credo!

Capítulo VI
Onde aparece um famoso marinheiro.

Pedrinho insinuou-se entre os marujos. Pela primeira vez via os famosos *mariners* da maior esquadra do mundo. Vermelhaços, louros e ruivos, com calças de boca de sino. E que caras havia entre eles! De puros lobos do mar. Em dado momento, porém, Pedrinho empalideceu. Um dos marujos o impressionara profundamente.

Saiu dali e correu em procura de Peter Pan, que estava atracado com um sanduíche de presunto de York.

– Tenho uma coisa muito séria a dizer – murmurou-lhe Pedrinho a meia voz.– Engula isso depressa e apareça lá no pomar – e foi esperá-lo debaixo da pitangueira.

Peter Pan não tardou.

– Que há? – indagou, engolindo o último bocado do sanduíche.

– Há que descobri uma coisa muito séria: o Capitão Gancho está entre os marinheiros que vieram trazer o almoço. Reconheci-o perfeitamente.

Peter Pan empalideceu.

– Não pode ser, Pedrinho! Naquela batalha no navio dos corsários bati-me a espada com esse monstro, e o fui apertando de golpes e mais golpes, e ele recuando, recuando até que, *Tchibum!*,caiu n'água, bem dentro da goela do crocodilo. Foi assim que o Capitão Gancho morreu.

– Morreu, nada! Essa gente não morre. Com certeza comeu o crocodilo, em vez de o crocodilo comer a ele. E a prova é que o vi no meio dos lobos do mar que vieram com o lanche. Vi-o com estes meus olhos, Peter! Cheguei pertinho, cheirei. Ele mesmo, com a mão de gancho calçada numa luva e aquele fedor de pirata...

Peter Pan permaneceu uns instantes pensativo.

– E que quererá por aqui?

– Certamente que anda atrás de você – sugeriu Pedrinho.

– Impossível! Ninguém sabia que eu vinha. Nada contei a ninguém – nem a Wendy. Resolvi embarcar no momento do navio sair. Basta dizer que fui a última pessoa que se meteu a bordo. Não, Pedrinho. Não foi por minha causa que o Capitão Gancho veio. Foi por causa do anjinho, juro!...

– Mas que há de querer com o anjinho?

– É boa! Raptá-lo. Você não calcula que negócio é um anjinho desses nas unhas dum explorador. Já não digo para trabalhar em circo, mas no cinema, Pedrinho! No cinema! Em Hollywood! Para entrar nas fitas das Diones, da Shirley, do Jack Cooper! Coisa de render milhões. Nunca houve no mundo uma estrelinha anjo.

– Realmente – murmurou Pedrinho. – Até eu já havia pensado nisso...

– Pois juro, Pedrinho, que o Capitão Gancho veio com essa ideia na cabeça,e também juro que já está de plano formado para furtar o anjinho.

– Acha bom prevenirmos o Almirante?

– Nada disso. Eu não dou importância a gente grande. Costumo resolver todas as dificuldades por mim mesmo, com a meninada. Escute. Existem armas por aqui? Espadas, lanças, pistolas?

Pedrinho suspirou.

– Ah, Peter Pan! Se você soubesse que boba e medrosa é a vovó... Tem medo de tudo, até das baratas. Não pode ver um revólver. Faca, só admite essas de mesa, de ponta redonda. Em matéria de armas só tenho uma espingardinha de cano de guarda-chuva que eu mesmo fiz, e o meu velho bodoque...

Peter Pan sorriu com superioridade.

– Pois lá na Terra do Nunca temos um verdadeiro arsenal. Depois de bater o Capitão Gancho, fiquei com todas as armas dos corsários. Até um canhãozinho do navio pirata eu levei para a Terra do Nunca.

– Levou um canhão!?...

– Só não levei os grandes por serem muito pesados e consumirem muita pólvora. Você não imagina, Pedrinho, como canhão grande come pólvora! Mas espadas, pistolas, espingardas, lanças, machados e punhais, isso levamos tudo. Lembra-se daqueles lobos que nos rondavam por lá? Pois caímos de tiros neles. Não ficou um! Os que não morreram, fugiram com cem pernas, apavoradíssimos! Nossa caverna lá na Terra do Nunca está hoje como a fortaleza de Gilbraltar: inexpugnável!

Pedrinho fremiu de entusiasmo; depois suspirou, pensando com raiva no pacifismo de Dona Benta.

– Que pena! – exclamou. –Se vovó deixasse, poderíamos também fazer disto aqui uma fortaleza inexpugnável. Está vendo aquele cupim lá no pasto? Tem um oco ótimo para ninho de metralhadora.

– Também pelo alto destas árvores é possível esconderem-se muitos atiradores – observou Peter Pan correndo os olhos pelo pomar. – Você, não sei,mas eu sou capaz de transformar isto aqui numa tremenda fortaleza. Olhe: daquele lado corro uma linha dupla de trincheiras. À esquerda e à direita abro fossos intransponíveis...

– Com uma ponte levadiça! – ajuntou Pedrinho, entusiasmado.

– Isso só em castelo – volveu Peter Pan em tom de desprezo ante os conhecimentos militares de Pedrinho.

Nesse instante um vulto atraiu-lhes a atenção – um marinheiro que caminhava disfarçadamente, repetidas vezes olhando para trás.

– Ele! – cochichou Pedrinho.

Peter Pan, velho conhecedor do Capitão Gancho, concordou.

– Tem razão, Pedrinho. É elíssimo mesmo! Só que enfiou a mão de gancho naquela luva para disfarçar-se. Onde está o anjinho?

– No oco da figueira grande, lá onde o escondemos quando a criançada apareceu. Depois que os marinheiros do almoço chegaram, dei ordem à Emília para que o guardasse no oco novamente.

– Onde é a figueira?

– Aquela grandona, lá. É oca por dentro, como as árvores da Terra do Nunca.

Os dois meninos ocultaram-se atrás da pitangueira para melhor seguirem os movimentos do ladrão. O infame corsário, sempre na ponta dos pés, olhava em todas as direções, farejando qualquer coisa.

– Parece que é pelo faro que esses monstros se guiam – observou Peter Pan.

– Mas com o anjinho não arranja nada, ele é totalmente inodoro.

– Que quer dizer isso?

– Inodoro quer dizer sem cheiro nenhum, como a água. A água é incolor, inodora e insípida.

– Mas é capaz de descobri-lo por indução – sugeriu Peter Pan.

Foi a vez de Pedrinho perguntar o que era indução.

– É uma espécie de adivinhação lógica – disse Peter Pan. – Juro que assim que o Capitão Gancho enxergar a figueira, pensará em oco, porque quase todas as figueiras velhas têm ocos; e pensando em oco, pensará no anjinho escondido lá dentro. Isso é que é indução.

E foi o que se deu. Mal o corsário enxergou a figueira, induziu logo e pôs-se a caminhar na direção dela.

Nisto apareceu, inesperadamente, um segundo vulto.

– Olhe!... Vem vindo outro. A coisa se complica...

Pedrinho não tardou a reconhecê-lo.

– Popeye! O marinheiro Popeye, Peter!...

Peter Pan não conhecia esse figurão.

– Quem é ele? – perguntou.

– Um homenzinho terrível, Peter. Não há no mundo quem o vença. Derrota tudo. Será que é cúmplice do Capitão?

Não era. A conversa entre Popeye e o corsário ia mostrar que não era. Os meninos ouviram tudo perfeitamente.

– Viva, Senhor Popeye! – exclamou o Capitão Gancho. – Que é que o traz por aqui?

– O mesmo que traz a você, Capitão – respondeu Popeye na sua voz rouquíssima.

– Acho que podemos nos entender e nos ajudar mutuamente – tornou Gancho. — Vou contar tudo. Vim entre os marinheiros do Almirante Brown com a ideia de levar o anjinho para Londres. Renderá bom dinheiro num circo.

Popeye sorriu.

– Pois saiba que tive a mesma ideia e vim dos Estados Unidos para levá-lo a Hollywood. No cinema esse anjo dará mais sorte do que em todos os circos do universo. Não podemos, pois, nos entender, Senhor Capitão Gancho.

– Com seiscentos milhões de colubrinas! – urrou o corsário. – Sei que você é valente, mas não tenho medo de caretas. Vim para levar o anjinho e hei de levá-lo.

Popeye não respondeu. Limitou-se a rir e soltar uma baforada do seu famoso cachimbo de apito – *pu! pu!*

Ofendido por aquele desprezo, o Capitão Gancho foi descalçando a luva. O horrendo gancho de ferro apareceu, de ponta afiadíssima.

Os dois meninos, atrás da pitangueira, começaram a sentir-se eletrizados. Peter Pan teve dó de Popeye, achou que estava ali, estava escalavrado para o resto da vida. Pedrinho, entretanto, apostou em Popeye.

A luta rompeu. Os dois marinheiros atracaram-se com a maior fúria. Eram golpes e mais golpes, um em cima do outro. Um soco de Popeye na queixada de Gancho o fez bambear, como bêbedo; forte, porém, que era o pirata, logo se firmou nas pernas e avançou, desferindo uma ganchada contra o ombro de Popeye. O que a este valeu foi a agilidade. No momento em que o gancho vinha descendo, Popeye quebrou corpo. Mesmo assim foi riscado de leve. E a luta prosseguiu cada vez mais feroz, com rasteiras, munhecaços, pontapés na barriga. Durante minutos, nenhum levou vantagem. Os dois contendores equivaliam-se em força.

– Esse Popeye não é homem para medir-se com o Capitão Gancho. Acabará cansando e apanhando – murmurou Peter Pan ao ouvido de Pedrinho.

– É que Popeye ainda não engoliu o espinafre – explicou Pedrinho, deixando Peter Pan na mesma.

Outra ganchada do corsário riscou o ombro do marinheiro. Popeye, então, enfureceu-se e, afastando-se dez passos, sacou do bolso a lata de espinafre, cujo conteúdo engoliu a meio.

– Agora você vai ver! – cochichou Pedrinho.

E Peter Pan viu. Viu Popeye avançar contra o corsário numa fúria louca, com os músculos dos braços crescidos como bolas. Ao primeiro soco dado nas fuças do Capitão, este cambaleou e foi estatelar-se no chão a oito metros de distância.

– Está vendo o que é murro? – murmurou Pedrinho entusiasmado.

Mas o Capitão Gancho levantou-se e investiu mais uma vez. Coitado! Levou tal roda de murros, que ficou como paçoca que sai do pilão. Popeye amassou-o. Mas amassou mesmo, como quem amassa pão. Amassou-o de tal modo que o deixou transformado em pasta de gente.

Peter Pan arregalava os olhos, no maior dos assombros.

– Irra! – exclamou. – Tenho visto cabras valentes, mas como este Senhor Popeye, nunca! Cada soco parece pancada de martelo-pilão...

– Ah, Popeye é assim – disse Pedrinho. –Sem espinafre, não vale nada, apanha de qualquer punga. Mas quando engole uma dose de espinafre, ah, não existe no mundo quem possa com ele!

O barulho da luta atraíra a atenção da criançada e do Almirante. Vieram todos correndo.

– Que foi? Que foi?

Pedrinho contou o que se havia passado.

– Bandidos! – exclamou o Almirante Brown. – Esses dois marinheiros vieram sem ser convidados. Não figuram na minha lista. Vou pô-los a ferros nos porões do *Wonderland*.

– Pô-los é modo de dizer – advertiu Pedrinho. – Só existe um. O outro já virou pasta de gente. O que há a fazer é enterrá-lo, bem fundo.

O Almirante aproximou-se do marinheiro caído e examinou-o. Viu que de fato era assim. Em seguida voltou-se para Popeye.

– E vosmecê, Senhor Popeye! Estou reconhecendo-o muito bem. Que história é esta? Como se meteu na tripulação do *Wonderland* sem ter sido engajado?

Popeye, que estava bêbedo como uma cabra, riu-se.

– Ah, ah, ah! – e atirou umas baforadas do cachimbo antes de responder. Cada baforada era um apitinho: *pu! pu!* E na sua voz rouquíssima disse: – *I am a sailor man*.[2]

– Sei disso! – berrou o Almirante. – E sei também que vai passar uns tempos nos porões do *Wonderland*, com umas pulseirinhas de ferro nas munhecas.

O ultrabêbedo Popeye respondeu com mais três apitos de baforada e um"Ah, ah, ah!"rouquíssimo.

Indignado com o desrespeito, o Almirante Brown gritou para os marujos:

– Todos aqui! Agarrem-me este bêbedo e metam-no a ferros!

Popeye continuava impassível. Fez mais um *pu! pu!* e caiu em guarda.

A luta entre Popeye e os marinheiros do *Wonderland* foi dessas coisas que só gênios do tamanho de Shakespeare e Dante se atrevem a descrever – e mesmo assim descrevem mal. Nunca houve tanta pancada no mundo. Se fôssemos juntar toda a imensa pancadaria que há no *Dom Quixote de la Mancha* e com ela formássemos um monte, esse monte ficaria pequeno diante da pancadaria que houve no pomar de Dona Benta. O espinafre ingerido pelo sailorman era do bom, de modo que se tornava impossível vencê-lo. Um a um os marujos do *Wonderland* iam sendo postos fora de combate. Quando caiu o último, Popeye deu uma risada grossa e fez: *pu! pu! pu! pu!*...

O Almirante, que esperava tudo menos quatro pus, ficou seriamente atrapalhado. Toda a sua marinhagem estava caída e ele, sozinho. Se Popeye tivesse a ideia

---

2   Em inglês: "Eu sou um marinheiro".

de esmoê-lo, seria uma desgraça completa, e também uma enorme afronta para o almirantado britânico. Que fazer?

O Almirante foi aconselhar-se com Dona Benta.

– Minha senhora – disse ele –, o desenlace desta luta me deixou completamente desarvorado. Positivamente não sei como agir...

Tia Nastácia apareceu nesse momento para perguntar se fazia bolinhos ou rebentava pipocas.

–A situação é muito séria, Nastácia – respondeu Dona Benta. –Venha perguntar isso mais tarde, depois de resolvido este horrível incidente.

– Vamos, minha senhora! – insistia o Almirante. –Que acha que devo fazer?

Dona Benta, completamente tonta, mostrou-se incapaz duma sugestão. Nisto apareceu Emília, muito lampeirinha.

– Eu sei um jeito de arrumar tudo – disse ela– e de acabar duma vez para sempre com a prosa desse Popeye...

O Almirante, apesar da horrível situação em que se encontrava, não pode deixar de rir-se.

– Não se ria, Almirante – tornou Dona Benta. – Vossa Honra não conhece a Emília. Tem feito tanta coisa que não me admirarei se der uma boa sova no Popeye.

– Que absurdo, minha senhora! – exclamou o Almirante. –Apesar do muito respeito que a senhora me merece, acho que está a abusar de mim. Essas suas palavras ofendem-me – ofendem o almirantado britânico – ofendem Sua Majestade o Rei Eduardo VII...

Para acalmá-lo Dona Benta contou diversos episódios em que as coisas ficaram em situação de verdadeiro fim de mundo e afinal tudo se resolveu com uma inesperada saidinha da Emília. O Almirante, porém, não quis saber de nada. Emburrou, ofendidíssimo com a hipótese de que uma simples boneca de pano pudesse conseguir o que os seus valentes lobos do mar não tinham conseguido.

Emília fungou e disse:

– Deixe tudo por minha conta, Dona Benta, Juro que dou uma arrumação ótima. Enquanto isso a senhora vá despejando pinga dentro desse bife malpassado – concluiu ela, olhando com desprezo para o Almirante.

– Emília! – gritou Dona Benta. – Mais respeito para com os mais velhos. –Mas Emília não quis saber de nada. Botou meio palmo de língua para o Almirante e lá se foi pisando duro.

Dona Benta suspirou.

Capítulo VII

Emília descobre o segredo de Popeye

Emília foi à cozinha pedir a Tia Nastácia que pusesse uma porção de folhas de couve no pilão e amassasse tudo muito bem, fazendo uma pasta. Nastácia perguntou para quê.

– Não é da sua conta – respondeu a diabinha.

Tia Nastácia também suspirou. Mas fez a pasta de couve pedida, com a qual a boneca encheu uma latinha. Embrulhou-a num jornal e, muito segura de si, foi ter com Popeye.

– Eu sei do seu segredo, Senhor Popeye – disse ela inocentemente. – Chama-se: es-pi-na-fre. Sem espinafre o senhor vale tanto como um homem qualquer.

Popeye fez – *pu! pu!*

– Mas eu também sei – continuou Emília –que o seu espinafre só faz efeito por quinze minutos. Passados quinze minutos o senhor está bambo outra vez.

Popeye riu-se grosso, rosnando:

– Dobre os quinze minutos e terá acertado. *Pu! pu!*

Emília afastou-se. Era justamente aquilo o que ela desejava saber: quanto tempo durava nos músculos do marinheiro o efeito do espinafre. Correu a conferenciar com Pedrinho.

– Escute, Pedrinho. O segredo de Popeye é o espinafre, mas o efeito do espinafre só dura meia hora, diz ele. Como já se passaram vinte minutos desde que engoliu a dose, isso quer dizer que daqui a dez minutos ele pode ser atacado.

– Mas Popeye não engoliu a lata inteira, vi muito bem – observou o menino. –Só metade. Escondeu o resto no oco da figueira. É por isso que não se arreda de lá. Assim que for preciso, engole o resto da lata e fica outra vez dono do mundo por mais meia hora.

– Sei disso – murmurou Emília –,mas vou tomar as minhas providências. Garanto que daqui a dez minutos Popeye poderá ser atacado sem perigo nenhum.

– Atacado por quem? – gritou Pedrinho.

– Homessa! Por você e Peter Pan.

– Deus me livre! – exclamou o menino. – Seria a maior das loucuras. Ele, que moeu o Capitão Gancho e todos os marinheiros do *Wonderland*, também me moerá enquanto o diabo esfrega um olho. Que ideia!...

Emília agarrou Pedrinho, fê-lo abaixar-se e cochichou-lhe qualquer coisa ao ouvido. A cara do menino expandiu-se.

– Ahn! – exclamou. – Se é assim, então já não está aqui quem falou. Tudo muda de figura. Que ideia excelente, Emília! A melhor ideia que você teve em toda a sua vida...

E ganhando coragem:

– Pois está combinado. Eu e Peter Pan atacaremos Popeye daqui a dez minutos.

Disse e foi comunicar a sua resolução a Dona Benta e ao Almirante. Os dois velhos ficaram assombradíssimos.

– Que loucura, meu filho! – exclamou a boa senhora. – Nem pense nisso. Proíbo-o de pensar nisso.

– Realmente – acrescentou o Almirante –, o que este menino propõe não passa dum desvario de criança. Que absurdo! Atacar um monstro de força, que acaba de destruir com a maior facilidade todo um pelotão de vigorosíssimos lobos do mar...

Pedrinho cochichou no ouvido de Dona Benta o mesmo que Emília cochichara no seu. A velha arregalou os olhos, com expressão de surpresa e alegria.

– Bom. Se é assim, então tudo muda de figura. A ideia é excelente...

Quem ficou bobo duma vez ante aquela súbita mudança de opinião foi o Almirante, e como ninguém lhe cochichasse nada aos ouvidos, bobo ficou e bobo continuou.

– Não estou entendendo nada de tudo isto, minha senhora – disse ele.

– Entenderá daqui a pouco, Senhor Almirante – respondeu Dona Benta piscando o olho.

E gritou para a cozinha:

– Nastácia, pode vir saber se o Almirante prefere pipocas ou bolinhos...

Capítulo VIII

A couve da Emília e o espinafre de Popeye. Pedrinho e Peter Pan preparam-se para a luta.

Popeye estava encostado ao tronco da figueira, de modo a fechar com o corpanzil a abertura do oco. Isso atrapalhava Emília, cujo plano era entrar na árvore para dizer qualquer coisa ao anjinho. Vendo que pela frente não podia entrar, pensou em outra porta. O tal oco tinha duas aberturas: aquela embaixo e outra em cima, na forquilha dos primeiros galhos – ou a "chaminé", como os meninos diziam. Essa chaminé ligava o bojo do oco à forquilha e, embora fosse estreita, dava perfeitamente passagem a um corpinho seco e miúdo como o da boneca.

Mas para subir à figueira era preciso empregar a astúcia e Emília empregou a astúcia. Foi conversar com Popeye.

– Senhor Popeye – disse ela com o arzinho de santa que sabia fazer nas ocasiões graves –, sabe que esta figueira dá uns figuinhos muito gostosos? Os sanhaços e morcegos regalam-se...

O marinheiro olhou para cima e viu que realmente a figueira estava coberta de pequeninos figos.

–Pu! pu! – fez ele com o cachimbo.

Emília continuou:

– Se o senhor me ajudar a subir lá em cima, posso colher uma quantidade, metade para mim, metade para, o senhor...

O marinheiro sentiu água na boca, pois gostava muito de figos. Respondeu com um *pu! pu!*, que queria dizer sim, e ajudou Emília a trepar à árvore. Logo que se pilhou lá em cima, a espertíssima boneca tratou de procurar a abertura da "chaminé". Instantes depois estava no bojo do oco, falando com o anjinho.

– Nem queira saber, anjinho, o turumbamba que vai lá por fora, tudo por sua causa! Popeye e os marinheiros do navio se pegaram à unha, e Popeye venceu. Escangalhou com todos eles. O Almirante está coçando a cabeça. Não sabe como agir. O plano de Popeye é furtar você daqui. Quer transformar você em estrelinha de cinema, lá em Hollywood.

– Fazer de mim estrelinha? – repetiu a mimosa criatura, com cara de surpresa. –Esse Hollywood é algum céu?

– Não, burrinho! É a cidade do cinema. As estrelas e estrelinhas de lá são de carne e osso,como nós. Mas depois eu explico isto. Agora não há tempo. Vim só para uma coisa. Está vendo esta lata? – e mostrou-lhe a lata de couve moída que trouxera embrulhada num jornal. – Pois é. Você vai pegar esta lata e trocá-la por aquela que o marinheiro Popeye guardou na beira do oco. Só isso. Mas tem de o fazer com muito jeito, de modo que Popeye não perceba coisa nenhuma, está entendendo?

O anjinho não estava entendendo nada, o que o não impediu de executar fielmente a ordem de Emília. Pegou a lata de couve, encaminhou-se na ponta dos pés para a abertura do oco e, depois de espiar se o marinheiro estava olhando, fez a troca na perfeição. Nem uma formiguinha que andava por ali percebeu a mudança.

– Ótimo! – exclamou Emília quando o viu voltar com a lata de espinafre. – Agora você continua aqui muito quietinho e sem receio de coisa nenhuma. Juro que tudo acabará bem.

– Mas estou com muito medo daquele rato de asa dependurado ali – disse ele apontando com o dedinho para o teto do oco.

– Um simples morcego – explicou Emília. – Feio só. Não morde anjo. Vive de comer os figuinhos desta figueira. Não se impressione. Só não fique debaixo dele porque os tais morcegos comem os figuinhos e às vezes os descomem em cima da cabeça da gente...

Feita esta recomendação, Emília esgueirou-se pela chaminé acima. Saiu na forquilha. Caminhou engatinhando por um dos galhos, até alcançar o ramo mais próximo de Popeye, o qual estava de cabeça erguida e boca aberta, procurando enxergar a bonequinha.

– Estou aqui! – disse ela mostrando-se. – Apare-me nos braços.

Popeye estendeu os braços peludos. Sem medo nenhum Emília deu um pulo – *upa!*

– E os figos? – perguntou o marinheiro assim que a depôs em terra.

– Verdes, meu caro. Não achei um só maduro. Os morcegos não deixam. Assim que vão amadurecendo, eles – *nhoque!*

Popeye desapontou e Emília foi correndo conferenciar com Pedrinho e Peter Pan.

– Pronto! – gritou ela ao chegar. – Aqui têm vocês a lata de espinafre do Popeye. Troquei-a por uma igual de couve moída. Quem vai agora engolir o espinafre maravilhoso não é ele: são vocês. Popeye só engolirá couve moída, e com aquela couve no papo ficará bambo como geleia. Que horas são? Vejam se os dez minutos já se passaram.

Pedrinho correu à sala de jantar. Viu no relógio da parede que só faltavam três minutos para completar os dez. Voltou correndo.

– Faltam só três minutos – disse ele.

– Muito bem – exclamou Emília. – Vocês podem ir engolindo o espinafre, metade cada um.

Pedrinho tomou a lata e engoliu metade, fazendo uma careta. Peter Pan engoliu o resto, fazendo outra careta.

– Pode ser excelente para dar força – disse ele –, mas gostoso não é...

Alice, que andava em procura de Emília, apareceu nesse momento.

– Arre que a achei! – exclamou.

– Que há de novo? – quis saber Emília.

– Há que a criançada, está num verdadeiro pavor, falando em fugir do sítio e outras coisas assim. Tenho feito tudo para sossegá-las, mas não consigo.

– Isso de criançada inglesa é lá com o Almirante Refém Brown. Ele que as trouxe, ele que se arrume.

– Já falei com o Almirante – tornou Alice –, mas não valeu de nada. O pobre velho está completamente bobo. Não sabe o que fazer. Tenho até medo que de repente caia morto de congestão cerebral.

– Não morre, não – gritou Emília. – Daqui a minutos o problema estará completamente resolvido *por nós* e você vai ver a cara de riso do Almirante.

– Minutos? – repetiu Alice, sem nada compreender.

– Minutos, sim, menina. Nós vamos dar um pega tremendo no tal Popeye.

Alice cada vez compreendia menos.

– Pega tremendo? Será que Dona Benta mandou vir algum exército com canhões para atacá-lo? Não estou entendendo esse seu "nós vamos", Emília...

– Pois nós somos nós: eu, Pedrinho e Peter Pan. Vamos dar cabo da prosa do Popeye, nós três. É isso.

Alice julgou que fosse brincadeira.

– Como? – perguntou.

– Comendo – respondeu Emília. – Comendo espinafre aqui, e couve moída lá. Ah, ah, ah!...

E vendo a cara de boba de Alice:

– Não pense mais nisto, minha cara. É ponto liquidado. Vamos à cozinha, ver o que há de bom. Tia Nastácia já deve ter uns bolinhos prontos – e, agarrando-a pela mão, levou-a à cozinha.

Nastácia estava de fato fritando bolos. Emília fez a apresentação.

– Esta aqui, Tia Nastácia, é a famosa Alice do País das Maravilhas e também do País do Espelho, lembra-se?

– Muito boas tardes, Senhora Nastácia! – murmurou Alice cumprimentando de cabeça.

– Ué! – exclamou a preta. – A inglesinha então fala nossa língua?

– Alice já foi traduzida em português – explicou Emília. E voltando-se para a menina: – Gosta de bolinhos?

Nastácia apresentou-lhe um na ponta do garfo.

– Prove, menina bonita.

Alice devorou o bolinho, arregalando os olhos – e pediu a receita.

Nastácia riu-se.

– Receita, dou; mas a questão não está na receita, está no jeitinho de fazer. Outro dia esteve cá a sogra do Nhô Teodoro e também quis a receita. Dei. Sabe o que aconteceu? Ela fez o bolinho pela receita e saiu uma borracha. Ninguém pôde comer. Ah, ah, ah! Isto de cozinhar, menina, tem seus segredos. Só mesmo para uma criatura como eu que nasci no fogão e no fogão hei de morrer...

Capítulo IX

A grande luta. Pedrinho e Peter Pan batem Popeye. Palavras do Almirante para Emília.

Passados três minutos, Emília voltou para onde estavam Pedrinho e Peter Pan.

– Pronto! – disse ela. – De agora em diante vocês podem atacar o monstro. Já se passou a meia hora. Acabou o efeito do espinafre que Popeye engoliu.

– E nós já estamos sentindo o efeito do que engolimos, – disse Peter Pan – e para o provar pegou uma ferradura que estava no chão e partiu-a pelo meio, rindo.

Entraram a combinar o plano de ataque.

– Eu avanço – disse Pedrinho – e desafio Popeye. Ele ri-se. Chupa o cachimbo e faz: *pu! pu!* E nem pensa no espinafre, vendo que somos dois crilas. Vou eu então e assento-lhe um pé de ouvido. Você do outro lado assenta-lhe um pontapé. Popeye, então, percebendo que somos crilas especiais, volta-se para a lata de espinafre e engole a couve moída. E fica mais bambo ainda. E vou eu e...

Assim combinado o ataque, os dois meninos encaminharam-se na direção da figueira, seguidos da Emília. Enquanto isso, lá na saleta Dona Benta caçoava com o Almirante.

– Tome este cafezinho – dizia ela, apresentando-lhe uma xícara. – Nada melhor do que o café para estimular os nervos e levantar o moral.

Mas o abatimento do Almirante era enorme. Estava a pensar nas suas tremendas responsabilidades. Que conta iria dar ao rei? Fora escolhido como o homem de mais confiança de Sua Majestade. Graças a isso os pais de toda aquela criançada lhe entregaram os filhos. Ora, se acontecesse uma desgraça, se Popeye na sua bebedeira investisse contra as crianças e as machucasse, que contas daria ele ao rei e aos pais?

– Minha senhora – disse o pobre Almirante –,acho bom telegrafarmos ao governo brasileiro pedindo a remessa imediata de tropas. Só com um batalhão bem servido de metralhadoras poderemos dar cabo desse monstro.

Dona Benta ria-se.

– Não é preciso tanta coisa, Almirante! Vossa Honra não conhece o engenho de meus netos. Não há o que eles não consigam. Pois se até ao céu já foram!...

– Sei disso – respondeu o Almirante. – Mas a viagem ao céu foi feita graças ao tal pó de pirlimpimpim, e a senhora mesma me disse que já o gastaram todo. Se ainda houvesse algum restinho poderia ser que...

– Eles hão de arrumar-se, Almirante. Mesmo sem o pó maravilhoso hão de dar um jeitinho.

O Almirante não podia compreender a calma da velha.

– Jeitinho! Jeitinho! – exclamou. – Há dez minutos que a senhora está a falar nisso. Que jeitinho? Como pode haver jeitinhos contra o colosso que acaba de destroçar os melhores homens do *Wonderland*?

Dona Benta ria-se, ria-se.

– Tome o seu café sossegado, Almirante, e deixe tudo por conta da criançada. O senhor não conhece meus netos...

O Almirante suspirou e assoprou.

Lá no pomar Pedrinho e Peter Pan pararam diante de Popeye.

– Amigo Popeye – começou Pedrinho –, sabemos que você é o rei dos valentes e que tem corrido mundo a escangalhar quantos inimigos aparecem. Hoje mesmo praticou uma grande façanha com o amassamento do Capitão Gancho e dos marinheiros do *Wonderland*. Foi uma aventura magnífica, não resta dúvida. Mas agora vai medir-se conosco. Prepare-se.

Popeye olhou bem para os dois crilas e nem sequer se dignou a responder. Chupou só o cachimbo – *pu! pu!*...

– Faça *pu! pu!* quanto quiser – disse Peter Pan –, porque esses *pupus* serão os últimos. A sova que vamos dar em você há de ser escrita em livros.

Popeye fez mais dois *pu-pus* – os últimos.

Inesperadamente Pedrinho avançou e assentou-lhe um murro no pé do ouvido; Peter Pan avançou do outro lado e deu-lhe um tremendo pontapé na barriga.

Dois golpes só, mas dois golpes de tal ordem que Popeye arregalou os olhos. Viu que tinha pela frente contendores mais perigosos que todos os marinheiros do *Wonderland*. E não quis saber de histórias – correu para a lata de espinafre escondida no oco. Tomou-a e engoliu tudo, fazendo uma careta. Esfregou a barriga e avançou contra os meninos.

Ah! Que tourada bonita! Os dois meninos espinafrados caíram de murros em cima do marinheiro encouvado, como cães famintos que se lançam ao mesmo osso. Foi murro de todas as bandas, de todo jeito e de todos os calibres. Popeye virou peteca. Um soco de Pedrinho o jogava sobre Peter Pan. Vinha o soco de Peter Pan que o arremessava sobre Pedrinho. E naquele vaivém ficou Popeye por dois minutos, enquanto a criançada em redor batia palmas e gritava:

– Outro! outro! Um murro nos queixos agora!...

Quem teve a honra de pregar o grande murro nos queixos, o murro que derruba nocaute, foi Pedrinho. Assentou um murro debaixo para cima – *baf!* Popeye deu duas voltas no ar e aplastou-se no chão, sem sentidos. Pedrinho agarrou-o então por uma perna, e puxou-o para junto da massa do Capitão Gancho.

– Pronto! – gritou em seguida, virando-se para a criançada.

– Cocoricocó! – cantou Peter Pan.

Romperam palmas e vivas. Uma gritaria medonha.

– Viva Pedrinho! Viva Peter Pan!...

Quando o berreiro chegou à sala, Dona Benta sorriu e disse a Mister Brown:

– Pronto, Almirante. Popeye já está nocaute.

– Como sabe?

–Não ouve os gritos de vitória? Eu tinha certeza de que ia ser assim e por isso não me incomodei. Popeye derrotou os marinheiros do *Wonderland*, venceu o Capitão Gancho – mas com os meus netos ele se estrepou. São uns danadinhos...

Tia Nastácia apareceu nesse momento.

– Corra, Sinhá! – dizia ela. – Venha ver! Seu Pedrinho e aquele outro deram uma tunda no marinheiro do *pu! pu!* que o coitado virou massa de gente. Venha ver que coisa linda, Sinhá...

Dona Benta e o Almirante foram ver. E viram. Viram Popeye sem sentidos, ao lado do corpo amassado do Capitão Gancho. E viram também uma coisa muito curiosa: os marinheiros do *Wonderland*, que pareciam mortos, começaram a ressuscitar. Ergueram-se e vieram fazer roda em torno das duas massas de gente.

– Que é isso? – interpelou Mr. Brown. – Não estavam mortos, então?

Um deles respondeu por todos:

– Tonteados apenas, Almirante; mas como vimos que era impossível vencer Popeye, ficamos caídos no chão, a fingir de mortos.

– Bem – disse o Almirante, satisfeito de não ter perdido os seus homens. – Levem para o navio estes dois fregueses, e se voltarem a si, ponham-nos à ferros. A justiça inglesa os julgará.

Os marinheiros agarraram as duas massas de gente e se foram com elas para o caminhão dos sanduíches.

– *Uf!* – exclamou o velho inglês. – Que susto raspei! Nem o grande Almirante Nelson jamais se viu numa alhada semelhante. Mas muito eu desejava que a senhora me explicasse todo este mistério.

Dona Benta explicou.

– Nada mais fácil, Almirante. Uma simples troca de latinhas que a Emília fez. O pobre Popeye só é gente depois que ingere o tal espinafre da lata. Mas Emília trocou a sua lata de espinafre por uma de couve moída,e trouxe o espinafre para os meninos. Só isso...

– E por que a senhora não me avisou há mais tempo? Por que me fez passar por tamanhas angústias? – queixou-se o coitado.

– Para proporcionar a Vossa Honra o imenso prazer que neste momento está sentindo – respondeu a velha.

O Almirante chamou Emília para receber os seus cumprimentos.

– Tudo dependeu da sua ideia, Senhora Marquesa – disse ele. – A principal coisa foi trocar a lata de espinafre pela de couve moída. Cabe-lhe, portanto, a grande honra deste memorabilíssimo feito, e estou certo de que Sua Majestade britânica saberá recompensá-la devidamente. Talvez a faça baronesa do Império.

– Prefiro que Sua Majestade britânica me mande uma caixa de latas de leite condensado, – responde a boneca.

O maior prazer de Emília era abrir dois furos na tampa duma lata de leite condensado para escorrer o fio num prato, desenhando letras. Dois furinhos – um para a saída do leite, outro para a entrada do ar. Com um furo só o leite não sai.

Logo depois...

Capítulo X

Diálogo entre a boneca e o Visconde. A esperteza de Emília e a resignação do Milho.

Estava o Visconde nesse ponto das Memórias, quando Emília entrou.

– Como vai o serviço? – indagou ela. – Já escreveu alguma coisa?

– Um colosso, Emília! Contei toda a história do anjinho, a vinda das crianças inglesas, a luta de Popeye com o Capitão Gancho, com os marinheiros do *Wonderland* e depois com Pedrinho e Peter Pan...

– Contou que fui eu quem salvou tudo? Que se não fosse a minha ideia da couve, a situação teria sido um horror?

– Contei tudo direitinho.

– Então leia.

O Visconde leu todos os capítulos já prontos, aos quais Emília aprovou e gabou, achando-os muito bem escritinhos.

– Está bem – disse ela. – Minhas Memórias vão a galope. Quero provar ao mundo que faço de tudo: que sei brincar, que sei aritmética, que sei escrever memórias...

– Sabe escrever memórias, Emília? – repetiu o Visconde ironicamente. – Então isso de escrever memórias com a mão e a cabeça dos outros é saber escrever memórias?

– Perfeitamente, Visconde! Isso é que é o importante. Fazer coisas com a mão dos outros, ganhar dinheiro com o trabalho dos outros, pegar nome e fama com a cabeça dos outros: isso é que é *saber fazer* as coisas. Ganhar dinheiro com o trabalho da gente, ganhar nome e fama com a cabeça da gente, é *não saber fazer* as coisas. Olhe, Visconde, eu estou no mundo dos homens há pouco tempo, mas já aprendi a viver. Aprendi o grande segredo da vida dos homens na terra: a esperteza! Ser esperto é tudo. O mundo é dos espertos. Se eu tivesse um filhinho, dava-lhe um só conselho: "Seja esperto, meu filho!".

– E como lhe explicava o que é ser esperto? – indagou o Visconde.

– Muito simplesmente – respondeu a boneca. – Citando o meu exemplo e o seu, Visconde. Quem é que fez a *Aritmética*? Você. Quem ganhou nome e fama? Eu. Quem é que está escrevendo as Memórias? Você. Quem vai ganhar nome e fama? Eu...

O Visconde achou que aquilo estava certo, mas era um grande desaforo.

– E se eu me recusar a escrever? Se eu deixar as Memórias neste ponto, que é que acontece?

Emília deu uma grande risada.

– Bobo! Se fizer isso, pensa que me aperto? Corro lá com Quindim e ele me acaba o livro. Bem sabe que Quindim me obedece em tudo, cegamente. É inútil, Visconde, lutar contra os espertos. Eles acabam vencendo sempre. Por isso, abaixe a crista e continue.

O pobre Visconde deu um suspiro. Era assim mesmo...

– E agora? – indagou. – Que mais quer que conte?

– O resto da história do anjinho. Conte como foi a fuga do anjinho para o céu. Vá escrevendo que eu já volto. Estou brincando de pegador com o Quindim.

Disse e saiu correndo.

O Visconde tomou da pena e com toda a resignação continuou.

Capítulo XI

A fuga do anjinho. Grande tristeza. Despedida da criançada e do Almirante Brown.

Depois dos fatos que acabamos de narrar, prosseguiu o Visconde no capítulo seguinte, tudo correu sem novidades no sítio. As crianças inglesas passaram lá três dias, brincando de mil brinquedos, no maior contentamento possível. Os caminhões do *Wonderland* vinham duas vezes por dia, de manhã e à tarde, com o carregamento de comedorias – e eram tantas que Tia Nastácia descansou do fogão. Ela e Dona Benta aderiram aos sanduíches, geleias e queijos do Rei da Inglaterra.

Só quem não gostou da festa foi o anjinho. As crianças o atropelavam demais. Não havia para ele um só momento de sossego. Isso acabou dando-lhe uma ideia: escapar, voltar para o céu. No terceiro dia, Flor das Alturas experimentou as asas.

Voou um bocadinho, como se fosse para a criançada ver. Sentiu-se bem. A quebradura estava perfeitamente soldada. Foi então que resolveu fugir para sempre.

Mas como já estivesse gostando dos meninos do sítio não fugiu como um fujão qualquer. Despediu-se, lá do jeitinho dele. Chegando perto de Narizinho, murmurou:

– Narizinho, deixe-me dar um grande abraço e um beijo em você. Gosto tanto da minha amiga ...

Narizinho deixou-se abraçar e beijar inúmeras vezes.

Depois foi ter com Pedrinho e falou em outro tom.

– Pedrinho – disse ele –, fique certo de uma coisa: se algum dia eu desaparecer (por morte, está claro), levarei uma lembrança eterna de todos daqui, e principalmente de você.

E abraçou-o e beijou-o também.

Em seguida foi ter com a boneca.

– Emilinha, venha dar-me um abraço e um beijo.

– Para que tanta coisa, meu anjo? Será que quer deixar-nos?

– Não. Apenas quero dar parabéns pelo que você fez.

Emília abraçou-o e beijou-o – mas desconfiou, indo dizer à menina:

– Estou desconfiada do anjinho. Esses abraços e beijos parecem-me fora de propósito. Para mim, ele está pensando mas é em fugir. Já sarou. Já voa. E se Nastácia não cortar logo a ponta duma das suas asinhas, *prrr*!... lá se vai ele a qualquer momento.

– Não seja boba, Emília! Juro que o anjinho não pensa mais no céu. Está acostumadíssimo conosco.

– Pode ser – disse a boneca; – mas, por causa das dúvidas, vou insistir com Tia Nastácia para que lhe corte a asinha, já, já. E se ela não tiver coragem, eu mesma a cortarei.

Emília foi e intimou a preta a cortar a asa do anjinho naquele mesmo dia.

– Deus me livre! – respondeu Tia Nastácia. – Cortar a asa dum anjo do céu, como se fosse galinha?... Deus me livre de cometer semelhante sacrilégio. Os anjos são criaturas celestes.

– Pois então eu mesma corto – gritou Emília. – Ele está mudado e hoje me deu um abraço e um beijo com cheirinho de despedida. E já voa perfeitamente, sabe?

Disse e correu ao quarto de Dona Benta em procura da tesoura. Estava a remexer na cesta de costura, quando um imenso berreiro se levantou no pomar. Emília correu à janela.

– O anjinho voou! – gritava a criançada. – Vai voando alto! Vai sumindo no céu!..

Emília ainda pode vê-lo nos ares. Lá se ia que nem uma garça, subindo, subindo sempre. Já era um ponto no espaço. Por fim desapareceu...

Ninguém descreve o desespero das crianças. O chão do pomar ficou ensopado de lágrimas. Pedrinho dava pontapés raivosos nas cascas de laranja. Narizinho, no colo de Dona Benta, soluçava com desespero. Só Emília não chorou. Apenas enfureceu-se contra Tia Nastácia.

– Aquela burrona! Prometeu que cortava a asinha dele e não cortou. Agora, está aí...

Foi correndo à cozinha tomar satisfações.

– Viu o que a senhora fez? Por causa da sua lerdeza, do seu medo, do tal "sacrilégio", perdemos o nosso anjinho. Voou! Foi-se para sempre...

Nastácia enxugou uma lágrima na ponta do avental.

– Mas eu não tinha coragem de cortar a asinha dele, Emília. Tive medo. Essas criaturinhas do céu são as aves de Deus. Deus podia me castigar...

– Castigar, nada! – berrou Emília. – Todas as aves são de Deus e no entanto prendemos canários e sabiás nas gaiolas e comemos pombos assados sem que Deus se importe. Pensa que Ele fica o tempo todo prestando atenção nas aves do quintal do céu? Tem mais que fazer, boba. Além disso, anjo é coisa que há lá por cima aos milhões. Um de menos, um de mais, Deus nem percebe. Perdemos o anjinho por sua culpa só. Burrona! Negra beiçuda! Deus que te marcou, alguma coisa em ti achou. Quando ele preteja uma criatura é por castigo.

Tia Nastácia rompeu em choro alto – tão alto que Dona Benta veio ver o que era.

Emília explicou:

– Esta burrona teve medo de cortar a ponta da asa do anjinho. Eu bem que avisei. Eu vivia insistindo. Hoje mesmo insisti. E ela, com esse beição todo: "Não tenho coragem... É sacrilégio...". Sacrilégio é esse nariz chato.

– Emília! – repreendeu Dona Benta. – Respeite os mais velhos! Não abuse!

– Bolas! – gritou Emília retirando-se e batendo a porta.

– Como está ficando insolente! – murmurou Dona Benta.

Era o dia da volta da criançada. Logo depois o Almirante Brown deu aos marinheiros as ordens necessárias e apitou. Todos se reuniram em torno dele.

– Meus meninos e meninas – disse o velho inglês, de pé no topo da escadinha da varanda. – A nossa festa chegou ao fim. Passamos neste sítio três dias inigualáveis, na companhia desta boa gente e do anjinho que acaba de desaparecer nas nuvens, saudoso das estrelas do céu. Vamos reembarcar para a Inglaterra. Quero agora que vocês desfilem diante de Dona Benta e lhe agradeçam com um bom *shake-hands* (aperto de mão) a maravilhosa hospedagem que nos proporcionou. Mas antes disso, vão me acompanhar num hurra de saudação.

E berrou:

– Hurra! Hurra! Dona Benta!

– Hurra!...– ecoaram as crianças num coro de vozes que encheu os ares.

Peter Pan subiu à escadinha.

– Hurra! Hurra! Pedrinho...– gritou ele.

E as crianças ecoaram:

– Hurra! Hurra! Pedrinho!

Alice trepou à escada.

– Hurra! Hurra! Narizinho e Emília!...

E mil vozes ecoaram:

– Hurra! Hurra! Narizinho e Emília!...

Ao ouvir o berreiro, Tia Nastácia, lá no fogão, murmurou consigo:

– Como estes inglesinhos urram, meu Deus!...

Em seguida as crianças desfilaram diante de Dona Benta, que teve a pachorra de apertar a mão de todas, uma por uma.

– *Goodbye*!– iam elas dizendo a cada *shake-hand*.

Chegou a vez do Almirante despedir-se.

– Minha senhora – disse ele –, não sei como agradecer a boa acolhida que tivemos neste abençoado sítio. Vou com recordações que conservarei pelo resto da vida. E de tudo saberei dar boa conta a Sua Majestade britânica.

Dona Benta respondeu:

– Senhor Almirante, a honra que o Rei da Inglaterra nos fez mandando aqui a flor da criançada inglesa é dessas coisas que até deixam uma pessoa com um nó na garganta. Não encontro palavras de agradecimento. Peço que apresente a Sua Majestade as minhas homenagens e diga à Rainha Viúva que senti profundamente a morte de seu augusto esposo. Adeus, Senhor Almirante Brown! Que sejam muito felizes na viagem, são os meus mais sinceros votos. Adeus!...

A criançada, com o velho Almirante à frente, pôs-se em marcha. Quando chegaram à porteira, Emília gritou:

– Adeus, Alice! Adeus, Peter Pan! Adeus, Almirante! Não se esqueça da minha caixa de latas de leite condensado, nem da vaca prometida à Dona Benta...

Narizinho danou.

– Esta sirigaita! Numa hora assim a gente comporta-se. É o momento solene. Que ideia não irá fazendo o Almirante de você, gulosa.

– Que bem me importa! – exclamou Emília. – O que quero é que venha a minha caixa de leite.

Depois de tudo acabado, Dona Benta pediu à Tia Nastácia que lhe trouxesse uma bacia de água de sal.

– Para que, Sinhá?

– Para me curar, Nastácia. Os tais *shake-hands* desta inglesada escangalharam com a minha pobre mão...

Nesse ponto das Memórias o Visconde lembrou-se de que ele também tinha mãos e parou para esfregá-las. Releu o último capítulo. Gostou. Riu-se, pensando lá consigo: "Sou um danadinho para escrever! Mas por muito que escreva, jamais conquistarei fama de escritor. Emília não deixa. Aquela diaba assina tudo quanto eu produzo..."

– *Muuuu*!...– soou um vozeirão na janela do quarto.

O Visconde voltou-se. Era Quindim. O rinoceronte enfiara o focinho pela abertura da janela. Emília, montada no chifre dele, gritou:

– Já acabou o serviço, Visconde?

– Acabei a história do anjinho. A criançada inglesa lá se vai embora, com o Almirante na frente. Contei a história do leite condensado – aquela tremenda rata que você deu...

Emília escorregou do chifre do rinoceronte e entrou pela janela. Foi examinar a obra do Visconde. Fê-lo ler a última parte escrita. Deu a sua aprovação.

– Está bem. Falta agora aquele caso do Peninha – disse ela. – Bem sabe que depois do passeio ao País das Fábulas ficamos aqui numa dúvida a respeito do Peninha.[3] Uns queriam que ele fosse o Peninha mesmo; outros achavam que era o próprio Peter Pan. Os dois meninos eram igualmente invisíveis, quando queriam ser invisíveis, e ambos cantavam cocoricocó. O meio de sair da dúvida, na minha

---

3 Reinações de Narizinho.

opinião, seria fazer uma consulta a Peter Pan – e logo que a criançada inglesa partiu, com o Almirante à frente, eu me lembrei disso.

– Pedrinho – disse eu –, aproveite a ocasião para saber de Peter Pan se o Peninha é ele.

– Ótima lembrança! – respondeu Pedrinho,e mandou Rabicó atrás do bando já longe, com um recado que me lembro muito bem, um recado assim: *"Amigo Peter: faça o favor de responder se o Peninha é ou não é você. Há muito tempo que andamos aqui na dúvida. Mas não minta. Responda a sério. Seu amigo, Pedrinho".*

Esse recado foi escrito às pressas num dos papéis que vinham embrulhando os sanduíches de presunto de York. Lembro-me disso porque fui eu quem apanhou do chão o papel em que Pedrinho escreveu o recado. Pedrinho escreveu o recado, dobrou o papel muito bem dobradinho, e disse a Rabicó:

– Vá correndo atrás do bando e entregue isto a Peter Pan. E espere a resposta.

Nesse ponto o Visconde interrompeu Emília e continuou a história.

– Exatamente – disse ele. – E Rabicó foi correndo, mas parou logo adiante da porteira, atrás do cupim. O cheirinho a presunto de York daquele papel engordurado perturbou a cabeça dele... Rabicó, então, comeu o recado sem nem sequer ter a lembrança de ler o bilhete, de modo a poder dar o recado verbalmente. E meia hora depois...

Emília tapou a boca do Visconde.

– Deixe-me contar o resto. Meia hora depois Rabicó reapareceu, fingindo-se cansadíssimo, com aquela cara de boi ladrão que ele tem quando faz alguma das suas.

– Pronto! – disse ele a Pedrinho. – Já entreguei o recado a Peter Pan.

– E qual foi a resposta? – perguntou Pedrinho.

Rabicó atrapalhou-se, começou a mascar.

– A resposta? – repetiu. – A resposta... a resposta foi que... que ele agradecia muito as suas palavras de despedida e que quando chegasse à Inglaterra ia... ia...

Pedrinho avermelhou de cólera.

– Palavras de despedida? Eu lá escrevi palavras de despedida? Naquele bilhete eu apenas perguntava se o Peninha era ou não era ele...

– É verdade! – exclamou Rabicó. – Não sei onde ando com a cabeça. Isso mesmo. Assim que entreguei a Peter Pan o papel, ele o leu, pensou um minutinho...e... e respondeu assim: "Diga ao Senhor Pedro que... que pode ser que sim, pode ser que não".Foi isso...

– Ficamos na mesma! – exclamou Pedrinho, danado. – Peter Pan está se fazendo de misterioso.

Mas eu, que não sou tola, desconfiei logo. Aproximei-me disfarçadamente da boca de Rabicó e cheirei e senti um cheirinho de bilhete comido.

– Você devorou o bilhete, Rabicó! – fui gritando. – Tanto devorou que está com cheiro de bilhete devorado na boca!

– Não devorei, Emília! Juro que não devorei...– mentiu o miserável.

– Devorou! Devorou! Devorou!...

Você, Visconde, vinha entrando, lembra-se?, ainda de camisola branca e asas – isto é, com uma asa só; a outra já havia caído. Eu, então, disse:

– Visconde, o senhor que é um Sherlock, venha resolver este caso. Aplique a sua ciência na boca de Rabicó e veja se ele devorou um recado escrito em papel de sanduíche, que Pedrinho mandou a Peter Pan.

Você, Visconde, foi buscar a lente dos detetives e examinou todos os pelinhos do focinho de Rabicó. E disse:

– Por aqui há sinais de ter andado um recado.

Rabicó defendeu-se:

– Nada mais natural, visto que levei o recado na boca – disse ele.

Você, Visconde, prosseguiu na investigação, examinou-lhe os dentes e descobriu, entaladinhos neles, os sinais do crime. E gritou:

– Vejo nos vãos dos dentes deste quadrúpede pedacinhos de papel mascado – não foi assim mesmo, Visconde?

Pedrinho, então, não quis saber de mais nada. Pregou no Marquês tamanho pontapé que ele foi parar a cinco metros de distância, fazendo *coin, coin* e sumiu-se.

A eterna gulodice de Rabicó fez que perdêssemos a melhor oportunidade de saber se Peninha era o mesmo Peter Pan ou não.

– Escreva este caso, Visconde. E depois pode contar a história inteira do Quindim aqui no sítio. Vá escrevendo, que eu já volto – concluiu Emília, e saiu correndo.

Capítulo XII

O Visconde desabafa. Seu retrato da Emília. A boneca pensa em Hollywood.

O Visconde já estava com os dedos cansados de tanto escrever, e também revoltado contra as exigências de Emília. Súbito riu-se. "Vou pregar-lhe uma peça", pensou lá consigo. "Vou escrever uma coisa e quando ela voltar e me mandar ler, eu pulo o pedaço ou leio outra. É isso..."

E pôs-se a escrever contra a boneca, assim:

Emília é uma tirana sem coração. Não tem dó de nada. Quando Tia Nastácia vai matar um frango, todos correm de perto e tapam os ouvidos. Emília, não. Emília vai assistir. Dá opiniões, acha que o frango não ficou bem matado, manda que Tia Nastácia o mate novamente – e outras coisas assim.

Também é a criatura mais interesseira do mundo. Tudo quanto faz tem uma razão egoística. Só pensa em si, na vidinha dela, nos brinquedinhos dela. Por isso mesmo está ficando a pessoa mais rica da casa. Eu, por exemplo, só possuo um objeto – a minha cartola. Jamais consegui ser proprietário de outra coisa, porque se arranjo qualquer coisa Emília encontra jeito de me tomar. Até aquele ditonguinho que raptei no País da Gramática e escondi na boca a diaba descobriu e me fez cuspir fora.

Ela, entretanto, possui um colosso de coisas. O quartinho da Emília está cheio – mais ainda que este quarto de badulaques. É dona de grande número de pernas e braços e cabeças de bonecas – das que Narizinho quebrou. Tem uma coleção de panelinhas de barro, e outra de caquinhos coloridos de louça. Uma vez quebrou de propósito uma linda xícara verde de Dona Benta só para completar a sua coleção de caquinhos – porque estava faltando um caquinho verde...

Tem besouros secos, um morcego seco, flores secas, borboletas secas, e até um camarão seco. Tem coleção de fios de cabelo, que ela enrola um por um como cordinhas. Cabelos de Dona Benta, de Narizinho e Pedrinho, do Capitão Gancho, do Popeye. Na sua coleção, diz ela, só falta uma coisa: fio de cabelo dum homem totalmente careca.

E tem mais coisas. Tem uma coleção de selos, todos cortados. Emília recorta as cabecinhas e mais figurinhas dos selos e prega-as num álbum. Não há o que não haja naquele quarto. Durante uns tempos andou com mania de colecionar verrugas, das que têm um fio de cabelo plantado no meio. Isso por causa da sogra do compadre Teodorico, que veio um dia aqui. Essa velha possui uma verruga na cara. Emília começou a namorar aquela verruga. Por fim ofereceu à velha um tostão por aquilo – imaginem!

Emília é uma criaturinha incompreensível. Faz coisas de louca, e também faz coisas que até espantam a gente, de tão sensatas. Diz asneiras enormes, e também coisas tão sábias que Dona Benta fica a pensar. Tem saídas para tudo. Não se aperta, não se atrapalha. E em matéria de esperteza, não existe outra no mundo. Parece que adivinha, ou vê através dos corpos.

Um dia, em que muito me impressionei com qualquer coisa que ela disse, propus-lhe esta pergunta:

– Mas, afinal de contas, Emília, que é que você é?

Emília levantou para o ar aquele implicante narizinho de retrós e respondeu:

– Sou a Independência ou Morte!

Fiquei pensativo. Na realidade, o que Emília é, é isso: uma independenciazinha de pano – independente até no tratar as pessoas pelo nome que quer e não pelo nome que as pessoas têm. Para ela eu sou o Milho; o Almirante é o Bife...

Aqui no sítio quem manda é ela. Por mais que os meninos façam, no fim quem consegue o que quer é a Emília com os seus famosos jeitinhos.

Certa vez...

Emília entrou nesse momento.

– Como vão as Memórias, Visconde? Mais um capítulo?

– Sim – respondeu o Visconde, meio atrapalhado. – Escrevi mais um capítulo...

– Sobre quê?

O Visconde, que não queria ler aquele capítulo contra ela, começou a inventar.

– Escrevi – disse ele– sobre... sobre a nossa volta da viagem ao céu. Contei o... o tombo que vocês deram de cima daquele cometa.

Emília desconfiou.

– Visconde, Visconde! O senhor está me tapeando!...Esse seu ar de cachorrinho que quebrou a panela está me dizendo que o senhor escreveu uma coisa e quer impingir outra.

O pobre Visconde corou até a raiz das palhinhas. Impossível enganar aquele azougue! A boneca arrancou-lhe das mãos o capítulo. Leu-o... Mas com grande assombro do Visconde não fez a cena que ele esperava. Emília ficou uns instantes meditativa. Depois disse:

– O senhor me traiu. Escreveu aqui uma porção de coisas perversas e desagradáveis, com o fim de me desmoralizar perante o público. Mas, pensando bem, vejo que sou assim mesmo. Está certo.

Leu mais uma vez o capítulo.

– É isso mesmo. Sou tudo isso e ainda mais alguma coisa. Pode ficar como está. Cada um de nós dois, Visconde, é como Tia Nastácia nos fez. Se somos assim ou assado, a culpa não é nossa – é da negra beiçuda.

Cada vez que Emília falava na negra lembrava-se do anjinho fugido, de modo que naquele momento esqueceu das Memórias para pensar nele.

– Não posso falar nessa negra beiçuda sem que o sangue não me venha à cabeça, Visconde! Perdemos Florzinha das Alturas só por causa dum tal "sacrilégio" que a burrona inventou! Impossível conformar-me com a perda do meu anjinho...

E depois duns instantes de meditação:

– Estou a ver-me com ele em Hollywood, no cinema...

Súbito, teve uma ideia.

– Pode ir embora, Visconde. Eu mesma quero acabar estas Memórias. Vou contar o que teria acontecido se Nastácia houvesse cortado a ponta da asa do anjinho.

Disse e empurrou o Visconde para fora do quarto. Tomou da pena e escreveu:

Capítulo XIII

Minha viagem a Hollywood.

Fomos para Hollywood no *Wonderland*, com toda a criançada inglesa, Peter Pan e o Almirante. E Alice também. Fugi do sítio. Eu já andava enjoada de bolinhos, de pitangueira, de países da gramática. Fugi – fugi – fugi com o anjinho e o Visconde.

A viagem foi ótima, exceto para o Visconde, que enjoou a ponto de deitar ao mar metade da sua ciência. Vomitou logaritmos, ângulos e triângulos, leis de Newton – uma trapalhada. Eu não enjoei coisa nenhuma, nem o anjinho. Em vez disso, aproveitei o tempo para estudar com o Almirante a língua de Alice. No fim da primeira semana o velho declarou a Peter Pan:

– É extraordinária a inteligência desta criança! Já está falando inglês sem o menor sotaque!

Não era elogio, não. De fato assimilei com tal perfeição aquela língua que cheguei até a corrigir muitos erros de Alice.

Em Nova York desembarcamos. Houve briga. O Almirante queria levar-me para Washington, a fim de apresentar-me ao tal Presidente Roosevelt. Eu só queria saber do cinema. Queria Hollywood, que é a cidade do cinema. Não discuti. Fingi que ia para Washington e fui parar em Hollywood, de avião.

– Como isso? – perguntará alguém; e eu responderei: "Não me amolem com comos. Comigo não há como. Fui e acabou-se".

Lá chegando, com o anjinho por uma das mãos e o Visconde pela outra, fui logo em procura da Shirley Temple. Bati na porta da casinha dela. Veio uma criada.

– Dona Shirley está? – perguntei.

Quando a criada nos viu, arregalou os olhos e abriu uma boca deste tamanho.

– Shirley, corra!... Venha ver três fenômenos – gritou ela. –Um anjinho, uma boneca e um sabugo de cartola...

Shirley veio de galope. Mas não mostrou o menor espanto. Abraçou-me, dizendo:

– Eu sabia que você acabava chegando até aqui. Ainda ontem disse à mamãe: "Qualquer coisa está me dizendo que Emília não tarda".

Quem se admirou daquelas palavras fui eu.

– Então... então já me conhecia? – perguntei.

– Ora, Emília! Quem não conhece a Marquesa de Rabicó? Fique sabendo que em Hollywood todos sabemos de corzinho aqueles livros onde vêm contadas as suas histórias. O caso da pílula falante, da viagem ao País da Fábula, onde Dona Benta se sentou em cima do dedo do Pássaro Roca pensando que era raiz de árvore... Quem não sabe essas histórias?

– Pois então, minha cara Shirley, estamos mais do que pagas– disse eu–, porque no Brasil não há quem não conheça você. Aquela sua fita do tempo da guerra, quando você foi pedir ao Presidente Lincoln que soltasse o prisioneiro, e começou a comer maçã no colo dele, "Este pedaço é meu", "Este agora é o seu", não há por lá quem não conheça. Sabemos você de cor, Shirley.

– Ótimo! – disse ela. –E que pretendem fazer por aqui?

– Que pergunta! Pretendemos virar estrelas. Minha ideia é empregar-me na Paramount, eu e estes companheirinhos. Formaremos o mais estupendo trio que ainda houve. Que acha?

– Acho que vai ser um sucesso louco, Emília! Nunca apareceu no cinema um anjo de verdade, nem uma boneca falante, nem um sabugo científico.

– Já não é mais – murmurei olhando para o Visconde com o meu ar compungido.

– Não é mais o quê?

– Científico. Na viagem por mar o Visconde enjoou e vomitou toda a ciência. Está vazio...

– Que pena! – exclamou Shirley.–E agora?

– Havemos de dar um jeito. Tenho ideia de levá-lo a uma universidade para enchê-lo de novo. Talvez haja por lá alguma bomba de ciência, como as de gasolina.

Shirley refletiu uns instantes.

–Não é preciso – declarou por fim. –Conheço grandes artistas do cinema que não possuem ciência nenhuma. Rin-tin-tin, por exemplo. Qual a ciência dele? Nenhuma. Não sabe nem o que é verbo. E quantos outros! Mas, olhe, antes de vocês se apresentarem à Paramount, podemos fazer um ensaio de fita aqui em casa. Tenho tudo o que é necessário. Enredo, inventaremos um. Quer?

– Ótimo, Shirley! – exclamei entusiasmada. –E enredo já tenho um excelente na cabeça. A bordo vim todo o tempo pensando nisso.

– Qual é?

– Uma fitinha tirada do *Dom Quixote de la Mancha*. Conhece a história?

– Se conheço! É de todos os livros o de que gosto mais. Já o li três vezes.

– Pois muito bem – disse eu. –O Visconde será Dom Quixote. Eu serei o moinho de vento. O anjinho será Sancho Pança...

– Que judiação! – exclamou Shirley com os olhos em Flor das Alturas. –Fazer dum encantinho destes um gorducho daqueles...

– Tudo por brincadeira, Shirley. Quanto mais maluco, mais engraçado. E você fará o papel do cura da aldeia."

– Não! – gritou Shirley.–Quero fazer o papel de Rocinante! Que amor de cavalo aquele!...

Pronto! Estava tudo resolvido. Arranjar vestuários foi um instante. Shirley tinha um quarto cheio de brinquedos e coisas que lhe davam. Primeiro vestimos de Dom Quixote o Visconde, com uma tampa de lata na cabeça – o elmo de Mambrino. Com a lata de uns vagõezinhos quebrados fizemos a couraça; e com outra tampa de lata, o escudo. Ficou faltando a lança.

– E lança, Shirley? – perguntei, não vendo por ali nada que pudesse espetar.

– Cabo de vassoura serve?

– Muito grande, muito pesado para ele.

– Cabo de vassourinha – explicou logo Shirley.–Tenho uma dum tamanho que serve perfeitamente–e logo achou uma vassourinha sem vassoura, só cabo. Fez ponta. – Está aqui uma lança boa para um espirro de gente, disse ela dando-a ao Visconde. Vamos agora "sanchar" o nosso anjo.

Eu rolei de rir quando Shirley acabou de arrumar o anjinho, com um pequeno travesseiro amarrado na barriga para servir de pança. E pendurado no ombrinho dele um alforje. Ficou um amor de Sancho Pança. Só faltava o burrinho.

– E o burrinho? – perguntei.

– Cavalos temos aqui em quantidade – disse Shirley, remexendo num monte de brinquedos onde havia de tudo. Achou logo um cavalo sem rabo, que ficou sendo burro. O anjinho montou.

– Viva, viva Sancho Pança! – gritamos as duas dando um beijo naquela galanteza, barriguda. Flor das Alturas fez bico. Estava assustado de ver-se gordo daquela maneira.

– E como vai você fazer o moinho de vento? – perguntou Shirley.

– Nada mais simples – respondi. –Fico plantada ali naquele lugar, que é a estrada, fico girando o braço direito como asa de moinho, assim...

– Ótimo! – exclamou Shirley.–Podemos então começar.

E começamos.

Plantei-me à beira da estrada, muda como um peixe, a girar o braço, *zunnn*...

Lá longe apareceu Dom Quixote, montado no Rocinante-Shirley, com o anjinho-Sancho atrás. Assim que me viu, Dom Quixote parou e disse:

– Olha lá, amigo Sancho! Estou vendo à beira do caminho um terrível gigante. Vou atacá-lo.

O anjinho-Sancho, que havia decorado mal o que tinha de dizer, respondeu:

– Não é gigante, meu senhor. É a Emília fingindo de moinho.

– Tu és o rei dos patetas, Sancho! – disse Dom Quixote. – Juro que é o tremendo gigante Milarrobas, o maior comedor de crianças que existe. Espera-me neste ponto. Vou atacá-lo. Depois de vencido, poderás recolher os despojos.

E Dom Quixote atacou, de lança em riste, fazendo Rocinante disparar na minha direção num galope louco. O Rocinante-Shirley teve de segurar as perninhas dele, para que não caísse cem tombos.

Quando vi aproximar-se de mim aquele cavaleiro andante de tampinha de lata na cabeça e lança apontada, regirei os braços com mais força. E quando ele chegou ao meu alcance, dei-lhe tal peteleco que ele voou pelos ares, indo cair de ponta cabeça dentro duma caixa de bombons vazia.Ficou lá de pernas para o ar, mudo, sem poder dizer o que tinha de dizer. Rocinante-Shirley foi tirá-lo da caixa. Só então Dom Quixote exclamou:

– Acuda, Sancho! O maldito gigante deixou-me em pandarecos.

O anjinho-Sancho veio correndo, a puxar o seu burrinho-cavalo, que era de rodas. Chegou e esqueceu a falação ensinada.

– Que é que eu digo agora? – perguntou ele a Rocinante-Shirley com aquela carinha linda de anjo caído do céu.

Rocinante-Shirley repetiu-lhe ao ouvido a réplica, isto é, o que ele tinha de dizer. E ele:

– Senhor meu amo, bem feito! Eu não disse que era moinho? Não quis acreditar, não é? Pois agora fomente-se...

Dom Quixote respondeu:

– Não era moinho, não, Sancho! Era o gigante! Mas o maldito mágico Freston o transformou em moinho no momento em que o ataquei. Agora estou aqui com as costelas quebradas, sem poder levantar-me...

– Sua alma, sua palma – disse Sancho. – Quem vai buscar lã, sai tosquiado. Boa romaria faz, quem em casa fica em paz. Aguente-se...

Dom Quixote gemia no chão. Rocinante-Shirley também devia estar caído, a gemer, mas pulou esse pedaço. Estava, sim, a rir-se doidamente da atrapalhação de Sancho com o travesseirinho da pança.

– O travesseiro está caindo! – murmurava Sancho muito aflito.

– Deixe que caia! – gritei. –Faz de conta que você emagreceu da dor de ver o seu amo espandongado. Vamos agora conduzir Dom Quixote para a aldeia da Mancha.

Shirley largou de ser Rocinante e eu larguei de ser moinho. Levantamos Dom Quixote do chão para o arrumarmos em cima do burrinho-cavalo de Sancho – e lá fomos para a aldeia. Ao atravessarmos a sala de jantar, vimos a mãe de Shirley arrumando a mesa para o lanche.

– Que maluquice é essa, minha filha? – perguntou a boa senhora, que não sabia de nada. E vendo-me ali, mais o anjinho: – E que crianças esquisitas, Shirley! Onde descobriu isso?

– Não são crianças, mamãe. Esta é a Emília, a famosa boneca que faz coisas do arco-da-velha, no sítio de Dona Benta, e este é o anjinho de asa quebrada que ela caçou nas estrelas.

A mãe de Shirley abriu tamanha boca que tive medo me engolisse. A coitada não entendeu patavina, pois nunca tinha ouvido falar de mim, nem do sítio, nem do anjinho. Quis mais explicações.

– Impossível, mamãe! – respondeu Shirley.–Estamos com pressa de chegar à aldeia da Mancha onde mora este cavaleiro andante...

– Que cavaleiro andante, minha filha? – interrompeu a boa senhora espantada.

– Dom Quixote, mamãe, este de costelas quebradas que segue no burrinho--cavalo.– E para mim: – Depressa, moinho! Não temos tempo a perder. O nosso doente está desenganado.

Atravessamos a sala no trote e saímos para a rua, deixando a mãe de Shirley ainda de boca aberta e olhos arregalados, sem entender coisíssima nenhuma.

Na rua chamamos um táxi. Entramos. Pusemos dentro o pandareco.

– Depressa! – gritou Shirley.– Toque para a aldeia da Mancha onde mora este freguês.

O homem do táxi não sabia onde era a tal aldeia.

– É em qualquer parte! – gritou Shirley.– Toque depressa antes que ele morra.

O táxi saiu na volada.

Capítulo XIV

Dona Benta descobre as Memórias da Emília. Pedrinho e Narizinho aparecem no quarto. Fim da aventura de Hollywood.

Uma batida na porta veio interromper o trabalho de Emília em suas Memórias. Era Dona Benta.

– Estou estranhando a sua quietura aqui neste quarto, Emília, e vim saber o que há – disse a boa velha.

– Não há nada, Dona Benta. É que estou escrevendo as minhas Memórias e acabo de chegar a um ponto muito interessante. O táxi vai numa volada louca para a aldeia, da Mancha. O cavaleiro andante geme com três costelas quebradas. Sancho perdeu a barriga de travesseiro. Rocinante-Shirley deixou a mamãe na sala de jantar com uma cara igualzinha à sua.

De fato, a cara de Dona Benta estava igualzinha à cara que a mãe da Shirley fez na sala de jantar, quando viu aquele bando de louquinhos passar por lá.

– Mas...–começou Dona Benta. –Não estou entendendo nada de nada de nada, Emília. Explique-se.

– São as minhas Memórias, Dona Benta.

– Que Memórias, Emília?

– As Memórias que o Visconde começou e eu estou concluindo. Neste momento estou contando o que se passou comigo em Hollywood, com a Shirley, o anjinho e o sabugo. É o ensaio duma fita para a Paramount.

– Emília! – exclamou Dona Benta. – Você quer nos tapear. Em memórias a gente só conta a verdade, o que houve, o que se passou. Você nunca esteve em Hollywood, nem conhece a Shirley. Como então se põe a inventar tudo isso?

– Minhas Memórias – explicou Emília – são diferentes de todas as outras. Eu conto o que houve e o que devia haver.

– Então é romance, é fantasia...

– São memórias fantásticas. Quer ler um pedacinho?

– Agora, não. Tenho de ir escolher a franga que Tia Nastácia vai matar. Quando o seu trabalho estiver concluído, então o lerei. Estou deveras curiosa de ver o que sai dessa cabecinha...

– Piolho é que não é!

Dona Benta retirou-se e Emília continuou. Antes disso esteve uns instantes com os olhos no forro, pensando lá consigo: "Estas velhas só servem para atrapalhar a vida da gente. Não me lembro mais onde estava. Ah, sim... Na volada do táxi. Íamos para a aldeia da Mancha".

– Depressa, *driver*! – gritou Shirley para o chofer.

– Já chegamos – disse ele e parou.

– É aqui então a aldeia da Mancha? – perguntou Shirley.

– Perfeitamente. A senhorita não disse que era em qualquer parte? Logo, é também aqui.

– Está certo – aprovou Shirley, saltando do táxi comigo e o anjinho.

Nesse momento...

– Aí, Senhora Emília! – exclamaram duas vozes atrás dela. – Escrevendo suas memórias, hein?

Eram Narizinho e Pedrinho, aos quais Dona Benta havia contado tudo.

– Quero ler um pedaço – disse a menina.

Emília escondeu a papelada.

– Não pode ainda. Só depois que forem publicadas.

– Para que esse enjoamento? Tem medo que eu coma a sua literatura? –e Narizinho foi agarrando nas Memórias à força.

Leu um pedaço. Gostou.

– Estão engraçadas, sim, Pedrinho. Venha ver.

Pedrinho leu junto com ela mais um pedaço e a consequência foi ficarem também assanhadíssimos para escrever memórias.

– Vou começar as minhas já – disse Narizinho, jogando a papelada e saindo a galope.

– E eu também! – gritou o menino, saindo noutro galope.

– Invejosos! – murmurou Emília. –Assim que me veem fazendo uma coisa, querem fazer o mesmo.

Juntou a papelada do chão. Bocejou. Examinou os dedos.

– Como cansa escrever! Estou com a mão doendo. O melhor é continuar com a munheca do Visconde.

Foi à janela. Chamou:

– É hora, Visconde! Venha correndo!

O Visconde veio correndo.

– Já estou com os dedos doídos de tanto escrever – disse ela. – Continue as Memórias.

– Em que ponto está?

– Estou com a Shirley e o anjinho em Hollywood, levando Dom Quixote para a aldeia da Mancha, que pode ser em qualquer parte. Continue.

O Visconde abriu a boca, espantado. Não estava entendendo coisa nenhuma.

– Vamos, escreva! – disse ela.

– Como poderei escrever uma história que não sei? Nunca estive em Hollywood, nem nunca você me contou essa passagem.

– E que tem isso, bobo? Eu também não estive lá e estou contando tudo direitinho. Quem tem miolo não se aperta.

O Visconde leu o pedaço escrito.

– Que horror, Emília! Eu transformado aqui em Dom Quixote, com três costelas quebradas, moribundo... Isto é abusar da humanidade.

– Pois abuse da humanidade e termine a história.

– Da maneira que eu quiser? –indagou o Visconde, já com um plano na cabeça.

– Sim. Da maneira que quiser – respondeu Emília.

– Jura que de qualquer modo serve?

– Juro!

Ao ouvir o juro, o Visconde fincou com tanta força um ponto final na história que até furou o papel.

– Pronto! Está concluída.

Emília plantou-se diante dele, de mãozinhas na cintura, danada.

– Sim, senhor! Já é desaforo. Pregou-me uma peça, fazendo-me jurar. Olhe, Visconde, se me prega outra assim, juro que cumpro a minha palavra. Depeno-o, sabe?

Emília já ameaçara o Visconde de o "depenar", isto é, de lhe arrancar as perninhas e os braços, e o Visconde ficava branco de cera ao lembrar-se disso. Eis porque se apressou a pôr um rabinho naquele ponto final, transformando-o em vírgula.

– Eu estava brincando, Emília – disse ele. –Não concluí com ponto, e sim com vírgula. Quer dizer que a coisa continua. Vou contar o resto da história, pode ficar sossegada.

– Isso! E quando acabar me chame. Estou na salinha de costura de Dona Benta.

Emília saiu e o Visconde continuou as Memórias do ponto em que Emília parara, assim:

...nesse momento, vírgula, Dom Quixote aproveitou-se dum instante em que o Moinho se havia afastado e disse para Rocinante-Shirley:

–Amigo Rocinante-Shirley, este Moinho é uma peste, vive atropelando a humanidade e sobretudo a mim, que sou a maior das vítimas. Ameaça-me sempre dum castigo tremendo: depenar-me.

– Como, senhor cavaleiro da Mancha? Como pode o Moinho depenar Vossa Senhoria, se Vossa Senhoria só possui penas lá no seu escritório, que é longe daqui, na aldeia da Mancha?

– Quando o Moinho fala em depenar-me, tem na cabeça uma ideia horrenda, qual de arrancar-me estas duas pernas e estes dois braços que Tia Nastácia me deu.

Rocinante-Shirley horrorizou-se com tamanha crueldade e disse:

– Não tenha medo que tal aconteça, Senhor Dom Quixote. Se o Moinho tentar fazer isso, encarrego-me de pregar-lhe uma valente parelha de coices. Confie em mim e não tenha medo de nada.

Nisto apareceu o Moinho, dizendo:

– Estamos extraviadas, Shirley! Falei com o polícia da esquina, com um vendedor de jornais e com o homem do armazém. Ninguém sabe da tal aldeia da Mancha.

Dom Quixote cochichou baixinho para Rocinante-Shirley:

– Sabem, sim! O Moinho está mentindo. Eu, se fosse você, pregava-lhe já a parelha de coices.

– Paciência, Dom Quixote! – respondeu Rocinante-Shirley, fingindo ter ouvido outra coisa. – Bem sei que costela quebrada dói muito, mas quem manda Vossa Senhoria andar se pegando com moinhos? Quem moinhos apetece é isso o que acontece.

Dom Quixote lançou um olhar de ódio contra o Moinho malvado que o tinha reduzido àquela triste situação.

Nisto passou um auto, com um homem conhecido da Shirley.

– Viva, Mister John! – gritou ela. – Foi ótimo que nos encontrássemos. Eu ia justamente à sua procura, para apresentar três novos artistas vindos da América do Sul.

– Não me fale em artistas novos – respondeu Mister John, que era o governador da Paramount. – Estou farto. Tenho mais de mil propostas de artistas novos. O mundo inteiro quer entrar para o cinema.

– Mas estes são especiais – disse Shirley.

– Todos são especiais – replicou o homem. –Não há um que não diga de si as maiores maravilhas.

Nesse momento o homem deu comigo, Visconde. Ficou logo de olho arregalado.

– Quem é esta estranha e interessante figurinha? – indagou.

– Pois é justamente um dos artistas novos sobre que falei – respondeu Shirley.– Estivemos ensaiando uma fita tirada do *Dom Quixote*. Este Visconde faz o papel do herói, e já levou o tranco da asa do moinho. Está em pandarecos, todo moído por dentro, com três costelas partidas.

Mister John assombrou-se. Examinou-me de todos os lados, fez-me perguntas e acabou dizendo:

– Pois, minha cara Shirley, acho que você acertou. Este freguesinho dá uma estrela de cinema de primeiríssima ordem. As fitas em que ele aparecer vão causar um sucesso tremendo.

– E nas em que este aparecer? – perguntou Shirley apresentando o anjinho.

Mister John tonteou. Começou a gaguejar.

– Quem... quem é... esta ... maravilhosa criança?

– Um anjo de verdade, Mister John! O único que já desceu do céu à terra. Quer ver? –e tirou o capotinho que escondia as asas de Flor das Alturas. – Pode examinar as asinhas dele. Veja que são naturais e não amarradas, como as dos anjos de procissão.

Mister John examinou, pegou, apalpou, pôs os óculos, examinou outra vez e por fim nem pôde falar de tanta gagueira. Um anjo de verdade, ali em Hollywood, positivamente era coisa de revolucionar o mundo.

– E temos ainda o terceiro – continuou Shirley apresentando o Moinho. –Esta é a famosa Emília, que nasceu no célebre sítio de Dona Benta.

– Não interessa – respondeu Mister John imediatamente, sem gagueira nenhuma.– Bonecas de pano não valem nada.

– Mas esta é falante, Mister John! – alegou Shirley.

– Pior ainda – disse ele. –Podemos fazer negócio com Dom Quixote e o anjinho. Mas a tal boneca de pano pode limpar as mãos às paredes. *Vade retro*!...

O Visconde estava nesse ponto, quando Emília entrou. Apavorado, escondeu as tiras.

– Quero ver isso ! – gritou a boneca. – Já!...

– E eu não quero mostrar – respondeu o Visconde. – Não passa de simples borrão. Está cheio de erros. Vou passar a limpo. Depois mostrarei.

Emília deu-lhe um peteleco e tomou-lhe as tiras. Leu-as. Ficou vermelhinha como as romãs.

– Com que então, senhor Visconde, está me sabotando as Memórias, hein? Risque já todas as impertinências e escreva o que vou dizer.

O Visconde pegou da pena e com toda a humildade foi pondo no papel o que Emília quis.

– E então – ditou ela – o tal Mister John aceitou como estrelas da máxima grandeza no céu de Hollywood, primeiro Emília, Marquesa de Rabicó, depois o anjinho. Ao último, o tal Visconde de Sabugueira ou Sabugosa, recusou imediatamente, dizendo:

– Isto aqui não é cocho de vacas. Que ideia, Senhora Shirley! Era lá possível eu contratar para a Paramount um sabugo de perninhas? Sabugos, minha cara, temos cá na Califórnia aos milhões. Não é preciso que venha nenhum de fora.

E jogando dali para bem longe aquele sabugo bolorento, levou-nos em seu lindo automóvel para os estúdios da Paramount.

Emília parou nesse ponto, com os olhinhos duros fisgados no Visconde.

– Agora, sim. Agora a coisa está direita, exatinho como se passou.

– Passou, nada! – disse o Visconde num resmungo. – Você nunca esteve em Hollywood...

– Estive, sim – em sonho. E tudo quanto vi em sonho foi exatamente como acabei de ditar. Eu e Flor das Alturas viramos estrelas da tela. Você foi para uma lata de lixo.

– Isso não escrevo! – protestou o Visconde.

– Escreva ou não, foi o que aconteceu. Agora, rua! Ponha-se daqui para fora, seu pirata...

O Visconde fugiu no trote, muito feliz de ter escapado ao depenamento.

Capítulo xv

Últimas impressões de Emília. Suas ideias sobre pessoas e coisas do sítio de Dona Benta.

Emília sentou-se e escreveu:

Acabo de contar as folhas de papel já escritas e vejo que são muitas. Vou parar. Este livro fica sendo o primeiro volume das minhas Memórias. O segundo escreverei depois que ficar velha.

Antes de pingar o ponto final quero que saibam que é uma grande mentira o que anda escrito a respeito do meu coração. Dizem todos que não tenho coração. É falso. Tenho, sim, um lindo coração – só que não é de banana. Coisinhas à toa não o impressionam; mas ele dói quando vê uma injustiça. Dói tanto, que estou convencida de que o maior mal deste mundo é a injustiça.

Quando vejo certas mães baterem nos filhinhos, meu coração dói. Quando vejo trancarem na cadeia um homem inocente, meu coração dói. Quando ouvi Dona Benta contar a história de Dom Quixote, meu coração doeu várias vezes, porque aquele homem ficou louco apenas por excesso de bondade. O que ele queria era fazer o bem para os homens, castigar os maus, defender os inocentes. Resultado: pau, pau e mais pau no lombo dele. Ninguém levou tanta pancadaria como o pobre cavaleiro andante – e estou vendo que é isso que acontece a todos os bons. Ninguém os compreende. Quantos homens não padecem nas cadeias do mundo só porque quiseram melhorar a sorte da humanidade? Aquele Jesus Cristo que Dona Benta tem no oratório, pregado numa cruz, foi um. Os homens do seu tempo que só cuidavam de si, esses viveram ricos e felizes. Mas Cristo quis salvar a humanidade e que aconteceu? Não salvou coisa nenhuma e teve de aguentar o maior dos martírios.

Quando falo assim, Narizinho me chama de "filósofa" e ri-se. Não sei se é filosofia ou não. Só sei que é como sinto e penso e digo.

Eu era uma criaturinha feliz enquanto não sabia ler e portanto não lia os jornais. Depois que aprendi a ler e comecei a ler os jornais, comecei a ficar triste. Comecei a ver como é na realidade o mundo. Tanta guerra, tantos crimes, tantas perseguições, tantos desastres, tanta miséria, tanto sofrimento...

Por isso acho que o único lugar do mundo onde há paz e felicidade é no sítio de Dona Benta. Tudo aqui corre como num sonho. A criançada só cuida de duas coisas: brincar e aprender. As duas velhas só cuidam de nos ensinar o que sabem e de ver que tudo ande a hora e a tempo. Quindim só quer saber de capim e de recordar os tempos atormentados que passou em Uganda, em lutas constantes com as feras e os homens caçadores. Se ele escrevesse memórias, juro que seriam mil vezes mais interessantes que as minhas.

A Vaca Mocha também vive bem quieta no seu pasto e na cocheira, onde nunca lhe faltam boas palhas de milho. Vai tendo seus bezerrinhos e vai dando leite para todos nós. Leite como o dela não há no mundo. A Mocha capricha.

O Burro Falante está bem velho, coitado. É do tempo de La Fontaine, aquele homem que passeava no País das Fábulas, tomando nota do que ouvia aos animais, para escrever livros. Está tão velho e filosófico que só Dona Benta o compreende bem. Conversa altas filosofias.

Rabicó, esse não vale nada. A gula o perdeu. Não sendo coisa de comer, não se interessa por nada mais no mundo. Nem vale a pena falar nele.

Os outros personagens do sítio são inanimados, embora excelentes pessoas. Existe aquele João Faz de Conta que por uns tempos foi animado, falou, agiu e soube portar-se tão heroicamente nas nossas aventuras com Capinha Vermelha. Mas quebrou-se por dentro e emudeceu. Ficou um pedaço de pau à toa.

Entre os personagens inanimados gosto muito da porteira e da pitangueira.

A porteira só sabe fazer uma coisa: abrir-se e fechar-se. Para abrir-se espera que as pessoas animadas a ajudem. Abre-se, a pessoa animada passa e ela fecha-se por si mesma, com o peso, fazendo *nhem, nhem*. Boa pessoa. Dali não vem mal ao mundo.

A pitangueira, essa é importante. Está enorme. Bate em altura todas as árvores do pomar, exceto a figueira do oco, e tem casca sem nenhum musgo, lisa. Cada ano se enche de pitangas, das bem doces, divididas em gomos. Não gomos como os de laranja, separados uns dos outros; os gomos das pitangas são apenas para enfeite, grudadinhos. É outra excelente pessoa, donde também não vem mal ao mundo.

Considero todas as árvores do pomar como excelentes criaturas. Não falam, não saem do seu lugarzinho, não se intrometem na vida alheia, só tratam de preparar as flores e as frutas de todos os anos. Cada qual fabrica uma qualidade de fruta – e é o que mais admiro, visto que a terra do pomar é a mesma para todas. Apesar disso, uma faz laranjas-de-umbigo, outras fazem laranjas-tangerinas, ou limas, e há até as que fazem os tais limões azedíssimos, que Tia Nastácia corta em rodelas para enfeitar os leitões assados.

A que eu acho mais interessante é a jabuticabeira. Enorme e com uma copada bem redondinha em cima. As folhas, muito juntas, não deixam atravessar o menor raio de sol. Quando chega certo mês, os seus galhos cobrem-se de botõezinhos brancos, que vão engrossando e se abrem em pequenas flores. Depois as flores secam e caem e ficam umas bolotinhas verdes do tamanho de grãos de chumbo. Esse chumbinho verde vai crescendo até ficar aí do tamanho duma noz. Começam então a mudar de cor. Perdem o verde, ficam pretas como Tia Nastácia.

Ah, que festa é aqui no sítio quando as jabuticabas pretejam! Narizinho, Pedrinho e Rabicó mudam-se para debaixo da jabuticabeira. Mas essas frutas duram pouco. Duas semanas no máximo. Quando acabam, é preciso que a gente espere mais um ano para virem outras.

Cada árvore dá a sua fruta; mas sombra, todas dão da mesma qualidade. Que coisa gostosa uma sombra! Nos dias quentes é na sombra da jabuticabeira que nos reunimos para ouvir as histórias e lições de Dona Benta.

Tenho de dizer umas palavras sobre esta senhora. Dona Benta é uma criatura boa até ali. Só isso de me aturar, quanto não vale? O que mais gosto nela é o seu modo de ensinar, de explicar qualquer coisa. Fica tudo claro como água. E como sabe coisas, a diaba! De tanto ler aqueles livros lá do quarto, ficou que até brincando bate o Visconde em ciência.

Tia Nastácia, essa é a ignorância em pessoa. Isto é... ignorante, propriamente, não. Ciência e mais coisas dos livros, isso ela ignora completamente. Mas nas coisas práticas da vida é uma verdadeira sábia. Para um tempero de lombo, um frango assado, um bolinho, para curar uma cortadura, para remendar meu pé quando a macela está fugindo, para lavar e passar roupa – para as mil coisas de todos os dias, é uma danada!

Eu vivo brigando com ela e tenho-lhe dito muitos desaforos – mas não é de coração. Lá por dentro gosto ainda mais dela do que dos seus afamados bolinhos. Só não compreendo por que Deus faz uma criatura tão boa e prestimosa nascer preta como carvão. É verdade que as jabuticabas, as amoras, os maracujás também são pretos. Isso me leva a crer que a tal cor preta é uma coisa que só desmerece as pessoas aqui neste mundo. Lá em cima não há essas diferenças de cor. Se houvesse, como havia de ser preta a jabuticaba, que para mim é a rainha das frutas?

Narizinho eu quero muito bem, porque é uma espécie de minha mãe. Brigamos bastante, é verdade, e ela implica deveras comigo quando "me excedo". Mas já vi que briga é prova de amor.

Quem não ama não briga. Gosto dela no fundo do coração, e não admito que haja outra menina que a valha. Nem Alice. Nem Capinha Vermelha. Para mim, a primeira menina do mundo é Narizinho.

E Pedrinho? Um excelente rapaz. Muito sério, de muita confiança, menino de palavra. Também temos brigado bastante, e havemos de brigar ainda; mas que ele é um menino que vale a pena, isso é. E bem valente. Só que ficou um pouco prosa demais depois da surra que deu no Popeye, esquecido de que se não fosse eu, com a minha ideia da couve, quem levava a surra era ele, e das grandes. Mas eu perdoo essas coisinhas. Peter Pan também era gabola e vaidoso – e Wendy lhe perdoava o defeito.

Bom. Vou acabar com estas Memória. Já contei tudo quanto sabia; já disse várias asneiras, já dei minhas opiniões filosóficas sobre o mundo e as minhas impressões sobre o pessoal aqui da casa. Resta agora despedir-me do respeitável público.

Respeitável público, até logo. Disse que escreveria minhas Memórias e escrevi. Se gostaram delas, muito bem. Se não gostaram, pílulas! Tenho dito.

Emília, Marquesa de Rabicó.
Sítio do Picapau Amarelo,
10 de agosto de 1936.

IMAGINÁRIO

A CHAVE
DO TAMANHO

Capítulo I
PÔR DE SOL DE TROMBETA

— O pôr do sol de hoje é de trombeta — disse Emília, com as mãos na cintura, depezinha sobre o batente da porteira onde, naquela tarde, depois do passeio pela floresta, o pessoal de Dona Benta havia parado. Eles nunca perdiam ensejo de aproveitar os espetáculos da natureza. Nas chuvas fortes, Narizinho ficava de nariz colado à janela, vendo chover. Se ventava, Pedrinho corria à varanda com o binóculo para espiar a dança das folhas secas — "quero ver se tem saci dentro". E o Visconde dava as explicações científicas de todas as coisas.

O pôr do sol daquele dia estava realmente lindo. Era um *pôr de sol de trombeta*. Por quê? Porque Emília tinha inventado que em certos dias o Sol "tocava trombeta a fim de reunir todos os vermelhos e ouros do mundo para a festa do ocaso". Diante dum pôr de sol de trombeta ninguém tinha ânimo de falar, porque tudo quanto dissessem saía bobagem. Mas Dona Benta não se conteve.

— Que maravilhoso fenômeno é o pôr do sol! — disse ela.

Emília deu um pisco para o Visconde por causa daquele "fenômeno", e resolveu encrencar.

— Por que é que se diz "pôr do sol", Dona Benta? — perguntou com o seu célebre ar de anjo de inocência. — Que é que o Sol põe? Algum ovo?

Dona Benta percebeu que aquilo era uma pergunta-armadilha, das que forçavam certa resposta e preparavam o terreno para o famoso "então" da Emília.

— O Sol não põe nada, bobinha. O sol põe-se a si mesmo.

— *Então* ele é o ovo de si mesmo. Que graça!

Dona Benta teve a pachorra de explicar.

— "Pôr do sol" é um modo de dizer. Você bem sabe que o Sol não se põe nunca; a Terra e os outros planetas é que se movem em redor dele. Mas a impressão nossa é de que o Sol se move em redor da Terra — e portanto nasce pela manhã e põe-se à tarde.

— Estou cansada de saber disso — declarou Emília. — A minha implicância é com o tal de *pôr*. "Pôr" sempre foi botar uma coisa em certo lugar. A galinha põe o ovo no ninho. O Visconde põe a cartola na cabeça. Pedrinho põe o dedo no nariz.

— Mentira! — gritou Pedrinho desapontado, tirando depressa o dedo do nariz.

— Mas o Sol — continuou Emília — não põe cartola na cabeça, nem tem o péssimo costume de tirar ouro do nariz.

— É um modo de dizer, já expliquei — repetiu Dona Benta.

— Estou vendo que tudo que a gente grande diz são modos de dizer, – continuou a pestinha. – Isto é, são pequenas mentiras — e depois vivem dizendo às crianças que não mintam! Ah! Ah! Ah!... Os tais poetas, por exemplo. Que é que fazem senão mentir? Ontem à noite a senhora nos leu aquela poesia de Castro Alves que termina assim:

Andrada! Arranca esse pendão dos ares!
Colombo! Fecha a porta dos teus mares!

Tudo mentira. Como é que esse poeta manda o Andrada, que já morreu, arrancar uma bandeira dos ares, quando não há nenhuma bandeira nos ares, e ainda que houvesse, bandeira não é dente que se arranque? Bandeira desce-se do pau pela cordinha. E como é que esse poeta, um soldado raso, se atreve a dar ordens a Colombo, um almirante? E como é que manda Colombo fechar a "porta" dos "teus" mares, se o mar não tem porta e Colombo nunca teve mares — quem tem mares é a Terra?

Dona Benta suspirou.

— Modos de dizer, Emília. Sem esses modos de dizer, aos quais chamamos "imagens poéticas", Castro Alves não podia fazer versos.

— Mas é ou não é mentira?

Dona Benta ia abrindo a boca para a resposta, quando um homem a cavalo apontou na curva da estrada. Era o estafeta que, um dia sim, um dia não, portava ali para entregar a correspondência. Todos tiraram os olhos do pôr do sol para pô-los no estafeta.

O homem chegou. Deu boa tarde. Apeou com ar de eterno descadeirado e abriu o encardido saco de lona para tirar os jornais de Dona Benta.

— Há também uma carta para o senhor Visconde de Sabugosa — disse ele entregando o pacote.

Emília atirou-se para cima da carta como um gato se atira a uma cabeça de sardinha, e arrancou-a das mãos de Dona Benta, como o poeta queria que o Andrada arrancasse a bandeira dos ares.

— Deve ser resposta a uma consulta que fiz sobre as vitaminas do pó de pirlimpimpim — explicou modestamente o Visconde, enquanto Emília se preparava para rasgar o envelope e Pedrinho suspirava pelo bodoque.

— Não abra, Emília! — gritou Narizinho. — Vovó já disse que o sigilo da correspondência é inviolável. Carta é uma coisa sagrada. Só o destinatário pode abri-la.

Emília fez um muxoxo de pouco caso e enfiou a carta no nariz do Visconde, dizendo:

— Coma, beba o seu sigilo.

Enquanto isso, Pedrinho desdobrava o jornal e lia os enormes títulos e subtítulos da guerra.

— Novo bombardeio de Londres, vovó. Centenas de aviões voaram sobre a cidade. Um colosso de bombas. Quarteirões inteiros destruídos. Inúmeros incêndios. Mortos à beça.

O rosto de Dona Benta sombreou. Sempre que punha o pensamento na guerra ficava tão triste que Narizinho corria a sentar-se em seu colo para animá-la.

— Não fique assim, vovó. A coisa foi em Londres, muito longe daqui.

— Não há tal, minha filha. A humanidade forma um corpo só. Cada país é um membro desse corpo, como cada dedo, cada unha, cada mão, cada braço ou perna faz parte do nosso corpo. Uma bomba que cai numa casa de Londres e mata uma vovó de lá, como eu, e fere uma netinha como você ou deixa aleijado um Pedrinho de lá, me dói tanto como se caísse aqui. É uma perversidade tão monstruosa, isso de bombardear inocentes, que tenho medo de não suportar por muito tempo o horror desta guerra. Vem-me vontade de morrer. Desde que a imensa desgraça começou não faço outra coisa senão pensar no sofrimento de tantos milhões de inocentes. Meu coração anda cheio da dor de todas as avós e mães distantes, que choram a matança de seus pobres filhos e netinhos.

Aquela tristeza de Dona Benta andava a anoitecer o Sítio do Picapau, outrora tão alegre e feliz. E foi justamente essa tristeza que levou Emília a planejar e realizar a mais tremenda aventura que ainda houve no mundo. Emília jurara consigo mesma que daria cabo da guerra e cumpriu o juramento — mas por um triz não acabou também com a humanidade inteira.

Na noite daquele dia, em sua caminha de paina, ela perdeu o sono. Quem entrasse em sua cabeça leria um pensamento assim: "Esta guerra já está durando demais, e se eu não fizer qualquer coisa os famosos bombardeios aéreos continuam, e vão passando de cidade em cidade, e acabam chegando até aqui. Alguém abriu a chave da guerra. É preciso que outro alguém a feche. Mas onde fica a chave da guerra? Pessoa nenhuma sabe. Mas se eu tomar uma pitada do superpó que o Visconde está fabricando, poderei voar até o fim do mundo e descobrir a Casa das Chaves. Porque há de haver uma Casa das Chaves, com chaves que regulem todas as coisas deste mundo, como as chaves da eletricidade no corredor regulam todas as lâmpadas duma casa".

O Visconde, de fato, andava estudando um misterioso superpó, capaz de maravilhas ainda maiores que o velho pó de pirlimpimpim; por isso passava as noites em claro e até recebia cartas científicas do estrangeiro. Mas naquela noite Emília ouviu uns ronquinhos. "Será o Visconde?" — disse ela — e foi ver. Era o Visconde, sim, que, depois de noites e noites passadas em claro, dormia um sono de Rabicó. "Se ele está ferrado no sono a ponto de roncar", pensou Emília, "é que já resolveu o problema do superpó. Ronco de sábio quer dizer cabeça fresca, invenção já inventada."

Pensando assim, Emília foi pé ante pé ao laboratorinho do Visconde e remexeu tudo até encontrar numa pequena caixa de fósforos uma substância parecida com cinza. Cheirou-a. Lembrava o cheiro do pó de pirlimpimpim. "Deve ser isto mesmo" — disse ela — e corajosamente tomou uma pitada.

Capítulo II
A CHAVE DO TAMANHO

Fiunnn!!! Quando Emília abriu os olhos e foi lentamente voltando da tonteira, deu consigo num lugar nebuloso, assim com ar de madrugada. Não enxergou árvores, nem montanhas nem coisa nenhuma — só havia lá longe um misterioso casarão.

— Isto deve ser o Fim do Mundo, e aquela casa só pode ser a Casa das Chaves. Que pó certeiro o do Visconde!

Ergueu-se, ainda tonta, e aproximou-se do casarão. Certinho! Um grande letreiro na fachada dizia simplesmente isto: "CASA DAS CHAVES". Emília esteve algum tempo de nariz para o ar, com os olhos naquelas estranhas letras de luz. Viu uma porta aberta. Enchendo-se de coragem, entrou. Não havia coisas lá dentro, objeto nenhum, nem máquinas. Só aquele mesmo nevoeiro de lá fora mas numa espécie de parede distinguiu um correr de chaves como as da eletricidade, todas erguidas para cima.

"Hão de ser as chaves que regulam e graduam todas as coisas do mundo", pensou Emília. "Uma delas, portanto, é a chave que abre e fecha as guerras. Mas qual?"

Emília segurou o queixo, a refletir. Pensou com toda a força. Não havia diferença entre as chaves. Todas iguaizinhas. Nada de letreiros ou números. Como saber qual a chave da guerra?

— A única solução é aplicar o método experimental que o Visconde usa em seu laboratório. É ir mexendo nas chaves, uma a uma, até dar com a da guerra.

Mas as chaves ficavam numa fileira a oito palmos do chão, fora, pois, do alcance duma criaturinha de apenas dois palmos de altura. Como alcançar as chaves? Emília correu os olhos em redor. Não viu nenhuma escada nem cadeira, nem caixão em que pudesse trepar. Não havia sequer uma vara. O remédio seria recorrer novamente ao superpó. "Se eu cheirar a metade do menor dos grãozinhos trazidos nesta caixa, subo até lá e agarro-me a qualquer das chaves."

E assim fez. Escolheu o grãozinho de pó menor de todos, partiu-o ao meio e aspirou metade. Deu certo. Bastou o cheiro daquela isca de superpó para erguê-la até às chaves, permitindo-lhe pendurar-se numa. Nem precisou fazer força. Bastou o seu peso para que a chave descesse quase até o fim.

Mas o que aconteceu foi a coisa mais imprevista do mundo. Tudo se transformou diante de seus olhos, e um pano enorme, como o toldo dum circo de cavalinhos, desabou sobre ela. Emília sentiu-se rodeada de pano; o chão era de pano; por cima só havia pano; dos lados, pano, pano e mais pano. E com o peso de tanto pano ela nem podia conservar-se de pé. Ficou deitadinha, como achatada. Mas era preciso sair dali ou pelo menos fazer esforços para sair, porque já estava sentindo falta de ar. E começou a engatinhar debaixo da panaria, numa cega tentativa de fuga. As dobras eram muitas, de modo que a cada momento, tinha de fazer rodeios para poder avançar. E foi engatinhando, flanqueando as dobras atrapalhadoras; às vezes até ficava de pé, quando uma dobra maior lhe dava espaço. Emília lembrou-se do Labirinto de Creta, onde morava o Minotauro. É escuro ali dentro. Nem ao menos aquela penumbra de madrugada de lá fora. Emília teve a impressão de haver passado um século naquele engatinhamento labiríntico. Por fim divisou em certa direção uma claridade. "Deve ser ali a bainha ou fim deste maldito pano", pensou ela, e para lá se arrastou. Era de fato a bainha — e Emília já quase sem fôlego, lavada em suor, saiu do labirinto e caiu exausta no chão, com um *Uf!*

Ficou algum tempo deitada de costas, os braços estendidos, sem pensar em coisa nenhuma. Primeiro descansar; depois o resto. Ergueu os olhos para as chaves da parede. Não viu na parede chave nenhuma. "Que história é esta? Será que as chaves se evaporaram?" Firmando a vista, verificou que não. As chaves lá estavam, mas em ponto muitíssimo mais alto. A parede crescera tremendamente. Parecia não ter fim. Tudo aumentara dum modo prodigioso. E no chão viu uma coisa nova, que não existia antes; um pedestal atapetado de papel amarelo.

Emília achava-se deitada justamente sobre esse pedestal. Depois, olhando para o seu corpinho, verificou que estava nua.

— Que história é esta? Eu, nua que nem minhoca, em cima deste pedestal amarelo cheio de riscos pretos, ao lado duma montanha de pano — e as chaves lá em cima — e tudo enormíssimo... Será que estou sonhando?

Pôs-se a pensar com toda a força. Examinou o tapete do pedestal. Percebeu que os riscos eram letras e teve de ficar de pé para lê-las uma por uma. A primeira era um F; a segunda, um O; a terceira um S. Chegando à última, viu que formava a palavra FÓSFOROS. Em seguida vinha um D e um E, formando a palavra DE. E as últimas letras formavam a palavra SEGURANÇA. Tudo reunido dava a expressão FÓSFOROS DE SEGURANÇA.

— Será possível? — exclamou Emília consigo mesma. — Será que estou em cima da maior caixa de fósforos que jamais houve no mundo? Mas se é assim, então cada pau de fósforo deve ser uma verdadeira vigota de pinho — e como a caixa estivesse aberta, espiou. Não viu lá dentro vigota nenhuma, sim uma espécie de areia grossa, da cor exata do superpó do Visconde.

Nesse momento um raio de luz iluminou-lhe o cérebro.

— Hum! Já sei. Isto é a caixa de fósforos que eu trouxe e está do tamanho que sempre foi. Eu é que diminuí. Fiquei pequeníssima; e, como estou pequeníssima, todas as coisas me parecem tremendamente grandes. Aconteceu-me o que às vezes acontecia a Alice no País das Maravilhas. Ora ficava enorme a ponto de não caber em casas, ora ficava do tamanho dum mosquito. Eu fiquei pequenininha. Por quê?

E pôs-se a pensar mais forte ainda.

— Só pode ser por uma coisa: por causa da descida da chave. Logo, aquela chave é a que regula o meu tamanho. Regula só o meu tamanho, ou regula o tamanho de todas as criaturas vivas? Regula o tamanho de todas as criaturas vivas, ou só o das criaturas humanas? Quantos problemas, meu Deus!

Pensou, pensou.

— Se todas as criaturas ficaram pequeninas como eu fiquei, então o mundo inteiro deve estar na maior atrapalhação e com as cabeças tão transtornadas quanto a minha. Mas a guerra acabou! Ah, isso acabou! Pequeninos como eu, os homens não podem mais matar-se uns aos outros, nem lidar com aquelas terríveis armas de aço. O mais que poderão fazer é cutucar-se com alfinetes ou espinhos. Já é uma grande coisa...

Pensou, pensou, pensou.

— Sim, eu mexi na Chave do Tamanho e todas as criaturas vivas ficaram pequenas porque seria absurdo haver uma chave só para minha pessoa. Se houvesse uma chave para cada pessoa, nesta sala deviam existir três bilhões e meio de chaves, porque a população do mundo é de três bilhões e meio de pessoas. Logo, a mesma chave serve para todas as pessoas. Logo, toda a humanidade está "reduzida" — e impedida de fazer guerra. *Uf*! Acabei com a guerra! Viva! Viva!...

Pensou, pensou, pensou.

— A prova de que essa chave só regula o tamanho das criaturas vivas, está aqui nesta caixa de fósforos. Se esta caixa de fósforos também tivesse diminuído, estaria proporcional ao meu corpo, e não imensa como está.

A situação era tão nova que as suas velhas ideias *não serviam mais*. Emília compreendeu um ponto que Dona Benta havia explicado, isto é, que *nossas ideias são filhas de nossa experiência*. Ora, a mudança do tamanho da humanidade vinha tornar as ideias tão inúteis como um tostão furado. A ideia duma caixa de fósforos, por exemplo, era a ideia duma coisinha que os homens carregavam no bolso. Mas com as criaturas diminuídas a ponto duma caixa de fósforos ficar do tamanho dum pedestal de estátua, a "ideia-de-caixa-de-fósforos" já não vale coisa nenhuma. A "ideia-de-leão" era a dum terrível e perigosíssimo animal, comedor de gente; e a "ideia-de-pinto" era a dum bichinho inofensivo. Agora é o contrário. O perigoso é o pinto.

Emília sentiu um friozinho no coração. Começou a desconfiar que havia feito uma coisa tremenda, a coisa mais tremenda jamais acontecida no mundo.

Pensou, pensou, pensou. Depois resolveu calcular que tamanho teria.

— Posso calcular o meu tamanho por comparação com as letras da palavra FÓSFOROS. Essas letras tinham um terço de centímetro no tempo em que eu tinha quarenta. Ora, se eu tinha quarenta centímetros, era cento e vinte vezes maior que um terço de centímetro. E agora? Qual o meu tamanho em relação a essas letras?

Para fazer a medição, Emília deitou-se sobre o F, e viu que aquele F tinha um terço da sua altura. Logo, ela estava reduzida a justamente um centímetro de altura.

— Que coisa! — exclamou. — Reduzida a um centímetro apenas, eu que tinha 40! Diminuí 40 vezes. Nesse caso, Pedrinho, que tinha 1,40 m — e contava tanta prosa — deve estar reduzido a 3 centímetros e meio. E o coronel Teodorico, que tanto se gabava de ter 1,80 m está reduzido a 4 centímetros e meio — do tamanho dum simples gafanhotinho...

Emília pensava, pensava.

— Que fazer agora? Tenho várias soluções a escolher. Uma é largar tudo como está. Outra, é levantar novamente a chave e deixar as coisas como eram. Isto me parece o melhor, porque se eu voltar para o sítio deste tamanho é provável que nem possa atravessar o terreiro. O pinto sura não sai de lá. Devora-me, como se eu fosse uma formiga.

Olhou para cima. A chave baixada parecia muito no alto — 40 vezes mais alta que antes. Mas isso não tinha importância para quem ainda dispunha de tanto superpó. E, enfiando a mão dentro da abertura da caixa, Emília apanhou um grão e aspirou-o. O pó levou-a até à altura da chave, mas a sua forcinha, diminuída quarenta vezes, já não dava para mais nada. Nem jeito de segurar na chave teve, a qual lhe pareceu como enorme maçaneta, de diâmetro igual à altura do seu corpo — o mesmo que a tora de um grande jequitibá para um homem dos antigos.

Dos antigos, sim, porque, se todos os homens estavam agora tão reduzidos de tamanho quanto ela, quem quisesse referir-se aos homens da véspera tinha de dizer "os homens antigos". Emília sentou-se em cima daquela enorme tora de jequitibá, sem saber como descer.

— E agora?

Pensou, pensou, pensou.

— Vou atirar-me — resolveu. — Meu peso deve estar igual ao peso duma formiga saúva e portanto, se me atirar, devo cair com a leveza de um cisquinho — além de que há lá embaixo aquela montanha de pano.

E assim fez. Atirou-se em cima da montanha de pano.

E foi então que descobriu uma grande coisa: o pano daquela montanha era uma fazenda de enormes ramos de rosas vermelhas — iguais aos ramos de rosinhas do seu vestido evaporado — e compreendeu tudo. A *enorme montanha de pano não era mais que o seu próprio vestido largado no chão*. Quando baixou a chave e sofreu o instantâneo apequenamento, *achou-se no meio do vestido*, o qual, sem o apoio do corpo que o sustinha, desabou, dando à minúscula dona lá dentro aquela impressão de circo que vinha abaixo.

— Que coisa! — exclamou Emília. — Aquele imenso pano que formou o labirinto em redor de mim era o meu vestido. Felizmente a caixa do superpó estava na minha mão e não no bolso. Se tivesse no bolso, como poderia eu tirá-la agora do seio desta enorme montanha? Que coisa formidável!...

Emília pensou por mais uns instantes. Tinha de abandonar ali todo aquele precioso pó, apesar de ser o único que havia lá no sítio. Pois como levar de volta a caixa-pedestal? Se estivesse vestida, em seus bolsos ainda caberiam algumas pitadinhas. Mas daquele modo, nua que nem minhoca, o mais que poderia levar era o que coubesse em suas mãos — um grãozinho apenas em cada uma. Mas antes isso do que nada — e Emília tomou um grão de pó em cada mão. Depois aspirou um terceiro grãozinho e — *fiun!*... lá se foi pelos ares, de volta ao sítio de Dona Benta.

Capítulo III
Por causa do pinto sura

As viagens com o superpó eram instantâneas. Um fechar e abrir de olhos. Emília fechou os olhos lá no pedestal e abriu-os na porteira do sítio. Que colossal porteira, Santo Deus! Duzentas vezes a altura dela. Lá longe viu um enormíssimo animal pastando: a Vaca Mocha. E mais adiante, uma colossal montanha dormindo: Quindim. E a casa? Oh, a casa, no fim do extensíssimo terreiro, tinha para ela a mesma altura do Pão de Açúcar para um homem antigo. O telhado parecia esbarrar nas nuvens.

Como atravessar a pé os cem metros do terreiro? Cem metros antigamente pouco significavam para a Emília "grande", mas agora, ah, exigiam 33.333 passos, visto como o seu passo se reduzira a 3 milímetros.

Estava pensando nisso, quando um horrendo monstro surgiu no terreiro: o pinto sura. "Parece incrível!" — murmurou ela. "Aquele pinto que não passava de simples pinto como todos os pintos do mundo, desses que a gente chama com um 'Quit! Quit!' ou toca com um 'Chispa!' virou um verdadeiro Pássaro Roca." Emília calculou que o pinto devia ter umas vinte vezes a sua altura, isto é, o tamanho dum avestruz de setenta metros para um homem como o Coronel Teodorico.

— Será possível que um monstro desse vulto me enxergue? — disse ela sem ânimo de atravessar o terreiro.

Mas o pinto sura era um danado para enxergar. Tinha olhos de microscópio. Assim que Emília, pé ante pé, pôs-se a andar, ele a viu e veio de bico aberto para devorá-la. Emília mal teve tempo de recorrer ao superpó que havia trazido. Precipitadamente levou ao nariz os dois grãozinhos e aspirou-os. *Fiunn...*

Despertou muito longe dali, sobre uma árvore enorme, a cuja galharada se agarrou. As folhas eram azuis como o céu e formavam morros redondos. "Folhas? Não. Isto nunca foi folha. Isto é flor. E os tais morros não passam de cachos de flores. Mas que árvore dá flores azuis assim?"

Emília lembrou-se logo das hortênsias, e com algum esforço viu que realmente havia caído em cima dum enormíssimo cacho de hortênsias. Era-lhe difícil manter-se ali, porque as criaturas humanas, dotadas de só dois pés, têm necessidade de superfícies planas para se equilibrarem, e naquele cacho de hortênsias só uma ou outra pétala estava em posição horizontal. Emília tratou de descer. "Para uma criatura-gente, não há como a terra plana", pensou. Antes de descer, porém, correu os olhos em redor.

— O que me pareceu uma floresta, não passa dum jardim. Um imenso jardim, o maior jardim do mundo, com roseiras da altura de árvores e aquele pé de jasmim com flores do tamanho de vitórias-régias, e na beirada dos canteiros uma grama que lembra os bananais do Cubatão. Como tudo ficou imenso, meu Deus!

E lá adiante? Emília firmou os olhos. Um verdor elevava-se a grande altura e em cima espalhava-se sobre caibros horizontais. Mas rapidamente Emília ia aprendendo a "interpretar" as imensas coisas vistas.

— Sim, estou entendendo. Aquele verdor é a trepadeira duma varanda, e o que me parece caibros são os arames em que ela se apoia. Varanda? Então aquela imensidade branca que me parece erguer-se até às nuvens é a fachada dum palacete.

Emília firmou a vista. Quadrados enormes lá em cima: as janelas! A platibanda ficava tão alta que ela mal podia vê-la.

— Um palacete, sim, muito maior que a casa de Dona Benta. Vai ser difícil acostumar-me ao novo tamanho das coisas; para as formiguinhas, no entanto, esse tamanhão das coisas é o natural, pois foi como sempre elas o tiveram. As formigas-ruivas nem podem compreender o que é uma casa. Hão de ver as casas como *partes do mundo*, ou coisas que sempre foram, como os morros, as pedreiras, os rios, as árvores; e por isso passeiam sem medo pelas casas, sobem e descem pelas paredes, chegam até a fazer seus buraquinhos rente às calçadas. Quando veem sair lá de dentro uma pessoa, com certeza nem compreendem o que é uma pessoa; acham que é apenas uma *imensidade móvel*, como os rios ou o mar. Para as formigas o mundo deve estar dividido em *imensidades paradas e imensidades móveis*. Uma casa ou um morro é uma imensidade parada; de dentro das casas saem imensidades móveis: gente, cachorro, gatos. E nos campos há imensidades com chifres, que nós chamamos vacas ou bois. Mas apesar de ter eu agora o tamanho duma saúva, possuo a mesma inteligência de antes — *e sei*. Sei que estas imensidades que estou vendo não passam de verdadeiras pulgas perto de outras coisas ainda maiores, como as montanhas; e as montanhas não passam de pulgas perto de outra coisa maior, como a Terra; e a Terra é uma pulga perto do Sol; e o Sol é um espirro de pulga perto do Infinito. Como sei coisas, meu Deus!

Emília pôs-se a filosofar, a pensar nos estranhos bichos que andavam em redor dela, uns de asas, outros sem asas, uns pretos, outros verdes, outros moles — mas todos cheios de pernas.

— Como há pernas neste mundo que antigamente eu chamava "mundo dos bichinhos" e que para mim agora virou o meu mundo! Pois também virei bichinho. E vejo *colegas* de todos os tamanhos, uns menores que eu, outros maiores. Aquele *mede-palmo* que ali vem vindo, por exemplo. Para mim é um verdadeiro monstro, pois tem de comprimento cinco vezes a minha altura — equivalente a uma sucuri de oito metros para um homem antigo. E no entanto é a mesma lagartinha que outrora eu punha na palma da mão...

Capítulo IV
A VIAGEM PELO JARDIM

O mede-palmo vinha descendo pela haste dum ramo de hortênsia. Era dos peludinhos. Emília, ansiosa por se ver no chão, teve uma ideia.

— E se eu montasse nele e ficasse bem agarrada aos pelos? Os mede-palmos não mordem. Emília aproximou-se e *zás!*, cavalgou-o. O mede-palmo deteve-se, estranhando aquilo; ergueu a cabecinha e ficou uns instantes a virá-la dum lado para outro. Por fim continuou a descer.

— Primeira descoberta! — gritou Emília. — A *escada rolante* viva!

Em seu passeio a Nova York, contado na *Geografia de Dona Benta*, Emília tivera oportunidade de conhecer as escadas rolantes das grandes lojas, escadas que em vez de *serem subidas* pela gente, *subiam* a gente. Os fregueses ficavam de pé nos degraus, imóveis e aqueles degraus os *iam subindo* de um andar para outro; e ao lado de cada escada em perpétua subida, ficava outra em perpétua descida.

— Meu mede-palmo agora — disse Emília — é a escada que desce.

Ao chegar ao chão, debaixo da moita de hortênsia, estranhou o escuro. Como viesse de cima da flor, onde a luz era intensa, custou-lhe acostumar os olhinhos a tanta sombra.

Que frescura ali! Até demais. E úmido. Se ficasse muito tempo naquela sombra, apanharia um resfriado. A primeira coisa que a impressionou foi a aspereza do chão. Era irregularíssimo!

— Como há pedras no mundo! — exclamou, tropicando e machucando os delicados pezinhos. — Isso que nós chamávamos terra ou chão, não é terra nada, é pedra, pedra e mais pedra. A crosta do planeta é uma pedreira sem fim. Hum! Por isso é que os bichinhos do meu tamanho usam tantos pés. Cada inseto tem seis. Os mede-palmos têm muito mais. De dois pés não há nenhum. Agora compreendo o motivo — *é que só com dois pés não poderiam caminhar pelas infinitas pedreiras destes chãos*. A gente dá um passo e cai, porque, se um pé escorrega, o outro é pouco para manter o equilíbrio. Mas com seis pés o andar é fácil, porque, se um escorrega, sobram cinco para a escora. Além disso — estou vendo — todas as patas dos meus colegas possuem garrinhas, com as quais eles vão se agarrando às asperezas do chão ou da casca das árvores.

Emília compreendeu por que os insetos sobem tão bem pelas paredes. Para uma formiga uma parede é uma verdadeira escada, com degraus irregulares a que as garras das patinhas vão se agarrando.

— Mas em parede de vidro, formiga não sobe, porque o vidro não é escada, não tem degraus. O vidro é liso de verdade.

Aquela dificuldade de andar começou a aborrecê-la. Para ir daqui até ali era um custo — e quantos tombos! Experimentou andar de quatro. Muito melhor, mas cansava.

— O remédio é montar num dos meus colegas.

Nesse momento avistou um enorme caramujo da altura dela. Compreendeu que era um daqueles caramujinhos tão abundantes na horta de Dona Benta. Trepou sem medo em cima da casca e ficou de cócoras. O caramujo parece que nem deu pela coisa. Foi andando, andando, mas vagaroso demais. Emília cochilou e caiu.

— Este cavalo não serve. Dá sono na gente. Tenho de arranjar outro.

Seu pensamento era explorar o jardim e aproximar-se da casa para ver se havia gente grande lá dentro. Ainda não obtivera a prova provada de que o "apequenamento" das criaturas humanas havia sido geral.

O palacete, porém, ficava longe dali, a uns dez metros de distância, e uma viagem de dez metros por um terreno tão horrivelmente pedregoso (uma rua apedregulhada de jardim) era proeza que seus pezinhos descalços não aguentavam.

— Assim não chego lá nunca e arrebento as unhas. Só de caminhar meio metro já fiquei com os pés em brasa. A solução é mesmo um cavalinho.

Olhou em redor. Além de lerdos caramujos havia muitos bichos-de-conta, ou "tatuzinho" como ela dizia. Eram conhecidos velhos. Gostava de brincar com eles lá no sítio. "São uns bobos. Basta que a gente bula neles para que se finjam de mortos." Emília experimentou. Montou num dos maiores. O bichinho, apavorado, imediatamente virou bola — ou conta, como as de rosário.

— Não serve. Estes tatus-bolas também não nasceram para cavalos.

Um gafanhoto verde estava a espiá-la de dentro das folhas do "bananal". Tinha cinco vezes a sua altura. Emília foi-se aproximando sem que ele fizesse caso. Chegou bem perto e, súbito, *zás!* montou. Mas o gafanhoto deu um formidável pulo, lançando-a de ponta cabeça sobre as "pedras" da areia.

— Também não serve — disse ela, erguendo-se muito desapontada. — Preciso dum bicho que não *durma a gente*, nem se finja de morto, nem pule.

A certa distância estava uma "vaquinha" pastando. Era o nome que no sítio Pedrinho dava a certo besouro de pintas amarelas e que o Visconde dizia ser um "coleóptero". O Visconde vivia estudando a vida daqueles animaizinhos. Explicou que se chamavam coleópteros por causa do sistema das asas *dobráveis e guardáveis* dentro dum estojo. Essas asas são membranosas, fininhas como papel de seda, mas não andam à mostra, como as das borboletas, aves e outros bichos menos aperfeiçoados. Só aparecem quando o coleóptero vai voar. O estojo é formado de dois *élitros* cascudos, duros como unha. São dois verdadeiros *moldes côncavos* ajustados à forma do corpo. Eles abrem aquilo de jeito a não atrapalhar as asas de dentro. Abrem o estojo e vão desdobrando as asas — e voam. Quando pousam, dobram de novo as asas, muito bem dobradinhas e cobrem-nas outra vez com as tampas do estojo.

O Visconde achava muita graça no sistema, que era o mais aperfeiçoado de todos – dizia ele; e vivia fazendo experiências com besouros de todos os tamanhos. Era um sistema tão bom, que o mundo já andava um besoural imenso. Cento e cinquenta mil espécies de besouros já haviam sido estudadas pelos sábios, imaginem! Se o sistema não fosse tão bom, a *ordem* dos coleópteros não se multiplicaria em tantas *espécies*. Quando um sistema não é aperfeiçoado, os bichos que o usam levam a breca, como aconteceu com aqueles grandes sáurios que o Walt Disney mostrou na *Fantasia*. Por que desapareceram tais monstros? Justamente porque o "sistema sáurio" não prestava. E por que os besouros aumentaram? Porque o "sistema besouro" é aqui da pontinha — e Emília, que estava conversando consigo mesma, pegou na pontinha da orelha. O Visconde também achava que o futuro Rei da Criação ia ser o besouro, depois que o rei atual, o Homem, totalmente se destruísse na horrenda guerra que andava guerreando.

Emília aproximou-se da "vaquinha" e montou. O coleóptero quis reagir — abrir os élitros para desenrolar as asas e voar, mas Emília não deixou. Manteve o estojo fechado. A "vaquinha", então, pôs-se a andar com ela às costas, e justamente na direção da casa. Súbito, porém, mudou de rumo. Emília danou. Viu que tinha de descobrir a "dirigibilidade dos besouros" como Santos Dumont havia descoberto a "dirigibilidade dos balões". Os balões no começo eram como os besouros; iam para onde queriam e não para onde os homens queriam. Veio Santos Dumont e inventou o meio de governá-los. Já a "dirigibilidade dos animais" era coisa velha. A dirigibilidade do cavalo, por exemplo, surgiu com a invenção do freio. E se ela pusesse um freio naquele coleóptero?

Emília apeou para estudar a situação. Mas assim que se viu sem cavaleiro, o "cavalinho pampa" abriu os élitros, desenrolou as asas e lá se foi pelos ares — *zunn...*

— Maçada! — exclamou Emília coçando a cabeça e olhando em torno.

Havia se aproximado apenas dois metros do seu objetivo, que era a casa. Faltavam ainda sete metros e meio.

Capítulo V
AVENTURAS

A "vaquinha" havia largado Emília no meio duma das ruas do jardim. Como o sol estivesse esquentando as pedras, ela percebeu que se não fosse para a sombra morreria torrada. E como não visse em redor nenhum cavalinho ao seu alcance teve de vencer a pé o espaço que ia dali até o canteiro próximo. Como padeceu para vencer aquela enorme extensão de um metro, por cima da horrível pedranceira do pedregulho! O sol queimava-lhe a pele e por duas vezes o vento a derrubou.

Outro grande inimigo da nova humanidade vai ser o vento, ia pensando Emília. O maldito vento já me derrubou duas vezes e, no entanto, devia ser um ventinho de nada, pois pouco buliu com as folhas deste jardim. O sistema de andar de pé, próprio dos bípedes, só dá resultado com as criaturas que possuem tamanho, como os antigos homens e as aves. Para um serzinho sem tamanho como eu é o maior dos desastres. Por isso não há bichinho nenhum dotado de dois pés e que *ande de pé*. São todos horizontais e cheios de perninhas. Estou agora compreendendo: *defesa contra o vento!* Se um ventinho à-toa me derrubou duas vezes, isso quer dizer que um vento de verdade me joga para os confins do Judas e, no entanto, não há formiguinha que não resista aos ventos. Por quê? Porque não é bípede nem anda de pé, como eu. Aprenda mais essa, Senhora Dona Emília.

E assim filosofando alcançou a sombra dos periquitos em redor do canteiro, onde se sentou sobre um pauzinho seco, para descansar e pensar na vida.

— Que mundo este, santo Deus! — murmurou, muito atenta a tudo quanto se passava em redor. – É o tal "mundo biológico" de que tanto o Visconde falava, bem diferente do "mundo humano". Diz ele que aqui quem governa não é nenhum governo com soldados, juizes e cadeias. Quem governa é uma invisível Lei Natural.

E que Lei Natural é essa? Simplesmente a *Lei De Quem Pode Mais*. Ninguém neste mundinho procura saber se o outro tem ou não tem razão. Não existe a palavra justiça. A Natureza só quer saber duma coisa: quem pode mais. O que pode mais tem o que quer, até o momento em que apareça outro que possa ainda mais e lhe tome tudo. E por que essa maldade? O Visconde diz que é por causa duma tal Seleção Natural, a coisa mais sem coração do mundo, mas que *sempre acerta*, pois obriga todas as criaturas a irem se aperfeiçoando. "Ah, você está parado, não se aperfeiçoa, não é?" diz a Seleção para um bichinho bobo. "Pois então leve a breca." E para não levar a breca, o bichinho trata de inventar toda sorte de defesa e astúcias.

O tatuzinho inventou aquela defesa de virar bola e fingir-se morto. Os gafanhotinhos inventaram um verde que os confunde com a grama. As aranhas inventaram a teia para caçar as moscas e os ferrões e o veneno para se defenderem. Inúmeros inventaram asas. Outros inventaram as cascas grossas. A pulga inventou o pulo.

Eu sempre achei graça na "prosa" dos homens com as invenções lá deles. Que são as invenções dos homens perto dos milhões de inventos destes bichinhos? Não há pulgão que não tenha vários inventos para a defesa, para conseguir alimento, para morar — ou como diz o Visconde, para "sobreviver" num mundo onde a tal Seleção só tem duas palavras na boca: "Isca! Pega!".

Emília olhava em redor e ia compreendendo o mundo novo em que tinha de viver. À esquerda viu uma aranha sugando um mosquito preso em sua teia invisível. À direita um bando de formigas atracadas a uma pobre minhoca, que se debatia como um "S" vivo. Um filhote de louva-a-deus estava fingindo que rezava, de mãos postas, mas na realidade aquilo não era reza e sim um bote armado contra uma presa qualquer.

— A vida é uma caçada contínua — filosofou Emília. — Estes meus colegas parece que só não caçam quando estão dormindo.

Os pés de periquito abrigavam inúmeros moradores permanentes, além de hóspedes alados que chegavam, ficavam por ali alguns instantes e lá se iam. Emília calculou que para cada bichinho de terra, dos sem asas, havia muitos do ar, com asas, e que levam a maior parte do tempo voando.

— Chega de caçadas — disse ela por fim. — Preciso descobrir outro cavalinho para continuar a minha viagem.

Nesse momento uma mutuca sentou-se perto dela. Emília pensou: "Montar nessa mutuca não vai dar certo porque há os tais tombos; mas se eu agarrar-me às suas patinhas traseiras? Isso não a atrapalhará em nada no voo, e pode ser que ela me aproxime do palacete".

Decidida a fazer a experiência, aproximou-se da mutuca por trás, como fazem certas aranhas de parede, das que não usam teias e sim botes, e fez como essas aranhas: deu um bote nas perninhas traseiras da mutuca, segurando-se com toda a força.

Assustada com aquilo, a mutuca voou — um voo pesado de quem está levando uma carga excessiva e desceu logo adiante. Emília largou-a, muito contente com a ideia que tivera.

— Bravos! Vou chegando, vou chegando. Estou só a três metros da calçada.

Que lugar era aquele? Um simples canteiro de violetas, dentro do qual Emília teve a sensação do caçador em plena mata virgem. A sua redução de tamanho permitia-lhe ver a "abundância do pequenino". Quantas vidinhas na sombra daquela mata, sobretudo sob forma de vermes! Bichos cabeludos de todos os jeitos, e lagartas não cabeludas, uma delas com chifres no nariz — como o Quindim. E mede-palmos cor de esmeralda, translúcidos, gulosamente devorando folhas ou tecendo casulos. E caramujos, e tatuzinhos. E uma infinidade de *formas de vida* que só os sábios sabem.

Por uma fresta Emília viu lá pelas alturas várias borboletas borboleteando pelas flores, tão leves e lindas. Mas uma vespinha jiti a furtar o pólen duma violeta a distraiu — e por causa dessa vespinha a pobre Emília quase levou a breca. Enquanto observava a linda vespa naquele trabalho uma horrenda sarassará se aproximou, de ferrão arreganhado.

Emília tinha ódio a essas formigonas pretas desde o dia em que Pedrinho encontrou, no pomar lá do sítio, um ninho de beija-flor com dois filhotes já meio devorados por elas. As *canibais*, foi o nome que o Visconde lhes deu. Será que ela iria ter a mesma sorte dos beija-flores implumes?

Na maior aflição, Emília olhou em redor, em procura de abrigo. Deu com uma velha casca de caramujo: lançou-se dentro, ficando bem escondidinha lá no fundo. A canibal plantou-se à porta, à espera de que aquele "inseto descascado" saísse. Por fim, desanimada, foi-se embora. Quando Emília teve coragem de espiar, a horrenda canibal já ia longe.

— Que susto! — exclamou ela saindo de dentro do caramujinho e enxugando com uma isca de musgo o suor gelado da testa. — Tenho que arranjar uma arma qualquer. Há feras muito perigosas nesta mata.

Achou fácil e agradável caminhar dentro do "violetal", porque o chão estava coberto de folhas secas e úmidas, macias para seus pezinhos. Foi andando até chegar à beira da "floresta", onde deu com um gigantesco pé de cactos, dos chamados palmatórias-do-diabo. As enormes folhas chatas, recobertas de espinhos pareciam almofadas de alfinetes.

— E se me armasse dum espinho?

Mas como arrancar um espinho daqueles? Nem com a força de cem Emílias, quanto mais com a de uma só. E ficou de nariz para o ar, namorando aquele tremendo arsenal de lanças, até que lhe veio uma ideia. "Impossível que aqui pelo chão não haja algum espinho velho de alguma folha caída", e pôs-se a procurar. Foi feliz. Encontrou uma palmatória já desfeita pelo apodrecimento, mas com os espinhos em muito bom estado. Escolheu o menor e pronto.

— Estou um Dom Quixote, com esta tremenda lança — disse, pondo a arma debaixo do braço, tal qual fazia Dom Quixote.

Logo adiante estava uma aranha quase do seu tamanho, encorujada na teia, à espera de bichinhos incautos. Vendo aproximar-se aquele inseto desconhecido a aranha armou o bote; mas Emília de lança em riste, não lhe deu importância — foi chegando. Ao atirar-se contra ela, a aranha cravou o ventre no espinho. Esperneou, berrou, mas não teve remédio senão ir encolhendo as pernas e morrendo.

A primeira vitória de Emília em pleno "mundo biológico" encheu-a de orgulho. Estava demonstrando aos seus colegas o valor da inteligência. Já se utilizara de vários como cavalinhos e agora vencera uma aranha em combate.

Uma coisa a assustava mais que tudo: as aves. Percebeu logo que estavam ali os piores inimigos da nova gente pequenina. O Visconde havia contado que grande número de passarinhos eram *onívoros*, isto é, comem de tudo — e portanto comeriam a ela também e a quantos homens-bichinhos encontrassem. Felizmente batera meio-dia, hora em que os pássaros, já de papo cheio, descansam à sombra das árvores. As horas mais perigosas deviam ser as da manhã, enquanto eles almoçavam.

Pouco antes de chegar ao "violetal", Emília tinha assistido a uma tragédia dolorosa. Um gafanhoto verde, ainda criançola e bobo, caíra na asneira de afastar-se da grama, com cujo verdor ele tão bem se confundia. Dera-lhe na cabeça brincar de pula-pula na areia branca. Mas a areia branca tornava-o visibilíssimo. Uma corruíra avistou-o, veio e *zás!* — papo.

— Que coisa horrível o papo das aves! — filosofou Emília. — Verdadeiros barris sem fundo. Elas passam a vida inteira a botar bichinhos ali dentro e não os enchem nunca.

A lembrança do almoço da corruíra fê-la lembrar-se do estômago. Ainda não tinha comido coisa nenhuma. Que poderia comer naquele jardim? Se fosse ave, nada mais simples, porque não faltavam insetos; mas era gente e gente não come insetos — isto é, só come içá torrado e gafanhotos. Dona Benta havia dito que São João no deserto se alimentava de gafanhotos e mel.

— Mel, mel, mel — murmurou Emília lembrando-se das borboletas e abelhas que vivem só de mel. E as flores dali deviam ter mel, já que eram tantas as borboletas. Sim, mas as flores andam lá pelos altos, boas só para os insetos de asas. Esperem! Há também flores baixas — as violetas do "violetal". E Emília voltou para aquela mata virgem em procura das violetas baixinhas. Encontrou três com os cachos pendidos e as pétalas encostadas no chão.

Foi ali que fez o seu primeiro lanche na vida nova, com o mel tirado das três violetas pendidas — mas o perfume deu-lhe dor de cabeça. Muito forte para ela.

— E água?

Mel causa sede; e água nos jardins, só de manhã, antes que o sol evapore as gotas de orvalho. Mas não há jardim sem torneira de irrigação. Emília tratou de descobrir a torneira daquele. Se tivesse a sorte de a encontrar pingando, o problema da água não era problema.

Para descobrir a torneira tinha de trepar a uma "árvore", do alto da qual pudesse "devassar os horizontes". Emília pôs-se a escolher uma árvore "trepável", isto é, que tivesse os galhos bem pertinho uns dos outros.

O melhor que achou foi um pé de samambaia, e por uma folha trepou até à pontinha. Com facilidade pôde ver a dois metros de distância a calçada, e na parede do palacete uma enormíssima torneira com um tremendo regador embaixo.

— Que regador colossal, meu Deus! — exclamou Emília fazendo cálculos. — Devia ter quarenta vezes a sua altura, equivalente a qualquer coisa de setenta e dois metros de altura para o Coronel Teodorico. Em suas comparações ela se lembrava sempre desse homem famoso no bairro de Dona Benta por causa do tamanho.

Capítulo VI
A família do Major Apolinário

A torneira ficava a cinco palmos do chão, isto é, a cem alturas da Emília. Pareceu-lhe a maior torneira do mundo. "Em geral as torneiras de jardim não ficam bem fechadas, pensou ela, de modo que de vez em quando cai um pingo. Lá, portanto, é provável que eu encontre água."

Emília desceu da folha de samambaia e avançou na direção da calçada. Teve a sorte de ver no chão uma folha de iúca mexicana, que o jardineiro podara na véspera e deixara caída por ali (talvez o "apequenamento" o tivesse colhido durante o trabalho.) Onde andaria o pobre jardineiro? No papo de algum passarinho, com certeza. Emília caminhou muito bem por cima da folha de iúca e assim chegou à beira da calçada sem judiar dos pezinhos na dureza das pedras.

A altura da calçada seria duns vinte centímetros, o que representava vinte alturas da Emília, de modo que ela ficou a olhar para semelhante barreira como se fosse a muralha da China. Que colosso! Como galgar tamanha escarpa? Se fosse formiga, dotada de seis patinhas, nada mais simples; naquele momento duas formigas ruivas subiam pela pedra com a mesma facilidade com que andavam no plano. Mas para um bípede de um centímetro de altura, obstáculos de um palmo são muralhas intransponíveis.

Emília seguiu pela beira inferior da calçada, na esperança de encontrar um "subidor" qualquer. Logo adiante deu com uma imensa "cobra vermelha", que descia da calçada, atravessava o pedregulho e afundava a "cabeça amarela" na grama do canteiro próximo. Emília aproximou-se cautelosamente. Viu que era o cano de borracha do jardim. Parou diante dele. Mediu-o com os olhos. Diâmetro igual a três vezes a sua altura. Se pudesse trepar e caminhar por sobre esse cano, ser-lhe-ia fácil transpor a escarpa e descer no cimento.

Por felicidade, a "cabeça-da-cobra", isto é, o esguicho de metal amarelo, afundava na grama do canteiro. Emília foi para lá, agarrou-se às folhinhas de grama e depois de várias manobras conseguiu trepar sobre a borracha. O resto foi fácil. Seguiu pelo cano até à escarpa, isto é, o ponto em que o cano subia do pedregulho à calçada. Esse trecho íngreme ela o galgou de gatinhas.

Ótimo. Estava outra vez no horizontal, em cima da calçada. Com as mãos na cintura, Emília contemplou a paisagem. Que calçada imensa, Deus do céu! Parecia o deserto do Saara.

Deixando-se escorregar do cano abaixo, encaminhou-se para a torneira. Como era gostoso andar no liso do cimento! Até deu uma corridinha.

Bem debaixo da torneira, olhou para cima. Haveria algum pingo em formação naquelas alturas? Impossível perceber. Súbito, sem aviso, um pingão, *plaft*! pingou em cima dela e esborrachou-a no cimento.

Que banho! Emília ficou atordoada por vários segundos. Nunca supôs que um pingo dágua pesasse tanto.

Erguendo-se, bebeu, à moda dos animais, numa das pocinhas formadas pelos respingos, e aproveitou a ocasião para um banho.

— Que coisa curiosa! — exclamou enquanto se esfregava. — Estou nua e não sinto a menor vergonha. Será que isso de vergonha depende do tamanho das criaturas? Deve ser, porque entre os homens a vergonha era só para os adultos. As criancinhas novas não mostravam vergonha nenhuma nem ninguém se ofendia de vê-las nuas. Aprendi mais essa: *vergonha é coisa que depende do tamanho.*

A torneira ficava perto de uma enorme escadaria de cinco degraus — a escadinha da varanda das trepadeiras. Lá no quarto degrau Emília percebeu viventes. Firmou a vista. Eram dois insetos cor-de-rosa e um preto — insetos desconhecidos e evidentemente descascados. Chegando mais perto, compreendeu tudo.

— Meu Deus do céu! Aquilo é gente!...

Era de fato gente — gentinha como ela — os donos da casa com certeza. O inseto preto seria uma Tia Nastácia de lá — a cozinheira. E Emília teve assim a primeira prova provada de que o apequenamento também havia alcançado outras criaturas.

— Bom. Vou dar uma subida até lá para conversar com aqueles companheiros.

Mas havia escada, com cada degrau vinte vezes a sua altura. Ah, se aparecesse por ali a mutuca!

Emília viu enorme pau caído sobre a escada e compreendeu que era a vassoura. Com certeza a negra estava passando a vassoura na varanda e no momento em que ficou pequenininha a vassoura escorregara escada abaixo e era agora o tal "enorme pau". Felizmente a palha encostava no chão, de modo que Emília pôde subir por ela até equilibrar-se em cima do pau — e lá se foi engatinhando. Ao chegar ao ponto desejado, pulou.

Quando a viram engatinhando por cima do cabo da vassoura, as criaturas do quarto degrau supuseram tratar-se dum mede-palmo; mas mede-palmo não pula, de modo que o pulinho da Emília fez que todas recuassem assustadas.

— Não tenham medo! — disse ela aproximando-se. — Também sou gente. Sou Emília, lá do sítio de Dona Benta, que fiquei pequenininha e ando em exploração pelo mundo.

— É a Emília mesmo, mamãe! — gritou um menino que também andava por ali e só então ela viu. — Conheço os livros que falam dela. A cara é a mesma, o jeito é o mesmo. Só falta a roupinha de xadrez.

— E quem é você? — perguntou Emília.

— Sou o Juquinha. E esta é a Candoca, minha irmã — disse o menino apontando para outra criança.

— E que aconteceu por aqui?

— Não sei. Era de manhã e estávamos na mesa almoçando. De repente, uma panaria sem fim nos enleou e foi um custo para sairmos de dentro. E todas as coisas ficaram enormes — enormíssimas, como a senhora vê. A casa cresceu que não tem mais fim. Nossa roupa evaporou-se, num mistério.

Emília viu que eles não estavam compreendendo a verdadeira situação. Julgavam-se do mesmo tamanho de sempre. As coisas em redor é que haviam crescido.

— Esse senhor quem é, Juquinha? Seu pai?

— Sim, meu pai. E ali está mamãe. A criada é a Tia Febrônia, nossa cozinheira. Papai perdeu a fala coitado, tamanho foi o susto, e mamãe está muito triste com o desaparecimento de vovó.

— Como desapareceu sua avó?

— Desapareceu porque não aparece — explicou Juquinha — Depois que conseguimos nos livrar daquela inundação de pano, reunimo-nos todos embaixo da mesa — menos vovó. Até agora, nem sinal.

Emília compreendeu o caso. A pobre velha não tinha podido safar-se de dentro de suas próprias roupas, e com certeza havia morrido asfixiada. Se o apequenamento foi coisa para a humanidade inteira, então milhões de criaturas deviam ter perecido como a avó daquele menino — pela impossibilidade de saírem de dentro das próprias roupas. Nada mais claro.

— Como se chama sua mãe?

— Nonoca.

Emília dirigiu-se para Dona Nonoca, que estava chorando. Contou-lhe mil coisas, as suas aventuras no jardim, a luta com a aranha, o perigo das aves, o almocinho de mel que havia feito. A mulher chorava, chorava.

— Chorar não adianta, Dona Nonoca. O que temos de fazer é nos adaptar.

Dona Nonoca não entendeu essa palavra tão científica. Emília explicou-se.

— Adaptar-se quer dizer ajeitar-se às situações. Ou fazemos isso, ou levamos a breca. Estamos em pleno mundo biológico, onde o que vale é a força ou a esperteza. A senhora até teve muita sorte de que nenhum passarinho ou gato a visse. Como vieram parar neste degrau?

A pobre mulher contou que depois do desastre eles vieram caminhando até à varanda, para ver como tinha ficado o mundo.

— E estávamos olhando para o nosso velho jardim, transformado nesta mata gigantesca e sem fim, quando um horrível pé-de-vento nos jogou aqui.

Emília achou graça no "horrível pé-de-vento". Havia de ser aquele mesmo ventinho insignificante que a derrubara duas vezes. Conversou o que pôde com a pobre criatura e com o inseto preto. Desejava provar que nada havia crescido, eles é que haviam perdido o tamanho — mas não pôde convencer ninguém.

— Como é que sabe? — disse a negra. — Eu estou vendo tudo grande.

Emília deu todas as razões imagináveis, sem conseguir coisa nenhuma. E diante da certeza da negra e de Dona Nonoca, também ficou na dúvida.

— Será que tudo ficou grande e as criaturas estão do mesmo tamanho de sempre ou tudo está do mesmo tamanho de sempre e fomos nós que diminuímos?

Pensou, pensou, pensou. O problema era dos mais sérios. Tanto podia ser uma coisa como outra — e em ambos os casos a situação das criaturinhas era exatamente a mesma.

Aquele homem era o Major Apolinário da Silva, prefeito da cidade, cidadão muito importante. Estava agora transformado em insetinho descascado e mudo. Emília mediu-lhe a altura. Viu que tinha quatro centímetros. E como fosse muito gordo, dava a ideia duma taturana cor-de-rosa em pé.

Juquinha, o mais esperto da família, mostrava-se contente com a novidade e, ao contrário do pai, falava pelos cotovelos.

Contou que antes da "ventania" ele estivera na varanda espiando a rua pelas grades de ferro do jardim, e muito estranhara não ver movimento nenhum.

— Não passou nenhum automóvel nem carroça, nem nada. Tudo paradíssimo. Um silêncio que nunca vi. *Silêncio de gente,* porque os passarinhos andam mais barulhentos do que nunca. Parece que se mudaram todos para a cidade.

Emília riu-se. Lembrou-se da queda de içás e siriris em outubro, quando milhões de formigas de asas saem dos formigueiros para a festa anual do banho de sol. Nesses dias o assanhamento das galinhas e passarinhos é enorme — e os papos se enchem de arrebentar. O mundo inteiro devia estar agora cheio do assanhamento das aves, diante da inesperada aparição daquela nova espécie de içás.

Emília esclareceu como pôde o caso e deu os conselhos da sua experiência.

— É preciso, primeiro — disse ela — o maior cuidado com os ventos. Qualquer ventinho nos derruba. Segundo: cuidado ainda maior com os passarinhos e as galinhas. Basta dizer que eu estou aqui, nesta terra desconhecida, justamente por causa dum simples pinto sura, que ainda ontem corria de medo de mim. Terceiro: cuidado com os buracos redondos, porque em geral têm moradores dentro e esses moradores se defendem. Em vez de buraquinhos redondos, temos de procurar vãos, fendas e outros abrigos naturais, não feitos por nenhum colega.

— Colega?

— Sim, nossos colegas são agora os bichinhos do chão e do ar. Quarto conselho: cada um que arranje um espinho de cactos, porque se não fosse este aqui — e mostrou a sua lança — eu já estava sugada por uma aranha.

— Mas onde poderemos arranjar essa arma? — quis saber Juquinha.

— Esta encontrei perto do "violetal", no chão. Mas criaturas grandes, como seu pai, sua mãe e a Tia Febrônia, podem usar alfinetes. Não há alfinetes aqui em casa?

Nesse momento um miado de gato assustou Emília. O menino, porém, e a negra fizeram cara alegre.

— É o Manchinha, – disseram os dois ao mesmo tempo.

— Que Manchinha? — perguntou Emília.

— O nosso gato amarelo.

Emília horrorizou-se. Pois então estavam com um gato ali perto e não se escondiam?

— Ele é o que há de manso — disse a boba da Febrônia. — Dormia na minha cama. Fui eu que o criei.

"Oh, estupidez humana!", – pensou Emília. – "Será que esta gente supõe que o gato vai reconhecê-los e continuar bonzinho como era?" Explicou-lhes isso, e aconselhou-os a procurarem refúgio. Mas quem pode com a burrice de certas criaturas? Ninguém acreditou em suas palavras. Riram-se. Até o Major Apolinário riu-se — pela primeira vez depois do apequenamento.

— Você diz isso porque não conhece o Manchinha — observou Dona Nonoca. — Não há no mundo gato mais meigo.

— Mas pega camundongo?

— Isso, pega.

— E gafanhotos?

— Também pega. Ainda ontem andou atrás dum gafanhoto aí no jardim.

— E acha então que ele tem inteligência bastante para nos distinguir dum gafanhoto ou duma barata?

O Major riu-se de novo. Ele ainda estava com a "ideia de gato" própria das gentes que possuíam tamanho. Emília tentou esclarecê-lo. Explicou aquela história da "ideia filha da experiência".

— A "ideia de gato", Senhor Apolinário, vinha da nossa antiga experiência de criaturas tamanhudas em relação aos gatos. Era a ideia dum animal perigoso para ratos, baratas e gafanhotos, mas inofensivo para nós. Agora, porém, temos de reformar essa ideia, como também temos de reformar todas as ideias tamanhudas, como por exemplo, a "ideia de pinto", a "ideia de leão" e tantas outras. E quem não fizer assim está perdido.

O Major não entendeu. Era a burrice era pessoa. Achou aquele sermão com cara de "coisa de livros". Nesse momento o Manchinha miou novamente mais perto.

Emília não quis saber de mais nada. Agarrando as duas crianças correu a esconder-se numa rachadura do cimento.

Foi a conta. A enorme carantonha dum gato gigantesco surgiu à porta da varanda. Miou várias vezes, como quem está aflito em procura dos donos. Depois, aproximou-se, no perigoso andar de gato que enxerga barata.

Que horrível cena! Apesar de durinha de coração, Emília arrepiou-se ao ver o meigo Manchinha, tão saudoso dos seus donos, comer sossegadamente os três insetos descascados que descobriu ali. Mas teve o cuidado de tapar com as mãos os olhos das duas crianças. Juquinha e Candoca nunca vieram a saber do trágico destino de seus pais — vítimas da "lerdeza com que se adaptavam às novas condições de vida", conforme Emília mais tarde explicou ao Visconde.

Capítulo VII
Juquinha conta a sua história

Depois que o gato se foi embora, talvez em procura de mais insetos gostosos como aqueles, Emília pôs-se a refletir muito a sério. Podia sair da toca, mas já estava sem liberdade de ação. De um momento para outro o destino a transformara em mãe de dois órfãos. Juquinha não era nada; até lhe serviria de companheiro — menino taludo, de dois centímetros de altura. Já a Candoca não passava duma criança de três anos e meio, completamenta boba. Teria de andar pela mão de alguém. Que alguém? Juquinha ou ela, a "ama-seca" Emília — que graça!

— Nunca me casei de medo de ter filhos, e afinal me vejo tutora de dois marmanjos — um maior que eu, mas ainda sem juízo, e outro do meu tamanho, mas que só sabe chorar. A encrenca vai ser grande...

Emília sempre teve fama de não possuir coração. Mentira. Tinha sim. Está claro que não era nenhum coração de banana como o de tanta gente. Era um coraçãozinho sério, que "pensava que nem uma cabeça". Podendo deixar ali as duas crianças, já que a situação do mundo era a de um geral "salve-se quem puder", não as deixou. Heroicamente resolveu salvá-las.

"Bem. E agora?", pensou lá por dentro logo depois de passado o perigo. "Sozinha, eu ia me arrumando muito bem. Mas tudo mudou. As duas crianças me obrigam a estudar a defesa. Que defesa devo adotar? Evidentemente, o disfarce. Não me resta outro caminho senão essa forma de mentira. Tenho de disfarçar-me em bicho-folhagem ou qualquer coisa assim — e tenho também de disfarçar estas crianças."

A ideia do bicho-folhagem foi sugerida pela lembrança de uma velha história de Tia Nastácia. Para livrar-se da onça, o macaco besuntou-se de mel e rolou num monte de folhas secas, desse modo transformando-se em bicho-folhagem e enganando a onça. Emília tinha de inventar qualquer coisa assim.

— Juquinha — disse ela voltando-se para o menino —, saiba que seus pais se mudaram para um país muito distante e deixaram vocês entregues aos meus cuidados.

— Para onde foram?

Emília demorou na resposta. Estava pensando. Isso de falar a verdade nem sempre dá certo. Muitas vezes a coisa boa é a mentira. "Se a mentira fizer menos mal do que a verdade, viva a mentira!" Era uma das ideias emilianas. "Os adultos não querem que as crianças mintam, e no entanto passam a vida mentindo de todas as maneiras — para o bem. Há a mentira para o bem, que é boa; e há a mentira para o mal, que é ruim. Logo, isso de mentira depende. Se é para o bem, viva a mentira! Se é para o mal, morra a mentira! E se a verdade é para o bem, viva a verdade! Mas se é para o mal, morra a verdade! Juquinha quer saber para onde os pais foram. Se eu disser a verdade, ele se desespera, chora, e fica uma 'inutilidade de olho vermelho e ranho no nariz' atrás de mim. Logo não devo contar a verdade. Poderei inventar uma mentirinha benéfica. Dizer, por exemplo, uma coisa que ele não compreenda bem, mas que o sossegue." E respondeu:

— Seus pais, Juquinha, foram obrigados a mudar-se para a Papolândia.

— Onde é isso?

— É uma terra em toda parte, onde só há papapospos. É a terra dos papapupudospos que voam, ou andam pelo chão miando como gato. E sabe o que é papapopo? É uma espécie de colo. Antigamente as mães punham os filhinhos no colo; hoje os papapupudospos põem todo mundo no papapopo.

— E é bom lugar esse papapopo?

— Ótimo. Quentinho como cama. Quem adormece nesse colo gosta tanto que não acorda mais.

A explicação deixou Juquinha na mesma, mas o sossegou. Sentia muito que seus pais fossem dormir um sono tão comprido numa terra tão esquisita; mas se era no quente, então bem. A expressão "quentinho como cama" agradou ao menino, que estava nu e com frio.

— Não sei o que aconteceu com a nossa roupa, disse ele. — Eu estava com o meu capote vermelho, de boné na cabeça, pronto para sair com a Tia Febrônia depois do almoço. De repente, tudo se sumiu diante de mim. Uma escuridão! Fiquei caído no meio de panos. Veio a falta de fôlego. Comecei a me debater e engatinhar para sair dali.

— Dali de onde?

— Daquela panaria escura.

— Sair e ir para onde?

— Não sei. Eu queria sair, sair — e fui saindo sempre engatinhando.

— Por que sempre engatinhando?

— Porque não podia ficar de pé. O pano não deixava.

— E depois?

— Fui indo, fui indo, até que rolei para um enorme buraco que já não era de pano. Parecia de couro. Escuro como a noite lá dentro. Felizmente vi uma luz. Era um buraquinho claro naquele buracão escuro. Encaminhei-me para lá e saí.

— E que viu?

— Vi este mundo de agora. Tudo tão grande que a gente nem reconhece as coisas. De repente, olhei; mamãe ia saindo de gatinhas de outro enorme monte de pano. E dum terceiro monte de pano, adiante, vi sair papai. Corri para eles. Estavam tão assustados que nem podiam falar. Mamãe afinal falou; papai nunca mais. Ficou totalmente mudo. Vovó, coitada, sumiu. A Zulmira também. Vi o chão forrado de pelos enormes; andar por ali era o mesmo que andar por um capinzal cerrado. Pelos vermelhos e azuis e pretos.

Emília percebeu que Juquinha estava se referindo ao tapete da sala de jantar.

— E a Candoca? — perguntou.

— A Candoca ia tomar banho naquele momento. A Zulmira já tinha tirado o vestidinho dela...

Emília horrorizou-se. Se a pequena já estivesse no banho quando sobreveio a "redução" teria morrido afogada. E pensou nos milhões de criaturas que pelo mundo a fora deviam naquele momento estar no banho e fatalmente morreram afogadas.

— Quem era a Zulmira?

— A ama de Candoca.

Um ponto da história do Juquinha Emília não compreendeu — o tal buracão escuro em que ele havia caído ao escapar da montanha de pano. Mas desconfiou duma coisa.

— Você estava calçado, Juquinha?

— Estava, sim, com os meus sapatos amarelos. E ia sair com a Febrônia justamente para comprar uns sapatos novos. O do pé direito estava furado no dedão.

Emília riu-se.

— Compreendo agora, Juquinha. O tal buraco enorme em que você caiu foi o pé direito daqueles sapatos velhos, o "buraquinho do buracão" era o furo do dedão.

O menino ficou pensativo, de rugas na testa. "Quem sabe se foi mesmo?"

A Candoca principiou a choramingar de frio. Aquele cimento da escada não era bom berço. O choro da criança fez que Emília voltasse à ideia do bicho-folhagem. Tinha de descobrir qualquer coisa com que vestir-se e vestir os órfãos. Pano?... Impossível. Pano até que havia muito, por toda parte montanhas de pano; mas pano pede tesoura e agulha, e se acaso ela possuísse uma tesoura e uma agulha seriam proporcionais ao seu tamanho e tão pequenininhas que não cortaria nem coseria nenhum dos grossos panos existentes no mundo.

Mas há uma coisa que pode substituir o pano: o algodão com que se fazem os panos. Se ela encontrasse um pouco de algodão, estariam resolvidos dois grandes problemas: o do vestuário e o da defesa.

— É isso! Vou disfarçar-me em chumaço de algodão e fazer o mesmo às crianças. Chumacinhos de algodão valem pela melhor roupa e podem rolar à vontade pelo mundo, sem atrair a atenção de gatos, pintos ou passarinhos. Que bicho come algodão? Nenhum. Logo, o problema agora é descobrir um chumaço de algodão.

E voltando-se para o Juquinha:

— Lá dentro de sua casa não haverá algodão?

— Algodão?

— Sim, desse de botar em cova de dente ou no ouvido, quando há dor de ouvido.

— Há, sim. Na estante dos remédios do quarto de mamãe há um pacote azul.

— Ótimo. Fique sabendo que a grande coisa para nós três agora é irmos até lá e apanharmos um pouco desse algodão.

— A senhora está com dor de ouvido? — perguntou o bobinho.

Emília riu-se.

— Não, meu amor. Estou com dor de papapopo e o remédio é algodão.

— Que tanto papapopo a senhora fala?

Emília riu-se de novo.

— Juquinha, Juquinha. Papapopo era uma coisa que antigamente não preocupava a ninguém. Mas agora o papapopo é tudo. O grande perigo da humanidade nova, meu amor, é o Senhor Dom Papapopo. Saiba disso.

O menino não entendia. Quis explicações. Ela tapeou.

— O Senhor Dom Papapopo, Juquinha, deve ser filho daquele Papão que outrora assustava as crianças. O tal Papão, porém, era mentira. Nunca existiu. Começou a existir desde que alguém mexeu na Chave do Tamanho. Está entendendo? Desde esse instante o Papapopo, ou o Senhor Dom Papão — pois tudo é a mesma coisa — apareceu no mundo e anda por toda parte nos rondando. Felizmente eu não sou boba. Percebo as coisas muito bem. Penso em tudo e "adapto-me", como diz o Visconde. Por isso estou certa de que o grande remédio contra o Papão é o Algodão. Juquinha amigo toca a procurar o Senhor Dom Algodão por causa do Senhor Dom Papão.

Juquinha ficou na mesma e Candoca pôs-se a berrar.

— Vamos! — disse Emília, dando a mão à manhosa e saindo da fresta.

Capítulo VIII
A TRAVESSIA DAS SALAS

Para chegar à varanda tinham de subir o último degrau da escada. Por onde? Pelo único caminho existente, o pau da vassoura. Como? Muito bem. Juquinha a ergueria nos ombros e a poria lá. Depois, lá de cima, ela ajudaria Juquinha a subir, dando-lhe a mão. "Não! Isso não serve. Posso escorregar e cair. O melhor é eu ir sozinha engatinhando pelo pau até a varanda, e ver se lá existe alguma corda. Se houver corda, Juquinha subirá por ela — e em seguida a Candoca. Está certo."

Depois de bem planejada a subida, explicou tudo ao menino e deram começo à realização da ideia. Juquinha, menino forte, ergueu-a facilmente ao ombro e empurrou-a para cima do cabo da vassoura.

— Muito bem — disse Emília lá do alto. — Agora eu subo até a varanda em procura de corda, e você me espera aí com a Candoca — e pôs-se a engatinhar pelo cabo da vassoura acima. Chegando ao nível da varanda, pulou.

Encontrou lá um montinho de lixo da manhã. Emília compreendeu que a criada estava no meio da varrição quando ficou reduzida — e a vassoura escorregou pela escada. Nesses ciscos de casa de família, "corda" é coisa que não falta nunca. Emília encontrou vários pedaços de fios de linha, bons para o fim desejado. Arrastou um deles até à quina do degrau e gritou para o menino lá embaixo:

— Achei uma corda ótima. Vou jogar a ponta. Faça uma laçada e passe-a pela cintura da Candoca. Depois suba pela corda acima como os marinheiros sobem pelo cordame dos navios. Mas antes de jogar a corda tenho de amarrar a outra ponta em alguma coisa aqui. Espere.

Emília olhou em torno. Onde amarrar a ponta da "corda"? O chão da varanda era de ladrilhos, sem felpa nenhuma ou prego. Emília foi examinar a soleira da porta, que era de madeira. Descobriu uma excelente lasquinha, ajeitadíssima para o caso, mas inútil, porque ficava a três centímetros de altura. Inútil? Com um pau ela poderia enfiar lá uma laçada feita na ponta da "corda". Só restava achar o pau.

Emília voltou para o montinho de cisco. Que riqueza de materiais! Havia tudo ali. "Cordinhas", paus, pedras, fiapos de pano e rolos de "penugem de cisco".

O pau encontrado foi uma palhinha da vassoura. Emília enfiou a laçada num gancho da palhinha e ergueu-a até à lasca.

— Ótimo! A laçada cerrou e não escapa.

Depois jogou a ponta da "corda" pelo degrau abaixo.

— Pronto, Juquinha. Deixe a Candoca amarrada e suba. Aqui de cima nós dois suspenderemos essa manhosa.

E assim foi feito. O menino subiu com a maior facilidade, porque era mestre em trepar em árvores. Em seguida os dois juntos suspenderam a Candoca. Aí é que ela chorou de verdade, aos berros, como se fosse o fim do mundo. "É natural", pensou Emília fazendo a conta. "Este degrau tem quinze vezes a alturinha dela; corresponde, pois, a uma altura de vinte e sete metros para o Coronel Teodorico. Até ele, um homenzarrão, era capaz de chorar se alguém o suspendesse vinte e sete metros na ponta de uma corda."

Muito bem. Lá estavam os três na varanda. Tinham agora de entrar na casa, o que foi fácil, porque a soleira da porta era apenas de cinco centímetros de altura e havia aquele precioso cisco para ajudá-los. Emília e o menino tomaram duas palhinhas de vassoura de igual comprimento, quebraram outra mais fina em pedaços iguais e amarraram esses pedaços nas duas palhinhas — e lá subiram pela escada feita. A Candoca resistiu. Não queria subir. Estava com medo e a chorar que nem um bezerro. O remédio foi repetirem a operação anterior. Passaram-lhe a corda sob os braços e suspenderam-na à força.

Lá dentro da casa Emília admirou a imensidão de tudo. No assoalho viu um tapete verde-cana com ramagens cor-de-rosa. Tinha meio centímetro de espessura — metade da altura dela!

— Este tapete está me parecendo um pasto de capim-catingueiro florescido que os bois ainda não amassaram.

Como fosse impossível atravessar a sala por cima do tapete, tiveram de dar volta junto ao rodapé. Em certo ponto viram um enorme balde vermelho: o dedal de celuloide da Zulmira, caído por ali.

— Ótimo! — exclamou Emília. — Vamos deixar a Candoca guardadinha neste "balde", enquanto procuramos o algodão. Esta manhosa só serve para nos atrapalhar.

A Candoca foi sentada à força dentro do dedal e lá ficou chorando, enquanto Emília e Juquinha continuavam a viagem pela beira do rodapé. Em certo ponto encontraram uma pulga dormindo. Que tamanho! Era como um leitão para um homem comum. Juquinha pregou-lhe um pontapé. A pulga arregalou os olhos, assustada, e deu um pulo gigantesco. Logo adiante viram uma traça, dessas que parecem semente de abóbora e caminham com a cabecinha de fora, arrastando a "casa". Pararam para ver bem.

— Estes bichinhos aprenderam o sistema, com os caramujos — disse Emília. — Com eles não há isso de "ir para casa" porque a casa anda com eles.

Notou que a casa da traça era feita de pedacinhos de lã, cortados do tapete e ligados entre si dum modo especial. Emília quis fazer uma experiência.

— Será que se eu trepar em cima ela continua andando? — e trepou.

A traça, porém, encolheu a cabeça, como faz a tartaruga, e ficou imóvel. Emília desceu.

— Não presta. Isto não dá cavalo.

E contou ao Juquinha as suas proezas com o mede-palmo, com o caramujo, com o besouro de pintas amarelas e a mutuca.

O menino ficou radiante à ideia de montar num besouro.

— Muito melhor que os cavalos — disse ele — porque os besouros voam.

— Antigamente os cavalos também voavam — disse Emília.

— Quando? Nunca ouvi falar nisso.

— Na Grécia houve um tal Pégaso que voava maravilhosamente. O Walt Disney pintou o retrato dele, da Pégasa e dos Pegasosinhos, naquela fita *Fantasia*. Não viu?

— Eu bem quis ver, mas papai não deixou. Disse que era muito caro.

— "Pão duro!" Por isso mesmo está "empapado".

— Quê?

— Está dormindo na Papolândia — atrapalhou Emília. — Mas depois da Grécia os cavalos perderam as asas, como as içás quando enjoam de voar e descem. Já agora podemos ter quantos Pégasos quisermos. Podemos montar em besouros, em borboletas, e até em libelinhas. Imaginem que gosto, voarmos montados na velocidade incrível das libelinhas!

E assim, na prosa, chegaram ao quarto de Dona Nonoca.

Lá estava a estante dos remédios, imensa, com caixas de pílulas e vidros. Também lá estava o pacote azul do algodão com um chumaço aparecendo. Mas muito alto — na segunda prateleira.

— O algodão está encimíssimo — observou Emília. — Está como papagaio de papel enganchado no fio telefônico. Como derrubar aquilo?

O jeito era esse: derrubar. Pacotes de algodão pesam pouco. Se conseguissem alcançá-lo com uma vara... Mas que é da vara?

Emília espiou entre a estante e a parede.

— Achei! Achei! Há aqui um vão escuro, cheio de velhas teias de aranha pelas quais podemos subir.

— E a aranha? — perguntou o menino.

— Não vejo nenhuma. É teia velha, e estes fios aguentam perfeitamente o meu peso — disse Emília experimentando. — Não há como não ter peso nem tamanho. Tudo vira fácil — e foi subindo.

Juquinha de nariz para o ar, acompanhava a manobra.

— A estante tem forro — disse ele. — Quero ver como a senhora passa.

— O forro é de pinho — respondeu Emília. — As tábuas de pinho às vezes têm nós que caem e deixam um buraco. Estou rezando para que este forro seja de tábua de pinho com buraco de nó. Se não houver passagem, paciência. Descerei e procurarei outro meio.

Capítulo IX
A ESTANTE DOS REMÉDIOS

A estante dos remédios era das pequenas, como em geral as estantes de remédios, de modo que a segunda prateleira ficava a apenas dois palmos do chão. Mesmo assim, para criaturinhas daquele tamanho a altura de dois palmos era o mesmo que um sobrado. Emília, entretanto, foi subindo. Encontrou vários cadáveres secos de moscas, borboletinhas, traças e até o de um vaga-lume dos menores.

— Já sei por que a aranha desta teia não está aqui — disse ela consigo. — Sugou este vaga-lume e morreu envenenada. Aquela luzinha dos vaga-lumes é fósforo — um veneno terrível.

A sua hipótese do buraco do nó de pinho acertou. Lá estava um e bem na altura da segunda prateleira. Emília deu jeito, passou-se da teia para o buraco e com um pulinho saltou na prateleira. Caiu bem em cima duma roda de carro, branca como leite. Era um comprimido de Fontol.

— Xi, meu Deus! Isto por cá é uma verdadeira floresta de remédios. Vidrões que não acabam mais. E enormes caixas de unguentos. Gigantescos papeizinhos de pós. E até um vidrão de iodo.

Diante do vidro de iodo parou e olhou. A rolha de cortiça, devorada pela droga, estava no chão.

— Bem boba a gente desta casa — refletiu Emília. — Não sabem duma coisa tão à toa — que iodo tem ódio às tampas de cortiça. Quer tampa de borracha ou vidro, como a do vidro de iodo de Dona Benta.

Foi varando por entre a floresta de remédios até que avistou um pacote de algodão. Enorme! Teria umas dez vezes a sua altura. Fez força para empurrá-lo, mas o monstro nem sequer se moveu.

Chegando à beira da tábua, gritou para o menino lá embaixo:

— Minha força não dá, Juquinha. Temos de experimentar um jeito. Há aqui um fio de gaze. Vou amarrar a ponta no pacote azul para que você puxe aí de baixo.

E assim fez. Juquinha puxou. O pacote azul foi cedendo, cedendo, até que, *plaf*! caiu.

— Hurra! — exclamou Emília radiante—e tratou de descer pelo mesmo caminho.

A teia estava muito velha e empoeirada, de modo que ela se sujou toda e até apanhou um cisquinho no olho.

— Assopre — disse logo que desceu, arregalando o olho para o menino.

Juquinha assoprou — e parece que deu certo, porque Emília não se lembrou mais do olho. Só pensou em ir puxando uma por uma as fibras do algodão para enrolá-las em redor do corpo. Em poucos minutos transformou-se num verdadeiro casulo. Depois ajudou Juquinha a fazer o mesmo.

— Que ótimo! — exclamou. — Estamos quentinhos aqui dentro, e tão bem disfarçados em chumaço que bicho nenhum irá preocupar-se conosco. Um gato nos vê e nem liga. "É algodão", pensa lá com os seus bigodes. Um pinto nos vê e passa de largo. Um tico-tico nos vê e vai saindo.

— Mas o primeiro beija-flor que encontrarmos nos leva no bico — lembrou Juquinha. — Já vi lá no jardim. É com painas e algodões que eles fazem os ninhos.

Emília desfiou mais um chumaço de fibras para a Candoca e pronto. Podiam voltar.

A meio caminho encontraram uma aranha dessas de pernas compridíssimas e que não mordem gente — só enrolam moscas no fio. Aquela estava justamente ocupada nisso. Uma pobre mosca ficara presa à teia e a aranha estava a enrolá-la. Os dois pararam para admirar a perfeição do serviço. As longas pernas da aranha tinham uma agilidade incrível no manejo da teia, e com grande rapidez deixaram a mosca sem movimento nenhum, transformada em novelo.

— Como estes bichinhos sabem arrumar-se num mundo tão grande! — murmurou Emília — cada qual descobre um jeito. Por isso tenho tanta fé na humanidade futura, isto é, na humanidade de daqui por diante — a humanidade pequenina. Com a nossa inteligência, poderemos operar maravilhas ainda maiores que as dos insetos.

— Mas eles sabem e nós não sabemos — disse Juquinha.

— Também saberemos. Sabem porque foram aprendendo. Nós também aprenderemos, por que não? A professora é uma velha feroz, que não perdoa aos lerdos e preguiçosos. Chama-se Dona Seleção.

— Quem é? — perguntou Juquinha, que não entendia nada de ciência.

— É a Papuda-Mor — respondeu Emília rindo-se.

Capítulo X
O FORD ESCANGALHADO

Encontraram a Candoca no chorinho de sempre. Emília teve uma ideia.

— Quem sabe se é fome? Ela já havia almoçado quando diminuiu?

Juquinha disse que não.

— Foi no começo do almoço que a "coisa" veio. Lembro-me bem. Eu tinha fisgado uma batata. Abri a boca. A batata ainda estava no meio do caminho quando, pronto! Não vi mais nada. Só aquela escuridão dentro da panaria.

— Pois há de ser isso. O choro da Candoca é fome — resolveu Emília. — No chão da sala de jantar deve haver comida. Vamos para lá.

Foram. Que mesa imensa! Ficava a oitenta centímetros do chão — oitenta vezes a alturinha dela. O mesmo que um arranha-céu de trinta andares para o Coronel Teodorico. Lá em cima devia haver comida para todos os habitantes duma cidade — mas que adianta comida em um "telhado de arranha-céu?" O importante era o que houvesse caído no assoalho — algum grãozinho de arroz, ou de farinha, ou isca de pão.

Olharam. Perto da mesa viram uma grande bola amarela. Juquinha imediatamente a reconheceu.

— A minha batata! Juro que é a minha batata. Mas como ficou enorme! Naquele momento o garfo caiu da minha mão e ela escapou e rolou. É isso.

Encaminharam-se para lá. Era uma batata frita, coisa que outrora qualquer criança mastigaria com a maior facilidade. Para eles, porém, a casquinha exterior, endurecida na frigideira, pareceu rija como casca de laranja. Felizmente havia os quatro furos abertos pelo garfo. Juquinha enfiou a mão num deles e agarrou lá dentro o que pôde. Deu um punhado de massa para a Emília e outro para a Candoca. A menina comeu com voracidade. Coitadinha! Sua manha era de fato fome e frio. Com a quentura do algodão e aquele almoço de batata, sossegou.

— Muito bem — disse Emília — temos agora de dar um passeio pela cidade a fim de ver o que aconteceu.

— E depois?

— Depois iremos procurar casa, isto é, algum buraquinho ou vão de tijolo onde possamos morar.

— Toda a vida?

— Então? Nossa vida agora é esta. Eu sempre morei num lugar lindo lá no sítio de Dona Benta.

— Sei. Li as histórias.

— Pois é. Sempre morei lá. Mas estava numa grande viagem quando a "coisa" aconteceu; e virei, mexi e vim parar nesta cidade que não sei qual é. Como se chama esta cidade?

— Isto aqui é Itaoca.

— Itaoca? — repetiu Emília, surpresa. — Então é aquela vilazinha que ficava a menos de meia légua do sítio de Dona Benta?

— Pois é.

— Ora que graça! Pensei que estivesse no fim do mundo. A vila de Itaoca eu conheço muito bem. Já andei por aqui muitas vezes.

— Meu pai era o prefeito municipal desta cidade — disse Juquinha. — Tomava conta das ruas, mandava capinar o mato das calçadas. Ele tinha um cavalo muito bonito — o Pangaré — e só o ano passado comprou automóvel — um Ford. Quando será que papai volta? É longe a papolândia?

Emília teve dó do Juquinha. Nunca mais iria ver o pai, nem a mãe, nem a Zulmira, nem a Febrônia, nem o Ford.

— Tudo é longe agora, Juquinha. Até o sítio de Dona Benta, que era pertíssimo virou lonjura sem fim. Meia légua! Meia légua antigamente era meia légua. Hoje meia légua é um abismo de lonjura. Meia légua tem três mil metros. Para caminhar essa distância os homens davam cinco ou seis mil passos. Hoje, sabe quantos passos eu tenho de dar para fazer meia légua? — e fez a conta de cabeça. Nada menos de um milhão e duzentos mil passos!

— E se for montada num besouro?

— Ah, então ficará perto. Mas antes disso temos de descobrir a "dirigibilidade dos besouros", senão a gente monta num e vai parar onde ele quer e não onde a gente quer.

E assim, nessa conversa, chegaram à porta da varanda. A menina, já sossegada, ia pela mão da Emília. Lá encontraram a escadinha de palha da vassoura e por ela desceram. Para descer os cinco degraus da escada de cimento tiveram de recorrer a vários fios de linha emendados. Quando se viu de novo pendurada naquela corda, a Candoca pôs a boca no mundo.

Desceram. Na calçada dirigiram-se ao cano de borracha, por cima do qual foram ter ao pedregulho do jardim. Juquinha estranhou o "horror" daquele chão.

— É incrível que houvesse tanta pedra aqui e eu nunca percebesse. Quantas vezes não brinquei neste jardim! Corria pelas ruas todas e nunca vi pedras, e agora só há pedras e mais pedras.

Emília lembrou-se dos sofrimentos de seus pezinhos nas "irregularidades daquele solo" e propôs que se calçassem.

— Com sapatinhos de algodão. Quer ver? — E sentando-se tomou um pouco de algodão do seu chumaço e nele enrolou os pés, encastoando-se muito bem. Fez o mesmo nos pés da Candoca e do Juquinha.

Foi um regalo. Puderam caminhar muito bem e sem que a todo momento estivessem a dar topadas ou arranhar-se no "corte de vidro" daquelas "pedras de areia". E assim chegaram até ao portão de ferro do jardim. Passaram por baixo e pronto. Era a rua.

Que rua enorme! O outro lado ficava a vinte metros dali, ou duas mil vezes a alturinha da Emília. As casas pareciam arranha-céus infinitos, com os telhados nas nuvens — e o comprimento da rua também não tinha fim. "Perde-se no horizonte" — pensou Emília.

Foram andando pela calçada. De distância em distância viam uma montanha de pano.

Emília explicava tudo.

— Cada montanha de pano corresponde a um homem, a uma mulher ou a uma criança que estava na rua no momento da "redução". Os donos das roupas foram soterrados por elas; os mais felizes conseguiram sair de dentro, como nós, mas muitíssimos não puderam e devem estar mais que mortos. E há ainda os que ao saírem tombaram nos buracões de couro — as botinas. Quem caiu em buraco de sapato raso, ainda pôde sair. Mas os que caíram em buracos de botas? Esses ainda estão lá dentro, como sentenciados em calabouços.

A uma grande distância do portão viram uma enormíssima montanha de ferro escangalhado junto à parede dum "aranha-céu".

— Um automóvel — explicou Emília. — Todos os automóveis que estavam em movimento na hora da "redução" foram para o beleléu. Perderam o governo, esborracharam-se de encontro às casas. O mesmo deve ter acontecido a todos os aviões nos ares, e a todos os trens em marcha e a todos os navios no mar. Tudo levou a breca.

Juquinha achou que aquele automóvel podia ser o Ford de seu pai — mas como saber?

— Pelo número. Que número tinha o carro de seu pai?

— Era o sete.

Emília deu volta ao carro para descobrir o número. Lá estava ele, em cima, enorme. Foi preciso afastar-se a boa distância para lê-lo.

— Sete, sim, Juquinha. O carro de seu pai era este.

— E onde andará o chofer, o Totó?

— Com certeza está aí dentro. Com as portas fechadas, como poderia ter saído?

Juquinha quase chorou. Queria salvar o Totó, que era muito seu amigo, mas como?

— Impossível — resolveu Emília. — Um automóvel fechado é a coisa mais fechada que existe no mundo. Nem chuva entra. O Totó, se ainda está vivo, que aproveite o resto da vida que tem, porque daí ninguém o tira. Vamos embora.

Juquinha ainda ficou parado alguns instantes, de nariz para o ar, vendo se havia um jeito. Não havia. Suspirou.

E lá continuaram a subir a rua imensa. Havia ainda muitos passarinhos por ali — para eles aves gigantescas, verdadeiros pássaros Rocas. Embora já tivessem comido muitos "insetos descascados", aqueles passarinhos andavam à procura de mais. Nenhum deles, porém, deu atenção aos "algodõezinhos moventes".

— Eu não disse? — observou Emília. — O algodão é a melhor defesa contra o frio e contra as aves e gatos.

— Mas há os beija-flores — tornou o menino. – Se algum nos enxergar, leva-nos para o seu ninho.

— Antes ninho do que papo. Se eu for levada a um ninho de beijaflor, até gosto, porque dormirei uma noite regalada.

Emília deu a Juquinha uma lição sobre a vida nova.

— Muitos daqueles perigos de antigamente pouco valem agora — disse ela. — Leões, tigres, crocodilos, jiboias — nenhuma dessas feras, que tanto apavoravam os homens, constitui perigo hoje. O perigo para a humanidade de hoje, meu caro, é a galinha, é o pinto, é o pardal, é a passarinhada toda que gosta de insetos. E as aves têm uns olhos tremendos para enxergar. O pinto sura me percebeu longe. Outro perigo muito sério é o gato. Cachorro, não; mas gato — ah, malditos gatos, comedores de baratas e gafanhotos! E eles judiam da presa antes de matá-la.

— O Manchinha era assim — lembrou o menino. — Não perdoava barata nenhuma. E judiava delas.

— Pois é. Hoje qualquer gato vagabundo come um rei, um general, um sábio, um prefeito, com a mesma facilidade com que antigamente o Manchinha comia baratas. Temos, pois, de nos defender.

— Mas como, assim pequeninos?

— Com a inteligência ou a astúcia, como fazem tantos insetos deste mundo. O Visconde já me explicou isso muito bem. Uma das melhores defesas, por exemplo, se chama mimetismo.

— Mime o quê?

— Tismo. Mi-me-tis-mo. Quer dizer imitação. Uns imitam a cor dos lugares onde moram. Se moram em pedra, imitam a cor da pedra. Se moram na grama, como os gafanhotos, imitam a cor da grama. Por quê? Porque desse modo os inimigos os confundem com a grama. E há os que imitam a forma das folhas das árvores ou dos galhinhos secos.

— Eu já vi um desses — lembrou Juquinha. — O Totó apareceu lá em casa com um galhinho seco na mão. "Que é isto?" me perguntou. Eu olhei e respondi: "É um galhinho seco." Totó riu-se e largou o galhinho no chão — e sabe o que aconteceu? O galhinho começou a andar! Era um bicho pernudo, cascudo, que imitava galho seco.

— Pois é. Estava "mimetando" um galho seco. Mimetismo é isso. Não conhece aquelas borboletas carijós que se sentam nas árvores musguentas e ficam ali quietinhas, tal qual um desses musgos cinzentos? Musgos, não. Líquen. Líquen! O Visconde não quer que a gente confunda musgo com líquen. Decore.

— Sei. No nosso pomar vi muitas.

— Pois é isso. Esses fingimentos são as armas de tais insetos. É a defesa do fraco contra o forte — mas do fraco esperto! A borboleta carijó, por exemplo, não é capaz de sentar-se com as asas erguidas, como mãos postas de quem está rezando. Só se senta de asas bem abertas e coladas à casca da árvore, para melhor se confundir com os liquens. Li-quens. Repita.

— Li-quens — repetiu Juquinha. — E quem ensina os insetos a fazer isso?

— Ah, isso é o problema que mais tem quebrado a cabeça do Visconde. Mistérios deste mundo de mistérios, diz ele. O que sei é que os bichinhos vão aprendendo e passando a ciência aos filhos. E os que não fazem isso, vão para o beleléu. Nós três estamos usando um recurso do mimetismo. Estamos usando o processo do "chumacismo". Estamos fingindo ser o que não somos.

— E se der vento?

— Até nisso o algodão é bom. Se der vento, o vento nos leva, como leva as painas — e vamos cair lá adiante. Fica sendo um novo meio de viajar.

Chegaram diante dum terreno em aberto e com mato. Pareceu-lhe uma imensa floresta. Emília levou-os para baixo das "árvores" e mostrou-lhes muita coisa que já havia aprendido na touceira de hortênsia e no "violetal". A Candoca rompeu em choro, não mais de fome ou frio, sim de medo. Os monstros que via por ali assustavam-na dum modo incrível — grilos, caramujos, aranhas, lagartas. Por mais que Emília a sossegasse dizendo não haver perigo porque os monstros não comiam chumaços, ela não fechava a torneira. Em certo momento ficou tão apavorada com uma lesma do tamanho duma baleia que instintivamente escapou da mão de Emília e atirou-se a um buraco redondo que viu perto.

Ah, por que foi fazer aquilo! Uma "paquinha" veio lá do fundo, furiosa, com uma carantonha ferocíssima. Juquinha conhecia esses grilos terríveis, que mordem, e arrancou a menina de lá.

— O que valeu — disse Emília, segurando-a de novo pela mão — foi que a paquinha estranhou o chumaço. Nunca viu "bicho-algodão". Veio da boca arreganhada para morder, mas vacilou. Vi muito bem. Isso é bom para vocês aprenderem o perigo que há nos buracos redondos. Buraco redondo quer dizer buraco feito, e quase todo buraco feito tem sempre dono dentro ou perto. E esses donos se defendem. Muito mais seguro é um vão ou fresta, porque não são abrigos feitos por bichos. São abrigos "acontecidos". Um tijolo ou um pedaço de telha ou pau cai de certo jeito e "acontece" ficar um vão. É o abrigo que devemos procurar. Mas buraco redondo, nunca!

Candoca tremia de medo. Quis sair dali, voltar para a rua.

— Espere, menina. Já vamos. Estou dando uma lição de vida nova, porque a vida agora é esta. Acabou-se o tal negócio de casa e quarto com cama, e a Zulmira com a mamadeira, e a mamãe com o colo. Agora é ali na batata! Ou cuida de si mesma ou leva a breca. Aprenda.

Juquinha compreendia depressa as exigências da vida nova, mas só pensava numa coisa: encontrar um besouro para montar. Não tinha medo nenhum de besouro — nunca tivera. Considerava-os perfeitamente inofensivos e bobos.

Afinal saíram da floresta e foram outra vez para o cimento da calçada. E lá, em vez de besouro, sabem o que apareceu? Um beija-flor. Estava zunindo em cima dum enorme pé de malmequer amarelo. Ao ver aqueles chumaços, lembrou-se do ninho em construção. Desceu como uma flecha e zás! levou a Emília pelos ares.

Candoca rompeu num choro apavorado, enquanto Juquinha arregalava os olhos, sem saber o que fazer.

Capítulo XI
NO NINHO DO BEIJA-FLOR

O passeio de Emília pelos ares foi curto, porque todas as distâncias ficam curtas para a rapidez dos beija-flores. Aquele estava justamente acabando de construir o seu ninho num buraco da estrada, à beira da vila. Chegou lá, soltou o algodão e ajeitou-o com o bico em certo ponto do ninho. Depois afastou-se. Ia com certeza buscar os outros chumaços.

Emília botou a cabecinha de fora e espiou. Um ninho enorme de diâmetro igual a cinco vezes a sua altura. Ovo não havia nenhum. Só paina de todos os lados. Emília estava a pensar no que fazer quando ouviu um barulho. Era o imenso beija-flor que voltava com outro chumaço no bico — o Juquinha. Na terceira viagem trouxe a Candoca. Emília admirou-se de vê-la calada, mas aquele silêncio vinha dum aviso do Juquinha. "Se você continua a chorar, estes monstros descobrem o nosso mimetismo e adeus, Candoca!" Ela compreendera e calara-se.

O lindo colibri arrumou do melhor jeito os dois algodões e acomodou-se no ninho. Era tarde já, hora das aves se recolherem. Emília ficou quietinha pensando. Não lhe passou pela cabeça falar com os companheiros. Muito distantes dela, além de que o beija-flor podia perceber. Tratou de acomodar-se como melhor pôde e dormir. E dormiu a mais agradável noite de sua vida. Que deliciosa quenturinha!

Teve um sonho. Estava no sítio, escondida com Tia Nastácia no canudo de bambu. Nisto Dona Benta apareceu montada numa taturana. "Que é que procura, Dona Benta?" "O meu tamanho", foi a resposta. "Um ladrão entrou aqui na casa e me roubou o tamanho" E o sonho ia por aí além.

Quando Emília abriu os olhos, já era madrugada. O primeiro canto de passarinho que ouviu foi o duma corruíra. "Parece um colar de bolinhas borbulhadas, pensou ela consigo. O segundo canto foi o dum casal de joão-de-barro, gritadíssimo, como "briga de dois ecos". Depois, o dum sabiá; "parecia um pingão d'água sonora caindo dentro duma cuia". Depois, o dos canários, tico-ticos, saíras, pintassilgos, anus, bem-te-vis etc. — uma verdadeira orquestra sem maestro, em que cada músico toca o seu instrumento sem se importar com o vizinho.

Por fim o sol começou a iluminar o mundo; o beija-flor ergueu-se do ninho, abriu o bico num bocejo e voou. Ia cuidar do almoço.

Emília mexeu-se, em procura dos companheiros. Esbarrou logo adiante com um ovo que lhe dava pela cintura — o primeiro ovinho botado pelo beija-flor. Do outro lado do ovo deu com o Juquinha já de pé. Só a Candoca ainda dormia.

— Que tal a noite? — perguntou ao menino.

— Ótima! dormi como nunca — e a Candoca também, porque não ouvi choro nenhum. E o beija-flor?

— Saiu com certeza para o almoço.

— E vamos ficar aqui toda a vida?

— Não. Vamos almoçar também e depois descer.

— Almoçar aqui? Não vejo nada...

— E o ovo?

— Mas como poderemos quebrar tamanho ovo?

Emília não abandonava nunca a sua lança de espinho. Tirou-a de dentro do chumaço e disse:

— Tenho cá este ótimo abridor de ovo.

E a festa começou. Os dois agarraram na lança e puseram-se a fazer movimentos de mão de pilão, batendo com a ponta sempre no mesmo lugar. Era dura a casca, mas cedeu. De repente a lança afundou, deixando que saísse uma gotinha de clara.

— Bom — disse Emília. — Agora eu enfio a lança lá no fundo para varar a gema — e depois lamberemos a gemada que vier.

E assim fez. O primeiro mergulho da lança trouxe gemada suficiente para o estômago de duas Emílias. Juquinha não se contentou com uma fisgada. Exigiu três. Comiam com a mão. Passavam a mão sobre a ponta da lança amarela de gema e levavam aquilo à boca.

Depois acordaram a Candoca e deram-lhe uma fisgada. A menina lambuzou-se toda.

— Está com cara de quem comeu manga — disse Emília rindo-se, enquanto limpava a lança e guardava-a dentro do chumaço.

Veio-lhe uma ideia ótima.

— E se molhássemos de clara as nossas botas de algodão?

— Para quê?

— Bobinho. A clara é al-bu-mi-na. Repita! Seca num instante e une as fibras. Ficaremos assim com verdadeiras botas, da forma exata dos nossos pés.

E deu o exemplo. Ensopou de clara o algodão enrolado nos pés e espichou-os para um raio de sol a fim de que secassem. Juquinha gostou da ideia e fez o mesmo — e depois, à força, também "albuminou" os pés da Candoca.

— E agora? — disse ele depois que viu as botinhas secas e ainda melhores do que se fossem de couro.

— Agora, um voo de paraquedas! Temos de nos jogar deste ninho abaixo. Assim, dentro do algodão, não há perigo de machucadura.

Treparam à beirada do ninho e olharam. Aquilo ali era um imenso barranco de cinco metros, rasgado na terra vermelha. Lá embaixo ficava uma larguíssima faixa da mesma cor — a estrada. Emília pensou e resolveu.

— Vamos primeiro jogar a Candoca. Depois nos atiraremos.

Assim fizeram. A menina berrou como nunca, quando eles a agarraram e a empurraram para o abismo — e lá se foi rolando. Infelizmente não chegou até à estrada. Ficou presa a um capim do barranco. Emília e Juquinha tiveram mais sorte; caíram sobre um "areal preto". Os enxurros da chuva costumam deixar à beira das estradas essas pequeninas praias de areia preta. Aquela ali teria uns dois palmos de extensão, mas para a Emília pareceu bem grande. Experimentou andar com as botinhas albuminadas.

— Ótimo! Agora já não tenho medo de chão nenhum. Nunca me hei de esquecer do que os meus pés padeceram no pedregulho daquele jardim — e deu uma corridinha sobre a Praia Preta.

— E a Candoca? — lembrou Juquinha.

Olharam para o alto. Lá estava o chumaço da Candoca, preso ao capim do barranco.

— O remédio é esperar que o vento sopre e ela caia — resolveu Emília.

— E se subíssemos até lá?

— Poderíamos subir mas não assim de "roupa" — e se tirarmos a roupa voltaremos a correr perigo. Há muitas aranhas nesses "buracos de raízes".

Naquele ponto da estrada ainda não batera o sol, de modo que havia orvalho. Emília e Juquinha beberam os "diamantes líquidos" duma peluda folha de capim.

— E agora? — disse Emília para si mesma. — Que fazer? Não tenho serviço nenhum. Não tenho obrigações. Não tenho casa, nem esposo. Minha vida vai ser sempre esta. Ir andando pelo mundo, cautelosa na defesa e a cuidar do estômago. O problema da comida é fácil para quem se contenta com pouco. Ontem alimentei-me de mel. Hoje de gema. Por isso é que há tantos bichinhos no mundo — *facilidade de alimentação*. Qualquer isca lhes basta; o simples mel de duas ou três flores enche o papo duma vespa. E nem tenho medo do vento. Que o vento venha e me leve! Tanto me faz estar aqui como ali. Esta nossa invenção do paraquedas vai ser a salvação da nova humanidade pequenina. Mas... e se vier chuva?

Emília pensou em chuva porque o céu estava escurecendo. Um ronco de trovoada ecoou longe. Pôs-se a refletir. "Se a chuva molha meu algodão, adeus pára-quedas e adeus defesa! Fico reduzida a um pinto pelado que caiu no melado. Logo, tenho de defender-me das chuvas. Como? Escondendo-me em lugares onde a chuva não caia. Que lugares são? Isso depende do ponto em que eu estiver. Nas cidades há as casas — mas em campo aberto, como aqui?..."

Olhou em redor. A estrada corria pela encosta dum morro, com o barranco vermelho dum lado e uma grota do outro, no fundo da qual deslizava um ribeirão entre pedras. Emília viu no barranco muitos buracos de raízes, e pensou: "Foi bom que o Visconde me explicasse a origem desses buracos. Muita gente pensa que são buracos de cobra ou outros bichos, mas não são. São "buracos de raízes". Quando os homens abrem as estradas, os enxadões dos cavoucadores cortam muitas raízes dentro da terra. Essas raízes cortadas vão apodrecendo e afinal se desfazem em pó de madeira podre, deixando na terra o molde vazio. Os buracos que estou vendo são, portanto, buracos de raiz, e não buracos de bichos. O perigo é o buraco de bicho, porque todos têm dono. Que donos? Os bichos que abriram esses buracos. Mas buraco de raiz não tem dono, porque a dona deles era a raiz e a raiz apodreceu e foi-se embora reduzida a pó de pau podre. Logo, apesar de redondo é também um buraco "acontecido" como os vãos de tijolo ou de cacos de telha.

— Juquinha — disse ela — a chuva vem mesmo. E quando a chuva vier, esta praia virará um Amazonas que nos levará na correnteza.

— Que bom! — exclamou o bobinho. — Podemos pescar pirarucu.

Emília teve dó. Que falta de juízo! Pescar!... Um algodão pescando!... E disse que os pescados seriam eles.

— As chuvas formam ribeirões nas estradas, esses ribeirões correm para os rios, os rios correm para o mar, o mar corre para as nuvens — e as nuvens "correm de novo por aqui".

Juquinha deu uma risada de ignorante.

— Rio correndo para o mar eu entendo, mas mar correndo para as nuvens nunca vi.

— São modos de falar, Juquinha. Se você lesse o poeta Castro Alves, compreenderia. Realmente, o mar não corre para as nuvens; mas a água do mar evapora-se e sobe ao céu, onde forma as nuvens, e depois essas nuvens viram chuva e a água da chuva corre de novo pelas estradas. Entendeu?

Nesse momento um trovão trovejou e logo em seguida sobreveio um forte pé-de-vento. Emília mal teve tempo de abraçar-se a uma folha de capim; Juquinha lerdeou — e foi arrastado para longe. Emília ergueu os olhos para o barranco. O algodão da Candoca tinha se soltado do gancho e lá ia pelos ares, que nem paina! "Aposto que está chorando e chamando a mamãe..."

Emília examinou o barranco. A certa altura viu um buraco de raiz muito jeitoso. Era fácil subir até lá, mesmo com o algodão. Esqueceu o Juquinha, esqueceu a Candoca e tratou de subir, porque o momento era dos tais do "salve-se quem puder".

A chuva vinha vindo. O verde do morro lá adiante embaciou-se como os vidros da janela que Pedrinho bafejava para depois escrever com o dedo. Vinha vindo chuva de verdade' Emília subiu, agarrando-se no que pôde. O buraco de raiz tinha quatro vezes a sua altura. Entrou.

Que azar! Era um buraco já ocupado por alguém: uma enormíssima e peludíssima aranha caranguejeira! O coraçãozinho de Emília bateu. Ficou como o *Garimpeiro do Rio das Garças* quando se viu entre a Onça e o Jacaré. Mas pensou depressa. "Entre a aranha e a chuva, antes a aranha. Chuva é mil vezes pior, porque chuva não tem remédio e com aranha muita coisa pode acontecer. Ela pode não desconfiar do meu algodão. Pode estar dormindo. Pode até ter dó de mim. As aranhas são 'enganáveis' — mas quem engana chuva? E Emília ficou imóvel de cabeça enterrada no algodão, espiando por entre as fibras. Como fosse um buraco muito escuro, ela mal percebia o vulto da aranha. Só depois que seus olhos se acostumaram as trevas é que pôde distinguir o ferrão vermelho.

A aranha não fazia o menor movimento. Estava como a Cuca do Saci, parada — vivendo. Esses bichos gostam de viver, de ficar vivendo, só, sem mais nada. Não era das de teia. Era aranha de toca.

A chuva chegou — *chuáááá*... Tudo escureceu. Emília já não enxergava o vermelho do ferrão. Só via negrores. Sua cabeça ficava a um terço da altura da aranha e num movimento que ela fez para ajeitar-se melhor, tocou num pêlo daquelas pernas. Emília lembrou-se do caso de Dona Benta, quando se sentou no dedo do Pássaro Roca pensando que era raiz de árvore. O pelo da aranha parecia um espinho de cacto.

A chuva lá fora era um *chuáááá* sem fim.

Aquele barulho de chuva, sempre o mesmo, começou a dar-lhe sono. Seus olhinhos se fecharam — e Emília viu-se outra vez no Sítio do Picapau Amarelo. Estavam todos na varanda, do mesmo tamanho antigo, a comer pipocas. De repente, a cara do Manchinha apareceu na escada. "Parece o gato Félix, vovó" — disse Narizinho — mas logo arregalou os olhos, como louca, porque o gato foi crescendo, crescendo, até ficar maior do que a casa. E daí por diante o sono de Emília virou pesadelo.

Quando acordou, o aguaceiro já havia passado. Uma nesga de azul apareceu no céu e logo veio o sol. O ferrão vermelho da aranha estava agora bem visível. Vermelho de tomate. A aranha fez um movimento para sair. Emília encolheu-se toda quietinha. A aranha moveu uma perna, depois outra, e foi saindo. Na entrada do buraco parou e esteve muito tempo quentando sol. "Será que vai ficar ali toda a vida?" Não, não ficou. Depois de aquecer-se ao sol, saiu, subiu pelo barranco. Ia caçar no mato, lá em cima.

Capítulo XII
O GIGANTE DE CARTOLA

Emília foi para a entrada do buraco. A estrada vermelha parecia mover-se, de tantas águas que escorriam. Todos os galhos pingavam. O mundo parecia polvilhado de mica em pó — de tantos brilhos.

— Onde andarão o Juquinha e a Candoca? — pensou ela. — Mortíssimos, com certeza, afogadíssimos. Bobos como são, de que modo poderiam resistir a uma chuva destas?

Foi descendo pela terra úmida. Felizmente, nos barrancos a água corre depressa, não empoça. Ao chegar perto da prainha preta não viu praia nenhuma. Estava coberta de água vermelha.

Emília sentou-se, resignada. "Tenho de esperar pelo que der e vier, como diz Tia Nastácia."

Ficou vendo as últimas águas vermelhas seguirem seus caminhos de descida. No começo aquelas águas haviam sido verdadeiros Amazonas; depois foram se tornando rios comuns; depois viraram ribeirões; e agora estavam reduzidos a aguinhas. Acabaram-se as correntezas. Só ficaram poças e lagos. A areia preta da praia começou a aparecer. Emília desceu o resto do barranco e pisou naquela areia tão linda. Muito úmida. Suas botinhas eram capazes de derreter. Emília não se importou. "Querem derreter? Pois derretam. Depois terão o trabalho de secar de novo."

Uma coisa surgiu lá longe. Uma coisa móvel, que vinha andando. Emília firmou a vista. Um enormíssimo espeque de cartola.

— Será o Benedito?

Era sim. Era o Visconde de Sabugosa! Era o Visconde que vinha vindo — mas que Viscondão, meu Deus! O maior visconde do mundo! Um gigante gigantesco.

Emília abriu a boca, num assombro.

— É isso mesmo! — murmurou consigo. – Ele não diminuiu porque "vegetal falante" não é gente. Que bom! Grande assim, o Visconde vai ser a minha salvação.

O Visconde media exatamente quarenta e quatro centímetros de altura, contando com a cartola nova, que era de copa alta como a do presidente Lincoln. Quarenta e quatro vezes maior que a Emília — um verdadeiro arranha-céu de cartola.

A alegria de Emília foi imensa. Bateu palmas. Pulou. Dançou. E quando se aproximou da Praia Preta deu um berro:

— Visconde, sou eu! A Emília!...

Mas o Visconde continuou a andar, como se não tivesse ouvido. "Será que ficou surdo ou a minha voz não chega até à imensa altura daquelas orelhas?"

Devia ser isso e, na maior aflição, Emília ficou sem saber o que fazer. Não achava meio de atrair a atenção do Visconde. "Berrar não adianta. O remédio é acompanhá-lo, até ver." E pôs-se a seguir o Visconde.

Mas o Visconde dava passos de dez centímetros de comprimento e os passos da Emília eram de três milímetros, de modo que não havia maior asneira do que tentar segui-lo. Naquele desespero, porém, Emília não fez caso da asneira e "fincou o pé" na lama, atrás do Visconde. Quantas dificuldades, meu Deus! Havia as grandes lagoas que tinha de rodear — as pocinhas de água barrenta formadas nas impressões das ferraduras dos cavalos. E havia os morros e montanhas a trepar — as irregularidades do tijuco da estrada. E agora era um grande tronco de árvore ou uma grande pedra — os pedacinhos de pau ou os pedregulhos que há em todas as estradas. Esses tremendos obstáculos retardavam-lhe horrivelmente a marcha, além de que suas botinhas molhadas começaram a esfiapar. Diversas vezes parou para amarrar as pontas das fibras do algodão. E o Visconde cada vez mais longe, com aquelas passadas gigantescas! "Parece que calçou as botas de sete-léguas do Pequeno Polegar!"

Felizmente o Visconde era um sábio, e os sábios não sabem andar na toada firme e contínua dos ignorantes. O Visconde andava um pouco e parava para observar qualquer coisa. Aqui, um coleóptero novo que ele via pela primeira vez — e ficava de cócoras examinando o bichinho e tomando notas em seu caderno. Depois, uma pedrinha qualquer — ou um "mineral", como ele dizia. Ou era um "efeito de ótica" numa teia de aranha. E cada vez que parava, Emília o alcançava. Mas assim que ela o alcançava, ele punha-se de novo a andar, até que nova "curiosidade da natureza" o detivesse. Parecia esses curiangos que ao anoitecer vão voando e pousando nas estradas à frente dos viajantes.

Em certo ponto, uma biquinha nas pedras do barranco o deteve. O Visconde parou naquele ponto para examinar um reflexo na água. Depois sentou-se. Depois com a cabeça apoiada numa das mãos e os olhos fixos no reflexo.

— É hora! — disse Emília, apressando o passo. — Naquela posição o seu ouvido esquerdo fica ao alcance da minha voz. Resta que eu chegue antes que ele se erga de novo.

Emília caminhou firme, aproveitando as prainhas de areia para correr — e afinal alcançou. Estava, porém, tão cansada que nos primeiros momentos a voz não lhe saiu. Deteve-se diante do cotovelo do Visconde, a arquejar, sem fôlego.

O enorme sábio não a percebeu. Estava distraído na contemplação do reflexo.

Depois de bem descansada, Emília encheu de ar os pulmões e berrou com a maior força possível:

— Visconde! Sou eu, a Emília! Estou aqui embaixo, perto do seu cotovelo.

O sábio acordou da contemplação científica. Pendeu a cabeça. Tinha ouvido um som de fala; mas como o seu pensamento estivesse ocupado com outra coisa, não percebeu o que a fala tinha dito. Emília berrou de novo, com mais força ainda.

— Visconde! Sou eu mesma — a Emília! – O gigante franziu as sobrancelhas.

— Emília? Onde?...

— Aqui embaixo, perto do seu cotovelo.

O Visconde desceu os olhos para o cotovelo, com o rosto iluminado pela curiosidade.

— Estou ouvindo uma voz, mas não vejo nada. Perto do meu cotovelo só há um chumacinho de algodão.

— Pois esse algodão sou eu — estou dentro. É a minha defesa. Pegue-me e levante-me. O Visconde ergueu o algodão — e com algum esforço distinguiu no chumaço uma cabecinha do tamanho duma cabeça de saúva e dois pezinhos embaixo, do tamanho de cabeças de alfinetes.

Capítulo XIII
REVELAÇÕES

O sol estava quente. Emília, afogueada pelo exercício não pôde mais com o calor do algodão. Despiu-se e ficou nuazinha na palma da mão do Visconde, só de botas. Ele ergueu-a à altura do nariz e disse:

— Pode falar. Conte tudo o que houve.

Emília contou tudo — a sua viagem à Casa das Chaves, a puxada para baixo da Chave do Tamanho e o "apequenamento". O Visconde horrorizou-se.

— Será possível? Então foi você, Emília, a causadora do tremendo desastre que vitimou a "humanidade clássica"?

— Fui eu, sim, mas não foi por querer. Eu queria apenas descobrir a Chave da Guerra, só isso. Mas as chaves não tinham letreiro. Resolvi então ir mexendo em todas até acertar. A primeira que peguei era a Chave do Tamanho — quem primeiro ficou sem tamanho fui eu. E como perdi o tamanho, não pude erguer de novo aquela chave — e pronto.

O Visconde não voltava a si do assombro.

— É espantoso o que você fez, Emília! Isso já não é reinação. Isso é catástrofe! Pelo que observei lá no sítio estou imaginando o que se deu no mundo inteiro — e agora eu ia indo à cidade para assuntar, para ver se o apequenamento alcançou todas as criaturas.

— Já estive lá e vi — volveu Emília. — Alcançou sim. O tamanho de todas as gentes levou a breca. Quem manda agora nas cidades são as galinhas, os passarinhos e os gatos — e contou a história do pinto sura. – Se não fosse aquele malvado, eu estava muito bem lá no sítio. Ele é que me atrapalhou.

— Pois o que você fez passa de todas as contas, Emília! Se os homens souberem, não perdoam. Agarram-na e assam-na viva na maior das fogueiras. Incrível! Destruir o tamanho das criaturas!... Sabe que isso corresponde a destruir toda a civilização humana? Desde que o mundo é mundo, os homens, com as maiores dificuldades, foram construindo essa civilização feita de casas, máquinas, estradas, veículos, ideias. Tudo estava em relação com o tamanho natural dos homens. Mas agora com a redução do tamanho, nada mais serve e, portanto, o que você fez, Emília, foi destruir a civilização! Des-tru-ir a ci-vi-li-za-ção!... Do tamanhinho que os homens ficaram, eles têm de criar outra civilização muito diferente — isso na hipótese de subsistirem.

O Visconde gostava muito da palavra "subsistir".

— Pois podem subsistir muito bem — resolveu Emília. — Eu estou subsistindo perfeitamente. Já escapei de vários perigos — duma "paquinha" feroz, do Manchinha, da aranha caranguejeira, do beija-flor, do vento, da tempestade — e posso ir escapando de mil outros. Juro que vou subsistir. Apliquei em meu corpo este mimetismo do algodão e pronto.

— Mas, Emília, lembre-se que você é você e os outros são os outros. Quantos homens já não pereceram? Só os que não puderam sair de dentro das roupas, quantos e quantos, Emília!... E os milhões de soldados em guerra lá na Rússia em pleno inverno, que terá acontecido com eles?

— Ah, esses viraram picolé — juro!...

— E não se horroriza com isso? Ainda caçoa?

— Por que horrorizar-me? Eles não estavam se matando uns aos outros? Eu até lhes poupei o horrível trabalho da matança a tiros de canhão.

— E pelas cidades e roças do mundo inteiro! Quando imagino o que deve ter acontecido nas cidades e nos campos, meus cabelos ficam de pé. E agora venho a saber que a causadora de tudo foi você, a Emília — a Emilinha lá do sítio de Dona Benta!... Evidentemente você se excedeu, Emília.

O Visconde estava tão tonto com os acontecimentos, e ficou tão bravo com ela, que Emília danou e sustentou o que havia feito.

— Pois acabei com o Tamanho e fiz muito bem! — disse ela. — Para que esse trambolho do Tamanho? Não há tantos e tantos milhões de seres que vivem sem tamanho? Tamanho é atraso. Quer uma coisa mais atrasada que um brontossauro ou mastodonte? Tão atrasados que levaram a breca, não aguentaram a "glaciação", como o Walt Disney mostrou na *Fantasia*. Compare a estupidez desses monstros tamanhudos com a leveza inteligente duma abelha ou formiga — e por isso os brontossauros e mastodontes só existem hoje nos museus, enquanto as abelhas e as formigas andam por toda parte aos bilhões. Eu acabei com o Tamanho entre os homens e fiz muito bem. Um dia a humanidade nova me há de agradecer o presente, depois que a raça nova dos "homitos" se adaptar.

O Visconde suspirou.

— *Adaptar-se*! Você usa das palavras da ciência mas não sabe. Repete-as como papagaio. Isso de adaptação é certo, mas é coisa de milhares de milhões de anos,

Emília. Pensa então que do dia para a noite essa enorme população humana, que você apequenou e está nos maiores apuros, vai ter tempo de adaptar-se? Morre tudo antes disso, como peixe fora dágua — e adeus *Homo sapiens*!

— *Homo sapiens* duma figa! Morrem muitos, bem sei. Morrem milhões, mas basta que fique um casal de Adão e Eva para que tudo recomece. O mundo já andava muito cheio de gente. A verdadeira causa das guerras estava nisso — gente demais, como Dona Benta vivia dizendo. O que eu fiz foi uma limpeza. Aliviei o mundo. A vida agora vai começar de novo — e muito mais interessante. Acabaram-se os canhões, e tanques, e pólvora, e bombas incendiárias. Vamos ter coisas muito superiores — besouros para voar, tropas de formiga para o transporte de cargas, o problema da alimentação resolvido, porque com uma isca de qualquer coisa um estômago se enche, *et coetera* e tal.

— Mas...

O Visconde, como bom sábio que era, engasgou e começou a achar razãozinha nas ideias da Emília.

— Pense bem, Visconde. A tal "civilização clássica" estava chegando ao fim. Os homens não viam outra solução além da guerra — isto é, matar, matar, matar, destruir todas as coisas criadas pela própria civilização — as cidades, as fábricas, os navios, tudo. Pense bem, Visconde. Essa tal civilização havia falhado. Havia enveredado por um beco sem saída — e a saída que achava qual era? Suicidar-se a tiros de canhão. Ora bolas! Eu até me admiro de ver um sábio com um cartolão desse tamanho defender um mundo de ditadores, cada qual pior que o outro.

O Visconde começava a concordar.

— Além disso — continuou Emília — se os homens querem regressar à tal besteira do tamanho, nada mais fácil. Sua alma, sua palma.

— Como?

— Muito simples. Poderei voltar à Casa das Chaves. Eu sei o jeito. Iremos juntos. Como não tenho força para levantar a chave, o Visconde a levanta e pronto — tudo fica outra vez tamanhudo — e que se fomentem — que se matem à vontade — que se devorem. Eu me desinteresso. Quis o bem da humanidade. Acabei com a estupidez maior de todas, que era o Tamanho. Mas não querem? Não estão contentes? Teimam em continuar na vida de mastodontes bípedes? Pois sua alma, seu palmito! Que volte o Tamanho. Mas depois não venham se queixar para mim...

O Visconde estava pensando. Sim, Emília tinha razão. Eles podiam fazer uma consulta aos homenzinhos. Se quisessem voltar ao tamanho antigo, muito que bem: Se não quisesse, melhor. Lá no fundo do coração o Visconde preferia que as coisas ficassem como estavam, porque ele passara a gigante, em vez de continuar um simples sabugo. E Emília realmente tinha razão. Os insetos são os seres mais aperfeiçoados que existem e não têm tamanho. Ora, com a sua inteligência os homens pequeninhos poderiam dominar os insetos, utilizar-se de milhares deles para mil coisas e construir uma nova civilização muitíssimo mais interessante que a velha. E resolveu:

— Pois bem, Emília, faremos uma consulta aos povos do Picapau Amarelo. Se a maioria quiser a volta do Tamanho, iremos juntos até à tal Casa e recolocarei a chave na posição em que você a encontrou. E se a maioria quiser esta Ordem Nova, então que fique tudo como está.

— Pois é! — concordou Emília. — O remédio agora é um 'bom "chá de ple-biscito". Mas por causa das dúvidas, Visconde, não conte a ninguém que fui eu a bulidora da chave. Ninguém precisa saber — nem Dona Benta, nem Narizinho. Jura que não conta?

— Está claro que juro. Se eu contasse, você estaria perdida...

Acertados aqueles pontos, Emília desfiou a história do Major Apolinário, Dona Nonoca e Tia Febrônia e de como ela se havia tornado a tutora dos dois órfãos.

— O vento levou pelos ares a Candoca, e o Juquinha com certeza afogou-se no enxurro. Mas, para sossegar a nossa consciência, podemos procurá-los.

Depois resolveram diversos pontos da vida nova.

— Eu viajarei muito bem dentro da sua cartola, Visconde. Basta que me abra ali uma janelinha.

O Visconde aprovou a ideia. Depôs Emília no chão, tirou da cabeça à cartola e com o corte duma lasca de quartzo abriu no papelão da cartola uma janelinha de três por três milímetros.

— Maior, Visconde. Faça uma janelinha de três por nove.

— Por quê?

— Porque se encontrarmos o Juquinha e a Candoca, eles terão de seguir comigo aqui dentro — e também precisam de janela.

O Visconde abriu um janelão de três por dez. — Antes maior do que menor. Assim ninguém brigará em cima da minha cabeça por falta de espaço vital...

Capítulo XIV
A CAMINHO DO PICAPAU AMARELO

Emília não se contentou com a janelinha aberta na cartola do Visconde. Exigiu mais.

— Quero uma porta da rua e uma escadinha que vá da aba até essa porta. E também um assoalho, porque não hei de ficar pisando na sua cabeça.

O Visconde suspirou. Emília continuava a mandona de sempre. Queria e acabou-se. Olhando em redor, em procura de materiais de construção, o obediente Visconde viu uma casca de laranja. Apanhou-a e com a lasquinha de quartzo recortou uma rodela do tamanho dum níquel grande que ajustou dentro da cartola. Era o assoalho. Em seguida fez uma escadinha de sete degraus, que ia da aba da cartola até a porta da rua. Emília ainda exigiu um corrimão na escada e uma cerca em redor da aba.

O Visconde construiu uma cerca de dois fios, com moirões de espinho.

— Só? — perguntou ao concluir o trabalho.

— Ainda não — respondeu Emília. — Quero uma escadinha de corda que des-ça da aba até à terra, como as usadas nos navios e também uma campainha.

— Campainha, como?

— Basta um fio amarrado a uma das palhas da sua barba. Quando houver precisão dum chamado urgente, puxo o fio e pronto.

— Não vejo necessidade de semelhante coisa, – arrenegou o Visconde. – Quando quiser falar comigo, basta chegar a janela e gritar. A janela é pertinho do meu ouvido.

Emília deu uma risada.

— O Visconde não se conhece. Os sábios são as criaturas mais distraídas do mundo. Quando o Visconde está ruminando uma ideia qualquer, não ouve nem tiro de canhão, quanto mais um chamadinho meu. Com o fio preso à barba, a coisa muda. Dou um puxão. A dor "acorda" o Visconde.

Tudo foi feito como ela quis, e depois de instalada lá dentro Emília ainda reclamou uma chaminé — por causa da ventilação. O Visconde teve de espetar em cima da cartola um canudinho de capim.

Muito bem. Podiam continuar a viagem. Para onde? O Visconde saíra do sítio para "assuntar", isto é, ver se todas as criaturas humanas estavam diminuídas, ou se a redução se dera apenas em casa de Dona Benta. Mas o encontro com Emília tornava inútil a ida à cidade. Todas as criaturas estavam reduzidas, sim, e a autora da grande transformação era a isca de gente que se acomodara em sua cartola!

— Creio que podemos voltar — disse ele. — Minha ida à cidade já não tem razão de ser.

— Sim — concordou Emília — mas só depois de procurarmos os meus órfãos. Acho impossível que eles tenham escapado da chuva — mas quem sabe? Temos de procurá-los.

— Onde foi que se perderam?

— A Candoca estava justamente naquele capim quando o vento a levou — respondeu Emília lá da sua janela, indicando um lugar no barranco. E o Juquinha estava comigo na Praia Preta.

— Que Praia Preta é essa?

Emília explicou tudo, e o Visconde pôs-se a andar em procura de coisinhas brancas, porque aparentemente os dois órfãos não passavam de dois fiapos de algodão.

Nada encontrou. Sobre a estrada vermelha não viu brancurinha de espécie alguma.

Emília ia pensando em toda as hipóteses imagináveis. O certo era estarem mortos, reduzidos a lama ou afogados nas lagoas que a chuva formara no tijuco. Isso era o certo. Mas havia o incerto — e era no incerto que Emília levantava as suas hipóteses.

— Podem muito bem estar em outro ninho. Os beija-flores andam agora com a mania de ovo e a apanhar quanta paina ou algodão encontram.

O Visconde pôs-se à caminhar com os olhos no barranco em procura de ninhos de beija-flor. Deu com um; subiu e espiou dentro; nada de chumaços, só viu dois ovinhos — e por ordem da Emília furtou um para o abastecimento da cartola. Mais adiante encontrou outro — e nesse estavam os dois chumaços.

— Viva! Viva! — gritou Emília, batendo palmas. — Bem diz o ditado que quem procura acha.

O Visconde tomou na ponta dos dedos os dois algodões e largou-os em cima da aba.

— Subam pela escadinha — disse Emília da janela — e os dois órfãos subiram e entraram.

Emília mostrou-lhes a casa nova e explicou quem era o "Colosso de Rodes" em cuja cabeça iam morar. Juquinha ficou radiante. Foi para a janela e começou a fazer planos. "Podemos pegar um besouro e amarrá-lo a um dos moirões da cerca. Enquanto eu não voar eu não sossego." A Candoca havia entrado com um bico de choro, mas não chorou. Por que chorar, se estava bem abrigada naquela casinha de porta, janela e ovo?

Por ordem da Emília, Juquinha abriu com a lança um furo na casca do ovo.

— E deixe o espinho aí. Quem tiver fome, que dê uma fisgada na gema e regale-se.

— Bem, – disse lá fora a voz do Visconde — que soava para eles como voz vinda da rua. — Creio que posso voltar para o sítio.

Emília correu a debruçar-se à janela.

— Sim, podemos ir — e vá contando como foi a tragédia lá em casa.

O Visconde pôs-se em marcha, com aquelas suas gigantescas passadas de meio palmo cada uma, e foi contando.

— Eu estava no laboratório, ocupado em fabricar mais superpó, porque algum ladrão havia furtado a minha reserva. De repente Pedrinho entrou e disse: "Visconde, a Emília desapareceu e vovó está inquieta." Eu respondi que minha caixa de superpó também havia desaparecido. Pedrinho iluminou a cara e exclamou: "Hum! Estou entendendo!". Eu estava com os olhos fixos em Pedrinho quando, exatamente nesse instante, isto é, no instante em que ele acabou de pronunciar a palavra "entendendo" a sua cabeça desapareceu, e sua roupa caiu em monte no assoalho, como se não tivesse corpo dentro. Fiquei impressionadíssimo. Era um fenômeno acima de qualquer compreensão. Olhei para o monte, com os olhos arregalados. Que seria aquilo? Que fim levaria o menino? Tudo mistério. Sentei-me então diante do monte de roupa e fiquei a parafusar hipóteses. Mas por mais que parafusasse hipóteses não achava nenhuma que servisse. Aquilo me pareceu o mistério dos mistérios.

Emília, lá da janelinha, regalava-se com a história. O Visconde continuou:

— Eu positivamente não entendia nada. Cheguei a supor que fosse um sonho. Nisto dei com uma cabeça, do tamanho duma pimenta-do-reino, que ia saindo pela perna da calça caída no chão. Evidentemente uma cabecinha de inseto. Depois saiu um pescoço — e ombros, braços, tronco, pernas — e tive a impressão dum inseto descascado totalmente desconhecido da ciência. Corri em procura do meu vidro de aumento. Aquele inseto era o assombro dos assombros, porque todos os insetos têm seis pernas e nele eu só via duas — e além disso ficava de pé, como os bípedes, coisa que inseto não faz. O laboratório estava meio no escuro. Fui abrir a janela. Assestei de novo o vidro de aumento e então vi que era um menino em miniatura. E afinal o reconheci: Pedrinho em pessoa, mas sem tamanho!

— De que tamanho ele ficou?

— Você verá quando chegar. Mas meu espanto não teve limites. A ciência não explicava o prodigioso fenômeno. Notei que Pedrinho havia perdido a fala. Só minutos depois conseguiu falar, murmurando numa vozinha de mosquito: "Que foi que aconteceu? Tudo está tão diferente e grande..." Custou a convencer-se de que nada estava grande, ele é que diminuíra.

— Tal qual a gente do Major Apolinário — disse Emília. – Imaginavam que as coisas é que haviam aumentado — e eu até fiquei atrapalhada para provar o contrário.

O Visconde continuou:

— Pedrinho estava completamente bobo, o que era natural, pois uma transformação daquela ordem desorganiza as ideias duma criatura. Não há quem resista.

— Eu resisti! — berrou Emília.

— Sim, mas você é você — uma criatura *sui generis*. — O Visconde gostava muito de aplicar esse latim ao caso da Emília.

— E depois?

— Depois levei Pedrinho na palma da mão para mostrá-lo a Dona Benta. Chegando à sala de jantar, não vi ninguém. Só vi montes de roupa no chão — e reconheci essas roupas. Um dos montes era feito daquele vestido de fustão amarelo com pintas verdes que você conhece — o vestido com que Dona Benta se levantara naquele dia. Perto desse monte vi outro, no qual reconheci a roupa de Tia Nastácia. E num monte menor reconheci o vestido de listras brancas e pretas de Narizinho. Fui assaltado por uma ideia. "Querem ver que também a eles aconteceu a mesma coisa?" E para verificar sacudi o vestido da menina. Sabe o que aconteceu? Pela manga rolou outro inseto descascado, ela — Narizinho em pessoa, e tão reduzida de tamanho quanto Pedrinho!... E eu ia sacudir os outros montes de roupa, quando dei com uma içá preta: Tia Nastácia! E depois, outro inseto branco: Dona Benta! Ambas haviam conseguido sair de dentro das roupas.

— Que graça!

— O que houve então, nem queira saber! Ninguém entendia nada. Tia Nastácia amontoava pelos-sinais um em cima de outro e era só "Credo!" e mais "Credo!" Dona Benta e Narizinho abraçavam-se muito agarradas, como mães e filhas durante os naufrágios no mar. Que cena, meu Deus!

— E todos nus?

— Sim, todos nus — respondeu o Visconde.

— E não tinham vergonha?

— Parece que não. Nem percebiam que estavam nus.

— Então é exatamente como pensei. Isso de vergonha do corpo é questão de tamanho. E depois?

— Depois deitei-me no assoalho para melhor conversar com eles, e não teve fim o que dissemos. Cada qual admitia uma hipótese. Narizinho foi a primeira a achar possível ter acontecido a mesma coisa a toda a humanidade. Essa ideia me impressionou. "Preciso verificar esse ponto", disse eu — e daí me veio a ideia de chegar até a vila.

— Teve então a coragem de deixá-los lá sozinhos? — perguntou Emília indignada.

— Era preciso — mas tomei todas as precauções.

— Que precauções?

— Coloquei-os em cima da cômoda do quarto de Dona Benta, com umas comidinhas para irem se distraindo.

— Que comidinhas, Visconde?

— Açúcar e farelo de pão. E água.

— Em que vasilha botou a água?

— Numa tampinha de garrafa de cerveja. E saí. Fui ao pasto, em procura do Conselheiro. "Olhe", disse-lhe eu, "passou-se lá na casa uma coisa tremendamente misteriosa e absurda: todos ficaram pequenininhos como insetos." O Burro Falante arregalou uns olhos deste tamanho. Depois riu-se, pensando que fosse brincadeira minha. "É verdade, sim, Conselheiro. Bem sabe que não brinco" — e como ele também não brinca, deu crédito às minhas palavras, e derrubou o beiço. Contei-lhe então que ia sair — que ia chegar até à cidade para ver se o fenômeno pegara todas as criaturas humanas. "E, portanto, faça-me o favor de ficar no terreiro, perto da varanda, e não deixe que nenhum gato ou ave se aproxime. Eles estão sobre a cômoda do quarto de Dona Benta." Fiz essa recomendação e finquei o pé na estrada.

— Não avisou também ao Quindim?

— Ele andava longe. Pedi ao Conselheiro que o avisasse.

Juquinha já lera nos livros a história do rinoceronte do Picapau Amarelo, de modo que ao ouvir falar em Quindim assanhou-se. Seu sonho sempre fora dar um passeio montado no tremendo paquiderme.

— Isso era bom antigamente — explicou Emília —, quando éramos grandes. Agora, deste tamanhinho, um rinoceronte está para nós como o Himalaia está para o Coronel Teodorico. Andar montado nele já não nos dará sensação nenhuma — a gente nem percebe os seus movimentos.

Juquinha não quis acreditar.

— É, sim — afirmou Emília. — Tal qual a Terra. Este nosso planeta rola no espaço com uma velocidade incrível sem que nós percebamos coisa nenhuma. Por quê? Porque somos pequeninos demais em relação à Terra.

Juquinha suspirou.

Capítulo XV
O CORONEL TEODORICO

Depois de caminhar por uma hora pela estrada deserta de passantes, o Visconde avistou a fazenda do Coronel Teodorico. Bois e burros andavam soltos pelas roças, comendo à farta. Não havia ninguém para espantá-los.

— Quero portar uns minutos naquela casa, Visconde! — berrou Emília lá da sua janelinha. O Visconde, que estava remoendo uma ideia, não ouviu. Emília recorreu à "campainha". Com um forte puxão na corda, fez que a dor da barba acordasse o distraído gigante.

— Que há lá em cima? — perguntou ele.

Emília repetiu a ordem de portar no imensíssimo casarão branco que dali avistavam e Juquinha não queria crer que fosse uma simples casa velha de fazenda. Apesar de transformado no maior gigante do mundo, o Visconde, pela força do hábito, obedecia à Emília do mesmo modo que antigamente. E ela agora se tornara o seu verdadeiro cérebro, a manobradora da sua vontade. Parecia incrível que aquele piolinho de gente, lá dentro da cartola, o conduzia para onde queria.

Ao entrarem no terreiro da fazenda ouviram mugidos tristes de vaca faminta. O Visconde encaminhou-se para o estábulo. A vaca de leite do Coronel, irmã da Mocha de Dona Benta, estava presa na baia, sem capim nenhum no cocho. Perto, o seu bezerrinho chorava de fome.

— Pobre animal! — murmurou o Visconde. — Ficou preso e morrerá de fome se eu o não acudir. Quantos viventes pelo mundo inteiro não se acham na mesma situação!

Abriu a tranca da baia e escondeu-se, para não ser devorado de passagem pela irmã da Mocha que lá se foi muito lampeira. Ele era o maior gigante que jamais houve entre os homens, era a única esperança de salvação da humanidade — mas também era sabugo e as vacas "adoram" os sabugos de milho. Depois soltou o bezerrinho.

Emília fez considerações sobre a antiga maldade dos homens que prendiam os bezerrinhos para roubar o leite de suas mães vacas.

— Quero ver se agora continuam a fazer tamanha judiação.

A casa do Coronel estava com as portas escancaradas. Fora invadida por meia dúzia de leitões, que se regalavam na cozinha e na despensa. Por precaução o Visconde trepou a uma cadeira e desta subiu à mesa da sala de jantar ainda com os pratos do almoço da véspera. Olhou em torno.

— Não escuto cheiro de nada — disse ele. — Parece que os leitões devoraram todos os moradores.

Mas nesse instante uma vozinha lhe chamou a atenção.

— Estou aqui, estou aqui!

— Aqui onde?

— Aqui nesta horrível caverna.

Olhando na direção do som, o Visconde pôde ver, numa frincha do carunchado rodapé da sala, uma espécie de caroço de ervilha. Era a cabeça do Coronel Teodorico, dono da Fazenda do Barro Branco.

— Estou escondido aqui — continuou a vozinha — por causa dos hipopótamos que invadiram a casa depois que tudo ficou enorme. Eles já devoraram a Quinota e a Tia Ambrósia. Escapei porque me escondi a tempo nesta caverna que até ontem nunca existiu. Pela cartola e as barbas de palha de milho estou reconhecendo o viscondinho lá do sítio de Dona Benta, mas enormemente grande, como tudo mais. Não entendo coisa nenhuma. O mundo cresceu dum modo incrível. Será que estou sonhando?

O Visconde examinou a situação. Para salvar o Coronel, teria de descer da mesa, coisa perigosa numa casa invadida de leitões. Que fazer? O Visconde não era criatura de grandes expedientes. Atrapalhava-se com pouco. Felizmente tinha Emília na cabeça.

— Visconde — gritou ela — estou vendo uma corda sobre a mesa. Lance-a ao Coronel. O Visconde olhou e viu sobre a mesa um comprido barbante. Para jogá-lo até à "caverna", teria de atar um peso na ponta. Que peso?

— Essa colherona aí — lembrou Emília.

Era uma colherzinha de café das menores. O Visconde atou-a à ponta do barbante e jogou-a.

— Agarre-se nisso, Coronel!

O Coronel, com muito medo e a olhar para todos os lados, saiu da caverna e agarrou-se à colherinha. O Visconde foi puxando o barbante.

— *Uf...* — exclamou o Coronel ao ver-se em cima da mesa e livre dos leitões. O Visconde colocou-o sentadinho na palma da mão. — Como tenho padecido! — suspirou o pobre inseto descascado. — Durante todo o tempo, lá naquela horrível caverna, um monstro com forma de barata esteve me cutucando com as pontas de duas varas de bambus — e fui obrigado a suportar tudo, de medo de ser comido pelos hipopótamos.

Uma risadinha soou na cartola do Visconde. O Coronel ergueu os olhos, espantado.

— Não eram varas de bambu, bobo! — gritou Emília da janela. — Eram antenas. E o monstro não tinha "forma de barata", porque era uma barata em pessoa.

— Quem está falando? — perguntou o Coronel. — Essa voz não me é desconhecida.

— Claro que não é — respondeu Emília, saindo da cartola e vindo debruçar-se na cerca da aba. — Sou a Emília lá do sítio de sua comadre Dona Benta.

O Coronel ficou assombrado.

— Estou a reconhecê-la, sim. E a comadre como vai? As coisas por lá também cresceram?

— Tudo está no mesmo; as pessoas é que diminuíram.

Para facilitar a conversa, o Visconde tirou a cartola e depositou-a na mesa, onde também largou o Coronel.

— Moro aqui agora — explicou Emília. — Este é o meu sítio. Não o faço entrar porque um homenzarrão como o senhor não passa pela nossa porta.

— Quem são esses meninos aí na janela?

Emília mandou que os meninos se recolhessem. Não podiam ouvir a conversa.

— São dois órfãos que estou criando, filhos do falecido Major Apolinário — explicou em seguida, baixando a voz.

— Falecido? Pois então o Apolinário morreu? — murmurou o Coronel, empalidecendo.

— Era tão amigo dele assim?

O Coronel engasgou na resposta. Depois disse.

— Amigo, propriamente, não, porque o Apolinário era perrepista e eu sempre fui democrático. Mas aquele homem devia quinze contos à minha sogra. Se morreu e só deixou esses órfãos, quem paga essa dívida?

— Não há mais dívidas, Coronel. Nem há mais dinheiro, nem nada do mundo grande. Agora é tudo ali no pequenino; a vida dos homens vai ser a mesma dos insetos.

— Pequenino? — repetiu o Coronel sem entender. — Acho que se deu justamente o contrário: tudo ficou enorme. Esta mesa onde tantas vezes me sentei e mal dava para oito pessoas, parece agora mesa de batalhão. Tudo se tornou monstruosamente grande.

— Estou vendo o contrário, Coronel. Tudo está do mesmo tamanho de sempre. Nós, criaturas humanas, é que diminuímos. Isso que o senhor supõe ser um bando de hipopótamos, não passa de leitões da sua fazenda. A caverna em que o senhor estava escondido é uma simples fresta do rodapé podre da sua sala. Os quinze contos de sua sogra foram-se. Não pense mais neles. Na vida nova não existe dinheiro.

IMAGINÁRIO A CHAVE DO TAMANHO

O Coronel vivia de dar dinheiro a juros, e aquele quinze contos da sogra não eram da sogra, sim dele mesmo; por isso empalidecera tanto ao saber da morte do devedor. Mesmo pequenininho como estava, a sua maior preocupação era o dinheiro.

— Mas como poderemos viver sem dinheiro? — disse ele. — Enquanto houver homens no mundo, haverá dinheiro.

Emília teve dó daquela burrice. Mostrou que o dinheiro era uma das muitas consequências do tamanho, como tudo o mais que os homens chamavam civilização. Desaparecendo o tamanho, desaparecia o dinheiro e toda a velha civilização. Alegou que mesmo no mundo antigo muita gente já vivia sem dinheiro, como, por exemplo, o Visconde de Sabugosa, que nunca possuiu um tostão furado. Também os insetos viviam perfeitamente sem dinheiro.

— Mas nós não somos insetos — protestou o Coronel ainda cheio de orgulho do tempo em que tinha um metro e oitenta de altura.

— Somos menos que isso, Coronel. Os insetos possuem três pares de pernas e nós, só um par. E muitos têm asas com que voam e nós em matéria de asas só temos as asas do nariz, que não voam. E ainda possuem antenas, que são órgãos do tacto, algumas delas dotadas de ouvidos — para apalpar e ouvir ao mesmo tempo, coisa aperfeiçoadíssima. Aquelas "varas de bambu" com que o monstro, lá na "caverna", o cutucava, eram as antenas dum inseto. Nós hoje não passamos de insetos descascados, só com um par de pernas, e sem garrinhas nos pés como as formigas. É com essas garrinhas que elas se agarram ao chão e suportam o vento — e sobem pelas paredes.

O Visconde ia aprovando com a cabeça, e o Coronel, ignorantíssimo como era, admirou-se de que um gigante daquele tamanho aprovasse as "tolices" da Emília. A ideia de que ele estivesse diminuído, em vez de todas as coisas terem aumentado, não lhe entrava na cabeça.

— Se todas as criaturas diminuíram — disse ele — como o Visconde ficou tão grande?

— O Visconde não mudou porque é milho.

— Mas ele fala, pensa, é uma perfeita gente...

— Sim, e isso é um dos mistérios do mundo. O Visconde pensa, fala e me obedece. Comporta-se em tudo como gente — mas não come. Logo, não é gente. Já viu gente que não coma, Coronel?

— E você, Emília? Se também diminuiu, então é que é gente — mas toda a vida ouvi dizer que era boneca. Como explica o mistério?

— Muito simples. Eu de fato já fui boneca de pano. Mas evoluí e virei gente.

O Coronel não sabia o que era evoluir. Emília explicou.

— Evoluir é passar duma coisa para outra muito diferente. Um grão de milho começa grão de milho; vai evoluindo e vira pé de milho, broa de fubá ou Visconde de Sabugosa. Assim, eu. De simples bruxa de pano, fui evoluindo, virei gentinha e hoje sou o cérebro e a vontade do Visconde; moro em sua cabeça e dirijo-o do mesmo modo que o Totó dirigia o automóvel do Major Apolinário.

— Ah, quem me dera ser também cérebro dum gigante e morar numa casa de cartola! — suspirou o pobre fazendeiro. — Estou sem saber o que pensar. Se tenho, como você diz, de ficar assim pequenino, sem dinheiro, perdido num mundo de coisas e animais tão grandes, mil vezes ser devorado por estes hipopótamos. Isto não é vida. E, ainda por cima, nu que nem um índio. Não sei que fim levou a minha roupa. Houve um "desabamento de panos" em cima de mim, e quando me livrei daquilo, estava em pelo. Haverá coisa mais sem propósito? Se aparece uma senhora por aqui, como é?

— Pois eu acho o contrário — tornou Emília. — Isto é que é vida — a questão é a gente adaptar-se. Até já inventei um sistema de camuflagem que deu resultados ótimos. Virei chumaço de algodão, de modo que pude andar por toda a parte sem o menor medo de gatos ou passarinhos. Porque hoje, Coronel, um pinto é um milhão de vezes mais perigoso que um tigre. Os pintos nos tomam por içás ou baratas descascadas — e lá vem bico e papo. Aqui na sua casa convenci-me de que os leitões também são perigosos. Dos gatos eu já sabia, os tais gatos comedores de baratas, porque com meus próprios olhos vi o Manchinha comer Dona Nonoca, o Major e a Tia Febrônia. Pois apesar desses perigos novos, estou encantada com a vida pequenina. Para a alimentação, que beleza! Qualquer isca nos enche o estômago. E não é preciso trabalhar para ganhar a vida. A vida está sempre ganha. Mas temos de copiar os insetos; temos de aprender com eles mil coisas, como o sistema de morar em buraquinhos e vãos. Os buracos feitos já vi que são perigosos. Os bons são os "acontecidos". Buraco-de-raiz é ótimo — nem que tenha caranguejeira dentro — mas isso só quando estamos no chumaço. Aranha não liga a algodões.

O Coronel não entendeu nada daquilo, e no seu desconsolo nem procurava entender. Para quê? O melhor era lançar-se no meio dos hipopótamos e acabar com uma vidinha tão insignificante. Mesmo assim lembrou-se de que estava com fome.

— Parece incrível — disse ele — que ainda numa situação destas o estômago da gente fale! Tenho vergonha de dizer que estou com fome.

— Pois é regalar-se, Coronel — volveu Emília. — Há ovo de beija-flor ali na cartola — mas nem é preciso. O senhor está sobre a maior mesa do mundo. Estas comidas dão para alimentar um exército inteiro. Olhe só para a terrina de feijão.

O Visconde havia deposto a cartola sobre a mesa e largado o Coronel perto da terrina de feijão. Que enorme terrina! Media três vezes a altura do Coronel. Já o prato de arroz era mais acessível. Erguendo a munheca, o Coronel pescou lá em cima dois grãos; comeu um e ofereceu outro a Emília.

— Juquinha, quando acabar o seu passeio leve este presente lá para o meu sítio — disse ela entregando-lhe o grão de arroz.

O menino e a irmã haviam saído da cartola e passeavam por entre os colossais pratos de comida. Diante dum queijo de Minas, Juquinha parou, perguntando que roda de carro era aquela. O Visconde explicou e deu-lhe um pedacinho de queijo.

— Também quero queijo no meu sítio! — gritou Emília.

O Visconde cortou um bloco de meio centímetro cúbico — grande demais para as forças do Juquinha. Foi necessário dividi-lo em três partes para que ele pudesse levar tanto queijo para dentro da cartola.

— Haverá água por aqui? — indagou o Coronel.

A moringa estava na mesa, mas nem o Visconde podia, apesar de ser o maior gigante do mundo, com o peso da moringa. Emília foi à cartola e trouxe um pedaço de algodão.

— Amarre isto na ponta do barbante e pesque água.

O Visconde assim fez. Mergulhou o barbante na moringa e puxou-o. O algodão subiu, pesado de água. Todos beberam com delícia. Juquinha quis levar um pingo para o sítio, mas não encontrou no quê.

— E agora? — perguntou o Coronel. — Que vai fazer de mim?

— Vou levá-lo à casa de sua comadre Dona Benta. Não convém que fique aqui sozinho, no meio destes leitões canibalescos.

— E como irei?

— Na aba do meu sítio — lembrou Emília.

O Coronel Teodorico acomodou-se na aba da cartola do Visconde, com as pernas de fora e debruçado na cerca.

— Toca o bonde, Visconde! — gritou Emília.

Cuidadosamente, o Visconde botou a cartola na cabeça. Espiou se havia algum leitão por ali. Não vendo nenhum, desceu da mesa e, pé ante pé, encaminhou-se para a porta da rua. De passagem Emília entreviu o movimento dos leitões lá na cozinha e ficou apreensiva.

— Rabicó! Parece que vi Rabicó lá no bando. E se é realmente ele, juro que foi o comedor de Tia Ambrósia e da Quinota...

Capítulo XVI
"O Terror do Lago"

O Visconde, com o "Sítio da Emília" na cabeça, marchava muito esticadinho na direção do Picapau Amarelo. Postada à sua janela, entre os dois órfãos, a dona da propriedade ia contando ao Coronel os seus projetos.

— Vou introduzir vários melhoramentos. Metade da aba quero coberta de musgo, daquele que nasce nos barrancos úmidos e dá umas hastes com uma urnazinha na ponta. Na outra metade quero uma horta.

O Coronel achou que as hortaliças eram muito grandes para caberem ali.

— Planto fungos, como fazem as saúvas dentro de seus formigueiros.

Apesar de eterna vítima das saúvas em sua fazenda, o Coronel ignorava que as formigas fossem cultivadoras dos fungos com que se alimentam. Quanto aos musgos, lembrou que eram plantinhas de sombra.

— Pois planto um chapéu-de-sapo que lhes dê sombra — resolveu Emília. — E uma orelha-de-pau para sombrear esta janela. Bate muito sol. E outro chapéu-de-sapo em cima da cartola para que em dias de chuva não pingue água aqui dentro pelo canudo da ventilação.

Os projetos do Juquinha eram diferentes. Queria amarrar ali na cerca dois besouros de sela, um para ele, outro para a Candoca, e também um gafanhoto verde, para o esporte do pulo. A Candoca, que já estava se desembaraçando, declarou querer um besouro verde — preto não.

Quando a loucura da Emília desembestava não havia lembrança que não lhe acudisse. Falou até duma gaiola de passarinho pendurada à janela.

— E onde acha passarinho que caiba nessa gaiola? — perguntou o Coronel.

— Há os pernilongos que cantam a música do *fiun*. E quero mobília. Três caminhas, mesa, um cabide para pendurar o nosso algodão. De cadeiras não preciso. Estes pedacinhos de queijo servem de bancos. Já estou me utilizando de um para sentar-me à janela.

O Visconde teve de parar no caminho, descobrir musgos e chapéu-de-sapo, e besourinhos, e fungos, e deixar a cartola como a dona queria. Só ficou faltando a gaiola de pernilongo. E foi com aquele "jardim botânico" na cabeça que ele chegou ao Picapau Amarelo.

Lá estava o fiel Conselheiro montando guarda junto à varanda. A Vaca Mocha, com a cabeça por cima da cerca, suspirava pela sua habitual ração de milho. Quindim ressonava debaixo da figueira. E Rabicó? Nada de Rabicó por ali.

— Eu bem sei por onde anda aquele canibal! — disse Emília.

O Visconde entrou. Encaminhou-se para o quarto. Tudo em ordem em cima da cômoda. Dona Benta, sentada numa caixa de fósforos tão grande que seus pés não tocavam no chão. Perto dela, Tia Nastácia escarrapachada. Pedrinho e Narizinho lidavam na amarração duma rede de retrós entre a cestinha de costura e a caixa de fósforos.

Emília estranhou vê-los vestidos. É que a cestinha de costura ficava em cima da cômoda, a famosa cestinha de costura de Dona Benta onde não havia o que não houvesse — botões, colchetes, alfinetes, agulhas, linhas de vários números, fios de lã de bordar, retroses de seda, um ovo artificial de cerzir meia, a lâmina Gillette com que Narizinho cortava um célebre calo de Dona Benta, grampos e mais uma dúzia de miudezinhas. Aquilo lhes foi da maior vantagem depois da "redução", quando o Visconde os colocou em cima da cômoda. Por um buraco da palha os dois meninos conseguiram entrar na cesta, e lá fizeram prodígios. No fio da lâmina cortaram os pedaços de lã de bordar com que Dona Benta e Tia Nastácia se tinham vestido à moda dos casulos — "enleadamente". As duas velhas haviam passado a noite no quente. Os meninos, como não fossem friorentos, contentaram-se com tangas de seda — uma franjinha de fios de retrós atada à cintura. Viraram uns perfeitos "índios de luxo". Depois tiveram a ideia de tecer uma rede de fios de linha e armá-la entre a cesta e a caixa de fósforos. Estavam nisso quando o Visconde apareceu.

Ao vê-lo surgir no quarto, enorme, com o seu cartolão à presidente Lincoln transformado em sítio, os netos de Dona Benta romperam num berro de selvagens: *Ale guá, guá, guá! Abati poçanga!*

A gritaria fez que os dois besouros voassem. Que pena!

O Visconde foi trepando pela escadaria de livros com que antes de sair de lá ele havia preparado o acesso à cômoda. No último degrau parou. Suas palhas de milho ficavam ao nível do "assoalho".

— Tenho uma grande novidade a contar — disse ele.

— Já sei, a Emília apareceu! — gritou Narizinho — e desse modo estragou metade da "surpresa". Surpresa, sim. Emília tinha planejado uma surpresa e para isso escondera-se com os dois órfãos dentro da cartola e fizera o Visconde guardar no bolso o Coronel Teodorico.

— Onde está ela? — gritou Pedrinho.

A resposta do Visconde foi tirar da cabeça a cartola imensa e depositá-la em cima da cômoda. Os meninos aproximaram-se cheios de curiosidade. Aquela janelinha, aquela porta, os sete degraus de casca de laranja, as plantações, a escada de corda, o fio da campainha que o Visconde teve o cuidado de desamarrar da sua barba de palha, os chapéus-de-sapo, o canudo lá no alto — tudo era o que podia haver de mais imprevisto. E numa pétala de malmequer pregada na cartola estava o letreiro: "Sítio da Emília."

— Que história é esta? — exclamou Pedrinho, intrigado.

Nesse momento Emília apareceu à janela e fez *Hu*!

Foi um acontecimento. Até Dona Benta ergueu-se da sua caixa de fósforos e aproximou-se para ver.

— Pois é! — começou Emília. — Encontrei o Visconde na estrada e instalei-me em sua cartola. Isto aqui dentro está virando um verdadeiro quarto de badulaques. Temos chumaços de algodão, bancos de queijo, um grão de arroz, uma lança — e vamos ter muitas coisas mais.

— E essa escadinha de corda?

— É para descer até ao chão sem incomodar o Visconde. O assoalho é de casca de laranja. Mandei cercar a aba e fiz uma plantação de musgos e fungos alimentícios, como os da saúva. Os chapéus-de-sapo da aba dão sombra ao musgo e o do alto impede que a chuva pingue pela chaminé.

Pedrinho e Narizinho pularam a cerca e foram espiar pela janela.

— É verdade, sim, vovó! — gritou Narizinho. — Tudo como ela diz. E essas crianças? — exclamou, muito admirada, ao ver a Candoca e o irmão, sentadinhos.

— Ah, são os meus órfãos — e Emília contou a tragédia do Major Apolinário e Dona Nonoca, comidos pelo Manchinha. Dona Benta sentiu muito, porque se dava com aquela gente. Dias antes havia ido à cidade e tomado café em casa de Dona Nonoca.

— Então por lá foi a mesma coisa que aqui?

— A mesmíssima, Dona Benta. Todo mundo perdeu o tamanho. Galinhas e passarinhos percorrem as ruas no maior assanhamento, como nos dias em que caem içás.

— Que horror!

— Só se salvam os espertos — e Emília foi desfiando as suas próprias espertezas, o disfarce do algodão, a noite passada no ninho do beija-flor, a história da caranguejeira e do voo da mutuca.

Nesse ponto Pedrinho assanhou. Também queria voar. Queria que o Visconde fosse ao terreiro descobrir mais besouros — e aquela igualdade de amor pela aviação fez que ele e o Juquinha nunca mais se largassem.

Dona Benta chamou Candoca e sentou-a no colo, contando que havia assistido ao batizado daquela criança.

— E Tia Nastácia? — perguntou Emília. — Que está fazendo lá, escarrapachada e muda?

Dona Benta explicou que a negra não se conformava com a Ordem Nova e perdera o interesse em tudo. Vivia assim, escarrapachada no chão, de mão no queixo, pensando naquele misterioso transtorno do mundo. Tão abatida que nem dava resposta ao que lhe perguntavam.

Pedrinho gostou muito da escadinha de corda e quis descer, porém viu que era muito curta. Tinha a altura do Visconde — dois palmos. Só chegava até à segunda gaveta da cômoda, a qual estava entreaberta. "Bom, se não posso descer até ao chão, poderei entrar naquela gaveta", e desceu com o Juquinha. Era a gaveta em que Dona Benta guardava as roupas de cama, lençóis, colchas e fronhas.

— Isto aqui dá uma morada ótima — gritou ele lá de dentro. — Só brancuras. Parece um campo de neve.

Emília foi sentar-se na caixa de fósforos de Dona Benta, rodeada de todos os mais, e começou a contar tudo o que se passara com ela. A história da ingratidão do Manchinha horrorizou Tia Nastácia, que, afinal, por efeito da animação da Emília, foi saindo do seu marasmo.

— Comer os donos dele! Já se viu um gato mais malvado? — disse ela.

— Manchinha não sabia, nem podia saber — defendeu Emília. — Enxergou no degrau da escada aqueles três insetos descascados e está claro que os comeu. Se você fosse gata, faria o mesmo.

— Três insetos? Não foi só o Major e Dona Nonoca?

— O Manchinha também comeu a Tia Febrônia, aquela cozinheira que esteve aqui naquele dia.

— Cruz, credo, canhoto! — berrou a pobre Tia Nastácia, persignando-se.

Enquanto conversavam, o Visconde foi ao terreiro trocar impressões com o Burro Falante.

— Pois é verdade — disse ele. — Todas as criaturas do mundo perderam o tamanho. A vila acabou. Não há mais ninguém nas ruas — só automóveis escangalhados, animais soltos e a passarinhada. Pelo caminho, os casebres de palha da gente da roça estão desertos. A galinhada comeu todos os moradores. Paramos na casa do Coronel Teodorico — por sinal que ele está aqui, – disse tirando o Coronel do bolso e sentando-o na palma da mão.

O Burro Falante havia pertencido ao Coronel Teodorico, em cuja fazenda nascera. Ao ver o seu antigo patrão reduzido às proporções dum gafanhoto, sacudiu a cabeça filosoficamente. Aquele homenzarrão de outrora, que o cavalgara tantas vezes e lhe metera as esporas e o chicote, estava reduzido a uma coisinha sobre a palma da mão dum milho!

— E como vai ser a vida dos homens daqui por diante? — perguntou o burro.

— Ainda não sei. Isso depende da Emília. Há duas hipóteses: ficar tudo como está, ou voltar tudo ao que era. Emília acha que com a minha ajuda a Chave do Tamanho pode ser de novo levantada.

O Conselheiro não entendeu aquela história de Chave do Tamanho, mas não insistiu. Sua extrema delicadeza de sentimentos impedia-o de ser indiscreto.

— Bom — disse o Visconde. — Continue a tomar conta do terreiro. E Rabicó?

— Ainda não apareceu esta manhã. Com certeza anda correndo mundo atrás de minhocas.

— Eu sei quais são as minhocas de agora! — disse o Visconde guardando o Coronel no bolso e voltando para dentro.

Encontrou Emília a contar a história das suas aventuras na sala de jantar do fazendeiro.

— E ele então foi puxado pela corda, dizia ela, e veio para cima da mesa e contou que lá na "caverna" um "monstro" estivera todo o tempo a cutucá-lo com duas varas de "bambu" (explicou que não eram varas e sim as antenas duma enormíssima barata.)

— Figa, rabudo! — exclamou Tia Nastácia persignando-se.

— E onde ficou o compadre? — quis saber Dona Benta. O último número da surpresa da Emília ia ser aquele. A diabinha olhou para o Visconde e disse com a maior naturalidade:

IMAGINÁRIO   A CHAVE DO TAMANHO

— Onde andará o Coronel Teodorico, Senhor Visconde? Talvez esteja em seu bolso. Veja.

O Visconde enfiou a mão no bolso e tirou lá de dentro um insetão descascado, que depôs sobre a cômoda. Mas todos ali estavam vestidos, de modo que a nudez do compadre de Dona Benta provocou verdadeiro escândalo.

Tia Nastácia protestou.

— T'esconjuro! Onde se viu um pai de família aparecer nesses trajes de Adão na presença de uma senhora de respeito?

Na sua aflição de espírito o Coronel esquecera-se de que estava nu, de modo que a advertência da negra o fez encolher-se todo, desapontadíssimo.

— Arranje uma tanga, homem! — continuou a negra. — Faça como nós fizemos. Tire essa indecência daqui, Visconde!

O Visconde levou o Coronel para o jardim. Que tanga arranjaria para ele? Olhou, olhou. Decidiu-se finalmente por uma flor de angélica, depois de cortá-la de certo jeito. Deu uma tanga ótima, mas que deixava o fazendeiro que nem uma dançarina de saiote.

— Aquela negra é cheia de histórias, Coronel, mas tem bom coração. Ela mesma é quem vai lhe arranjar uma roupa melhor, feita de seda, como a dos meninos.

Ao voltar para a cômoda, vestido daquela maneira, o Coronel foi recebido com palmas.

— Agora, sim — disse Tia Nastácia. — Está mais apresentável — e só falta dançar...

O Visconde já havia deixado ali açúcar e outras provisões de boca. Mas como a população da cômoda aumentasse, foi à despensa em busca de novo sortimento — um pedacinho de marmelada, mais miolo de pão, um dedo de manteiga. Trouxe também uma xícara d'água.

— Temos piscina! — gritou Emília quando o Visconde despejou a água no pires — e correu para lá arrastando pela mão a Candoca. Ia dar um banho na pequena. Candoca, pobrezinha, fez feio. Diante daquele enorme lago de água fria, pôs-se a berrar. Mesmo assim foi esfregada com uma esponjinha de algodão.

— Não se afastem da beira dágua! — gritou Dona Benta. — Basta de desgraças. Não quero nenhum afogamento aqui.

Nesse momento Pedrinho e Juquinha apareceram no alto da escada de corda, vindos da segunda gaveta onde haviam matado uma traça. Dando com a piscina, correram para ela — e banharam-se e nadaram regaladamente.

Emília quis uma barquinha no lago.

— Na caixa de fósforos de Dona Benta há paus excelentes. Faça uma jangada, Visconde.

O Visconde tirou da caixa um pau de fósforo e partiu-o em três pedaços, unindo-os com um fio de linha. Deu uma jangada excelente. Emília pôs-se a "sulcar os mares". Quis depois uma vela e um letreiro: "O Terror do Lago" — e como não houvesse vento, o pobre Visconde teve de ficar ali assoprando.

Pedrinho e Juquinha, sentados na beira do pires, com grande inveja acompanhavam aquela navegação; por fim resolveram fazer uma jangada muito maior e mais bonita.

E desse modo a Ordem Nova da Humanidade Sem Tamanho foi tendo os seus começos em cima da cômoda de Dona Benta.

Capítulo XVII
RABICÓ, O CANIBAL

Enquanto a criançada construía a Ordem Nova, Dona Benta conversava com o Visconde a respeito da situação.

— Tudo mudou — dizia ele. — Hoje nada vale o que valia antigamente. Acabou-se o dinheiro. Acabaram-se os veículos. Acabou-se a civilização. Mas, pelo que já vi, o homem pode perfeitamente subsistir dentro das proporções mínimas a que está reduzido.

— Acha sinceramente, Visconde, que podemos subsistir e criar uma nova civilização?

— Acho sim. Acho até que o homem pode criar uma civilização muito mais interessante e feliz do que a "civilização tamanhuda", como diz a Emília. Ali naquele lago a senhora está vendo um maravilhoso exemplo das novas possibilidades. Nunca um pires d'água deu tanto prazer a tantas criaturas. Os insetos, por exemplo, vivem perfeitamente adaptados ao planeta — e eles não possuem a inteligência das criaturas humanas. A geração adulta de hoje vai sofrer, está claro, porque anda muito presa às ideias tamanhudas; as crianças já sofrerão menos, porque aceitam melhor as novidades. Repare como os seus netos, e o Juquinha e a Candoca, estão rapidamente se adaptando, ao passo que Tia Nastácia e o Coronel resistem.

— Mas acha que as nossas velhas ideias tornar-se-ão inúteis neste mundo novo?

— Inúteis propriamente não. Mas têm de ser revistas e reformadas. São ideias filhas da experiência tamanhuda. Com a nova experiência pequenina, está claro que as ideias velhas têm que sofrer adaptação.

Filosofaram longamente. O Coronel vinha de vez em quando com um aparte que só servia para mostrar como ele estava emperrado nas ideias antigas — sobretudo na de dinheiro.

Súbito, um "fecha" se formou lá no pires.

— Não quero que entre na minha nau! — gritara Emília, quando Juquinha tentou invadir aqueles três pedacinhos de pau de fósforo amarrados com o fio. — Isto é meu só!

— Lá vai a propriedade se formando — filosofou o Visconde. — Emília já está toda cheia de minhas e meus. Minha nau, meu queijo, meu sítio...

— E como o Senhor Visconde explica este extraordinário fenômeno da redução do tamanho das criaturas?

O Visconde sabia muito bem que tudo não passava duma reinação da Emília, mas como jurara nada contar a ninguém, fingiu ignorância.

— Não sei, Dona Benta. Não posso explicar o mistério — gaguejou ele.

Depois de fartar-se de navegação no pires, Emília "alugou" a sua jangada ao Juquinha e foi pedir ao Visconde que a levasse ao terreiro. Queria conversar com o Burro Falante e o Quindim. Para falar com o burro, a voz de mosquito da Emília não dava, de modo que ela fazia as perguntas e o Visconde as repetia como um alto-falante.

— Quero saber de Rabicó, Senhor Conselheiro.

O burro contou, que desde a véspera Rabicó não dava sinal de si. Da última vez que o vira, ia indo para os lados da fazenda do Coronel.

— Ah, então era ele mesmo que estava lá na cozinha devastando o que havia — e juro que foi o comedor da Quinota e da Tia Ambrósia! A fome de Rabicó é uma dessas coisas que não têm explicação.

Nisto, um *ron, ron, ron* soou perto da porteira. Lá vinha Rabicó muito afobado, de focinho sujo de terra, gordo como um porco. Emília fez que o Visconde o chamasse e passou-lhe uma reprimenda.

— Há tantas coisas gostosas no pomar — disse ela através do alto-falante — há tantas mangas, laranjas, cajus, goiabas, figos, matinhos tenros, e o senhor sempre com o focinho sujo de terra de tanto fossar as minhocas! Mas — diga-me uma coisa: sabe o que aconteceu no mundo?

— Se sei o que aconteceu? Ora se sei! Aconteceu que de um momento para outro deu de aparecer por toda parte uma nova raça de minhocas em pé, umas cor-de-rosa, outras cor de rapadura, outras pretas — e gostosíssimas. Na casa do Tio Barnabé comi uma dúzia — das pretas. Lá na venda do Elias comi mais de vinte de todas as cores. E até na casa do Coronel Teodorico — que está deserta, não sei para onde aquela gente se afundou — comi duas, uma cor de rapadura e outra preta. Muito melhores que as minhocas que não andam de pé.

Emília ficou horrorizada. O Marquês de Rabicó, seu antigo esposo, estava transformado em canibal, comedor de gente! E teria feito com o pessoal do sítio de Dona Benta o mesmo que o Manchinha fizera com a família do Major Apolinário, se não fosse a providencial ideia do Visconde de pô-los todos em cima da cômoda.

— Ah, Rabicó! — disse ela em tom trágico. — O que você anda fazendo é o maior dos horrores, porque essas tais "minhocas em pé" não são minhocas e sim gente humana de proporções reduzidas. A humanidade inteira perdeu o tamanho. Dona Benta e os meninos estão lá dentro transformados em iscas de gente. Pelo amor de Deus, pare com essas comilanças, porque constituem verdadeiros crimes. Sabe quem eram as minhocas pretas que você comeu na casa do Tio Barnabé? Eram o pobre negro velho e toda a família dele. E sabe quem eram as duas que você comeu na casa do Coronel Teodorico? Eram a Quinota e a Tia Ambrósia, aquela negra tão boa, que sempre nos recebia com café e bolinhos.

Rabicó ficou desapontadíssimo. Mas como é que poderia ter adivinhado? Sempre fora um grande comedor de minhocas e de quanto verme encontrava. Apareceram aquelas minhocas novas, carnudinhas. Nada mais natural que as comesse também.

— Eu sei disso. Você não tem culpa. Mas está avisado. E se encontrar mais alguma perdida por aí, traga-a para cá, em vez de comê-la.

Rabicó, muito impressionado com a sua antropofagia, prometeu que sim.

Em seguida o Visconde foi em procura do rinoceronte, lá embaixo da figueira grande. Contou-lhe toda a tragédia humana. Quindim, porém, não fez caso nenhum. Já estava muito velho para dar importância a coisas tão insignificantes como o desaparecimento da humanidade. Enquanto houvesse vegetais, árvores de boas folhas gostosas, capins macios e brotos, tudo iria bem. Quindim, com a idade, fora ficando cínico; Emília passou-lhe uma descompostura e voltou para casa.

— Muito bem, Visconde — disse ela. — Trate de concluir a fabricação do superpó. Quero dar um grande passeio pelo mundo — a Europa, a Ásia, a América do Norte, para ver como correm as coisas por lá. Depois resolveremos sobre a ida à Casa das Chaves.

O Visconde foi ao laboratorinho e continuou na fabricação do maravilhoso pó, interrompido pelo desastre do apequenamento. Emília quis saber qual era o segredo da droga. O velho sábio riu-se; declarou que o superpó era uma "sublimação das vitaminas do pulo dos grilos" — o que deixou Emília na mesma. Depois de lidar no laboratório algum tempo, o Visconde foi ver como ia a gente da cômoda.

Encontrou os meninos brincando de construir uma casinha com as "vigas" tiradas da caixa de fósforos de Dona Benta. O Coronel Teodorico olhava para a obra com olhos de peixe morto.

— Que é que há, Coronel? — perguntou o Visconde.

— Há que não posso conformar-me com o acontecido — respondeu o pobre homem, sem sequer erguer a cabeça. — Eu era gente no mundo. Alto, forte, rico, dono duma bela fazenda — e agora me vejo sem nada de nada, reduzido a um simples inseto em cima desta cômoda. Ora, estou muito velho para acostumar-me a semelhante brincadeira. Se vou ficar assim toda a vida, então antes acabar com tudo de uma vez — e peço que me leve e largue diante do bico do pinto sura.

— Não seja tão exagerado, Coronel — disse o Visconde. — Estou preparando uma dose de superpó e com esse ingrediente é possível que a Emília e eu... Ai!

Um forte puxão no fio da campainha advertira-o de que estava falando demais. O Visconde engoliu o fim da frase. Narizinho, porém, que estivera ouvindo a prosa, desconfiou e disse ao ouvido de Dona Benta:

— Estou quase acreditando, vovó, que tudo quanto aconteceu não passa dalguma reinação da Emília. O Visconde sabe, mas não pode dizer. Desta vez distraiu-se e ia contando; súbito, "Ai!" deu um gritinho e nem rematou a frase. Por quê? Porque Emília, lá de dentro da cartola, pregou-lhe um puxão na barba. Emília é o que há de esperta, vovó. Inventou a tal "campainha" justamente para isso: para brecar o Visconde sempre que ele for se tornando indiscreto.

— Tudo é possível neste mundo de maravilhas — suspirou Dona Benta —, mas temos de ficar muito caladinhas, porque hoje quem realmente manda é a Emília, já que mora na cabeça do mais poderoso gigante do mundo. Estamos nas mãos dos dois — nós e a humanidade. A perda do tamanho nos tornou tão fracos e inúteis como pulgões de broto de roseira.

— Pois eu continuarei atenta — disse Narizinho — e hei de pescar toda a verdade.

O Visconde perguntou ao pessoal da cômoda se não desejavam alguma coisa. Juquinha pediu besouros e Pedrinho quis um livro. Andava interessado em saber se ainda era possível a leitura de livros. O Visconde tomou um ao acaso, ali da sua escadaria de livros, e largou-o sobre a cômoda. Pedrinho trepou na página aberta a fim de experimentar a leitura. Difícil, sim. Tinha de ir andando, como caranguejo, por baixo de cada linha, lendo as letras uma por uma. Leu assim duas ou três frases e cansou-se. Depois quis voltar a página. Viu que exigia o esforço de duas pessoas, uma para levantar a folha do livro a pulso, como o carpinteiro que levanta uma tábua; e outra que a empurrasse para cima por meio duma comprida vara. A folha do livro ficava assim em vertical. Para fazê-la deitar-se do outro lado, era preciso mais uma série de manobras.

Dona Benta, que estava assistindo àquela brincadeira, disse filosoficamente:

— Estou vendo que toda a cultura humana, guardada nas bibliotecas, está perdida. Tirar os livros das estantes já vai ser quase impossível. Abri-los é um trabalho e lê-los, letra por letra, caminhando de pé por baixo das linhas, é esforço lento e fatigante. Será uma verdadeira façanha de Hércules ler um livro todo.

Enquanto isso o Visconde e Emília cochichavam em voz baixa a pouca distância dali. O superpó já estava pronto. Podiam correr mundo. O melhor era irem duma vez à Casa das Chaves, levantarem a Chave do Tamanho e pronto. Tudo ficaria como dantes. Emília, porém, estava indecisa. Queria e não queria, e mais não queria do que queria. Por fim veio com a ideia do plebiscito.

— Acho, Visconde, que não podemos decidir por nós mesmos num ponto de tanta importância. Não somos ditadores dos tais do quero, posso e mando. Temos de consultar a opinião das gentes e só fazer o que a maioria quiser. Temos de dar uma volta pelo mundo, ver pelo menos a Europa e os Estados Unidos. Como decidirmos qualquer coisa sem conhecermos o estado real da humanidade?

Assentado aquele ponto, o Visconde foi avisar o Conselheiro.

— Nós vamos partir novamente — disse ele — e o senhor fica de sentinela. Não deixe entrar na casa ave nenhuma, nem o Rabicó. Ele prometeu comportar-se, mas duvido que veja um inseto descascado e resista à tentação de comê-lo.

O burro prometeu cumprir fielmente as instruções.

Capítulo XVIII
O FILÓSOFO CHINÊS

Lá na cômoda Dona Benta e os meninos estudavam a situação.

— Para mim, vovó, tudo não passa de arte da Emília — dizia a menina. — Cada vez me convenço mais. Lembre-se que na manhã do dia do desastre ela desapareceu daqui, e logo em seguida o Visconde veio dizer que lhe haviam roubado a caixinha de superpó. Juro que foi ela! Tomou uma pitada e afundou pelos infinitos, e lá mexeu em alguma coisa. Estou certíssima disso. Não vê como ela está segura de si e emproada, cheia de "vous" e "faços"? Todos no mundo estão assim como nós, tontos, sem saber nem o que pensar — menos Emília. Garanto que tudo é uma arte dela.

— Pois se é arte dela, minha filha, só ela poderá consertar o torto. Esperemos. Não é a primeira vez que nos encontramos em situação esquisitíssima. Quanta coisa se tem passado nesta casa! Até pelo céu vocês já andaram, brincando de escorregar nos anéis de Saturno. E eu já estive sentada no dedo do Pássaro Roca, pensando que era uma raiz de árvore. Mas no fim tudo acabou bem.

— Agora é diferente, vovó. Naquelas aventuras as coisas aconteciam só para nós; o que agora aconteceu alcançou a humanidade inteira. Qual é sua ideia, Tia Nastácia?

A boa negra, entretida em emendar fibras de algodão, respondeu como se já não fosse uma criatura deste mundo.

— Ah, eu penso que o mundo acabou — o mundo antigo. Nós morremos todos, sem saber, e estamos no céu. Somos almas do outro mundo e o outro mundo é este — esta cômoda, o Coronel, tão pequenino, ali de tanga de flor, Emília lá na cartola do Visconde. Ou então é sonho. Se é sonho, quando acordarmos tudo se acaba e a vida de dantes começa outra vez. E se é morte, é morte e pronto. Pois então vou acreditar que estou virada em içá de tanga? Não sou boba. Ou já morri e estou num céu, ou tudo isto é sonho.

Narizinho ficou impressionada com a ideia da negra.

— Será assim, vovó?

— Como posso saber, menina? Nosso modo de vida nesta casa sempre me deixou tonta e incerta sobre a realidade das coisas. Até me faz lembrar aquele caso do filósofo chinês.

— Qual deles?

— Aquele filósofo ou poeta chinês, já não me lembro, que passou a noite sonhando que era borboleta, e durante todo o sonho viveu a vida das borboletas, com ideiazinhas de borboleta, comidinhas de borboleta, tudo de borboleta, com a maior clareza e perfeição. Quando acordou e se viu outra vez homem, caiu na dúvida. "Serei uma borboleta que está sonhando que é homem ou sou um homem que sonhou que era borboleta?" E por mais que pensasse nisso, nunca pôde saber com certeza se era realmente uma borboleta que sonhava ser homem ou um homem que havia sonhado ser borboleta.

— Que graça! — exclamou a menina.

— Pois estou que nem esse poeta chinês — concluiu Dona Benta. — Não sei se sou gente grande que está sonhando que é gentinha, ou se sempre fui gentinha que por muito tempo sonhou que era gente grande.

— E qual a sua opinião, Coronel? — perguntou o menino.

O Coronel Teodorico estava com o cérebro mais oco do que um porungo. Não tinha ânimo de pensar e até chegava a ter medo das ideias que lhe acudiam. Pedrinho teve de insistir muito para que ele dissesse:

— Eu estou com Tia Nastácia. Isto é pesadelo. Não pode ser verdade. Pois onde se viu um homem que nunca teve medo de nada, e vivia na fartura, acabar escondido numa fresta de rodapé, perto duma barata enorme, tremendo de medo dos seus próprios leitões soltos pela sala? Pois então isso é coisa possível? O que me parece é que estou louco — ou que todos estão loucos. Já li a história dum louco que ficava parado num canto, com uma caneca na cabeça — e assim levou anos, sabem por quê?

— Por quê?

— Porque estava convencido de que era um pote d'água. Não falava, porque os potes não falam. Não tirava a caneca da cabeça porque os potes não tiram a caneca da tampa. Por mais que os médicos do hospício lhe explicassem que ele não era pote e sim um homem como os outros, o coitado não acreditava. Convencera-se de que era pote e acabou-se. Quem sabe se nós enlouquecemos e estamos tal qual o homem do pote? Quem sabe se não há nada disto, e tudo é ilusão nossa?

Nesse momento o Visconde apareceu, com a Emília debruçada na janelinha. Contou que o novo superpó estava pronto e eles iam correr mundo para verificar a situação real da humanidade.

Dona Benta arrenegou — mas que remédio? Se Emília queria a tal viagem à Europa, estava querido. A dona do mundo era ela. Pois que fossem, mas voltassem logo. Em seguida pôs o Visconde a par da discussão ali na cômoda.

— O Coronel acha que o que estamos é loucos — e repetiu a história do pote.

— Isso não! — gritou Emília da janela. — Esse louco do pote era um só, e neste nosso caso de agora todos se sentem pequenininhos. Uma loucura assim de toda gente não pode ser loucura — loucura é coisa só de uns.

— E Tia Nastácia acha que é sonho — continuou Dona Benta.

— Sonho o nariz dela! — berrou Emília. — Parece incrível que não percebam o que houve. O mundo é uma máquina de mil peças. Com certeza alguma peça saiu do lugar — é isso.

Narizinho, sempre atenta às palavras de Emília, aproximou-se.

— Peça que saiu do lugar? — repetiu. — Se alguma peça saiu do lugar, não saiu sozinha — alguém deve ter bulido nela.

— Isso não! — protestou Emília vivamente. — Por que é que o automóvel do José Batata parou, naquela vez em que fomos à cidade? Porque o arame do acelerador se partiu — e quem estava mexendo lá dentro para que o arame se partisse? Partiu-se por si mesmo. São coisas que acontecem.

Mas o calor com que negou a ideia de haver alguém mexido na peça ainda mais aumentou as desconfianças da menina, a qual disse ao ouvido de Dona Benta:

— Juro, vovó, que quem mexeu na peça foi ela!

E depois, em voz alta para "caçá-la":

— Emilinha, você ainda não nos contou o que foi fazer naquela manhã, depois de furtar o superpó do Visconde.

— O que fui fazer? Ora esta. Fui dar um passeio pelas estrelas — para verificar se o pó era mesmo o que o Visconde dizia.

— E andou pulando de estrela em estrela, não é?

O modo irônico de Narizinho falar fez que Emília se abrisse. Já andava amolada com aquele segredo.

— E se fosse eu? Se mexi na Chave do Tamanho, não o fiz por querer. Não havendo intenção, não há culpa, como disse Dona Benta outro dia. E por isso estou de cabeça levantada, pronta para aparecer diante de todos os tribunais do mundo. Quero vez quem me condena. E se começam a me amolar, sabem o que faço? *Não faço nada!* Largo mão de tudo e a humanidade que se fomente. Pipocas!

— Cama, calma, Emília! — disse Dona Benta. — Não é caso para se queimar. Ninguém aqui imagina que você queira destruir a humanidade, e se por acaso fez algum mal, foi sem querer — e vai consertar a malfeitoria e deixar tudo como dantes.

— Isto também não! — protestou Emília. — Quer então a senhora que eu deixe o mundo como estava, dividido em duas partes, uma matando a outra, bombardeando as cidades, escangalhando tudo? Ah, isso é que não. Ou acabo com a guerra e com esses ódios que estragam a vida, ou acabo com a espécie humana. Comigo é ali na batata!

A arrogância daquelas palavras era uma coisa incrível. Dona Benta tremeu pelos destinos do mundo e fez sinal a Narizinho para que ficasse quieta. Era preciso não irritar a pequena criaturinha da qual a sorte da Espécie Humana dependia.

Capítulo XIX
VIAGEM PELO MUNDO

Tudo estava pronto para a viagem. No último momento o Visconde achou melhor desistirem do plebiscito e, em vez do passeio pelo mundo, tocarem diretamente para a Casa das Chaves. Alegou que cada minuto de demora eram mais milhões de seres humanos que pereciam em todos os continentes.

— E não se perde grande coisa — respondeu Emília. — O infinito é um colosso, Visconde. Há lá pelos céus milhões e milhões de astros muitíssimas vezes maiores que esta pulguinha da Terra. E nesta pulguinha da Terra a humanidade é uma poeirinha malvada. Para o Universo tanto faz que essa poeirinha exista como não exista.

Aquele pouco-caso da Emília pela humanidade não impressionou o Visconde. Ele viu que no fundo não era *pouco caso*, e sim *muito caso*. Emília revoltava-se com as guerras e as outras formas de crueldade dos seres humanos. O apequenamento causado pela sua reinação evidentemente não fora de propósito. Quando Emília virou a chave, sua intenção não fora fazer mal a ninguém, e sim bem: acabar com as guerras. Havia de haver uma chave da guerra, e o seu pensamento foi ir experimentando todas as chaves até acertar. Mas assim que virou a primeira, aconteceu o tal apequenamento, e ela nem sequer pôde suspender outra vez a chave, quanto mais experimentar as outras. "Emília é filósofa", pensou o Visconde, "e quando se põe a filosofar parece que tem coração duro mas não tem. Emília é filosoficamente boa."

Depois de tudo bem combinado, e de tomadas lá na cômoda todas as providências, partiram. O *fiun* foi formidável, porque quanto mais novo é o super-pó, mais forte. Emília, coitadinha, perdeu completamente os sentidos, e o Visconde ficou mais tonto que das outras vezes.

Por fim chegaram. O Visconde levou minutos sentado, de pernas estiradas, olhando sem ver, ouvindo sem ouvir. Quando se pôs de pé, quase caiu, de tão tonto.

— Emília! — chamou ele, e repetiu três vezes o chamado.

Como não obtivesse resposta, tirou a cartola e espiou pela janela. A coitadinha estava desacordada. O Visconde despejou-a na palma da mão, cuidadosamente, e soprou-a de leve. Nada. Soprou mais forte. Nada.

— Parece incrível — murmurou ele — que essa grande coisa chamada humanidade dependa desta formiguinha sem sentidos que eu tenho na palma da mão! Se Emília voltar a si, tudo poderá ser salvo; mas se morrer, é bem provável que estes insetos descascados também morram todos, e só fiquemos no mundo eu, o Conselheiro e o Quindim — os únicos seres falantes e escreventes — e que adiantará a "História do Grande Desastre" que eu possa escrever em minhas memórias? Não existirá ninguém para lê-la. E o curioso é que o mundo continuará a rodar como se não tivesse havido nada. O burro, Quindim e todos os mais rinocerontes e hipopótamos e leões e tigres e a bicharada inteira desde os pintos suras até os micróbios, continuarão a existir como até hoje — e até ficarão muito contentes com o sumiço do *Homo sapiens*. Porque o *Homo sapiens* era o que mais atrapalhava a vida natural dos bichos. Até Rabicó, aquele patife, continuará a fossar os brejos em busca de minhocas — e já sem medo nenhum do bodoque de Pedrinho ou das ameaças da Emília.

Estava nesse ponto da conversa consigo mesmo, quando a "formiguinha desmaiada" fez um leve movimento e logo em seguida outro. O Visconde respirou aliviado.

— Ora graças que está acordando.

Emília despertou e sentou-se. Passou a mão pelos olhos ainda turvos.

— Onde estou?

— Aqui comigo, na palma da minha mão, em qualquer parte da Europa — disse o Visconde.

Emília sorriu e pôs-se de pé, ainda tontinha; firmou-se logo, porém, e pediu a cartola.

— Erga-me para a cartola, Visconde. Sua mão está muito quente e suada.

Assim foi feito.

— Onde será que estamos? — perguntou, logo que reapareceu em sua janelinha. — Isto aqui parece um campo de trigo sem trigo, mas de que país?

Os campos de trigo sem trigo são todos semelhantes, de modo que por meio deles ninguém consegue identificar um país. Para isso, só as cidades.

— Vamos tomar por aquele caminho, Visconde — disse ela referindo-se à estrada que se via dali. — Todo caminho dá em cidade.

O Visconde dirigiu-se para a estrada e pôs-se a caminhar. Uma larga estrada deserta, com sinais de tráfego nas curvas e pontos perigosos. Esses sinais também não permitiram a identificação do país, porque são os mesmos em toda parte. Só quando chegaram a um cruzamento puderam ler a tabuleta indicadora da direção. Havia de cada lado uma flecha com um nome embaixo. O Visconde viu imediatamente que o superpó os havia largado na Alemanha.

— Muito bem. Este nome de Furstenwalde mostra que estamos perto de Berlim. O melhor é irmos diretamente para lá.

— Ótimo — concordou Emília. — Com a cheirada de alguns grãos de superpó, estaremos em Berlim em meio segundo.

— Mas não vá perder os sentidos outra vez — disse o Visconde, dando-lhe apenas meio grãozinho de superpó e aspirando um inteiro.

O passeio do Visconde e da Emília pela cidade de Berlim dava assunto para todo um livro. Quanta coisa observaram! A capital da Alemanha pareceu-lhes perfeitamente morta. A enorme quantidade de montinhos de roupa em toda as ruas revelava a sua grande população. Na maioria eram montinhos de farda, com um capacete ou quepe em cima. Inúmeros automóveis despedaçados, quase todos militares. O apequenamento havia acontecido às quatro horas, que é a hora de Berlim correspondente às dez da manhã lá no sítio. A população estava em plena atividade nas ruas, quando subitamente desapareceu. O que de fato havia acontecido à humanidade inteira fora isso — um desaparecimento. No mesmo instante, em todos os continentes, em todas as cidades, em todas as casas e ruas, em todos os navios e trens, os seres humanos derreteram-se como sorvete, dentro das roupas, mas de modo instantâneo, e as roupas ficaram no lugar, em "montinhos largados", quase sempre com um chapéu em cima. E em substituição de cada criatura apareceu dentro de cada montinho de roupa um inseto bípede de várias cores — uns cor-de-rosa, outros amarelos, outros cor de cobre, outros pretos como carvão.

Foi isso o que se deu: completa extinção da Humanidade, porque os insetos de dois pés que a substituíram já não eram propriamente a Humanidade — eram a Bichidade, como Emília os classificou. E, portanto, ela, a Emília, a Emilinha do sítio de Dona Benta, havia realizado um prodígio sem nome: suprimido a Humanidade! O que os gelos dos períodos glaciais não conseguiram e o que não conseguiram as erupções vulcânicas, e os terremotos, e as inundações, e as pestes, e as grandes guerras, a marquesinha de Rabicó havia conseguido da maneira mais simples — com uma virada de chave! Aquilo era positivamente o Himalaia dos assombros.

Todas as casas de Berlim estavam abertas e desertas. Ninguém, de ninguém, de ninguém. Só cachorros e gatos. Esses novos antropófagos andavam livremente por toda parte; os cães tinham aprendido a revolver os montinhos de roupa e os gatos pescavam com a mão os insetos mal escondidos nas frestas. Muitos passarinhos dos campos também vieram caçar em Berlim. Emília recordou o tempo da saída de içás lá no sítio em outubro, coisa que tanto assanhava os passarinhos e as aves domésticas.

— Veja! — exclamou o Visconde filosoficamente. — Esta gente, que era a mais terrível e belicosa do mundo e estava empenhada numa guerra para a conquista do planeta, ainda é mentalmente a mesma — quero dizer, ainda sente e pensa da mesma maneira. E ainda sabe tudo quanto aprendeu. Os químicos sabem fazer prodígios com a combinação dos átomos. Os físicos e mecânicos sabem todos os segredos da matéria. Os militares sabem todos os segredos da arte de matar. Mas como perderam o tamanho, já não podem coisa nenhuma. Sabem, mas não podem. Que coisa terrível para eles!

— Estou vendo que a grande força dos homens estava no tamanho — disse Emília. — O tamanho era como o cabelo de Sansão. Quando Dalila cortou o cabelo de Sansão, o coitado perdeu toda a força.

— Exatamente — concordou o Visconde. — O tamanho era tudo, isto é, todo o aparelhamento mecânico da humanidade fora feito para os homens daquele tamanho. Assim que aquele tamanho mudou, adeus viola! Tudo ficou absolutamente inútil. Até as invenções dependem do tamanho. Agora compreendo por que as formigas não inventam nada. Não podem, por falta de tamanho. Que coisa tremenda o tamanho! Está aí uma ideia que nunca me passou pela cabeça.

E realmente era assim. Aquela grande cidade, com todas as suas máquinas e veículos e organizações, valia menos, para os novos insetos louros, do que um buraquinho na terra (dos sem dono dentro) ou uma fresta de rodapé.

O Visconde parou diante do palácio do governo e ficou a balançar a cabeça filosoficamente.

— Aqui morava o ditador que levou o mundo inteiro à maior das guerras, e destruía cidades e mais cidades com os seus aviões, e afundava os navios com os seus submarinos, e matava milhares e milhares de homens com os seus canhões e as suas metralhadoras — o homem mais poderoso que jamais existiu. Tudo isso por quê? Porque tinha oito palmos e meio de altura. Assim que foi reduzido a quatro centímetros, todo o seu poder evaporou-se. Ele, se é que ainda não foi para o papo de algum pinto sura, permanece o mesmo, com a mesma energia mental, a mesma disposição destruidora e a mesma vontade de aço — mas não *pode* mais nada.

— Ah, se conseguíssemos encontrá-lo! — suspirou Emília.

— Quem sabe? É possível que ainda esteja dentro deste palácio.

O Visconde subiu as escadarias e entrou. Enormes salões desertos, com o chão coalhado de montinhos de farda. Aqui e ali, um gato ou cachorro vagabundo. O silêncio era impressionante. O Visconde lembrou-se de sacudir um dos montinhos de farda e viu cair pela manga um inseto louro, nu, mortíssimo. O pano amontoara-se de mau jeito em cima dele; o inseto, que não pudera sair, morrera abafado. Examinando os bolsos da blusa, o Visconde encontrou a carteira de identificação do falecido. Era um grande general, famoso pelas destruições feitas na Polônia. Emília ficou a olhar para aquela tripinha que o Visconde erguia no ar por um pé.

— Extraordinário! — disse ela. — Esta simples tripinha foi um dos terrores do mundo, só porque era dotado de tamanho. Estou vendo, Visconde, que o tamanho dos homens era realmente a pior coisa que havia — e fiz muito bem de acabar com ele. O melhor será irmos à Casa das Chaves e também suprimirmos o tamanho de todos os outros animais. Para que tamanho? Um micróbio vive perfeitamente — e é pequenininho a ponto de ser invisível.

Outros montes de farda foram sacudidos sem que nada caísse de dentro.

— Os insetos destas roupas puderam safar-se, disse Emília — mas onde andam?

Não tardaram a descobri-los. Embaixo dos móveis, nos cantinhos mais escuros, nas frestas, por toda parte onde houvesse minúsculos abrigos naturais, o Visconde descobriu medrosos ajuntamentos de insetos louros. Inúmeros já estavam no papo da gataria invasora e dos cães. Cão não come inseto, mas inseto feito de carne humana é petisco diferente e raro. Além disso, os gatos e cães da Alemanha andavam com rações muito curtas de modo que se aproveitavam daquela imprevista oportunidade.

O Visconde foi andando de sala em sala. Uma delas parecia a do Grande Ditador.

— Era aqui — disse Emília — que ele mandava e desmandava. Agora, com certeza, anda escondido nalgum buraquinho.

— Mas como poderemos reconhecê-lo?

— Pelo bigode. Nada mais fácil.

Com um pauzinho o Visconde começou a tirar os arianos escondidos nas frestas ou debaixo dos móveis.

De sob a secretária do Grande Ditador saíram vários, evidentemente generais e homens de governo. Um deles tinha bigodinho.

A entrevista de Emília com o Grande Ditador dava um livro de mil páginas, mas temos de resumir. A pedido dela o Visconde ergueu-o até a altura da janelinha para que pudesse ouvir o seu discurso.

— Meu senhor — disse ela — tenho a honra de apresentar a Vossa Excelência o Visconde de Sabugosa, o milho falante lá do sítio de Dona Benta. E também me apresento a mim mesma — *frau* Emília, Marquesa von Rabicó. Viemos dar uma vista-d'olhos pelas Europas e o acaso nos largou nesta Alemanha de Vossa Excelência. Mas estou admirada do que vejo. Esperei encontrar o grande arsenal das ditaduras dando tiros de canhão e espirrando fogo, e o que no próprio palácio do Grande Ditador eu vejo são montinhos de farda vazia e arianos insetiformes, tímidos, nus, escondidos pelos cantos e vãos e frestas. Que foi que aconteceu, Excelência?

Para uma criaturinha de quatro centímetros, um "milho" como o Visconde, de dois palmos de altura, equivalia a um formidável gigante. Nada mais natural, pois, que o Grande Ditador se encolhesse todo, sem ânimo de soltar uma só palavra. Mas Emília o sossegou.

— Não se assuste, Excelência. O Visconde é o maior gigante do mundo, mas também é milho — um vegetal extremamente pacato. Além disso é um grande sábio — hoje o maior sábio do mundo. E não é judeu, não, Excelência. Não tenha medo. O Visconde é arianíssimo. Quando esteve no milharal que foi o seu berço, o vento dava na sua linda cabeleira louro-platina. Hoje está velho e careca e anda sempre com o meu sítio na cabeça. Não entende? Meu sítio é esta cartola. Pois bem, Excelência. Cheguei até cá para dizer uma coisa só — que o Tamanho morreu. E quem acabou com o Tamanho eu sei quem foi, e sei também que essa pessoa é a única que pode novamente restituir aos homens o antigo e querido tamanho — aquele tamanho malvado, porque se não fosse ele os homens não teriam sido maus como foram, fazedores de guerras, incendiadores de cidades, afundadores de navios, judiadores de judeus. Mas esse misterioso alguém só restaurará o tamanho perdido se tiver a certeza de que Vossa Excelência vai fazer a paz, e botar fora todas as horrendas armas que andou amontoando, e desse momento em diante viverá na mesma paz e harmonia com o mundo em que vivem as formigas e abelhas. Se o Tamanho voltar e tudo ficar como estava, quero vida nova, sem guerras, sem ódios, sem matanças, sem armas, está entendendo? E se por acaso algum dos futuros poderosos romper o trato, o castigo será terrível. Sabe qual será o castigo? O tal "alguém" desce a chave duma vez, e o Tamanho fica reduzido a zero. Em vez de quatro centímetros, como Vossa Excelência tem hoje, passara a ter quatro milímetros, ou menos, e será devorado até pelas moscas e pulgas. Está entendendo?

Claro que ele estava entendendo. Quem não entenderia uma linguagem tão pão-pão-queijo-queijo como aquela?

O Grande Ditador animou-se e quis falar. Emília o deteve com um gesto.

— Não diga nada, meu senhor. Já houve falação demais. Quem fala agora sou eu. Quero todos muito direitinhos e humildes. Esta semana de "redução" não passa duma advertência que o tal "alguém" faz ao mundo. Compreende?

Assim terminou Emília o seu sermão ao chefe do Eixo. Depois ordenou ao Visconde:

— Enfie-o no buraquinho onde estava e vamos ver o outro.

O Visconde enfiou o Grande Ditador na fresta do rodapé, de onde o seu Estado-Maior espiava com os olhos arregalados.

Um dos mais interessantes aspectos do mundo novo era o da enorme quantidade de aviões despedaçados. Todos os aparelhos que haviam erguido voo no dia do apequenamento ficaram sem governo e foram caindo aqui e ali. O mesmo sucedeu aos trens e navios. Os trens em movimento descarrilaram todos, depois que seus maquinistas viraram insetos. O mesmo desastre nos oceanos. Os navios transformaram-se em "navios fantasmas", isto é, que andam soltos pelo mar ao sabor dos ventos sem tripulação que os dirija. A cada passinho as ondas arremessavam um deles à praia.

Foi o que o Visconde observou em sua viagem à Alemanha — e na Alemanha tomou nova pitada de pó e foi parar no Japão.

IMAGINÁRIO · A CHAVE DO TAMANHO

O aspecto das cidades japonesas era o mesmo das europeias. Montinhos de roupa por toda parte, fardas, e também quimonos. Automóveis escangalhados, trens arrebentados, aviões despedaçados.

Foi fácil em Tóquio darem com o palácio do Imperador, e por mero acaso descobriram o soberano amarelo. O Visconde vira numa das salas um gato brincando de dar tapinhas numa tampa de caneta-tinteiro caída no chão. Era o Gato Imperial — o gato de estimação de Sua Majestade. Evidentemente havia dentro da tampa qualquer coisa que o interessava. Não conseguindo fazer que essa qualquer coisa saísse lá de dentro, o gato ficou de banda, imóvel, como fazem os gatos do mundo inteiro quando encontram um buraquinho de camundongo.

O Visconde espantou o Gato Imperial e tomando a tampa de caneta virou-a de boca para baixo, sacudindo-a. Caiu de dentro uma tripinha cor de cuia. Era o Imperador do Japão, o Filho do Sol...

A viagem à Rússia foi a mais trágica de todas. O Visconde parou na zona da guerra e assombrou-se. O frio era horrível, muitos graus abaixo de zero, e aqueles milhões de homens que os Ditadores tinham remetido para os gelos estavam todos mortos. Ao lado dos tanques e canhões viam-se montinhos de fardas em quantidade incrível, em muitos pontos já totalmente recobertos pela neve. Nenhum inseto beligerante pôde salvar-se depois do apequenamento. Nem procuraram sair de dentro das roupas desabadas, porque então morreriam ainda mais depressa no entanguimento do frio exterior. Ficaram dentro das roupas e capotes, aproveitando o último calorzinho. Em minutos, porém, os exércitos alemães e soviéticos viraram picolés.

Parece incrível, mas não se salvou ninguém, nem mesmo os que estavam dentro das casas ainda de pé, porque logo que os fogos acesos se apagaram o congelamento foi geral.

O palácio do governo era o célebre Kremlin, onde haviam residido tantos czares da Rússia antiga.

O número de insetos existentes naquele ponto devia ser grande, não só por causa da imensidão do palácio como pelos bons abrigos que os inúmeros montes de peles proporcionavam aos insetos russos. Os russos sempre se defenderam do frio por meio de roupas e capotes de peles — e dos pelos que deixavam crescer na cara — as formidáveis barbas e os bigodes. Cada monte de pele em que o Visconde mexia, levantando uma aba ou manga de capote, punha à mostra vários insetos apavorados, que corriam a esconder-se.

Emília lembrou-se dos "tatuzinhos" ou bichos-de-conta que vivem debaixo dos vãos de pedra ou tijolo: assim que a gente ergue o tijolo, eles correm a esconder-se no escurinho mais próximo.

O que Emília viu na Rússia não deixou de assustá-la. Percebeu que o apequenamento havia causado ali mais mortes que em qualquer outro país, em virtude da intensidade do frio daquele inverno. E como começasse a ficar entanguida, deu ordem ao Visconde de ir para um bom clima, dos quentinhos.

— África? — perguntou o milho.

— Não. Califórnia — respondeu Emília com o pensamento em Hollywood.

O Visconde tomou o canudinho de pirlimpimpim, calculou cuidadosamente a pitada e levou-a ao nariz — *fiunn*!...

Capítulo XX
A Cidade do Balde

Acordaram num jardim. O Visconde correu os olhos em torno. Jardim velho e mal-tratado, com matinhos crescendo nas ruas e grama tal qual cabelo de homem da roça quando passa três meses sem ir ao barbeiro.

— Estou vendo um enorme balde de cabeça para baixo — disse Emília já na sua janelinha.

Sim, era um balde velho na beira da calçada. Percebendo em redor dele agi-tação de insetos humanos, o Visconde aproximou-se pé ante pé. Ficou espiando de trás duma moita de esporinhas.

Que espetáculo maravilhoso! Um verdadeiro núcleo de civilização nova que se ia formando — um começo de tribo. Aqueles insetos acomodaram-se debaixo do balde e estavam construindo coisas. Na asa do balde, caída sobre o cimento da calçada, viram um varal com umas tripinhas penduradas. Roupas? Não. Minhocas secando ao sol.

— Será possível que comam minhocas? — exclamou Emília.

— E por que não? — disse o Visconde. — É uma carne como outra qualquer, e fácil de obter, porque a abundância das minhocas no seio da terra é uma coisa incrível. Para a carne, antigamente, os homens tinham de promover a criação de bois, carneiros, porcos e aves, indústria que exigia grandes pastagens, além da plantação de muitas ro-ças de milho, aveia, mandioca, alfafa etc. E havia a trabalheira de prender aqueles ani-mais, engordá-los, levá-los aos matadouros, matá-los, tirar-lhes o couro, esquartejá-los, salgar a carne, cozê-la, enlatá-la — mil coisas. Agora não. A carne já sai por si mesma do seio da terra, sem couro e sem osso e na maior abundância. Como há minhocas no mundo! Lá no sítio, quando íamos pescar, cada enxadada de Pedrinho punha à mostra meia dúzia. E são ótimas para charque. Num instante o sol seca uma minhoca.

— Mas é porcaria comer minhoca! — disse Emília com carinha de nojo.

— Por quê? Se a carne é sadia, não vejo nenhuma objeção razoável. Rigorosa-mente falando, porcaria era comer porco — e você mesma vivia elogiando o lombo de porco de Tia Nastácia, com farofa e rodelas de limão.

— E era mesmo um suco.

— Logo, tudo é questão de hábito. Os chineses sempre comeram coisas que os ocidentais consideravam porcarias — e não me consta que essas comidas tenham prejudicado a China.

O movimento em redor do balde era grande. Uns entravam, outros saíam, carregando coisas. Passou um homenzinho com uma casca de caramujo vazia às costas — ia levando-a para dentro do balde, com certeza para quebrá-la e fazer prati-nhos. Logo em seguida apareceram mais dois, com uma vara ao ombro e pendurada nela vinha uma minhoca se mexendo. Subiram por um talude e se foram na direção dos varais da charqueada.

O talude era um belo trabalho de engenharia. Eles foram acumulando terra junto ao fio da calçada e assim construíram um plano inclinado que ia se alargando à medida que descia. Em cima da calçada havia uma escadinha, dando para um pe-queno rombo do velho balde. Era a porta de entrada.

— Olhe, Visconde! — gritou Emília apontando. — Eles tiveram a mesma ideia que eu.

O Visconde olhou e viu dois homenzinhos tocando um besouro — um puxava-o pelo cabresto, outro empurrava-o.

— Aquilo talvez seja o primeiro passo para a domesticação dos insetos — observou o Visconde. — Eles vão fazer a experiência com um coleóptero. O sistema das asas dobráveis e guardáveis dentro dos élitros já lhes atraiu a atenção. Acho naturalíssimo que comecem pelos besouros.

À beira da calçada um homenzinho de tanga, com ar de chefe, dirigia os serviços. Seu guarda-sol era uma folhinha de trevo.

— Lá no sítio Dona Benta vivia arrenegando esse trevo de jardim que nós chamamos "azedinhas". Dizia que era uma praga. Hoje são preciosos pés de guarda-sóis. Vamos conversar com aquele homem. Está me dando ideia de Robinson em sua ilha.

O Visconde saiu de trás da moita e aproximou-se do balde. Foi um pânico. Todos largaram do serviço e correram a esconder-se. O besouro no cabresto abriu as asas e fugiu. A minhoca, livre do varal, lá se foi pelo chão, muito depressa, que nem uma cobrinha. O chefe jogou fora o guarda-sol e também correu.

O Visconde agarrou-o antes que chegasse ao talude e botou-o na aba da cartola, diante da janelinha da Emília.

— Não tenha medo — disse esta. — Somos de paz.

O apavorado Robinson ficou algum tempo sem fala, tamanho havia sido o seu susto. As palavras de Emília, porém, o foram sossegando, e ele por fim perguntou a meia voz quem era aquele gigante.

Emília riu-se e respondeu:

— A melhor e maior criatura do mundo, meu caro senhor inseto. Dele não vem mal a ninguém. É milho. E eu? Ah, ah, ah! Eu sou a "mãe da criança".

O homenzinho ficou na mesma. Emília queria dizer que era ela a autora da prodigiosa transformação da humanidade.

Depois de alguma prosa, Emília pediu ao Visconde que depusesse a cartola na calçada, pois queria conhecer de perto a vidinha dos habitantes do balde.

O Visconde assim fez. Depôs a cartola na calçada. Emília saiu pela porta e, dando a mão ao chefe, encaminhou-se para o talude.

— E o senhor quem é? — perguntou pelo caminho.

— Eu era o Doutor Barnes, professor de antropologia na Universidade de Princeton; hoje sou o dirigente deste grupo humano. Elegeram-me chefe, porque acham que tenho muito boa cabeça.

— E tem?

O Doutor Barnes riu-se.

— Sei que tenho minha cabeça no lugar, e vou conduzindo como posso este curioso trabalho de adaptação dum grupo de pessoas altamente civilizadas. Perdemos o tamanho e...

— *Perderam o tamanho?* Ótimo! — exclamou Emília com entusiasmo. — Estou encantada de ouvir um sábio como o senhor falar assim, porque os ignorantes pensam de modo contrário. Acham que se conservam tamanhudos como sempre e que as coisas em redor é que aumentaram.

— Absurdo! — exclamou o sábio de Princeton, depois de rir-se do "tamanhudo". — Um aumento de todas as *coisas* é uma ideia que a ciência não pode aceitar, mas a ciência pode perfeitamente aceitar a ideia da redução do tamanho *duma espécie* de animais.

— Eu *sei* que é assim — declarou Emília — mas quando quis provar isso àquela Tia Febrônia do Major Apolinário, confesso que engasguei.

— É que você não é bem científica, minha menina. Qualquer sábio sabe que as espécies animais têm variado de tamanho no curso da evolução. Os cavalos já foram do tamanho de cães e cresceram. Os tatus já foram enormes e hoje estão pequenininhos.

— Eu vi no museu uma casca de tatu fóssil dentro da qual todos lá do sítio podíamos nos esconder da chuva.

— Perfeitamente. Ora, isso quer dizer que a redução do tamanho duma espécie não é fenômeno desconhecido — é até bem vulgar. A novidade, porém, é que, nos casos de redução de tamanho que a ciência verificou, o fenômeno foi acontecendo aos poucos, no decorrer de milhares de anos; e neste caso da humanidade o fenômeno ocorreu de um momento para outro. Todas as teorias da evolução que eu conheço não previram esta hipótese da redução instantânea.

— Nem eu, quanto mais as teorias! Quando abaixei a chave, pensei em tudo, menos nisso.

O doutor não entendeu aquela história de chave.

Chegados ao rombo do balde, entraram.

Tudo muito bem-arranjadinho lá dentro. O Doutor Barnes era de fato um chefe digno do cargo. Tinha dirigido a construção do talude e também dirigira a obra do calafetamento da fresta entre a beirada do balde e a calçada. Emília observou o trabalho.

— Que massa é esta?

— Massa de papel — respondeu o Doutor Barnes. — Encontramos no jardim um jornal velho. É um dos melhores materiais de construção de que dispomos. Note que tudo aqui é de papel ou massa de papel. Emília viu que o cimento do chão estava atapetado de papel de jornal, e que havia bancos feitos de quadradinhos de papel superpostos e colados. A grande mesa de centro era feita do mesmo modo, e também as camas e muitas coisas mais.

— E como junta as folhas de papel?

— Nada mais simples. Depois de cortadas do mesmo tamanho (cortamo-las com um caquinho de vidro), pomos umas em cima das outras coladas com o nosso cola-tudo, que é a resina de uma árvore aí do jardim.

— E a massa com que calafetou as fendas?

— Massa de papel. Deixamos pedaços de papel dentro d'água até que fiquem quase desfeitos. Depois amassamos aquilo com a resina, como se amassa o trigo para o pão. Obtemos uma substância ótima para mil coisas — uma excelente matéria plástica. É mais ou menos o que usam as vespas na construção de seus ninhos.

A luz descia por um rombo do balde.

— Aquilo ali — disse o Doutor Barnes apontando — está sendo uma das minhas maiores preocupações. Foi excelente que houvesse tal rombo, pois do contrário não teríamos luz aqui dentro. Mas quando chover?

— Ainda não choveu por aqui desde o dia do apequenamento? Lá na estrada do sítio já houve um dilúvio.

— Ainda não — mas dum momento para outro chove e como vamos nos arranjar? Se pudéssemos colocar naquele rombo um vidro, seria a maravilha das maravilhas. Vidro, vidro! Quem somos nós hoje para lidar com vidros?

— Além de que há a altura — lembrou Emília.

— A altura não é o pior. Não viu do lado de fora uma comprida escada de pau? Mandei fazê-la justamente para que eu em pessoa pudesse examinar a situação do rombo.

Emília teve uma ideia.

— Plante uma orelha-de-pau em cima do rombo, como fiz sobre minha janela na cartola do Visconde.

O Doutor Barnes riu-se.

— Impossível, menininha. O balde é de metal. Os cogumelos não nascem nos metais.

— Não precisa que nasçam. Basta que pregue um com o seu cola-tudo. Vou mandar o Visconde resolver esse problema. Sossegue.

O Doutor Barnes apresentou Emília aos habitantes de Pail City, ou a Cidade do Balde. Havia lá umas vinte pessoas, entre homens, mulheres e crianças, todos de tanguinhas — umas de papel, outras de musgo.

— Estou fazendo uma série de experiências para verificar a melhor substância para tangas — disse o Doutor. — Todas as que estão em uso são provisórias e experimentais. Um dos meus companheiros, que é químico, anda pensando numa tanga sintética.

— Isso é bobagem — disse Emília. — O algodão resolveu tudo — e contou as suas aventuras no tempo do chumaço. — E ainda conservo as botinhas de algodão endurecido com clara de ovo de beija–flor, — concluiu espichando um pé.

O Doutor Barnes abaixou-se para ver e chamou o químico.

— Excelente! — disse este. — Mas a maçada é que não temos por aqui clara de ovo de beija-flor, nem algodão.

— Eu tenho — berrou Emília. — No meu quarto de badulaques na cartola do Visconde tenho algodão e um ovo pelo meio. Como só faço caso da gema, o senhor pode ir lá e retirar toda a clara — mas só metade do algodão.

O químico foi — e Pail City enriqueceu-se de mais dois materiais de grande número de empregos.

— E a alimentação? — perguntou Emília.

— É o que menos me preocupa — respondeu o Doutor Barnes. — No começo pensei no mel das flores; depois desisti da ideia. Há a dificuldade de chegar até às flores, sempre tão altas, e o perigo de nos expormos ao ataque das aves e vespas. E há ainda as estações sem flores. Depois de muito refletir, fixei-me nas minhocas como o alimento básico da humanidade reduzida. A caça é fácil, porque em certas épocas as minhocas saem espontaneamente da terra; e como secam muito bem ao sol, já organizei um serviço de caça e charqueamento de minhocas, para uso nos tempos de escassez. Tenho ali — e apontou para um depósito — uma reserva de vinte minhocas charqueadas, o suficiente para nossa alimentação durante um mês. Mesmo assim não paramos de caçá-las. Ainda hoje apanhamos uma, que fugiu.

— Eu vi. Mas que gosto tem carne-seca de minhoca?

— Isso de gosto é questão de hábito. No começo houve por aqui muito focinho torcido. Agora já comemos minhoca seca sem a menor repugnância — e eu até acho uma delícia. Tem um gostinho muito especial.

— De quê?

— De minhoca. Quimicamente é uma carne como outra qualquer. E como as minhocas possuem dez corações e cem rins, também organizei um serviço de tirada de corações e rins de minhoca. Já é um alimento mais especializado, bom sobretudo para as crianças.

— E comem-nas cruas?

— Sim. Felizmente estamos livres daquela peste chamada fogo, que foi a verdadeira perdição da humanidade.

— Por quê, doutor?

Nesse momento foram interrompidos por um mensageiro.

— Dona Emília, o Visconde está chamando a senhora — disse ele.

Capítulo XXI
A ORDEM NOVA

Saíram do balde. O Visconde queria conversar com o doutor sobre certos pontos que o preocupavam. Para isso deitou-se na calçada, com o rosto na mão e o cotovelo no cimento.

— Estou gostando da sua "atividade adaptativa", doutor. Fazer tanta coisa em tão pouco tempo até me parece milagre. Acha que o homem pode subsistir, assim reduzido de tamanho?

— Perfeitamente. Não só subsistir, como até criar uma nova civilização muito mais agradável que a velha — sem os horrores da desigualdade social da fome, das *Blitzkriegs* e das inúteis complicações criadas pelos inventos mecânicos.

— É como eu penso — berrou Emília.

— As minhas conclusões — continuou o sábio — resumo-as em poucas palavras. Aquele tipo de civilização que havíamos realizado era uma simples consequência do fogo. Enquanto o homem não descobriu o fogo, viveu muito bem dentro da lei biológica, a civilizar-se lentamente. Veio o fogo e tudo mudou — começou o galope sem fim. Que eram aqueles monstruosos arranha-céus deste país, que era a *Blitzkrieg* dos alemães, que era a nossa pressa de transporte e comunicação por meio de trens, aviões, navios, telégrafos, telefone e rádio, senão uma consequência do fogo? Apague-se o fogo e tudo desaparece.

— Isso não — protestou Emília. — O rádio não dependia do fogo.

— Erro seu, minha filha. O rádio dependia da eletricidade, e para produzir eletricidade tínhamos de usar turbinas e dínamos, coisas feitas de ferro — e quem é o pai do ferro? O fogo.

Emília embatucou.

— Tudo naquela civilização era um produto do ferro, — continuou o sábio, — e o ferro era filho do fogo. Felizmente estamos livres do fogo, como eu ia dizendo quando o mensageiro nos interrompeu. Estamos livres do fogo e do seu filho o ferro e das mil reinações que os dois faziam no mundo, como as grandes guerras em que tudo era ferro e fogo. Estamos livres até da tremenda multiplicação dos homens sobre o planeta.

— Como?

— Foi o fogo que permitiu aos homens viverem em todos os climas e não apenas nos que lhes convinham naturalmente. Sem o fogo o homem só viveria nas zonas temperadas, as boas, e nunca nas zonas frias. E portanto haveria menos gente na terra — outra enorme vantagem tanto para o próprio homem como para os animais. E há ainda outro aspecto muito importante do fogo: os seus efeitos na alimentação humana. Graças ao fogo o homem pôde tornar comestíveis muitas coisas que não eram, e isso ainda aumentou a população humana no planeta, porque aumentou enormemente as possibilidades de alimentação. De modo que do fogo veio o calamitoso aumento da população humana, não só permitindo a invasão das regiões frias, como também transformando em comestíveis coisas que não eram naturalmente comestíveis. Quanto mais espaço vital e mais comida, mais gente. E veio o tal ferro que ia levando a humanidade ao mais desastroso fim. Que foi a última guerra senão o desabamento em cima do homem de toda a civilização baseada no ferro, sob forma de tanques, canhões, fuzis, metralhadoras, bombas aéreas etc? Sempre o ferro e o seu maldito pai fogo! Ora um, ora outro, quase sempre os dois juntos, não faziam outra coisa senão torturar os homens. Numa bomba aérea que os aviões derrubavam sobre Londres, o fogo vinha dormindo dentro do ferro. Quando o ferro da bomba chegava ao chão, o pai dele lá dentro acordava e, *Bum!*, explodia e arrebentava tudo — e eram mortes e mais mortes, criancinhas despedaçadas, um horror! Nos incêndios o fogo trabalhava sozinho, dançava a sua horrível dança de chamas sobre casas e mais casas, sobre ruas inteiras, às vezes sobre cidades inteiras.

— E nas baionetas, espadas, punhais, facas, chuços, lanças, esporas, espetos, era o ferro sozinho que judiava dos homens, dos cavalos e dos frangos, — acrescentou Emília.

— Pois é — continuou o sábio. — Estou convencido de que a desgraça da velha civilização veio das consequências sociais do fogo. Sempre pensei assim, porque sempre vivi na terra mais atormentada pelas reinações do fogo e do ferro: essa infinidade de máquinas que aqui na América nos fazia tropicar num galope sem fim — para que, meu Deus, para chegar ao quê? Imaginem, pois, o meu gosto quando sobreveio este súbito fenômeno da redução do tamanho — o maravilhoso remédio para o caminho errado em que o *Homo sapiens* se havia metido desde a descoberta do fogo.

Emília rebolou-se de contentamento, radiante de ter sido ela a descobridora do "maravilhoso remédio".

— Sim — concordou o Visconde. — Todas as outras espécies animais vivem muito bem neste mundo sem recorrer ao fogo. *O Homo sapiens* foi o único a entrar por esse caminho.

— Um caminho errado — insistiu o Doutor. — Livres do fogo, nós vamos agora construir uma civilização muito mais natural e vantajosa para nós mesmos — sem guerras, sem máquinas, sem aquele desvario das invenções que nos iam levando para o beleléu.

— Iam levando não senhor — disse Emília. — Que levou! Aquela civilização está por aí em cacos — cacos de automóveis, cacos de aviões, cacos de trens, cacos de navio e cacos de ideias — como a velha ideia de leão ou a ideia de pinto. E as máquinas de todas as fábricas logo estarão enferrujadas. E as cidades virarão ruínas cobertas de mato. Mas nós poderemos continuar a viver perfeitamente, comendo minhocas em vez de bois, mel de flores em vez de cocadas, e a voar a cavalo em besouros em vez de correr em automóveis.

— Isso mesmo — concordou o Doutor. — Será regressarmos ao período da evolução humana anterior à descoberta do fogo, mas com toda a nossa bela ciência na cabeça — e podemos ser muito mais felizes que os nossos avós daquele tempo. Olhe, — disse ele apontando para os homenzinhos que construíam um cercado para besouro rente à calçada. — Um segura o espinho-moirão, outro bate com um malho. Que é aquele malho? Um velho instrumento do homem do período da pedra lascada — um pedregulho aqui do jardim que eles amarraram num cabo.

— Mas a ciência vai levar a breca, porque a ciência está nos livros e os livros já não podem ser usados — observou Emília. — Pedrinho fez a experiência lá na cômoda. Leu dois ou três períodos dum livro e cansou.

— Para tudo haverá jeitos. Antes de existirem os livros já existia cultura. Temos as nossas cabeças, e dentro delas a memória. Iremos transmitindo a ciência de uma cabeça para outra. E muita coisa poderemos escrever em palhinhas ou pétalas secas.

— Papirinhos!

— Sim — e mandou buscar lá dentro o seu livro de notas. — Aqui tem, — disse ele mostrando um caderno de dez folhas de pétalas de rosa. — Cortei as pétalas em retângulos e deixei-as ao sol prensadas entre dois pedacinhos de vidro aí do chão. Secaram sem enrugar.

— E para escrever?

— Usei um finíssimo espinho de figo da Berbéria. A tinta foi o caldo duma frutinha preta muito abundante por aqui.

Emília admirou aquele livro de pétalas de rosa, que talvez fosse o livro número um da nova humanidade.

— E que acha da domesticação dos besouros? — quis saber.

— Acho uma ideia excelente e já mandei apanhar um para começo de estudo. A variedade de insetos é enorme. Estou convencido de que encontraremos inúmeros aproveitáveis e preciosíssimos, não só para o voo, como para o transporte de cargas.

— Para o transporte de cargas nem há necessidade de estudo — disse Emília. — As formigas nasceram carregadoras. E que força elas têm! Lá no sítio vi saúvas carregando grãos de milho inteiros, uma coisa muito mais pesada que elas. E Pedrinho atrelava besouros em caixas de fósforos com muita coisa dentro — e eles puxavam. A força dos besouros é incrível. E para as grandes velocidades teremos as libelinhas.

— Não vamos ter precisão de velocidade nem de pressa — volveu o Doutor Barnes. — Graças a Deus já estamos livres desses dois horrores. Para que pressa?

Para que velocidade? Toda aquela imensa velocidade alcançada pelos homens tamanhudos, como você diz, só serviu para precipitá-los no abismo da matança em massa. As nossas possibilidades de domesticação dos insetos parecem-me infinitas.

Emília desembestou:

— Isso mesmo! Domesticaremos os serra-paus, para serrar paus. E as brocas das laranjeiras para servirem de verrumas. E os mede-palmos para as medições. E os pernilongos para a a música do *fiun*. E os gafanhotos para substituírem as pontes — pularemos riozinhos montados neles! E os caranguejos para abrirem túneis. E as taturanas para tecerem fios de casulo. E as mamangavas para buldogues das nossas casinhas. Com uma boa mamangava amarrada no quintal, quero ver quem entra! E os pulgões para termos leite de vaca.

— Sim — concordou o sábio. — As formigas estão nos indicando esse caminho. Elas tratam os pulgões exatamente como os homens tratavam as vacas. Os pulgões chupam a seiva adocicada de certas plantas e parece que se enchem demais. Ficam estufadinhos — e até gostam quando uma formiga chega e lhes tira aquele mel, como os leiteiros tiravam o leite de vacas. No inverno elas recolhem os pulgões aos formigueiros, como os homens recolhiam as vacas aos estábulos. Lá ficam eles bem defendidos do frio. Se faz um belo dia de sol, as formigas os levam para fora, para junto das tais plantinhas de seiva doce — e eles se enchem daquele leite com que as formigas se regalam.

— Podemos utilizar esses pulgões como mamadeiras para as nossas crianças — lembrou Emília.

O Doutor Barnes concordou. Aquele sábio era uma verdadeira Emília masculina. Sua imaginação também disparava de freio nos dentes. Depois se referiu aos cupins.

— Com as térmites, que são as formigas-brancas — disse ele —, temos muita coisa a aprender. Esses insetos constroem maravilhosas cidades de barro — os cupins — onde vivem aos milheiros. Amassam o barro dum tal modo que essas cidades resistem a todas as chuvas durante anos e anos. Dentro constroem galerias com uma substância preta, que é a celulose das plantas mascada e misturada com qualquer líquido colante que não sei. O que sei é que aquilo equivale a um maravilhoso material de construção, resistente, elástico, mau condutor do calor, higiênico. Também revelam uma alta ciência na construção das galerias e ninhos e salas e tudo mais. O asseio e a higiene dos cupins era uma das maravilhas que mais assombravam os entomologistas.

— Eu sei o que é entomologista! — berrou Emília. — É o sábio que estuda inseto.

O Doutor Barnes riu-se.

— E também podemos cultivar aqueles fungos de que as formigas se alimentam. Meu Deus! Que é que não poderemos fazer com a nossa inteligência, mergulhados na infinita abundância de materiais que daqui por diante vamos ter à nossa disposição?

— Isso mesmo — concluiu o Visconde. — O Tamanho era o mal. Produzia escassez. É no destamanho que está a abundância.

Aquela história de andar com a Emília em cima da cabeça estava "emiliando" o Visconde. — *Destamanho!* É boa.

Capítulo XXII
NA CASA BRANCA

A vida em Pail City era um encanto. Ninguém tinha pressa de nada. Iam construindo coisas por prazer e não por necessidade, como no tempo tamanhudo, em que os homens que não morriam no trabalho morriam de fome e miséria. Aquele jardim imenso dava-lhes de graça tudo quanto era necessário à vida — ar, água, alimento e materiais de construção.

Além do cercado para os besouros haviam construído um parque de recreio onde gozavam a vida nas horas de temperatura agradável. Emília encantou-se com o parque de Pail City, um verdadeiro mimo de plantinhas graciosas. Havia vários cogumelos com assentos embaixo, nos quais as damas de tanga foram sentar-se para emendar e torcer as fibras de algodão que ela lhes dera. Entre um chapéu-de-sapo e outro, Emília viu uma rede com uma estrela de cinema dentro, a balançar-se com uma estrelinha ao colo. Pail City ficava perto de Los Angeles.

Junto ao jardim havia um pomar de laranjeiras. Eles tinham conseguido rolar para ali uma laranja encontrada no chão. Abriram-na. Desfizeram um gomo e levaram para o bar do parque as "garrafinhas" de caldo. Lá estavam elas sobre um balcão de pedregulho. Quem tinha sede, tomava um daqueles pequenos odres transparentes, cortava o bico e bebia à moda dos espanhóis, despejando-o na garganta.

Emília levou várias garrafinhas de laranja para o seu quarto de badulaques na cartola do Visconde.

O Doutor Barnes aproveitou o bom gigante para várias coisas da maior emergência, como a colocação do vidro no rombo do balde. Houve embaraço na escolha da cola. Com que cola colar o vidro?

Quem resolveu o problema foi a Emília.

— Dê um passeio pelas ruas da cidade e procure "mascadinhos" de chiclete debaixo dos montes de roupa. Juro que encontrará muitos. Melhor cola não há.

O Visconde assim fez. Saiu do jardim e percorreu a rua próxima, levantando os montes de roupa sem gente dentro — e voltou com um punhado de "mascadinhos" de chiclete.

Os habitantes de Pail City juntaram-se na calçada para assistir ao glorioso acontecimento da colocação do vidro pelo providencial gigante — e o Doutor Barnes inscreveu em seu caderno de pétalas o nome do Visconde de Sabugosa como o grande benfeitor da cidade.

Nada mais tendo a fazer ali, despediram-se. O Doutor Barnes declarou que aquela visita iria permanecer gravada em todos os corações. Emília sentiu um nó na garganta. Por sua vontade ficaria morando ali para sempre. Uma das consequências do conhecimento de Pail City foi a resolução que ela tomou de "sabotar o Tamanho" no dia do plebiscito, porque entre outras desgraças o Tamanho viria estragar aquele lindo começo de cidade.

Por fim, depois de muitos abraços e beijos, e troca de presentinhos, o Visconde cheirou um grão de superpó e — *fiunnn!*... Washington.

Foram parar exatamente na rua do palácio onde sempre residiram os presidentes americanos. Tudo deserto, como em toda parte. Montinhos e mais montinhos de roupas, com chapéus em cima, guarda-chuvas, óculos e dentaduras.

Ao entrar no jardim da Casa Branca, o Visconde lembrou-se do Presidente Lincoln, do qual ele havia herdado a cartola. Dona Benta era a maior admiradora desse homem. Dizia sempre: "Depois de Jesus Cristo, o ente que eu mais venero é Abraão Lincoln".

Com os olhos nas janelas do palácio o Visconde murmurou, como que falando para si mesmo:

— Ali estiveram assentados os dois enormes pés do velho Abe...

— Que história é essa? — gritou Emília da janelinha.

— É um caso histórico que vem nos livros. Um sacerdote tinha vindo em procura do Presidente. Ao entrar neste jardim, viu numa dessas janelas dois pares de pés com as solas para fora. "Que é aquilo?" perguntou ao jardineiro que podava as plantas. "É uma reunião do Ministério", respondeu o homem. "Os dois pés grandes são os do velho Abe." Abe era o apelido popular do nome Abraão.

Emília comoveu-se com a história.

Entraram. Todas as portas abertas. Aqui e ali, os eternos montes de roupas que eles estavam cansados de ver por toda parte. Foram andando pelos corredores e salas. Numa, que devia ser a das reuniões do governo, o Visconde parou e espiou, escondido atrás do reposteiro. Sobre o tapete, por entre as roupas em monte, um pequeno grupo de insetos descascados discutia a situação. Era o governo americano. Um dos ministros tinha a palavra.

— O governo já não existe — dizia ele — pela simples razão de que já não existe o que governar. O extraordinário fenômeno que destruiu o tamanho dos homens desta grande nação veio alterar completamente as antigas condições de vida — e impossibilitar a existência do governo. O governo americano, que era o mais poderoso do mundo, está hoje nu, com frio, sem sequer uma tanga para os rins, sem sombra de povo, sem força, sem a menor ideia na cabeça. Quais são hoje os problemas do governo americano? pergunto eu — e olhou para o presidente.

— Ele é bom orador — cochichou Emília. — Aquilo é discurso.

— Sim — continuou o ministro. — Eu pergunto ao senhor presidente quais são os problemas do governo americano? Qual é o problema número um, que devemos abordar antes de todos os outros?

O presidente respondeu que já haviam decidido aquele ponto. O problema número um do governo americano, o problema que tinha vindo substituir o da luta contra o Japão e a Alemanha, era fechar a janela da sala e manter o fogo da lareira.

— Por enquanto o palácio ainda está aquecido — disse ele — mas logo que as fornalhas do aquecimento lá nos porões se apagarem e as brasas da lareira se extinguirem, estaremos inexoravelmente condenados ao congelamento. Os problemas são esses.

Outro ministro pediu a palavra.

— Meus senhores, acho que não podemos prever coisa nenhuma. A situação é das mais absurdas e ilógicas. Sinto-me completamente incapaz de raciocínio. As observações do Senhor Presidente sobre as brasas, entretanto, parecem-me das mais sensatas. Estamos no inverno. Se as brasas da lareira se apagarem, o governo americano estará perdido. Há também o caso da janela. Como poderemos resistir ao frio, se as brasas se extinguirem e a maldita janela continuar escancarada?

Foi neste momento que o Visconde saiu detrás do reposteiro e adiantou-se para o tapete.

A inesperada aparição daquele formidável gigante deixou os ministros sem fala. Todos os olhos se arregalaram e todas as bocas se abriram.

Emília pediu ao Visconde que a arriasse. O Visconde depôs a cartola-sítio no tapete, perto do governo americano. Emília saiu pela portinha, adiantou-se, apertou a mão do Presidente e disse:

— Não se assuste, pois somos de paz e velhos conhecidos. Tanto eu como Senhor Visconde de Sabugosa já estivemos aqui neste palácio há uns cinco anos, em companhia de Dona Benta e seus netos. Não se recorda, senhor presidente?

O Presidente franziu a testa. Começou a lembrar-se.

— Sim, lembro-me da visita de Dona Benta e seus netos. Veio também uma bonequinha falante e um milho de cartola. Mas aquele Visconde era um sabugo de pernas e não esse tremendo gigante que agora surge diante de nós.

— Pois fique sabendo que é o mesmo. O Visconde que é um vegetal, não diminuiu como nós, que somos gente — e por isso parece agora um verdadeiro gigante. E eu sou a "evolução genial" daquela bonequinha pernóstica.

— Como?

— Artes do mistério. Fui virando gentinha e gente sou; belisco-me e sinto a dor da carne. E também como. Já o Visconde permaneceu milho. Fala, pensa, raciocina muito bem, sabe todas as coisas, mas não come nem sente dor de beliscão.

Capítulo XXIII
Ainda lá

O governo americano não voltava a si do assombro. Aquilo era um milagre ainda maior que o súbito apequenamento. Emília contou o que tinha visto na Europa e na Ásia, o seu encontro com o Grande Ditador e com o Filho do Sol na tampa de caneta; falou da destruição pelo frio dos exércitos em luta na Rússia e depois desfiou toda a história do Doutor Barnes, fundador de Pail City.

O próprio ministro dos Correios ignorava o nome daquela cidade. Emília explicou.

— Ah, é uma galanteza de cidade nova que está se formando em volta dum balde velho — sem pressa, sem galopes, sem ferro, sem fogo. Como as cidades imensas da civilização tamanhuda estão condenadas a desaparecer, invadidas pelo mato, a civilização nova já começou a criar cidades dum tipo novo — e entre as muitas que já devem estar em formação duvido que haja uma melhor que Pail City. Até árvores de guarda-sóis vi lá. Quem precisa de um, não vai a nenhuma loja comprá-lo. Chega à árvore, escolhe um do tamanho desejado e colhe-o.

Os ministros entreolharam-se. Se a cidade de Washington estava destinada a desaparecer invadida pelo mato, nada mais razoável do que irem admitindo a hipótese da mudança do governo para Pail City, o maravilhoso centro em formação onde até havia pés de guarda-sóis.

O ministro das Obras Públicas teve uma ideia.

— Senhor presidente! A inesperada visita deste formidável e pacífico gigante vem permitir a solução dos dois grandes problemas do governo americano, por que não tenho dúvidas de que ele poderá fechar a janela e também obter lenha para a lareira. Tomo a liberdade de sugerir ao Senhor Presidente uma consulta ao nobre visitante sobre esses dois pontos.

— Nada mais simples — respondeu Emília. — O Visconde vai fechar a janela e trazer lenha para a lareira — e ainda fará muitíssimas outras coisas preciosas para o governo americano. Duma loja da esquina poderá trazer uma infinidade de materiais utilíssimos, como, por exemplo, algodão para tangas. Acho da mais alta inconveniência que o governo americano ainda não tenha nem tanga — coisa que já está em moda em Pail City e lá na cômoda de Dona Benta. Além de servir para tanga, o algodão, sob forma de chumaço, constitui uma excelente defesa contra o frio — e contou as suas aventuras no tempo do chumaço. — E para a alimentação o governo poderá organizar um serviço de minhocas secas.

— Minhocas? — exclamou o presidente, refranzindo a testa. Emília repetiu as palavras do Doutor Barnes sobre o valor das minhocas como substituto dos velhos bois produtores de carne de vaca.

— Mas isso é para mais tarde — explicou ela —, para quando se acabarem os alimentos comuns ainda existentes nos empórios das esquinas — açúcar, queijo, pão etc. Esses alimentos ainda durarão alguns dias; depois que desaparecerem, estragados pelo bolor ou devorados pela cachorrada e a gataria solta, os senhores poderão pensar nas minhocas. O Doutor Barnes demonstra que vai ser esse o alimento básico da humanidade reduzida.

A conferência de Emília com o governo americano prolongou-se por uma hora. O ar de desespero dos ministros foi mudando. Mostraram-se mais contentes e felizes. As possibilidades da civilização nova eram realmente encantadoras.

Enquanto ela falava, o Visconde saiu para buscar o algodão e mais coisas. Apareceu minutos depois com uma cesta de preciosidades — alfinetes, botões, grampos, um carretel de linha, uma lâmina Gillette, uma, lanterninha elétrica, carrinhos e outros brinquedos miúdos, um rolo de esparadrapo etc. etc. E dum empório de comestíveis trouxe um pacotinho de açúcar, uma fatia de queijo, um pedacinho de pão e uma garrafa de coca-cola. Aquele formidável abastecimento deixou o governo americano em situação de aguentar um mês sem recorrer às minhocas. Em seguida ela mandou o Visconde buscar algumas cestas de povo.

— Sim, porque não posso compreender um governo do povo, pelo povo e para povo, sem povo nenhum — disse ela. — Vou dar povo ao governo americano.

O Visconde saiu e com um pauzinho andou catando gente de todas as frestas e buracos que encontrou. Conseguiu assim dotar o governo americano com um lote de povo de cento e vinte cabeças — sessenta homens e sessenta mulheres.

Emília aproveitou a ocasião para revelar os seus conhecimentos da história americana.

— O navio *Mayflower* — disse ela — despejou neste país um carregamento de cento e vinte peregrinos ingleses, dos quais saiu esta grande república. O *Mayflower* de agora é a cesta do Visconde. Faço votos para que o governo americano consiga realizar com os cento e vinte peregrinos do Visconde os mesmos milagres realizados com os peregrinos do *Mayflower*.

Os ministros estavam encantados com as geniais soluções da Emília e do gigante. Cochicharam entre si; um adiantou-se e disse:

— Estou autorizado pelo presidente a propor ao Senhor Visconde de Sabugosa um grande negócio: ficar aqui a serviço do governo americano. Não discutimos preço. O Senhor Sabugosa ganhará quantos dólares quiser.

Esse ministro ainda não se acostumara com a Ordem Nova. Ainda estava com as ideias velhas na cabeça. Dólares! Tinha graça.

Emília riu-se.

— De que valem dólares, senhor ministro? Tudo está mudado. Aquele ouro que antigamente era de tanto valor, vale agora menos que um chumacinho de algodão. O Visconde ficaria aqui com o maior prazer, se não fosse tão necessário na cômoda de Dona Benta. Mas podemos fazer um arranjo. Todas as semanas ele virá, por uma hora ou duas fazer os serviços do governo americano. E se houver trabalhos que exijam grande força física poderei mandar também o Conselheiro e o Quindim.

Ninguém sabia que personagens eram aqueles. Emília explicou.

— O Conselheiro é o nosso Burro Falante, criatura excelente, o mais discreto pensador que temos daquelas bandas. E Quindim é um verdadeiro tanque de carne.

— Tanque de carne? — repetiu o presidente.

— Sim. Trata-se dum rinoceronte mansíssimo e fortíssimo, que mora no Picapau Amarelo. Para fazer força bruta, não há segundo. Com uma chifrada arromba até a porta do Tesouro.

Aquela história do Quindim e do Burro Falante atrapalhou o governo.

— Sim — continuou Emília — lendo na cara de todos a atrapalhação. — Quindim é um assombro no transporte. Poderá sem o menor esforço conduzir no lombo vinte mil insetos descascados. Se o governo americano pilhar esse veículo, estará servido pelo resto da vida. Quem não obedecerá a um governo dotado de um rinoceronte?

A hipótese entusiasmou o ministro da Guerra. Um tanque de carne! Que maravilha!

— Bom — disse Emília por fim. — Tenho de voltar para a cômoda a fim de realizar o plebiscito. Agradeço ao governo americano a boa acolhida com que nos recebeu. Tomo a liberdade de oferecer ao senhor presidente uma pitadinha de superpó. Quando quiser repousar das canseiras do governo, aspire três grãos e apareça no Picapau Amarelo.

— É então como o tapete mágico das *Mil e uma noites*? — perguntou o presidente.

— Ah, muito melhor! Aquele tapete é um carro de boi perto disto. Agora, por exemplo, para voltarmos ao Picapau, bastam-nos três grãos apenas. Para irmos à Casa das Chaves são precisos seis grãos — mas também aquilo lá deve ser o fim do mundo.

— Que história de Casa das Chaves é essa?

Emília suspirou.

— Um segredo que não posso revelar, senhor presidente.

— Por quê?

— Porque eu correria o risco de ser linchada.

No momento das despedidas o governo americano até perdeu a fala de tanta emoção. De que modo agradecer os serviços que Emília e o Visconde haviam prestado?

— Não fale, senhor presidente! — disse Emília entrando na cartola e plantando-se na janelinha. — As grandes gratidões são mudas. Seja feliz e goze do apequenamento, porque se o plebiscito decidir que dê o Elefante, eu sentirei muito, mas farei que saia o Elefante.

A cara de todos era um verdadeiro ponto de interrogação. Aqueles homens de Estado cada vez entendiam menos.

— Dar o Elefante, Senhor Presidente, quer dizer dar o Tamanho. Mas quem vai decidir esse ponto é lá o Plebiscito em cima da cômoda. Sou democrática. Não resolvo nada sem a contagem dos narizes. *Good bye! Good bye!*

Todos ficaram na mesma. O Visconde tirou do bolso a caixinha do superpó, deu meio grão a Emília e reservou três para si. Ambos aspiraram o pó ao mesmo tempo, enquanto diziam mentalmente: "Sítio".

Capítulo XXIV
O PLEBISCITO

Fiunnn...n...n...n...n... Plaft! O Visconde caiu sentado na varanda do Picapau Amarelo. O Conselheiro rinchou de alegria e veio num trote muito delicado.

— Não houve nada de mais por aqui? — perguntou Emília pela boca do seu alto-falante.

— O pinto sura andou querendo entrar, mas toquei-o — respondeu o burro.

— E Rabicó?

— Esse não apareceu.

O Visconde encaminhou-se para o quarto da cômoda. Ao verem-no surgir, soou lá em cima o *Ale-guá* da criançada de tanga. Todos correram a rodear a cartola que o Visconde depôs sobre a cômoda. Emília apareceu na portinha, de mãos à cintura. Cada qual tinha uma coisa a dizer. Juquinha veio com a história da mosca que ele e Pedrinho quase agarraram pelas pernas. "Era das rajadas."

Emília dirigiu-se para a caixa de fósforos de Dona Benta, seguida dos meninos. Estava ansiosa por contar as façanhas da viagem pelo mundo.

— Ah, eu queria que a senhora visse a cara do presidente quando o Visconde saiu de trás do reposteiro e entrou! Não havia meio de crer que o viscondão de agora era o mesmo viscondinho de antigamente.

A história de Pail City encantou Pedrinho, o qual insistiu em descer da cômoda para imediatamente fundar no jardim uma cidade como aquela — a Cidade do Regador. Tia Nastácia indignou-se com a carne seca de minhoca.

— Credo! Viver tantos anos para acabar assim, comendo minhoca seca e ainda mais sem sal!

— E o Coronel? — perguntou Emília.

— Está escondido por aí, vestindo a tanga de algodão que eu fiz — respondeu a negra. — Aquela roupa de angélica tinha um cheiro tão forte que até dava dor de cabeça no coitado.

O Coronel apareceu lá de trás da cestinha de costura, ainda amarrando a sua tanga nova. Foi recebido com as palmas da criançada.

— E quando vai ser o plebiscito, Emília? — perguntou Narizinho.

— Agora. Apressei minha viagem de regresso justamente por causa do plebiscito. Sou democrática. Quero que as coisas sejam feitas segundo a vontade da maioria. Se a maioria quiser a volta do Tamanho, eu sentirei muito, mas farei voltar o Tamanho. Levo o Visconde à Casa das Chaves e ele põe a Chave do Tamanho na posição em que estava.

— Pois então comece.

Emília fez o Visconde colocá-la no alto da cartola e de lá, debaixo do chapéu-de-sapo, gritou:

— Plebiscito! Plebiscito! Aproximem-se todos para votar.

Todos rodearam a cartola.

— Quem quiser a volta do Tamanho, levante a mão.

Os adultos ali presentes levantaram a mão. Eram conservadores, com ideias emperradas na cabeça e preferiam que tudo voltasse a ser como antigamente. Emília contou os votos. Dona Benta, Tia Nastácia, o Coronel. Três votos tamanhudos.

— E agora — continuou Emília — quem não quiser o Tamanho, levante o pé!

A criançada inteira levantou o pé. Eram radicais. Não tinham ideias emperradas na cabeça. Gostavam de mudanças. Emília contou os votos. Narizinho, Pedrinho e Juquinha. Três votos destamanhudos.

— Empatou! Empatou! Viva! Viva!...

— Falta o voto da Candoca — disse Narizinho; mas Emília, que tinha medo do voto da Candoca, porque as saudades da mamãe podiam fazê-la votar a favor do Tamanho, declarou logo:

— A Candoca ainda não tem idade para votar. Empatou! E agora, com os "meus" votos, o Tamanho perde. Os "meus" eram o dela e do Visconde.

Mas Dona Benta reclamou:

— Falta a votação do terreiro.

Era verdade. Faltavam os votos do Burro Falante, do Quindim, da Mocha e do Rabicó. Emília mandou que o Visconde pusesse a cartola e lá foi para o terreiro. Depois de contar a história do plebiscito ao Burro Falante, pediu-lhe o voto.

— Eu voto pelo Tamanho — respondeu com firmeza o burro, sem piscar as orelhas.

Emília danou.

— Por quê?

O Conselheiro explicou que não podia conformar-se com a ideia duma senhora tão distinta como Dona Benta ficar toda a vida naquela situaçãozinha de inseto descascado. A gratidão mandava-o votar pela volta do Tamanho.

— Bom. Se é por gratidão, passa. Vamos agora ver aquele dorminhoco do Quindim.

O rinoceronte, lá embaixo da figueira, votou em branco e não deu satisfações. Quindim andava muito antipático e neurastênico.

A Vaca Mocha também votou pelo Tamanho, o que era natural, pois sem uma Tia Nastácia grande ela não teria mais as suas rações de espigas de milho do costume.

— E Rabicó? — perguntou Emília.

— Está ausente — respondeu o burro.

— Não faz mal. Conheço Rabicó, sei que ele é contra o Tamanho — e Emília apossou-se do voto de Rabicó. Mesmo assim o Tamanho estava ganhando. Havia cinco votos a favor do Tamanho e só quatro contra. Mas com os dois votos finais, o dela e o do Visconde, o Tamanho seria derrotado por um.

Emília voltou para a cômoda muito contente. Em seu rostinho brilhava o sorriso da vitória.

— Os votos do terreiro — disse ela — aumentaram a contagem a favor do Tamanho, mas há ainda os nossos, o meu voto e o do Visconde, e nós votamos contra o Tamanho. Temos assim seis votos contra e cinco a favor. O Tamanho perdeu. Viva, viva a criançada!

Dona Benta interveio.

— Como o Visconde se acha presente — disse ela — não vejo razão para que outra pessoa vote por ele. Qual é o seu voto, Visconde?

Emília estava mais que certa de que o voto do Visconde iria ser igual ao seu, não só porque o Visconde era uma propriedade sua, um verdadeiro escravo, como porque, depois do apequenamento, ele se tornara um gigante gigantesco e, pois, muito mais importante que o pobre sabugo de pernas que sempre fora. Mas enganou-se. O Visconde andava com medo das suas tremendas responsabilidades novas, e cansado de ser dirigido daqui para ali pela Emília, e sujeito até a ser emprestado a governos como se fosse um guarda-chuva. Ah, muito melhor a sua pacata vida de antigamente, em que era pequeno entre os grandes. Muito melhor a vida calma de modesto sabugo de perninhas do que a vida agitada de maior gigante dó mundo. Além disso, aquela "fazenda" em sua cartola já lhe andava dando dores de cabeça. Começara uma simples janelinha na cartola. Depois vieram a porta, as sacadas, a plantação de musgos e chapéus-de-sapo, e os órfãos, e os besouros do Juquinha, e aquilo fora virando quarto de badulaques e museu. Emília levava para lá quanta coisa curiosa descobria pelo caminho — moscas secas, caquinhos de louça, ovos de borboletas e até corações e rins secos de minhocas, lá da charqueada de Pail City. Era demais. E o Visconde não tinha dúvida nenhuma quanto aos "melhoramentos" que ela acabaria introduzindo em sua cartola — até uma lareira como aquela da Casa Branca, com grande perigo de incêndio em sua cabeça. O melhor era dar um golpe de morte na Nova Ordem. E foi assim que, quando Dona Benta lhe perguntou qual era o seu voto, o Visconde respondeu intrepidamente:

— Voto pelo Tamanho!

— Miserável! — berrou Emília, e em seu desespero caiu do alto da cartola, machucando o nariz. A criançada também protestou:

— O voto dele não vale! Ele é milho! Milho não vota!

Dona Benta, porém, manteve o voto decisivo do Visconde.

Vendo que não havia remédio senão conformar-se com a opinião do maior número, Emília fungou, fungou e, com a mais nobre humildade — grande exemplo para todos os ditadores do mundo — disse para o Visconde:

— Pois vamos para a Casa das Chaves, macaco!

Capítulo XXV
A VOLTA DO TAMANHO

Foram. Lá na Casa das Chaves o Visconde com facilidade colocou a Chave do Tamanho na posição antiga, e o fenômeno que se operou foi o reverso do apequenamento — foi um instantâneo engrandecimento. Todos os minúsculos insetos descascados, em todos os países, subitamente voltaram ao velho tamanho anterior — e o que aconteceu daria assunto para um livro ainda maior que este.

Os insetos que estavam em buraquinhos ou frestas sofreram horrores, porque o "entalamento" não os deixava sair. Supõe-se que milhares de criaturas morreram assim. Aos que foram restituídos ao tamanho anterior a primeira coisa que lhes doeu foi a vergonha. Vexadíssimos de se verem nus, lançaram-se aos montinhos de roupas mais próximos e foram se vestindo precipitadamente. Ficou uma humanidade o que havia de cômica, dada a inevitável troca de roupas — homens vestidos de mulher, mulheres vestidas de homem, este com calças muito curtas e aquele com mangas sobrando — um verdadeiro carnaval. A fúria com que a vergonha havia voltado deu razão a Emília — vergonha é uma simples questão de tamanho.

Lá na cômoda houve um grande tombo. Aquele imenso retângulo de madeira envernizada onde caberiam folgadas centenas de criaturinhas reduzidas não comportou o volume das sete pessoas subitamente agrandadas — e caiu gente de todos os lados. E como as tanguinhas e mais vestuários de algodão em rama arrebentassem, todos se sentiram terrivelmente nus — e veio o mesmo corre-corre para as roupas. Tia Nastácia nem se lembrou de xingar o Coronel Teodorico, de tão atrapalhada em enfiar suas saias lá na saleta. Em segundos estavam todos vestidos como sempre — exceto o Juquinha, a Candoca e o Coronel, cujas roupas haviam ficado em suas respectivas residências. Pedrinho levou o novo amigo para o seu quarto, onde lhe deu um terno velho; Narizinho cuidou de Candoca. Mas quem iria cuidar do Coronel?

Quando Emília e o Visconde reapareceram, de volta da Casa das Chaves, já igualados em tamanho, porque os dois mediam quarenta centímetros, a situação era aquela: todos restaurados no tamanho natural, todos vestidos e todos presentes, menos um — o Coronel.

— Que é do Coronel?

Ninguém sabia.

Procura que procura, foram encontrá-lo escondido no guarda-roupa de Dona Benta.

— Estou descomposto — disse ele lá de dentro. — Mandem buscar minhas roupas lá em casa.

— Credo! — exclamou Tia Nastácia, persignando-se. — Imaginem em que estado vai ficar a roupa de Sinhá com esse cavalão em pelo pisando em tudo lá dentro...

IMAGINÁRIO

O SÍTIO DE DONA BENTA,
UM MUNDO DE VERDADE E DE MENTIRA

O PICAPAU

AMARELO

Capítulo I
A CARTINHA DO POLEGAR

O sítio de Dona Benta foi se tornando famoso tanto no mundo de verdade como no chamado mundo de mentira. O mundo de mentira, ou Mundo da Fábula, é como a gente grande costuma chamar a terra e as coisas do País das Maravilhas, lá onde moram os anões e os gigantes, as fadas e os sacis, os piratas como o Capitão Gancho e os anjinhos como Flor das Alturas. Mas o Mundo da Fábula não é realmente nenhum mundo de mentira, pois o que existe na imaginação de milhões e milhões de crianças é tão real como as páginas deste livro. O que se dá é que as crianças logo que se transformam em gente grande fingem não mais acreditar no que acreditavam.

"Só acredito no que vejo com meus olhos, cheiro com o meu nariz, pego com minhas mãos ou provo com a ponta da minha língua", dizem os adultos – mas não é verdade. Eles acreditam em mil coisas que seus olhos não veem, nem o nariz cheira, nem os ouvidos ouvem, nem as mãos pegam.

– Deus, por exemplo – disse Narizinho. – Todos creem em Deus e ninguém anda a pegá-lo, cheirá-lo, apalpá-lo.

– Exatamente. E ainda acreditam na Justiça, na Civilização, na Bondade – em mil coisas invisíveis, incheiráveis, impegáveis, sem som e sem gosto. De modo que se as coisas do Mundo da Fábula não existem, então também não existem nem Deus, nem a Justiça, nem a Bondade, nem a Civilização – nem todas as coisas abstratas.

– Eu sei o que quer dizer "abstrato"– disse Emília. – É tudo quanto a gente não vê, nem cheira, nem ouve, nem prova, nem pega – mas sente que há.

– Muito bem. Logo, o Mundo da Fábula existe, com todos os seus maravilhosos personagens.

– E tanto existe – declarou Dona Benta – que tenho aqui uma carta muito interessante, recebida hoje.

– É de mamãe, já sei! – murmurou Pedrinho, aborrecido, com medo que fosse carta de Dona Antonica chamando-o para a cidade.

– Errou, meu filho. A cartinha que recebi é do Pequeno Polegar...

Ao ouvir tal notícia, a criançada pulou de contente. Os olhos de Narizinho molharam-se de ternura. O Pequeno Polegar era, de fato, a maior das galantezas.

– Mostre, mostre a cartinha dele, vovó!

Dona Benta pôs os óculos e tirou da bolsa uma coisinha dobrada, pequeniníssima – uma pétala de rosa!

– É o papelzinho em que ele escreve, e escreve sem tinta, com a ponta de um espinho. Só poderei ler o que está aqui se Pedrinho me trouxer a lente do binóculo.

Pedrinho coçou a cabeça. Onde andaria a lente do binóculo desmanchado?

– A lente sumiu, vovó – disse ele –, mas há os célebres olhos da Emília, mais penetrantes que todas as lentes do mundo. Até uma pulga no pelo do dragão de São Jorge, lá na lua, ela já "detectou".

– Ótimo! Nesse caso, venha a Emília ler a cartinha do nosso amigo.

Muito orgulhosa do seu papel de Olho número um, Emília aproximou-se rebolando. Tomou a pétala dobrada, cheirou-a:"Ah Rosa Bela Helena!". Abriu-a e leu com a maior facilidade:

"Prezadíssima Senhora Dona Benta Encerrabodes de Oliveira:
Saudações. Tem esta por fim comunicar a Vossa Excelência que nós, os habitantes do Mundo da Fábula, não aguentamos mais as saudades do Sítio do Picapau Amarelo, e estamos dispostos a mudar-nos para aí definitivamente. O resto do mundo anda uma coisa das mais sem graça. Aí é que é o bom. Em vista disso, mudar-nos-emos todos para sua casa – se a senhora der licença, está claro..."

O assanhamento da criançada subiu a cem graus, que é o ponto de fervura da água. Ficaram todos borbulhantes de alegria. Pedrinho disparou a fazer projetos de brincadeiras com Aladim e o Príncipe Codadade. Narizinho queria conversas de não acabar mais com Branca de Neve e a menina da Capinha Vermelha. Até o Visconde lambeu os beiços, ansioso por uma discussão científica com *Monsieur* de La Fontaine, o famoso fabulista encontrado na viagem feita ao País da Fábula.

– Que suco vai ser vovó! Todos aqui, imagine! Será que também vem Dom Quixote?

– Eu o que quero é lidar com os anões de Branca de Neve! o Dunga, o Zangado...Ah, gostosura!

Mas Dona Benta estava incerta. A população do Mundo da Fábula era grande; como acomodá-la toda ali num sítio que não tinha mais de cem alqueires de terra?

– Aumenta-se o sítio, vovó – propôs Pedrinho. – A senhora compra as fazendas dos vizinhos. Para que serve dinheiro? Depois que saiu o petróleo, a senhora ficou empanturrada de dinheiro a ponto de enjoar e nem permitir que se fale em dinheiro nesta casa. Aumenta-se o sítio. Tão fácil...

Dona Benta refletiu ainda uns instantes; depois concordou.

– É o jeito. Podemos comprar a Fazenda do Taquaral e mais a do Cupim Redondo. As duas juntas devem perfazer aí uns mil e duzentos alqueires de terra. Ora, em mil e duzentos alqueires de terra eu imagino que cabem todos os personagens do Mundo da Fábula.

— E se não couberem, a senhora vai comprando mais fazendas – isso não oferece dificuldade. E podemos fazer uma coisa, vovó: uma cerca de arame que separe o sítio velho das Terras Novas.

A lembrança de Pedrinho foi aprovada.

– Sim, boa ideia. Fazemos uma cerca de arame com porteira – e porteira de cadeado. Confio a chave ao Visconde. Só abriremos a porteira quando nos convier. Se não, invadem-nos isto aqui e...

Narizinho ficou cismarenta, a imaginar a maravilhosa vida que iriam ter com uma vizinhança daquelas.

– Tia Nastácia é que vai ficar tonta – lembrou Emília. – Juro que muitos deles hão de pular a cerca por causa dos bolinhos.

– O remédio é fácil. Pomos Quindim de guarda, dia e noite, passeando de cá para lá ao comprido da cerca. Como eles nunca viram rinoceronte, hão de respeitá-lo – hão de ter medo daquele chifre único.

Essa conversa ocorreu à noite, depois do chá – e nesse dia só foram para a cama às onze horas, tamanha foi a discussão travada sobre o que fazer. Ao se recolherem, até a Emília e o Visconde beijaram a mão de Dona Benta, dizendo com a maior naturalidade: "Sua bênção, vovó".

Capítulo II
A RESPOSTA DE DONA BENTA

No dia seguinte Dona Benta respondeu à carta do Pequeno Polegar. Que viessem todos. Ela iria comprar mais terrenos vizinhos, de modo que o Mundo da Fábula inteiro coubesse lá. Mas na hora de subscritar o envelope a boa velhinha atrapalhou-se. Viu que Polegar havia esquecido de mandar o endereço.

— Que cabecinha de vento! Escreve-me uma carta e não indica para onde devo remeter a resposta.

E cheia de indecisão estava a pensar naquilo, quando Narizinho se aproximou com um "Que é, vovó?". Ao saber da falta de endereço, riu-se regaladamente.

— Ora...dá-se! Parece incrível que a senhora se aperte por tão pouca coisa. É só chamar a Emília...Emília! EMÍLIA!...

Emília surgiu rebolando.

— Venha resolver um caso que está atrapalhando vovó. Polegar escreveu, mas esqueceu de botar o endereço. Vovó não sabe para onde mandar a resposta.

Emília deu uma risada gostosa.

— Ah, meu Deus! Que bicho bobo é gente grande!...Morrem de lidar com as maravilhas e não aprendem nada – não aprendem essa coisa tão simples que é o "faz-de-conta". Me dá aqui a carta.

Dona Benta, de boca entreaberta e olhar admirado, foi-lhe entregando a cartinha de resposta. Emília agarrou-a e leu-a...

— Isso é falta de delicadeza, Emília, ler carta dos outros – observou Narizinho.

— É falta de delicadeza quando a carta vai pelo correio. No sistema do "faz-de-conta" não é, porque faz de conta que não li. Li para ver se "vovó" não nos traiu...

— Emília, Emília! – gritou Narizinho com severidade. – Como se atreve a fazer semelhante juízo de vovó?!

— Minha cara – respondeu Emília com o maior desplante –, eu já virei uma Floriana Peixota: confio desconfiando...

— Já se viu que diabinha! – murmurou Dona Benta filosoficamente.

Emília chegou à janela e gritou:

> Ventos e brisas daquém e dalém
> Passarinhos e borboletas
> Esta resposta ao Polegar levade,
> Depressa, depressa, senão...

E lançou a cartinha ao vento.

— Senão o quê, Emília? – perguntou Narizinho.

— Senão, nada. O "senão" é só para meter medo.

Tia Nastácia vinha entrando da cozinha para ver o que Dona Benta queria no almoço. Ao saber da cartinha do Polegar e da licença para que viessem morar ali, exclamou, erguendo as mãos para o céu:

— Nossa Senhora! Isto vai virar "hospiço". Sinhá não se lembra daquela vez que eles entupiram a casa de reizinhos e príncipes e princesas? Nossa Senhora, onde iremos parar?

– Fazemos uma cerca, Nastácia. Eles ficam morando para lá da cerca. Só virão aqui quando quisermos.

– Cercas, Sinhá? Pois se até muro com caco de vidro em cima gente pula, quanto mais eles, que são uns demoninhos...

– Quindim fica de guarda à cerca, passeando de cá para lá, e na porteira eu boto um cadeado. O Visconde tomará conta da chave.

A negra deu uma grande risada.

– Ché, Sinhá! Tudo é muito bonito e fácil no "papé". Mas eu quero ver!O Visconde chaveiro, ha, ha, ha!

Dona Benta, que estava com preguiça de discutir, mudou de assunto.

– Olhe, para o almoço faça um frango assado com farofa – e uns pastéis de palmito.

–O palmito acabou, Sinhá. "Seu" Pedrinho gastou ontem o último para fazer uma tal de bica d'água.

– Mande buscar meia dúzia no Elias Turco.

–O palmito do Elias é falsificado, Sinhá. Só casca.

– Então, então...

Capítulo III
O plano da Emília

Dona Benta mandou chamar os donos das fazendas vizinhas para propor-lhes a compra das propriedades. Nenhum quis vender. Eram fazendas que não valiam nada, mas como Dona Benta tinha fama de muito dinheiro, todos trataram de aproveitar-se. Dona Benta, porém, não era das que "vão na onda". Não aumentou a oferta.

Depois que os homens se retiraram, chamou os meninos.

– Esses homens querem aproveitar-se da situação; fingem não querer vender as fazendas,tudo para me explorar. Que acha que devo fazer, Pedrinho?

Pedrinho, danado com os fazendeiros, imaginou logo uma solução violenta: comprar as fazendas à força. Agarrá-los e obrigá-los a assinar as escrituras, com um revólver encostado na nuca de cada um.

– Absurdo, meu filho. Os processos violentos nunca dão bons resultados. Temos que estudar um meio jeitoso.

– Isso de jeitos é cá comigo – gritou a Marquesa de Rabicó. – Entregue-me o caso que num instante estará resolvido.

– Pois vamos ver – disse Dona Benta. – Fale com os homens e dê lá os jeitinhos necessários. Não ofereço mais de quatrocentos mil cruzeiros pelas duas fazendas – e é muito. Não valem nem duzentos.

Emília chamou de parte o Visconde para a discussão do assunto. Em seguida foram os dois ao pasto, montaram no Burro Falante e saíram em procura dos fazendeiros. Encontraram-nos na venda do Elias, bebendo cerveja entre grandes risadas."Desta vez a velha nos paga", diziam eles. "Havemos de lhe arrancar couro e cabelo."

Emília e o Visconde entraram, sentaram-se atrás deles numa mesinha dos fundos, e pediram meia garrafa de cerveja e duas cocadas queimadas. E puseram-se a conversar com ares misteriosos. Aquilo imediatamente intrigou os fazendeiros.

– Pois é – dizia a Marquesa para o Visconde, muito baixinho mas de modo que os homens ouvissem –, a *bicharia* já está embarcada: duzentos, cem machos e cem fêmeas,e *rinocerontes* dos mais ferozes, caçados de fresco no Uganda, lá no sul da África...

– Mas então é verdade? – perguntou o Visconde com o maior fingimento. – Pensei que fosse brincadeira...

– Brincadeira, nada! Dona Benta não brinca, Vai fazer aqui a maior criação de feras do mundo. Chegam agora esses duzentos rinocerontes ferocíssimos. Depois vêm os leões que estão sendo caçados – trezentos leões! E mais cento e cinquenta *tigres de Bengala*, daqueles que só se alimentam de gente. E há as *panteras-negras* – cem. Isso sem falar nos ursos brancos do Polo, nem nos *lobos da Rússia*, nem naquelas *cobras da Índia* que têm capelo, venenosíssimas.

Os fazendeiros, de boca aberta, entreolhavam-se assustados. Emília continuou:

– A criação de feras de Dona Benta será a maior do mundo, mas os vizinhos vão sofrer com isso. Toda gente sabe que os animais caseiros, burros, bois, cavalos etc., têm um verdadeiro horror pelas grandes feras. Adivinham-nas de longe pelo cheiro e morrem de medo – fogem com quantas pernas têm. Estou com dó dessas fazendas. Vão ficar a pé, sem um cavalo, um burro, um boi. O vento leva para lá o cheiro dos leões e dos tigres e a animalada mansa dispara...

– Mas esses vizinhos podem processar Dona Benta – lembrou o Visconde.

– Ela já mandou estudar esse ponto por um bom advogado do Rio. As leis não tratam do assunto. Se eles processarem Dona Benta, perdem as demandas e ainda têm de pagar as custas. *Não há lei nenhuma que proíba cheiros em fazendas.*

A conversa prosseguiu nesse tom cochichado até o fim da cervejinha. Depois pagaram a conta e saíram, muito lampeiros.

Os dois homens ficaram com caras de asno, a olhar um para o outro.

– E esta, compadre! Se o raio da velha vai mesmo fazer isso, nossas fazendas, que já pouco valem, ficarão valendo ainda menos. Aquilo que o pelotinho de gente disse é certo. Os animais têm um medo horrível às onças e outras feras.Assim que farejam alguma por perto, fogem loucos de terror. Isso é coisa das mais sabidas.

– Pensando bem – disse o segundo –, o verdadeiro é aceitarmos a proposta da velha. Quatrocentos mil cruzeiros pelas duas fazendas é até muito dinheiro – porque não valem duzentos – nem cento e oitenta. O café está de rastos, porco não dá nada, algodão, o curuquerê come...Quanto mais eu trabalho em minha fazenda, mais endividado fico. O melhor é aceitarmos a proposta da velha.

Nesse mesmo dia voltaram os dois ao Picapau Amarelo.

– O preço que a senhora nos oferece – disse um deles – é fraquinho, mas nós, cansados já desta vida de fazenda, resolvemos ceder. Pode marcar o dia para as escrituras.

– Amanhã – foi a resposta de Dona Benta, muito admirada da reviravolta operada neles. Que seria que os fez mudar assim tão repentinamente? Dona Benta interpelou-os.

Os fazendeiros coçaram a cabeça.

– Coisas da vida, minha senhora. Fomos à venda do Turco beber uma cervejinha e pensamos melhor sobre o caso. Estamos velhos e cansados, é isso.

Nesse instante Dona Benta ouviu o ringido da porteira. Olhou. Vinham chegando a Emília e o Visconde, montados no Burro Falante.

–Hum! Estou compreendendo! – murmurou ela consigo. – Aqui anda o dedinho da Emília.

Depois que os fazendeiros se retiraram, Dona Benta a chamou.

– Que foi que você fez, diabinha, para mudar desse modo a opinião dos dois homens?

– Nada, Dona Benta. Apenas comemos uns doces na bodega do Elias e tomamos uma cervejinha. Por sinal que estou tonta, tonta...

E estava mesmo. Tão tontinhos, ela e o Visconde, que caíram na rede e ferraram no sono.

Dona Benta ficou a cismar: "Que será que Emília botou na cabeça deles?". Mas por mais que cismasse, nada adivinhou.

Capítulo IV
COMEÇA A MUDANÇA PARA O SÍTIO

A compra foi feita no dia seguinte, com o prazo duma semana para que os ex-donos se mudassem. E nesse mesmo dia Pedrinho tratou da construção duma grande cerca de seis fios de arame farpado, que dividisse as terras do Picapau Amarelo das novas terras adquiridas. No meio da cerca, bem defronte do terreiro, tinha de ficar uma boa porteira de peroba, com cadeado.

A carta de resposta mandada a Polegar chegou-lhe às mãos direitinha; e logo recebeu ele outra, contando da compra das terras e dizendo que dali uma semana podiam começar a mudança. Mas havia cláusulas. Que viessem todos – todos, todos, até o Barba Azul – mas com a condição de não invadirem o sítio, de não pularem a cerca. Eles ficavam para lá da cerca e ela e os netos ficavam para cá da cerca, nas velhas terras do sítio. Quando algum quisesse visitá-los, tinha de tocar a campainha da porteira e esperar que o Visconde abrisse. Proibido pular. Quem o fizesse, correria o risco de espetar-se no pontudo chifre de Quindim – o guarda.

As condições foram aceitas, e passada uma semana começou a mudança dos personagens do Mundo da Fábula para as Terras Novas de Dona Benta. O Pequeno Polegar veio puxando a fila. Logo depois, Branca de Neve com os sete anões. E as princesas Rosa Branca e Rosa Vermelha. E o Príncipe Codadade, com Aladim, a Sherazade, os gênios e o pessoal todo das *Mil e uma noites*. E veio a Menina da Capinha Vermelha. E veio a Gata Borralheira. E vieram Peter Pan com os Meninos Perdidos do País do Nunca, mais o Capitão Gancho com o crocodilo atrás e todos os piratas; e a famosa Alice do País das Maravilhas; e o Senhor de La Fontaine em companhia de Esopo, acompanhados de todas as suas fábulas; e Barba Azul com o facão de matar mulher; e o Barão de Münchausen com as suas famosas espingardas de pederneira; e os personagens todos dos contos de Andersen e Grimm. Também veio Dom Quixote, acompanhado de Rocinante e do gordo escudeiro Sancho Pança.

Mas não vinham a passeio, não; vinham com armas e bagagens, com os castelos e palácios, para uma fixação definitiva. Vinham para morar ali toda a vida. O Pequeno Polegar explicou:

– Eles sempre sonharam uma coisa assim. Nunca puderam habitar sossegados numa terra que fosse unicamente deles. Uns moravam em livros, outros na cabeça das crianças. Agora vão ser donos de um território próprio, só deles. Vão sossegar, os coitados.

A mudança dos famosos personagens constituiu uma longa festa para Dona Benta e os meninos. Horas e horas passavam debruçados na cerca, vendo chegar aquele povaréu maravilhoso – as princesas com as suas damas de companhia e a criadagem; os anões, carregando todas as peças do castelo de Branca de Neve; Capinha Vermelha, puxando a casa da sua vovó comida pelo lobo. Mudança completa. Peter Pan trouxe tudo que havia na Terra do Nunca – até o mar onde vogava a *Hiena dos Mares* do Capitão Gancho.

— E os índios também! Lá estão os índios da Pantera Branca! – observou Emília ao ver chegar o bando de guerreiros cor de cobre.

– E aquilo lá longe? – indagou Pedrinho, apontando para uma menina com um bandão de esquisitices atrás. Mas reconheceu-a logo: – É Alice! Vem com o bando todo – Twidledum, o Gato Careteiro, o Coelho Branco, a Tartaruga...

Tia Nastácia também não saía da cerca.

– Credo, Sinhá! Que vai ser de nós de hoje em diante? Quanta estrepolia, meu Deus! Se isto desta vez não pegar fogo...

Quindim olhava por cima da cerca sem compreender coisa nenhuma; mas o Burro Falante, que estava a seu lado e era sabidíssimo, ia explicando a situação, contando quem era este ou aquele.

– Oh! – exclamou o Burro quando viu chegar Dom Quixote e Sancho, um montado no Rocinante e outro no burrico. – Vou ter afinal dois bons companheiros.

Uma ideia lhe veio à cabeça: convidar aqueles personagens de quatro pés para ficarem aquém da cerca, no seu pastinho. Pensou e veio propô-lo a Dona Benta.

– O pasto é muito grande para um só; há lá capim para três e ainda sobra. Bem precisado anda Rocinante dum bom sossego no pasto...

Dona Benta achou que sim, mas que tudo dependia de Dom Quixote e Sancho. Tinha de consultá-los.

A novidade maior foi a chegada dos personagens da mitologia grega – uma quantidade enorme! A Medusa, com aqueles cabelos de cobra – cada fio uma cobra, e atrás dela o valente Perseu que lhe cortou a cabeça. O Rei Midas, que só cuidava de amontoar ouro e acabou se enjoando. Os centauros, meio homens meio cavalos; e os faunos de chifrinhos; e os sátiros de pés de bode; e as sereias; e as ninfas; e as náiades, que eram as ninfas das águas.

– Olhe, vovó! – exclamou Narizinho em certo momento. – Lá vem vindo o rei dos mares, Netuno, de grandes barbas verdes, com o garfo de três dentes na mão, sentado no seu carro de conchas puxado por peixes. Como irá ele arranjar-se aqui, se não há mar?

– Há mar, sim – advertiu Emília. – Peter Pan já trouxe o Mar dos Piratas. Só quero ver como Netuno vai acomodar-se com o Capitão Gancho. Este malvado está convencido de que o rei do mar é ele...

Os personagens vinham vindo sem interrupção com a enormíssima bagagem dos castelos e palácios maravilhosos. Aquelas terras ordinaríssimas, onde só havia saúva e sapé, começaram a transformar-se como por encanto. Onde era o rancho do Zé Prequeté, Capinha ergueu sua encantadora casinhola de varanda com trepadeiras. Branca de Neve começou a levantar o seu castelo no lindo vale que dava frente para o sítio.

– Que bom, vovó! – comentou Narizinho. – Lá da janela do meu quarto posso fazer sinais para as duas!...

– Sinais semafóricos – disse o Visconde. –Esses sinais assim, feitos de longe, chamam-se se-ma-fó-ri-cos. É uma combinação de sinais que permite conversa dum ponto para outro. Um telégrafo.

–O "sabinho" está hoje afiado – observou Emília.

Mas Tia Nastácia, que havia voltado para a cozinha, interrompeu a festa com um grito:

–O jantar está na mesa. Depressa, se não esfria.

Com grande sentimento, todos deixaram a cerca, porque ainda havia muito que ver.

Capítulo V
DOM QUIXOTE HOSPEDA-SE NO SÍTIO

Nunca houve jantar mais apressado. Pedrinho nem mastigava – engolia!
– Não adianta correr, menino – disse Dona Benta. –Eles vão ficar morando em nossas terras toda a vida. Coma sossegado, mastigue bem.

Mas quem ouve conselhos numa ocasião dessas? Pedrinho continuou a engolir sem mastigar, e por fim saiu correndo, com uma perna de frango assado na mão. Nem esperou pela sobremesa. Os outros o imitaram. Correram todos para a cerca, deixando Dona Benta sozinha.

– O que é criança! – exclamou Tia Nastácia.

– Brincam a vida inteira, e quanto mais brincam mais querem brincar. E foi pena essa correria hoje, porque fiz um docinho de batata-roxa que está mesmo do céu. Prove, Sinhá.

Dona Benta comeu sossegadamente o doce de batata-roxa; em seguida encaminhou-se sem pressa nenhuma para a cerca. Lá estavam todos encarapitados, com os olhos fixos na procissão sem fim dos personagens fantásticos, de mudança para as Terras Novas. Emília e o Visconde acharam jeito de se acocorarem no topo de dois moirões da cerca; os demais ficaram de pé no segundo fio de arame a contar debaixo, e debruçados no de cima, com os cotovelos entre os intervalos de duas farpas. Quindim olhava, sem entender coisa nenhuma. O Burro Falante filosofava.

– Vovó perdeu uma cena gozada – disse Narizinho logo que Dona Benta chegou. –O Pequeno Polegar foi o único que veio sem bagagem, só trouxe aquelas botas de sete léguas. E sabe a ideia dele, vovó? Deu com a casa de João-de-Barro ali do Cedro Grande e apossou-se dela. Já se recolheu. Está lá dentro descansando da viagem.

– E os donos da casa, o casal de passarinhos? – indagou Dona Benta.

– Andam por fora, cavando a vida. Quando voltarem e encontrarem a casa ocupada, vai haver tragédia.

Pedrinho estava maravilhado com a transformação das Terras Novas. Um puro milagre, aquilo! Tudo mudado. Castelos e mais castelos, palácios e mais palácios; e árvores enormes, velhíssimas, que ele nunca vira por lá. E lagos azulíssimos;e torrentes de água espumejante, alvíssima; e despenhadeiros de pedras nuas; e jardins maravilhosos. Até aquela famosa casa feita só de doces, que Hansel e Gretel descobriram na mata virgem, fora transportada para lá.

– Está ali uma casa – disse Pedrinho – em que eu não poderia morar. As paredes são de açúcar-cande; as telhas, de chocolate; as torneiras dão mel e vinho e leite. Eu comia essa casa inteirinha.

– E não escapava duma boa dose de erva-de-santa-maria com óleo de rícino – observou Emília. – Doce demais gera lombrigas, diz Tia Nastácia.

Mas houve um personagem que ficou ao desabrigo: Dom Quixote. Com a sua mania de proezas e mais proezas, só trouxera o escudo, a espada e a lança – esquecera de trazer casa. E andava às tontas pelas Terras Novas, procurando qualquer coisa, montado no Rocinante, com o gordo Sancho Pança atrás.

– Dom Quixote gosta muito de hospedarias – lembrou Narizinho. – Aposto que está procurando uma.

– Mas não acha, porque aqui não há – disse Pedrinho. – o remédio é hospedar-se no castelo de alguma das princesas.

– E seria no meu, se eu fosse princesa – disse Emília. – Acho Dom Quixote o suco dos sucos. A loucura chegou ali e parou. Adoro os loucos. São as únicas gentes interessantes que há no mundo.

Dom Quixote, porém, não teve a ideia de acolher-se em casa de nenhuma princesa. Depois de andar dum ponto para outro, deteve-se no alto de um morrinho, com a mão na testa, em viseira. Corria os olhos em todas as direções.

– Está procurando moinhos de vento – murmurou o Visconde. – Por felicidade, o nosso moinho é de roda d'água, está livre de ser atacado por ele.

Depois de tudo examinar, Dom Quixote fixou os olhos na casinha de Dona Benta e conferenciou com o escudeiro. Deu-lhe uma ordem qualquer. Sancho fincou os calcanhares no burrinho e veio de galope na direção da cerca.

Chegado que foi, parou, tirou respeitosamente o chapéu e disse, dirigindo-se a Dona Benta:

– Ilustre senhora! Meu amo, o invencível Cavaleiro da Triste Figura, não encontra nestas terras nenhuma estalagem em que descanse os seus valentes ossos, e manda-me dizer-vos que lhe seria de agrado um pouso na casinha tão simpática que se ergue além da cerca.

Dona Benta respondeu com o desembaraço de sempre:

– Meu caro senhor, a combinação que fiz com o Pequeno Polegar foi de que todos os personagens da Fábula podiam morar em minhas terras, mas para lá da cerca. Assim disse eu e assim pretendo que seja – mas grande gosto me dará receber em minha modesta choupana o ilustre fidalgo da Mancha, se não for para ficar a vida inteira, está claro. Ele que venha.

Sancho agradeceu-lhe as palavras e voltou ao amo no galope.

– Corra lá em casa, Visconde – disse Dona Benta –, e previna Tia Nastácia da visita de Dom Quixote. Diga-lhe que prepare qualquer coisa para ele comer. Deve estar com uma fome de cabelos brancos, o coitado.

Enquanto o Visconde corria a avisar a preta, Dom Quixote foi se aproximando. Chegou. Parou diante da cerca, com aquela dignidade de atitudes que o tornava o mais perfeito dos heróis.

– Ilustre dama – disse ele–, muito me penhora a gentileza de tão alta acolhida. O vosso palácio me será de repouso, e o vosso convívio me demonstrará que o mel da bondade ainda flui dos nobres corações.

– Que mania a dele de falar complicado!– cochichou Emília para Narizinho.

– É o estilo antigo – explicou a menina. – As palavras de dantes dançavam o minueto e usavam anquinhas e saias-balão. Eu não entendo lá muito bem, mas gosto.

Dona Benta, sabidíssima que era, respondeu no mesmo tom, e com muitas anquinhas nas palavras pediu-lhe que apeasse e entrasse. Infelizmente a chave da porteira estava no bolso do Visconde, e o Visconde fora dar o recado lá dentro, de modo que o ilustre herói teve de pular a cerca. Foi um custo! Enfiado na sua armadura de lata, Dom Quixote atrapalhou-se, e enganchou-se nas farpas do arame. E quando o desenganchavam dum lado, ele enganchava-se de outro. Por fim, depois de muito trabalho e com a ajuda de todos, foi possível baldeá-lo para o lado de cá da cerca. *Uf*!

Cumprimentos. Apresentações.

– Este é o meu neto Pedrinho; esta, a minha neta Narizinho; e esta aqui, a famosa Emília, Marquesa de Rabicó.

Dom Quixote saudou-os de cabeça, mas ao fazer isso deu com o Quindim de olhos ferrados nele, a vinte passos de distância. O efeito foi tremendo. Aquele esquisito animalão africano impressionou profundamente o fidalgo da Mancha, que se pôs em guarda, de lança em riste, pronto para o ataque.

– Sancho – gritou ele–, cá estou de novo diante do mágico Freston, o infame que toma todas as formas para perseguir-me. Mas desta feita darei cabo do miserável.

– Perdão, senhor fidalgo! – disse Dona Benta, aflita. – Aquele honrado paquiderme não é nenhum mágico Freston, ou o que seja – é apenas o Quindim, velho amigo nosso, pessoa excelente, notável em gramática.

Mas Dom Quixote não atendia a coisa nenhuma. Felizmente Rocinante estava do outro lado da cerca, o que iria retardar o choque.

– Depressa, amigo Sancho! Traze-me o valente corcel de mil batalhas.

– Como, senhor? – respondeu Sancho com a maior pachorra. – Como, se entre a vossa ilustre pessoa e Rocinante há essa terrível muralha de arames espinhentos, que não vi em parte nenhuma e me parece a última invenção do demo?

O pobre Sancho não conhecia o arame farpado.

– Depressa, depressa, amigo Sancho! – insistia Dom Quixote. – Esta vai ser a mais cruenta peleja da minha vida – mas tenho de atacar montado. A mim, o meu fiel Rocinante – depressa!...

A situação começava a agravar-se. Dom Quixote não atendia a ninguém, e se não lhe dessem o cavalo, atacaria mesmo a pé, contra todas as regras da arte.

Foi quando Emília interveio com grande oportunidade. Correndo ao Quindim, pediu-lhe que se afastasse o mais depressa possível, porque aquele homem era louco. Quindim, o mais sensato rinoceronte do mundo, obedeceu docilmente. Afastou-se a trote largo.

Vendo o "inimigo" fugir daquele modo vergonhoso, Dom Quixote cantou o triunfo, como galo no terreiro.

–Foge, foge o infame! Não se envergonha de deixar-me nas mãos uma vitória fácil demais para que eu dela me orgulhe. Freston sempre foi o rei dos covardes.

Nisto chegou o Visconde com a chave da porteira. Abriu-a. Sancho entrou com o seu burrinho, a puxar pela rédea o magro Rocinante.

Mas Dona Benta continuava muito aflita. Recolher aquele homem em sua casa – assim sujeito a frequentes acessos de loucura? Dom Quixote conversava muito bem, como um verdadeiro sábio; mas de súbito lá vinha o acesso. E Dona Benta quase se arrependeu de ter-lhe concedido permissão para entrar.

Sancho fez logo camaradagem com Pedrinho, ao qual contou várias proezas de seu amo que não figuram no famoso livro de Cervantes.

– Ah! menino, este meu amo é na verdade o herói dos heróis. Ainda há pouco, ali na estrada das Terras Novas, espetou com a lança um homem muito feio, de grandes barbas azuis.

– De barbas azuis? Então era o Barba Azul! Bem feito! Esse homem é o maior especialista em matar mulheres. Já liquidou sete. Não estava de faca na mão?

– Trazia na cintura uma enorme faca de ponta, sim.

– Pois é isso mesmo. Com aquela faca o malvado já matou sete esposas – e matará a oitava, se aparecer outra tola que se case com ele.

– Pois ficou bem espetado pela lança de meu amo – continuou Sancho. – Quis resistir; mas quando ia puxando a faca, foi alcançado no peito e derrubado.

E assim a conversarem foram se encaminhando para a varanda. Dona Benta abria a fila de braço dado a Dom Quixote; em seguida vinha Pedrinho, de prosa com Sancho. Narizinho e Emília, atrás, comentavam os acontecimentos. O Visconde ficou lá com Rocinante e o burrinho, depois de apresentá-los ao Burro Falante.

– Já os conheço de fama – disse este. – As proezas de Dom Quixote têm corrido o mundo todo – e continuarão a correr. Mas o que nelas mais admiro é a extrema fidelidade de Vossa Senhoria.

Rocinante e o Conselheiro só se tratavam assim, de Vossa Senhoria para cima, tão bem educados eram. O Visconde recordou a conversa de horas antes, em que o Burro propusera a Dona Benta que Rocinante e o asno de Sancho ficassem ali no seu pastinho, onde havia capim de sobra e o ótimo capim-gordura do roxo! Rocinante gostou muito da ideia e lambeu os beiços, dizendo que lá nos áridos da Espanha, sua terra natal, o capim era ralo e duro, dos que não dão o mínimo prazer a um animal. Por isso andava magro daquele jeito, com as costelas sempre de fora.

– Cá no sítio Vossa Senhoria vai engordar como um cevado – disse o Burro Falante. – Em dois meses estará estourando – e ali o senhor asno também.

– A maçada é que meu amo não sabe andar a pé – disse Rocinante. – Tem passado quase a vida inteira montado em meu lombo – e tanto me acostumei a isso que quando ele desmonta até me sinto atrapalhado – leve que nem pluma.

– Pois eu aqui levo vida bem melhor – disse o Conselheiro. – Todos são meus amigos e todos muito leves. Emília pesa, no máximo, uns cinco quilos; o Senhor Visconde não pesa mais de meio. Pedrinho eu calculo em trinta; e Narizinho, em outro tanto. De modo que já perdi a memória do que é carregar no lombo mais que três arrobas.

– Já não posso dizer o mesmo – suspirou Rocinante. – Meu amo, apesar de ser só ossos, pesa mais de cinco arrobas; e a sua armadura, com mais a lança, a espada e o escudo, pesa mais duas. Regulo carregar, permanentemente, aí umas sete arrobas. É peso!

– Pior comigo – disse o burrinho de Sancho. – Meu amo é gordo, uma pipa, e como anda sempre cheio de sacos de mantimentos, e alforjes com as coisas que pilha durante os combates, vivo suando. Minha esperança é que eles parem com as correrias e me deem um merecido sossego.

O Burro Falante levou-os a ver o pastinho de capim-gordura, enquanto o Visconde voltava para a varanda. Lá encontrou Dom Quixote desajeitadamente sentado na redinha de Dona Benta, com os dois meninos a fazerem os maiores esforços para lhe tirar do rosto a viseira. O fecho de metal havia emperrado.

– O jeito é empregar o ferro de abrir latas – lembrou Emília, e correu em procura do instrumento. Pedrinho, que era mestre em abrir latas de sardinha e azeitonas, num instante abriu a cara de Dom Quixote.

Que magreza, Santo Deus! Mas que nobreza de feições! Emília declarou não existir no mundo homem mais "magramente belo" do que aquele. Tia Nastácia, a espiar lá da copa, resmungou: "Credo! Essas crianças inventam cada bicho careta...".

Sancho andava pelo quintal cuidando dos arreios. Concluído o serviço, apareceu muito lampeiramente na cozinha. A negra olhou-o desconfiada; mas o escudeiro era desses malandros que sabem agradar às cozinheiras, de modo que dali a minutos estavam amigos. Sancho contava-lhe casos cômicos, um atrás do outro, sempre recheados de provérbios da sabedoria popular. Em troca a preta ia lhe dando coisas de comer, até entupi-lo completamente.

– E vinho? Não há por aqui algum verdasco da Andaluzia? – perguntou o guloso.

– A *Luzia* aqui não anda não, Seu Sancho – nosso vinho é a água do pote. Se quer, mando buscar uma garrafa na venda do Elias Turco – mas juro que bebe uma vez e nunca mais. Falsificadíssimo! Aquele raio de homem é a peste aqui do bairro, Seu Sancho. Eu ainda peço pra Dom Quixote chuchá ele com a lança. Falsifica tudo – até cebola...

Sancho suspirou de saudades dos bons vinhos da Espanha.

Lá na varanda Dom Quixote conversava com Dona Benta sobre as aventuras, e muito admirado ficou de saber que sua história andava a correr mundo; escrita por um tal Cervantes. Nem quis acreditar; foi preciso que Narizinho lhe trouxesse os dois enormes volumes da edição de luxo ilustrada por Gustavo Doré. O fidalgo folheou o livro muito atento às gravuras, que achou ótimas, porém falsas.

– Isto não passa duma mistificação! – protestou ele. – Esta cena aqui, por exemplo. Esta cena aqui, por exemplo. Eu não espetei este frade, como o desenhista pintou – espetei aquele lá.

–Isso é inevitável – disse Dona Benta. – Os historiadores costumam arranjar os fatos do modo mais cômodo para eles; por isso a História não passa de histórias.

– Mas é um abuso! – insistiu o fidalgo. –Eu, que sempre me bati pelas melhores causas, não merecia que me atraiçoassem deste modo.

Por fim fechou o livro; não quis ver mais.

– O meio – disse Emília – é o senhor mesmo escrever a sua história, ou as suas memórias, como eu fiz.

Dom Quixote admirou-se de que aquela pulguinha humana tivesse memórias.

– Tenho, sim. E escrevi-as justamente para isso – para que não viesse nenhum Cervantes dizer a meu respeito coisas tortas ou arranjadas. Faça o mesmo, Senhor Quixote – e se quer, eu o ensinarei como se escrevem memórias. Eu e o Visconde temos grande prática.

Dom Quixote, que não sabia quem era o Visconde, fez cara de ponto de interrogação.

– Pois é o nosso "sabinho"– explicou Emília. – Vou apresentá-lo. E gritou para dentro:

– Visconde, cresça e apareça!

O Visconde apareceu e foi mostrado a Dom Quixote, o qual, a despeito de haver passado a vida inteira às voltas com prodígios, não quis acreditar que o sabuguinho de cartola fosse realmente um Visconde. Mas guardou consigo a desconfiança. Era homem educadíssimo.

Nesse momento Tia Nastácia entrou com a bandeja de café com mistura – bolinhos, torradas, pipocas. Dom Quixote tomou três xícaras de café, comeu doze bolinhos, seis torradas e uma peneirada de pipocas. Estava verdadeiramente faminto, o coitado. Aquilo fez-lhe bem, porque logo em seguida cruzou as pernas, abriu os braços e, com as mãos seguras nos punhos da rede, disse, correndo os olhos pela varanda:

– Não há dúvida, não há dúvida! A vidinha aqui é bem boa...

Por fim os seus olhos se foram fechando; sua cabeça pendeu para a frente, e um sorriso começou a aparecer-lhe nos lábios.

– Está dormindo e sonhando com a Dulcineia – murmurou Emília, de dedinho na boca em sinal de silêncio.

Todos saíram da varanda na ponta dos pés.

Capítulo VI
O ninho de João-de-Barro e a Quimera

Minutos depois aparecia Rabicó, muito afobado.

–Estive lá na cerca – disse ele – e vi uma briga muito séria. Os dois passarinhos do Cedro Grande voltaram do passeio e descobriram dentro da casa de barro um intruso qualquer. Ficaram furiosíssimos e estão se batendo com o intruso.

– Nossa Senhora! – exclamou Narizinho. – É o Pequeno Polegar! Ele ocupou a casa de João-de-Barro como se aquilo fosse hospedaria às ordens do respeitável público, e está agora na encrenca. Vamos depressa acudi-lo!...

Correram todos para o ponto da cerca mais próximo do Cedro Grande e viram o tremendo fecha travado lá em cima. Os dois passarinhos investiam furiosos contra o intruso, procurando deitá-lo fora. Polegar, sem arma nenhuma, defendia-se com as botas. Dava "botadas" na cabeça dos agressores.

– Como há de ser, Pedrinho, para acudirmos ao nosso amigo?

– Só com o bodoque. Mato os dois joões e pronto.

– Isto, nunca! – protestou Narizinho. – Eles são os donos da casa, estão com o direito. O que há a fazer é um de nós subir à árvore e aconselhá-lo a sair. Se Polegar quer casa, que fique morando conosco – é pequenininho, não ocupa espaço.

Subir à árvore! Mas quem? o Visconde, sem dúvida, porque se caísse e quebrasse perna ou braço, Tia Nastácia o consertaria num pingo de tempo.

– É isso – resolveu Pedrinho. – Suba lá, Visconde, espante os passarinhos e diga ao Polegar que saia, que desça e venha morar conosco.

O Visconde coçou-se. Não gostava de subir em árvores, por não ser coisa de sábio. Mas obedeceu. Varou a cerca, aproximou-se do Cedro Grande e começou a subir. Emília, de longe, dava instruções.

– Antes de agarrar-se a um galhinho, veja se não está seco! Lembre-se do que me aconteceu aquele dia na jabuticabeira. Firmei-me num galhinho sem examinar se estava seco, e o galhinho quebrou, e eu – *tchibum!* – no chão.

– *Tchibum* é quando a gente cai na água– corrigiu Narizinho. – Quem cai no chão faz *paf*!

O Visconde subiu com as maiores cautelas e por fim chegou ao galho do ninho. Ao avistarem aquele ente que eles nunca tinham visto, de pernas finas e cartola, os dois joões se assustaram e fugiram para longe. O Visconde estava suado; correu o lenço pela testa; bufou. Em seguida foi engatinhando até o ninho e bateu, *toc, toc*! Polegar, lá dentro, julgando que ainda fossem os pássaros, arrumou-lhe com as botas pelas ventas. O "sabinho", apanhado em cheio, perdeu o equilíbrio e caiu –*paf*! – no chão.

–Que horror! – exclamaram os meninos lá na cerca. –Deve estar em pandarecos o Visconde. Temos de juntar os cacos.

Atravessaram a cerca num ponto em que o arame havia bambeado e correram ao Cedro Grande. Pobre Visconde! Era um gemido só. Braço partido, pé destroncado, cartola amarrotada...

– Ai, ai, ai! – gemia ele.

Pedrinho apressou-se em fazer uma espécie de maca a fim de conduzi-lo à "enfermaria", que era debaixo do divã da sala de jantar. Afastou-se um pouco em procura de pauzinhos secos – mas voltou instantes depois na maior volada de sua vida.

–Vem vindo um monstro de três cabeças!...–gritava ele.

Narizinho olhou e viu, e viu, e viu! Viu um horrendíssimo monstro de três cabeças – uma de leão, outra de cabra, outra de serpente. Dirigia-se para o lado deles. A disparada dos três foi tamanha que num minuto estavam bem longe dali, diante dum castelo. Entraram por ele adentro como balas de canhão e trancaram a porta com toda a força, ficando a escorá-la com os ombros.

O rumor do batimento da porta atraiu a castelã, que apareceu muito assustada. Os meninos reconheceram-na incontinente: Branca de Neve!

– Narizinho! Pedrinho! Emília! – exclamou a gentil princesa. – Que prazer! Que gosto em vê-los aqui! Mas que susto é esse? Larguem a porta.

– Um monstro horrendo quis nos devorar – explicou Narizinho – e com certeza já comeu o pobre Visconde. Lá no Cedro Grande. Três cabeças! Um horror, Branca!...

– Não tenham medo de nada. Estamos em segurança absoluta. Os anões nos defendem.

– Que é deles? – perguntou Pedrinho mais acalmado, largando a porta, depois de fechá-la bem fechada com a tranca de ferro.

– Aí por fora cuidando das arrumações. Esta mudança para as Terras Novas tem trazido grandes trapalhadas. Muitas brigas por causa de terrenos. Há simpatias e antipatias. Um quer ficar, outro não quer ficar, perto do outro. Rosa Vermelha está de mal com Rosa Branca, e depois de erguer o seu palácio num ponto, resolveu mudá-lo para adiante – bem longe de Rosa Branca. Mas o novo ponto por ela escolhido já está ocupado pelo pessoal das *Mil e uma noites*. As coisas do Mundo das Maravilhas são tão encrencadas como as do mundo de vocês. Há ciumeiras, há implicâncias, há invejas...

– Está aí uma coisa que vovó não previu – pensou Narizinho.

– Outro inconveniente das Terras Novas – continuou Branca – é que os terrenos não estão arruados, nem loteados – não há boas estradas, não há pontes. Creio que tão cedo não poderei dar os meus passeios de carruagem. O que me vale são os anões. Num mês eles me arrumam tudo, deixam isto aqui um brinco. Abrem estradas, plantam a floresta, desenham os jardins...

Emília tinha ido à janela, espiar lá fora, de cima duma cadeira.

– Estou vendo o monstro! – gritou. – Já comeu o Visconde inteirinho...

Todos correram para a sacada e de fato viram, lá muito longe, debaixo do Cedro Grande, um vulto que tanto podia ser o monstro como uma vaca. O "comimento" do Visconde era coisa que só os olhos da Emília podiam perceber daquela distância.

Que monstro seria aquele? A princesinha refletiu. Acho que devia ser qualquer coisa da Fábula Grega. Lá é que há bichos tremendos, como a Hidra de Lerna, o Hipogrifo, o Javali de Erimanto, a Medusa.

– Vovó errou – refletiu Pedrinho. – Devia ter dado licença só para um certo número de personagens – os amigos, os já conhecidos. E não devia admitir monstro nenhum – nem sequer o Barba Azul. Eles vêm nos atrapalhar. Não podemos brincar sossegados. No melhor da festa, surge um deles e temos de fugir à toda.

– Felizmente – disse Branca – a multidão enorme dos personagens da Fábula Grega formou um bairro especial bem no extremo das Terras Novas – lá longe. Esse que assustou vocês deve andar fugido – extraviado. Logo aparece aqui o dono e leva-o.

Capítulo VII
O VISCONDE E A QUIMERA

Enquanto no castelo de Branca de Neve os meninos se extasiavam diante dos maravilhosos diamantes extraídos do seio da terra pelos anões, o pobre Visconde conversava sem medo nenhum com o monstro. O "sabinho" nunca teve medo das feras – só tremia diante de vacas e galinhas. Quem tem alma de sabugo é assim.

Quando os meninos fugiram, ele sentou-se, a segurar o pé destroncado, e só então viu diante de si o estranho monstro de três cabeças. Sua curiosidade de sábio espicaçou-o. De que "mitologia" era aquele monstro? Há muitas mitologias, isto é, coleção de fábulas – uma para cada civilização. Há a mitologia grega, a mais rica de todas; há a mitologia da Índia; há a mitologia dos povos nórdicos ; há até a mitologia do Brasil, na qual vemos o Saci, o Caipora, a Mula sem Cabeça, a Iara. Mas aquele monstro? Em qual dessas mitologias figurava? – resolveu perguntar.

– Perdoe a minha indiscrição, senhor monstro, mas eu muito desejava saber a que mitologia o senhor pertence. Poderá tirar-me da dúvida?

O monstro parecia um poço de estupidez. Não entendia coisa nenhuma e muito menos o que quisesse dizer "mitologia". Olhou para o Visconde com os seis olhos ao mesmo tempo, com ar de galinha que olha para a gente.

– Sim – continuou o Visconde. – Desejo saber se o senhor é grego, hindu ou nórdico.

O monstro continuava galinha.

– Onde nasceu? Na Grécia?

Os seis olhos do monstro brilharam. Havia afinal compreendido qualquer coisa. E uma voz rouquenta saiu de sua cabeça de cabra.

– Sou da Lícia.

O "sabinho" franziu a testa. "Lícia?" Deu busca à memória; vagamente recordou-se dum reino da Lícia que existiu antigamente na Ásia Menor.

– Hum! – exclamou. – Sei, sei, a Lícia...E seu nome como é, senhor monstro?

– Quimera.

Os olhinhos do Visconde cintilaram.

– Ora viva! Lembro-me perfeitamente. A Quimera, sim, o monstro que o herói Belerofonte venceu em combate. Mas pelo que sei esse monstro vomitava fogo pela boca das três cabeças. Nós também temos por aqui qualquer coisa desse gênero – a Mula sem Cabeça que vomita fogo pelas ventas. Muito curioso, não? Sem cabeça e com ventas! Que maravilha é este Mundo das Maravilhas! Mas, diga-me,Senhora Quimera, ainda sai fogo das suas três goelas ou não?

O monstro, como resposta, espremeu-se, e das três bocarras saiu uma fumacinha à toa.

O Visconde refletiu consigo que estava diante dum monstro muito velho, de milhares de anos e já extinto – como os vulcões que apenas fumegam. Examinando-o melhor, confirmou-se nessa ideia. O bicho apresentava todos os sinais duma tremenda velhice: pelo escasso e branco, rugas, olhos lacrimosos e tremores nas pernas. Parecia o papagaio caduco do Tio Barnabé, que tinha cem anos e só dez penas no corpo enrugado. Sim, ele estava diante da terrível Quimera que fora o pavor da Antiguidade – mas já inofensiva, sem dentes, sem fogo, sem pelos – caduca. E o Visconde sentiu um grande dó daquela decadência. Coitada! Quando lhe pediu fogo, ela, com o maior esforço, só pôde dar fumacinhas...

– É curioso esse fenômeno de sair fumaça das suas entranhas – disse ele. – Parece contrário a todas as leis da fisiologia.

– Que é fisiologia? – perguntou a Quimera. – A rainha deste reino?

O Visconde riu-se com superioridade de sábio.

– Fisiologia é a ciência que estuda o funcionamento do corpo dos animais.

– Mas eu não sou animal – disse a Quimera –, apesar de minha aparência de leão, cabra e serpente.

– Que é então?

– Sou uma fábula grega, como você me parece uma fábula moderna.

O Visconde ficou admiradíssimo da resposta. A Quimera não estava tão caduca como ele pensou. Raciocinava e muito bem. O interesse dela, entretanto, resumia-se em saber quem mandava naquele reino.

– Quem é o rei ou rainha daqui? – perguntou.

– Não há disso por cá. Somos uma democracia. Há Dona Benta, que é a Tesoureira, ou a Dona. Há dois príncipes herdeiros: Narizinho e Pedrinho. Há a Lambeta-Mor, que é uma tal Marquesa de Rabicó. Há o Ministro da Defesa Nacional que é o Marechal Quindim. Há a Provedora-Mor das comidas, que é Tia Nastácia. Há o Sábio dos Sábios, que é o ilustríssimo Senhor Visconde de Sabugosa...

Pobre Visconde! A dor do pé destroncado o ia levando ao delírio dos febrentos. Falava de modo que a Quimera nada podia entender.

– E que está fazendo aqui? – perguntou esta.

– Estou pagando os meus pecados, senhora. Fui vítima dum litígio arbóreo e joanesco – o choque do Polegar com os joões.

– Litígio? – repetiu a Quimera. – Que quer dizer litígio?

– Um conflito de direito – o choque de dois direitos, um direito-torto e um direito-direito. Polegar julgou-se com o direito-torto de ocupar a casa dos dois joões; os dois joões estavam no direito-direito de resistir. Começou a luta – bicadas de lá, botadas de cá. Vai então o príncipe herdeiro e me manda subir à árvore como o anjo da paz. Quem se mete entre dois litigantes acaba apanhando. Foi o que me sucedeu. Apanhei botadas pelas ventas. Perdi o prumo. A força da gravidade atraiu-me para o centro da terra, isto é, fez-me cair. O tornozelo esquerdo não aguentou o choque – saiu do lugar. Apareceu então uma célebre peste chamada Dor – e a Dor está doendo. É isso...

A Quimera estava com as três bocas abertas, sem entender coisa nenhuma. O Visconde resumiu o caso numa sentença:

– Foi o Polegar que me derrubou lá de cima do pau.

– E quem é esse Polegar?

– Um garoto que vem da Idade Média e anda nos livros de Andersen, Perrault e Grimm. Dona Benta caiu na asneira de mudar para cá o tal Mundo da Fábula – e a primeira consequência foi esta: o meu pé destroncado.

– Por que não se recolhe à sua casa?

– De que modo? Como poderei andar, com este pé assim! Narizinho, Pedrinho e Emília estão longe, escondidos nalgum daqueles castelos. Quem me há de levar ao sítio?

– Eu. Eu o levo – e com o maior prazer.

Apesar da dor que sentia, o Visconde riu-se à ideia de aparecer no terreiro de Dona Benta montado na Quimera! O espanto de Tia Nastácia...

– Pois aceito – disse ele– e semelhante ato de caridade não ficará sem recompensa.

Nesse momento soou na galharia do Cedro Grande um barulho. Oito olhos ergueram-se para lá – os seis da Quimera e os dois do Visconde. O casal de

João-de-Barro havia voltado e reiniciado o ataque ao intruso que lhes invadira a casinha. Polegar, sem as botas, não tinha com que defender-se. Foi obrigado a sair do ninho. Assim que o pilharam fora, as duas enfurecidas aves deram-lhe tal surra de bicanca, que ele fez como o Visconde: perdeu o equilíbrio e caiu –*plaf*!– no chão. E quebrou a perna –ai, ai, ai!

Gemia, gemia...

– Ai, ai, ai! Que vai ser de mim agora, sem botas e de perna quebrada?

O Visconde procurou acalmá-lo.

– Tudo se há de arranjar, amigo. Aqui a Senhora Quimera nos vai levar ao sítio de Dona Benta.

Só então Polegar deu com o monstro de três cabeças. Que susto! Seu coraçãozinho pulou. O sangue fugiu-lhe das faces.

– Não tenha medo– disse o Visconde. – A madama aqui é velha, mansíssima, e de tão boa paz como o Quindim. Vai levar-nos montados em seu lombo.

Polegar foi sossegando.

Há coisas fáceis de dizer e bem duras de fazer. Custou muito aos dois estropiados colocarem-se sobre o lombo da Quimera – mas a Necessidade sabe operar prodígios. Montaram, afinal, e lá foram. Chegados à cerca, o monstro parou.

– Como atravessar estes malditos arames espinhentos?

– Pela porteira – respondeu o Visconde. – Tenho a chave aqui no bolso. Sou o chaveiro.

Outra dificuldade. A Quimera não sabia lidar com chaves, de modo que o Visconde, gemendo, gemendo, teve de apear para abrir.

O monstro grego ficou assombrado de uma chavinha tão pequena abrir uma porteira tão grande. Evidentemente tratava-se de um talismã encantado...

Quando aquela esquisitíssima trempe surgiu no terreiro, Tia Nastácia vinha entrando na varanda com duas moringas d'água.

– Credo – urrou a pobre negra largando tudo no chão – e caiu desmaiada.

Capítulo VIII
Branca de Neve e os meninos

Dona Benta estava sentada na sua cadeirinha de pernas curtas, a cerzir meias de Pedrinho. A seu lado, na rede, Dom Quixote roncava sorridente, sonhando com a formosa Dulcineia. Sancho, lá na copa, farejava o guarda-comida. O grito de Tia Nastácia acordou Dom Quixote e pôs Sancho de orelha em pé.

– Nossa Senhora! Que será que aconteceu? – murmurou Dona Benta, pondo as meias na cestinha e levantando-se.

Encaminhou-se para a varanda. Lá tropeçou na negra estendida no chão. Agarrou-a, sacudiu-a. "Nastácia! Nastácia!" Foi o mesmo que sacudir uma pedra. Nisto voltou os olhos para o terreiro e deu com a Quimera. "Ai!..." o seu susto foi tamanho que também desmaiou.

Dom Quixote erguera-se da rede, e depois dum longo bocejo berrou pelo escudeiro.

– Sancho, Sancho! Onde estás, amigo Sancho?

– Aqui, meu amo! – respondeu Sancho, emergindo da copa, com a boca cheia de qualquer coisa.

– Dormi uma boa soneca, amigo Sancho. E sonhei lindos sonhos. Quão formosa a Dulcineia me apareceu!...

– Pois eu *realizei* belos sonhos – disse o escudeiro com o pensamento nos petiscos encontrados na copa. – Estou aos arrotos...

Lá no castelo de Branca de Neve os meninos ouviam a história da galante princesinha contada por ela mesma.

– Pois é assim – dizia Branca. – A minha perversa madrasta tanto fez que me transformou em princesa. Isto é que se chama atirar no que vê e acertar no que não vê. Os anõezinhos me salvaram. Veio o príncipe e casei-me.

– Uma coisa curiosa – disse Emília –, a gente sabe toda a vida de vocês princesas, mas nunca sabe nada dos príncipes consortes. Esses príncipes só aparecem no fim das histórias. Casam-se, há uma grande festa e pronto! Até hoje ainda não consegui ver um só desses príncipes-maridos. Onde anda o seu?

– Caçando. É doidinho por caçadas. Só à noite me aparece por aqui, com uma penca de faisões ou perdizes.

– E é feliz com ele? – quis saber Narizinho.

– Muito. Meu marido não me amola. Deixa-me na maior liberdade aqui dentro, com os meus anões. Homem que não sai de casa é a maior das pestes.

– Vovó diz sempre que o lugar do homem é na rua – observou Narizinho.

Nesse momento chegou-lhes um soar de trompas ao longe. Branca ficou de ouvidos à escuta. Depois disse:

– Lá está ele atrás dos veados! A caçada hoje é de veado...

Narizinho falou a Branca da maravilhosa fita que andava correndo mundo com o título *Branca de Neve e os Sete Anões*, feita pelo famoso Walt Disney.

– Quem é esse Disney?

– Oh, um gênio! – berrou Emília. – O maior gênio moderno – maior que Shakespeare, que Dante, que Homero e todos esses cacetões que a humanidade tanto admira. Faz desenhos animados, mas com uma graça de a gente chorar de gosto. A fita de você, Branca, é o suco dos sucos!

Branca não era do tempo do cinema, de modo que não sabia o que fosse "fita", nem como pudesse haver desenhos animados. E por muito que Pedrinho explicasse a grande invenção, ficou na mesma.

– Pois o cinema – continuou Pedrinho – é a única invenção realmente boa que os homens inventaram. É uma invenção só de paz.

– Que quer dizer isso?

– Invenção de paz é a que não se presta para a guerra. As outras, Branca, você nem imagina que calamidade são! Assim que aparecem, como a tal máquina de voar, os homens logo as aproveitam para armas de guerra – para matar gente, para bombardear cidades etc. Mas o cinema, não. Não há cinema de bombardeio, não há cinema lança-chamas. Só há cinema da gente assistir e regalar-se. Eu, se fosse dono do mundo, proibia qualquer invento que não fosse de paz.

Nesse instante um tropel lá fora atraiu-lhes a atenção. Correram à sacada. Vinha passando a cavalo um formoso herói grego.

– O herói Belerofonte montado no Pégaso! – exclamou Branca.

– No Pégaso, o tal cavalo de asas?

– Sim. Pégaso desta vez vem no trote, com as asas fechadas. Que formoso animal...

Percebendo-a na janela, o herói deteve-se e falou, depois de amável cumprimento:

– Formosa princesinha, não poderá informar-me do paradeiro da Quimera?

Antes que Branca abrisse a boca, Emília berrou:

– Não é um monstro de três cabeças, uma de cabra, outra de leão, outra de cobra cascavel? Vimos, sim – e foi de medo dele que corremos para cá.

– E onde o viu, graciosa figurinha?

– Lá no Cedro Grande, aquela árvore enorme que se avista daqui – onde há um ninho de João-de-Barro.

Belerofonte olhou na direção indicada, enquanto "a graciosa figurinha" prosseguia, muito espevitadamente:

– Deve estar lá ainda, comendo o Visconde. Vá depressa herói, e, se puder, salve o "sabinho". Mas que tem o senhor com esse monstro?

– Tenho que ele é meu. Venci-o em combate nos desertos da Lícia e amansei-o. Está muito velho, o coitado, sem dentes, sem pelos, sem fogo...

– Sem fogo?

– Sim, era um monstro que vomitava fogo pelas bocas das três cabeças.

– Que horror, meu Deus! E não vomita mais?

– Não. Hoje só sai uma fumacinha. Está quase totalmente extinto.

– E por que anda ela cá por estas bandas, a nos assustar?

– Fugiu do cercado em que o tenho no Bairro Grego, que é longe. Caduquices. Vou levá-lo de volta.

O herói deu rédeas a Pégaso, na direção do Cedro Grande.

– Adeus, princesa! Adeus, gentil figurinha. Obrigado pela informação – e partiu no trote.

– Vá voando para nós vermos! – berrou Emília.

O herói achou graça e deu uma ordem a Pégaso. Imediatamente o maravilhoso corcel espichou as asas e voou tal qual um gavião-pato de proporções desmedidas.

– Lindo, lindo! – exclamaram todos, em êxtase.

– Que pena todos os cavalos não terem asas! – lamentou Pedrinho. – Voar montado num Pégaso, lá pelas nuvens, que suco!...

Pégaso baixou lá adiante, desaparecendo-lhes das vistas.

– Maravilha, hein, Branca? – foi o comentário de Narizinho.

– Nem diga! – respondeu a princesinha. Continuaram à janela, na esperança de verem Pégaso reaparecer. Mas não reapareceu. O que apareceu foi um bando de meninos com um mandão na frente.

– Peter Pan, com o pessoal da Terra do Nunca! – exclamaram os quatro numa grande alegria.

Capítulo IX
PETER PAN E CAPINHA VERMELHA

Era realmente ele. Depois da mudança para as Terras Novas, Peter Pan andava em grande atividade para arrumar todas as coisas trazidas da Terra do Nunca. A dificuldade maior era a acomodação do Mar dos Piratas. Os mares têm o defeito do tamanho. Muito grandes. O menor ainda é grande em comparação com as terras, porque há no globo três quartas partes de mar para uma de terra firme. Como, pois, colocar um mar inteiro ali no sítio de Dona Benta? Peter Pan estava seriamente atrapalhado, cheio de ruguinhas na testa.

Ao defrontar o castelo de Branca, esta chamou-o com o dedo. O menino subiu as escadarias a galope. Vendo lá os netos de Dona Benta, sorriu.

– Que andam fazendo por aqui? – perguntou.

– Somos daqui mesmo – respondeu Pedrinho.–O sítio de vovó fica para lá da cerca, e estas Terras Novas vovó as comprou para a instalação definitiva do Mundo das Fábulas. Todos os personagens maravilhosos começam a mudar-se para cá – até os gregos. Inda há pouco demos de cara com a Quimera – e abrimos no pé...

Peter Pan, menino moderno, nada sabia dos monstros gregos, nem se interessava por eles.

– Se é coisa grega, eu "passo"– disse. –Só cuido dos meus Meninos Perdidos e mais coisas da Terra do Nunca – mas estou atrapalhado com o Mar dos Piratas. Não cabe aqui...

– Cabe, sim! – berrou Emília, encantada à ideia de ter ali perto todo um mar, com piratas e sereias – e prainha de banho. – Se não couber inteiro, você coloca apenas uma parte. Desde que haja o bastante para a *Hiena dos Mares* e as sereias, para que mais? Mar muito grande até enjoa, como aquele que o Fernão levou um ano a atravessar.

– Que Fernão?

–O Fernão de Magalhães, não conhece? O que deu a volta ao mundo.

Peter Pan, cru em geografia, ficou na mesma; mas aprovou a ideia de botar lá apenas um pedaço do Mar dos Piratas.

Deu mais uns dedos de prosa e, depois de papar umas "cocadas de fita" que Branca trouxera, despediu-se com um coricocó, indo juntar-se aos Meninos Perdidos lá fora. Emília, da sacada, ainda lhe perguntou se o Capitão Gancho também tinha vindo.

– Claro que sim – respondeu Peter. – Ele e o crocodilo, e o despertador na barriga do crocodilo – tudo veio...

– Que coisa curiosa! – disse Narizinho. – No Mundo da Fábula ninguém morre duma vez. Peter já venceu esse Gancho e o fez afogar-se no mar e ser engolido pelo jacaré – e depois disso o Capitão já nos apareceu lá em casa e agora vai aparecer novamente aqui...

– Se não fosse assim – explicou Branca –, isto não seria nenhum País das Maravilhas. O maravilhoso está justamente nisso...

– Foi também o que aconteceu para o lobo que devorou a avó de Capinha. Morreu a machadadas, e no entanto, continua a viver e a farejar avós – como naquele dia lá no sítio.Por falar em Capinha, já se encontrou com ela, Branca? – quis saber a menina.

– Inda não, mas não tarda aí. Já avisou que vem visitar-me.

Nem bem disse isso, e um *toc, toc* na porta chamou-lhe a atenção. Era Capinha.

– Capinha! – exclamaram todos na maior alegria, vendo surgir a encantadora criança com uma cesta de flores na mão.

Nunca houve tantos abraços e beijos.

– Que coincidência! – exclamou Narizinho.

– Estávamos justamente falando em você. Já arrumou sua casa?

– Está quase pronta – respondeu a galanteza. – É pequenininha. Este castelo de Branca, enorme, é que deve ter dado um trabalhão. Como vão indo lá no sítio? Que fim levou a preta dos bolos do céu?

– Cada vez mais boleira – respondeu Emília.

– E o Visconde?

– Esse, coitado, deve estar dormindo o último sono no papo da Quimera. Caiu do Cedro Grande. A bicha veio e *nhoque*!

Capinha ignorava que coisa fosse a Quimera.

– Alguma vaca? – perguntou.

Ao saber do monstro de três cabeças, arrepiou-se toda.

– Que horror! Minha vida era fugir do lobo – agora tenho de fugir da Quimera também...

Branca de Neve sossegou-a. Com os anões ali,não havia perigo nenhum. Eles eram "emilianos" – davam jeitos para tudo.

Depois de visitarem o castelo inteiro, Pedrinho, Narizinho e Emília despediram-se.

– Estamos com pressa. Temos de ver o que realmente aconteceu ao Visconde. Adeus, adeus!...

Saíram. Correram os olhos pelas redondezas. Não havia sinal da Quimera. Isso animou-os a chegar ao Cedro, sempre com a esperança de encontrar o Visconde. Mas não encontraram o menor sinal do "sabinho" – só encontraram o herói Belerofonte, sentado na raiz da árvore, enquanto Pégaso pastava a pequena distância.

– Então, herói, nada?

– Nada. Nem Quimera, nem Visconde.

Pedrinho fez um estudo de detetive nos rastos que havia pelo chão. Com surpresa notou que a Quimera tinha se encaminhado na direção da porteira. Foram todos até lá. Porteira aberta! O monstro havia penetrado o sítio de Dona Benta!

– Homessa! – exclamou Emília. – Se o monstro passou pela porteira, então o Visconde veio com ele, pois estava com a chave no bolso. Logo, a Quimera não comeu o Visconde. Errei.

Mais uns passos e viram, lá longe, no terreiro, o horrível monstro calmamente conversando com o Quindim e o Burro Falante.

Assim que a Quimera deu com o herói, murchou as quatro orelhas e baixou as três cabeças. Fora pilhada!

– Coitada! – disse Belerofonte. – Está caducando. Já não sabe o que faz...– e dirigiu-se para a Quimera, enquanto os meninos corriam para a varanda.

– Vovó caída sem sentidos! – gritou Narizinho lançando-se sobre o corpo inanimado de Dona Benta.

Imaginário o picapau amarelo

– E Tia Nastácia também! – gritou Emília.

No maior dos desesperos, Narizinho e Pedrinho levantaram a cabeça da querida vovó, enquanto Emília fazia o mesmo à Tia Nastácia.

– Água! Água! Tragam água para acordar vovó!

Sancho, lá dentro, de conversa com Dom Quixote, ouviu o grito e correu com um jarro d'água na mão. Mas Dom Quixote também veio e estragou tudo. Ao surgir na varanda, deu imediatamente com a Quimera no terreiro e berrou:

– Ei-lo de novo, o infame Freston, transformado em bicho de três cabeças, a desafiar-me! Aceito a luta. Sancho, Sancho, traze-me depressa o meu corcel de mil batalhas – e a lança e o escudo!

Inutilmente Emília tentou explicar-lhe que a Quimera estava caduca e era tão mansa como o Quindim – e que o dono dela se achava ali presente. Dom Quixote não atendia a nada; continuava a berrar pelo escudeiro.

– Sancho, Sancho, depressa! Meu cavalo, meu escudo, minha lança!

O escudeiro saiu correndo em busca do Rocinante, mas com a atrapalhação errou e selou o Conselheiro, trazendo-o pelas rédeas ao amo furioso. Sempre de olhos fitos no monstro, Dom Quixote não deu pelo engano – montou no Conselheiro. E enfiando o escudo, e enristando a lança, partiu veloz ao encontro do inimigo.

– Quem é este freguês tão estourado? – perguntou Belerofonte.

– Pois é o famoso Dom Quixote de la Mancha, não conhece? Um tremendíssimo herói de cem batalhas, mas de miolo mole. Tem a mania de combater monstros e gigantes imaginários. O fecha vai ser horrível!...

Narizinho já havia acordado Dona Benta, e Emília feito o mesmo a Tia Nastácia, a qual fugira para a cozinha fazendo uma dúzia de pelos-sinais errados. "Credo, credo, credo!"

Era inevitável o choque entre o cavaleiro da Mancha e a Quimera caduca. Quindim, que cada vez compreendia menos o que se passava por ali, recuou uns passos, muito curioso de ver no que daria aquilo. Um homem de ferro, com uma longa lança em punho, montado no pobre Burro Falante, a investir contra um monstro de três cabeças! Só mesmo voltando para as florestas da África, pensou ele.

Mas o que aconteceu foi menos heroico do que cômico. O Conselheiro, com o fidalgo em cima, avançou para a Quimera com muito má vontade, e a dez passos de distância empacou. O herói viu-se atrapalhado. Não conseguia alcançar com a ponta da lança o "infame Freston", que para ainda mais iludi-lo simulava uma cara muito humilde e triste, como a pedir desculpas. Dom Quixote fincava as esporas no Conselheiro sem conseguir que o burro desempacasse.

Só então percebeu que não estava montado no valente Rocinante.

– Infame mágico! –exclamou. – Acaba de fazer-me vítima de mais uma das suas infernais maquinações: transformou o meu valente corcel de mil batalhas num miserável burro de carroça...

– Isso também não! – gritou Emília furiosa. – Dobre a língua. O Conselheiro nunca foi burro de carroça, nem aqui, nem na casa de seu sogro. Fique sabendo que é o primeiro burro do mundo – falante e sábio. Não admito que o tratem desse modo, ouviu, seu Latoeiro?

– Que é isso, Emília? Mais respeito com os hóspedes – ralhou Dona Benta.

O herói Belerofonte resolveu intervir. Correu lá e com muita dificuldade convenceu Dom Quixote de que a Quimera lhe pertencia por direito de conquista, visto como a vencera havia séculos, nos tempos heroicos da Grécia. Custou-lhe muito convencer o teimoso fidalgo, mas por fim conseguiu trazê-lo para a varanda. Dom Quixote voltou e caiu na redinha, a assoprar as fumaças da cólera recolhida.

– Acalme-se, acalme-se – dizia Dona Benta.– Aqui todos somos de paz. Também eu me assustei com a Quimera, mas veja como estou sossegadinha...

E voltando-se para a Emília:

– Corra lá dentro e diga a Tia Nastácia que traga um café bem quente, com bolinhos.

Minutos depois Dom Quixote e o herói saboreavam o café bem quente de Tia Nastácia – mas café só.

– Que é dos bolinhos? – reclamou Dona Benta.

– Ah, Sinhá, Seu Sancho comeu tudo – e mais tudo quanto havia na copa, o pernil de porco, a pamonha de milho verde que fiz para sobremesa. Ele é muito pior que Rabicó, Sinhá...

Dona Benta deu um suspiro puxado.

Capítulo X
OS DOIS ESTROPIADOS

Acalmada a situação, os meninos lembraram-se do Visconde e contaram a Dona Benta a tragédia do Cedro Grande.

– Pois é isso, vovó, o coitadinho quebrou-se por dentro. Nós estávamos fazendo a maca para trazê-lo, quando a Quimera surgiu. Foi o tempo de fincar o pé no mundo – e fomos dar no palácio de Branca de Neve. Depois apareceu este senhor herói grego, dono da Quimera, que nos contou que o monstro é manso – caduquíssimo. Voltamos então em procura do Visconde – mas nem sinal.

– Teria sido devorado pela Quimera?

– Foi o que Emília pensou – disse Narizinho –, mas acho que não, porque a Quimera atravessou a cerca pela porteira, e como a chave estava com o Visconde, isso é sinal de que ela não comeu o Visconde, porque se o comesse o comeria com chave e tudo. Além de que a Quimera é carnívora e o Visconde é erva – é comida de herbívoros.

– Mas onde está ele, então?

Ao fazerem essa pergunta, uma vozinha muito conhecida soou no terreiro:

– Estou aqui, com o Pequeno Polegar!

– Aqui, onde? – berrou Pedrinho.

– No lombo da Quimera! o monstro nos trouxe montados nele, mas não podemos apear porque estamos estropiadíssimos – eu com o pé destroncado, ele com a perninha quebrada.

– Será possível? – exclamou Emília. – Pois Polegar não está no ninho do João-
-de-Barro?

– Esteve – respondeu o Visconde. – Mas os passarinhos o atacaram com a maior fúria, e tanto fizeram que o derrubaram da árvore. O coitadinho caiu de mau jeito e...

– Que horrível tragédia! – exclamaram os meninos correndo na direção do monstro.

Os dois ilustres personagens estavam de fato sobre o lombo da Quimera, agarradinhos. Surgiu uma dificuldade. Como descê-los de lá? Embora soubessem que o monstro já estava mansíssimo, nenhum dos três se animava a aproximar-se. Emília lembrou-se do herói.

– Senhor Fontebelero – gritou ela atrapalhando-se toda –, faça o favor de vir tirar estes estropiados de cima da sua Miquera.

O herói foi e tirou-os, trazendo-os na palma da mão para a varanda.

Polegar gemia de dor. Dona Benta examinou-lhe a perna.

– Quebrada, sim, com um ossinho aparecendo. Mas há de sarar. Tia Nastácia tem um remédio ótimo para isto. Numa semana ou duas põe-no bom.

– E se ficar aleijado?

– Pedrinho arruma-lhe um par de muletas de pau de fósforo – disse Dona Benta, e mandou entregar o doentinho à preta.

Depois de num instante consertar o Visconde, Tia Nastácia despiu a perninha de Polegar para o exame.

Capítulo XI
BELEROFONTE CONTA A SUA HISTÓRIA

Os meninos não largavam o herói Belerofonte.

Era a primeira vez que viam diante de si um herói dos tempos heroicos da Grécia – sim, porque a Grécia teve tempos heroicos antes de ter tempos iguais aos de todos os outros países.

Nesses tempos heroicos tudo lá eram maravilhas – deuses e semideuses, ninfas e faunos pelas florestas, náiades e tritões nas águas, silfos nos ares. O tremendo Hércules andava realizando aqueles prodígios denominados "Os Doze Trabalhos de Hércules", cada qual mais assombroso.

Ah, a Grécia foi a verdadeira juventude da Imaginação Humana. Depois da Grécia essa imaginação foi ficando adulta e sem graça – lerda. Nunca mais teve o poder de criar maravilhas verdadeiramente maravilhosas. Aquele herói Belerofonte, por exemplo...

– Senhor herói – murmurou Emília plantando-se-lhe na frente –, conte-nos um pedaço da sua vida, que deve ser uma beleza...

Era tão formoso o herói que todos não tiravam dele os olhos – até Tia Nastácia o espiava lá da copa, de minuto em minuto. Perto dos gregos antigos, as gentes de hoje parecem verdadeiras corujas.

– Ah, a minha história! – exclamou Belerofonte. – Corre mundo contada por numerosos poetas, entre eles o velho Hesíodo e o grande Homero.

– Este eu sei quem é– disse Pedrinho. –Um cego que andava pelas ruas contando histórias.

– Sim, o maior poeta da Antiguidade. Até hoje seus poemas são lidos, admirados e estudados pelos homens.

– A *Ilíada* e a *Odisseia*! Vovó já nos falou neles.

– Mas não basta conhecê-los de nome – observou o herói –, é preciso lê-los.

– Vovó diz que ainda é cedo – que há uma leitura para cada idade.

– E tem razão. Realmente ainda é cedo para vocês compreenderem Homero – disse o grego.

– Mas conte a sua história, herói – insistiu Emília. – Como foi que venceu e apagou o fogo da Quimera?

Belerofonte sorriu da pergunta e contou.

– Isto é velho como o tempo – disse ele. –Foi na Lícia, um reino que houve na Ásia Menor, governado pelo Rei Iobates. Sim, na Lícia...– e Belerofonte fez uma pausa, como a recolher velhas recordações.

Deu um suspiro e continuou:

– Misteriosamente apareceu na Lícia um terrível monstro que se meteu a fazer espantosos estragos na população: a Quimera. Tinha três cabeças, uma de leão, outra de cabra, outra de serpente. Bastava isso para que já fosse um hediondo monstro; mas não ficava nisso, pois as três cabeças tinham a propriedade de expelir um fogo infernal. Essa circunstância o tornava invencível, pois não permitia que ninguém o atingisse – as línguas de chama torravam os atacantes à distância. E ainda com esse fogo a Quimera incendiava florestas e aldeias. Tão ruins foram ficando as coisas, que o Rei Iobates, no maior dos desânimos, só pensava em fugir de lá antes que aquilo virasse um deserto.

"Foi quando cheguei. Eu estava em pleno apogeu da mocidade, todo ardores e avidez de glória. Naquele tempo os moços só podiam distinguir-se realizando feitos heroicos. Era no período em que tínhamos no grande Hércules o modelo supremo. Equiparar-se a Hércules constituía o sonho de todos os jovens gregos.

– E o senhor tinha ido à Lícia justamente para procurar aventuras, não é? – perguntou Narizinho.

– Sim, fora esse o objetivo da minha viagem. Saí de casa para correr mundo e realizar façanhas.

– Tal qual o senhor Dom Quixote – lembrou Emília. – Ele também varejava a Espanha atrás de aventuras – mas apanhou demais, o coitado. Cada sova...

Todos volveram os olhos para o Cavaleiro da Mancha, que por felicidade não ouvira a inconveniente observação.

Belerofonte continuou:

– Logo que o Rei Iobates teve notícia da minha chegada, lembrou-se da Quimera. "Quem sabe se esse moço é capaz de destruir o flagelo que está arruinando o meu reino?" Mandou me chamar e expôs a situação.

– Por que não tentas a gloriosa empresa? – disse-me por fim.

Aceitei a luva.

– Real senhor – respondi – o vosso convite me fala à ambição. Vou dedicar minha vida inteira ao combate ao monstro.

Imaginário o picapau amarelo

Saí. Informei-me de tudo quanto corria na boca do povo a respeito da Quimera – os lugares que frequentava, a caverna em que morava, seus hábitos e suas inclinações. Percebi logo a rematada loucura que seria contar apenas com as minhas armas comuns, a espada e a lança.

– Que falta fazia naquele tempo uma boa Mauser! – exclamou Pedrinho. – Hoje não há mais desses monstros porque com uma bala dundum qualquer caçador dá cabo deles.

O príncipe, que não sabia o que fosse Mauser, não entendeu e continuou:

– Eu tinha de aliar-me a um cavalo – mas a um cavalo excepcional, que possuísse dons fora do comum.

– Como o Bucéfalo de Alexandre – lembrou Narizinho.

O príncipe também não entendeu, porque Bucéfalo não era cavalo do tempo dele. E continuou:

– Mas onde, esse cavalo? Pondo-me a indagar, encontrei no povo a tradição dum corcel de asas, de nome Pégaso, mas a dúvida empolgou-me. Seria lenda ou realidade? Consultei muita gente, sem conseguir informes seguros. Uns diziam ter visto nas nuvens, muitíssimo alto, um corcel de deslumbrante alvura; outros afirmavam que era ilusão – que o tal corcel não passava de garça ou outra ave qualquer. Certeza ninguém me deu.

Certo dia, na peregrinação em que eu andava em demanda de notícias de Pégaso, fui ter a uma fonte famosa, cujas águas cristalinas fluíam entre pedras num campo de extrema beleza. Tinham me contado que, de longe em longe, naquelas águas se refletia a imagem de Pégaso lá pelas nuvens. Era uma fonte maravilhosa. Por uma questão de ciúmes, a deusa Diana havia matado com suas flechas o filho duma formosa mulher de nome Pirene, a qual de tanto chorar se derretera e se transformara nessa fonte.

Encontrei lá um velho, uma jovem camponesa e um menino. Pedi informações aos três. O velho riu-se da minha pergunta; a jovem camponesa disse que podia ser que sim, podia ser que não; já o menino afirmou com a maior segurança ter visto a imagem de Pégaso refletida na água da fonte. Suas palavras encheram-me de esperança, porque dou mais fé a um menino do que a um moço ou a um velho.

Pedrinho e Narizinho remexeram-se de gosto com aquela derrota dos adultos.

– E como era a imagem que viste na fonte? – perguntei ao menino.

– Oh – respondeu ele – era uma coisa linda, que até me doeu nos olhos, de tanta alvura. Mas foi visão rápida. O cavalo de asas saía duma nuvem e entrava em outra. Enxerguei-o só por um instantinho.

– E não olhaste para cima?

– Não tive coragem...

Acreditei em suas palavras e deixei-me ficar por ali muitos dias, na esperança de também ver a imagem de Pégaso na fonte. Diariamente passava horas e horas mirando o espelho das águas.

– E viu, afinal! – adivinhou Emília.

– Sim, vi. Um dia vi – e deslumbrei-me! Era o espetáculo mais maravilhoso que a imaginação humana possa conceber. Extasiei-me. Mas nesse dia Pégaso não passou duma nuvem para outra. Começou a dar voltas em espiral. Vi que vinha descendo...

Eu levava comigo um freio mágico, de ouro; se conseguisse aproximar-me de Pégaso e lançar-lhe esse freio, instantaneamente o transformaria no mais manso e dócil corcel do mundo. E como vinha descendo para beber naquela fonte, senti que a minha grande ocasião era chegada. Ocultei-me na moita próxima e esperei.

– E ele foi e "sentou!"– disse Emília batendo palmas.

– Sim – pousou a vinte passos distante da moita. Pousou e fechou as asas cor de neve. Aproximou-se da fonte, na qual bebeu regaladamente, em seguida pastou umas flores do campo e deitou-se de pernas para o ar.

– Isso é espojar-se – explicou Pedrinho. – O Conselheiro faz sempre.

– Sim, espojou-se com delícias, como qualquer cavalo comum. Eu, perto, aguardava o momento oportuno para o bote. De repente, *zás!*,criei coragem e saltei-lhe sobre o lombo. Oh, o espanto de Pégaso e o salto que deu! Senti-me arremessado às alturas. Pégaso corcoveava como um demônio. Agarrei-me com toda a força ao encontro de suas enormes asas e tive a felicidade de não cair. Pégaso, que jamais fora montado por ninguém, não podia compreender o que se passava – aquele estranho peso em seu lombo – um homem bifurcado nele e pinoteou e corcoveou, fez o que pôde para agarrar-me com os dentes. Depois desceu ao campo e experimentou novos pinotes em terra, corcovos, empinamentos. Eu, firme!

– Isso é que é ser peão! – berrou Pedrinho.– Se fosse aquele Chico Macota, do Coronel Teodorico, já havia se esborrachado cem vezes. O Chico é só prosa e pinga...

Belerofonte prosseguiu:

– Em dado momento, Pégaso parou um instantinho para pensar. Curvei-me então sobre o seu pescoço e lancei o freio. Pronto! Instantaneamente o cavalo se transformou num cordeiro de mansidão.

– Só porque pensou! – disse Emília. – É um perigo! Nastácia conta a história de um burrinho que morreu de tanto pensar.

Belerofonte lançou à boneca um olhar desconfiado e prosseguiu:

– Bem. Metade da minha empresa estava realizada. Tinha de cuidar da outra metade: a luta contra a Quimera. Dei rédeas a Pégaso e subi a grande altura. De lá olhei o mundo que tinha a meus pés, para nortear-me – e lancei-me na direção do reino da Lícia. Como Pégaso fosse baixando, breve pude distinguir um trato de terras pedregoso, árido, sem vegetação, onde havia um grande amontoamento de rochas. "Deve ser ali a caverna do monstro"– pensei comigo. E era.

Fiz Pégaso pousar bem defronte à sombria boca da caverna. Olhei. Lá estava a Quimera dormindo! Mas dormindo ao modo dos bichos de três cabeças: enquanto duas dormem, a terceira vela.

– Qual a cabeça que velava? – perguntou Pedrinho.

– A de serpente. Mas assim que me viu acordou as outras.

– De que modo? – quis saber a Emília. – Com um grito ou uma cotovelada?

Narizinho cutucou-a:

– Onde você já viu cotovelo em cabeça de cobra, Emília?

– Numa terra de bichos de três cabeças, bem que pode haver cotovelos, e até tornozelos, na cabeça das cobras.

Dona Benta deu uma risadinha filosófica.

Belerofonte continuou:

– Assim que as outras cabeças acordaram, o monstro voltou-se na minha direção, e das três horrendas goelas saiu um jato de chamas que por um triz não nos torrou. Mesmo assim algumas penas de Pégaso ficaram chamuscadas. Mas que animal ligeiro! Dum arranco pôs-se fora do alcance do jato.

– Com certeza foi daí que os alemães tiraram a ideia daqueles lança-chamas que usam na guerra, observou Pedrinho.

– Pôs-se fora do alcance das chamas – repetiu Belerofonte – e numa fulminante manobra de flanco aproximou-se da Quimera, o necessário para que eu pudesse atingi-la com a ponta da espada. Atirei um golpe certeiro, que decepou a carótida do pescoço da cabeça de leão.

Pedrinho mostrou em si qual era a veia carótida, que nos degolamentos os degoladores cortam.

– Esguichou um sangue negro – prosseguiu o herói – e a horrenda cabeça descaiu, pendurada pelas muxibas do cangote, enquanto Pégaso se afastava com a velocidade do raio. Outro esguicho de fogo saiu das cabeças restantes, e novamente as asas de Pégaso foram chamuscadas. Isso porque, apesar da rapidez do seu recuo, as chamas tinham avançado a maior distância do que da primeira vez. O fogo interno que já não podia sair pela cabeça cortada viera somar-se ao fogo das outras duas. O jato, portanto, foi duas vezes mais violento que o primeiro.

– Devia ser só um terço mais violento – corrigiu o Visconde, sempre afiado em matemáticas.

Belerefonte arregalou os olhos, e já ia abrindo a boca para sustentar que era o dobro quando Dom Quixote interveio:

– Paciência, grego, o Visconde está certo. Continue.

Belerofonte, um tanto desapontado, continuou:

– Pégaso repetiu a manobra e pude cortar a carótida da segunda cabeça – a de cabra. E por fim cortei a última – a de serpente.

– Está claro que a última era a de serpente – observou Dom Quixote, que estava começando a implicar-se com o grego.

– Isso não! – protestou Emília. – Naquela barafunda, ele podia ter errado o golpe e cortado a cabeça de Pégaso.

O herói agradeceu-lhe a respostinha e terminou a história:

– Estava conclusa a minha tarefa. Eu havia destruído o monstro assolador do reino da Lícia.

– Bravos! – gritou Emília batendo palmas.– Só quero agora que me explique como é que o monstro está aqui mais vivo do que nunca.

Belerofonte explicou:

– É que eu não tinha intenção de destruí-lo totalmente – bastava inutilizá-lo. De modo que me apeei e dei uns pontos nas carótidas cortadas, isso depois de ter-lhe aberto o papo e extraído de dentro a glândula da maldade. A Quimera sarou das cortaduras, ficando essa mansidão que todos sabem.

– Bem diz vovó que é nas glândulas que estão todos os segredos do nosso corpo – lembrou Pedrinho.– Cada glândula serve para uma coisa; governa uma coisa. Existe, por exemplo, uma tal glândula tireoide que governa o crescimento dos animais. Se ela funciona com muita força, sai um gigante; se ela cochila, sai um anão.

– Mas será que os gregos daquele tempo já sabiam disso? – duvidou Narizinho.

Dona Benta respondeu:

– Os gregos, minha filha, sabiam por palpite todas as coisas que os modernos sabem por experiência; isto é, sabiam sem certeza – adivinhavam. Foram os adivinhadores do mundo. As nossas certezas modernas baseiam-se na experiência. As certezas dos gregos baseavam-se na intuição, isto é, numa espécie de adivinhação. Não há teoria moderna que não esteja esboçada na obra dum antigo sábio grego.

– Assim é, minha senhora – confirmou Belerofonte, admirado da sabedoria da velhinha. – Eu abri o papo da Quimera e vendo lá a glândula cortei-a sem saber o que fazia. Mas qualquer coisa me cochichava que era ali a sede da maldade do monstro. E era.

– E que prêmio recebeu do tal Iobates? – perguntou Emília.

Belerofonte ia abrindo a boca para responder, quando um tumulto no terreiro o atrapalhou. Um *coricocó* havia soado.

– Peter Pan! – exclamaram os meninos no maior assanhamento – e saíram correndo.

Capítulo XII
O mar invade o castelo de Branca

– Que há, Peter? – interpelou Pedrinho, vendo-o de cara assustada.

Peter Pan nem podia falar, da carreira que dera até ali. Tomou dez fôlegos antes de responder.

– Uma desgraça, Pedrinho – disse por fim. – Imagine que eu estava arrumando nas Terras Novas o Mar dos Piratas (um pedaço só), quando desmoronou um morro e a água foi alcançar o castelo de Branca de Neve, inundando tudo. Só ficou de fora a torre mais alta. Branca e os sete anões estão lá em cima da torre, tremendo de medo que a água suba mais e os afogue.

A notícia causou profunda consternação. Emília correu em busca do binóculo para espiar o que restava do lindo castelo.

– Felizmente a água parou de subir – disse ela depois do exame. – Mas os "náufragos" *não sabem disso* e continuam no maior dos desesperos, torcendo as mãos e chorando. Se pudéssemos avisá-los de que a água parou de subir...

Mas avisá-los como? Canoa, não havia ali nenhuma. A única embarcação existente na zona era a *Hiena dos Mares* do Capitão Gancho.

– Não há remédio! – propôs Pedrinho. –Temos de recorrer à *Hiena dos Mares*.

– Parece simples –objetou Peter Pan –, mas você esquece que o Capitão Gancho é nosso inimigo, e por coisa nenhuma nos cederia o seu barco. Se fosse para atacar e destruir a torre, ainda vá lá – mas para salvar alguém, isso nunca. Aquele diabo é a pior das biscas.

Ficaram todos atrapalhados por uns momentos, pensando. Súbito Emília bateu na testa.

– Há um jeito: atrair o Capitão Gancho para aqui e prendê-lo na despensa. Depois fantasiamos Sancho de pirata, e Sancho vai lá, e engana a tripulação, e dá ordem ao navio para salvar os náufragos.

Em falta de melhor, a ideia da Emília foi aprovada.

– Antes de tudo, porém – observou Peter Pan –, temos de descobrir um jeito de avisar Branca que a água parou de subir, se não ela morre de medo. Não haverá por aqui algum pombo-correio, alguma coisa que voe?

– Há o galo carijó – murmurou Pedrinho.

Emília bateu na testa:

– Há o Pégaso! Pégaso! Pégaso!...

Aquela lembrança foi um raio de sol no escuro. Belerofonte correu ao pastinho para dar a ordem ao maravilhoso corcel, o qual no mesmo instante partiu pelos ares como enorme garça alvíssima.

– Que beleza! – exclamou Narizinho, e todos igualmente se extasiaram com o voo maravilhoso – todos, menos Belerofonte, que já se enjoara de ver aquilo.

Pégaso foi e deu o recado. Ah, o suspiro de alívio de Branca de Neve! A sua alegria ao saber que no sítio de Dona Benta estavam cuidando de aprontar uma embarcação para salvá-la, e aos anões, e a todos os seus tesouros!

Mas Dunga não concordou.

– Perdão, Branquinha – disse ele–, o mais acertado me parece que você vá já para o sítio montada neste cavalo. Nós ficaremos à espera do navio.

Os outros anões concordaram imediatamente. Branca resistiu; não queria separar-se deles; mas afinal teve de ceder. Montou no Pégaso e lá se foi. Quando o cavalo de asas "sentou"no terreiro e a criançada viu em cima dele a adorada princesinha, foi um clamor.

– Viva, viva!...

Branca saltou, ainda tonta da viagem aérea, e correu para o colo de Dona Benta.

– Ah, que susto, "vovó"! Quando as águas começaram a invadir as nossas terras e o Dunga, na maior das aflições, me veio avisar...

– O Dunga? – espantou-se Emília. – Mas ele não é mudo?

– Foi mudo, minha cara. O pavor fê-lo recuperar a voz. Eu fiquei de pernas moles quando vi o coitadinho aproximar-se, de olhos arregaladíssimos, berrando: "O mar vem vindo e engolindo todas as terras!". Foi ele o primeiro a observar o fenômeno. Avisou-me e avisou os demais. Imediatamente todos se puseram a carregar os nossos sacos de diamantes, dos porões para o alto da torre. E ficamos reunidos lá, morrendo de medo, até que um vulto branco apareceu no céu. Vinha vindo, vinha vindo. Chegou. Era Pégaso. Uf! Que alívio...Quem teve a abençoada ideia de me mandar o cavalo de asas?

– Fui eu! – berrou Emília radiante.

Mas Dona Benta contestou.

– Não, Branca, o seu verdadeiro salvador foi Peter Pan. Se ele não houvesse aparecido aqui com a notícia da inundação, ninguém se lembraria do cavalo de asas.

– Mas fui eu que me lembrei de Pégaso para levar o recado – insistiu Emília. – Pedrinho só pensou no galo carijó.

– Grande coisa! – exclamou Pedrinho. – Fatalmente tínhamos de lembrar de Pégaso, já que era o único ente de asas que havia por aqui. Todos iam lembrar-se dele, até a Quimera. Se você berrou o nome de Pégaso antes dos outros, foi simplesmente porque é a Lambeta-mor, como diz o Visconde.

– Nada de encrencas! – acalmou Dona Benta. – Podemos repartir a "abençoada ideia" entre Peter Pan e a Emília.

Peter Pan, que era orgulhozinho, desistiu da sua parte.

– Muito obrigado. Cedo a minha metade à Senhora Marquesa, já que faz tanto caso de gloríolas. Poderá guardá-la no seu museuzinho, junto com o pé de frango de seis dedos...

Emília não gostou da piada.

Findo o incidente, puseram-se a discutir o meio de prender na despensa o Capitão Gancho. Cada qual apresentava um projeto, que por esta ou aquela razão era logo repelido. Estavam nesse debate, quando Tia Nastácia entrou com o café.

– Ué, Sinhá! Então está de neta nova? – disse ao ver Branca no colo de Dona Benta.

Depois, ao inteirar-se do caso em discussão, a boa negra deu uma risada gostosa.

– Tão simples, Sinhá! Pois basta que "Seu" Pedrinho convide o tal Gancho para um café com mistura. Juro que ele vem ventando.

Todos admiraram-se da simplicidade da ideia, que parecia um ovo de Colombo. Quem sabe? Café com mistura ninguém rejeita. Quem sabe?...

– Aprovo a ideia– disse Pedrinho – e podemos mandar o convite pelo Visconde. Que é do Visconde? Visconde! VISCONDE!...VISCONDE!...

Capítulo XIII
O VISCONDE EM CENA

O "sabinho" estava no pasto, a conversar com o Conselheiro.

– Acabou-se o nosso sossego – dizia o Burro Falante, cheio de saudades do tempo antigo. – Com a mudança do País de Maravilhas para cá, as encrencas começam a suceder-se uma atrás da outra.

– Também penso assim – concordou o Visconde – e a maior vítima sou sempre eu. Para as coisas perigosas, só se lembram de mim. Fizeram-me trepar no Cedro Grande para dar o recado ao Polegarzinho. Houve lá um quiproquó e levei botada no nariz. Caí. Quebrei uma perna. Destronquei um pé. Felizmente Nastácia já me consertou...

– É essa a razão da escolha do Senhor Visconde para as empresas arriscadas – disse o Burro Falante. – O Senhor Visconde é "consertável"...

– Sim, Tia Nastácia costuma consertar-me. Já com o Polegar não pôde fazer o mesmo, porque ele é de carne – tem de sarar com o tempo. Tia Nastácia encanou-lhe a perninha e atou-a com um cadarço. Só nestes quinze dias ele poderá erguer-se da cama.

Estava a conversa nesse ponto quando soou o berro – VISCONDE!...

– Olhe lá – disse o "sabinho".– Estão me chamando. Juro que é nova comissão e das mais arriscadas...

Mas foi ver o que era.

– Visconde – disse Pedrinho –, corra à praia do Mar dos Piratas e convide o Capitão Gancho para um café com mistura aqui no sítio.

– Que história é essa?

O Visconde não estava a par dos fatos e exigiu que o pusessem no conhecimento de tudo. Resmungou um bocadinho mas obedeceu. Foi.

Chegando à praia encontrou o Capitão Gancho num praguejamento horrível contra os seus homens, naquele momento ocupados nas manobras do navio. Gancho estava sentado sobre uma barrica de pólvora e a suar em bicas. Ufa! Que calor!

– Senhor Capitão – disse o Visconde –, venho do sítio de Dona Benta convidá-lo para um cafezinho com mistura na varanda. Há bolinhos, torradas, pipocas...

O Capitão arregalou os olhos e sem querer lambeu os beiços. A palavra "bolinhos" fizera-lhe vir água à boca. Mas desconfiou.

– De quem é o convite?

– Nosso. De Dona Benta, Narizinho, Pedrinho, Emília e meu.

O pirata continuava desconfiado.

– O maldito Peter Pan anda por lá? – perguntou.

O Visconde fez a carinha mais inocente do mundo. Não gostava de mentir mas naquele instante era forçado a enganar o Capitão – e teve uma saída verdadeiramente Emiliana.

Pensou um minutinho, de rugas na testa e disse:

– Peter Pan? Ah, já sei. O senhor refere-se ao Peninha.

– Que Peninha? – berrou o pirata, que nunca soube quem era o Peninha.

–Pois o Peninha – tornou o Visconde – é aquele menino que nos apareceu uma vez e nunca mais. Um que canta como galo e não cresce.

– Pois então é o mesmo Peter Pan! – berrou o pirata. – Isso de cantar de galo e não crescer – só Peter Pan. Com seiscentos milhões de caramujos! Há anos que esse menino me persegue de todas as maneiras – mas hei de vencê-lo um dia. Não perco as esperanças nunca...

– Sim, o Peninha! – exclamou o Visconde. – Ah, que saudades temos dele! Infelizmente só nos apareceu no dia da viagem ao País das Fábulas. Depois disso, nunca mais.

– Então Peter Pan não está lá agora?

– Peninha não está, não. Antes estivesse...

Dessa maneira, confundindo o Peninha com Peter Pan, o Visconde iludiu ao Capitão Gancho, sem ter necessidade de mentir. Só afirmou que o Peninha não estava... O estúpido chefe dos piratas não percebeu a manha – e resolveu aceitar o convite.

– Queira ter a bondade de acompanhar-me.

Foram.

A entrada do Capitão Gancho no terreiro causou viva impressão. Peter Pan esconde-se atrás de Dona Benta enquanto Dom Quixote levava a mão ao copo da espada.

Gancho espantou-se de ver ali aquele estranho guerreiro entalado em armadura de ferro, e mais ainda de avistar lá fora o horrendo bicho de três cabeças ao lado do Quindim. Compreendeu que tinha de comportar-se muito bem, pois estava em grande inferioridade de forças. A sua atitude medrosa fez que Pedrinho desistisse da ideia de trancá-lo na despensa.

– Não vai ser preciso. O covardão já se apavorou com a vista de Dom Quixote e da Quimera. Não oferecerá resistência. Podemos agir sossegados.

E assim foi.

Peter Pan e Pedrinho esgueiraram-se dali disfarçadamente e foram fantasiar Sancho como chefe de piratas, enquanto o chefe verdadeiro, afundado numa poltrona de vime, esperava o café, olhando muito ressabiado ora para o guerreiro de ferro, ora para o bicho de três cabeças.

Sancho lá na cozinha relutou em prestar-se ao papel de pirata fingido, mas Tia Nastácia venceu-lhe a resistência com a promessa dum pernil de porco assado, enfeitado com rodelas de limão.

– Este Seu Sancho – cochichou ela para Pedrinho – é que nem Rabicó. Quem quiser qualquer coisa dele, basta mostrar "de comer".

Era preciso fantasiar Sancho de chefe de piratas.O mais custoso foi arranjar um gancho para o seu braço direito. Pedrinho lembrou-se dum trinchante que havia no armário; entortou-o em forma de gancho e amarrou-o na munheca do escudeiro. Saiu mais ou menos; de longe enganava. O resto foi simples: uma faixa vermelha na cintura (o xale velho de Tia Nastácia), o facão de cozinha enfiado na cinta e outros apêndices. Sancho ficou um Capitão Gancho bastante ordinário, chatola e gordo, mas passava. Os piratas deviam estar bêbados, porque sempre que ficavam sós caíam na pinga. Aos bêbados não é difícil enganar.

Arrumado assim o escudeiro, lá se foram rumo à praia.

Sancho fazia tudo como Peter Pan ia mandando.

– É preciso não ter dó de gastar pragas – disse o menino – e todas elas com seiscentos milhões de qualquer coisa – caravelas, caramujos, raios, hipopótamos. Os piratas não se movem senão à força de pragas.

Sancho compreendeu. Sentou-se na barrica de pólvora e berrou para os tripulantes do navio:

– Com seiscentos milhões de dromedários! Armar pano! Velejar a boreste, rumo à torre do castelo inundado! Recolher os náufragos e os respectivos tesouros! Trazer tudo para esta praia – depressa!

– Mas não sobe ao navio para comandá-lo? — cochichou Pedrinho.

– Ah, isso nunca! – protestou Sancho. – Não nasci para marinheiro. Só de olhar para as ondas já vomito os bofes – além de que eles poderiam perceber o embuste e darem-me cabo do canastro.

Peter Pan achou razoável a objeção.

– Nesse caso, nomeie um chefe – indique para o comando do navio ao Starkey, que de todos esses piratas me parece o melhor.

Sancho berrou de novo para a tripulação:

– Com seiscentos milhões de caranguejos! Ordeno que Starkey assuma o comando – e forca para quem o desobedecer!

Rapidamente o navio começou a aprestar-se; minutos depois ergueu a âncora e partiu. Lá da varanda Emília tudo acompanhava através do binóculo.

– O plano está saindo certinho! – berrou ela.– A *Hiena dos Mares* já levantou a âncora e lá se vai de velas enfunadas na direção da torre.

Ah, por que foi a abelhuda criaturinha dizer aquilo em voz tão berrada? Imediatamente o Capitão Gancho percebeu a esparrela em que havia caído e, como estivesse a comer um bolinho, engasgou. Foi preciso que Belerofonte lhe desse vários tremendos murros nas costas.

– Traição! Traição! – urrou ele, depois que se viu livre do bolinho. – Fui miseràvelmente enganado pelo infame sabugo! Juro que Peter Pan está por aqui! A alma danada disso tudo só pode ser ele – e, na cegueira da sua fúria, deu com o pé na bandeja de Tia Nastácia, saltou a cerca e pôs-se a correr na direção da praia.

– E agora? – murmurou Dona Benta, a tremer de medo.

– Alcançar o navio ele não alcança – disse Belerofonte – mas o melhor é não o deixarmos sair daqui – e gritou para Pégaso que cercasse o Capitão no caminho. Quando o chefe dos piratas, lá longe, viu surgir diante de si o cavalo maravilhoso, estarreceu de assombro. Com a ponta das asas Pégaso o foi varrendo para trás, para trás, para trás, até o terreiro.

Lá chegado, o bandido não teve outro remédio senão subir de novo a escadinha da varanda e afundar na poltrona de vime. Bufava que nem locomotiva – mas era bufo murcho. Compreendera que qualquer resistência seria inútil.

Capítulo XIV
DERROTA DOS PIRATAS

A *Hiena dos Mares* conduzida por Starkey, chegou à torre do castelo submergido e recolheu os anões, com todos os tesouros de Branca de Neve. A vista, porém, de tantas preciosidades virou instantaneamente a cabeça daqueles homens sem Deus nem lei. Starkey reuniu-os e disse:

– O Capitão Gancho ficou sozinho lá na praia; logo, somos nós os donos do navio! Proponho um motim. Deporemos o velho Gancho e ficaremos donos destes tesouros.

– E os anões? – quis saber um dos piratas.

– Os anões nós os venderemos como escravos. Devem ser ótimos para cuidar de jardins.

Todos concordaram – e um coro de hurras soou. Starkey prosseguiu:

– Em vista disso, proponho que velejemos na direção daquele palácio que se avista a bombordo. Podemos desembarcar lá e conquistá-lo; ficaremos morando nele, a gozar as delícias dos nossos tesouros.

A proposta foi aceita unanimemente.

Mas os piratas amotinados não previram a esperteza da Emília. Sempre de olhos no binóculo, ela fora acompanhando todos os seus movimentos; viu que em vez de velejarem rumo à praia, eles estavam velejando na direção do palácio do Príncipe Codadade – e deu o estrilo.

– Os piratas estão nos traindo! – berrou ela com toda a força. – Em vez de tomarem a direção da praia, estão se afastando para longe.

– E agora? – exclamou Branca na maior das aflições.

O perigo faz que os cérebros trabalhem a toda força, de modo que naquela dura emergência houve ali um trabalho de miolos que dava gosto ver. Narizinho teve de repente uma ideia magnífica.

– Manda-se o Visconde prevenir o Príncipe do ataque próximo! Estando prevenido, Codadade poderá defender-se. Basta que suspenda a ponte levadiça do palácio.

Belerofonte deu o assobio com que chamava Pégaso. O maravilhoso cavalo saltou para o terreiro, já de asas semiabertas.

– Monte, Visconde– disse a menina –, e vá avisar o Príncipe de que o navio dos piratas pretende atacá-lo. Depressa!

Com muita má vontade, o Visconde montou e partiu...mas não chegou ao destino "a cavalo", chegou "a crocodilo!..."

Homessa! Como? Por quê? Por uma razão que até parece mentira: por causa do casal de João-de-Barro! Os dois passarinhos estavam voando justamente no ponto por onde Pégaso, com o Visconde no lombo, ia passar, de modo que viram o "sabinho"no lombo do Pégaso. Viram e avançaram contra ele, tomados de cólera, pois o supunham companheiro do intruso que lhes havia invadido o ninho. Atacaram-no a bicadas – e tantas bicadas lhe deram que o Visconde caiu...

Emília ia acompanhando pelo binóculo.

– Que tragédia horrível, meu Deus! Os passarinhos atacaram o Visconde e o derrubaram n'água. E agora?

A aflição foi geral. Ao ver-se ali tão sem amparo, Dona Benta sentiu a célebre pontada no coração. Pedrinho, ausente; Peter Pan, ausente; Pégaso, ausente; o Visconde, ausente; Sancho, ausente. Belerofonte pouco valia sem Pégaso. Dom Quixote também pouco valia sem Sancho. Dona Benta sentiu-se desamparada – e para aumento da sua aflição havia aquele desespero de Branca de Neve.

– Os meus queridos anões! – chorava a princesinha. – Os meus tesouros – tudo roubado! Ai, ai, ai...

A atrapalhação foi tanta que Emília teve de largar do binóculo para assumir o comando. Ideias! Venham ideias! Emília dava murrinhos na cachola, a ver se saía alguma ideia boa. No começo não saiu nada; depois, um sorriso de triunfo brilhou-lhe nos olhos.

– Acalmem-se! Ainda há "o supremo recurso"– disse a diabinha.

Todos voltaram-se para ela, suspensos.

– Fale, Emília, fale! – implorou Dona Benta.

– Há o "faz-de-conta"! Quando tudo parece perdido, eu recorro ao "faz-de--conta" e salvo a situação.

Continuaram todos em suspenso, de olhos muito abertos, sem compreender.

– Facílimo – explicou Emília. – Faz de conta que o Visconde cai bem em cima do crocodilo do Capitão Gancho, o qual fatalmente deve estar nadando no Mar dos Piratas em procura do "resto". O Visconde cai bem em cima dele e conversa com ele e tapeia ele e faz ele acreditar que o "resto do petisco", isto é, o Capitão Gancho, está no palácio do Príncipe Codadade – e o bobo do crocodilo, que é um estúpido, acredita e encaminha-se para lá – e o Visconde pula em terra, sãozinho e salvinho, e corre e avisa ao Príncipe. Que tal?

Todos acharam excelente a solução. Mesmo porque, ou aquilo ou nada! O único defeito era ser uma solução muito cheia de "eles". Nos momentos angustiosos Emília desprezava os pronomes oblíquos.

Mas deu tudo certo. O Visconde caiu bem em cima do crocodilo, e conversou com ele, e "tapeou ele", e "convenceu ele" de que o Capitão Gancho estava hospedado no palácio do Príncipe Codadade; e fez o crocodilo nadar para lá com a maior rapidez. O crocodilo, um verdadeiro bobo, engoliu tudo – e levou o Visconde à praia das *Mil e uma noites* e ajudou-o a pular em terra. Instantes depois o Visconde dava o recado ao Príncipe.

Codadade era um moço de coragem. Não se assustou. Subiu ao mirante do palácio e viu que realmente o navio vinha vindo de velas enfunadas na sua direção.

– Espere que te curo! – murmurou cerrando os punhos – e desceu para ordenar o levantamento da ponte levadiça.

A ordem foi executada; em seguida os guardas correram ao depósito do armamento, donde tiraram todas as espadas, lanças e escudos.

O palácio estava em rigorosa prontidão quando a *Hiena dos Mares* encostou num cais que havia. Os piratas desembarcaram sem demora, armados de trabucos de boca de sino, com as facas entre os dentes. E avançaram. Mas ao perceberem a ponte levadiça já suspensa, romperam em pragas e maldições.

– Com seiscentos milhões de infernos! – rugiu Starkey. – Fomos traídos. Alguém avisou ao dono deste palácio...

Nisto deu com os olhos numa coisa que o fez sorrir: cinco barrilotes enfileirados ali perto. A vista de pipas, barris ou barrilotes causa sempre grande prazer aos amigos da pinga, porque pode ser pinga. Starkey esqueceu os milhões de infernos e correu a espetar com a espada um dos barrilotes. O cheiro do líquido que jorrou fez que suas ventas se dilatassem.

– Pinga, rapaziada! – gritou ele, e os piratas lançaram-se aos barrilotes como gatos a ratos. Minutos depois estavam babando, caídos por terra bebedíssimos. Então os guardas do Príncipe vieram, amarraram-nos de pés e mãos e carregaram-nos para o calabouço do palácio.

Codadade espantou-se daquilo. Quem teria tido a luminosa ideia de vencer os piratas com pinga?

– Foi o sabuguinho de cartola que veio montado no jacaré – respondeu o chefe dos guardas.– Chegou-se a mim e sugeriu-me a ideia. Achei-a boa e, antes de levantar a ponte, mandei depositar lá barrilotes de espírito de vinho.

Codadade, muito satisfeito, disse:

– Isto é o que se chama uma vitória incruenta. Vencemos sem derramar uma só gota de sangue...

Em seguida foi com o Visconde inspecionar e tomar posse da *Hiena*. Que chiqueiro imundo! Os dois visitantes tiveram de tapar o nariz. Tudo sebento, encardido, gorduroso.

– Vou mandar fazer neste navio uma esfregação com caco de telha. Depois transformá-lo-ei no meu iate.

– E se Vossa Alteza me permite – disse o Visconde –, eu proporei um bom nome para o futuro iate – O *Beija-Flor das Ondas*.

Codadade concordou com a poética denominação.

Capítulo XV
SANCHO E RABICÓ

Cansados de esperar pela volta da *Hiena*, Sancho, Peter e Pedrinho resolveram voltar ao sítio. Vinham caminhando em silêncio, bastante apreensivos, quando o escudeiro viu sair da maceca um leitão. Com a fome com que estava, pôs-se a correr atrás do animalzinho, disposto a pegá-lo, assá-lo e comê-lo ali mesmo.

Pedrinho riu-se para Peter Pan.

– Dou um doce se Sancho alcançar Rabicó! O Marquês é "taco" na corrida.

Sancho, muito gordo, continuava a esbofar-se atrás de Rabicó, até que foram os dois parar na cozinha de Tia Nastácia.

Ao vê-lo surgir de supetão, a negra assustou-se.

– Que fúria é essa, Seu Sancho?

– Um leitãozinho que achei lá no mato – respondeu o escudeiro, tentando alcançar Rabicó escondido debaixo da mesa.

Tia Nastácia soltou uma gargalhada gostosa.

– Ché! Isso não é leitão, não, Seu Sancho. É o Marquês, marido desquitado da Emília. Não mexa nele que o mundo cai.

Sancho ficou na mesma. Olhou para ela com cara de bobo.

– Sim – continuou a preta. – É o Marquês de Rabicó, marido da Emília – e contou toda a história do famoso leitãozinho, o seu casamento com a boneca, o divórcio, a vida regalada que o Marquês tinha no sítio.

– É um leitão sagrado, Seu Sancho. Muito desejo já tive eu de botá-lo na mesa, com um ovo na boca e rodelas de limão por cima – mas não houve jeito. Narizinho "pune" por esse malandro como se fosse filho dela.

Sancho ficou assombrado. Era a primeira vez que via porquinho assim – "Marquês" e adorado pelos donos. Suspirou.

– Que pena! Minha fome está danada e eu já vinha "fazendo boca" para o petisco.

– Pra tudo há remédio, Seu Sancho. Ali no forno tem uma perna de porco assando, dessas da gente comer e berrar por mais. Tenha paciência. Daqui meia hora tá no ponto...

Sancho foi espiar o forno; contentou-se com o cheirinho, mas seus olhos não saíam de Rabicó.

– Que pena! Que pena! – suspirava ele.

Capítulo XVI
A CARTA DO VISCONDE

Enquanto isso, todos lá na sala inquietavam-se com a sorte do Visconde. Pelo binóculo da Emília ficaram sabendo que ele alcançara a praia montado no crocodilo – mas só. Daí por diante nada mais sabiam.

IMAGINÁRIO O PICAPAU AMARELO 541

Nisto chegaram Pedrinho e Peter Pan. Emília contou-lhes a tragédia do Visconde caído n'água e a necessidade que teve de pedir socorro ao "faz-de-conta."

Pedrinho danou, e deliberou sair com o bodoque atrás dos passarinhos culpados de tudo aquilo, mas nada disse, de medo da repulsa de Narizinho. Chamou Peter Pan de lado e cochichou. Em seguida saíram os dois de rumo ao Cedro Grande.

Dom Quixote e Belerofonte estavam conversando sobre façanhas. O Capitão Gancho ouvia, embezerrado. O herói grego declarou que sua façanha era uma só, e isso porque fora uma tão grande que depois dela qualquer outra ficaria pequenininha.

– Sim, lutei e venci a Quimera, e conquistei Pégaso. Depois disso, que mais? Além de que a posse de Pégaso veio transformar-me a vida. Que maravilhosos passeios fiz pelas alturas, montado nele! Acostumei-me a voar. Desci em todas as terras, bebi de todas as fontes. Pégaso tinha o seu pouso no Monte Hélicon, um dos mais altos e belos da Grécia, e também eu elegi esse monte como o meu pouso habitual. Depois dos longos voos, ele descia lá para descanso e para tosar o excelente capim que lá viceja. Ficamos os maiores amigos do mundo – e até hoje, séculos passados, não há maiores amigos do que nós. A minha façanha foi uma só – mas vale por mil.

Dom Quixote tomou a palavra.

– Pois a minha vida, senhor, correu bem ao contrário da sua. Já perdi a conta das façanhas que pratiquei. Combati gigantes terríveis, e exércitos – mas o maldito mágico Freston sempre me roubou a maior parte das glórias. Era, por exemplo, um gigante que surgia na minha frente. Eu o atacava de lança em punho e, quando o ia vencendo, o maldito mágico, para roubar-me a glória, transformava o gigante em qualquer outra coisa – moinho de vento ou odres de vinho. Hoje estou velho, cansado – e difamado. O tal Cervantes escreveu um enorme livro em que me pinta como me imaginou – não como na realidade sou. E o mundo cruel aceita com a maior ingenuidade tudo quanto esse homem diz...

– Console-se comigo – disse o Capitão Gancho. – Tive o meu Cervantes num historiador inglês de nome Barrie, o qual me meteu a riso diante do mundo inteiro. Imagine, Senhor Dom Quixote, que esse Barrie me pinta em seu livro como derrotado várias vezes por uma criança – um menino de nome Peter Pan! E, ainda mais, como perseguido e devorado por um jacaré...Ora, isso é infâmia pura, porque na realidade sou um dos maiores chefes de flibusteiros do mundo e gozo de perfeita saúde.

Emília, que estava ouvindo a conversa, não se conteve.

– Desculpe, Seu Gancho, mas eu sei da esfrega que o senhor levou de Peter naquele dia do combate. Não queira negar. Peter Pan bateu-se com valentia rara, escapou de todos os golpes que o senhor lhe deu e foi levando o senhor até à amurada do navio. E o senhor até deu um grito de desespero, lembra-se? Gritou: "Quem és tu, menino infernal?".E ele respondeu: "Sou a juventude eterna!" e soltou um *coricocó*. E foi, então, e o senhor caiu n'água, bem dentro da boca do crocodilo.

– Sim, é isso o que os livros dizem – concordou o velho pirata –, mas tanto é falso que aqui estou, são como um pero.

– Mas eu li! – gritou Emília.

– E que tem que você tenha lido, bonequinha? O fato de a gente ler uma coisa não quer dizer que seja exata. Os livros mentem tanto como os homens.

A conversa foi interrompida pela chegada duma pombinha com um papel no bico. Carta do Visconde!

Dona Benta leu em voz alta.

"Tudo bem aqui", dizia o "sabinho.""Avisei ao Príncipe e o resultado foi os piratas caírem numa esparrela. Estão neste momento de algemas nos pulsos, metidos no porão do palácio."

— Inferno! — rugiu o Capitão Gancho, trincando os dentes, com as unhas a cravarem-se no vime da poltrona.

Dona Benta limitou-se a olhar para ele por cima dos óculos, e prosseguiu na leitura:

"O Príncipe já tomou posse do navio, o qual, depois da esfregação de caco de telha que estamos fazendo, será transformado num iate, o *Beija-Flor das Ondas.*"

— Que lindo! — exclamou Branca de Neve batendo palmas. — Que amor de nome! Com um iate desses, o Príncipe vai fazer verdadeiros estragos no coração das princesas...

Dona Benta continuou:

"Mas isso é nada diante do resto. Imaginem que, com a maior das surpresas, descobri que o Reino das Águas Claras ainda existe, e que o Príncipe Escamado, com toda a sua corte, já se mudou para as Terras Novas. Assim que souberam da colocação do Mar dos Piratas no sítio, vieram a galope."

Narizinho e Emília deram pulos de contentamento. Ambas supunham que o Reino das Águas Claras já não existisse mais.

— Que encanto! — dizia a menina. —Escamado, vivo! Vivos, todos! Continue, vovó — não posso mais de curiosidade.

Dona Benta continuou:

— Não falta nenhum; nem o Doutor Caramujo com as suas pílulas, nem Dona Aranha com a sua perna manquitola, nem o Major Agarra com os seus agarramentos. O Príncipe continua solteiro e cada vez mais apaixonado por Narizinho. Tive a explicação daquela história do falso Gato Félix. Realmente, o miserável bichano tentou agarrar o Príncipe; deu um bote; mas errou e só pegou uma sardinha que estava conversando com ele.

— Eu bem estranhei o cheiro! — disse Emília.— Quando cheirei as fuças do Gato Félix, o cheiro era mais de sardinha do que de Príncipe. Continue, Dona Benta.

Dona Benta continuou:

— Mas a grande coisa, a maior de todas, a novidade de arromba, é a seguinte: o Peninha anda por cá! Está claro que não o vi, porque é invisível mas vi flutuando no ar a pena de papagaio que a Marquesa de Rabicó lhe colocou na cabeça."

— O Peninha! o Peninha! — exclamaram todos batendo palmas. – Nesse caso, nós todos erramos, porque todos pensamos que o Peninha fosse o mesmo Peter Pan.

— E por falar, onde anda Peter Pan? – indagou Narizinho.

Ninguém sabia.

— Quando ele se encontra com o Pedrinho, esquece do mundo – observou a menina. – Nunca vi criaturas que se entendam melhor. Juro que estão nadando no Mar dos Piratas.

Essa ideia apertou o coração de Dona Benta.

— Ah, meu Deus! Pedrinho é capaz de afogar-se...

– Não tenha medo, vovó – sossegou a menina. – Pedrinho nada como um lambari, e além disso está com Peter Pan, que é mestre em sair-se de apuros.

Ao ouvir o nome de Peter Pan, o Capitão Gancho estremeceu na poltrona, de ódio.

Mas Dona Benta perdeu o gosto de ler até o fim a carta do Visconde. A ideia do neto nadando num mar que até crocodilo tinha fazia-a suspirar.

A interrupção da leitura dissolveu o bando. Dom Quixote ferrou no sono ali na rede. Belerofonte saiu para uma volta pelo pasto. Narizinho e Emília correram à "enfermaria" para dar remédio ao Polegar.

Tia Nastácia entrou com a bandeja do lanche.

– Ué, Sinhá? Onde estão os outros?

– Grite por eles – murmurou Dona Benta pensativa.

Tia Nastácia largou a bandeja na mesinha e foi saindo. De passagem esbarrou com as armas de Dom Quixote. A vista do escudo fez seus olhos brilharem. Namorou-o por algum tempo e depois o levou para a cozinha. Só então deu o berro do costume:

– Café, criançada! Seu"Bolorofonte", café !...

Capítulo XVII
A SEREIA APRISIONADA

Ali pela tardinha a atenção de todos foi atraída por um movimento ao longe. Pedrinho e Peter Pan vinham voltando, mas voltavam a arrastar qualquer coisa pesada.

Emília correu ao binóculo.

– Ah, malandros! – exclamou ela. – Foram pescar e estão trazendo um peixe enorme. Esperem... Não é peixe, não! Parece uma sereia...É uma sereia, sim...

As palavras de Emília alvoroçaram a casa inteira; até Dom Quixote levantou-se da rede para ir debruçar-se no gradil da varanda. O Príncipe Belerofonte fez o mesmo.

– Uma sereia, herói! – berrou Emília. – Lá na sua terra havia disso?

– Claro que havia – respondeu o herói. – As sereias foram criadas pela imaginação grega. Mas o que me espanta é que os meninos tenham apanhado uma. Na Grécia eu nunca ouvi falar de ninguém que houvesse pescado uma sereia.

Pedrinho e Peter foram se aproximando. A cena tornou-se visível mesmo sem binóculo. Tinham a arrastar a pobre criatura pelos cabelos – pelos lindos cabelos verdes, cor das algas do mar.

– Malvadeza! – exclamou Narizinho.

A curiosidade fez que todos descessem ao terreiro para assistir à chegada dos caçadores. Até Tia Nastácia veio lá da cozinha com cara de "Que é?"

– Sereia, Nastácia! – gritou-lhe Narizinho.– Eles pegaram uma sereia...

– Credo! –exclamou a preta fazendo um pelo-sinal.

Os dois valentes caçadores chegaram muito esbaforidos, cansadíssimos mas vitoriosos. A pobre sereia, exausta da luta, não resistia mais. Olhava para todos com os lindos olhos cheios de susto e incompreensão. Que formosa era! Os cabelos verdes pareciam finíssimos fios de esmeralda; o busto lembrava o duma menina de doze anos; e o resto do corpo tinha forma de peixe – uma elegantíssima cauda de peixe com escamas do tamanho de um níquel de tostão, desses com o retrato do Almirante Tamandaré. Escamas de madrepérola, que faiscavam ao sol.

Rodearam-na todos, com as bocas abertas e os olhos arregalados.

– Coitada! – exclamou Narizinho. – A gente lê na fisionomia dela um grande sofrimento. Que ar triste...

– É a tristeza de ter perdido tantos "tamandarezinhos"– disse Emília apontando para as escamas desfalcadas. – Pelo menos uma dúzia ela perdeu no "arrastamento"– ficou valendo um cruzeiro e vinte centavos menos...

– Que maravilha! – murmurou Dona Benta.

Tia Nastácia era só "credos" e mais "credos."

Depois de tomarem fôlego, Pedrinho e Peter contaram a história da tremenda proeza.

– Foi assim vovó. Nós tínhamos saído para dar um pega no maldito João-de--Barro que derrubou o Visconde; mas no caminho, como estivesse fazendo calor, Peter Pan lembrou-se de um banho de mar. Fomos ao banho de mar; e estávamos nadando no Mar dos Piratas quando vimos lá longe, num lugar de pedras, as sereias! Estavam ao sol sobre os penedos, penteando os cabelos com os pentes de ouro. Imediatamente nos acudiu a ideia de caçar uma, e combinamos o plano. "Você segue pela direita", disse Peter Pan; "e eu, pela esquerda; vamos avançando, escondidos pelas pedras; assim que chegarmos pertinho, mergulhamos os dois, para sairmos bem diante duma das sereias – a menor – e *nhoque*". E assim foi feito. Nadamos para lá com as maiores cautelas, sempre ocultos pelos rochedos. Havia uma – esta aqui – que estava de bom jeito e era a menor. Mergulhamos. Fui sair bem defronte dela. Assim que ela me avistou, deu um grito de aviso às outras: –"Humanos!"– e atirou-se para trás – caindo nas unhas de Peter Pan.

Peter Pan rematou a história.

– Caiu nos meus braços, sim, e finquei-lhe as unhas na carne, porque essas criaturas são mais lisas do que sabão. Consegui assim impedi-la de mergulhar. Nisto chegou Pedrinho e agarrou-a pelos cabelos. O cabelo é o ponto fraco das sereias. Quem consegue agarrá-las pelos cabelos, vence-as – foi o que fizemos. Depois disso tudo se tornou fácil. Puxamo-la para a praia, e de lá até aqui veio arrastada.

– Malvados! – repetiu Narizinho cheia de dó.– Não tiveram medo de esfolá-la toda?

– Não esfolava, não, como não esfolou, você pode examinar – justificou-se Pedrinho. – As escamas defendem a pele das sereias e dos peixes. Pode examinar.

De fato, a sereia só mostrava uma ou outra arranhadurazinha leve, aqui e ali.

– Sim, senhor! – murmurou Belerofonte.– Está aqui uma façanha que jamais julguei possível. É pena estes meninos serem de hoje, pois mereciam ter nascido nos tempos heroicos da Grécia...

Pedrinho e Peter Pan estavam que não cabiam em si de orgulho.

– E agora? – murmurou Dona Benta. – Onde vamos acomodar esta pobre sereia?

– Construímos um lago, vovó – sugeriu Pedrinho. – E se ela fizer questão de água salgada, botamos meia dúzia de sacas de sal na água.

Os dois meninos ainda conservavam a sereia segura pelos cabelos.

– Podem largá-la – disse Emília. – Sereia em terra é como peixe: não vale nada, não foge.

Os meninos largaram-na. A pobrezinha! Seus olhos não compreendiam coisa nenhuma. Estava completamente abobada...

O resto do dia foi empregado em fazer uma represa nas águas do ribeirão de modo a formar lagoa – e lá foi para a lagoa a pobre sereia. Os meninos, porém, não a deixavam um só instante. Não tinham ânimo de afastar-se daquela maravilha da natureza.

Quem não gostou muito da história foi Dona Benta. Emília pilhou-a na cozinha dizendo para Tia Nastácia:

– A combinação que eu fiz foi de que "eles" ficavam para lá da cerca e nós para cá; mas um a um os meninos vão trazendo para aqui todos os personagens maravilhosos. Nesse andar, passam-se todos para cá e eu tenho de mudar o sítio para lá...

– Isso mesmo – concordou a preta. – Já estão aqui, de cama e mesa, o Senhor Dom Quixote, aquele herói não sei quê, o horrível bicho de três cabeças, o tal cavalão de asas, o Seu Sancho, que é um segundo Rabicó, Sinhá – como come, o diabo! Não há o que encha aquela pança...E há ainda o Gancho e o coitadinho do Polegar. Agora a sereia...

– E como vai passando o Polegar? Com esta lufa-lufa nem tive tempo de visitá-lo.

– Vai indo, Sinhá, vai sarando. Aleijadinho fica, ah, isso fica mesmo. Quebrou a canela. Eu encanei o melhor que pude, mas não endireita mais – tem que usar muleta.

– Coitado! – exclamou Dona Benta. –O mais gentil personagenzinho da Fábula, estropiado, de muletas!...

– Bem feito, Sinhá. Quem mandou ele atropelar o João-de-Barro? Neste mundo é assim, quem faz paga. Bem feito.

Dona Benta foi visitar o doentinho em sua cama de boneca.

– Então, como vai indo? – perguntou.

– Melhor. A dor já passou – mas tenho de ficar aqui muitos dias até que os ossos soldem. Ah, malditos passarinhos!

– Quem errou foi você, Polegar, não eles. Os passarinhos estavam no seu direito –estavam defendendo o ninho. O ninho é o lar – uma coisa sagrada.

– Eu pensei que fosse um ninho abandonado.

– Esse negócio de pensar é muito sério, Polegar. Temos que pensar, sim, mas pensar certo. Quem pensa errado, quebra a perna...

Lá na lagoa os meninos procuravam consolar a sereia. Contavam-lhe a história do sítio, falavam-lhe da amizade que ela teria de todos e dos quitutes da preta. Nada disso, porém, a consolava. A tristeza de seus olhos condoeu Narizinho.

– Podemos combinar o seguinte – disse a menina. – Você fica aqui por uns dias, para ver se acostuma ou não. Se acostumar, fica definitiva, para o resto da vida; se não acostumar, eu me comprometo a soltá-la.

A sereia suspirou.

Nisto apareceu lá na porteira um dos Meninos Perdidos da Terra do Nunca. Peter Pan correu-lhe ao encontro.

– Que há? – perguntou.

– Há que recebemos um recado de Wendy. Em duas horas ela estará aqui.

Na voz de Wendy, Peter Pan não quis saber de sereias, nem de coisa nenhuma. Afastou-se na volada, em companhia do menino recadeiro, sem nem sequer um "até logo" ao pessoal do sítio.

Narizinho ficou a acompanhá-lo com os olhos.

– Credo! Que amor...

Capítulo XVIII
Tia Nastácia e o escudo

A situação no sítio não estava boa. Dom Quixote, sem falar em retirar-se, tinha caído no que Emília chamava "lambança". Cafezinhos a toda hora, redinha de Dona Benta, almoço, jantar, cama – e divertimentos. Parecia julgar aquela casa como sua, ou hotel. Também o herói Belerofonte não falava em ir-se. O caso entrou a preocupar Dona Benta.

– Como há de ser – dizia ela a Narizinho – para que esses dois senhores compreendam que nossa casa não é hotel?

– O jeito, vovó, é arranjarmos hospedagem para Dom Quixote no castelo dalguma das princesas. São castelos enormes, com dezenas de cômodos e muita criadagem. Até hão de gostar de ter um hóspede dessa categoria.

– E o herói?

– O herói é o de menos. Dum momento para outro ele monta no Pégaso e *prrrr*!

E assim foi. Naquele mesmo dia o herói Belerofonte aproximou-se de Dona Benta e disse:

– Minha senhora, já me demorei demais em sua casa; é tempo de ir-me.

– Que pressa é essa, herói? – mentiu Dona Benta. – Bem sabe que a casa é sua, para ficar quanto tempo quiser.

– Obrigado – respondeu Belerofonte –, mas dá-se o seguinte. Minha vida passa-se mais no ar do que em terra. Vivo voando montado em meu valente Pégaso; e como é assim, já começo a sentir saudades das nuvens e dos céus azuis. Hoje é o último dia que passarei em sua casa. Parto amanhã.

– Que pena! – mentiu pela segunda vez Dona Benta. – E que destino vai dar ao monstro de três cabeças, herói?

– Ainda não sei, minha senhora. A Emília me propôs compra...

– Era só o que faltava! Se eu consentisse, aquela diabinha transformava-me o sítio em jardim zoológico. Comprar a Quimera! Incrível...Pégaso, sim. Caso o senhor herói queira algum dia desfazer-se do cavalo de asas, converse comigo. Poderemos entrar em negócio. Mas a Quimera não me seduz. Feia demais. Caduca demais. Sinto até aflição ao pensar naquele horrível conjunto de três cabeças. Parece-me um verdadeiro despropósito da fábula grega.

– Muito bem – disse Belerofonte. – Nesse caso, basta que abram a porteira e apontem-lhe o caminho das Terras Novas. Ela afastar-se-á daqui imediatamente.

Logo que Dom Quixote soube da projetada partida do herói, lembrou-se de que também ele era demais ali – e disse a Dona Benta:

– Minha senhora, muito já se prolongou a minha permanência nesta acolhedora mansão. Aproveitarei o ensejo da partida do grego para retirar-me também.

Dona Benta respondeu com terceira mentirinha, muito bem vestida à moda de dantes:

– Pois isso grandemente me dói, Senhor Dom Quixote. A honra de tê-lo em minha humilde choupana é das mais subidas, e o conhecimento travado só serviu para confirmar-me na alta ideia que sempre fiz do mais nobre dos cavaleiros andantes.

Dom Quixote agradeceu aquela beleza de estilo com um gesto de cabeça.

Emília foi perguntar a Narizinho o que era mansão.

– Dom Quixote chamou isto aqui de "mansão". Que história será esta? Será o mesmo que "pensão"?

Narizinho não sabia e recorreu ao dicionário. Encontrou lá: "Mansão": casa grande de requintado luxo etc." e riu-se dizendo:

– Dom Quixote tem levado tanta pancadaria e se hospedado em tantas hospedarias misérrimas, que esta nossa casa aqui é para ele um luxo de fidalgos. Quando pensou vovó que sua casinha ia receber o título de "mansão"!...

Quem não gostou das notícias foi Sancho.

– Partir! Partir! – exclamou ele. – Meu amo é o maior dos heróis de todos os tempos e um sábio – mas a sua mania de não esquentar lugar não me serve. Ando farto de correrias. Quem me dera ficar morando aqui toda a vida!...

– Pois não era coisa lá muito fora de propósito – declarou Tia Nastácia. –Vosmecê me tem feito excelente companhia. As cozinheiras gostam muito dos que comem com prazer as comidas que elas fazem – e eu nunca vi ninguém comer com tanto gosto como vosmecê, Seu Sancho. Só o Rabicó...

O guloso escudeiro concordou.

– Lá isso é verdade. Nasci para comer, e nesta casa os petiscos têm qualquer coisa que bole no coração da gente. Acredite, Senhora Nastácia, que cozinheira como vosmecê nunca jamais houve no mundo – nem haverá. Sou entendidíssimo em toda sorte de comidas, gordas ou magras, de sal ou açúcar, de forno ou fogão, e juro sobre a lança de meu amo que petisqueiras como as daqui, nem no céu.

Tia Nastácia por um triz não deu um beijo no bochechudo Sancho.

Na manhã seguinte, bem cedo, Dona Benta e os meninos foram à varanda para o bota-fora dos hóspedes. Belerofonte apareceu no terreiro caracolando Pégaso já de asas entreabertas. Fez uma despedida geral e *prrrr*!...lá se foi pelos ares como um enorme gavião de deslumbrante alvura.

– Que maravilha! – exclamou Pedrinho extasiado.

Todos repetiram a exclamação, e de nariz para o ar enlevaram-se no portentoso voo. Pégaso foi diminuindo com a distância. Virou um pontinho no céu. Desapareceu entre as nuvens...

Logo depois surgiu Dom Quixote, bifurcado no Rocinante. Suas pernas magras pareciam dois espetos.

– Sancho, Sancho! – gritou ele. – Minhas armas!

O escudeiro trotou para a varanda em busca das armas do herói da Mancha. Olhou: só viu a espada e a lança. O escudo desaparecera.

– Ué! Que fim levaria o escudo de meu amo? – e feito barata tonta em dia de chuva, que não sabe se voa ou corre, pôs-se a procurá-lo por todos os cantos. Encontrou-o na cozinha transformado em gamela de Tia Nastácia, com umas linguiças em salmoura dentro.

– Que é isso, Nastácia? –ralhou Dona Benta. – Como é que você "rebaixa" assim a principal peça da armadura dum dos maiores heróis da humanidade?

A preta não se impressionou.

– Ah, Sinhá, quando eu vi "isso" lá no canto, pensei logo: "Que excelente gamela está se perdendo aqui!" e "truxe" a coisa para a cozinha. O meu gamelão está rachado, e essa gamela de Dom Quixote é das boas, das que não vazam nem um pingo.

– Mas isso não é gamela, Nastácia. É escudo – uma arma. Tire a linguiça daí. Lave. Enxugue.

Tia Nastácia obedeceu suspirando.

– Que pena, que pena! Uma gamela tão boa!...

Quando o herói da Mancha enfiou no braço o famoso escudo, bem que sentiu um fortíssimo cheiro de cebola, alho e vinagre; mas de nada desconfiou. Julgou que fosse uma baforada vinda de Sancho. Sancho sempre recendera a vinagre, alho e cebola.

Dom Quixote fez uma saudação geral com a lança e partiu majestosamente.

– Adeus, Latoeiro! – berrou Emília.

Restava a Quimera. Pedrinho seguiu as instruções de Belerofonte. Depois de escancarada a porteira, aproximou-se do monstro e, muito ressabiadamente, apontou-lhe o caminho. A triste criatura não tugiu nem mugiu. Baixando as três cabeças, tomou a direção das Terras Novas, no seu desajeitadíssimo trote de fábula caduca.

Dona Benta suspirou.

– A vista deste monstro me entristece – disse ela. – Não pode haver mais acabado símbolo da decadência fisiológica...

Tinha agora de resolver o caso do Capitão Gancho. Que fazer dele? Dona Benta ficou indecisa.

– Com os hóspedes "bons", tudo foi fácil, disse ela; mas Gancho é hóspede "mau"–perigosíssimo. Não sei o que fazer...

Pedrinho deu uma risada.

– Bobo esse seu medo, vovó. O pirata já não oferece nenhum perigo. Está sem a única arma que possui.

– Como?

– Venha ver – e mostrou a Dona Benta uma coisa esquisita oculta sob uns sacos, num canto. Era o célebre gancho do Capitão Gancho!

– Que história é esta Pedrinho?

– Ah, tirei-lhe o gancho assim que ele ferrou no sono – e o menino apontou para o pirata a dormir pesadamente na poltrona de vime. – Ora, sem o gancho ele não vale nada. Logo, onde está o perigo?

Dona Benta murmurou "Amém"– palavra latina que quer dizer "Assim seja!"

Capítulo XIX
O Beija-Flor das Ondas

A limpeza da *Hiena dos Mares* foi a obra mais completa que os sete anõezinhos de Branca jamais realizaram. Que grandes trabalhadores eram eles! Pareciam formigas. Num instante lavaram e esfregaram com cacos de telha o navio inteirinho – e o caldo preto que saiu foi tanto que toldou a água do mar em redor.

Concluída a reforma da velha embarcação, o Príncipe convidou o Visconde para comandante e o Dunga para "imediato". Imediato é o oficial que manda mais num navio depois do comandante.

O Visconde teve de mudar de vestuário. Botou, em vez da famosa cartolinha, um boné de oficial e vestiu uma sobrecasaca de galões nos punhos e dragonas nos ombros. Ficou ótimo!

No mesmo dia em que assumiu o comando, chamou o Dunga para uma conversa muito séria.

– Que notícias há do marido de Branca de Neve, Senhor Imediato? – perguntou ele.

– Nenhuma, Capitão. O Príncipe consorte estava caçando no momento em que o mar de Peter Pan derramou.

– Supõe que tenha morrido afogado?

– Estou quase certo disso, Capitão.

– Nesse caso, a princesa está viúva – raciocinou o Visconde – e não convém que fique morando no sítio de Dona Benta. Não há hipótese de encontrar por lá novo marido, nunca. Temos de trazê-la aqui para o *Beija-Flor*, e de promover um baile em que ela se encontre e dance com o Príncipe Codadade. Acho que formam um parzinho perfeito.

Dunga concordou plenamente.

– Mas só faremos o enlace – continuou o Visconde – se entre eles nascer o amor. Sou absolutamente contra os casamentos sem amor – como o da Emília.

– Como foi esse casamento?

– Pois a Emília casou-se apenas por interesse – para virar marquesa. Nunca sentiu o menor pingo de amor pelo Rabicó. Resultado: separação, e ela ficou impedida de aceitar as ótimas propostas de casamento que lhe apareceram mais tarde. Por essas e outras, sou absolutamente contrário aos casamentos sem amor. Nunca dão certo.

Dunga foi discutir o caso com os outros anões, e depois de longos debates ficou assente o seguinte: Branca viria morar no iate até a reconstrução do castelo ou o seu casamento com o Príncipe Codadade. Eles, anões, dariam uma grande festa; se entre ambos nascesse o amor, seria uma coisa; se não nascesse, seria outra.

Firmes nessa decisão, o iate partiu para a Prainha – nome dado ao ponto onde a *Hiena* ancorava nos tempos do Capitão Gancho. E, chegado lá, o Visconde mandou um dos anões – o Zangado – parlamentar com a Princesa,

Zangado obedeceu.

Dona Benta estava na janela e foi quem o viu chegar.

– Olhe lá, Pedrinho, um catatau de cara feia que vem se aproximando...

O menino olhou e adivinhou quem era.

– Há de ser o Zangado, vovó, um dos sete anões de Branca de Neve.

O anão parou no primeiro degrau da escadinha da varanda e com muitos maus modos disse que desejava falar com a Princesa. Branca não tardou a aparecer, vinda do pomar, onde estivera chupando laranjas com Emília e Narizinho. Ao ver o anão ali, abraçou-o enternecida e pediu-lhe que contasse toda a tragédia. Zangado contou tudo tintim por tintim, exceto a morte do marido de Branca. Também contou da decisão dos anões de a conservarem no iate até a reconstrução do castelo, ou...

– Ou o quê? – interveio Emília, que não gostava de reticências.

Zangado encarou-a carrancudo, com ar de quem diz: "Que é que você tem com isto?" – Emília, porém, não se deu por achada.

– Vamos, desembuche. Ou o quê? – insistiu ela.

Zangado desembuchou.

– Ou então casá-la com o Príncipe Codadade.

Branca arregalou os olhos. Não estava compreendendo coisa nenhuma.

– Casar com o Príncipe Codadade? Como, se sou casada?

– Foi casada, Princesa – murmurou o anãozinho, baixando os olhos. –O seu esposo estava caçando no momento da inundação; fatalmente o mar o tragou...

Ao ouvir tais palavras, Branca de Neve correu para o colo de Dona Benta, aos berros.

– Meu Príncipe, ai, ai, ai! O meu amado esposo já não existe mais!...

A cena abalou profundamente a todos – menos Emília, que disse:

– Boba! Aquele Príncipe gostava mais dos veados e faisões do que de você. Além disso era um príncipe sem importância, dos que não têm história. Já o Codadade é de outro naipe – pertence às *Mil e uma noites*, coisa mil e duas vezes melhor. Eu, se fosse você, até pulava de contentamento.

Mas Branca não se consolava.

–Meu Príncipe, meu amado Príncipe!– era só o que dizia, e suas lágrimas molhavam o colo de Dona Benta.

Mas como o que não tem remédio, remediado está, acabou concordando em residir no iate até a reconstrução do castelo ou...Despediu-se de Dona Benta, fungando muito, e com os olhos vermelhos lá se foi para a Prainha.

Quando entraram no iate e deram com o Visconde transformado em Capitão, de sobrecasaca de galões e boné de oficial, Emília botou as mãos na cintura.

– Sim, senhor! Está um perfeito Almirante Nelson – mas eu muito queria saber quem lhe deu licença para aceitar esse posto. O Senhor Visconde esquece-se de que é propriedade nossa, lá do sítio...

Pedrinho e Narizinho percorreram a embarcação da popa à proa, admirando o asseio e o bom arranjo de tudo.

O camarote destinado a Branca era um primor, um verdadeiro ninho de fada. Embaixo do leito viam-se doze sacos de diamantes extraídos das pedreiras pelos anões.

Ao terminar a visita, Pedrinho teve uma lembrança muito boa.

– E se aproveitássemos o *Beija-Flor* para um cruzeiro pelo Mar dos Piratas? Assim ficaríamos conhecendo todas as terras que esse mar banha. Vovó vai gostar da ideia.

– Ótimo! – exclamou Narizinho batendo palmas.

– Bis-ótimo! – berrou Emília, já com um plano na cabeça: apoderar-se do *Beija-Flor* para transformá-lo novamente em navio de piratas – com ela no comando. Seu maior sonho sempre fora "mandar num navio de piratas".

Branca de Neve também gostou da ideia do cruzeiro em companhia de Dona Benta, Nastácia, e os mais. Seria um consolo para a sua dor.

Restava conseguir o consentimento da vovó, coisa fácil. Apesar dos seus setenta anos, Dona Benta parecia ainda mais assanhada que os netos. Assim que Pedrinho falou no cruzeiro a boa velhinha aderiu e determinou que Tia Nastácia fosse também, porque:

–Duvido que os anões façam comidinhas gostosas como as dela.

Os preparativos para a excursão correram a galope. Num instante toda a bagagem ficou pronta para o embarque. Puseram tudo sobre o lombo do Quindim e, montados nele, dirigiram-se à Prainha. Ao ver o Visconde vestido de Capitão, Tia Nastácia soltou mais um dos seus "credos!".

– O mundo está perdido! Até sabugo já é Capitão, Sinhá...

O *Beija-Flor das Ondas* levantou a âncora, armou as velas e garbosamente partiu de rumo ao palácio de Codadade.

Capítulo XX
PERFÍDIAS DO PIRATA

O Capitão Gancho acordou e deu com a casa vazia. Foi à cozinha – ninguém. Varejou todos os quartos – ninguém.

– Ué! Que fim levaria o pessoal daqui?

No terreiro encontrou o Burro Falante de conversa com o rinoceronte.

– Pois foi o que aconteceu – dizia o burro. – Dona Benta partiu com os meninos e deixou-me na administração do sítio. Minha responsabilidade é grande. Há plantações a fazer, caminhos a consertar, mil coisas...

– Dona Benta partiu? – exclamou o chefe dos piratas, aproximando-se. – Para onde?

– Embarcaram todos no *Beija-Flor*, para um cruzeiro pelo Mar dos Piratas.

Gancho, que já sabia da transformação da sua *Hiena* em *Beija-Flor*, explodiu numa praga tremenda.

– Com seiscentos milhões de Belzebus! *Beija-Flor*, nada! Eles roubaram a minha *Hiena* – isso sim.

O Conselheiro e o rinoceronte entreolharam-se.

– Mas hão de pagar-me – continuou Gancho, – e hão de pagar-me caríssimo!...

Os dois animais nada disseram. Limitaram-se a trocar novos olhares de entendimento. Gancho pôs-se a medir passos pelo terreiro, de cá para lá e de lá para cá, remoendo-se de raiva. Depois concebeu um plano diabólico.

– Meus caros – disse ele–, a vida é de quem pode mais. Eles roubaram-me o navio; nada mais natural que eu também lhes roube o sítio. Por que não havemos de fazer entre nós uma combinação?

O Burro Falante piscou para Quindim como quem diz: "Lá vem pirataria!".

– Sim uma combinação – continuou Gancho. – Podemos nos apossar deste sítio – e vocês vão lucrar ainda mais do que eu. Transformo tudo. Planto capim por toda parte, as melhores espécies de capim. Em vez dos cafezais, capim. Em vez dos algodoais, capim. Vocês dois poderão até nadar num oceano de capim!...

Com essa ideia ele pretendia conquistar as boas graças dos dois herbívoros para os quais o capim tem muito mais importância do que o café, o algodão ou as pérolas. Mas o Conselheiro não concordou.

– Senhor pirata – disse ele–, a sua proposta nos ofende. Somos quadrúpedes no físico e no moral; isto é, a nossa lealdade se firma em quatro pés, não só em dois, como a dos bípedes humanos. Por capim nenhum no mundo nós trairíamos os nossos amados donos.

Gancho desapontou.

– Não se trata de trair ninguém – disse ele ainda. – Trata-se dum ato de justiça. Já que eles me apanharam o navio, nada mais justo que eu lhes tome o sítio. É ou não é justo?

O Burro Falante respondeu como um juiz de direito:

– Seria, senhor pirata, se a *Hiena* fosse um navio "bom"; mas era um navio "mau", dos que vivem assaltando os outros, para matar e roubar. Ora, o sítio é um sítio "bom"– nunca matou nem roubou ninguém. Logo, os seus argumentos nada valem, Senhor Gancho.

O pirata ringiu os dentes. Percebeu que com aquele burro incorruptível nada conseguiria – e afastou-se para ruminar novo plano. Esse novo plano consistia em juntar malfeitores dos arredores para um assalto ao sítio de Dona Benta. A coisa ficou tão bem formada em seu cérebro que o facínora sorriu com a cara inteira.

– Sim, vou já, já, reunir capangas – pensou consigo – e vou montado neste impertinentíssimo pedaço d'asno. Ele vai ver o que é chicote e espora...

Mas quando se aproximou do Burro Falante com os arreios, viu logo que nada arranjaria.

– Perdão, Senhor Gancho! – disse o burro delicadamente. – Eu hoje estou na administração do sítio e já não posso servir de animal de sela. Vossência poderá selar ali o Senhor Quindim...

Disse isso por ironia, porque não ignorava o verdadeiro pavor que o Capitão Gancho tinha do rinoceronte. Aquele chifre único, pontudo, dava-lhe ideia dum esporão de espadarte.

Muito aborrecido, o chefe dos piratas jogou a sela no chão e teve de ir a pé em procura dos capangas.

Os dois animais seguiram-no com os olhos até longe.

– Juro que ele vai reunir gente má para um ataque ao sítio – murmurou o Conselheiro.

Quindim limitou-se a dar uma chifrada, no ar, espécie de amostra do modo como receberia os atacantes.

Capítulo XXI
O CRUZEIRO

O *Beija-Flor das Ondas* ancorou rente ao cais do palácio e o Visconde mandou dizer ao Príncipe Codadade que Branca, Dona Benta e os meninos estavam à espera de sua visita. Codadade preparou-se e foi.

A recepção correu muito cordial. Em certo ponto Pedrinho disse-lhe:

– Lembra-se, Príncipe, daquela vez em que esteve lá no sítio e fomos aventurar pelos campos, com o Aladim da lâmpada maravilhosa? Nunca mais me esqueci desse dia. E por falar: que fim levou o Aladim?

– Está aqui, sim. Todos nós das *Mil e uma noites* já nos mudamos.

E apontou para os palácios em estilo árabe que se viam ao longe.

– Olhe, lá está a residência da Sherazade, a contadeira de histórias. E à esquerda, a caverna de Ali Babá e os quarenta ladrões. O palácio de Aladim fica à direita, atrás do morro.

Pedrinho estava sequiosíssimo por encontrar-se com Aladim, para novas experiências com a lâmpada.

Ao ser apresentado a Branca de Neve, o Príncipe não deu nenhum sinal de amor instantâneo. E vice-versa: o coração de Branca de Neve não palpitou pelo Príncipe.

– Mau, mau, mau! – murmurou o Dunga para a Emília. – O coração destes príncipes não bate um pelo outro.

Emília teve uma ideia luminosa.

– Escute, Dunguinha. Quem governa o amor eu sei quem é: um tal Cupido que mora no bairro dos gregos. Ele usa umas flechinhas infalíveis. Coração espetado é coração assanhado. Podemos trazer Cupido para flechar o coração de Branca e Codadade...

Dunga achou a coisa possível, e como justamente no fim das terras das *Mil e uma noites* ficava a zona dos deuses e heróis gregos, era fácil chegar até lá para um entendimento com o deusinho do Amor.

O iate estava se preparando para o cruzeiro. Tia Nastácia tomou conta da cozinha e entupiu de comedorias a despensa: linguiças, milho de pipoca, cocos, salames, biscoitos, latas de sardinha – e várias centenas de limões galegos.

– Sinhá diz que limão é bom contra uma tal doença de navio chamada "escrubuto"– explicou ela, estropiando a palavra escorbuto.

Tudo pronto, o iate partiu, com as velas bojudas de vento, rumo à zona dos gregos. Emília andava com a cabeça tonta com a Grécia, depois da história do herói Belerofonte. Vivia pedindo a Dona Benta que contasse coisas gregas – façanhas de Aquiles na Guerra de Troia; as proezas de Éolo, o governador dos ventos; a vida dos Ciclopes, gigantões de um só olho no meio da testa; e a do famoso Hércules, o semideus que matou o terrível leão da Nemeia e tantas coisas tremendas fez. E agora estava empenhadíssima em encontrar o deusinho do amor, para resolver o caso de Branca de Neve e Codadade.

Emília ia sentadinha num rolo de cordas, na proa do navio, com os olhos na esteira de espuma. Sua atenção era atraída ora por um peixe voador, ora por um tubarão. Súbito, deu um grito:

– Imagine o que estou vendo: o crocodilo do Capitão Gancho! Ele reconheceu neste iate a velha *Hiena* e vem vindo atrás, na esperança de comer o "resto"...

Esta história do "resto" é a seguinte. Esse crocodilo era o maior perseguidor do Capitão Gancho, ao qual certo dia conseguiu comer o braço direito, obrigando-o daí por diante a usar, em vez de mão, aquele horrível gancho de ferro. Mas o crocodilo comeu-lhe o braço e gostou – gostou tanto que nunca mais desistiu de comer o "resto" do braço – isto é, o Capitão Gancho inteirinho. Daí a sua mania de acompanhar a *Hiena dos Mares* na esperança de que o Capitão Gancho lhe viesse ter ao papo.

Assim que Emília denunciou a presença do crocodilo, todos correram para ver. O enorme sáurio vinha nadando atrás do *Beija-Flor*, de boca aberta, muito vermelha e cheia de dentes.

– O que atrapalha – disse Pedrinho – é o despertador que ele tem no estômago. Várias vezes já esteve quase pegando o capitão – mas o despertador faz *tlim-lim-lim* e o pirata ouve e bota-se.

– Está aí uma coisa que me espanta – disse Narizinho. – A corda desse despertador já devia ter acabado há muito tempo.

– Devia, se fosse no "mundo normal"– explicou Emília. – Aqui no mundo fabuloso nada acaba – nem corda de despertador!

– Só se é isso...

Nastácia jogou ao crocodilo uma galinha que havia morrido no jacá. O sáurio engoliu-a com um *nhoque!*, como se fosse uma simples pílula.

Dona Benta gostava de contar aos meninos coisas interessantes do mundo maravilhoso dos gregos.

– A Grécia povoou o mundo de deuses, semideuses, heróis, monstros, gigantes, ninfas, sátiros, faunos, náiades e mil coisas mais – tudo lindo, lindo...Agora vamos lá apenas para um breve passeio – mas havemos de voltar para uma estada longa. Ah, como vocês hão de apreciar a Grécia!...

O que Dona Benta contou foi o suficiente para assanhar os meninos. Emília só falava em morar lá toda a vida; Pedrinho fazia mil projetos; e Narizinho declarou que já de muito tempo seus sonhos eram só sobre a Grécia.

– Pois muito bem – declarou Dona Benta.Nossa próxima viagem de aventuras será pela Grécia – e dará um livro.

– Que lindo livro vai ser! – exclamou Emília. – *Viagem do Sítio pelo oceano da imaginação grega.*

– Comprido demais, Emília. Os títulos devem ser curtos, se não ninguém decora. Veja: *Os Lusíadas, A Ilíada, A Odisseia,O Inferno, A Eneida...*

– Então fica sendo *A Emileida* – propôs a diabinha – mas ninguém concordou por ser desaforo: a viagem não era só dela, era de todos.

– Pois então que seja *A Sitieida*...

– E por que não *A Asneireida*? – lembrou Narizinho.

Emília pôs-lhe a língua.

O iate já estava chegando. Pelo binóculo puderam ver várias maravilhas: as ninfas dos bosques, perseguidas pelos faunos tocadores de flauta; centauros belíssimos, metade do corpo homem, metade cavalo, em doidos galopes pelos campos; lá longe, o Minotauro, monstro meio homem, meio touro, metido dentro do labirinto; e a terrível Esfinge que devastava a cidade de Tebas e só sossegou quando lhe decifraram o enigma; e bem no alto duma montanha, o tal Prometeu amarrado à rocha e devorado vivo por um abutre...

– Quantas belezas, vovó! – exclamou Narizinho. – Lá, sim, vale a pena aventurar...

Emília, ao binóculo, ia espiando o que se passava ao longe. De repente, urrou:

– Dom Quixote! Lá está ele– lá, lá, lá – atacando um monstro!...

Dona Benta olhou e viu que era verdade. O herói da Mancha invadira o bairro grego e estava em luta com a Hidra de Lerna!

– Que homem perigoso! – exclamou Dona Benta. – Não tem medo de coisa nenhuma. Olhem que essa hidra é um dos maiores terrores da Grécia...

Enquanto isso o iate encostou a um cais e desceu a âncora. Haviam chegado.

– E agora? – disse Dona Benta. – Descer, não vale a pena, porque como há coisas demais neste mundo grego nós nos arriscaríamos a ficar por aqui a vida toda. O melhor é só vermos o que puder ser visto pelo binóculo.

Todos concordaram, menos Emília, que tanto fez que desceu em terra. Encasquetara na cabecinha encontrar o deus do Amor e havia de encontrá-lo; e tanto fez que o encontrou num bosque, brincando de dar setadas nos passarinhos – para que eles se amassem.

– Que galanteza! – murmurou Emília quando o avistou, de carcás de setas ao ombro e arco em punho. – É tal e qual Flor das Alturas!...

Cupido espantou-se de ver por ali aquela gentinha de outras terras, mas instantes depois já estavam amigos. Sentaram-se numa raiz de pau, a conversar.

– Sou a Emília, não sabe? – Lá do sítio...

Cupido não sabia de sítio nenhum; mas ficou sabendo de tudo – e com uma vontade doida de dar um pulo até lá para conhecer os bolinhos de Tia Nastácia.

– É longe? – perguntou.

– É e não é. Tudo depende. Mas isso fica para depois. Agora vim a negócios – e contou o caso de Branca de Neve e do Príncipe Codadade.

– Nós queremos que eles se casem; mas no baile que houve os dois se viram com a maior indiferença. Nem um pingo de amor nasceu naqueles corações gelados.

Cupido riu-se.

– Nem podia nascer, boba. O amor só nasce quando eu espeto os corações.

– Sei disso – declarou Emília –, e é o que me traz aqui. Quero que você me ceda por algum tempo este arquinho e três flechas.

– Impossível, Emília! Mamãe Vênus proibiu-me de largar o arco nas mãos de quem quer que seja.

– Mas eu tenho cá o bodoque de Pedrinho – disse Emília. – Trocamos o arco pelo bodoque – depois destrocamos. Sua mãe nem percebe.

Cupido examinou o bodoque e achou-o muito feio. Não quis. Emília, porém, insistiu, e tantas cocadas lhe prometeu que a resistência do menino de asas fraqueou.

– Está bem – disse ele. – Aceito a troca, mas só por um dia, veja lá! Amanhã, sem falta, quero o meu arco de volta. Tenho uma serviceira que você nem imagina, Emília. Passo todo o meu tempo flechando as criaturas, porque sem isso o mundo para – por falta de amor. Durante as horas em que o arco estiver com você não vai haver nenhum amor no mundo. Veja que transtorno.

– Isso não! Enquanto o arco estiver comigo, você poderá dar bodocadas de amor...

Cupido examinou de novo o feio bodoque de Pedrinho; não achava aquilo com jeito. Em todo caso quem sabe! Iria experimentar.

Combinado o negócio, Emília tomou três flechas.

– Por que três, se os príncipes são dois?

– É que posso errar uma – respondeu a previdente figurinha.

Despediram-se. Cupido ficou provando o bodoque nuns sabiás-do-campo, enquanto Emília trotava para o iate. Tinha agora de pregar em Dona Benta uma peta de bom tamanho para convencê-la a regressar sem a menor demora.

Entrou no *Beija-Flor* fingindo-se muito assustada e correu para Dona Benta.

– Ah, "vovó", este mundo não dá sossego à gente! Temos de voltar sem perda de um só minuto!...

Dona Benta espantou-se.

– Por quê, Emília?

– Imagine que no passeio que dei pelas terras gregas tive a sorte de encontrar a Fênix, aquela ave.

– Sei. A Fênix é uma ave que ressurge das próprias cinzas.

– Isso mesmo. Encontrei a Fênix saindo dum monte de cinzas e dizendo: "Coitado, coitado!". Aproximei-me e perguntei: "Coitado de quem?". Ela respondeu: "Do príncipe". "De que príncipe?" "Do príncipe que prendeu os atacantes. Eles conseguiram sair da prisão e o pobre príncipe está no maior dos apuros." "Será o príncipe Codadade?" – perguntei – mas o diabo do peru nada respondeu. Ora, quem há de ser esse príncipe se não Codadade? Em vista disso acho que devemos voltar ao palácio sem demora, para salvá-lo...

Dona Benta ficou indecisa; consultou o Visconde; consultou os meninos e também a princesinha. Todos ficaram igualmente indecisos. Por fim resolveram voltar. Se não houvesse nada, muito bem, retomariam o cruzeiro interrompido; mas se houvesse, eles ajudariam o Príncipe a salvar-se.

O iate voltou com a maior rapidez. Felizmente não era verdadeira a suposição feita. Os piratas continuavam muito quietos no calabouço, presos nas suas algemas. Emília, com o maior cinismo do mundo, disse, com arzinho inocente:

– Erramos, Dona Benta, supondo que o tal príncipe mencionado pela Fênix fosse o Codadade. Antes assim... – e deu um suspiro.

Dona Benta olhou para ela desconfiada, mas calou-se.

Emília desceu do navio e foi correndo ao palácio do Príncipe. Entrou pé ante pé. Lá estava ele examinando as contas apresentadas pelo seu gordo mordomo Abude. Sempre na ponta dos pés, Emília foi se chegando, com o arco de Cupido em punho. Ajustou nele uma seta e *zás!* bem no coração do Príncipe! Imediatamente Codadade afastou de si as contas e, levando as mãos ao peito, murmurou, com os olhos revirados:

– Ai que amor, que amor meu coração está sentindo!...

– Este peixe está fisgado! – murmurou Emília consigo, afastando-se. – Resta agora a "peixa"... – e foi em procura de Branca de Neve.

Encontrou-a suspirando pelo marido afogado. Repetiu a manobra. Aproximou-se na ponta dos pés, ajustou no arco nova seta e *zás!* bem no coração da princesa. Imediatamente Branca levou as mãos ao seio e disse, revirando os olhos:

–Ai que amor, que amor meu coração está sentindo!...

– Pronto! – exclamou Emília. – Basta agora que os dois se avistem.

O encontro do Príncipe Codadade com Branca de Neve não tardou nem um minuto. Viram-se e caíram nos braços um do outro. Era amor de verdade, do bom... do legítimo...desses que não acabam mais...

Ao ver aquilo, o Dunga sorriu e esfregou as mãos.

Emília havia trazido três setas, de modo que sobrara uma. "Que faço disto agora?"– pensou. E resolveu: "Finco na primeira criatura que passar perto de mim". Ora, aconteceu que essa primeira criatura foi Tia Nastácia, que vinha vindo com um frango seguro pelas pernas. Emília, *zás*! bem no coração da preta. Tia Nastácia largou o frango, levou as mãos ao peito e murmurou com os olhos revirados:

– Ai que amor, que amor meu coração está sentindo!...

Mas como Emília não tivesse mais flechas, não pôde flechar o "companheiro" de Tia Nastácia; de modo que a pobre ficou "amando no ar", amando tudo e nada – sem ninguém que a amasse.

– Hum! –fez Emília. – Agora compreendo este jogo de Cupido. Só há amor perfeito quando ele espeta um par. Quando acerta um e erra o outro, ou quando esquece de flechar esse outro, o coitado do primeiro fica amando em seco– e passa a vida a suspirar por um "amado" que não existe...Compreendo, compreendo...

Restava-lhe devolver o arco. Emília pensou. Por fim resolveu aplicar o "faz-de--conta". Tomou o arco e disse:

– Faz de conta, meu arco, que és uma andorinha com ordem de ir num *prrrr!* ter às mãos de Cupido. Boa viagem!

O arco obedeceu. Instantes depois estava nas mãos de Cupido, que muito se admirou do "fenômeno". Tinha ele agora de devolver o bodoque. Pensou, pensou, pensou e não achou jeito. O burrinho ignorava as maravilhas do "faz de conta".

– Bom – disse ele, nesse caso fico com os dois, o arco e o bodoque – um para provocar feridas de amor, outro para causar simples machucaduras de amor...

Capítulo XXII
TRANSTORNOS NA COZINHA

A reinação da Emília com as setas causou séria perturbação no iate. A pobre negra, ferida no peito pela terceira seta de Cupido, estava que nem barata tonta. Suspirava, arregalava os olhos, queria uma certa coisa que não sabia o que era.

Dona Benta achou muito esquisito o caso, e mais ainda quando ao jantar o feijão apareceu com "bispo"– isto é, queimado.

– O feijão está com "bispo", vovó! – gritou Narizinho fazendo uma careta.

– Não é possível, menina! – protestou Dona Benta. – Tia Nastácia nunca, nunca jamais, queimou o feijão, nem coisa nenhuma. Sempre foi uma cozinheira perfeita.

– Pois queimou o feijão, sim – prove.

Dona Benta provou e viu que era mesmo.

– De fato! – exclamou admiradíssima. – Com certeza foi algum dos anões que fez isso, por vingança. Eles não devem ter gostado da mudança que fizemos na cozinha.

Todos provaram o feijão e repeliram-no. Intragável.

Pedrinho trinchou o frango assado e serviu-se. Provou. Franziu o nariz.

– O frango está ainda pior que o feijão, vovó! Sem sal, rijo – horrível.

Todos provaram do frango e viram que era isso mesmo.

Dona Benta começou a arregalar os olhos. Seria possível? Além do feijão, o frango?...

E tudo mais no mesmo teor. Tudo ruim, péssimo, intragável. O picadinho estava com sal demais; ninguém o pôde comer. Na salada de alface o Visconde encontrou uma taturana.

– O caso é dos mais sérios – disse Dona Benta. – Tia Nastácia é minha cozinheira desde os tempos do meu marido Encerrabodes, que Deus haja, e nunca jamais falhou em um só prato sequer. Hoje falhou em todos! Que será que aconteceu?

– Ela está completamente mudada, vovó – disse Narizinho. – Desde ontem que não faz outra coisa senão suspirar e levar a mão ao peito. Dá cada "ai!" que até assusta a gente...

Emília percebeu que a flecha de Cupido era a causa de tudo – mas calou-se.

– Visconde – disse Dona Benta –, mande um marinheiro chamar Tia Nastácia.

O Visconde mandou o Mestre. Instantes depois apareceu a negra, com cara muito diferente da sua cara do costume. Parecia até mais magra. Parou diante de Dona Benta, com um ar muito resignado.

– Que é, Sinhá?

– É que a sua comida de hoje não parece sua, Nastácia. Feijão, com "bispo"; o frango, sem sal e rijo; o picadinho, salgado demais – e na alface, uma taturaninha... Que foi que aconteceu?

A pobre preta, depois dum profundo suspiro, falou:

– Não sei, Sinhá, mas sinto que não sou a mesma. Vem cada suspiro lá do fundo que até me atrapalha. Quero e não quero as coisas. Vou pegar no facão e pego no garfo. Erro tudo. Quando fui temperar a sopa, há de crer, Sinhá, que botei açúcar pensando que era sal? Por isso é que não apareceu sopa hoje na mesa...

O espanto de Dona Benta aumentava. Seria doença?

– Escute, Nastácia. Não está sentindo alguma dor, alguma pontada?

– Sim, Sinhá, bem no coração. Um peso, uma vontade de chorar sem motivo nenhum.

– Bom, então é isso. Você está doente. Já tomou algum remédio?

– Já, sim. Um purgantinho de maná e sene – mas fiquei na mesma.

Dona Benta refletiu uns instantes. Depois:

– Olhe, vá para a cama. Entregue a cozinha ao Atchim, que tem jeito de ser bom cozinheiro. Vá repousar e tome um chazinho de erva-cidreira.

– Não adianta, Sinhá. Já experimentei. Se o Doutor Caramujo aparecesse por aqui, então sim. Aquilo é que é médico bom.

A inquietação de Dona Benta recrescia. Que fazer? Olhou para Narizinho, para Pedrinho, para Branca de Neve, na esperança duma sugestão.

Ninguém disse nada – não entendiam de doenças. Olhou para Emília. Nada. Voltou-se para o Visconde.

– Que acha deste caso, Visconde?

O Visconde coçou as palhinhas de milho do pescoço e disse:

– Ela com certeza está mal do hipocôndrio. Li num livro que há uma doença chamada hipocondria, que deixa as criaturas assim, apatetadas, suspirantes e melancólicas.

– Mas qual é o remédio?

– Mudança de clima e pílulas...

– Que pílulas?

– Quaisquer. Basta que sejam pílulas.

Dona Benta viu que em matéria de medicina o Visconde era ainda pior que um barbeiro.

O debate prolongou-se, e por fim assentaram em recorrer a um médico. Se fosse possível encontrar o Doutor Caramujo, ótimo; se não, um curandeiro qualquer serviria.

Tia Nastácia recolheu-se ao quarto, suspirando.

Emília ficou de mãozinha no queixo, a pensar. Sim, fora ela a culpada. A doença da pobre preta não passava de amor recolhido. E agora? Como fazer para curá-la da paixão? Se pudesse consultar o deusinho do Amor! Ele havia de saber o remédio – mas era impossível comunicar-se com o filhote de Vênus. Que fazer? Emília sentiu-se no maior dos embaraços.

– As setas de Cupido são envenenadas – refletia ela com os seus botões. – Mas para todo veneno há um contraveneno. Qual será o contraveneno para o veneno do amor?

Pensou, pensou e nada. Pela primeira vez na vida não encontrava solução para um caso. Súbito, riu-se.

– Ah, meu Deus, que boba eu sou! Pois basta aplicar o "faz de conta", esse meu remédio que não falha nunca.

E aplicou o "faz de conta".

Erguendo os olhinhos para o céu, murmurou:

– Faz de conta que aquela flecha não estava envenenada! Faz de conta que eu não espetei o coração de Tia Nastácia! Faz de conta que não estive com o deus do Amor, nem lhe pedi o arco emprestado. Faz de conta que ele só me deu duas flechas, não três!

Nem bem fez Emília essa invocação e já Tia Nastácia melhorou. Deu uma risadinha e parou com os suspiros. Levantando-se da cama, foi à cozinha e espantou-se do infame jantar que havia servido. Correu então à sala das refeições e disse:

– Sarei, Sinhá, sarei completamente – e vou fazer num instante um jantarzinho daqueles de sempre. Aconteceu qualquer milagre comigo. Estou boa, completamente boa...

Dona Benta não cabia em si de assombro.

– É extraordinário o que está se passando! Trata-se positivamente dum milagre, não resta dúvida nenhuma. Mas milagre de quem?

Meia hora depois estavam todos devorando o delicioso jantarzinho improvisado, com as caras alegres e os paladares satisfeitos.

– Agora, sim – disse Narizinho. – Isto é comida de Tia Nastácia. O outro jantar até parecia feito pela Quimera.

O ar de Emília era tão radiante que Dona Benta desconfiou e disse:

– Macacos me mordam se não anda aqui o dedo da Emília. Olhem o ar dela...

– Mas como, vovó?

– Não sei, minha filha. A pestinha é capaz de tudo...

Capítulo XXIII
No sítio

O Capitão Gancho havia se retirado da casa de Dona Benta furioso da vida, a praguejar seiscentos milhões e a dar pontapés em quanta lata velha havia pelo caminho. Foi direito à venda do Elias Turco. Entrou.

Ao ver aquele homem sem braço, o Elias julgou ser um pedinte de esmolas e disse:

– Deus o favoreça, irmão.

Mas o Capitão Gancho pespegou um tal murro no balcão que as garrafas das prateleiras dançaram.

– Com seiscentos milhões de alambiques! – berrou ele. – Quero uísque, dose dupla, não esmola, seu coisa!

Elias, trêmulo de medo, não discutiu. Passou a mão numa garrafa de álcool retificado e empurrou-a para o ferrabrás. Uísque naquela venda era sinônimo de espirito de vinho. O Capitão encheu um copo e revirou. Depois:

– Seu cara de laranja azeda, com que então é você o fornecedor lá da velha?

– Sim – respondeu o Elias medrosamente.– Dona Benta só compra aqui – e é bem servida. Artigos de primeira, nada falsificado.

Gancho deu uma cusparada de esguicho.

– Por este uísque estou vendo. Continue.

Elias continuou:

– Ela é uma excelente freguesa, das que pagam sem discutir. Boa gente. Mas a negra é o diabo. Vive reclamando e caluniando o meu armazém. Diz que aqui tudo é falsificado – até a cebola!

– Basta! –rosnou Gancho. – Escute.

O Elias aproximou-se, com muito medo, e o pirata cochichou-lhe ao ouvido uma história. O turco arregalou os olhos; depois coçou a cabeça e disse que não era ladrão desses que assaltam casas; só fazia o roubinho legal, ali no balcão. Mas podia indicar uns tantos sujeitos capazes de aceitar a proposta.

– Há o Zé das Dúzias, que foi capanga do Coronel Teodorico e anda vago. Também há o Quebra-Queixo, um mulato de cara feia, amigo de novidades. O Chico Dentadura também poderá servir.

– E onde mora essa gente?

– Costumam vir aqui todos os dias, para a pinguinha. Estão na hora.

Nem bem disse isso e um caboclão mal-encarado apontou na estrada – o Zé das Dúzias. Entrou. Pediu um martelo da "boa".

Elias Turco serviu-o e apresentou-o ao Capitão Gancho.

– Este é o Zé, um dos homens que indiquei.

Zé das Dúzias mediu o Capitão Gancho de alto a baixo. Gostou. Viu imediatamente que era criatura da sua marca. Foram sentar-se a uma mesinha dos fundos e "garraram" a conversar em voz baixa.

Logo depois vieram o Quebra-Queixo e o Chico – que também foram conduzidos à mesinha. Os quatro patifes cochicharam à vontade, enquanto bebiam copos e mais copos da horrenda pinga do turco. Quando se ergueram, pareciam amigos velhos.

– Pois é isso – rematou o Capitão depois de deixar a venda. – o diabo da velha roubou-me o navio e quero agora roubar-lhe o sítio. Faço sociedade com vocês – metade para mim, metade para os três. Fechado?

– Fechado! – respondeu Quebra-Queixo estendendo-lhe a mão.

Os outros fizeram o mesmo.

– A maçada –disse o Chico – é o tal bichão de chifre no nariz que há lá. Tenho medo daquilo.

– Pois eu não tenho! – berrou o Zé. –Esses bichos grandalhudos só oferecem perigo em campo raso. Nós invadiremos a casa e pronto. Lá dentro ele não entra – não cabe.

– Lá isso é – concordou o Chico.

Quebra-Queixo disse:

– E com uma boa espingarda, posso dar cabo dele, apesar do que dizem por aí – que bala nenhuma penetra naquele couro. É o que quero ver! Tenho uma espingarda de carregar pela boca que vale um canhão. Ponho lá dentro quatro dedos de pólvora FFF e seis bagos de chumbo paula-sousa – e dou o tiro na "volta do apá". Vamos ver se o bicho revira ou não revira os olhos!

Depois de bem estudado o assunto, combinaram o dia e a hora do ataque.

– Depois de amanhã – disse o Zé das Dúzias.– Hoje tenho que ir à vila arrumar umas coisas. Só depois de amanhã estarei disponível.

Gancho resolveu ir à vila com o Zé das Dúzias, mas antes de separarem-se foram a outra venda para molhar o ajuste com mais uns martelos de pinga.

Enquanto isso, o Burro Falante combinava coisas com o Quindim.

– O Capitão Gancho virá fatalmente roubar o sítio – disse ele. – Temos de prever essa hipótese e conservar-nos muito atentos.

– Que venha! –rosnou o rinoceronte. – Cá estou para recebê-lo na ponta do chifre.

– Infelizmente eu não disponho de uma arma como a sua – disse o burro; – só sei dar coices, o que aliás me repugna. Há de crer, Quindim, que ainda não dei um só coice em toda a minha vida?

– Nem eu...

O Burro Falante riu-se.

– Sim, mas a sua defesa não é o coice. É a chifrada. Será que também nunca deu uma chifrada em toda a sua vida?

Quindim não quis passar por santo e confessou a verdade.

– Dei, sim, muitas. Mas só lá na África, onde nasci. Naquele tempo eu era um rinoceronte selvagem, como todos os outros. Depois que fui caçado e domesticado, nunca mais chifrei ninguém. Talvez por falta de oportunidade.

Estavam nessa conversa quando ouviram barulho na porteira. Olharam. Era um bando de crianças.

– Ó de casa! – gritou uma delas.

Capítulo XXIV
Os visitantes

Dona Benta nunca deixou que os meninos dessem o seu endereço a ninguém, e isso porque milhares de crianças andavam ansiosas por passar temporadas lá – e se soubessem onde o sítio era, seriam capazes de abandonar tudo pelo gosto de conhecer a Emília e experimentar os bolinhos de Tia Nastácia. Mas quem pode com certas crianças mais espertas que as outras?

Quem pode, por exemplo, com a Maria de Lourdes? Ou com a Marina Piza, ou a Maria Luísa, ou a Bjornberg de Coqueiros, ou o Raimundinho de Araújo, ou o Hélio Sarmento, ou a Sarinha Viegas, ou a Joyce Campos, ou a Edite Canto, ou o Gilbert Hime, ou o Ayrton, ou o Flávio Morretes, ou a Lucília Carvalho, ou o Gilson, ou a Leda Maciel ou a Maria Vitória, ou Nice Viegas, ou os três Borgesinhos (Stila, Mário e Marila), ou o Davi Appleby, ou o Joaquim Alfredo, ou a Hilda Vilela, ou o Rodriguinho Lobato e tantos e tantos outros?

Essa criançada achou meios de descobrir onde era o sítio de Dona Benta; e comandados pela Maria de Lourdes, ou a Rãzinha, lá foram ter. Infelizmente erraram de época e apareceram justamente na pior das ocasiões – quando o pessoal do sítio estava no palácio do Príncipe Codadade.

Ao ver aquele grupo de meninos na porteira, o "administrador" foi recebê-los.

– Que é que querem? – perguntou na sua voz serena de burro filósofo.

A criançada assustou-se, porque nenhuma ainda tinha visto um Burro Falante; mas como já o conheciam pelas histórias publicadas, acalmaram-se. Rãzinha falou em nome do bando.

– Somos amigos dos tais netos cujas histórias vêm nas *Reinações de Narizinho* e outras obras. Muito lutamos para localizar o sítio; mas à força de indagar aqui e ali e de escrever cartas a este e àquele, conseguimos encontrá-lo. Mas esta porteira aqui é novidade. Nos livros a porteira é aquela outra lá – a porteira velha – disse a Rãzinha apontando para a antiga porteira do pasto.

– Sim, esta porteira tem uma semana apenas – explicou o burro –, é a que separa o sítio de Dona Benta da Terra da Fábula.

A Rãzinha não entendeu.

– Que Terra da Fábula é essa, Conselheiro?

– Não sabe ainda? Pois Dona Benta comprou diversas fazendas vizinhas para cujas terras mudou todos os personagens do Mundo das Fábulas. Isto aqui anda agora movimentadíssimo. Dom Quixote e Sancho estiveram cá. Também o Príncipe Belerofonte com o Pégaso e a Quimera. E o Pequeno Polegar está lá dentro, na enfermaria, sarando duma perna quebrada.

O espanto das crianças não tinha limites.

– Como é? Como é isso? Com que então os...

– Sim, todos os personagens da Fábula mudaram-se para as Terras Novas.

– Peter Pan também?

– Também. Peter Pan e as princesas e os príncipes todos, Branca de Neve, Codadade...

As crianças estavam tontas. Imaginaram uma coisa e vieram encontrar outra.

– Mas...e Narizinho, Pedrinho, Emília?...

– Todos estão fora, em aventuras lá pelo bairro das *Mil e uma noites*. Parece que o Príncipe Codadade vai casar-se com a Princesa Branca de Neve.

– Como vai casar-se, se Branca já é casada?

– Parece que enviuvou. Eu não sei bem da história, mas ouvi dizer.

– Que azar o nosso! – exclamou a Rãzinha.– Virmos de tão longe e darmos com a casa vazia! Nem Tia Nastácia?

– Nem Tia Nastácia. Anda por lá também. Foram todos no *Beija-Flor das Ondas*.

Ninguém entendeu. Ninguém sabia de tal beija-flor. Tudo estava sendo da maior novidade para aquelas crianças.

– E agora? – murmurou a Rãzinha voltando-se para o grupo.

Indecisão. Uns acharam melhor voltar. Outros opinaram por uma visita à casa deserta.

– Sim – disse Ayrton –, não podemos voltar de mão abanando. Pelo menos as panelas em que Tia Nastácia faz os bolinhos eu quero ver.

Rãzinha disse ao burro:

– Senhor Conselheiro, estas crianças vieram de muito longe e querem entrar para uma vista d'olhos. É possível?

O Burro Falante mostrou-se bastante atrapalhado. Tinha ainda fresco na memória o turumbamba que houve no caso do anjinho, quando o sítio foi invadido pelas crianças inglesas. O bando agora era menor, mas não havia ninguém na casa. Como recebê-las ali, ele e o Quindim?

– Não sei, senhorita, se devo ou não abrir a porteira. As ordens de Dona Benta são para não receber ninguém...

– Sim, ninguém daqui das redondezas – argumentou a Rãzinha –, mas não gente vinda de longe, como nós. Dona Benta de forma nenhuma seria capaz de acolher de maus modos um bando de crianças amigas de seus netos. Eu, por exemplo, já troquei várias cartinhas com a Emília...

O burro coçou a cabeça. Por fim disse:

– Pois entrem, mas não me estraguem nada. O responsável por tudo sou eu.

Foi uma alegria imensa na criançada. Eles no sítio de Dona Benta! Que coisa colossal!...

Entraram de cambulhada, num atropelo. Ao darem com o rinoceronte, houve gritinhos.

– O Quindim! – exclamou Hilda. – Parece incrível que nossos olhos estejam vendo o célebre Quindim!...

O medo ao paquiderme desapareceu rapidamente – e as crianças rodearam-no, cada qual dizendo uma coisa, fazendo uma observação. O Gilbert chegou a cutucá-lo com um pauzinho, para ver a dureza da casca.

– E que tal um passeio no Quindim? –lembrou o Gilson.

A ideia foi recebida com palmas.

– Viva! Viva! Passeio no Quindim!...

O rinoceronte era o animal de maior pachorra que existia no mundo. Um gênio maravilhosamente cordato. Estava por tudo. Foi, pois, com a melhor das boas vontades que deixou que os meninos subissem ao seu lombo. Para alcançá-lo tiveram de recorrer a uma escadinha americana, das que ficam em pé em forma de V invertido.

Rãzinha colocou-se no chifre, que era o lugar da Emília.

– A Emília agora sou eu, gentarada!

Quindim deu várias voltas pelo pasto com o bando de crianças a fazer o maior dos berreiros em cima dele. "Eu sou Pedrinho!", berrava uma. "E eu sou Narizinho!" berrava outra. "E eu sou Dona Benta!", berrava a terceira. "E eu, Tia Nastácia!" "E eu sou um bolinho!""E eu sou o bodoque!""E eu sou o pé de frango de seis dedos!"

Dadas as voltas, Quindim parou em frente à varanda e todos apearam. Subiram a escadinha.Sentaram-se na rede, nas poltronas de vime e até na célebre cadeira de pernas serradas de Dona Benta.

– Vamos brincar de "sítio"! – propôs a Joyce. – Eu sou Dona Benta. – Pegou na mão do Gilson e disse, fingindo voz de velha:

– Ah, Pedrinho, que mão suja a sua! E que é isso amarelo em sua cara?

Gilson respondeu:

– São bigodes de manga, vovó. Eu sou o Conde dos Bigodes de Manga!

– Mentira, Dona Benta! – gritou a Marina, a fingir de Emília. – É que ele não lavou o rosto hoje.

"Dona Benta"fez uma cara muito triste.

– Ah, Pedrinho, onde se viu um herói como você, que anda em livros, assim de cara suja?

Nisto o vento deu e levantou no pasto uma pena de galinha. Novo berreiro.

– O Peninha! O Peninha! – gritaram todos – e saíram correndo atrás da pluma.

Quindim e o Burro Falante sorriam, enlevados na cena.

– Gosto de ver estes quadros – disse o Conselheiro. – Gosto de ver as crianças na plena alegria da liberdade, porque fui muito infeliz em criança – nunca brinquei...

Depois da correria com a pena, um mais guloso lembrou-se do pomar.

– Ao pomar! Ao pomar!...– e todos lançaram-se ao pomar, numa correria.

Que gostosura! Era justamente o mês das jabuticabas – e havia lá uma porção de árvores carregadinhas.

– Esta é de Sabará! – disse o Appleby, e trepou pelos galhos acima com ligeireza de gato.

– E esta aqui é das de penquinha! – gritou o Mário Borges, trepando à árvore próxima.

E começou a festa do *tloque-pluf*. *Tloque* – uma fruta arrebentada entre os dentes; *pluf*! caroço fora. Só faltava o *nhoque*! A parte do *nhoque*! era feita pelo Rabicó – o comedor de caroços e cascas.

Pois para completar a cena, até o Rabicó apareceu!

– Rabicó! Rabicó! – gritou a criançada ao ver surgir o célebre porquinho. – Viva o Marquês de Rabicó!

O leitão regalou-se – e a "onomatopeia" das jabuticabas fez-se perfeita – *tloque-pluf-nhoque*!...

De repente, um galho estalou e ouviu-se um baque.

– O Ayrton caiu! o Ayrton caiu! – gritaram dez vozes.

De fato assim fora. O galho em que estava o Ayrton lascou e veio com ele abaixo. Felizmente não machucou o curanchim.

Depois de bem enchidos os papos, as crianças desceram e correram à varanda.

– Que pena estar fechada a casa! – disse o Flávio. – Eu tanto que queria ver o célebre museu da Emília...

– E eu, queria dar umas bodocadas com o bodoque de Pedrinho! – gritou o Raimundo.

Maria Vitória fizera-se meditativa.

– Em que está pensando? – perguntou a Maria Luísa.

– Estou pensando que ao voltar ao Rio e contar que estive no Sítio do Picapau Amarelo, nem mamãe vai acreditar...

– E eu estou pensando na inveja da meninada inteira do Brasil quando souber da nossa aventura. Que África, hein?

Nisto uma figurinha no terreiro chamou-lhes a atenção.

– Olhem quem vem lá – o Polegar!...– exclamou a Edite Canto, de olhos arregalados. – Que amor de criaturinha...

Polegar já havia sarado, mas vinha de muletas. Ao ouvir o barulho na varanda, pulou da caminha para ver o que era. O encontro de tantas e tantas crianças fê-lo abrir a boca.

– Meu amor, meu amor! – e Rãzinha colocou-o na palma da mão.

Que festa foi aquilo! Até parecia sonho. O célebre Pequeno Polegar, que as crianças do mundo inteiro só conhecem de fama e de história, eles o tinham ali, em carninha e ossinho – vivinho da silvinha.

– Mas essas muletas, Polegar? Que é isso? Você nunca foi aleijado...

Polegar contou a sua terrível aventura no Cedro Grande com o casal de passarinhos, as bicadas que levara e finalmente o tombo que caiu.

– Pois é, caí e quebrei a perna. Felizmente o bicho de três cabeças me trouxe para cá, e Tia Nastácia tratou-me muito bem com as suas pomadas.

– Bicho de três cabeças? – repetiu a Leda Maciel. – Que história é essa?

Polegar teve de contar toda a história da Quimera e do herói Belerofonte. Por fim queixou-se de Pedrinho e Narizinho:

– O que eles fizeram não é direito. Deixaram-me aqui sozinho, imaginem...

– Sozinho, sozinho?

– Sim. Isto é, ficou também o Capitão Gancho – mas esse...

A Joyce arregalou os olhos.

– O Capitão Gancho? Pois essa peste também esteve cá?

– Esteve, sim – e ficou aqui depois que Dona Benta e os netos embarcaram no *Beija-Flor das Ondas*. E ou eu muito me engano, ou ele ainda volta para assaltar o sítio.

Aquelas palavras assustaram as crianças.

– Assaltar, como? – perguntou o Gilbert.

– Ele está queixoso por lhe terem tomado a *Hiena dos Mares* e jurou vingança. Tentou corromper o burro e o chifrudo. Como nada conseguisse, saiu dando pontapés nas latas velhas e vomitando pragas.

– As tais de seiscentos milhões?

– Sim. Ele não faz por menos...

Enquanto isso, a Hilda Vilela conversava como Burro Falante.

– Por que está assim tão tristonha, menina? – perguntou-lhe o Conselheiro.

– É que sempre quis vir aqui sozinha, e afinal vim num bando. Não gosto de bandos. Mas deixe estar que hei de aparecer eu só, agora que já aprendi o caminho.

Um pequeninote veio se chegando.

– Quem é esse xereta? – perguntou o Burro.

– Não conhece? Pois é o célebre "boneco americano", o Rodrigo. Quer ver?

E chamando o pequeninote:

– Venha, Rodrigo, venha fazer "bonequinho americano" para o Conselheiro ver.

O pelotinho de gente aproximou-se, parou diante do Burro e, enterrando a cabeça nos ombros, imitou um tal "boneco americano" que só ele sabia o que era. O Conselheiro achou tanta graça que não conteve um zurro de gosto, tão bem zurrado que o Rodrigo, num susto, caiu sentadinho no chão.

Capítulo XXV
A FUGA

A visita da meninada ao Picapau Amarelo seria dessas coisas de comer e berrar por mais, se não fosse o maldito Gancho. O piratão estragou tudo. Chefiadas pela Rãzinha, as crianças estavam vivendo uma vida de puro sonho, em brincadeiras e mais brincadeiras, quando foram interrompidas pelo Polegar.

O homenzinho aproximou-se com ar assustado e disse:

– As coisas não vão bem. Estive de atalaia no pomar e vi o Capitão Gancho e mais três homens de cara feia esconderem-se dentro daquele pé de carambola cuja saia toca no chão. Aproximei-me na ponta dos pés e ouvi perfeitamente o pirata falar assim: "O melhor é nos escondermos aqui para o assalto à casa à noite". Isso eu ouvi e juro. Vocês agora resolvam o que quiserem.

Os meninos olharam uns para os outros, atrapalhadíssimos. Que fazer? Permanecerem ali, era ultraperigoso. O prudente seria escaparem do sítio antes que viesse a noite. Assim pensavam as meninas. Já os meninos pensavam outra coisa: em "organizar a resistência".

– Sim – disse Ayrton –, avisaremos ao Quindim e ao Burro e nos armaremos com paus e pedras. O perigo nesses ataques é a surpresa; quem sabe que vai ser atacado, defende-se muito bem. Eu voto pela resistência.

As meninas, entretanto, eram umas grandes medrosas. Nenhuma queria saber de resistências – só pensavam na fuga. Até a Rãzinha, que parecia corajosa como a Joana d'Arc.

– Nada de lutas! – disse ela. – Viemos aqui a passeio, não para guerras; e como estou no comando, minha ordem é de retirada, já, já.

– Mas isso é uma vergonha! – protestou o Gilson. – Vamos ficar desmoralizados perante o mundo.

– Bolas para o mundo! – disse a Rãzinha.

– O que para nós tem importância são as nossas mamães e papais – não é o tal mundo duma figa. Imaginem que seguimos a cabeça do Ayrton e organizamos a tal resistência – e em vez da vitória vem a derrota, e o Capitão Gancho nos aprisiona e nos leva para não sei onde, de mãos e pés amarrados!...

– Mas nós havemos de vencer, Rãzinha!

– Quem entra numa guerra nunca sabe o fim. Lembre-se da Alemanha em 1914. Estava certíssima de vencer – e venceu? Uma ova. Nada, não quero saber de histórias. Quem manda aqui sou eu, como chefa do bando – e minha ordem é para uma boa retirada estratégica.

– Mas o ataque, segundo diz o Polegar, é à noite; podemos ainda chupar umas jabuticabas e encher os bolsos.

– Nem isso eu consinto! – declarou a Rãzinha com a maior firmeza. – Os bandidos estão ocultos dentro do pé de carambola. Quem não comeu de regalar-se, que comesse. Vamos fugir daqui, já, já...

Com grande dor de coração, a criançada obedeceu à voz do comando. Depois de despedirem-se do Quindim e do burro, encaminharam-se para a porteira.

– Já sabe da história! – disse a Sarinha ao burro.

– Que história?

– Dos bandidos ocultos na caramboleira?

– Quem disse isso? – exclamou o Conselheiro, pálido como uma folha de papel.

– Converse com o Pequeno Polegar. Adeus, Conselheiro! Quando o povinho do sítio vier, conte-lhe da nossa visita. Adeus, adeus!...

– Adeus, adeus! – repetiu a criançada – e todos fugiram correndo.

O Burro Falante foi ter com o rinoceronte, ao qual contou tudo. Quindim, furioso, dirigiu-se a trote largo para o pomar. Diante da caramboleira parou para armar o bote – e investiu contra a árvore com tamanha fúria que a atravessou de lado a lado como um tanque.

Perdeu a chifrada. O Capitão Gancho com os capangas *tinham* estado ali, mas já não estavam. Estavam na venda do Elias, bebendo espírito de vinho e matando o tempo. O assalto fora transferido para o dia seguinte.

Quindim e o Conselheiro passaram a noite montando guarda. Como não acontecesse coisa nenhuma, sossegaram.

– O Capitão Gancho com certeza desistiu do assalto – disse Quindim. – Não haverá nada.

– Bom – disse o burro –, nesse caso, vou para o meu serviço e você fica de sentinela. Havendo qualquer coisa, dê um daqueles urros de bicho africano, que virei no galope.

Capítulo XXVI
O CASAMENTO DE BRANCA DE NEVE

O casamento de Branca de Neve com o Príncipe Codadade era a primeira grande festa a realizar-se nas Terras Novas. Os príncipes orientais são amigos da grandeza e do luxo. Codadade quis que o seu casamento derrotasse todos os casamentos havidos até aquela época, e ordenou ao mordomo Abude que não poupasse dinheiro nem coisa nenhuma. Estava resolvido a gastar metade dos seus tesouros para espantar o mundo com uma tremendíssima festa.

Iniciaram-se imediatamente os arranjos, e os convites foram enviados para todos os personagens da Fábula – menos os monstros. Tia Nastácia, já completamente sarada do veneno de Cupido, encarregou-se dos comes – e era um regalo vê-la na grandiosa cozinha do palácio, de mangas arregaçadas, dirigindo os cem cozinheiros codadadianos. Esses grandes mestres sabiam fazer os pratos mais raros e caros – faisões com recheio de língua de rouxinol, javalis assados inteiros com molho de néctar furtado ao Olimpo dos gregos; omeletas de ovos da Fênix e outras aves famosíssimas. Tia Nastácia, entretanto, ria-se deles.

– Ché, tudo isso é muito bom para quem gosta de comer com os olhos. Para quem come com a boca, e mastiga bem, não há comida como a minha – mocotó à baiana, bem apimentado; vatapá com azeite-de-dendê; quibebe, costeleta com anguzinho de fubá; picadinho, virado de feijão com torresmo...Vocês façam esses "pratos-bonitezas" que eu faço os meus "pratos-gostosura". No dia da festa vamos ver quem vence...

Para enfeitar o palácio houve uma verdadeira devastação nas florestas; nos velhos troncos não ficou nem uma só orquídea ou parasita rara. Também houve limpeza nas avencas, begônias e musgos dos lugares úmidos.

Codadade confiou a ornamentação do palácio à deusa Flora, lá do bairro grego – e Flora trouxe a sua amiga Fauna, que é quem toma conta dos animais. Netuno mandou um belíssimo sortimento de algas do mar – e tanta concha preciosa, e tanto caramujo, que nem cabia no palácio.

– É demais! – exclamou Dona Benta. –Eles estão devastando o mundo.

E a música? Oh, a música! Compareceram todos os rouxinóis das florestas, e todos os sabiás, todas as patativas, todos os canários e melros e até os tico-ticos. Orfeu, que era o maior músico da Antiguidade, veio em pessoa dirigir a grande orquestra – e trouxe a sua miraculosa lira. Dona Benta explicou:

– Este freguês foi educado pelas Musas. Sua lira tem a propriedade de encantar a quem a ouve – seja fera, rio ou árvore. Tudo cai no enlevo, de boca aberta e olhos pasmados; as feras choram de ternura; as árvores derramam as folhas como se fossem lágrimas; os rios param de correr, com todos os peixes de cabecinha de fora...

O Príncipe andava numa lufa-lufa tremenda, porque fazia questão de que não faltasse uma só princesa. Era ele próprio quem redigia os convites.

– Uf! – exclamou num momento de descanso. – Creio que vou reunir todas aqui – não me esqueci de nenhuma.

– Eu sei de uma que não vem – disse Emília.

Codadade encarou-a interrogativamente.

– A Bela Adormecida do Bosque. Não vem porque está dormindo...

– Mando acordá-la! – gritou o Príncipe – e deu ordem ao Abude para acordar a Bela Adormecida do Bosque.

No dia da festa, desde cedinho, começaram a chegar carruagens e mais carruagens. Rosa Branca e Rosa Vermelha vieram ao mesmo tempo, apesar de estarem brigadas. Aladim apareceu com a lâmpada a tiracolo. Os heróis gregos surgiram num grupo – Aquiles, vestido de guerreiro, com o famoso escudo ao ombro; Jasão, o chefe dos Argonautas; Midas, o rei da Frígia; Perseu, o herói que decepou a cabeça da Medusa...

E vieram as semideusas gregas, cada qual mais resplendente de formosura: as Doze Musas; as Três Graças; Filomela, a deusinha dos rouxinóis; Pomona, a ninfa que presidia aos jardins e pomares; Pirene...

Quando Pirene apareceu, Emília berrou:

– Lá está a cuja que de tanto chorar se transformou na fonte do Pégaso!...

E veio Psiquê, a belíssima criatura que conquistou o coração de Cupido moço; e veio a boa Penélope, que fiava uma teia sem-fim...

E veio até a Fênix – a ave que renasce das próprias cinzas. Codadade hospedou-a no galinheiro.

E depois dos gregos vieram personagens de outras mitologias, como o Príncipe Mitra, da Pérsia, a personificação do Sol; e Niorde, uma espécie de Netuno da Escandinávia; e a formosa Tisbe, da Babilônia, que causou sem querer a morte do seu amado Píramo.

– Como foi a sua história? – perguntou-lhe Emília.

A bela criatura deu um suspiro.

– Nem queira saber, criaturinha! Certo dia combinei um encontro com o meu amado noivo Píramo – um encontro no túmulo do Rei Nino. Fui; cheguei primeiro – mas apareceu-me lá uma terrível leoa de dentes arreganhados. Consegui escapar, mas na fuga perdi um véu que levava. A leoa, furiosa, estraçalhou esse véu. Logo depois veio Píramo; vendo o meu véu todo estraçalhado, supôs que a leoa me houvesse comido – e suicidou-se...

– Pois então queira aceitar meus pêsames – disse Emília, e saiu correndo a contar a história aos outros.

Depois de Tisbe chegou uma encantadora dançarina hindu – Sundartará, trazendo consigo uma gaiolinha dourada. Emília quis saber o que havia lá dentro. Era um camundongo! A formosa dançarina do deus Shiva nunca largava esse camundongo – sinal, pensou Emília, de que em outra encarnação ela havia sido gata.

Vinha gente que não acabava mais. Súbito, apareceu uma figurinha de meio palmo. Passou manquitolando, apoiada numa muletinha de pau de fósforo.

– Polegar! – berrou Emília reconhecendo-o,e ao ouvir esse nome Dona Benta sentiu de novo a célebre pontada no coração.

– Meu Deus! – exclamou aflita. – Positivamente estou ficando caduca. Pois não é que deixei o Polegar sozinho no sítio, em companhia do Capitão Gancho'?

E era verdade! Na fúria de embarcarem no *Beija-Flor*, nem ela, nem Tia Nastácia, nem ninguém se lembrara do pobre estropiadinho lá na enfermaria, com a perna encarangada no gesso. Que judiação!

Polegar chegou e foi direito a Dona Benta. Parecia aflito.

– Que há, figurinha?

– O que há – disse ele arrumando-se nas muletas – é que o sítio está ameaçado de ataque. O pirata que a senhora esqueceu lá tentou seduzir o burro e o hipopótamo...

– Rinoceronte – corrigiu Dona Benta.

– Sim, o chifrudo. Nada conseguindo, retirou-se, danado da vida, rogando mil pragas de milhões e está com intenção de reunir os malfeitores da zona para um ataque ao sítio. Pelo menos é essa a opinião do Burro Falante. Ora, eu achei de meu dever vir avisar à senhora. Outra novidade é que a sereia fugiu.

Pedrinho ficou danado.

– E como conseguiu chegar até aqui, que é tão longe? – perguntou-lhe Narizinho.

– Para mim não há distâncias – respondeu Polegar. – Com as botas de sete léguas, não respeito quilômetros.

A pontada de Dona Benta ia apertando.

– Como há de ser agora? – disse ela aflita. – Quindim é valente e o Conselheiro é um sábio, mas afinal de contas não passam de quadrúpedes. O sítio não pode ficar entregue unicamente a eles. Que fazer?

Pedrinho foi de opinião que se reforçasse a defesa do sítio, mandando para lá a Quimera e Pégaso. Mas onde estavam eles? Ninguém sabia. Dona Benta pensou em voltar sem demora.

– E a festa? – disse Narizinho. – Não podemos perder uma festa que vai ser a maior do mundo.

– Também não podemos perder o sítio que é o melhor do mundo – alegou Dona Benta. – Vamos ouvir a opinião de Tia Nastácia. Chamem-na.

Tia Nastácia estava nas cozinhas imperiais dirigindo o assamento de mil e trinta e sete faisões. Ao receber o recado de Dona Benta, largou tudo e veio enxugando as mãos no avental.

– Que é, Sinhá?

Dona Benta explicou-lhe a situação. A preta franziu a testa.

– A culpa é nossa, Sinhá. Somos duas velhas de cabeças viradas, que andamos fazendo tanta asneira como as crianças. Mas asneira de criança tem desculpa; de gente velha não tem. Onde estávamos com o miolo quando saímos do sítio e "se esquecemos" do pobre doentinho? Credo!...

– Mas agora? Que acha que devemos fazer?

– Agora, Sinhá, é fazer como a Emília manda: "fechá" os "zoio" e se "pinchá" no abismo. Se o sítio for roubado, a senhora fica morando aqui. Estou gostando muito deste palácio. Que cozinha, Sinhá! Parece uma sala de visitas. Tudo mármore e pratas alumiando. E eu aqui não faço nada – só dou ordens. Tenho mais de cem ajudantes...

Não adiantou nada a consulta à preta. Dona Benta fez vir o Visconde. Explicou-lhe a situação.

– E agora, Visconde? Que fazer?

O Visconde coçou as palhinhas de milho do pescoço. Não achou remédio. Os sábios são criaturas indecisas; não resolvem nada.

Emília meteu no meio a colherzinha torta.

– Ora, ora, ora, Dona Benta! – disse ela. – O caso é dos mais simples. Deixamos tudo como está para ver como é que fica. Se os capangas do Capitão Gancho tomarem posse do sítio, nós daremos um jeito. Se não tomarem, melhor!

Dona Benta achou que a solução da Emília não era solução de coisa nenhuma – mas como já estivesse cansada de pensar naquilo, aceitou-a.

– Pois então fica assim...– e, suspirando, voltou a assistir ao desfile dos grandes personagens convidados.

Vinha gente que não acabava mais; uns, a pé; outros, em riquíssimas carruagens; outros, a cavalo; outros, em cima de elefantes ricamente ajaezados. Dois apareceram em burrinhos – o semideus Sileno, gordíssimo e todo enfeitado de rosas, e Sancho Pança.

Pedrinho chamou Sancho para saber notícias de Dom Quixote.

– Ah, esse não vem – respondeu o escudeiro.

– Por quê?

– Porque não pode andar. Meu amo meteu-se a combater a Hidra de Lerna e ficou descadeirado. A Hidra, que é uma peste, deu-lhe uma tal lambada com a ponta do rabo que ele foi ao chão com seis costelas partidas.

– E onde ficou?

– Deixei meu amo numa caverna que há lá e vim em busca de remédios. Nisto dei com este palácio e esta gentarada entrando – e resolvi entrar também para ver se como alguma coisa. Estou com uma fome de três dias.

– E os remédios para Dom Quixote?

– Isso verei depois. Saco vazio não se põe de pé. Primeiro a pança – depois as costelas de meu amo...

Capítulo XXVII
Os "penetras"

Se fôssemos descrever, ou simplesmente mencionar, todos os convidados, não haveria papel que chegasse. Povo numerosíssimo, o da Fábula! Em certo momento Emília deu um dos seus mais famosos berros:

– Lá vêm vindo eles – o Príncipe Escamado com toda a sua corte. Estou vendo o Major Agarra, Dona Aranha, o Doutor Caramujo!...

O berro chegou aos ouvidos de Tia Nastácia lá na cozinha, a qual, ao ouvir a menção do Doutor Caramujo, apareceu na porta, com uma espumadeira na mão.

– Não se esqueça, Emília, de pedir "prele" umas dez pílulas. Têm-me feito muita falta.

Emília obteve do Doutor Caramujo um bom punhado do célebre cura-tudo em pelotinhos.

Bem atrás do bando vinha um gato.

– Será o Gato Félix verdadeiro ou o falso? – quis saber Narizinho.

– Se passar por aqui e nos puser a língua, é o falso! – disse Emília – e acertou. Ao reconhecê-los na janela, o bichano pôs a língua para o Visconde. Era o falso.

– Espere aí, seu diabo! – gritou Pedrinho correndo em procura do bodoque. Não o achou. Voltou danado. –Quem será que anda mexendo em minhas coisas?– disse ele com os olhos na Emília. Mas a espertíssima criatura desviou a atenção do caso com outro berro:

– O Peninha! o Peninha!...

Todos debruçaram-se na janela, ansiosos.

–Onde, onde, Emília?

– Lá, lá! – dizia ela apontando para um ponto e outro. – Estou vendo uma peninha flutuando no ar – logo, é o Peninha!...

Sim, havia uma pena flutuando no ar, trazida do galinheiro pelo vento. Uma pena da Fênix, com certeza, que naquela hora estava de briga ferrada com um galo índio.

– A peninha do Peninha era verde, essa é cor de cinza – disse Pedrinho.

– Pode ter desbotado – resolveu Emília.

Lá em seu camarote, no *Beija-Flor*, Branca preparava-se para a festa. Narizinho foi ajudá-la. Havia caixas e mais caixas de vestidos maravilhosos mandados por Codadade.

– Lindos, não? – disse Branca.

– Lindíssimos – concordou a menina –, mas nenhum vale o que Dona Aranha fez para o meu casamento.

Branca arregalou os olhos.

– Casamento? Pois então você é casada, Narizinho?

– Sou quase casada – e contou rapidamente a história do seu noivado com o peixinho e a tragédia que houve. –Quando ouvimos aquele trovão horrível, os convidados sumiram-se no maior pânico – e nós voltamos de galope para o sítio. Um dia hei de contar a história inteirinha. Hoje não há tempo.

– E como era o tal vestido da Aranha?

– Nem queira saber, Branca! Era feito de cor do mar com todos os seus peixinhos – tudo vivo, nadando na fazenda...

Branca não entendeu.

– Como de cor? Havia de ser de qualquer coisa colorida – seda, lã, veludo...

– Aí é que está o formidável! Não era de tecido nenhum – só de cor – cor solta no ar. Nunca mais houve um vestido assim no mundo...

Branca ficou a cismar.

Nisto apareceu um emissário de Codadade; vinha saber se a Princesa estava pronta.

– Diga ao Príncipe que estou quase pronta. Mais um minutinho só.

E para a menina:

– Estas festas são lindas – mas como cansam! Já estou que não posso mais comigo, de tanta dor nos pés.

– Também quem a mandou calçar sapatinhos de vidro? Poderão ser uma beleza, mas em matéria de sapato, o bom é a comodidade.

– Não tive remédio, Narizinho, senão usar estes que me mandou a Gata Borralheira. Se ela me visse no baile com outros, havia de magoar-se – e com muita razão.

No momento de pôr as joias, o embaraço foi grande. O Príncipe mandara cofres e mais cofres de colares, braceletes, anéis, broches – tanta coisa que Branca, atordoada, não sabia o que escolher.

– Vá sem joia nenhuma – aconselhou a menina. – Quem tem a sua pele e a sua beleza, não liga a joias.

– É o verdadeiro – concordou Branca. – Além de que não há tempo para experimentar nem meia dúzia destes colares. Estou na hora. Adeus...

Branca tomou nas mãos a cauda do vestido e saiu correndo. Codadade já devia estar impaciente.

Lá na janela de Dona Benta, Emília sondava os horizontes por meio do binóculo.

– Estou vendo uma poeira, longíssimo.

– Deve ser aquele tal Príncipe Pé de Vento que você inventou – disse Pedrinho.

– Não. Parece poeira levantada por animais...Sim, é isso...São animais que vêm vindo, um bando grande – mas animais esquisitíssimos...

– Será possível? – exclamou Pedrinho.

Emília não tirava os olhos do binóculo.

– Bis-possível! – murmurou. – Mais que animais! São monstros!...

Dona Benta sentiu de novo a pontada no coração.

– Não pode ser, Emília – disse Pedrinho.

– Codadade mandou convites para todos os personagens da Fábula, menos os monstros.

– Que tem isso? Em toda festa há os "penetras", os que entram sem convites. É o que vai acontecer hoje.

De fato foi assim. Os monstros fabulosos, ofendidos com o Príncipe por não tê-los convidado, resolveram vir estragar a festa. Vinham vindo todos, no galope, levantando nuvens de poeira. Dona Benta foi indicando os que conhecia. A Hidra de Lerna, a tal que havia descadeirado Dom Quixote. Briaréu, o gigante de cinquenta cabeças e cem braços. Bandos de centauros e faunos. Os Ciclopes, gigantes de um só olho no meio da testa. Diómedes, feroz tirano da Trácia que alimentava os seus corcéis com a carne dos hóspedes. Os Egipãs, metade homens, metade bodes. Encélado, o titã que procurou escalar o céu e caiu no fundo do vulcão Etna, derrubado por um raio de Júpiter. As Três Fúrias: Tisífona, Aleto e Megera. Cérbero, o terrível buldogue que guardava as portas do Inferno. As Três Górgonas, de cabelos de serpentes. Pítia, a gigantesca serpente que lutou com Apolo. Vários hipogrifos: cavalos alados, com garras e caudas de dragão.

Vinha até a pobre Quimera, lá atrás de todos, manquitolando.

Já não era necessário o binóculo para reconhecê-los – e o tumulto irrompeu no palácio. Codadade pediu o auxílio de Aladim, o dono da Lâmpada Maravilhosa, e mandou suspender a ponte levadiça do palácio. Aquiles sacou da espada. Os outros príncipes fizeram o mesmo. A luta ia ser tremenda.

Lá na cozinha Tia Nastácia esqueceu tudo, deixou que os faisões se queimassem no forno e saiu como uma doida, gritando:

– Dona Benta! Dona Benta! Me acuda! – mas perdeu-se na enorme barafunda – não achou Dona Benta...

Branca de Neve desmaiou nos braços do Príncipe Codadade, e as outras princesas imitaram-na. Descobriram esse maravilhoso meio de sair-se dos apuros: um gritinho, ai, ai, e pronto. Já os homens, que não tinham esse direito, puseram-se a dar pulos. Eram hóspedes do Príncipe Codadade, portanto, obrigados a defendê-lo até à morte. Breve formou-se em torno de Codadade uma verdadeira muralha de peitos humanos.

Sancho passou pela janela dos meninos com um peru assado em cada mão, rumo ao seu burrinho deixado na porta do palácio. Montou e azulou.

Aquele ato de sabedoria abriu os olhos de Dona Benta.

– É o que temos a fazer – disse ela. – Voltar para o iate, já, já.

Pedrinho não quis; teimou em ficar, em defender o Príncipe ao lado de Aquiles e demais heróis gregos. Por fim, vendo que nem bodoque tinha, acompanhou a vovó. Num instante alcançaram o iate, onde deram ao Visconde ordem para abrir as velas.

– Temos de nos afastar daqui a todo pano, Visconde! – disse Dona Benta. – A luta vai ser horrorosa...

– E Branca de Neve? – perguntou o Dunga.

– Ficou no palácio do Príncipe.

– Nesse caso, não partiremos! – resolveu o Dunga – e foi apoiado pelos outros anões. Por nada no mundo eles abandonariam a sua amada princesinha.

E agora? Era indispensável chamar Branca. Mas, como? Quem iria ao palácio numa situação daquelas?

– Pois o Visconde! – resolveu Emília. – Se for esmagado, Nastácia arranja outro ainda melhor.

Não houve remédio. Heroicamente o Visconde foi correndo ao palácio em busca da Princesa. Encontrou-a. Deu o recado. Mas ninguém se lembrava que a seta de Cupido havia feito nascer em seu coração um grande amor e a resposta de Branca foi a de uma verdadeira heroína.

– Diga a Dona Benta, Visconde, que embora eu muito lhe agradeça as boas intenções, de forma nenhuma abandonarei o meu amado noivo. O amor nos uniu para a vida e para a morte. Aqui estou, aqui fico.

O Visconde voltou entusiasmado.

– Então? Que é da Princesa? – gritou Pedrinho ao vê-lo chegar com os bofes de fora.

– Declarou que não vem; que ama ao Príncipe e por nada no mundo o abandonará. Isso é que é amor!

–E esta agora? – exclamou Dona Benta. – Os anões teimam em não abandonar Branca. Branca teima em não abandonar o noivo. Que fazer?

Estavam todos na maior indecisão, quando Polegar reapareceu; tinha ido ao sítio nas suas botas de sete léguas e vinha voltando.

– Aconteceu exatinho como o burro previu – disse ele. – o Capitão Gancho atacou a casa com um bando de malfeitores e está lá dentro.

Pedrinho danou.

– E que faz por lá aquele porcalhão do Quindim?

– Quindim é valente no terreiro – disse Polegar –, mas nada pode contra pessoas escondidas dentro de casa. Ele não cabe nas portas...

Era isso mesmo. Quindim estava certo.

A aflição de Dona Benta crescia cada vez mais. Que fazer? Que fazer, meu Deus do céu? Dum momento para outro haviam ficado na rua. Nem mais o palácio de Codadade, nem o sítio. Só lhes restava um iate sem tripulação. Que fazer? Que fazer?...

Capítulo XXVIII
Falta um – ela!

Fiéis como eram, por nada no mundo os anões abandonariam Branca de Neve, de modo que sem sequer se despedirem do comandante correram para o palácio.

Vendo-se sós no iate, Dona Benta e os meninos resolveram pôr-se às ordens do Comandante para lidar com as cordas e velas da embarcação. E tanto fizeram que o *Beija-Flor* se moveu. Horas depois ancorava na Prainha.

O Burro Falante viera esperá-los.

– Então, como foi isso, Conselheiro? – interpelou Dona Benta. – Como deixaram que os malfeitores tomassem nossa casa?

– Não houve jeito de o impedir, Dona Benta – explicou o burro. – Eu estava fora, no serviço, e o Quindim, que ficara de guarda, cochilou – e eles entraram e parece que não pensam em sair.

– Esta noite eu darei uma arrumação nisso – declarou Pedrinho desembrulhando uma coisa comprida. – Deixem o caso comigo.

Era um jacaré seco que ele havia achado numa das cabinas do iate. Desembrulhou-o e amarrou-lhe na barriga um despertador com corda.

– Meu plano – disse ele – é ir lá à noite e esconder este jacaré no quarto do Capitão Gancho, de modo que ele o veja logo que acordar. Juro que foge ventando!

E Pedrinho partiu para o sítio montado no burro, com o jacaré seco na garupa. Entrou pelos fundos do pomar; espiou bem e ficou esperando a noite.

Assim que anoiteceu, entrou cautelosamente por uma janelinha dos fundos e, na ponta dos pés, começou a procurar o quarto do Capitão Gancho. Era o de Dona Benta! O piratão estava roncando justamente na cama de Dona Benta!

– Desaforado! – resmungou Pedrinho, e sem fazer o menor ruído dispôs ali o jacaré seco. Ao despertador atou um barbante cuja ponta ia ter ao outro extremo do quarto. Quando de manhã o bandido se levantasse para abrir a janela, esbarraria no barbante – e o despertador despertaria etc.

Deu tudo certinho!

Lá pelas seis horas da manhã o pirata acordou. Sentou-se na cama. Espreguiçou-se. Por fim foi abrir a janela. Nesse momento tropeçou no barbante: o despertador lá na barriga do jacaré fez tri-lim-lim-lim...

– Será o crocodilo? – murmurou o bandido, apavorado.

Correu à janela, abriu-a e viu...viu com seus próprios olhos o crocodilo no quarto, de boca aberta!

O Capitão Gancho estava acostumado a correr do crocodilo, mas em tempo nenhum correu como naquele dia. Vendo-o fugir, os capangas fizeram o mesmo. Pareciam veados! Um deles passou ao alcance do Quindim e foi alcançado por uma chifrada nos fundilhos. Outro passou perto do Conselheiro e recebeu uma desajeitadíssima parelha de coices – a única que o Burro Falante deu em toda a sua honrada vida.

Em seguida Pedrinho voltou à Prainha a galope.

– Pronto! Tudo salvo no sítio! – vinha ele gritando de longe – mas em vez de ser acolhido com hurras, só viu tristeza. Todos choravam a bordo do *Beija-Flor das Ondas*.

– Que será? – murmurou Pedrinho, apreensivo e subiu depressa ao iate.

– Que há? – perguntou.

Dona Benta, Narizinho, o Visconde, todos choravam – menos a Emília.

– Que há, Emília?

– Há que não há mais Tia Nastácia. Logo que você partiu, fizemos a contagem dos tripulantes. Faltava um – ela...

– Sim, Pedrinho! – confirmou Dona Benta enxugando os olhos. – Naquele tumulto, perdemos a nossa querida e fiel companheira. Ficou no palácio invadido pelos monstros. Imagine os horrores por que não estará passando com o Minotauro, com o Briaréu de cem cabeças...

Mas Pedrinho não se conformou com aquela atitude chorosa e resignada. Era preciso lutar, vencer.

– Perdão, vovó! – disse ele com a decisão dum herói da Fábula. – Não penso que o caso seja de choro. Temos de agir sem demora. Temos de organizar uma expedição para o salvamento de Tia Nastácia!

Emília sentiu o peito estufadíssimo de entusiasmo.

– Bis-bravo! – berrou batendo palmas. – Isso é que é falar! Avante, avante! Toca a salvar Tia Nastácia!...

IMAGINÁRIO

O SACI

Capítulo I
EM FÉRIAS

Quando naquela tarde Pedrinho voltou da escola e disse à Dona Tonica que as férias iam começar dali uma semana, a boa senhora perguntou:

– E onde quer passar as férias deste ano, meu filho?

O menino riu-se.

– Que pergunta, mamãe! Pois onde mais, se não no sítio da vovó?

Pedrinho não podia compreender férias passadas em outro lugar que não fosse o Sítio do Picapau Amarelo, em companhia de Narizinho, do Marquês de Rabicó, do Visconde de Sabugosa e da Emília. E tinha de ser assim mesmo, porque Dona Benta era a melhor das vovós; Narizinho, a mais galante das primas; Emília, a mais maluquinha de todas as bonecas; o Marquês de Rabicó, o mais rabicó de todas os marqueses; e o Visconde de Sabugosa, o mais "cômodo" de todos os viscondes. E havia ainda Tia Nastácia, a melhor quituteira deste e de todos os mundos que existem. Quem comia uma vez os seus bolinhos de polvilho, não podia nem sequer sentir o cheiro de bolos feitos por outras cozinheiras.

Pedrinho tinha recebido carta de sua prima, dizendo: "Nosso grupo vai este ano completar século e meio de idade e é preciso que você não deixe de vir pelas férias a fim de comemorarmos o grande acontecimento".

Esse século e meio de idade era contado assim: Dona Benta, 64 anos; Tia Nastácia, 66; Narizinho, 8; Pedrinho, 9. Emília, o Marquês e o Visconde, 1 cada um. Ora, 64 mais 66 mais 8 mais 9 mais 1 mais 1 mais 1, fazem 150 anos, ou seja, um século e meio.

Logo que recebeu essa carta, Pedrinho fez a conta num papel para ver se a pilhava em erro; mas não pilhou.

– É uma danada aquela Narizinho! – disse ele. – Não há meio de errar em contas.

Capítulo II
O SÍTIO DE DONA BENTA

O sítio de Dona Benta ficava num lugar muito bonito. A casa era das antigas, de cômodos espaçosos e frescos. Havia o quarto de Dona Benta, o maior de todos, e junto o de Narizinho, que morava com sua avó. Havia ainda o "quarto de Pedrinho", que lá passava as férias todos os anos; e o da Tia Nastácia, a cozinheira e o faz-tudo da casa. Emília e o Visconde não tinham quartos; moravam num cantinho do escritório, onde ficavam as três estantes de livros e a mesa de estudo da menina.

A sala de jantar era bem espaçosa, com janelas dando para o jardim, depois vinha a copa e a cozinha.

– E sala de visitas? Tinha?

– Como não? Uma sala de visitas com piano, sofá de cabiúna, de palhinha tão bem esticada que "cantava" quando Pedrinho batia-lhe tapas. Duas poltronas do mesmo estilo e seis cadeiras. A mesa do centro era de mármore e pés também de cabiúna. Encostadas às paredes havia duas meias mesas também de mármore, cheias de enfeites: três casais de içás vestidos, vários caramujos e estrelas-do-mar, duas redomas com velas dentro, tudo colocado sobre os "pertences" de miçanga feitos por Narizinho. Hoje ninguém mais sabe o que é isso. Pertences eram umas rodelas de crochê que havia em todas as casas, para botar bibelôs em cima; para o lavatório de Dona Benta, Narizinho fizera pertences de crochê; e para a sala de visitas fizera aqueles de miçanga de várias cores, da bem miudinha.

Antes da sala de visitas havia a sala de espera, com chão de grandes ladrilhos quadrados, "cor de chita cor-de-rosa desbotada". A sala de espera abria para a varanda. Que varanda gostosa! Cercada dum gradil de madeira, muito singelo, pintado de azul-claro. Da varanda descia-se para o terreiro por uma escadinha de seis degraus. Nas férias do ano anterior Pedrinho havia plantado em cada canto da varanda um pé de "cortina japonesa", uma trepadeira que dá uns fios avermelhados da grossura dum barbante, que depois ficam amarelos e descem até quase ao chão, formando uma verdadeira cortina viva. Aquela varanda estava se transformando em jardim, tantas eram as orquídeas que o menino pendurara lá e os vasos de avenca da miúda que ele foi colocando junto à grade.

O jardim ficava nos fundos da sala de jantar, um verdadeiro amor de jardim, só de plantas antigas e fora da moda. Flores do tempo da mocidade de Dona Benta: esporinhas, damas-entre-verdes, suspiros, orelhas-de-macaco, dois pés de jasmim-do-cabo, e outro, muito velho, de jasmim-manga. Plantado na calçada e a subir pela parede, o velhíssimo pé de flor-de-cera, planta que os modernos já não plantam porque custa muito a crescer. Até cravo-de-defunto havia lá, flor com que Narizinho se implicava por ter "cheiro de cemitério". Bem no centro do jardim havia um tanque redondo com uma cegonha, de louça, toda esverdeada de limo, a esguichar água pelo bico. Mas a cegonha já estava sem cabeça, em consequência das pelotadas do bodoque de Pedrinho. Um velho regador verde morava perto do tanque, porque era com a água do tanque que Tia Nastácia regava as plantas no tempo da seca.

– E o pomar?

– O pomar ficava nos fundos da casa, depois do "quintal da cozinha", onde havia um galinheiro, um tanque de lavar roupa e o puxado da lenha. O poço velho fora fechado depois que Dona Benta, mandou encanar a aguinha do morro.

Passado o quintal vinha o pomar – aquela delícia de pomar!

– Por que delícia?

– Porque as árvores eram muito velhas, e árvore quanto mais velha melhor para a beleza e a frescura da sombra. Árvore nova pode ser muito boa para dar frutas bonitas, baixinhas e fáceis de apanhar. Mas para a beleza não há como uma árvore bem velha, bem craquenta, com os galhos revestidos de musgos, liquens e parasitas. Certas árvores do pomar tinham donos. Havia a célebre pitangueira da Emília, as três jabuticabeiras de Pedrinho, a mangueira de manga-espada de Narizinho e os pés de mamão de Tia Nastácia. Até o Visconde tinha sua árvore – um pezinho de romã muito feio e raquítico. O resto das árvores não eram de ninguém – eram de todos. E quantas! Cambucazeiros, duas jaqueiras, os pés de cabeluda e grumixama, os três pés de sapotis e aquele de fruta-de-conde que "não ia por diante".

Era tão antigo aquele pomar que os vizinhos até caçoavam. Viviam dizendo: "O pomar de Dona Benta está tão velho que qualquer dia se põe a caducar. As jaqueiras começam a dar mangas e as mangueiras a dar laranjas". Mas Dona Benta não fazia caso. Não admitia que se cortasse uma só árvore – nem o pobre pé de fruta-de-conde encarangado. Dizia que cada uma delas lembrava qualquer coisa, da sua meninice ou mocidade.

– Este pé de laranja baiana – costumava dizer – foi o primeiro que tivemos aqui, e dele saíram os enxertos dos outros. Naquele tempo laranja baiana era uma grande novidade. A muda foi presente do defunto Zé das Bichas, um português muito trabalhador que morava numa chácara perto da vila.

Impossível haver no mundo lugar mais sossegado e fresco, e mais cheio de passarinhos, abelhas e borboletas. Como Dona Benta nunca admitiu por ali nenhum menino de estilingue, a passarinhada se sentia à vontade e fazia seus ninhos como se estivessem na Ilha da Segurança. O próprio bodoque de Pedrinho não funcionava no pomar.

– E que passarinhos havia?

– Oh, tantos!... No tempo das laranjas o pomar enchia-se de sabiás de peito vermelho, amigos de cantar a célebre música-de-sabiá que os pais vão ensinando aos filhotes, sempre igualzinha, sem a menor mudança. E havia os sanhaços cor de cinza clara. E as saíras azuis. E as graúnas pretíssimas. E muito canário-da-terra, muito papa-capim, tizio, pintassilgo, rolinha, corruíra...

As corruíras eram o encanto da menina, que vivia a observar o jeitinho delas no constante escarafunchamento dos muros carunchados em busca de pequenas aranhas e outros bichinhos moles. Bichinho duro corruíra não quer. E sempre com as penas da cauda erguidas, ninguém sabe por quê. Corruíras cor de telha e mansíssimas. Há também a linda corruíra do brejo, que faz aqueles enormes ninhos espinhentos – mas essas nunca apareciam no pomar. Moravam nos brejos.

Às vezes pousavam lá, de passagem, um ou outro tié-sangue, o passarinho mais lindamente vermelho que existe. Mas não se demoravam. Eram arisquíssimos.

– Por que, vovó, justamente os passarinhos mais bonitos são os mais ariscos? – perguntou certa vez a menina.

– Justamente por serem bonitos, minha filha. Os homens perseguem os passarinhos bonitos porque são bonitos – quem quer saber de passarinho feio? Os tico-ticos, por exemplo: vivem na maior paz em todos os terreiros justamente porque ninguém os persegue. São feinhos, os coitados. Mas apareça aqui um tié-sangue, ou uma saíra daquelas lindas: todos se põem atrás deles, querendo apanhá-los vivos ou mortos. Para a felicidade neste nosso mundo, minha filha, não há como ser tico-tico, isto é, feinho e insignificante...

Mas o rei do pomar era o joão-de-barro. Na paineira grande, bem lá no fundo, moravam dois, num ninho feito de argila, em forma de forno de assar pão. Era o casal mais amigo possível. Não se largavam nunca. Onde estava um, também estava por perto o outro. E se por acaso um se afastava um pouco mais, volta e meia soltava uns gritos como quem pergunta: "Onde você está?" – e o outro respondia: "Estou aqui". E de vez em quando cantavam juntos aquele terrível dueto que mais parece uma série de marteladas estridentes e alegres.

– Que coisa interessante, vovó! – disse Pedrinho um dia. – Repare que eles sempre cantam ou gritam juntos. Um faz uma parte e outro faz o acompanhamento, como no piano...

E era assim mesmo. São tão amigos que até para cantar "cantam a duas mãos", como dizia a boneca.

Certo ano o casal resolveu construir um ninho novo em outro galho da paineira, e durante quinze dias o divertimento dos meninos foi acompanhar de longe aquele trabalho. Os dois passarinhos traziam da beira do ribeirão um pelote de barro no bico, e ficavam ali a colocar aquela massa no lugar próprio, e a bicá-la cem vezes para que ficasse bem ligadinha. Enquanto um se ocupava naquilo, o outro voava em busca de mais barro. Nunca estavam os dois no mesmo serviço; revezavam-se. À tardinha interrompiam o trabalho, cantavam o dueto com toda a força e depois se acomodavam no ninho velho. Tia Nastácia vivia dizendo que nos domingos eles não trabalhavam, mas infelizmente os meninos não puderam tirar a prova duma coisa tão linda.

O mais curioso foi que depois de acabado o ninho novo, eles, em vez de se mudarem, resolveram fazer um segundo ninho em cima daquele. Quem primeiro notou isso foi o Visconde, que foi, todo assanhado, contar a Dona Benta.

– Venham ver – disse o sabuguinho. – Eles terminaram ontem a construção do ninho novo, mas não se mudaram do velho; em vez disso estão a construir um segundo ninho sobre o novo – uma espécie de segundo andar.

Dona Benta foi com os meninos e viu.

– Por que será, vovó? – quis saber Pedrinho.

– Não sei, meu filho, mas eles devem ter lá as suas razões.

– Eu sei – berrou Emília. – É para alugar!...

Todos riram-se.

– Eu acho – disse Narizinho – que é para acomodar os filhotes quando chegarem ao ponto de voar.

– Isso não – observou Dona Benta. – Porque se os pais construíssem casas para os filhos, estes não aprenderiam a arte da construção e essa arte se perderia. E' fazendo que se aprende, já disse o velho Camões.

– Mas então esses passarinhos raciocinam, vovó – têm inteligência...

– Está claro que têm, meu filho. A inteligência é uma faculdade que aparece em todos os seres, não só no homem. Até as plantas revelam inteligência. O que há é que a inteligência varia muito de grau. É pequeniníssima nas galinhas e nos perus, mas já bem desenvolvida no joão-de-barro – e é um colosso num homem como Isaac Newton, aquele que descobriu a Lei da Gravitação Universal.

No terreiro do sítio, em frente à varanda, havia sempre um mastro de São João, que Pedrinho fincava na véspera do dia desse santo, a 24 de junho, quando vinha pelas férias. Ele mesmo cortava o pau no mato, ele mesmo o descascava e pintava inteirinho, com arabescos vermelhos, amarelos e azuis. No topo do mastro colocava a "bandeira de São João", que era um quadrado de sarrafo, espécie de moldura, na qual pregava com tachinhas um retrato de São João meninote com um cordeirinho no braço. Essas bandeiras, estampadas em morim, custavam $1,50 na venda do Elias Turco, lá na estrada.

O terreiro era vedado por uma cerca de paus-a-pique – rachões de guarantã. Bem no centro ficava a porteira. Para lá da porteira era o pasto, onde havia um célebre cupim de metro e meio de altura; e mais adiante, um velho cedro ainda do tempo da mata virgem. Através do pasto seguia o "caminho" – ou a estrada que ia ter à vila, a légua e meia dali. No fim do pasto, perto da ponte, apareciam a casinha do Tio Barnabé e a figueira grande; e bem lá adiante, o Capoeirão dos Tucanos, uma verdadeira mata virgem onde até onça, macucos e jacus havia.

E que mais? Ah, sim, o ribeirão que passava pela casa do Tio Barnabé cortava o pasto e vinha fazer as divisas do pomar com as terras de plantação. Impossível haver no mundo um ribeirão mais lindo, de água mais limpa, com tantas pedrinhas roliças de todas as cores no fundo. Em certos pontos viam-se pequenas praias de areia branca. Nas curvas a água quase que parava, formando os célebres "poços" onde Pedrinho pescava lambaris e bagres. As beiras de água rasa eram a zona dos guarus – o peixinho menor que existe.

Aos domingos Tia Nastácia saía a mariscar de peneira. Os meninos davam pulos de alegria. A boa negra metia-se na água até a cintura e ia descendo o ribeirão, com eles a acompanhá-la da margem, aos gritos.

– Aqui, Nastácia, aqui nestes capinzinhos...

A negra, muito cautelosamente, mergulhava a peneira por baixo dos capinzinhos boiantes e suspendia-a de repente, de surpresa. A água escoava-se pelos furos e na peneira aparecia uma porção de vidinhas aquáticas, a saltar e espernejar: guarus barrigudinhos, lambarizinhos novos, pequeninas traíras e de vez em quando um baratão-d'água muito casquento e feio. E outros bichinhos ainda, incompreensíveis e sem nome. Certo dia a peneira trouxe uma cobra-d'água verde, que a negra jogou sobre o capim da margem. Foi uma gritaria e uma correria das crianças.

– Não tenham medo que não é venenosa! – disse a negra rindo-se com toda a gengivada vermelha de fora. Mas os meninos não quiseram saber de nada. Ficaram a espiar de longe. A cobra verde foi coleando por entre os capins e se sumiu de novo na água.

O mais importante daquelas mariscagens eram os camarõezinhos de água doce, moles e transparentes, que Tia Nastácia apanhava em quantidade. A carregadeira do samburá (a cestinha redonda que os mariscadores usam para recolher o peixe) era sempre Narizinho. A menina ia passando os camarões da peneira para o samburá, com muito medo de ser mordida. Só os agarrava pelos fios da barba. Pedrinho ria-se: "Boba! Onde se viu camarão morder?". E ela: "A gente nunca sabe...".

No jantar daqueles domingos, quando aparecia na mesa o prato-travessa cheio de camarõezinhos fritos, bem pururucas e vermelhos, as crianças até sapateavam de gosto. E se com os camarõezinhos vinha alguma pequena traíra ou bagre, a disputa era certa.

– A traíra é minha! – berrava um.

– É minha, é minha! – gritava outro.

O remédio era sempre uma das célebres sentenças de Salomão de Dona Benta.

– Como vocês são dois e a traíra é uma só, eu como a traíra e vocês repartem os camarões.

Cessava *incontinenti* a disputa, e a travessa de camarão ia diminuindo, diminuindo, até não ficar nem um fio de barba.

Capítulo III
MEDO DE SACI

Pedrinho, naqueles tempos, costumava passar as férias no sítio de Dona Benta, onde brincava de tudo, como está nas *Reinações* e na *Viagem ao céu*. Só não está contado o que lhe aconteceu antes da famosa viagem ao céu, quando andava com a cabeça cheia de sacis.

A coisa foi assim. Estava ele na varanda com os olhos no horizonte, postos lá onde aparecia o verde-escuro do Capoeirão dos Tucanos, a mata virgem do sítio. De repente, disse:

– Vovó, eu ando com ideias de ir caçar na mata virgem.

Dona Benta, ali na sua cadeirinha de pernas cotós, entretida no tricô, ergueu os óculos para a testa.

– Não sabe que naquela mata há onças? – disse com ar sério. – Certa vez uma onça pintada veio de lá, invadiu aqui o pasto e pegou um lindo novilho da Vaca Mocha.

– Mas eu não tenho medo de onça, vovó! – exclamou Pedrinho, fazendo o mais belo ar de desprezo.

Dona Benta riu-se de tanta coragem.

– Olhem o valentão! Quem foi que naquela tarde entrou aqui berrando com uma ferrotoada de vespa na ponta do nariz?

– Sim, vovó, de vespa eu tenho medo, não nego – mas de onça, não! Se ela vier do meu lado, prego-lhe uma pelotada do meu bodoque novo no olho esquerdo; e outra bem no meio do focinho e outra...

– Chega! – interrompeu Dona Benta, com medo de levar também uma pelotada. – Mas além de onças existem cobras. Dizem que até urutus há naquele mato.

– Cobra? – e Pedrinho fez outra cara de pouco-caso ainda maior. – Cobra *mata-se* com um pedaço de pau, vovó. Cobra!... Como se eu lá tivesse medo de cobra...

Dona Benta começou a admirar a coragem do neto, mas disse ainda:

– E há aranhas-caranguejeiras, daquelas peludas, enormes, que devoram até filhotes de passarinho.

O menino cuspiu de lado com desprezo e esfregou o pé em cima.

– Aranha mata-se assim, vovó – e seu pé parecia mesmo estar esmagando várias aranhas-caranguejeiras.

– E também há sacis – rematou Dona Benta.

Pedrinho calou-se. Embora nunca o houvesse confessado a ninguém, percebia-se que tinha medo de saci. Nesse ponto não havia nenhuma diferença entre ele, que era da cidade, e os demais meninos nascidos e crescidos na roça. Todos tinham medo de saci, tais eram as histórias correntes a respeito do endiabrado moleque duma perna só.

Desde esse dia ficou Pedrinho com o saci na cabeça. Vivia falando em saci e tomando informações a respeito. Quando consultou Tia Nastácia, a resposta da negra foi, depois de fazer o pelo-sinal e dizer "Credo!":

– Pois saci, Pedrinho, é uma coisa que branco da cidade nega, diz que não há – mas há. Não existe negro velho por aí, desses que nascem e morrem no meio do mato, que não jure ter visto saci. Nunca vi nenhum, mas sei quem viu.

– Quem?

– O Tio Barnabé. Fale com ele. Negro sabido está ali! Entende de todas as feitiçarias, e de saci, de mula sem cabeça, de lobisomem – de tudo.

Pedrinho ficou pensativo.

Capítulo IV
Tio Barnabé

Tio Barnabé era um negro de mais de oitenta anos que morava no rancho coberto de sapé lá junto da ponte. Pedrinho não disse nada a ninguém e foi vê-lo. Encontrou-o sentado num toco de pau, à porta de sua casinha, aquentando sol.

– Tio Barnabé, eu vivo querendo saber duma coisa e ninguém me conta direito. Sobre o saci. Será mesmo que existe saci?

O negro deu uma risada gostosa e, depois de encher de fumo picado o velho pito, começou a falar.

– Pois, Seu Pedrinho, saci é uma coisa que eu juro que "exéste". Gente da cidade não acredita – mas "exéste". A primeira vez que vi saci eu tinha assim a sua idade. Isso foi no tempo da escravidão, na Fazenda do Passo Fundo, que era do defunto Major Teotônio, pai desse Coronel Teodorico, compadre de sua avó, Dona Benta. Foi lá que vi o primeiro saci. Depois disso, quantos e quantos!...

– Conte, então, direitinho, o que é o saci. Bem Tia Nastácia me disse que o senhor sabia – que o senhor sabe tudo...

– Como não hei de saber tudo, menino, se já tenho mais de oitenta anos? Quem muito "véve", muito sabe...

– Então conte. Que é, afinal de contas, o tal saci?

E o negro contou tudo direitinho.

– O saci – começou ele – é um diabinho de uma perna só que anda solto pelo mundo, armando reinações de toda sorte e atropelando quanta criatura existe. Traz sempre na boca um pitinho aceso, e na cabeça uma carapuça vermelha. A força dele está na carapuça, como a força de Sansão estava nos cabelos. Quem consegue tomar e esconder a carapuça de um saci, fica por toda vida senhor de um pequeno escravo.

– Mas que reinações ele faz? – indagou o menino.

– Quantas pode – respondeu o negro. – Azeda o leite, quebra a ponta das agulhas, esconde as tesourinhas de unha, embaraça os novelos de linha, faz o dedal das costureiras cair nos buracos, bota moscas na sopa, queima o feijão que está no fogo, gora os ovos das ninhadas. Quando encontra um prego, vira ele de ponta pra riba para que espete o pé do primeiro que passa. Tudo que numa casa acontece de ruim é sempre arte do saci. Não contente com isso, também atormenta os cachorros, atropela as galinhas e persegue os cavalos no pasto, chupando o sangue deles. O saci não faz maldade grande, mas não há maldade pequenina que não faça.

– E a gente consegue ver o saci?

– Como não? Eu, por exemplo, já vi muitos. Ainda no mês passado andou por aqui um saci mexendo comigo – por sinal que lhe dei uma lição de mestre...

– Como foi? Conte...

Tio Barnabé contou.

– Tinha anoitecido e eu estava sozinho em casa, rezando as minhas rezas. Rezei, e depois me deu vontade de comer pipoca. Fui ali no fumeiro e escolhi uma espiga de milho bem seca. Debulhei o milho numa caçarola, pus a caçarola no fogo e vim para este canto picar fumo pro pito. Nisto ouvi no terreiro um barulhinho que não me engana. "Vai ver que é saci!" – pensei comigo. – E era mesmo. Dali a pouco um saci preto que nem carvão, de carapuça vermelha e pitinho na boca, apareceu na janela. Eu imediatamente me encolhi no meu canto e fingi que estava dormindo. Ele espiou de um lado e de outro e por fim pulou para dentro. Veio vindo, chegou pertinho de mim, escutou os meus roncos e convenceu-se de que eu estava mesmo dormindo. Então começou a reinar na casa. Remexeu tudo, que nem mulher velha, sempre farejando o ar com o seu narizinho muito aceso. Nisto o milho começou a chiar na caçarola e ele dirigiu-se para o fogão. Ficou de cócoras no cabo da caçarola, fazendo micagens. Estava "rezando" o milho, como se diz. E adeus, pipoca! Cada grão que o saci reza, não rebenta mais, vira piruá.

"Dali saiu pra bulir numa ninhada de ovos que a minha carijó calçuda estava chocando num balaio velho, naquele canto. A pobre galinha quase que morreu de susto. Fez *cró, cró, cró*... e voou do ninho feito uma louca, mais arrepiada que um ouriço-cacheiro. Resultado: o saci rezou os ovos e todos goraram.

"Em seguida pôs-se a procurar o meu pito de barro. Achou o pito naquela mesa, pôs uma brasinha dentro e *paque, paque, paque*... tirou justamente sete fumaçadas. O saci gosta muito do número sete.

"Eu disse cá comigo: 'Deixe estar, coisa-ruinzinho, que eu ainda apronto uma, boa para você. Você há de voltar outro dia e eu te curo'.

"E assim aconteceu. Depois de muito virar e mexer, o sacizinho foi-se embora e eu fiquei armando o meu plano para assim que ele voltasse."

– E voltou? – inquiriu Pedrinho.

– Como não? Na sexta-feira seguinte apareceu aqui outra vez às mesmas horas. Espiou da janela, ouviu os meus roncos fingidos, pulou para dentro. Remexeu em tudo, como da primeira vez, e depois foi atrás do pito que eu tinha guardado no mesmo lugar. Pôs o pito na boca, e foi ao fogão buscar uma brasinha, que trouxe dançando nas mãos.

– É verdade que ele tem as mãos furadas?

– É, sim. Tem as mãos furadinhas bem no centro da palma; quando carrega brasa, vem brincando com ela, fazendo ela passar de uma para a outra mão pelo furo. Trouxe a brasa, pôs a brasa no pito e sentou-se de pernas cruzadas para fumar com todo o seu sossego.

– Como? – exclamou Pedrinho arregalando os olhos. – Como cruzou as pernas, se saci tem uma perna só?

– Ah, menino, mecê não imagina como saci é arteiro!... Tem uma perna só, sim, mas quando quer *cruza as pernas* como se tivesse duas! São coisas que só ele entende e ninguém pode explicar. Cruzou as pernas e começou a tirar baforadas, uma atrás da outra, muito satisfeito da vida. Mas de repente, *puff!*, aquele estouro e aquela fumaceira!... O saci deu tamanho pinote que foi parar lá longe, e saiu ventando pela janela fora.

Pedrinho fez cara de quem não entende.

– Mas que *puff* foi esse? – perguntou. – Não estou entendendo...

– É que eu tinha socado pólvora no fundo do pito – exclamou Tio Barnabé dando uma risada gostosa. – A pólvora explodiu justamente quando ele estava tirando a fumaçada número sete, e o saci, com a cara toda sapecada, raspou-se para nunca mais voltar.

– Que pena! – exclamou Pedrinho. – Tanta vontade que eu tinha de conhecer esse saci...

– Mas não há só um saci no mundo, menino. Esse lá se foi e nunca mais aparece por estas bandas, mas quantos outros não andam por aí? Ainda na semana passada apareceu um no pasto de Seu Quincas Teixeira e chupou o sangue daquela égua baia que tem uma estrela na testa.

– Como é que ele chupa o sangue dos animais?

– Muito bem. Faz um estribo na crina, isto é, dá uma laçada na crina do animal de modo que possa enfiar o pé e manter-se em posição de ferrar os dentes numa das veias do pescoço e chupar o sangue, como fazem os morcegos. O pobre animal assusta-se e sai pelos campos na disparada, correndo até não poder mais. O único meio de evitar isso é botar bentinho no pescoço dos animais.

– Bentinho é bom?

– É um porrete. Dando com cruz ou bentinho pela frente, saci fede enxofre e foge com botas-de-sete-léguas.

Capítulo V
PEDRINHO PEGA UM SACI

Tão impressionado ficou Pedrinho com esta conversa que dali por diante só pensava em saci, e até começou a enxergar sacis por toda parte. Dona Benta caçoou, dizendo:

– Cuidado! Já vi contar a história de um menino que de tanto pensar em saci acabou virando saci...

Pedrinho não fez caso da história, e um dia, enchendo-se de coragem, resolveu pegar um. Foi de novo em procura do Tio Barnabé.

– Estou resolvido a pegar um saci – disse ele – e quero que o senhor me ensine o melhor meio.

Tio Barnabé riu-se daquela valentia.

– Gosto de ver um menino assim. Bem mostra que é neto do defunto sinhô velho, um homem que não tinha medo nem de mula sem cabeça. Há muitos jeitos de pegar saci, mas o melhor é o de peneira. Arranja-se uma peneira de cruzeta...

– Peneira de cruzeta? – interrompeu o menino. – Que é isso?

– Nunca reparou que certas peneiras têm duas taquaras mais largas que se cruzam bem no meio e servem para reforço? Olhe aqui – e Tio Barnabé mostrou ao menino uma das tais peneiras que estava ali num canto. Pois bem, arranja-se uma peneira destas e fica-se esperando um dia de vento bem forte, em que haja roda,-moinho de poeira e folhas secas. Chegada essa ocasião, vai-se com todo o cuidado para o rodamoinho e *zás!* – joga-se a peneira em cima. Em todos os rodamoinhos há saci dentro, porque fazer rodamoinhos é justamente a principal ocupação dos sacis neste mundo.

– E depois?

– Depois, se a peneira foi bem atirada e o saci ficou preso, é só dar jeito de botar ele dentro de uma garrafa e arrolhar muito bem. Não esquecer de riscar uma cruzinha na rolha, porque o que prende o saci na garrafa não é a rolha e sim a cruzinha riscada nela. É preciso ainda tomar a carapucinha dele e a esconder bem escondida. Saci sem carapuça é como cachimbo sem fumo.

"Eu já tive um saci na garrafa, que me prestava muitos bons serviços. Mas veio aqui um dia aquela mulatinha sapeca que mora na casa do compadre Bastião e tanto lidou com a garrafa, que a quebrou. Bateu logo um cheirinho de enxofre. O perneta pulou em cima da sua carapuça, que estava ali naquele prego, e 'até logo, Tio Barnabé!'."

Depois de tudo ouvir com a maior atenção, Pedrinho voltou para casa decidido a pegar um saci, custasse o que custasse. Contou o seu projeto a Narizinho e longamente discutiu com ela sobre o que faria no caso de escravizar um daqueles terríveis capetinhas. Depois de arranjar uma boa peneira de cruzeta, ficou à espera do dia de São Bartolomeu, que é o mais ventoso do ano.

Custou a chegar esse dia, tal era sua impaciência, mas afinal chegou, e desde muito cedo Pedrinho foi postar-se no terreiro, de peneira em punho, à espera de rodamoinhos. Não esperou muito tempo. Um forte rodamoinho formou-se no pasto e veio caminhando para o terreiro.

– É hora! – disse Narizinho. – Aquele que vem vindo está com muito jeito de ter saci dentro.

Pedrinho foi se aproximando pé ante pé e, de repente, *zás!* – jogou a peneira em cima,

– Peguei! – gritou no auge da emoção, debruçando-se com todo o peso do corpo sobre a peneira emborcada. – Peguei o saci!...

A menina correu a ajudá-lo.

– Peguei o saci! – repetiu o menino vitoriosamente. – Corra, Narizinho, e traga-me aquela garrafa escura que deixei na varanda. Depressa!

A menina foi num pé e voltou noutro.

– Enfie a garrafa dentro da peneira – ordenou Pedrinho – enquanto eu cerco dos lados. Assim ! Isso!...

A menina fez como ele mandava e com muito jeito a garrafa foi introduzida dentro da peneira.

– Agora tire do meu bolso a rolha que tem uma cruz riscada em cima – continuou Pedrinho. – Essa mesma. Dê cá.

Pela informação do Tio Barnabé, logo que a gente põe a garrafa dentro da peneira o saci por si mesmo entra dentro dela, porque, como todos os filhos das trevas, tem a tendência de procurar sempre o lugar mais escuro. De modo que Pedrinho o mais que tinha a fazer era arrolhar a garrafa e erguer a peneira. Assim fez, e foi com o ar de vitória de quem houvesse conquistado um império que levantou no ar a garrafa para examiná-la contra a luz.

Mas a garrafa estava tão vazia como antes. Nem sombra de saci dentro...

A menina deu-lhe uma vaia e Pedrinho, muito desapontado, foi contar o caso ao Tio Barnabé.

– É assim mesmo – explicou o negro velho. – Saci na garrafa é invisível. A gente só sabe que ele está lá dentro quando a gente cai na modorra. Num dia bem quente, quando os olhos da gente começam a piscar de sono, o saci pega a tomar forma, até que fica perfeitamente visível. É desse momento em diante que a gente faz dele o que quer. Guarde a garrafa bem fechada, que garanto que o saci está dentro dela.

Pedrinho voltou para casa orgulhosíssimo com a sua façanha.

– O saci está aqui dentro, sim – disse ele a Narizinho. – Mas está invisível, como me explicou Tio Barnabé. Para a gente ver o capetinha é preciso cair na modorra – e repetiu as palavras que o negro lhe dissera.

Quem não gostou da brincadeira foi a pobre Tia Nastácia. Como tinha um medo horrível de tudo quanto era mistério, nunca mais chegou nem na porta do quarto de Pedrinho.

– Deus me livre de entrar num quarto onde há garrafa com saci dentro! Credo! Nem sei como Dona Benta consente semelhante coisa em sua casa. Não parece ato de cristão...

Capítulo VI
A MODORRA

Um dia Pedrinho enganou Dona Benta que ia visitar o Tio Barnabé, mas em vez disso tomou o rumo da mata virgem de seus sonhos. Nem o bodoque levou consigo. "Para que bodoque, se levo o saci na garrafa e ele é uma arma melhor do que quanto canhão ou metralhadora existe?"

Que beleza! Pedrinho nunca supôs que uma floresta, virgem fosse tão imponente. Aquelas árvores enormes, velhíssimas, barbadas de musgos e orquídeas; aquelas raízes de fora dando ideia de monstruosas sucuris; aqueles cipós torcidos como se fossem redes; aquela galharada, aquela folharada e sobretudo aquele ambiente de umidade e sombra, lhe causaram uma impressão que nunca mais se apagou.

Volta e meia ouvia um rumor estranho, de inambu ou jacu a esvoaçar por entre a folhagem, ou então, de algum galho podre que tombava do alto e vinha num estardalhaço – *brah, ah, ah...* – esborrachar-se no chão.

E quantas borboletas, das azuis, como cauda de pavão; das cinzentas, como casca de pau; das amarelas, cor de gema de ovo!

E pássaros! Ora um enorme tucano de bico maior que o corpo e lindo papo amarelo. Ora um pica-pau, que interrompia o seu trabalho de bicar a madeira de um tronco para atentar no menino com interrogativa curiosidade.

Até um bando de macaquinhos ele viu, pulando de galho em galho com incrível agilidade e balançando-se, pendurados pela cauda, como pêndulos de relógio.

Pedrinho foi caminhando pela mata adentro até alcançar um ponto onde havia uma água muito límpida, que corria, cheia de barulhinhos mexeriqueiros, por entre velhas pedras verdoengas de limo. Em redor erguiam-se os esbeltos samambaiuçus, esses fetos enormes que parecem palmeiras. E quanta avenca de folhagem mimosa, e quanto musgo pelo chão!

Encantado com a beleza daquele sítio, o menino parou para descansar. Juntou um monte de folhas caídas; fez cama; deitou-se de barriga para o ar e mãos cruzadas na nuca. E ali ficou num enlevo que nunca sentira antes, pensando em mil coisas em que nunca pensara antes, seguindo o voo silencioso das grandes borboletas azuis e embalando-se com o chiar das cigarras.

De repente notou que o saci dentro da garrafa fazia gestos de quem quer dizer qualquer coisa,

Pedrinho não se admirou daquilo. Era tão natural que o capetinha afinal aparecesse...

– Que aconteceu que está assim inquieto, meu caro saci? – perguntou-lhe em tom brincalhão.

– Aconteceu que este lugar é o mais perigoso da floresta; e que se a noite pilhar você aqui, era uma vez o neto de Dona Benta...

Pedrinho sentiu um arrepio correr-lhe pelo fio da espinha.

– Por quê? – perguntou, olhando ressabiadamente para todos os lados.

– Porque é justamente aqui o coração da mata, ponto de reunião de sacis, lobisomens, bruxas, caiporas e até da mula sem cabeça. Sem meu socorro você estará perdido, porque não há mais tempo de voltar para casa, nem você sabe o caminho. Mas o meu auxílio eu só darei sob uma condição...

– Já sei, restituir a carapuça! – adiantou Pedrinho.

– Isso mesmo. Restituir-me a carapuça e com ela a liberdade. Aceita?

– Que remédio!

Pedrinho sentia muito ver-se obrigado a perder um saci que tanto lhe custara a apanhar, mas como não tinha outro remédio senão ceder, jurou que o libertaria, se o saci o livrasse dos perigos da noite e pela manhã o reconduzisse, são e salvo, à casa de Dona Benta.

– Muito bem – disse o saci. – Mas nesse caso você tem de abrir a garrafa e me soltar. Terei assim mais facilidade de ação. Você jurou que me liberta; eu dou minha palavra de saci que mesmo solto o ajudarei em tudo. Depois o acompanharei até o sítio para receber minha carapuça e despedir-me de todos.

Pedrinho soltou o saci e durante o resto da aventura tratou-o mais como um velho camarada do que como um escravo. Assim que se viu fora da garrafa, o capeta pôs-se a dançar e a fazer cabriolas com tanto prazer que o menino ficou arrependido de por tantos dias ter conservado presa uma criaturinha tão irrequieta, e amiga da liberdade.

– Vou revelar os segredos da mata virgem – disse-lhe o saci – e talvez seja você a primeira criatura humana a conhecer tais segredos. Para começar, temos de ir ao "sacizeiro" onde nasci, onde nasceram meus irmãos e onde todos os sacis se escondem durante o dia, enquanto o sol está de fora. O sol é o nosso maior inimigo.

Seus raios espantam-nos para as tocas escuras. Somos os eternos namorados da lua. É por isso que os poetas nos chamam de filhos das trevas. Sabe o que é trevas?

– Sei. O escuro, a escuridão.

– Pois é isso. Somos filhos das trevas, como os beija-flores, os sabiás e as abelhas são filhos do sol.

Assim falando, o saci levou o menino para uma cerrada moita de taquaruçus existente num dos pontos mais espessos da floresta.

Pedrinho assombrou-se diante das dimensões daqueles gomos quase da sua altura e grossos que nem uma laranja de umbigo.

Capítulo VII
A SACIZADA

– É aqui, dentro destes gomos, que se geram e crescem meus irmãos de uma perna só – disse o Saci. – Quando chegam em idade de correr mundo, furam os gomos e saltam fora. Repare quantos gomos furados. De cada um deles já saiu um saci.

Pedrinho viu que era exato o que ele dizia e mostrou desejos de abrir um gomo para espiar um sacizinho novo ainda preso lá dentro.

– Vou satisfazer a sua curiosidade, Pedrinho, mas não posso revelar o segredo de furar os gomos; portanto, vire-se de costas.

O menino virou-se de costas, assim ficando até que o Saci dissesse – "Pronto!". Só então desvirou-se e com grande admiração viu aberta num gomo uma perfeita janelinha.

– Posso espiar? – perguntou.

– Espie, mas com um olho só – respondeu o Saci. – Se espiar com os dois, o sacizinho acorda e joga nos seus olhos a brasa do pitinho.

O menino assim fez. Espiou com um olho só e viu um sacizinho do tamanho de um camundongo, já de pitinho aceso na boca e carapucinha na cabeça. Estava todo encolhido no fundo do gomo.

– Que galanteza! – exclamou Pedrinho. – Que pena o povo lá de casa não estar aqui para ver esta maravilha!

– Esse sacizinho ainda fica aí durante quatro anos. A conta da nossa vida dentro dos gomos é de sete anos. Depois saímos para viver no mundo setenta e sete anos justos. Alcançando essa idade, viramos cogumelos venenosos, ou orelhas-de-pau.

Pedrinho regalou-se de contemplar o sacizete adormecido e ali ficaria horas se o saci o não puxasse pela manga.

– Chega – disse ele. – Vire-se de costas outra vez, que é tempo de fechar a janelinha.

Pedrinho obedeceu, e quando de novo olhou não conseguiu perceber no gomo do taquaruçu o menor sinal da janelinha.

Justamente nesse instante um formidável miado de gato feriu os seus ouvidos.

– É o jaguar! – exclamou o saci. – Trepemos depressa numa árvore, porque ele vem vindo nesta direção.

Pedrinho, tomado de pânico, fez gesto de subir na primeira árvore que viu à sua frente, um velho jacarandá coberto de barbas-de-pau.

– Nessa, não! – berrou o saci. – É muito grossa; o jaguar treparia atrás de nós. Temos que escolher uma de casca bem lisa e tronco esguio. Aquele guarantã ali está ótimo – concluiu, apontando para uma árvore bastante alta e magrinha de tronco, que se via à esquerda.

Subiram – e nunca em sua vida Pedrinho subiu tão depressa em uma, árvore! Tinha a impressão de que o terrível tigre dos sertões estava atrás dele, já de boca aberta para o engolir vivo. Mas era ilusão apenas, filha do medo, pois a fera miou outra vez e o saci calculou pelo som que ainda deveria estar a cem metros dali. Pedrinho ajeitou-se como pôde numa forquilha da árvore, lá ficando quietinho a lado do saci.

Preparou-se para ver uma fera sobre a qual vivia falando mas sem ter a respeito ideia justa. Ia ver a famosa onça-pintada, esse gatão que muito lembra a pantera das matas da Índia.

Capítulo VIII
A ONÇA

O miado soou de novo, desta vez bem perto, e logo depois surgiu por entre as folhas a cabeça de uma formidável onça-pintada. Era um animal de extrema beleza, quase tão grande como o tigre de Bengala. Parou; farejou o ar. Depois ergueu os olhos para a árvore. Dando com o menino e o saci lá em cima, soltou um rugido de satisfação, como quem diz: "Achei o meu jantar!". E tentou subir à árvore. Vendo que isso lhe era impossível, sacudiu o tronco tão violentamente que por um triz Pedrinho não veio abaixo, como se fosse jaca madura. Mas não caiu, e a onça, desanimada, resolveu esperar que ele descesse. Sentou-se nas patas traseiras e ali ficou quieta, só movendo a cauda e passando de quando em quando a língua pelos beiços.

– Ela é capaz de permanecer nessa posição três dias e três noites – disse o saci. – Temos que inventar um meio de afugentá-lo.

Olhou em redor, examinando as árvores como quem está com uma ideia na, cabeça. Depois saltou para a mais próxima e foi de copa em copa até uma que estava cheia de grandes vagens. Escolheu meia dúzia das mais secas e voltou para junto do menino.

– Apare nas mãos o pó que vou deixar cair destas vagens – disse ele, abrindo com os dentes uma delas.

Pedrinho estendeu as mãos em forma de cuia e o saci sacudiu dentro um pó amarelado. O mesmo foi feito com as outras vagens.

– Bem. Agora derrame este pó bem a prumo, de modo que vá cair sobre a cara da onça.

Pedrinho colocou-se em linha vertical com a fera e derramou de um jato o pó amarelo.

Foi uma beleza aquilo! Quando o pó caiu sobre os olhos da onça, ela deu tamanho pinote que foi parar a cinco metros de distância, sumindo-se em seguida pelo mato adentro, a urrar de dor e a esfregar os olhos como se quisesse arrancá-los.

Pedrinho deu uma risada gostosa.

– Que diabo de pó é este, amigo saci? – perguntou. – Vejo que vale mais que uma boa carabina...

– Isto se chama pó-de-mico. Arde nos olhos como pimenta e dá na pele uma tal coceira que a vítima até se coçará com um ralo de ralar coco, se o tiver ao alcance da mão.

Pedrinho escorregou da árvore abaixo, ainda a rir-se da pobre onça. Mas não se riu por muito tempo. Mal tinha dado alguns passos, recuou espavorido.

Capítulo IX
A SUCURI

– Um monstro! Acuda, saci! Um monstro com corpo de cobra e cabeça de boi!... – gritou Pedrinho, trepando de novo no guarantã com velocidade ainda maior que da primeira vez.

O saci foi ver o que era e voltou dizendo:

– É uma sucuri que acaba de engolir um boi. Desça que não há perigo. Ela está dormindo e dormirá assim dois ou três meses até que o boi esteja digerido.

Apesar da confiança que o saci lhe merecia, o menino foi pulando de árvore em árvore para só descer a cem passos dali. Mas como a tentação de ver a sucuri fosse grande, foi voltando, voltando, até chegar em ponto de onde pudesse observá-la à vontade.

Era das maiores que se poderiam encontrar, devendo ter pelo menos uns trinta metros de comprimento e a grossura da cabeça de um homem. Pedrinho não podia compreender como um boi inteiro pudesse caber dentro dela.

– Muito simples – explicou o saci. – A sucuri enlaça o boi, quebra-lhe todos os ossos e amassa-o de tal maneira que o torna comprido como chouriço. Depois cobre-lhe o corpo de uma baba muito lubrificante e começa a engoli-lo sem pressa. Vai indo, vai indo, até que dá com o boi inteiro no estômago; só ficam de fora a cabeça e os chifres. E leva meses assim, até que a digestão se complete. Quando está nesse estado, a sucuri não oferece perigo nenhum, porque fica inerte, caída em estado de sonolência.

E não foi só essa cobra que Pedrinho conheceu naquele dia. Logo depois percebeu um ruído seco de guizos. Era uma cascavel que passava, muito aflita, como que fugindo de algum inimigo.

– Que será que a está perseguindo? – indagou ele.

– Alguma muçurana – respondeu o saci. – As muçuranas são cobras sem veneno que só se alimentam de cobras venenosas. Lá vem uma!

De fato, uma muçurana de cor escura surgiu no rastro da cascavel, que foi alcançada logo adiante.

Luta terrível! Pedrinho nunca imaginou um tal espetáculo. A muçurana enleou-se na cascavel e as duas rebolaram no chão como minhocas loucas. Muito tempo estiveram assim. Finalmente a cascavel morreu sufocada, e a muçurana engoliu-a, inteirinha, apesar de serem ambas do mesmo tamanho.

– Que horror! – exclamou Pedrinho. – A vida nesta floresta não tem sossego. Só agora compreendo por que os animais selvagens são tão assustados. A vida deles corre um risco permanente, de modo que só escapam os que estão com todos os sentidos sempre alertas.

– É o que os sábios chamam a luta pela vida. Uma criatura vive da outra. Uma come a outra. Mas para que uma criatura possa comer outra, é preciso que seja mais forte – do contrário vai comer e sai comida.

– Mais forte só?

– Mais forte ou mais esperta. Aqui na mata todos procuram ser fortes. Os que não conseguem ser fortes, tratam de ser espertos. Na maior parte dos casos a esperteza vale mais do que a força. Os sacis, por exemplo, não são fortes – mas ninguém os vence em esperteza.

Capítulo X
A FLORESTA

– Pois assim é – continuou o saci. – A lei da floresta é a lei de quem pode mais: ou por ter mais força, ou por ser mais ágil, ou por ser mais astuto. A astúcia, principalmente, é uma grande coisa na floresta. Está vendo ali aquele galhinho seco?

– Sim. Um galhinho como outro qualquer – respondeu o menino.

– Pois está muito enganado – replicou o saci. – Não é galho nenhum, sim um bichinho que finge de galho seco para não ser atacado pelos inimigos.

Pedrinho não quis acreditar, mas cutucando o galhinho viu que ele se mexia. Ficou assombrado da esperteza.

– Bem diz vovó que a mata é perigosa! Um que não sabe há de levar cada logro aqui...

– E aquilo? – perguntou o saci apontando para uma folha. – Que parece a você que aquilo é?

Pedrinho olhou; viu bem que era uma folha de árvore; mas como já estava ficando sabido nas traições da floresta, piscou para o saci e disse:

– Desta vez não caio na esparrela. Parece que é uma folha, mas com certeza, é outro bichinho que se disfarça em folha. – E cutucou-a para ver se se mexia. A folha, porém, não se mexeu.

– É folha mesmo, bobinho! – disse o saci dando uma risada. – Inda é muito cedo para você "ler" a mata. Isto é livro que só nós, que aqui nascemos e vivemos toda vida, somos capazes de interpretar. Um menino da cidade, como você, entende tanto da natureza como eu entendo de grego.

– Realmente, saci! Estou vendo que aqui na mata sou um perfeito bobinho. Mas deixe estar que ainda ficarei tão sabido como você.

– Sim, com o tempo e muita observação. Quem observa e estuda, acaba sabendo. Aqui, porém, nós não precisamos estudar. Nascemos sabendo. Temos o instinto de tudo. Qualquer desses bichinhos que você vê, mal sai dos casulos e já se mostra espertíssimo, não precisando dos conselhos dos pais. Bem consideradas as coisas, Pedrinho, parece que não há animal mais estúpido e lerdo para aprender do que o homem, não acha?

O orgulho do menino ofendeu-se com aquela observação. Um miserável saci a fazer pouco caso do rei dos animais! Era só o que faltava...

– O que você está dizendo – replicou Pedrinho – é tolice pura sem mistura. O homem é o rei dos animais. Só o homem tem inteligência. Só ele sabe construir casas de todo jeito, e máquinas, pontes, e aeroplanos, e tudo quanto há. Ah, o homem! Você não sabe o que o homem é, saci! Era preciso que tivesse lido os livros que eu li em casa da vovó...

Capítulo XI
DISCUSSÃO

O saci deu uma gargalhada.

– Que gabolice! – exclamou. – Casas? Qual é o bichinho que não constrói sua casa na perfeição? Veja a das abelhas, ou das formigas, ou os casulos. Poderão existir habitações mais perfeitas? Todos aqui na mata moram. Cada um inventa o seu jeito de morar. Todos moram. Todos, portanto, têm suas casinhas, onde ficam muito mais bem abrigados do que os homens lá nas casas deles. O caramujo, esse então até inventou o sistema de carregar a casa às costas. É o mais esperto. Vai andando. Assim que o perigo se aproxima, arreia a casa e mete-se dentro.

– Casa, vá lá – disse Pedrinho meio convencido. – Mas aeroplano? Que bichinho daqui seria capaz de construir aviões como nós homens os construímos?

Outra risada do saci.

– Olhe, Pedrinho, você está-me saindo tão bobo que até me causa dó. Aviões! Pois não vê que o avião é a mais atrasada máquina de voar que existe? Aqui os bichinhos de asas estão de tal modo adiantados que nenhum precisa de mostrengos como o tal avião. Todos possuem no corpo um aparelho de voar aperfeiçoadíssimo. Não vê que voam, bobo? Outro dia assisti a uma cena muito interessante. Eu estava perto duma lagoa cheia de patos, quando um avião passou voando por cima, das nossas cabeças. Os patos entreolharam-se e riram-se. Você sabe, Pedrinho, que bicho estúpido é o pato. Pois mesmo assim um deles disse com muita sabedoria: "Parece incrível que os homens se gabem de ter inventado uma coisa que nós já usamos há tantos milhares de anos...".

– Sim – continuou Pedrinho – mas nós sabemos ler e vocês não sabem.

– Ler! E para que serve ler? Se o homem é a mais boba de todas as criaturas, de que adianta saber ler? Que é ler? Ler é um jeito de saber o que os outros pensaram. Mas que adianta a um bobo saber o que outro bobo pensou?

Era demais aquilo. Pedrinho encheu-se de cólera.

– Não continue, saci! Você está me ofendendo. O homem não é nada do que você diz. O homem é a glória da natureza.

– Glória da natureza! – exclamou o capetinha com ironia. — Ou está repetindo como papagaio o que ouviu alguém falar ou então você não raciocina. Inda ontem ouvi Dona Benta ler num jornal os horrores da guerra na Europa. Basta que entre os homens haja isso que eles chamam guerra, para que sejam classificados como as criaturas mais estúpidas que existem. Para que guerra?

– E vocês aqui não usam guerras também? Não vivem a perseguir e comer uns aos outros?

– Sim; um comer o outro é a lei da vida. Cada criatura tem o direito de viver e para isso está autorizada a matar e comer o mais fraco. Mas vocês homens fazem guerra sem ser movidos pela fome. Matam o inimigo e não o comem. Está errado. A lei da vida manda que só se mate para comer. Matar por matar é crime. E só entre os homens existe isso de matar por matar – por esporte, por glória, como eles dizem. Qual, Pedrinho, não se meta a defender o bicho homem, que você se estrepa. E trate de fazer como Peter Pan, que embirrou de não crescer para ficar sempre menino, porque não há nada mais sem graça do que gente grande. Se todos os meninos do mundo fizessem greve, como Peter Pan, e nenhum crescesse, a humanidade endireitaria. A vida lá entre os homens só vale enquanto vocês se conservam meninos. Depois que crescem, os homens viram uma calamidade, não acha? Só os homens grandes fazem guerra. Basta isso. Os meninos apenas brincam de guerra.

Pedrinho nada respondeu. Estava um tanto abalado pelas estranhas ideias do saci. Quando voltasse para casa iria consultar Dona Benta para saber se era assim mesmo ou não.

Capítulo XII
O JANTAR

O sol já estava descambando e o menino sentiu fome.

Havia esquecido de trazer matalotagem.

– Amigo saci, estou sentindo uma coisa chamada fome. Mostre-me a sua habilidade em sair-se de todos os apuros, arranjando um jantar.

– Nada mais fácil – respondeu o pernetinha. – Gosta de palmito?

– Gosto, sim. Mas como poderemos derrubar uma palmeira tão alta para colher o palmito? Sem machado é impossível.

O saci deu uma risada.

– Não há impossíveis para mim, quer ver? – e metendo dois dedos na boca tirou um agudo assobio.

Imediatamente um enorme besourão, chamado serra-pau, surgiu do seio da floresta. O saci fez-lhe uns sinais e o besourão, voando para o alto duma palmeira de tronco fino, mas muito alta, abarcou a base do palmito entre os seus ferrões dentados como um serrote e começou a girar com grande velocidade, zunindo como um aeroplano – *zunnn...*

Em menos de cinco minutos o tronco da palmeira estava serrado, e o palmito, acompanhado da copa, veio com grande estardalhaço ao chão.

– Bravos! – exclamou o menino. – Nunca imaginei que nesta mata houvesse serrador tão hábil. Quero agora ver como você prepara o petisco.

– Muito fácil – disse o saci. – Fogo não falta. Tenho sempre fogo no meu pitinho. Panelas também não faltam. É só procurar por aí alguma casca de tatu. Água temos dentro dos gomos de taquara; basta rachar um ou dois. E para gordura, é só quebrar uma porção de coquinhos e espremer entre duas pedras o óleo das amêndoas.

– E sal?

– É o mais difícil; mas como há mel, você comerá palmito preparado sob forma de doce, que é ainda mais gostoso.

E assim foi feito. Em menos de vinte minutos estava diante de Pedrinho uma casca de tatu cheia de um doce de palmito muito bem preparado. O menino comeu a fartar e ainda teve uma sobremesa de amoras do mato, que o saci colheu ali mesmo.

– Há muito tempo que não como com tanto apetite! – comentou Pedrinho depois que encheu o papo. – Você é um cozinheiro ainda melhor que Tia Nastácia, que é a, primeira cozinheira do mundo.

E, dando tapinhas na barriga, pôs-se a palitar os dentes com um comprido espinho de brejaúva.

A tarde ia morrendo. Não tardou que Pedrinho visse brilhar no céu, por entre uma nesga aberta na copa das árvores, a primeira estrelinha.

Que coisa impressionante era a noite! Até aquele momento Pedrinho ainda não havia prestado atenção nisso. Noite em casa não é noite. Acende-se o lampião, fecha-se a porta da rua – e que é da noite?

Mas ali, oh, ali a noite o era de verdade – das imensas, das completamente escuras, apenas com aqueles vaga-lumes parados no céu que os homens chamam estrelas...

Capítulo XIII
Novas discussões

Tinham de esperar a meia-noite, porque só a essa hora é que os duendes da floresta saem de suas tocas. Para matar o tempo, o saci começou a explicar a Pedrinho o que era a vida na natureza.

– Você nunca poderá fazer ideia da vida encantada que temos por aqui – disse ele.

– Ora, ora! – exclamou o menino. – Não há o que os homens não saibam. Vovó tem lá uma História Natural que conta tudo.

O saci riu-se e tirou uma baforada do pitinho.

– Tudo? Ah, ah, ah!... Livros como esse não contam nem isca do que é, e estão cheios de invenções ou erros. Basta dizer que para cada inseto seria preciso um livro inteiro só para contar alguma coisa, da vidinha deles. E quantos insetos existem? Milhões...

– Em todo caso – volveu Pedrinho – nós, homens, pomos o que sabemos nos livros e vocês sacis não escrevem coisa nenhuma. Nunca houve livros entre vocês, e quem não escreve obras não pode ensinar aos filhos o que sabe.

– Não temos livros – disse o saci – porque não precisamos de livros. Nosso sistema de saber as coisas é diferente. Nós *adivinhamos* as coisas. Herdamos a sabedoria de nossos pais, como vocês, homens, herdam propriedades ou dinheiro. Nascer sabendo! Isso é que é o bom. Um pernilongo, por exemplo. Sabe como é a vidinha dele? Nasce na água, saído de um ovinho. Logo que sai do ovinho ainda não é pernilongo – é o que vocês chamam "larva" – uma espécie de peixinho que nada e mergulha muito bem. Um dia essa larva cria asas, pernas compridas e voa. E que faz quando voa?

– Vai cantar a música do *fiun* e picar as pessoas que estão dormindo em suas camas. É isso o que esses malvadinhos fazem.

– Muito bem! – tornou o saci. – E quem ensina o pernilongo a fazer isso? Os pais? Não, por que depois de soltar os ovos na água os pais dos pernilonguinhos morrem. Os livros? Não, porque eles não têm livros. Pois apesar disso sabem tudo quanto precisam saber. Sabem que no corpo das gentes há sangue, e que o sangue é o alimento deles. Sabem que as gentes moram em casas. Sabem que a melhor hora de sugar o sangue das gentes é de noite, porque estão dormindo. E sem que os pais lhes ensinem coisa nenhuma, ou que as aprendam nos livros, os pernilonguinhos logo que saem da água vão em busca das casas, entram, escondem-se nos escuros, esperam que todos durmam e sossegadamente picam as pessoas e enchem de sangue as suas barriguinhas. Depois escapam pelas janelas e voltam à mata ou outros sítios, em procura de aguinhas paradas onde porem os ovos. E assim eternamente. Sabem tudo direitinho – e ninguém os ensina. Logo, eles têm a ciência de tudo dentro de si mesmos, como vocês têm tripas e estômago e pacuera.

Pedrinho teve de concordar que era assim mesmo. O saci continuou:

– E como fazem os pernilongos, assim também fazem todas as outras vidinhas aqui da floresta. Cada qual *nasce sabendo fazer o certo* – e não erram. Os grilos nascem sabendo abrir buracos. Há um inseto chamado bombardeiro. Se outro maior o ataca, vira-se de costas e lança-lhe no focinho um líquido que se evapora imediatamente e tonteia o inimigo. Quando este volta a si, o bombardeiro já está longe. Quem o ensina a fazer isso? Ninguém. Nasce sabendo. Certos besouros, quando querem pôr ovos, fazem o seguinte: pegam uma pequena quantidade de esterco e a vão rolando pelo chão com as patas detrás. Para quê? Para formar uma bola. Quando o esterco está uma bola bem redondinha, eles a furam e botam lá dentro os ovos. Quem ensina esses besouros a fazer essas bolas tão redondinhas? Os pais? Não! Algum livro? Não! Eles nascem sabendo.

– Sim – disse Pedrinho. – Nascem sabendo e nós temos de aprender com os nossos pais ou nos livros. Isso só prova o nosso valor. Que mérito há em nascer sabendo? Nenhum. Mas há muito mérito em não saber e aprender pelo estudo.

– Perfeitamente – concordou o saci. – Não nego o mérito do esforço dos homens. O que digo é que eles são seres atrasadíssimos – tão atrasados que *ainda precisam* aprender por si mesmos. E nós somos seres aperfeiçoadíssimos porque já não precisamos aprender coisa nenhuma. Já nascemos sabidos. Que é que você preferia: ter nascido já com toda a ciência da vida lá dentro ou ter de ir aprendendo tudo com o maior esforço e à custa de muitos erros?

O menino foi obrigado a concordar que o mais cômodo seria nascer sabendo.

– Sim, nesse ponto você tem razão, saci. Mas que é que faz todas essas vidinhas viverem? Está aí uma coisa que minha cabeça não compreende.

– Ah, isso é o segredo dos segredos! – respondeu o saci. – Nem nós sabemos. Mas o que acontece é o seguinte: dentro de cada criatura, bichinho ou plantinha, há uma força que a empurra para a frente. Essa força é a Vida. Empurra e diz no ouvido das criaturinhas o que elas devem fazer. A vida é uma fada invisível. É ela que faz o pernilongo ir picar as pessoas nas casas de noite; e que manda o grilo abrir buraco; e que ensina o bombardeiro a bombardear seus atacantes.

– Mas é invisível até para vocês, sacis, que enxergam mais coisas do que nós homens? – perguntou Pedrinho.

– Sim. Eu que enxergo tudo nunca pude ver a fada Vida. Só vejo os efeitos dela. Quando um passarinho voa, eu vejo o voo do passarinho, mas não vejo a fada dentro dele a empurrá-lo.

– Então ela deve ser como a gasolina dos automóveis. Sem gasolina os carros não andam.

– Perfeitamente – concordou o saci – mas com uma diferença: nos automóveis a gente vê e cheira a gasolina, mas a Gasolina-Vida ninguém ainda conseguiu ver nem cheirar.

– E morrer? Que é morrer? A Vida então acaba, como a gasolina do automóvel?

– A Vida muda-se de um ser para outro. Quando o ser já está muito velho e escangalhado, a Vida acha que não vale mais a pena continuar lidando com ele e abandona-o. Vai movimentar um novo ser. A fada invisível diverte-se com isso.

Pedrinho ficou muito impressionado. A fada invisível também morava dentro dele, e o empurrava, para a frente. Era quem o fazia ter fome e comer, ter sede e beber, ter sono e dormir, querer coisas e procurá-las. Mas um dia essa boa fada se enjoaria dele. Por quê? Porque ele já estaria de cabelos brancos, e sem os dentes naturais, e com reumatismo nas juntas, e catacego e com a pele toda enrugada, e com o coração tão fraco que até subir a escadinha da varanda seria uma proeza. E então a fada torceria o nariz e se enjoaria dele: – "Sabe que mais, Senhor Pedrinho? Você está um caco velho e eu não gosto disso. Vou procurar outro ente" – e o abandonaria e ele então morreria.

Essa ideia entristeceu Pedrinho, porque a ideia que não entristece ninguém é bem outra: é a ideia de não morrer nunca, nunca...

Conversou a respeito com o saci.

– Ora, ora! – disse este. – O que morre é o corpo só, a parte que em nós tem menos importância. A grande coisa que há em nós, e nos diferencia das pedras e dos paus podres, que é? A Vida. E essa não morre nunca – muda-se dum ser para, outro. Tal qual a eletricidade. Quando a pequena bateria daquela lâmpada elétrica que você tem se descarrega, a bateria morre – mas morreu a eletricidade? Não. Apenas mudou-se. Saiu daquela bateria e foi para outra, ou foi para as nuvens, ou foi para onde quis. Assim como a eletricidade não morre, a Vida também não morre. A Vida é uma espécie de eletricidade.

– Mas eu não queria que fosse assim – lamentou Pedrinho. – Tenho dó do meu corpo. Estas mãos, por exemplo, – disse ele abrindo-as. – Estou tão acostumado com elas... Desde pequenininho que estas mãos fazem tudo o que eu quero, e fico triste de lembrar que um dia vão ficar paradas, mortas...

– Pior do que perder as mãos é perder os olhos – disse o saci. – Já reparou como é triste não ter olhos, ou tê-los e não ver nada? Feche os olhos bem fechados.

Pedrinho fechou-os bem fechados. O saci disse:

– Pois quando a fada invisível abandonar o seu corpo, Pedrinho, seus olhos vão ficar assim, cegos – como se não existissem. E nunca mais esses olhos, que hoje veem tanta coisa, verão coisa nenhuma. Nunca mais, nunca mais...

Pedrinho sentiu uma tristeza tão grande que quase chorou – mas o saci deu uma grande risada.

– Bobo! O que nesses seus olhos enxerga, não são os olhos: é a fada invisível que há dentro de você. A fada é como o astrônomo no telescópio; e os olhos são como o telescópio do astrônomo. Qual é o mais importante: o telescópio ou o astrônomo?

– É o astrônomo – disse Pedrinho.

– Pois então alegre-se, porque o astrônomo não morre nunca. O telescópio é que se desarranja e quebra...

Capítulo XIV
O medo

Longamente filosofaram os dois, lá debaixo da grande peroba que os abrigava do sereno da noite. A floresta tinha uma vida noturna tão intensa quanto a vida, diurna. Entre os homens tudo para durante certa parte da noite, mas na floresta a vida continua, porque uns seres dormem de dia e vivem de noite e outros dormem de noite e vivem de dia. Assim que os sabiás, sanhaços e tico-ticos se recolhem aos seus pousos ou ninhos, começam a sair das tocas as corujas e morcegos. E as borboletas e mariposas noturnas vêm substituir as borboletas e mariposas diurnas, que adormecem logo que chega a noite. E as caças medrosas, tão perseguidas pelos homens, saem de noite a pastar e beber água nos rios. E os vaga-lumes que de dia não deixam os lugares escurinhos, começam a piscar por toda parte com as suas lanterninhas.

– Esses eu sei – disse o menino. – A vida desses animais eu conheço mais ou menos. O que me interessa agora é a vida dos tais "entes das trevas", como diz Tia Nastácia – os misteriosos – os que uns dizem que existem e outros juram que não existem.

– Compreendo – disse o saci. – Você refere-se aos chamados "duendes", "monstros", "capetas", "gnomos" etc...

– Isso mesmo, amigo saci. Ando desconfiado que tudo não passa de sonho. Eu não via nada na garrafa, antes de ter caído naquela modorra. Assim que a modorra chegou, você apareceu na garrafa e começou a falar. Desconfio que estou sonhando... Desconfio que isto é um pesadelo... Nos pesadelos é que aparecem monstros horríveis. Por quê? Por que é que há coisas horríveis?

– Por causa do *medo,* Pedrinho. Sabe o que é medo?

O menino gabava-se de não ter medo de nada, exceto de vespa e outros bichinhos venenosos. Mas não ter medo é uma coisa e saber que o *medo* existe é outra. Pedrinho sabia que o *medo* existe porque diversas vezes o seu coração pulara de medo. E respondeu:

– Sei, sim. O medo vem da incerteza.

– Isso mesmo – disse o saci. – A mãe do medo é a *incerteza* e o pai do medo é o *escuro.* Enquanto houver escuro no mundo, haverá medo. E enquanto houver medo, haverá monstros como os que você vai ver.

– Mas se a gente vê esses monstros, então eles existem.

– Perfeitamente. Existem para quem os vê e não existem para quem não os vê. Por isso digo que os monstros existem e não existem.

– Não entendo – declarou Pedrinho. – Se existem, existem. Se não existem, não existem. Uma coisa não pode ao mesmo tempo existir e não existir.

– Bobinho! – declarou o saci. – Uma coisa existe quando a gente acredita nela; e como uns acreditam em monstros e outros não acreditam, os monstros existem e não existem.

Aquela filosofia do saci já estava dando dor de cabeça no menino, o qual suspirou e disse:

– Basta, amigo saci. Não quero mais saber de filosofias, quero conhecer os segredos da noite na floresta. Mostre-me os filhos do medo que você conhece. Desde que há tanta gente medrosa no mundo, deve haver muitos filhos do medo.

– Se há! – exclamou o saci. – Os medrosos são os maiores criadores das coisas que existem. Não têm conta o que lhes sai da imaginação. As mitologias daqueles velhos povos estão cheias de terríveis criações do medo. Aqui nestas Américas temos também muitas criações do medo, não só dos índios chamados aborígines, como dos negros que vieram da África.

Pedrinho lembrou-se do Tio Barnabé, que era africano.

– Tio Barnabé, por exemplo – disse ele – é um danado para saber essas coisas. Conhece todos os filhos do medo. Foi ele quem me explicou o caso dos sacis. Conte-me no que é que os índios acreditavam.

– Os índios – começou o saci – não usavam durante a noite aquelas luzes que Dona Benta usa lá no sítio – aqueles lampiões de querosene. Nem usavam a luz elétrica que há nas cidades. Só usavam fogueirinhas de pouca luz e por isso o medo entre os índios era grande. Quanto maior é o escuro, maior o medo; e quanto maior o medo, mais coisas a imaginação vai criando. Já ouviu falar no Jurupari?

– Não...

– Pois é o diabo dos índios, o espírito mau que aparece nos sonhos e transforma os sonhos em pesadelos horríveis. Insônia, mal-estar, inquietação, tudo que é desagradável, vem desse Jurupari.

– Mas como é ele?

– Um espírito sem forma. Um espírito mau que se diverte em agarrar os que estão dormindo e causar-lhes todos os horrores dos pesadelos. E parece que segura as vítimas pela garganta, porque elas esperneiam e se debatem, mas não podem gritar.

– Oh, eu já tive um pesadelo assim! – disse o menino. – Lembro-me muito bem. Eu ia caindo num buracão enorme. Quis gritar por vovó, mas foi inútil. A voz não saía...

– Pois era o Jurupari que estava apertando a sua garganta. O divertimento dele é esse. Anda de casa em casa provocando pesadelos horríveis nos que encontra dormindo.

Nesse momento um ruído entre as folhas chamou a atenção de ambos.

– *Psit!...* – fez o saci. – Atenção... Qualquer coisa vem vindo...

Ficaram os dois imóveis. O coração de Pedrinho batia apressado.

– O Curupira! – sussurrou o saci, quando um vulto apareceu. – Veja... Tem cabelos e pés virados para trás.

– Parece um menino peludo – murmurou Pedrinho.

– E é isso mesmo. É um menino peludo que toma conta da caça, nas florestas. Só admite que os caçadores cacem para comer. Aos que matam por matar, de malvadeza, e aos que matam fêmeas com filhotes que ainda não podem viver por si mesmos, o Curupira persegue sem dó.

– Bem feito! Mas como os persegue?

– De mil maneiras. Uma das maneiras é disfarçar-se em caça e ir iludindo o caçador até que ele se perca no mato e morra de fome. Outra maneira é transformar em caça os amigos, os filhos ou a mulher do caçador, de modo que sejam mortos por ele mesmo.

Pedrinho achou que não podia haver nada mais justo. O saci prosseguiu:

– Esse que vai passando está a pé, mas em regra o Curupira anda montado num veado e traz na mão uma vara de japecanga.

– Que é japecanga?

– Uma planta que é remédio para doença do sangue. Também é conhecida como salsaparrilha.

– E por que anda com essa vara de japecanga? Que ideia!

– Não sei. Ele é que sabe. E o Curupira tem um cachorro de nome Papamel que não o larga. Assim que avista um caminhante na estrada, começa logo a cantar:

Currupaco, papaco
Currupaco, papaco...

– Isso é cantiga de papagaio! – lembrou Pedrinho. – Na casa do Coronel Teodorico há um que só diz isso.

– Pois foi com o Curupira que os papagaios aprenderam o currupaco. Papagaio não inventa palavras, apenas repete as que ouve.

Mas o Curupira, com os seus pés voltados para trás, não se demorou muito por ali. Descobriu um rasto de paca e lá se foi, com certeza para ver como ela ia passando em sua toca.

– Que horas serão? – perguntou o menino – e o saci respondeu que faltava pouco para meia-noite.

– Como sabe?

– Por aquela flor – respondeu o saci indicando uma flor que não estava de todo aberta. – É o meu relógio aqui. Só abre completamente à meia-noite...

Capítulo XV
O BOITATÁ

– Eu ouço falar na Iara e no Boitatá. Será que poderei ver um deles hoje? – perguntou Pedrinho.

– A Iara pode – respondeu o saci – porque há uma que mora por aqui em certo ponto do rio; mas Boitatá, não. Só existe lá pelo Sul.

– Como é?

– Pois o Boitatá é um monstro muito interessante. Quase que só tem olhos – uns olhos enormes, de fogo. De noite vê tudo. De dia não enxerga nada – tal qual as corujas. Dizem que certa vez houve um grande dilúvio em que as águas cobriram todos os campos do Sul, e o Boitatá, então, subiu ao ponto mais alto de todos. Lá fez um grande buraco e se escondeu durante todo o tempo do dilúvio. E tantos anos passou no buraco escuro que seu corpo foi diminuindo e os olhos crescendo – e ficou como é hoje, quase que só olhos. Afinal as águas do dilúvio baixaram e o Boitatá pôde sair do buraco, e desde esse tempo não faz outra coisa senão passear pelos campos onde há carniça de animais mortos. Dizem que às vezes toma a forma de cobra, com aqueles grandes olhos em lugar de cabeça. Uma cobra de fogo que persegue os gaúchos que andam a cavalo de noite.

– Eu sei dessa história. É o fogo-fátuo. Vovó já nos explicou que esses fogos são fosforescências emitidas pelas podridões. No Sul também existe a célebre história do Negrinho do Pastorejo. Conhece? Não será uma espécie de saci dos Pampas?

– Não. Trata-se de coisa muito diferente. Esse negrinho foi apenas um mártir. Sofreu os maiores horrores dum senhor de escravos muito cruel; morreu e virou santinho.

– Conte a história dele.

E o saci contou.

Capítulo XVI
O NEGRINHO

– Havia um fazendeiro, ou estancieiro, como se diz lá no Sul, que era muito mau para os escravos – isso foi no tempo em que havia escravidão neste país. Uma vez comprou uma ponta de novilhos para engordar em seus pastos. Era inverno, um dos piores invernos que por lá houve, de tanto frio que fazia.

– "Negrinho" – disse o estancieiro para um molecote da fazenda, que andava por ali, – "Estes novilhos precisam acostumar-se nos meus pastos, por isso você vai tomar conta deles. Todas as tardes tem de tocar a ponta inteira para o curral, onde dormirão fechados, depois de contados por mim. Tome muito tento, hein? Se faltar na contagem um só que seja, você me paga."

O pobre molecote só tinha quatorze anos de idade; mesmo assim não teve remédio senão ir para o campo tomar conta do gado. Era gado arisco, ainda não querenciado naquela fazenda, de modo que, para começar, logo no primeiro dia um dos novilhos faltou na contagem.

O estancieiro não quis saber de explicações. Vendo que o número não estava certo, botou o cavalo em que estava montado para cima do negrinho e deu-lhe uma tremenda sova de chicote. Depois disse:

– "E agora é ir procurar o novilho que falta. Se não me der conta dele, eu dou conta de você, seu grandessíssimo patife!"

E *lept!* – outra lambada por despedida.

O moleque, com as costas lanhadas e em sangue, montou no seu cavalinho e saiu pelos campos atrás do novilho. Depois de muito procurar encontrou por fim o fujão, escondido numa moita.

– "E agora?" – pensou consigo. – "Tenho de laçar este novilho, mas meu laço está que não vale nada, de tão velho, e eu estou tão escangalhado pela sova que ainda valho menos que o laço. Mas não há remédio. Tenho que ir até o fim..."

E, aproximando-se com muito jeito, laçou o novilho.

Se fosse só laçar, estaria tudo muito bem. Mas tinha de trazer o boizinho por diante, até o curral. Teria ele forças para isso? O laço aguentaria?

Não aguentou. Com meia dúzia de sacões o novilho desembaraçou-se do laço, arrebentando-o, e lá se foi pelos campos a fora, na volada.

E agora? Voltar para casa sem novilho e sem laço? O furor do estancieiro iria explodir como bomba.

Voltou.

– "Que é do novilho?" – indagou o patrão assim que o negrinho apareceu no terreiro.

– "Escapou, patrão. Lacei ele, mas o laço estava podre e não aguentou, como sinhô pode ver por este pedaço."

Se o estancieiro não fosse um monstro de maldade, convencer-se-ia logo, vendo pela ponta do laço que o negrinho andara direito. Quando o laço arrebenta, a culpa da presa escapar não é do laçador, sim do laço. Não pode haver nada mais claro no mundo. Mas o estancieiro, que tinha comido cobra naquele dia, em vez de dar-se por convencido, mais colérico ainda ficou.

– "Cachorro!" – exclamou espumando de raiva. – "Você vai ter o castigo que merece."

O dito, o feito. Agarrou o negrinho, amarrou-o pelos pés com a ponta do laço e depois de bater nele com o cabo do relho até cansar, teve uma ideia diabólica: botá-lo num formigueiro para ser devorado vivo pelas formigas.

Assim fez. Arrastou-o para um sítio onde existia um enorme formigueiro de formigas carnívoras, arrancou as roupas do coitadinho e deixou-o amarrado lá.

No dia seguinte foi ver a vítima, com a ideia de continuar o castigo, caso o grande criminoso não estivesse morto e bem morto. Chegando ao formigueiro, levou um grande susto. Em vez do negrinho, viu uma nuvem que se erguia da terra e logo se sumiu nos ares.

A notícia desse acontecimento correu mundo. Os homens daquelas bandas começaram a considerar o negrinho como um mártir que tinha ido direito para o céu.

Com o tempo virou um verdadeiro santo. Quem quer qualquer coisa, na campanha do Rio Grande, antes de pedi-la a Santo Antônio ou a outro santo qualquer, pede logo ao Negrinho do Pastorejo.

– E ele faz?

– Está claro que faz – sempre que pode. Como sofreu muito, sabe avaliar os apertos dos outros e ajuda-os no possível.

Capítulo XVII
Meia-noite

Nesse ponto da prosa a flor que servia de relógio abriu-se toda.

– É hora! – exclamou o saci. – Estamos justamente no meio da noite.

Apesar de valente, Pedrinho não deixou de sentir um certo arrepio pelo corpo. Primeira vez na vida em que ia passar uma noite inteira na mata – e não seria uma noite comum, pelo que dizia o saci.

– Não se arreceie de coisa nenhuma. Deixe tudo por minha conta, que nada de mal há de acontecer – disse o saci, correndo os olhos em redor como em procura de alguma coisa. – Venha comigo. Há ali uma peroba minha conhecida, onde encontraremos o melhor dos refúgios.

De fato. Na tal peroba havia um oco a doze pés acima do chão, muito próprio para esconderijo. Dentro dele os dois acomodaram-se à vontade e de modo a tudo poderem ver sem perigo de serem vistos.

– Muito bem – disse o menino – mas só quero saber como poderei enxergar qualquer coisa de noite, dentro desta floresta que de dia já é tão escura.

– Para tudo há remédio – foi a resposta do saci. – Espalharei pelas árvores vizinhas centenares de lanternas vivas, de modo que você enxergará como se fosse dia. Mas antes é preciso que coma estas sete frutinhas vermelhas – concluiu apresentando ao menino um punhado de frutinhas do tamanho de amoras-bravas.

Pedrinho desconhecia aquelas frutas e foi com uma careta que mordeu a primeira, tão amarga era. Mas comeu as sete, e logo em seguida sentiu uma deliciosa tonteira invadir-lhe o corpo, deixando-o num esquisito estado de consciência jamais sentido. Era como se estivesse *dormindo acordado*.

Enquanto isso, o saci repetiu em tom diferente o assobio com que chamara o serra-pau; mas dessa vez não veio serra-pau nenhum, sim uma enorme quantidade de vaga-lumes, dos grandes e dos pequenos. Vieram e foram pousando nas folhas e galhos das árvores vizinhas, como se algum invisível guia lhes estivesse a indicar os lugares. O coração da floresta clareou num círculo de cem metros de diâmetro, como se fosse batido pelo luar da lua cheia.

Pedrinho estava a gozar o espetáculo da floresta iluminada pelas lanterninhas vivas, quando surgiu na claridade o primeiro saci. E logo outro, e outro, e todo um bando de mais de cem. Começaram a pular, a dançar e a conversar numa linguagem que o menino muito sentiu não entender.

– Estão combinando as travessuras que vão fazer durante a noite. Daqui a pouco todos partem, só ficando os pequeninos que ainda não podem correr mundo – explicou o saci cochichando-lhe ao ouvido.

Pedrinho enxergou um de cara chamuscada – com certeza o que fora vítima da explosão do pito do Tio Barnabé. Mas os sacis foram se dispersando, de modo que ao cabo de alguns minutos só se viam por ali os pequeninos como camundongos.

– Para onde foram? – perguntou Pedrinho.

– Oh, eles espalharam-se por toda parte. Ainda está por haver um lugarzinho onde saci não entre.

– Até nas garrafas... – disse o menino, sorrindo.

Capítulo XVIII
Saída dos sacis

Nem em sonhos Pedrinho jamais esperou que pudesse observar um quadro mais curioso. Aqueles minúsculos capetinhas eram as mais travessas e irrequietas criaturas que se possam imaginar. Não paravam um só instante. Cabriolavam nos musgos do chão, pulavam como pulgas, dançavam, inventaram mil travessuras. E tudo faziam sem por um só instante tirarem o pitinho da boca.

Deram-se cenas muito engraçadas. Três deles ficaram muito atentos, de narizinho para o ar, observando um morcego que despreocupadamente comia frutinhas de uma enorme figueira. Depois de cochicharem entre si, treparam à figueira, com todas as cautelas para não assustar o morcego. Foram por trás dele e, de repente – *zás!...* pularam-lhe ao lombo, como perfeitos *caubóis!* O morcego levou um grande susto e começou a corcovear no ar, em voos tontos, enquanto os três cavaleiros, firmes na sela como carrapatos, davam assobios agudíssimos num grande contentamento.

Outro havia trepado a um arbusto e descoberto um ninho de beija-flor com três ovinhos. Imediatamente deu brado de alarma, chamando os companheiros. Reuniu-se um bando em redor do ninho, cujos ovos foram retirados e levados para o chão. Lá acenderam uma minúscula fogueirinha e assaram os ovos e os comeram com grande alegria e gulodice.

E quantas outras travessuras não observou Pedrinho! Os que agarraram um pobre caramujo pelos chifrinhos e fizeram prodígios para arrancá-lo da casca. Os que se divertiam em caçar vaga-lumes, matá-los e esfregar pelo corpo a substância fosforescente que os torna luminosos. Os que cavavam a terra, descobriam minhocas, emendavam três e quatro para fazer uma corda de pular...

Pedrinho estava completamente absorvido naquele curioso espetáculo; e assim passaria a noite, se em certo momento o saci não o puxasse para o fundo do oco.

– Cuidado! – disse ele. – Estou sentindo catinga de lobisomem. Meu faro nunca se engana...

Capítulo XIX
LOBISOMEM

Nem bem acabara o saci de pronunciar estas palavras e Pedrinho notou grande rebuliço entre os sacizinhos. Parece que também pressentiram qualquer coisa, pois largaram das brincadeiras e desapareceram na floresta, como por encanto.

Era tempo. O mato começou a estalar, como se algum animalão por ele viesse rompendo, e por fim surgiu na clareira a carantonha sinistra de um lobisomem. Parou, farejou o ar como se estivesse sentindo cheiro de carne humana. O saci, porém, tivera a precaução de emitir um certo cheirinho a enxofre, e isso iludiu o lobisomem, que continuou o seu caminho e passou. O cheiro a enxofre disfarça o da carne humana, explicou mais tarde o saci.

Apesar do medo que sentira, Pedrinho pôde notar que o monstro tinha a pele virada, isto é, o pelo para dentro e a carne para fora – uma coisa horrível! No mais, era um perfeito lobo, embora de dimensões muito mais avantajadas.

Assim que o lobisomem deixou a clareira, o menino respirou um ah! de alívio e pediu ao saci que lhe contasse alguma coisa desses monstros.

– Dizem – repondeu o saci – que quando uma mulher tem sete filhos machos, o sétimo vira lobisomem na noite das sextas-feiras. Sai então pelos campos, invade os galinheiros (onde come um produto das galinhas que não é o ovo) e também assalta e devora os cães e as crianças que encontra pelo caminho. Se alguém ataca um lobisomem e corta-lhe uma das patas, ele vira imediatamente no homem que é – e esse homem fica por toda vida aleijado do membro correspondente à pata cortada.

Pedrinho não resistiu à tentação de ver de perto as pegadas do monstro, e apesar das advertências do saci saiu do oco para examiná-las à luz de um vaga-lume. Mas não teve tempo. Assim que saiu do oco, ouviu um estranho rumor ao longe, seguido do agudo assobio do saci chamando-o. Voltou precipitadamente.

– Que há? – indagou.

O saci, que também parecia amedrontado, puxou-o bem para o fundo do esconderijo, murmurando:

– A mula sem cabeça!

Capítulo XX
A MULA SEM CABEÇA

A mula sem cabeça! Pedrinho estremeceu. Nenhum duende das florestas o apavorava mais que esse estranho e incompreensível monstro, *a mula sem cabeça que vomita fogo pelas ventas!* Muitas histórias a seu respeito tinha ouvido aos caboclos do sertão e aos negros velhos, embora Dona Benta vivesse dizendo que tudo não passava de crendice.

A galopada aproximava-se; já se ouvia o estalar dos arbustos que em seu desenfreado galopar a mula sem cabeça vinha quebrando. Súbito, parou.

– Vai mudar de rumo! – murmurou o saci com cara mais alegre.

E de fato foi assim. A mula retomou a galopada mas em outra direção, e embora passasse por perto não chegou ao alcance dos olhos do menino.

– Que pena! – exclamou ele. – Tanta vontade que eu tinha de conhecer esse monstro...

– Que pena? – repetiu o saci. – Que felicidade, deve você dizer! A mula sem cabeça é o mais sinistro duende que há no mundo; tem o dom de transtornar a razão de todos que a veem. Por isso é que tive medo – não por mim, mas por você...

– Mas qual é a origem dessa mula?

– Uma história muito velha. Dizem que antigamente houve um rei cuja esposa tinha o misterioso hábito de passear certas noites pelo cemitério, não consentindo que ninguém a acompanhasse. O rei incomodou-se com isso e certa noite resolveu segui-la sem que ela o percebesse. No cemitério deu com uma coisa horrenda: a rainha estava comendo o cadáver de uma criança enterrada na véspera e que por suas próprias mãos, cheias de anéis, havia desenterrado! O rei deu um grito. Vendo-se pilhada, a rainha deu outro grito ainda maior – e imediatamente virou nessa mula sem cabeça, que desde aquele momento nunca mais parou de galopar pelo mundo, sempre vomitando fogo pelas ventas.

E foi assim que Pedrinho perdeu a única oportunidade que teve de ficar conhecendo pessoalmente o estranho monstro que tanto impressiona a imaginação dos nossos sertanejos.

Ela corre sem cessar, espalhando a loucura por onde passa. Não existe criatura, seja bicho do mato ou gente, que não prefira ver o diabo em pessoa, a ver a tal mula sem cabeça. É horrenda!

– Mas como será que vomita fogo pelas ventas, se as ventas estão na cabeça e ela não tem cabeça?

– Também não entendo; mas é assim – disse o saci.

Capítulo XXI
MÁS NOTÍCIAS

Parece que a mula sem cabeça tem a propriedade de afugentar os outros duendes da floresta, porque depois da sua passagem tudo por ali ficou deserto de seres. Só uma hora mais tarde é que os sacizinhos foram reaparecendo, um por um e ainda ressabiados. Mas reapareceram todos, afinal, e recomeçaram as travessuras, apenas interrompidas pela passagem da Porca dos Sete Leitões e do Caipora.

A Porca dos Sete Leitões é uma misteriosa porca alva como paina, que passeia acompanhada dos seus sete leitõezinhos, fossando o chão em procura de um anel enterrado. Só quando achar esse anel poderá quebrar o encanto e virar na baronesa que já foi. Por suas maldades no tempo em que havia escravos, um feiticeiro negro transformou-a em porca e virou seus sete filhos em leitões.

O Caipora é um duende peludo, meio homem, meio mono, que costuma cavalgar os porcos-do-mato e deter os viajantes para exigir fumo.

Aquele que por ali passou vinha montado num soberbo queixada de enormes presas salientes, tão corpulento e forte que para passar nem se desviava das pequenas árvores – ia derrubando-as.

Nisto um pio de coruja fez-se ouvir de perto. O saci apurou os ouvidos, com cara de quem não estava gostando nada daquilo.

– Aquela coruja está me chamando. Está dando sinal de que aconteceu qualquer coisa lá no sítio de Dona Benta. Tenho de ir ver o que é.

– E vai deixar-me sozinho aqui? – murmurou o menino de dentro do seu esconderijo, procurando dominar o medo. Com o amigo perneta ao lado sentia-se seguro; mas ficar, por minutos que fosse, entregue a si próprio, naquela mata cheia de mistérios e ainda mais naquela hora sinistra da meia-noite, era duro de roer. Pedrinho, entretanto, dominou-se e disse, fazendo das tripas o coração:

– Pois vá, mas não se demore muito porque... porque gosto muito da sua prosa, ouviu?

Dando uma risadinha de quem compreendia perfeitamente o que se passava dentro do seu companheiro, o saci foi falar com a coruja.

Minutos depois regressou, visivelmente inquieto. Percebendo a mudança, Pedrinho indagou ansioso:

– Que há?

– Coisa muito grave. Quando saí do sítio de Dona Benta, deixei lá uma coruja, que é minha escrava, com ordem de avisar-me de qualquer coisa fora do comum que acontecesse. Pois bem: a coruja acaba de chegar com uma notícia nada agradável.

– Que é? Conte logo...

– A Cuca apareceu no sítio e furtou Narizinho...

– Não diga! – exclamou o menino, com os cabelos arrepiados. – Temos que salvá-la, saci! Darei tudo quanto você quiser, se me ensinar o meio de arrancar Narizinho das unhas desse horrendo monstro...

A Cuca! Pedrinho ainda tinha bem fresca na memória a lembrança dessa bruxa das histórias que a ama lhe contara nos primeiros anos de sua vidinha. Lembrava-se até duns versos que ela cantava para adormecê-lo:

> Durma, nenê, que a Cuca já lá vem,
> Papai está na roça; mamãezinha,
> No Belém.

Lembrava-se que ouvindo essa cantiga sentia uma ponta de medo e fechava os olhos e logo dormia. Depois que cresceu, nunca mais ouviu falar na Cuca, a não ser minutos antes, quando o saci lhe contou que a Cuca era a Rainha das Coisas Feias. Seria verdade? Verdade ou não, tinha de voltar ao sítio *incontinenti* e de qualquer maneira.

– Vamos embora, saci! Precisamos chegar ao sítio o quanto antes, para saber com certeza o que há. Pode ser que a coruja esteja mentindo, mas também pode ser verdade.

– Mentira não é – disse o saci. – Minha coruja não mente. Mas pode ser que a menina tenha sido raptada por outro duende que não a Cuca. É o ponto que temos de verificar.

– E se for a Cuca mesmo'? Que havemos de fazer?

– Não sei. Tenho de pensar nisso. A Cuca é bastante poderosa, e má como ela só. Mas havemos de dar um jeito. Tenho cá uma ideia. Venha comigo.

Saíram do oco da peroba e tomaram o caminho do sítio de Dona Benta. A escuridão da noite não embaraçava em nada ao saci, que, como filho das trevas, enxergava no escuro ainda melhor do que ao sol. Mas o pobre Pedrinho padeceu um bocado. Só podia guiar-se pela brasa do cachimbo do saci, de modo que tropeçou em muito cipó e toco de pau podre, afundando os pés em formigueiros e buracos de tatu, espinhando-se na cara e nos braços. Mas era tal a sua ânsia de chegar, que nem sequer a dor das arranhaduras sentiu.

– Nesta andadura chegaremos tarde – disse de repente o saci. – Se você é bom cavaleiro, poderemos ir montados num porco-do-mato.

– Sou. Já montei até num garrote bem taludo, que deu os maiores corcovos do mundo sem conseguir derrubar-me.

– Pois então, tudo está resolvido. Olhe! Lá vem em nosso rumo uma vara de porcos. Suba a esta árvore; assim que eu der sinal, atire-se de perna aberta para cima do lombo do que vem na frente. Eu irei na garupa.

Assim fizeram. Subiram os dois a uma árvore baixa; logo que o porco chefe passou por debaixo da árvore, Pedrinho e o saci atiraram-se sobre ele, agarrando-se aos compridos pelos do cangote. Assustado com aquela manobra, o pobre porco disparou numa galopada louca pela mata a fora, na direção desejada pelo saci. Este habilíssimo duendezinho tinha jeitos para tudo, inclusive dirigir porcos-do-mato como se os trouxesse seguros por um bom par de rédeas. Pedrinho não percebeu de que modo o saci conseguia isso, nem teve tempo de o perguntar. Todas as suas energias eram poucas para manter-se firme no lombo da cavalgadura de nova espécie. Aquela corrida com o saci dentro da noite iria constituir a mais arrojada aventura da sua vida. Por mais anos que se passassem, ele jamais poderia esquecer-se dela.

Capítulo XXII
CHEGAM AO SÍTIO

Depois de comprida caminhada, o menino percebeu que já estava em terras do sítio. Viu o rancho do Tio Barnabé perto da ponte; em seguida, os pastos; e finalmente a casa da sua querida vovó.

No terreiro saltaram do porco-do-mato, o qual, aliviado da carga, prosseguiu na correria com maior velocidade ainda.

Foram entrando. A casa estava silenciosa, de luzes acesas – coisa muito esquisita àquela hora da madrugada.

– Temos novidade – murmurou o menino. – Luz acesa a estas horas é mau sinal...

IMAGINÁRIO O SACI

Na sala de jantar encontrou Dona Benta sentada na sua cadeirinha, com a cabeça apoiada nas mãos. Ao lado dela, Tia Nastácia escarrapachada no chão. De tal modo absorvidas estavam as duas velhas, que nenhuma percebeu a chegada dos valentes salvadores.

– Que há, vovó? – foi gritando Pedrinho.

Dona Benta ergueu a cabeça e arregalou os olhos, como se a aparição de Pedrinho fosse um sonho. Tia Nastácia fez o mesmo, mais assustada do que admirada de ver o menino outra vez.

– Pedrinho! – exclamou a pobre avó com expressão de esperança nos olhos vermelhos de tanto chorar. – Até que enfim você apareceu! Estava eu aqui desesperada, porque perder um neto já era demais, mas perder dois seria coisa acima das minhas forças...

– Perder dois? Quer dizer que Narizinho sumiu?

– Sim, meu filho! Logo que você desapareceu desta casa da maneira mais misteriosa, nada dizendo a ninguém, Narizinho saiu a dar uma volta pelos pastos para ver se o encontrava. Andou por lá gritando "Pedrinho! Pedrinho!" uma porção de tempo, até que de repente se calou. Julgamos que tivesse achado o fujão e ficamos muito contentes. Mas o tempo foi passando e nada de Narizinho voltar. Tia Nastácia e eu demos uma volta pelo pasto, chegamos até à casa do Tio Barnabé e nada. Isso, às três horas da tarde. Já são duas da madrugada e não tivemos ainda o menor indício de onde possa estar a coitadinha da minha querida neta...

Dizendo isto Dona Benta rompeu de novo em choro, acompanhada de Tia Nastácia.

Pedrinho contou onde estivera e, depois de consultar em segredo o saci, consolou Dona Benta e a preta, dizendo que sabiam onde Narizinho estava e iam buscá-la.

– É verdade isso ou você está fantasiando para me consolar?

Pedrinho, que nunca mentia, sentiu tanto dó das pobres velhas que pela primeira vez na vida resolveu enganá-las com uma mentira de bom tamanho. Deu uma risada e disse:

– Não se assuste, vovó! Narizinho e eu resolvemos pregar uma grande peça na senhora, mas essa peça é um segredo que não posso contar. Só amanhã, ao clarear do dia – e deu uma grande risada.

Dona Benta sossegou um pouco e ralhou severamente com o menino, fazendo ver o transtorno que aquela, estranha "surpresa" lhe causara. Disse que sofria do coração e que se coisas assim se repetissem o certo era ir para a cova antes do tempo.

Pedrinho sossegou-a como pôde e saiu para o terreiro, gritando que se acalmasse porque dentro de uma ou duas horas estaria de volta com a menina.

Lá no terreiro, só com o saci outra vez, voltou-se para ele e disse:

– E agora, amigo saci, que iremos fazer?

– Estou armando o meu plano – respondeu o diabrete. – Já fiz uma inspeção pela casa toda e pelo terreiro. Estou na pista do raptor.

– Raptor? – repetiu o menino sem nada compreender.

– Sim. Narizinho foi raptada pela Cuca. Descobri o rasto da horrenda bruxa perto da porteira. Temos de ir à caverna onde mora a Cuca e ver o que há.

– Mas se a Cuca é poderosa como você diz, que poderemos fazer?

– Não sei. Lá veremos. O que é preciso é não desanimar. Se ela é poderosa, eu sou astucioso. A astúcia inúmeras vezes vence a força. Faça das tripas coração e acompanhe-me. O mau foi termos deixado escapar o porco que nos trouxe. Precisamos descobrir nova montaria.

– Isso é fácil. O meu cavalinho pangaré está no pasto de dentro. Manso como é, podemos pegá-lo e cavalgá-lo em pelo.

– Pois vamos pegar o pangaré – concordou o saci.

Não foi difícil. Logo que o cavalinho reconheceu o dono, veio na direção dele no trote. Pedrinho montou, com o saci na garupa, e lá partiu na galopada.

Pedrinho logo percebeu que qualquer animal montado pelo saci mudava de modos, ficando não só mais ligeiro do que nunca e fogoso, como ainda com um senso de direção que parecia sobrenatural. Inúmeras vezes tinha cavalgado o pangaré e galopado nele; nunca, porém, o vira assim tão ardente e veloz. Era como se o saci lhe comunicasse alguma força mágica, que não é própria dos cavalos. Tal foi a velocidade desenvolvida que Pedrinho não pôde deixar de dizer:

– Mais parece o famoso Pégaso do que o meu velho e lerdo pangaré! Estou estranhando isto...

– Não estranhe coisa nenhuma – aconselhou o saci. – Tudo são mistérios que só eu sei e que não vale a pena explicar agora. Não fale comigo, não me atrapalhe. Estou fazendo um grande esforço de cabeça para aperfeiçoar o meu plano de não só lograr a Cuca malvada como ainda castigá-la como merece.

– Conte ao menos um pedacinho dessa grande ideia, para me consolar.

– É uma ideia que aprendi com Dona Benta –– respondeu o saci.

– Com vovó? – inquiriu o menino admirado. – Como isso, se vovó jamais teve coragem de falar com você?

– Sim, nunca falou comigo, mas muita coisa do que ela disse eu ouvi de dentro da garrafa. Meus ouvidos são apuradíssimos. Lembro-me da história dum pingo d'água que ela contou certa noite...

– História dum pingo d'água? – repetiu o menino, cada vez entendendo menos. – Não posso perceber onde você quer chegar.

– Quero chegar à caverna da Cuca! – respondeu o saci brincalhonamente.

Vendo que ele se recusava a contar o plano que tinha na cabeça, o menino calou-se. Esporeado pelo saci, o pangaré aumentou ainda mais a velocidade do galope, de modo que antes de meia hora já se achavam numa região inteiramente nova para o menino.

"Onde estarei eu?", ia ele pensando, sem coragem de interrogar o saci, de tal modo o via concentrado nas combinações do seu célebre plano.

Capítulo XXIII
A Cuca

Súbito o saci exclamou:

– É lá!

– É lá o quê? – perguntou Pedrinho.

– A caverna da Cuca, naquela montanha de pedras nuas. Conheço bem estes sítios.

Pedrinho olhou na direção apontada e só viu grandes massas de sombras. Apesar de ser noite de lua, havia névoas no céu, de modo que a claridade não dava para perceber mais que o vulto da montanha estendida à sua frente. Que a região era pedregosa, isso Pedrinho logo percebeu, tais faíscas tirava do chão o seu cavalinho pangaré. Entretanto, não tropeçava, o que seria naturalíssimo num animal acostumado a só trotar por bons caminhos ou campos livres de pedras.

– Estou estranhando este cavalo! – não pôde deixar de dizer o menino. – Positivamente não é o mesmo. Nem sequer tropeça...

– É que lhe dei a comer sete folhas de uma planta que só eu sei para que serve.

– Logo vi. Seria ótimo que me ensinasse o segredo dessa planta. Com ela a gente poderia até transformar um burro morto em Bucéfalo...

O saci, apesar das suas habilidades e espertezas de demoninho, ignorava a história dos cavalos célebres, e pois ficou na mesma com a citação do tal Bucéfalo.

– Que bicho é esse? – perguntou.

– Oh, era o cavalo de Alexandre, o Grande, um cavalo bravíssimo, que nenhum homem, fora Alexandre, jamais conseguiu domar. Um dia, quando estivermos sossegados, hei de contar a história dos grandes cavalos.

– Sim – interrompeu o saci – mas agora feche o bico. Estamos nos domínios da Cuca, onde qualquer imprudência nos pode custar caro. Essa horrenda bruxa tem ouvidos ainda mais apurados que os meus.

Pedrinho calou-se.

Nisto a lua saiu de trás das nuvens e ele pôde ver melhor o sítio onde se achava. Bem à frente erguia-se a muralha duma montanha de pedras negras, com arvoredo retorcido brotando das brechas. Era uma paisagem diabólica, que punha nos nervos das criaturas os mais esquisitos arrepios. Lugar bom mesmo para morada de monstros como a Cuca...

– É ali! – murmurou baixinho o saci, apontando para uma abertura negra. – É ali a entrada da caverna da grande malvada.

– Como sabe? – perguntou Pedrinho tolamente.

– Que pergunta! – respondeu o saci com ironia. – Sei porque sei. Tinha graça que um saci não soubesse onde mora a Cuca... Mas, silêncio! Temos que entrar com mil cautelas, de arrasto, como se fôssemos cobras. Não! Não! O melhor é nos disfarçarmos em folhagem.

– Como isso?

– Nada de perguntas. Faça o que eu fizer, sem discutir – ordenou o diabrete, afastando-se dali para arrancar braçadas de folhas da árvore mais próxima. Pedrinho fez o mesmo. Em seguida o saci lascou da mesma árvore umas embiras, com as quais amarrou a folhagem em redor do seu corpinho. O menino fez o mesmo.

Ficaram tal qual dois arbustos móveis e, assim disfarçados, dirigiram-se para a caverna do horrendo monstro, pé ante pé, tão devagarzinho que levaram vinte minutos para caminhar uns poucos metros.

Súbito, ao dobrarem uma curva, viram lá num canto a rainha. Estava sentada diante duma fogueira, de modo que a claridade das chamas permitia que as "folhagens" lhe vissem a carantonha em toda a sua horrível feiura. Que bicha! Tinha cara de jacaré e garras nos dedos como os gaviões. Quanto à idade, devia andar para mais de três mil anos. Era velha como o Tempo.

– Estamos de sorte – disse o saci ao ouvido do menino. – A Cuca só dorme uma noite cada sete anos e chegamos justamente numa dessas noites.

– Como sabe? – indagou Pedrinho, cuja curiosidade não tinha limites.

O saci danou e ameaçou-o, se continuasse com tais perguntas, de deixá-lo ali sozinho para ser devorado pelo monstro. Em seguida queimou na brasa do pito uma misteriosa folha, que havia apanhado pouco antes sem que o menino o percebesse.

– Esta fumaça vai fazer que o sono da rainha seja mais pesado do que todas as pedras desta gruta. Depois de estar completamente adormecida, temos da amarrá-la muitíssimo bem amarrada.

Logo que a fumaça alcançou o focinho da Cuca, esta, que já estava dando mostras de sono, pendeu a cabeça de lado e roncou.

– Já caiu no sono – disse o saci. – Podemos agora tirar nossa roupa de folhas e sair em busca de cipós. Conheço um cipó que vale por quanta corda existe – até parece cipó próprio de amarrar cucas...

Despiram-se das folhas e saíram da caverna muito satisfeitos, porque as coisas estavam correndo às mil maravilhas.

Capítulo XXIV
O NOVELO DE CIPÓS

Cortado o cipó, trouxeram-no em dois grandes rolos, e sem receio nenhum, pois os roncos da Cuca mostravam que ela estava a dormir como quem não dormia há sete anos, começaram a amarrá-la dos pés à cabeça.

Mais uma vez teve Pedrinho de reconhecer como era hábil e arteiro o seu amigo saci. Amarrar parece coisa fácil, mas não é. Se Pedrinho houvesse amarrado a Cuca, o mais certo era que com dois safanões a bruxa se livrasse da cipoada num minuto. Mas com o saci deu-se coisa diferente. O diabinho parecia nunca ter feito outra coisa na vida. Amarrou-a com a mesma ciência com que as aranhas amarram as moscas nas suas teias, sem deixar um ponto fraco. O segredo, explicou ele, era estudar a amarração de modo que ao despertar a Cuca não pudesse fazer o menor movimento. Porque se a criatura, amarrada puder fazer um pequeno movimento, por menor que seja, afrouxará um ponto no amarrilho; e depois afrouxará outro ponto – e assim irá até libertar-se duma vez.

Terminada, a obra, em vez de Cuca viu-se no chão um verdadeiro carretel de cipó.

– Sim, senhor! – exclamou Pedrinho. – Aprendi mais hoje do que em toda a minha vida. Esta diaba pode ter a força de cem elefantes, mas duvido que escape da "nossa" amarração.

O saci sorriu daquele "nossa", mas calou-se. Limitou-se a enxugar o suor da testa.

– Temos agora de acordá-la – disse depois.

– Deixe esse ponto comigo – pediu o menino. – Com um bom pau de guatambu, eu acordo-a bem acordada.

– Nada de paus! Você não conhece a Cuca. Um monstro de três mil anos, como ela, havia de rir-se das pauladas dum menino como você. À força, é impossível lutar com ela. Temos de usar da astúcia. A arma a empregar vai ser o pingo d'água.

– Lá vem o pingo d'água outra vez! – exclamou o menino. – Até parece caçoada, querer com um pobre pingo d'água dominar uma bruxa destas...

– Pois fique sabendo que é o único meio.

Pedrinho não entendeu, ficando de boca aberta a ver as manobras do saci. A engenhosa criaturinha trepou que nem macaco pelas estalactites gotejantes da gruta até alcançar a que ficava bem a prumo sobre a cabeça da Cuca. E lá, então, encaminhou um fiozinho d'água de modo que gotejasse lentamente bem no meio da testa da Cuca.

– Basta isso – disse ele. – No começo ela nem sente; mas com a continuação a dor vai ficando tamanha que há de dar-se por vencida.

– Sim, senhor! – murmurou o menino. – Está aí uma invenção que nunca imaginei, mas agora me lembro que vovó nos contou uma história assim...

– Pois é – disse o saci. – Ambos ouvimos essa história; mas só eu prestei atenção e já estou tirando partido do que aprendi. Sou dez vezes mais esperto que você, Pedrinho. Não acha?

O menino não teve remédio senão achar que era mesmo.

Os pingos começaram a cair. Os cem primeiros nenhuma impressão fizeram na bruxa, cujo sono parecia dos mais gostosos. Daí por diante já esse sono não pareceu mais tão calmo. Começou a fazer caretas, como se estivesse sonhando algum sonho horrível. Por fim abriu um olho e depois o outro.

Por vários minutos permaneceu apatetada, vendo diante de si aquelas duas criaturas de mãos na, cintura, a olharem para ela sem dizer coisa nenhuma. Depois a sua inteligência foi acordando e notou o pingo a lhe cair na testa. Quis mudar de posição. Não pôde. Só nesse momento viu que estava amarradinha como se fosse um carretel e condenada à mais absoluta imobilidade.

Capítulo XXV
O pingo d'água

A cólera da Cuca foi medonha. Deu um urro de ouvir-se a dez léguas dali, tamanho e tão horrendo que por um triz Pedrinho não disparou na corrida. E outro urro, e outro, e mais de cem.

– Berre, demônio! – gritou o saci. – Berre até rebentar. Pingo d'água não tem ouvidos, nem tem pressa. Esse que botei pingando nessa horrenda caraça vai divertir-se em pingar no mesmo lugarzinho por cem anos, se for preciso. Sei que

Cuca é bicho duro, mas quero ver se pode com um pingo d'água que não tem pressa nenhuma, nem tem outra coisa a fazer na vida senão pingar, pingar, pingar...

A dor que a queda, de um pingo atrás do outro já estava causando nos miolos da bruxa começava a crescer ponto por ponto. Cada novo pingo era um ponto mais de dor. Naquele andar ela não suportaria o suplício nem um mês, quanto mais os cem anos com que a ameaçara o saci.

— Parem com esse pingo d'água! – berrou a bruxa.

O saci deu uma risada de escárnio.

— Parar? Tinha graça! Se estamos apenas começando, como quer você que paremos? Já arrumei tudo, de modo que o pingo pingue durante cem anos, e se não for suficiente, arranjarei as coisas de modo que depois desses cem anos pingue outros cem. Duzentos anos de pingo na testa parece-me uma boa conta, não acha?

A Cuca ainda urrou como cem mil onças feridas, e espumou de cólera, e ameaçou céus e terras. Por fim viu que estava fazendo papel de boba, pois havia encontrado afinal um adversário mais inteligente do que ela; e disse:

— Parem com este pingo que já está me pondo louca! Tenham dó duma pobre velha...

— Pobre velha! A coitadinha... Quem não a conhece que a compre, bruxa duma figa! Só pararemos com a água se você nos contar o que fez de Narizinho.

— Hum! – exclamou a bruxa, percebendo afinal a causa de tudo aquilo. – Já sei...

— Pois se sabe, desembuxe. Do contrário, a sua sina está escrita; há de morrer no maior suplício que existe. E nada de tentar enganar-nos. É ir dizendo onde está a menina, o mais depressa possível.

— Farei o que quiserem, mas primeiro hão de desviar de minha testa este maldito pingo que me está deixando louca.

— Assim será feito – disse o saci trepando de novo às estalactites e desviando o fiozinho d'água para um lado. A Cuca deu um suspiro de alívio. Tomou fôlego, descansou um bocado; depois disse:

— Encantei essa menina que vocês procuram, mas só poderei romper o encanto se vocês me trouxerem um fio de cabelo da Iara. Sem isso é impossível.

— Não seja essa a dúvida – respondeu o saci. – Iremos buscar o fio de cabelo da Iara. Mas se ao voltarmos você não quebrar o encanto, juro que deixarei o pingo a pingar nessa testa horrenda, não cem anos, mas cem mil anos, está ouvindo?

E, dizendo isto, tomou Pedrinho pela mão e retirou-se com ele da caverna.

Capítulo XXVI
A Iara

— Vamos à cachoeira onde mora a Iara – disse. – Essa rainha das águas costuma aparecer sobre as pedras nas noites de lua. É muito possível que possamos surpreendê-la a pentear os seus lindos cabelos verdes com o pente de ouro que usa.

– Dizem que é criatura muito perigosa – murmurou Pedrinho.

– Perigosíssima – declarou o saci. – Todo o cuidado é pouco. A beleza da Iara dói tanto na vista dos homens que os cega e os puxa para o fundo d'água. A Iara tem a mesma beleza venenosa das sereias. Você vai fazer tudo direitinho como eu mandar. Do contrário, era uma vez o neto de Dona Benta!...

Pedrinho prometeu obedecer-lhe cegamente.

Andaram, andaram, andaram. Por fim chegaram a uma grande cachoeira cujo ruído já vinham ouvindo de longe.

– É ali – disse o perneta apontando. – É ali que ela costuma vir pentear-se ao luar. Mas você não pode vê-la. Tem de ficar bem quietinho, escondido aqui atrás desta pedra e sem licença de pôr os olhos na Iara. Se não fizer assim, há de arrepender-se amargamente. O menos que poderá acontecer é ficar cego.

Pedrinho prometeu, e de medo de não cumprir o prometido foi logo tapando os olhos com as mãos.

O saci partiu, saltando de pedra em pedra, para logo desaparecer por entre as moitas de samambaias e begônias silvestres.

Vendo-se só, Pedrinho arrependeu-se de haver prometido conservar-se de olhos fechados. Já tinha visto o Lobisomem, o Caipora, o Curupira, a Cuca. Por que não havia de ver a Iara também? O que diziam do poder fatal dos seus encantos certamente que era exagero. Além disso, poderia usar um recurso: espiar com um olho só. Se ficasse cego, ficaria cego de um olho só. O gosto de contar a toda gente que tinha visto a famosa Iara valia bem um olho.

Assim pensando, e não podendo por mais tempo resistir à tentação, fez como o saci: foi pulando de pedra em pedra, seguindo o mesmo caminho por ele seguido.

Súbito, estacou, como fulminado pelo raio. Ao galgar uma pedra mais alta do que as outras, viu, a cinquenta, metros de distância, uma ninfa de deslumbrante beleza, em repouso numa pedra verde de limo, a pentear com um pente de ouro os longos cabelos verdes cor do mar. Mirava-se no espelho das águas, que naquele ponto formavam uma bacia de superfície parada. Em torno dela centenas de vaga-lumes descreviam círculos no ar; eram a coroa viva da rainha das águas. Joia bela assim, pensou Pedrinho, nenhuma rainha da terra jamais possuiu. A tonteira que a vista da Iara causa nos mortais tomou conta dele. Esqueceu até do seu plano de olhar com um olho só. Olhava com os dois, arregaladíssimos, e cem olhos que tivesse, com todos os cem olharia.

Enquanto isso, ia o saci se aproximando da mãe-d'água, cautelosamente, com infinitos de astúcia para que ela nada percebesse. Quando chegou a poucos metros de distância, deu um pulo de gato e *nhoque!* furtou-lhe um fio de cabelo.

O susto da Iara foi grande. Desferiu um grito e precipitou-se nas águas, desaparecendo.

O saci não esperou por mais. Com espantosa agilidade de macaco, aos pinotes, saltando as pedras de duas em duas, de três em três, num momento se achou no ponto onde Pedrinho, ainda no deslumbramento da beleza, jazia de olhos arregalados, imóvel, feito uma estátua.

– Louco! – exclamou o saci lançando-se a ele e esfregando-lhe nos olhos um punhado de folhas colhidas no momento. – Não fosse o acaso ter posto aqui ao meu alcance esta planta maravilhosa, e você estaria perdido para sempre. Louco, dez vezes louco, louquíssimo, que você é, Pedrinho! Por que me desobedeceu?

– Não pude resistir – respondeu o menino logo que a fala lhe voltou. – Era tão linda, tão linda, tão linda, que me considerei feliz de perder até os dois olhos em troca do encantamento de contemplá-la por uns segundos.

– Pois saiba que cometeu uma grande falta. Não devia pensar unicamente em si, mas também na pobre Dona Benta, que é tão boa, e na sua mãe e em Narizinho. Eu, apesar de um simples saci, tenho melhor cabeça do que você, pelo que estou vendo...

Aquelas palavras calaram no menino, que nada teve a dizer, achando que realmente o saci tinha toda razão.

– Bem – continuou o duendezinho – agora que o perigo já passou, tratemos de voltar à caverna da Cuca. E depressa, antes que amanheça. Lembre-se que prometemos a Dona Benta estar no sítio com a menina sumida logo ao romper da manhã.

Capítulo XXVII
NA CAVERNA DA CUCA

Voltando os dois na maior pressa para os domínios da Cuca, encontraram-na com um estranho ar de riso na horrenda boca, a falar sozinha, como se estivesse muito satisfeita da vida. Assim, porém, que os viu de novo por lá, a bruxa estremeceu e o seu sorriso transformou-se numa careta de cólera e desespero.

– Conseguiram voltar? – exclamou traindo os seus maus pensamentos.

– Está claro que sim! – respondeu o saci.

– E trouxeram o fio de cabelo da Iara?

– Está claro que sim! – repetiu o saci. – Ei-lo aqui, disse, apresentando à horrenda megera o verde fio de cabelo da mãe-d'água.

A Cuca estorceu-se toda dentro do novelo de cipós num supremo arranco para libertar-se daquela prisão. Nada conseguindo, pôs-se a vociferar e a soltar pela horrível boca uma espuma venenosa.

Aquela história da Iara e do fio de cabelo tinha sido apenas um embuste de que lançara mão para perder o menino e o saci, na certeza de que nenhum deles resistiria aos encantos da Iara. Mas vendo que se tinha enganado, debatia-se no maior acesso de cólera e desespero, sentindo-se completamente vencida. E por quem! Por um menino de nove anos e mais um sacizinho...

Entretanto, pérfida como era, tentou ainda usar da astúcia. Acalmou-se e disse, num tom muito amável:

– Muito bem. Mas esse fio de cabelo da Iara não basta para romper o encanto da menina. Preciso ainda de um fio de barba do Caipora.

– Perfeitamente, Senhora Cuca. Ali em cima daquelas estalactites está o fio de barba do Caipora de que você precisa – disse o saci, apontando para o pingo d'água.
– Vou já buscá-lo...

Vendo pela firmeza das palavras do saci que era inútil tentar enganá-lo segunda vez, a Cuca deu um profundo ai e confessou-se vencida.

– Meus parabéns. Vocês descobriram a única arma no mundo capaz de vencer uma Cuca – esse miserável pingo d'água... Farei como querem. Desencantarei a menina. Voltem ao sítio, procurem perto do pote d'água uma flor azul que lá deixei, arranquem-lhe as pétalas e lancem-nas ao vento logo ao romper da manhã. Narizinho, que deixei transformada em pedra, reaparecerá imediatamente.

– E se isso for um embuste como da primeira vez? – perguntou Pedrinho.

– Não é. Reconheço que fui vencida e que seria tolice teimar. Voltem ao sítio, façam o que eu disse e depois venham desamarrar-me. Juro que jamais perseguirei qualquer pessoa lá do sítio.

Capítulo XXVIII
Desencantamento

A madrugada já vinha rompendo quando os dois aventureiros chegaram de novo ao sítio. Dona Benta e Tia Nastácia estavam ainda acordadas, porém mais calmas do que da primeira vez. Assim que os viram entrar, exclamaram ambas ao mesmo tempo:

– Trouxeram Narizinho?

– Sim, vovó – respondeu Pedrinho sem ter a certeza de que ela se desencantaria ou não. – Espere mais um minuto que vai ver de novo sua neta, forte e corada como sempre.

Falou e correu a ver se atrás do pote existia alguma flor azul.

Lá estava ela, a tal flor azul – esquisitíssima e diferente de todas as flores conhecidas. O menino tomou-a, desfolhou-a e lançou as pétalas ao vento, como a Cuca mandara.

Mal acabou de fazer isso, um fato maravilhoso se deu. Uma pedra do terreiro, que ninguém se lembrava de ter visto ali, principiou a inchar, a crescer e a tomar forma de gente. Segundos depois essa forma de gente começou a apresentar os traços de Narizinho, que, por fim, reapareceu tal qual era, forte e corada como Pedrinho o prometera a Dona Benta.

Foi uma alegria. As duas velhas atiraram-se à menina e choraram quantas lágrimas ainda tinham dentro de si – mas desta vez do mais puro contentamento.

– Então, minha filha, que foi que aconteceu? – perguntou Dona Benta.

Narizinho, ainda tonta, de pouco se recordava. Minutos após, entretanto, suas ideias principiaram a aclarar-se e pôde contar o que havia sucedido.

– Estou me lembrando – disse correndo a mão pela testa. – Foi assim. Eu estava com a Emília debaixo da jabuticabeira. De repente, uma velha, muito velha, e coroca, aproximou-se de mim com um sorriso muito feio na cara.

– "Que é que a senhora deseja?" – perguntei-lhe naturalmente.

– "Desejo apenas oferecer à menina esta linda flor" – respondeu ela, apresentando-me uma flor azul muito esquisita. – "Cheire; veja que maravilhoso perfume tem."

Eu, sem desconfiar de coisa nenhuma, cheirei a tal flor – e imediatamente meu corpo principiou a endurecer. Perdi a fala; virei pedra. De nada mais me lembro senão que, de repente, fui revivendo outra vez e aqui estou...

Só então Dona Benta compreendeu que Pedrinho a tinha enganado para evitar que ela morresse de dor – e perdoou-lhe aquela boa mentira. Depois fez-lhe grandes elogios, quando soube do muito que ele tivera de lutar para que a horrenda Cuca revivesse a menina.

– Vejo, Pedrinho, que você é um verdadeiro herói. Essa proeza que acaba de realizar até merece aparecer num livro como uma das mais notáveis que um menino da sua idade ainda praticou.

– Espere, vovó – disse Pedrinho com modéstia. –- Se a senhora emprega essas palavras para mim, que palavras empregará para o meu amigo saci? Na verdade foi ele quem fez tudo. Sem a sua astúcia e conhecimento da vida misteriosa da floresta e dos hábitos da Cuca, eu sozinho nada teria conseguido. Absolutamente nada. Agradeça ao saci, que não faz senão dar o seu ao seu dono, como diz Tia Nastácia.

Todos se voltaram para o saci. Mas...

– Que é do saci? – exclamaram a um tempo. Procuraram-no por toda parte, inutilmente. O heroico duendezinho duma perna só havia desaparecido.

– Ingrato! – exclamou Narizinho com tristeza. – Foi-se embora sem nem ao menos despedir-se de mim...

De noite, porém, ao deitar-se, verificou que havia sido injusta. Em cima do travesseiro encontrou um raminho de miosótis que não podia ter sido posto lá senão pelo saci. Miosótis em inglês é *forget-me-not* – que significa "não te-esqueças--de-mim".

– Que alma poética ele tem! – murmurou a menina, comovida.

IMAGINÁRIO

A REFORMA
DA NATUREZA

PRIMEIRA PARTE

Capítulo I
A REFORMA DA NATUREZA

Quando a guerra da Europa terminou, os ditadores, reis e presidentes cuidaram da discussão da paz. Reuniram-se num campo aberto, sob uma grande barraca de pano, porque já não havia cidades: todas haviam sido arrasadas pelos bombardeios aéreos. E puseram-se a discutir, mas por mais que discutissem não saía paz nenhuma. Parecia a continuação da guerra, com palavrões em vez de granadas e perdigotos em vez de balas de fuzil.

Foi então que o Rei Carol da Romênia se levantou e disse:

– Meus senhores, a paz não sai porque somos todos aqui representantes de países e cada um de nós puxa a brasa para a sua sardinha. Ora a brasa é uma só e as sardinhas são muitas. Ainda que discutamos durante um século, não haverá acordo possível. O meio de arrumarmos a situação é convidarmos para esta conferência alguns representantes da humanidade. Só essas criaturas poderão propor uma paz que satisfazendo a toda a humanidade também satisfaça aos povos, porque a humanidade é um todo do qual os povos são as partes. Ou melhor: a humanidade é uma laranja da qual os povos são os gomos.

Essas palavras profundamente sábias muito impressionaram aqueles homens. Mas onde encontrar criaturas que representassem a humanidade e não viessem com as mesquinharias das que só representam povos, isto é, gomos da humanidade?

O Rei Carol, depois de cochichar com o General de Gaulle, prosseguiu no seu discurso.

– Só conheço – disse ele – duas criaturas em condições de representar a humanidade, porque são as mais humanas do mundo e também são grandes estadistas. A pequena república que elas governam sempre nadou na maior felicidade.

Mussolini, enciumado, levantou o queixo.

– Quem são essas maravilhas?

– Dona Benta e Tia Nastácia – respondeu o Rei Carol –, as duas respeitáveis matronas que governam o Sítio do Picapau Amarelo, lá na América do Sul. Proponho que a Conferência mande buscar as duas maravilhas para que nos ensinem o segredo de bem governar os povos.

– Muito bem! – aprovou o Duque de Windsor, que era o representante dos ingleses. – A Duquesa me leu a história desse maravilhoso pequeno país, um verdadeiro paraíso na terra, e também estou convencido de que unicamente por meio da sabedoria de Dona Benta e do bom-senso de Tia Nastácia o mundo poderá ser consertado. No dia em que o nosso planeta ficar inteirinho como é o sítio, não só teremos paz eterna como a mais perfeita felicidade.

Os grandes ditadores e os outros chefes da Europa nada sabiam do sítio. Admiraram-se daquelas palavras e pediram informações. O Duque de Windsor começou a contar, desde o começo, as famosas brincadeiras de Narizinho, Pedrinho e Emília no Picapau Amarelo. O interesse foi tanto que pouco depois todos aqueles homens estavam sentados no chão, em redor do Duque, ouvindo as histórias e lembrando-se com saudades do bom tempo em que haviam sido crianças e, em vez de matar gente com canhões e bombas, brincavam na maior alegria de esconde-esconde e chicote-queimado. Comoveram-se e aprovaram a proposta do Rei Carol.

Eis explicada a razão do convite a Dona Benta, Tia Nastácia e o Visconde de Sabugosa para irem representar a Humanidade e o Bom-Senso na Conferência da Paz de 1945.

Com grande naturalidade Dona Benta aceitou o convite e deliberou seguir com todo o seu pessoalzinho – menos a Emília. Emília recusou-se a partir porque estava com a ideia que lhe veio pela primeira vez quando ouviu a fábula do *"Reformador da Natureza".* Fazia já meses que Dona Benta havia contado essa fábula assim:

O REFORMADOR DA NATUREZA

Américo Pisca-Pisca tinha o hábito de botar defeito em todas as coisas. O mundo para ele estava errado e a Natureza só fazia tolices.

– Tolices, Américo?

– Pois então?!... Aqui neste pomar você tem a prova disso. Lá está aquela jabuticabeira enorme sustendo frutas pequeninas e mais adiante vejo uma colossal abóbora presa ao caule duma planta rasteira. Não era lógico que fosse justamente o contrário? Se as coisas tivessem de ser reorganizadas por mim, eu trocaria as bolas – punha as jabuticabas na aboboreira e as abóboras na jabuticabeira. Não acha que tenho razão?

E assim discorrendo Américo provou que tudo estava errado e só ele era capaz de dispor com inteligência o mundo.

– Mas o melhor – concluiu – é não pensar nisso e tirar uma soneca à sombra destas árvores, não acha?

E Américo Pisca-Pisca, pisca-piscando que não acabava mais, estirou-se de papo para cima à sombra da jabuticabeira.

Dormiu. Dormiu e sonhou. Sonhou com o mundo novo, inteirinho reformado pelas suas mãos. Que beleza!

De repente, porém, no melhor do sonho, *plaf!*, uma jabuticaba cai do galho bem em cima do seu nariz.

Américo despertou de um pulo. Piscou, piscou. Meditou sobre o caso e afinal reconheceu que o mundo não estava tão mal feito como ele dizia. E lá se foi para casa, refletindo:

– Que espiga!... Pois não é que se o mundo tivesse sido reformado por mim a primeira vítima teria sido eu mesmo? Eu, Américo Pisca-Pisca, morto pela abóbora por mim posta em lugar da jabuticaba? Hum!... Deixemo-nos de reformas. Fique tudo como está que está tudo muito bom.

E Pisca-Pisca lá continuou a piscar pela vida em fora, mas desde então perdeu a cisma de corrigir a Natureza.

Ao ouvirem Dona Benta contar essa fábula todos concordaram com a moralidade, menos Emília.

– Sempre achei a Natureza errada – disse ela – e depois de ouvir a história do Américo Pisca-Pisca, acho-a mais errada ainda. Pois não é um erro fazer um sujeito pisca-piscar? Para que tanto "pisco"? Tudo que é demais está errado. E quanto mais eu "estudo a Natureza" mais vejo erros. Para que tanto beiço em Tia Nastácia? Por que dois chifres na frente das vacas e nenhum atrás? Os inimigos atacam mais por trás do que pela frente. E é tudo assim. Erradíssimo. Eu, se fosse reformar o mundo, deixava tudo um encanto, e começava reformando essa fábula e esse Américo Pisca-Pisca.

A discussão foi longe naquele dia; todos se puseram contra a reforma, mas a teimosa criaturinha não cedeu. Berrou que tudo estava errado e que ela *havia* de reformar a Natureza.

– Quando, Marquesa? – perguntou ironicamente Narizinho.

– Da primeira vez em que me pilhar aqui sozinha.

Capítulo II
APARECE A RÃ

Essa ocasião havia chegado. Ao saber que Dona Benta recebera convite dos chefes da Europa para ir arrumar o pobre continente, Emília deu um pulo de gosto e, já com a ideia da reforma da Natureza na cabeça, declarou que não ia.

– Não vai como, Emília? – disse Dona Benta. –Acha que posso deixar você sozinha aqui?

Emília disfarçou a verdadeira razão de ficar. Declarou que não ia para evitar escândalos na Conferência da Paz.

– Sim – disse ela – se eu for não é para ficar dormindo no hotel, não! Também hei de querer tomar parte na Conferência – e tenho umas tais verdades a dizer aos tais ditadores que a senhora nem imagina, E fatalmente sai "fecha". Vira escândalo. É isso que quero evitar.

Dona Benta ficou pensativa, e foi à cozinha consultar Tia Nastácia.

Encontrou-a areando o tacho para fazer goiabada.

– Nastácia – disse ela –, Emília encrencou. Quer ficar. Diz que se for à Conferência sai fecha com os ditadores e haverá um grande escândalo internacional – e estou com medo disso. Tenho horror a escândalos.

– E sai fecha mesmo, Sinhá. Depois daquela história da chave do tamanho, Emília ficou prepotente demais. Não atura nada. Dá escândalo mesmo, Sinhá, e é até capaz de estragar o *nosso* trabalho por lá. Pedrinho me contou que aquilo nas Europas está pior que quarto de badulaque quando a gente procura uma coisa e não acha. Tudo de perna para o ar, disse ele. Tudo sem cabeça, espandongado. A nossa serviceira vai ser grande, Sinhá, e com a Emília atrapalhando, então, é que não fazemos coisa que preste. Minha opinião é que ela fique.

– Mas ficar sozinha aqui, Nastácia?

– Fica com o Conselheiro e o Quindim – que mais a senhora quer? Juízo eles têm para dar e vender – e ainda sobra. Eu converso com o Conselheiro e explico tudo.

Dona Benta pensou, pensou e afinal se convenceu de que Tia Nastácia tinha razão. Controlada pelo Conselheiro e defendida pelo Quindim, que mal havia em Emília ficar?

E Emília ficou.

Narizinho, porém, que era a que mais conhecia a Emília, não deu crédito àquele pretexto de não ir para não dar escândalo.

– Isso é história dela, vovó! Emília até gosta de escândalo. Quer ficar sozinha eu sei para que é – para sapecar à vontade, fazer alguma coisa ainda mais maluca do que aquela da chave do tamanho. Eu, se fosse a senhora, não a deixava aqui sozinha,

Mas Dona Benta era a democracia em pessoa: jamais abusou da sua autoridade para oprimir alguém. Todos eram livres no sítio, e justamente por essa razão nadavam num verdadeiro mar de felicidade. Emília recusava-se a ir? Pois então que não fosse. Como forçá-la a ir? Com que direito? E que adiantaria ir a contragosto, emburrada? E Emília teve licença para ficar.

Isso foi na própria manhã da vinda do convite. Um mês depois chegava a comissão incumbida de levar Dona Benta. Essa comissão veio no único navio ainda existente no mundo. Todos os outros estavam repousando no fundo dos mares, vítimas dos submarinos e torpedos aéreos. Dona Benta arrumou as malas, vestiu o seu vestido de gorgorão amarelo do tempo de D. Pedro II, mandou que Tia Nastácia pusesse a saia nova de pintinhas verdes e lá foram as duas para bordo do navio. Pedrinho e Narizinho acompanhavam a ilustre vovó na qualidade de netos; e o Visconde, com uma gorda pasta de ciência debaixo do braço, seguia na qualidade de Consultor Científico.

Emília, o Conselheiro e Quindim estiveram presentes ao bota-fora na porteira, e ouviram as últimas recomendações de Tia Nastácia sobre as galinhas, os porquinhos de ceva e uma ninhada de pintos que já estavam bicando.

– Não se ponham a ajudar os pintinhos a sair da casca senão eles morrem – disse ela. – Pinto sabe muito bem se arrumar sozinho. E não esqueçam de molhar as mudinhas de couve lá na horta.

Ouvindo aquelas recomendações tão sensatas, os homens da comissão entreolharam-se, como quem diz: – "Com pessoas de tão belo espírito prático, e tão cuidadosas de tudo, a Conferência vai ser um verdadeiro triunfo para a humanidade" (e não erraram).

Assim que se pilhou sozinha, Emília correu à máquina de escrever e bateu uma carta para uma menina do Rio de Janeiro com a qual andava já de algum tempo se correspondendo e planejando "coisas."

Querida Rã:

Estou só – só-só-ró-só-só! Todos foram para a Europa arrumar aqueles países mais amarrotados do que latas velhas e agora preciso que você venha passar uma temporada aqui. Você é das minhas: das que não concordam. Podemos realizar aquele nosso plano de reforma da Natureza. O Américo Pisca-Pisca era um bobo alegre. Reformou a Natureza como o nariz dele, e foi pena que a abóbora do sonho não lhe esmagasse a cabeça de verdade. Seria um bobo de menos no mundo. Nós faremos uma reforma muito melhor. Primeiro reformamos as coisas aqui do sítio. Se der certo, o mundo inteiro adotará as nossas reformas. Sua mãe não há de querer que você venha. É "adulta" e os tais adultos são uns Américos Pisca-Piscas. Mas você vem assim mesmo. Cheire meia pitada desse pó que vai no saquinho de papel – só meia, se não em vez de parar aqui você vai parar não sei onde. Eles partiram esta manhã e eu já estou me sentindo muito "tênia"...

(Depois que Emília soube que "solitária" era sinônimo de "tênia", passou a empregar a palavra "tênia" em vez de "solitária." "Não é gramatical" – dizia ela – "mas é mais curto.")

A Rã, assim chamada por causa da sua magreza de menina de onze anos, era emilíssima, das que não concordam mesmo. Assim que leu a carta, deu dez pinotes e tratou de dividir o pó do saquinho em duas partes "bissolutamente" iguais. Por influência da Emília ela andava usando a palavra "absolutamente" dita dessa maneira. Antes de reformar a Natureza, Emília já havia feito várias reformas na língua.

– Que está fazendo aí, menina? – perguntou a mãe da Rã, ao vê-la dividindo o misterioso pó.

– Estou "bi" o que leva e traz para que me leve e traga – respondeu ela em linguagem da pitonisa de Delfos (na língua emiliana "bi" queria dizer "dividir em dois").

A boa senhora está claro que não entendeu coisa nenhuma, mas como já estava acostumada às respostas enigmáticas da filha, deu um suspiro e foi cuidar de outra coisa.

A Rãzinha cheirou o pó, de acordo com as instruções da carta. Imediatamente seus olhos se fecharam e em seus ouvidos cantou o célebre *fiunn!*. Instantes depois sentiu-se largada no chão. Abriu os olhos: um terreiro! Só podia ser o terreiro do sítio.

Mas não viu ninguém. A casa, fechada. No ar, só dois sons; um ronco que devia ser do Quindim na soneca do costume e um barulho de mastigação com jeito de ser de Rabicó.

Ainda sentada e tonta, a menina gritou:

– Emília! Emilinha! Emiloca!...

Capítulo III
O PASSARINHO-NINHO

A resposta foi um "Aqui!" vindo do pomar. Correndo no rumo da voz, a menina encontrou Emília tão entretida com um passarinho que nem sequer a olhou. Estava *afundando* as costas dum tico-tico. Todos os passarinhos têm costas "convexas", isto é, arredondadas para cima. Emília estava fazendo um passarinho de costas "côncavas", isto é, com um afundamento redondo nas costas. A Rã ficou a olhar para aquilo sem entender coisa nenhuma, até que Emília explicou.

– Estou fazendo o *passarinho-ninho*. A boba da Natureza arruma as coisas às tontas, sem raciocinar. Os passarinhos, por exemplo. Ela os ensina a fazer ninhos nas árvores. Haverá maior perigo? Os ovos e os filhotes ficam sujeitos à chuva, às cobras, às formigas, às ventanias. O ano passado deu por aqui um pé-de-vento que derrubou o ninho deste tico-tico, ali da minha pitangueira – e lá se foram três ovos tão bonitinhos, todos sardentinhos. E mais uma vez me convenci da "tortura" das coisas. Comecei a reforma da Natureza por este passarinho.

A Rã não entendeu que reforma era aquela e perguntou:

– Para que esse afundamento aí nas costas do tico-tico?

– Pois é o ninho – respondeu Emília. – Faço o ninho dele aqui nas costas e pronto. Para onde ele for, lá vão também os ovos ou os filhotes – e não há perigo de cobra, nem de ventania, nem de chuva.

– De chuva há – disse a Rãzinha. – Nos ninhos em árvore a fêmea está sempre em cima dos ovos. Mas aí...

Emília fez um muxoxo de superioridade.

– Já previ todas as hipóteses – disse ela. – Faço a caudinha dele bem móvel, de modo que possa virar para trás e cobrir os ovos quando for preciso, como se fosse um telhadinho.

A Rã deu-se por satisfeita e com a maior atenção acompanhou o preparo do primeiro passarinho-ninho do mundo.

– Pronto! – exclamou Emília por fim. – Faltam só os ovos. Corra ali e me traga o tico-tico fêmea que está na gaiola.

A Rã foi e trouxe o passarinho. Emília pegou-o com muito jeito e espremeu-o de modo que saíssem três ovinhos sardentos, os quais depositou com muito cuidado no ninho de penas feito nas costas do tico-tico macho – e soltou os dois, *prrr!*...

Emília estava radiante.

– Lá se foram! – exclamou. – Acabaram-se as inquietações, os medos de cobra, formiga ou vento. E também se acabou o desaforo de todo o trabalho de botar e chocar os ovos caber só à fêmea. Os homens sempre abusaram das mulheres. Dona Benta diz que nos tempos antigos, e mesmo hoje entre os selvagens, os marmanjos ficam no macio, pitando nas redes, ou só se ocupam dos divertimentos da caça e da guerra, enquanto as pobres mulheres fazem toda a trabalheira, e passam a vida lavando e cozinhando e varrendo e aturando os filhos. E se não andam muito direitinhas, levam pau no lombo. Os machos sempre abusaram das fêmeas, mas agora as coisas vão mudar. Este tico-tico, por exemplo, tem que tomar conta dos ovos. A fêmea fica com o trabalho de botá-los, mas o macho tem que tomar conta deles.

– Mas assim os ovos não chocam – objetou a Rãzinha. – Para que choquem é preciso que as fêmeas fiquem uma porção de dias sentadas sobre eles. As galinhas levam vinte e um dias no choco.

– Já "previ a hipótese" – disse Emilia – e reformei esse ponto. No meu sistema de passarinho-ninho quem choca não é a fêmea e sim o sol, como acontece com os ovos dos jacarés, tartarugas, lagartixas e cobras.

– E quando não houver sol? Às vezes passam-se dias sem o sol aparecer.

– Nesse caso os ovos que tenham paciência e esperem que o sol apareça. Para que pressa?

A Rã não teve mais nada a dizer. Estava certo. Só então é que Emília se lembrou de cumprimentá-la e saber como iam todos lá da casa. Também lhe examinou as mãos para ver se as unhas estavam de luto. E fê-la voltar-se de perfil e de costas, e dar três pulos. Era a primeira vez que as duas se encontravam pessoalmente.

– Estou gostando do seu físico – disse Emília no fim do exame. – Tive medo de que não correspondesse à ideia que fiz. Muitas vezes a gente imagina uma pessoa e sai o contrário. Gostei muito da sua última carta sobre a reforma das cidades e das gentes. Adoro você, Rã, porque você não concorda.

– Ah, não concordo mesmo! – exclamou a Rãzinha. – Vivo não concordando. Em nós, gente, por exemplo, quanta coisa errada! Por que dois olhos na frente e nenhum na nuca? Eu, se fosse reformar as criaturas, punha um olho na testa e outro na nuca. Desse modo eu dobrava a segurança das criaturas.

– Pois eu aumentava o número de olhos – disse Emília. – Por que dois só? Assim como temos dez dedos podíamos ter dez olhos. Eu punha quatro na cabeça, a norte, sul, leste e oeste. E punha dois nos dedões dos pés, para evitar as topadas. Outro dia Pedrinho deu uma topada num tijolo que quase arrancou a unha. Com um olho em cada dedão não há perigo de topadas – nem de espinhos e estrepes. E eu também dava olhos a cada dedo minguinho. O minguinho é um verdadeiro vagabundo nas mãos. Não faz nada. Fica o tempo todo assistindo ao trabalho dos outros. Ora, se o "mingo" tivesse um olhinho na ponta, podia prestar bons serviços. Às vezes a gente quer enxergar numa cova de dente ou ver se há cera no ouvido e não pode. Com o olho do "mingo", nada mais fácil.

– E esse olho do minguinho – ajuntou a Rã – podia ser como os microscópios, capaz de enxergar coisinhas invisíveis aos olhos comuns. Mas haveria um inconveniente, Emília. As mãos lidam com tudo, trabalham muito, e esses olhos do minguinho haviam de viver se enchendo de cisco ou se arranhando – e que dor!

– Nada mais fácil do que evitar isso – lembrou Emília. – Basta que usem dedaizinhos. Ficam cobertos quando não tiverem o que fazer. Mas por enquanto não podemos reformar gente, porque não há gente aqui. Todos os humanos do sítio foram para a Europa.

– E Rabicó?

– Esse é desumano e quadrupedíssimo. Já pensei muito na reforma de Rabicó. Podemos transformá-lo em bípede e...

– E acabar com aquela mania de comer tudo quanto encontra – continuou a Rã. – Eu faria assim: no focinho punha uma espécie de ratoeira, sempre armada; quando ele avançasse num doce ou em qualquer coisa séria, como aquela coroa do casamento de Narizinho, a ratoeira desarmava e segurava-lhe o focinho. E também dava-lhe pernas de tartaruga, para que não pudesse fugir quando Pedrinho o perseguisse com o bodoque.

Emília olhou para a Rã com ar desconfiado. Aquelas ideias pareceram-lhe absurdas. A ratoeira impediria Rabicó de comer não só cocadas e coroinhas como tudo mais, e ele morreria de fome.

– "Bissurdo", Rã! – disse ela. – A sua ratoeira acabava matando Rabicó e Dona Benta ficava danada.

– Você não me entendeu, Emília. A ratoeira só funcionaria quando ele quisesse comer coroinhas. Para abóbora, milho, mandioca e o resto, não.

– Mas como a ratoeira podia saber quando era coroinha?

– Pelo cheiro. Eu punha um bom nariz na ratoeira.

Emília olhou para a Rã com o rabo dos olhos. Aquela menina estava com jeito de ser maluca... Apesar disso encarregou-a de reformar Rabicó. A Rã mudou de assunto.

– Na carta que você me escreveu, Emília, encontrei a palavra "bissolutamente" em vez de "absolutamente" e agora você disse "bissurdo" em vez de "absurdo." Está reformando as palavras também?

– Ainda não, mas já pensei nisso. Por enquanto me limito a cortar uma ou outra letra com a qual me implico. O "a" de certas palavras me obriga a abrir muito a boca – e meu queixo pode cair, como o da filha de Nhá Veva. Experimente dizer absurdo sem abrir a boca.

A Rã experimentou e não conseguiu, mas "bissurdo" ela disse quase de boca fechada.

– Pois aí está! – tornou Emília. – Tudo errado, até o "a" de certas palavras. O mundo é uma grande trapalhada. Para que, por exemplo, caudinha em Rabicó? Na Vaca Mocha a cauda tem razão de ser – serve para espantar as moscas. É um espanador. Mas em Rabicó? Para que serve aquele caracolzinho pelado?

– Para enfeite do fim – lembrou a Rã.

– Que fim?

– O fim de Rabicó. Todos os fins têm caudinhas. É o remate. Mamãe diz que é feio comer e deixar o prato limpo, ou beber um cálice de licor sem deixar um bocadinho no fundo. São caudinhas. São os enfeites da boa educação.

Emília estava cada vez mais desconfiada da Rãzinha. Parecia a Alice do *País das Maravilhas*. Só vinha com disparates. E disse:

– Enfeites são inutilidades. Não quero saber de enfeites nas minhas reformas. Tudo há de ter uma razão científica. Aquela ideia da carta sobre a reforma do Quindim me pareceu maluca. Acho que você quer *brincar* com a Natureza, menina. Eu quero corrigir a Natureza, quero melhorá-la, entende? Não se trata de nenhuma brincadeira. Negócio sério. Aí está a diferença entre nós. Na última carta você falou em substituir o couro do Quindim por um veludo. Isso é asneira.

– Mas que necessidade tem Quindim dum couro duríssimo, aqui no Picapau Amarelo, onde não há espinhos africanos?

– Concordo. Poderá ter um couro mais fino, assim como a camurça; mas de veludo, Rã, é demais. Às vezes penso que você está sabotando a minha ideia de reforma da Natureza...

Capítulo IV
Reforma da Mocha

Por muito tempo ficaram as duas conversando sobre reformas e mais reformas e, como estivessem debaixo da jabuticabeira, iam falando e comendo as deliciosas frutas. Em certo momento Emília disse:

– Esta jabuticabeira, por exemplo. Não acha que é uma vergonha uma árvore deste tamanho dar frutinhas tão pequenas? E no entanto temos lá na horta um pé de abóbora que dá abóboras enormes e é um pé que nem é pé de coisa nenhuma – não passa dum talinho mole que se esborracha quando a gente pisa em cima. Vou mudar. Vou botar as jabuticabas no pé de abóbora e as abóboras na jabuticabeira.

– Mas isso foi o que o Américo Pisca-Pisca fez – alegou a Rã – e o sonho lhe abriu os olhos.

– É que o bobo foi dormir debaixo da jabuticabeira – e sabe para quê? Para que a fábula ficasse bem arranjadinha. O fabulista era um grande medroso; queria fazer uma fábula que desse razão ao seu medo de mudar – e inventou essa história do sono do Américo debaixo da jabuticabeira. Já reformei essa fábula.

– Como?

– Fazendo que o Américo não dormisse debaixo de árvore nenhuma e o La Fontaine ficasse sem jeito de rematar a fábula. Deixei só um pedaço de fábula. Uma fábula inacabada, como aquela sinfonia famosa. E sem moralidade.

– Fábula sem moralidade é fábula imoral – disse a Rã. – É fábula rabicó, sem rabo. Não presta.

– Não presta o seu nariz – respondeu Emília e foi fazer as reformas.

As abóboras ficaram muito sem jeito e desapontadas ao se verem penduradas dos galhos daquela árvore enorme, e as jabuticabas danaram de ir para o chão, presas a uns talos molengos e sempre encostados à terra. O que lhes valeu foi serem envernizadinhas; do contrário se sujavam de pó; mesmo assim ficaram com cara de nojo, a suspirar de saudades dos antigos galhos.

A Rã assistia às mudanças e ia dando opiniões.

– As laranjas – disse ela – eu as faria crescer com uma faquinha dentro. Quantas vezes temos uma laranja na mão e não há faca perto?

– Muito melhor fazer as laranjas nascerem já descascadas – lembrou Emília. – Para que casca? Só serve para sujar de sumo a mão da gente.

E assim foi feito. Todas as laranjas do pomar tiveram de "ficar em pelo", muito envergonhadas, com os gomos à mostra, e só nos galhos mais baixos. O chão encheu-se de tanta casca que Rabicó se aproximou, farejando.

A Rãzinha, que ainda não conhecia o famoso Marquês, regalou-se de olhá-lo.

– Como está gordinho e lustroso, Emília! É ainda marquês?

– Que remédio? – berrou Emília. – Título é como apelido: quando agarra uma criatura não larga mais. Aqui nas vizinhanças temos um negro de setenta anos que tem o apelido de Tadinho. Sabe por quê? Porque quando nasceu todos começaram a tratá-lo de "Coitadinho" – depois "Tadinho" – e ficou Tadinho toda a vida, um negrão daqueles...

– Mas você, Emília, parece que nem mais se lembra de que é marquesa, não?

– Às vezes me lembro, mas sem prazer nenhum. Que gosto ser marquesa de um marquês assim? Meu sonho você bem sabe qual é...

– Sei – é ser mulher dum grande pirata, para mandar num navio. Por que então não se casa com o Capitão Gancho?

– Que ideia! – exclamou Emília. – Não há pirata que mais desmoralize a classe do que esse. Primeiro não tinha um braço e agora nem navio tem. A sua *Hiena dos Mares* virou *Beija-Flor das Ondas*, como você bem sabe – e hoje é de Pedrinho. Eu queria casar-me com um daqueles grandes piratas dos tempos do ouro do Peru, aqueles que atacavam os galeões espanhóis em pleno mar, com as facas atravessadas nos dentes. Há um, chamado Morgan, que me servia. Também já pensei num pirata submarino mas desisti. Submarino me dá falta de ar.

Rabicó apenas cheirou as cascas das laranjas. Só gostava de cascas com gomos dentro.

– E a Vaca Mocha? – perguntou a Rã. – Vai reformá-la também?

– Claro que sim – e já. Acompanhe-me.

Lá se foram as duas para o pastinho da Mocha, que estava pachorrentamente mascando umas palhas de milho. Ficaram diante dela, de mãos à cintura, discutindo a reforma.

– Eu mudava o depósito de leite – disse a Rãzinha. – Punha torneirinha nas tetas para evitar o que hoje acontece: para tirar o leite os vaqueiros apertam as tetas com as suas mãos sujíssimas – uma porcaria, Com o sistema de torneiras essas mãos não tocam nas tetas.

Emília deu uma risada gostosa.

– Que bobagem! Bem se vê que você é menina do Rio de Janeiro. Pois não sabe que a função das tetas é dar leite aos bezerros? Como pode um bezerrinho mamar em torneiras?

– Ensinávamos os bezerros a abrir as torneiras.

– Não – declarou Emília. – Muito complicado. Na Mocha quero umas reformas úteis para ela mesma e não para as criaturas que a exploram. Vou pôr a cauda da Mocha bem no meio das costas, porque assim como está só alcança metade do corpo. Como pode a coitada espantar as moscas que lhe sentam no pescoço, se o espanador só chega às costelas? Tudo errado...

E plantou a cauda da Mocha no meio das costas de modo que pudesse espantar as moscas do corpo inteiro: norte, sul, leste, oeste. E passou as tetas para os lados, metade à esquerda, metade à direita.

– Assim podemos tirar leite de um lado enquanto o bezerrinho mama do outro. Reforma não é brincadeira. Precisa ciência.

– Ótimo! – concordou a Rã. – E podemos botar torneirinhas nas tetas do lado direito – para serviço dos leiteiros. As do lado esquerdo ficam como são – para uso dos bezerrinhos.

Emília aprovou a ideia. Depois passaram a considerar os chifres.

– Toda vaca de respeito tem chifres – disse Emília – menos esta coitada, que é Mocha. Vou dar-lhe chifres compridos, mas sem ponta aguda.

A Rã lembrou que os esgrimistas usam floretes com um chumaço na ponta. Podiam dar à Mocha dois chifres pontudos, mas com chumaço na ponta. Emília aperfeiçoou imediatamente a ideia.

– Em vez de chumaço, Rã, podemos espetar nas pontas uma bola de borracha maciça – uma bola "tirável", isto é, que possa ser tirada de noite.

– Para quê?

– Para que ela possa defender-se de algum ataque noturno. Os chifres são a única defesa dela, coitada.

– Mas que perigos noturnos há por aqui?

– O das onças, minha cara. Tio Barnabé diz que uma antepassada desta Mocha foi comida por uma onça. De dia a Mocha pode usar a bola porque as onças só atacam durante a noite.

E a Mocha foi armada de dois esplêndidos chifres elegantemente retorcidos como saca-rolhas, com duas bolas maciças nas pontas – bolas "tiráveis."

O pelo da vaca também sofreu reforma. Ficou macio como pelúcia e furta-cor.

Estavam ocupadas na reforma da Mocha, quando passou por cima delas uma linda borboleta azul.

Capítulo V
BORBOLETAS, MOSCAS E FORMIGAS

Emília esqueceu a vaca e saiu correndo atrás da borboleta, a gritar: – "Dessa não tenho ainda!". Mas não conseguiu pegá-la; cansadinha da corrida, explicou:

– Estou fazendo uma bela coleção de borboletas e dessas azuis não consigo. São das mais ariscas. Temos também de reformar as borboletas.

– Impossível, Emília! – gritou a Rã. – Tudo nelas é tão bem feito, tão direitinho e lindo, que qualquer reforma as estraga.

– Minha reforma das borboletas – explicou Emília – não é na beleza delas e sim no gênio delas. Quero que se tornem "pegáveis", como os besouros. Já reparou que besouro não foge da gente? Mansíssimos. Mas as borboletas, sobretudo destas azuis, são umas pestes de tão ariscas. Quando descubro uma sentada e me aproximo, ela "bota-se"!

E as borboletas azuis foram reformadas, ficando mansinhas como besouros.

– E as moscas? – perguntou a Rã.

– As moscas – respondeu Emília – vão ficar sem asas, porque são uns bichinhos inúteis e incômodos. Sem asas terão de andar pela terra, como as formigas, e num instante as formigas dão cabo de todas. Para que moscas no mundo? Suprimindo as asas, liquidaremos com as moscas.

– E os pernilongos também?

– Está claro. Esses ainda são piores, porque transmitem moléstias e fazem Dona Benta gastar muito dinheiro com Flit. O Visconde diz que a febre amarela, a malária e outras doenças são transmitidas pelos pernilongos. Corto-lhes as asas e adeus pernilongos, adeus febre amarela, adeus malária...

A Rã alegou que isso vinha diminuir a música que há no mundo, porque os pernilongos cantam a música do *Fiun* e propôs outra reforma:

– Em vez de suprimir as asinhas deles, podemos fazer que percam o gosto pelo sangue e aprendam outras músicas além do *Fiun*. Poderão alimentar-se de água açucarada, ou mel das flores. E podemos fazer gaiolinhas minúsculas, de fios de cabelo, do tamanho de caixas de fósforos, para termos em casa pernilongos cantores. Seria uma galanteza. Um freguês chega a uma loja e pede: "Quero um pernilongo na gaiola, dos bons". E o caixeiro traz várias gaiolinhas para ele escolher, todas com um cantor do *Fiun* dentro. Mas acho os pernilongos pequenos demais. Eu os faria assim do tamanho de camundongos.

– Oh, não! – protestou Emília. – Sou inimiga do tamanho. Acho que as coisas quanto mais se aperfeiçoam, menores ficam.

A conversa caiu sobre o tamanho. Emília contou vários episódios do tempo em que ela destruiu o tamanho das criaturas humanas, como está contado na *Chave*.

– O tamanho, Rã, é a tolice das tolices, coisa inútil, que só serve para atrapalhar. Se dentro duma formiguinha cabem todos os órgãos necessários à vida – coração, cérebro, pulmões e o mais –, e se pequenininhas como são elas se arranjam tão bem no mundo, por que motivo um tamanhão como o do Quindim, por exemplo? Se os homens fossem do tamanho de pulgas seriam mais felizes. A desgraça dos homens está no tamanho. O Coronel Teodorico tem quase dois metros de altura e pesa cem quilos. Mas que adianta? Não escora uma discussão com o Visconde, que pesa menos de meio quilo e só tem dois palmos de altura. Quando uma coisa começa a aperfeiçoar-se, vai perdendo o tamanho. Aqueles animalões de antigamente – os brontossauros, por exemplo. Por que desapareceram? Porque eram grandes demais. Não havia comida que chegasse. Hoje há poucos animais muito grandes, e parece que todos vão diminuindo. Já o número dos pequenos aumenta. Só de micróbios há milhões. Aqui no sítio nós fizemos guerra ao tamanho e empacamos. Ninguém cresce. Pedrinho e Narizinho estão parados há anos – como Peter Pan.

A Rã ficou triste e confessou que estava crescendo. Cada ano sua estatura aumentava e ela também aumentava de peso. Emília resolveu o caso:

– Pois pare. Faça como eu. Faça como o Visconde. Os mamíferos estão diminuindo de tamanho. Você é mamífera. Dona Benta contou que no começo eram quase todos enormíssimos e hoje estão bem menores. E os que teimam em ficar grandes levam a breca. Por que os homens andam a matar-se de todos os jeitos nas guerras? Por causa do tamanho. Se ficassem pequenininhos como os pulgões, todos viveriam na maior abundância e sem guerras. Dona Benta diz que a causa das guerras é a falta de comida. Um homem como o Coronel Teodorico come uns dois ou três quilos de coisas por dia. Se fosse do tamanho duma pulga contentava-se com iscas de coisas. O que ele come num dia dá para alimentar um milhão de formigas por um mês. Se Dona Benta e Tia Nastácia não conseguirem harmonizar os homens lá na Europa, eles continuarão a matar-se nas guerras até não ficar nem um só para remédio.

– E se acontecer isso, quem você acha que vai tomar conta do mundo? – perguntou a Rã.

– As formigas, disso não tenho a menor dúvida. São inteligentíssimas. A ideia delas, de fazerem suas cidades no fundo da terra, é a melhor ideia que existe. Só com isso já escapam de mil coisas, de cem mil perigos – até dos bombardeios aéreos. Que é que os homens fazem para se libertar dos bombardeios? Imitam as formigas – afundam pela terra adentro. Nas zonas arrasadas pela guerra não ficou animal nenhum – mas as formigas ficaram. Só elas – imagine que beleza!

– Mas as formigas me parecem atrasadas em muito pontos – tornou a Rã. – Nem asas têm...

– Como não têm? Têm quando querem. No tempo da "ovação" o céu fica cheio de formigas de asas. Depois descem para abrir buraquinhos e pôr os ovos, e a primeira coisa que fazem é sacudir o corpo e derrubar as asas. No mês de outubro vejo muito disso por aqui.

A Rã ficou pensativa.

– Por que será que elas derrubam as asas, uma coisa tão preciosa?

– Porque só precisam de asas numa ocasião, quando sobem, bem, bem alto, em outubro, a fim de captarem as vitaminas do sol para os ovos. Depois que descem e abrem os buraquinhos já não precisam de asas. Iriam atrapalhá-las lá dentro.

– Mas deve ser muito escuro nos formigueiros – observou a Rã. – Eu gosto muito de luz, muita luz, só luz.

– Que engano! – exclamou Emília. – Você passa nove horas por dia de olhos fechados, dormindo, por quê? Para não ver a luz. Luz só, o tempo inteiro, cansa, atordoa a gente. As formigas usam o escuro à vontade. Quando saem dos formigueiros, regalam-se de luz; quando se recolhem, regalam-se de escuro. Isso é que é saber viver. Só luz é tão horrível como só escuro. Por isso é que há a Noite e o Dia.

– E que reforma você pretende fazer nas formigas, Emília?

– Ah, nenhuma. Estudei o caso e vi que com elas nada há a reformar. Tudo perfeito. Eu dou um doce para quem descobrir um meio de melhorar a vida das formigas.

A Rã pensou, pensou e afinal concordou que é mesmo difícil melhorar a vidinha das formigas.

Capítulo VI
REFORMAS NA EUROPA E NAS PULGAS

Depois falaram da viagem de Dona Benta à Europa. A Rã achou que ela não conseguiria nada porque os homens são errados de nascença. Emília discordou.

– Eu conheço as ideias de "vovó" – disse ela. – A primeira coisa que vai fazer na Conferência é transformar o mundo numa Confederação Universal. Todos os países ficarão fazendo parte dessa confederação, como os Estados dos Estados Unidos. E vai acabar com os exércitos e as marinhas, com os canhões e as metralhadoras.

A Rã, que entendia um pouco de política, achou que as grandes nações eram muito orgulhosas para se sujeitarem a ser simples Estados dum grande Estados Unidos.

– Pois se não se sujeitarem, pior para elas – declarou Emília. – Dona Benta acha que os homens devem formar no mundo uma coisa assim como as formigas. Elas são de muitas raças, ruivas, pretas, saúvas, sarassarás, quem-quens etc., mas vivem perfeitamente lado a lado umas das outras, sem se guerrearem, sem se destruírem. Se as formigas conseguem isso, por que os homens não conseguirão o mesmo?

– Mas acha que os grandes de lá – os reis, os ditadores, os homens importantes – vão seguir os conselhos de Dona Benta e Tia Nastácia?

– E que remédio? – respondeu Emília. – Enquanto eles se guiaram pelas suas próprias cabeças só saiu piolho: desgraças e mais desgraças, destruições sem fim. Eles devem estar convencidos de que, apesar de toda a importância, não passam duns tremendos pedaços de asnos.

A Rã concordou.

À noite, quando foram dormir, ficaram as duas na mesma cama conversando até tarde da noite. O assunto era sempre o mesmo: reformas e mais reformas. Em certo momento uma pulga mordeu Emília. Ela acendeu a luz e pôs-se a caçá-la na brancura do lençol. Pegou-a, afinal. Enrolou-a bem enrolada entre os dedos e largou-a "para ver". E o que viu foi a pulga reviver e escapar aos pulos.

Emília danou.

– É sempre o que me acontece! Esfrego, enrolo as pulgas e elas se desesfregam, se desenrolam e saem pulando. Tenho também de reformar as pulgas.

– Como?

– Poderei fazê-las molinhas como qualquer mosca. Já reparou que, para o tamanho que têm, as pulgas são a coisa mais rija que existe no mundo? Mais rijas que borracha... E também vou mudar a velocidade do pulo das pulgas. Faço pulos em câmara lenta, de modo que a gente possa pegá-las no ar com a maior facilidade, como se estivéssemos colhendo uma bolotinha.

A Rã lembrou um "melhoramento" ainda melhor.

– E se cortássemos o pulo das pulgas pelo meio? – disse ela.

Emília não entendeu.

– Cortar, como?

– A pulga pula. Quando chega no ponto mais alto do pulo, para. Fica paradinha no ar, como um ponto final. E a gente, sossegadamente, a pega e a estala entre as unhas. Gosto muito de ouvir o estalinho das pulgas. É o único inseto que tem essa habilidade.

– As baratas também sabem estalar – lembrou Emília. – Cada vez que Narizinho pisa numa, ela estala. É a linguagem das pulgas e das baratas. E também dos chicotes. Pedrinho tem um chicote que é mestre em estalos.

Capítulo VII
OS ODRES VIVOS E O PESO

A Rã falou nos percevejos, uns bichinhos inexistentes ali no sítio, e teve de contar a história dos percevejos do Rio.

– São fedorentíssimos – disse ela. – Eu tenho verdadeiro horror a esses monstros noturnos. Chupam o sangue da gente durante o sono e ficam gordos que mal podem andar. E quando esmagamos um, Emília, ah, que cheiro! Empesta o ambiente. Eu, só de me lembrar, já sinto enjoo de estômago.

Emília teve uma ideia.

– Pois podemos reformar os tais percevejos dum modo muito simples: fazendo que em vez de mau cheiro eles tenham cheiros deliciosos, melhores que todas as essências das perfumarias. Desse modo eles ficarão importantíssimos no mundo. Serão pequenos odres vivos cheios de perfume. Sabe o que é odre?

A Rã sabia. Lembrou-se logo daqueles odres de vinho que Dom Quixote espetou com a espada, derramando todo o vinho do estalajadeiro.[4]

– Pois é – continuou Emília. – São vasilhas de pele ou couro que a gente de dantes usava. Dona Benta tem um pequeno odre de borracha que enche de água quente para aquecer os pés nos dias muito frios – mas não diz odre – diz "a minha bolsa d'água. Quem tirou a minha bolsa d'água lá do banheiro?". E é sempre Pedrinho quem mexe na bolsa, para certas reinações. Pois os percevejos poderão ficar odres vivos com perfumes dentro. E as perfumarias podem fazer criações de

---

4 Aventura narrada no livro *Dom Quixote das crianças*, do mesmo autor.

percevejos de todas as qualidades. As moças chegam e pedem: "Quero uma dúzia de percevejos Bouton d'Or, ou Kananga do Japão, ou Heliotropo", e quando quiserem perfumar-se basta que tirem um do chiqueirinho de cristal (que irão ter em seus toucadores) e o espremam no lenço, no peito, na nuca, na ponta das orelhas. E saem para a rua, todas vaidosas. E quando duas se encontram, uma pergunta para a outra: "Que percevejo você usa, Quinota? Dos nacionais ou estrangeiros?". E a Quinota, que é moça grã-fina, responderá orgulhosamente: "Só uso percevejos de Paris, da criação de Coty" – e lá se vai rebolando que nem uma cutia.

A Rãzinha aprovou a ideia – e de ideia em ideia as duas chegaram ao peso. Emília implicava-se com o peso das coisas. Cada vez que queria mover um objeto, uma cadeira ou um pedaço de pau, tinha de chamar o Visconde ou Tia Nastácia.

– Para que peso? – disse ela. – Se as coisas não tivessem peso o mundo seria muito mais interessante. Eu acho as cadeiras pesadíssimas, coitadas. Só gente grande pode com elas. Vamos reformar a cadeirinha de pernas serradas de Dona Benta?

Como essa famosa cadeira estivesse ali no quarto, fizeram imediatamente a reforma: suprimiram-lhe o peso. Mas aconteceu uma coisa imprevista. A pobre cadeira ergueu-se no ar e ficou grudada ao forro. As duas reformadoras espantaram-se daquilo. Súbito, Emília compreendeu o fenômeno e berrou:

– Já sei! O Visconde me explicou isso. O peso é o que prende as coisas à superfície da terra. Ele diz que o peso vem duma tal força da gravidade, que puxa todas as coisas para o centro da terra. Essa força da gravidade é a atração, ou força centrípeta. Você não imagina, Rã, como o Visconde sabe coisas! Um danadinho! Ele disse também que o contrário da força centrípeta é a força centrífuga – que em vez de puxar as coisas para o centro da terra, expulsa as coisas para longe do centro da terra. Foi o que aconteceu com a cadeira de Dona Benta. Como nós destruímos o peso dela, a força centrípeta desapareceu, só ficando a força centrífuga – e lá foi a cadeira parar no forro. E se este quarto não tivesse forro, a pobre cadeira se sumiria para sempre no espaço infinito...

Aquela experiência fez que Emília respeitasse o peso de todas as outras coisas, pois do contrário o sítio ficaria mais nu de objetos do que a cabeça do Quindó da farmácia era nua de cabelos.

Nisto o cuco lá da sala de jantar começou a dizer as horas – *hu-hu, hu-hu...*

Emília contou dez.

– Dez horas já! Como é tarde... Por isso é que estou sentindo tanto sono. Está aí uma coisa, Rã, que podemos reformar: o sono – *ah, ah, ah...* – e bocejou.

– Como? – quis saber a Rã.

– Podemos, por exemplo... – começou Emília, mas abriu a boca, soltou mais três "*ahs*" e foi fechando os olhinhos – e o sono das criaturas humanas escapou da reforma.

Emília dormiu – e que lindo soninho! Como ela sabia dormir bem! A Rã reclinou-se na cama; com a cabeça apoiada numa das mãos e o cotovelo fincado no travesseiro, ficou a contemplá-la e a imaginar mil coisas. "Que pena as crianças do mundo não poderem ver o que estou vendo!" – pôs-se a pensar lá consigo. "Emília dorme como um anjo. E quem sabe se Emília não é de fato um anjo do céu que anda pelo mundo disfarçado em gentinha?" – e examinou-lhe as costas para ver se não havia algum sinal de toco de asa. Havia, sim, duas leves saliências com muito jeito de serem tocos de asas – e a Rã ficou na dúvida. Seria realmente um anjo disfarçado em gentinha?

A Rã adorava a Emília. Sabia de cor todas as travessuras da Emília, todas as "piadas" da Emília, todas as asneirinhas da Emília, todas as más-criações da Emília, e agora considerava-se a menina mais feliz do mundo, porque entre todas as meninas do mundo só ela estava tendo o privilégio de ver a maravilha das maravilhas que era o soninho da Emília.

– Ah, quando as outras souberem! Quando souberem que eu estive aqui, falando com ela, brincando com ela, deitada na caminha dela, vendo-a dormir e sorrir...

Algum sonho lindo devia andar reinando na cabeça da Emília, a avaliar pelo sorriso de enlevo que animava o seu rostinho moreno – moreno claro. "Nem isso as outras meninas sabem", pensou consigo a Rã, "que a Emília é moreninha cor de jambo. Nem sabem que tem cabelos castanhos – castanho-escuros", e aproveitou-se da ocasião para arrancar um daqueles fios, o que fez Emília trocar o sorriso do sonho por uma caretinha. A Rã enrolou o fio de cabelo, murmurando mentalmente: "Vou guardá-lo no meu exemplar das *Reinações*. Fica sendo o meu marcador de página".

Longo tempo ficou a Rã a admirar aquela prodigiosa criaturinha que nasceu boneca de pano das mais ordinárias e foi evoluindo até tornar-se o que já era. E um pensamento lhe acudiu: "E se ela continua a evoluir e vira anjo de verdade, dos de asas, e foge para o céu? Ou se vira fada, como aquela fada Sininho do Peter Pan?". E a imaginação da Rã começou a cabriolar que nem cabritinho novo até que o primeiro "*ah, ah, ah!*" do sono veio, e depois veio um segundo – e afinal dormiu também.

Capítulo VIII
No dia seguinte

No dia seguinte pularam da cama muito cedo e retomaram a obra de reforma da Natureza. Tudo era examinado e reformado no que lhes parecia torto. A Rãzinha continuava com as ideias mais absurdas, de verdadeira maluca. A reforma do Quindim, por exemplo, que a Rã fez sozinha, era a coisa mais esquisita que se possa imaginar. Em vez do famoso chifre sobre o nariz, que é característico de todos os rinocerontes, a Rã botou uma flecha de Cupido com um coração assado na ponta. Assado, imaginem! E ornamentou os cascos de Quindim com pinturas: Branca de Neve com todos os seus anões. E trocou as quatro pernas do rinoceronte por quatro pernas diferentes – uma de veado, outra de ganso, outra de jacaré, outra de pau. E substituiu aquele couro duríssimo por um revestimento muito bem trançado de palhinha de cadeira. Cauda, botou duas; depois três, depois dez, depois cem; deixou-o com um verdadeiro varal de caudas dando volta inteira em redor do pobre animal.

A reforma do Quindim saiu um tal disparate que nem andar ele podia – uma *perna não acompanhava a outra*, e havia a tremenda atrapalhação de tantas caudas, todas diferentes, umas com borlas na ponta, outras com espinhos de ouriço, outras com campainhas.

Quando Emília foi ver a "obra", não pôde deixar de rir-se. Aquilo era o "bissurdo dos bissurdos". Quindim estava transformado num verdadeiro destampatório.

– Isso não é reformar, Rãzinha! – disse ela. – Isso é escangalhar com uma pobre criatura. Ele já não é rinoceronte, nem nenhum bicho possível. Virou quarto de badulaques, baú de mascate. Que judiação!...

– E você deixa que ele fique assim? – implorou a Rã, com medo que Emília desmanchasse aquela obra-prima do disparate humano.

– Deixo por enquanto – respondeu Emília – como castigo da preguiça, da velhice e neurastenia que ele anda mostrando duns tempos para cá. No dia do plebiscito sobre o tamanho[5] Quindim me traiu – recusou-se a votar. A falta desse voto deu vitória ao Tamanho e eu saí lograda. Agora que aguente. Mais tarde vou reformá-lo de novo, mas com *critério científico*...

A Rã ou era mesmo maluca ou estava "sabotando" a obra reformatória da Emília. Todas as ideias que apresentava eram tontas, como aquela da mudança dos morros. A Rã tomou um lápis e traçou um desenho.

– Que é isso? – perguntou Emília.

– Ah, isto é uma das reformas que acho mais necessárias: a reforma dos morros. Sempre que tenho de subir um morro, fico cansada e sem fôlego. E então imaginei uma coisa assim: os picos serão para baixo, em vez de serem para cima, de modo que quando a gente tem de ir ao pico dum morro, desce, em vez de subir...

Emília ficou a olhar, ora para a Rã ora para o desenho. Era uma reforma que deixava tudo na mesma. Quando alguém que *descesse* ao pico do morro tivesse de voltar, teria de *subir* para o vale...

– Não. Essa ideia está boba. Muito melhor fazermos os morros bem baixinhos, de modo que não canse a gente; ou então deixarmos os morros em paz. Para que *subir* morro?

Capítulo IX
O LIVRO COMESTÍVEL

A maior parte das ideias da Rã eram desse tipo. Pareciam brincadeiras, e isso irritava Emília, que estava tomando muito a sério o seu programa de reforma do mundo. Emília sempre foi uma criaturinha muito séria e convencida. Não fazia nada de brincadeira.

– Parece incrível, Rã! – disse ela. – Chamei você para me ajudar com ideias na reforma, mas até agora não saiu dessa cabecinha uma só coisa aproveitável – só "desmoralizações"...

– Isso não! A ideia das tetas com torneiras na Mocha foi minha e você gostou muito. A da pulga também.

– Só essas. Todas as outras eu tive de jogar no lixo. Vamos ver mais uma coisa. Que acha que devemos fazer para a reforma dos livros?

---

5   Essa história está contada no livro *A chave do tamanho*.

A Rãzinha pensou, pensou e não se lembrou de nada.

– Não sei. Parecem-me bem como estão.

– Pois eu tenho uma ideia muito boa – disse Emília. – Fazer o livro comestível.

– Que história é essa?

– Muito simples. Em vez de impressos em papel de madeira, que só é comestível para o caruncho, eu farei os livros impressos em um papel fabricado de trigo e muito bem temperado. A tinta será estudada pelos químicos – uma tinta que não faça mal para o estômago. O leitor vai lendo o livro e comendo as folhas; lê uma, rasga-a e come. Quando chega ao fim da leitura, está almoçado ou jantado. Que tal?

A Rãzinha gostou tanto da ideia que até lambeu os beiços.

– Ótimo, Emília! Isso é mais que uma ideia-mãe. E cada capítulo do livro será feito com papel de um certo gosto. As primeiras páginas terão gosto de sopa; as seguintes terão gosto de salada, de assado, de arroz, de tutu de feijão com torresmos. As últimas serão as da sobremesa – gosto de manjar branco, de pudim de laranja, de doce de batata.

– E as folhas do índice – disse Emília – terão gosto de café – serão o cafezinho final do leitor. Dizem que o livro é o pão do espírito. Por que não ser também pão do corpo? As vantagens seriam imensas. Poderiam ser vendidos nas padarias e confeitarias, ou entregues de manhã pelas carrocinhas, juntamente com o pão e o leite.

– Nem precisaria mais pão, Emília! O velho pão viraria livro. O Livro-Pão, o Pão-Livro! Quem souber ler, lê o livro e depois come; quem não souber ler, come-o só, sem ler. Desse modo o livro pode ter entrada em todas as casas, seja dos sábios, seja dos analfabetos. Otimíssima ideia, Emília!

– Sim – disse esta muito satisfeita com o entusiasmo da Rã. – Porque, afinal de contas, isso de fazer os livros só comíveis para o caruncho é bobagem – podemos fazê-los comíveis para nós também.

– E quem deu a você essa ideia, Emília?

– Foi o raciocínio. O livro existe para ser lido, não é? Mas depois que o lemos e ficamos com toda a história na cabeça, o livro se torna uma inutilidade na casa. Ora, tornando-se comestível, diminuímos uma inutilidade.

– E quando a gente quiser reler um livro?

– Compra outro, do mesmo modo que compramos outro pão todos os dias.

A ideia, depois de discutida em todos os seus aspectos, foi aprovada, e Emília reformou toda a biblioteca de Dona Benta. Fez um papel gostosíssimo e de muito fácil digestão, com sabor e cheiro bastante variados, de modo que todos os paladares se satisfizessem. Só não reformou os dicionários e outros livros de consulta. Emília pensava em tudo.

Também reformou muita coisa na casa. Por meio de cordas e carretilhas as camas subiam para o forro de manhã, depois de desocupadas, a fim de aumentar o espaço dos cômodos. As fechaduras não precisavam de chaves; bastava que as pessoas pusessem a boca no buraco e dissessem: "Sésamo, abre-te!", e elas se abriam por si mesmas.

– E os mudos? – perguntou a Rãzinha. – Como vão arrumar-se? Só se eles andarem com uma vitrola no bolso, que pronuncie por eles a palavra "Sésamo".

Emília atrapalhou-se com o caso dos mudos e deixou-o para resolver depois.

O leite a ferver ao fogo dava um assobio quando chegava no ponto, de modo a avisar ao fogo, o qual imediatamente parava de agir. O mesmo com todas as comidas – e dessa maneira acabou-se a desagradável história do "feijão com bispo".

E tanta e tanta coisa as duas fizeram, que se fossemos contar metade teríamos de encher dois volumes. Lá pelo fim da semana o Sítio do Picapau estava totalmente transformado, não dando a menor ideia do antigo. Foi por essa ocasião que chegou carta de Dona Benta anunciando a volta.

"Já concluímos o nosso serviço na Europa", dizia ela. "Deixamos o continente transformado num perfeito sítio – com tudo direitinho e todos contentes e felizes. A Comissão que nos trouxe vai reconduzir-nos para aí novamente. Devemos chegar na próxima segunda-feira e espero encontrar tudo em ordem."

Emília leu a carta para a Rãzinha, dizendo:

– É uma danada, esta velha! Foi lá e fez o que todos aqueles ditadores e reis não conseguiram. Temos agora de preparar a casa para recebê-la.

Capítulo X
A VOLTA DE DONA BENTA

No dia marcado, ali pelas dez horas da manhã, Emília e a Rãzinha ouviram rumor de automóvel na estrada. Correram à varanda. Vinha vindo uma porção de carros, com Dona Benta, Tia Nastácia e os meninos no da frente.

Ao entrarem no terreiro Emília adiantou-se para recebê-los. Os homens da Comissão apearam e despediram-se de Dona Benta com muitas palavras de agradecimento e amabilidades.

– Pois é isso – disse-lhes a boa velha. – Sigam lá na Europa as minhas instruções que tudo dará certo. Adeus, adeus! Mil recomendações ao Rei Carol e ao Duque e à Duquesa de Windsor – gostei muito dela. E digam ao Mussolini e ao Hitler que apareçam quando puderem, para um passeio no Quindim. Adeus, adeus!

Os automóveis da Comissão partiram na volada.

Depois que desapareceram lá na curva, Dona Benta entrou para a saleta com os meninos e Tia Nastácia foi para a cozinha. Mas... que era aquilo? Não estavam reconhecendo a velha saleta da entrada. Tudo esquisito, tudo diferente.

– Que é isto, Emília? Que significam estas mudanças?

Emília contou tudo.

– Eu reformei a Natureza – disse ela. – Sempre tive a ideia de que o mundo por aqui estava tão torto como a Europa, e enquanto a senhora consertava a Europa eu consertei o sítio.

– Consertou o sítio?!... – repetiu Dona Benta sem entender coisa nenhuma. – Que história é essa?

Narizinho interveio:

– Eu bem disse, vovó, que ela queria ficar sozinha para fazer coisas malucas. Fui lá ao meu quarto e encontrei a cama pendurada do forro, imagine!...

– E eu – disse Pedrinho entrando – fui à biblioteca e encontrei os seus livros cheirando a alho e cebola. Abri um, provei: gosto de sopa; páginas adiante, gosto de carne assada...

O assombro de Dona Benta não tinha limites e por mais que Emília explicasse ela ficava na mesma. Súbito, deu com a Rãzinha.

– Quem é esta menina? – perguntou.

– É a Rã.

– Que rã?

– A Rãzinha da Silva, minha amiga do Rio, que veio ajudar-me na reforma da Natureza.

O assombro de Dona Benta crescia, e cresceu ainda mais quando Tia Nastácia apareceu aos berros.

– Sinhá, Sinhá, está tudo esquisito lá na cozinha! Pus o leite no fogo; assim que começou a ferver, assobiou!...

– Assobiou, o leite, Nastácia?

– Sim, Sinhá, assobiou, e o fogo no mesmo instantinho apagou por si mesmo. Aquilo está com feitiçaria, Sinhá. Andou alguma bruxa por aqui...

– A bruxa é ela – disse Narizinho apontando para Emília. – Diz que reformou a Natureza...

Dona Benta não voltava a si do espanto.

– Mas que absurdo, Emília, reformar a Natureza! Quem somos nós para corrigir qualquer coisa do que existe? E quando reformamos qualquer coisa, aparecem logo muitas consequências que não previmos. A obra da Natureza é muito sábia, não pode sofrer reformas de pobres criaturas como nós. Tudo quanto existe levou milhões de anos a formar-se, a adaptar-se; e se está no ponto em que está, existem mil razões para isso.

– Não acho! – contestou Emília cruzando os braços. – A obra da Natureza está tão cheia de "bissurdos" como a obra dos homens. A Natureza vive experimentando e errando. Dá cem pés à centopeia e nem um para as minhocas – por que tanta injustiça? Faz um pêssego tão bonito e deixa que as moscas ponham ovos lá dentro e dos ovos saiam bichos que apodrecem a linda carne dos pêssegos – não é uma judiação? Veste os besouros com uma casca grossa demais e deixa as minhocas mais nuas do que a careca do Quindó – isso é erro. Quanto mais observo as coisas mais acho tudo torto e errado.

Mas sem demora começou a ser desmentida. Um tico-tico entrou na sala e disse com muito desespero para Dona Benta:

– Minha boa senhora, livrai-me do que a Emília fez em mim. Transformou-me em passarinho-ninho, com ovos às costas, e isso tem sido uma atrapalhação medonha, porque não me deixa voar com desembaraço, e desse modo não consigo escapar aos meus perseguidores.

– Que história de passarinho-ninho é essa? – perguntou Dona Benta, e quando soube de tudo abriu a boca. Era demais a ousadia da Emília. Alterar daquele modo a Natureza! Mudar as coisas que levaram milhões de anos para se equilibrarem... E agarrando o tico-tico desfez-lhe o ninho das costas e guardou os três ovos para pô-los no ninho natural que ele fizesse pelo sistema antigo.

Estava ainda a lidar com a pobre ave, quando Pedrinho apareceu de novo, muito assustado.

– Vovó, o que aconteceu aqui no sítio parece até um sonho! Encontrei Quindim completamente transformado, com couro de palhinha, a Branca de Neve com os anões pintados no casco, quatro pernas diferentes, cem rabos, e em vez de chifre uma seta de Cupido com um coração na ponta. Imagine! Não dá a menor ideia dum bicho possível!...

A boca de Dona Benta abriu de caber dentro uma laranja.

– E o Rabicó, então? – continuou Pedrinho. – Está com cauda de cachorro lulu, toda frisadinha, e só com dois pés – e pés de tartaruga. E com uma ratoeira no focinho e um lenço automático no nariz!...

– Sinhá! Sinhá! – voltou Tia Nastácia berrando. – O mundo está perdido. Já não entendo mais nada. Fui ver a Mocha e sabe o que encontrei? Um bicho sem propósito, com a cauda no meio do lombo, chifre de saca-rolha com bola de borracha na ponta, e as tetas fora do lugar, com duas torneirinhas, Sinhá, imagine! E o chão anda cheio de moscas sem asa. E um pernilongo cantou no meu ouvido uma música tal e qual aquela que lá na Conferência seu "Churche" mandou os músicos tocarem para a senhora ouvir – direitinho! Eu não fico mais nesta casa nem um minuto. Isto virou "hospiço" de feiticeiros, Sinhá! Tudo atrapalhado, sem jeito. Ninguém entende nada de nada. Fui encontrar a sua cadeirinha, Sinhá, pregada lá no forro! Subi na escadinha de lavar vidraça, peguei a cadeira pela perna e puxei – e quem disse da cadeira descer? Parece que está pregada no forro com elástico. A gente larga dela e ela sobe outra vez.

– É a força centrípeta – explicou a Rã.

– Centrífuga – corrigiu Emília – e contou a história da supressão do peso.

Tia Nastácia passava a mão num galo que tinha na testa. A negra estava verdadeiramente zonza.

– E ainda tem mais, Sinhá – disse ela. – Imagine que me sentei debaixo da jabuticabeira, e sabe o que aconteceu? De repente uma coisa enorme caiu lá do alto em cima da minha cabeça. Era uma abóbora, Sinhá! Uma abóbora deste tamanho! Fiquei tonta uma porção de tempo, nem sei como não morri. As abóboras andam agora nas jabuticabeiras, Sinhá. Veja que "bissurdo".

Capítulo XI
NEM TUDO EMÍLIA PERDEU

Dona Benta estava examinando o galo da testa da negra, quando ouviu umas batidinhas na porta. Mandou que Narizinho abrisse. Eram as jabuticabas.

– Dona Benta – disseram elas muito zangadinhas – viemos queixar-nos da peça que a Emília nos pregou. Imagine que nos transferiu dos nossos galhos na mamãe-jabuticabeira para um pé de abóbora – uns talos molengões que andam pelo chão. E ficamos presas ali, encostadas à terra, a nos sujar de pó e ciscos. Ora, isso é um despropósito, porque somos frutas de galho e não do chão, como certos porcalhões que conhecemos.

(A Rãzinha cochichou para a Emília: "Isso deve ser indireta para os morangos".)

– Vocês têm razão, jabuticabinhas – disse Dona Benta – e vou repô-las todas no lugar certo. Impossível admitir que umas criaturas delicadas como vocês andem pelo chão. Chão é bom só para abóbora.

E voltando-se para Emília:

– Vá já desfazer o que fez! – ordenou rispidamente.

Emília fez beicinho e disse para a Rã:

– Ela era democrática quando saiu daqui. Depois que lidou com os ditadores da Europa, voltou totalitária e cheia de "vás". Pois não vou. – E não foi! As abóboras e as jabuticabas tiveram de arrumar-se sozinhas.

Pedrinho veio dizer que as laranjas das laranjeiras estavam descascadas, e havia um milhão de passarinhos em cima, dando cabo de todas.

Dona Benta explicou:

– Emília, eu reconheço as suas boas intenções. Você tudo fez na certeza de estar agindo pelo melhor. Mas não calculou uma porção de inconveniências que podiam acontecer – e estão acontecendo. As laranjas, por exemplo: seria ótimo se pudessem vir já descascadas – mas se fosse assim tornava-se impossível o comércio das laranjas, o transporte de um ponto para outro. E, além disso, descascadas elas ficam muito mais sujeitas aos ataques das aves e insetos. A casca é uma defesa indispensável. Assim também as abóboras na jabuticabeira. São frutas muito grandes para ficarem em árvores; a Natureza sabe o que faz. Põe as frutas grandes no chão e as pequenas em árvores.

– Isso não! – protestou Emília. – A maior fruta que eu conheço é a jaca, e a jaca é fruta de árvore, ahn!

Dona Benta embatucou.

– Também fiz que as frutas das árvores dessem só nos galhos de baixo – continuou Emília, de modo a facilitar a colheita – e quero ver o que a senhora diz a isto.

Dona Benta declarou que essa reforma só era aceitável do ponto de vista humano, mas explicou que as frutas não existiam para que nós as apanhássemos e comêssemos – existiam para o bem da árvore, e apareciam em todos os galhos, tanto os debaixo como os de cima, porque assim ficavam mais bem distribuídas pela árvore inteira, podendo vir em maior quantidade.

– Os galhos de baixo serão só metade dos galhos da árvore toda – disse ela. – Fazendo que as frutas só apareçam nos galhos de baixo, você diminui de metade o número de frutas de uma árvore.

Emília concordou que havia errado, e em companhia da Rãzinha foi restabelecer o sistema antigo.

– Agora, sim – ia dizendo Emília – agora ela deu uma razão boa, clara, que me convenceu e por isso vou desmanchar o que fiz. Mas com aquele "Vá!" do começo, a coisa não ia, não! Vá o Hitler. Vá o Mussolini. Comigo, é ali na batata da convicção, do argumento científico!

E dessa maneira quase todas as reformas da Emília foram anuladas, mas nenhuma delas por imposição de Dona Benta. A boa senhora argumentava, provava o erro – e então a própria Emília se encarregava de restabelecer o velho sistema. Mas mesmo assim muitas das reformas ficaram, como, por exemplo, a dos livros.

– Sim, Emília, esta ideia do livro comestível me parece ótima, um verdadeiro achado. Mas não para todos os livros. O bom é que haja o livro de papel e ao seu lado o livro comestível. Quem quiser compra um, quem quiser compra outro. As coisas novas jamais substituem inteiramente as coisas velhas. Lembre-se de que em Nova York, a cidade que tem mais automóveis no mundo, nós vimos as carroças que entregam leite de manhã puxadas por cavalos. Aprovo a ideia do Livro-Pão e hei de propor a um industrial meu conhecido que estude o problema e crie a nova indústria. Mas você me vai fazer o favor de deixar meus livros como eram, porque senão...

Nesse momento Pedrinho entrou correndo na sala, muito afobado.

– Vovó, imagine o que aconteceu! O Rabicó entrou na sua biblioteca e devorou a *Ilíada* de Homero e as obras completas de Shakespeare...

– Se não tivessem tirado do focinho dele a ratoeira, nada teria acontecido – disse a Rã. – Bem feito!

– Vê, Emília? – disse Dona Benta. – Nem todos os livros devem ser comestíveis, mas só os de importância secundária, meramente recreativos ou então os livros ruins. Um livro que não presta para ser lido, ao menos que preste para ser comido. E agora? Como vou passar sem a minha *Ilíada* e o meu Shakespeare?

Emília concordou que realmente nem todos os livros deviam ser comestíveis e indo à biblioteca "descomestibilizou" a maior parte – menos os "ruins".

E assim terminou a aventura emiliana da Reforma da Natureza. Emília aprendeu a planejar a fundo qualquer mudança nas coisas, por menor que fosse. Viu que isso de reformar às tontas, como fazem certos governos, acaba sempre produzindo mais males do que bens.

A Rãzinha ficou por lá uma semana, a ouvir as histórias que Dona Benta contava da Conferência da Paz. Depois, com muita dor de coração e com muito pesar de todos do sítio, cheirou o pó do *fiun* – e lá se foi para o Rio de Janeiro, onde encontrou sua pobre mãe de luto e de olhos vermelhos, certa de que sua querida filha tinha desaparecido para sempre.

– Perdoe, mamãe. Entusiasmei-me demais com o programa de reformas da Emília e fui para o Picapau Amarelo sem dizer nada à senhora. Nunca mais farei isso. Já me reformei nesse ponto.

– E que mais?

– Ah! Tia Nastácia gostou muito do leite que assobiava ao ferver e conservou o sistema.

– Era uma consumição este negócio do leite – disse ela. – Eu tinha de ficar de plantão ali na cozinha, se não ele fervia e derramava. Agora, não. Ponho o leite no fogo e nem penso mais nisso. Uma gostosura. A Emília é mesmo uma danadinha. Outra coisa de que gostei muito foi o que ela fez com as pulgas. Entrei no meu quarto e vi uns pontinhos pretos parados no ar. Peguei um. Olhei. Era pulga, Sinhá, pulga parada no ar – e pulga mole, Sinhá, mole como qualquer bichinho mole! Essa reforma foi boa, porque quanto mais velha fico, mais me custa pegar uma pulga daquelas do sistema antigo...

Dona Benta aprovou a mudança das pulgas e também a das moscas e pernilongos. E com a sua grande sabedoria de filósofa, disse:

– Está bem, Emília. Vou examinar detidamente todas as reformas que você fez, porque estou vendo que há muita coisa aproveitável.

Emília piscou vitoriosamente para o Visconde.

SEGUNDA PARTE

Capítulo I
O laboratório do Visconde

A viagem de Dona Benta e seus netos à Europa, quando foram dar arrumação no pobre continente destruído pela guerra, fez do Visconde de Sabugosa um sábio ainda maior do que era. Durante a estada lá o famoso sabuguinho teve ocasião de conhecer diversos cientistas notabilíssimos, com os quais aprendeu grandes coisas. Seus estudos se concentraram na fisiologia, isto é, na ciência que estuda o funcionamento dos órgãos nos seres vivos.

Ele aprendeu, por exemplo, que no corpo do homem e de outros animais existem umas coisas chamadas *glândulas*, que são da maior importância para a vida. As glândulas é que dirigem tudo; fazem o corpo crescer, engordar, suar; fazem vir água à boca quando o freguês se lembra duma coisa gostosa ou sente o cheiro dos bolinhos de Tia Nastácia. Uma enorme glândula chamada fígado produz um líquido grosso, amarelo-esverdeado, de nome bílis, que ajuda a digestão dos alimentos e *resolve* as gorduras – faz com elas o que faz o sabão. Outras glândulas chamadas rins, que têm a forma de dois grandes caroços de feijão, filtram os venenos que se formam no corpo e os botam para fora com a urina. Há as glândulas mamárias que produzem o leite. O pulmão é outra glândula muito importante...

– Mas então aquilo lá dentro é só glândulas? – perguntou Emília, a quem o Visconde estava explicando aquelas coisas. Dona Benta respondeu:

– Há dentro do corpo humano numerosas glândulas. São como as usinas das cidades, que produzem todas as coisas necessárias à vida urbana. Sem essas usinas e sem essas glândulas, nem as cidades nem os organismos poderiam viver e desenvolver-se. Quando a gente sua ou chora, donde vem o suor ou a lágrima?

– Duma usininha qualquer.

– Exatamente. Vêm das glândulas sudoríparas e das glândulas lacrimais, usininhas produtoras do suor e das lágrimas. Até para essa gordurinha que as pessoas têm sobre a pele, são necessárias glândulas – as glândulas sebáceas.

– Produtoras de sebo, que feiura! – exclamou Emília. – De modo que nós somos lá por dentro uma verdadeira cidade, com fábricas até de sebo?

– Como não? E uma cidade complicadíssima. Além dessas usinas de bílis, de lágrimas, de suor, de sebo, há as que produzem o suco gástrico lá no estômago; há as que produzem a saliva na boca...

– Que porcaria! Saliva é cuspo. Para que serve cuspo? Só para cuspir.

– Não, Emília. A saliva tem um emprego muito importante na digestão das comidas. A gente come arroz, feijão, carne, batatas, mil coisas. Mas isso tem que ser transformado em sangue, porque o sangue é o mel que alimenta todas as células que compõem o corpo.

– Que engraçado!...

– E não é só isso. Não basta que o sangue apareça, é preciso que se conserve sempre no ponto, bem vermelhinho e fresco; e é ainda uma glândula, o pulmão, que faz o serviço, consertando o sangue estragado.

– Mas como é que o sangue se estraga?

– Muito simples. O corpo é feito duns tijolinhos microscópicos chamados células. Esses tijolinhos só se alimentam de sangue. Para alimentá-los é que há sangue. Mas do sangue que chega até eles, só tomam os elementos de que precisam, e rejeitam o resto. Esse resto é o que chamo sangue estragado.

– E para onde vai ele?

– Vai para o pulmão, que é a oficina consertadora do sangue. Quando chega lá, o sangue estragado sofre uma limpeza em regra, toma um banho do ar que respiramos, escova-se, penteia-se, fica de novo vermelhinho e no ponto, como era. Dali segue para o coração. O coração o bombeia, forçando-o a fazer outra viagem pelas artérias até chegar a todos os tijolinhos do corpo. E assim por diante.

– Mas como o sangue estragado não se mistura com o fresco?

– Cada um tem o seu caminho. O sangue fresco segue pelas artérias, que são canaizinhos que se vão desdobrando como galhos de árvores, até ficarem finos como agulhas. Já o sangue estragado segue por outra rede de canaizinhos chamados "veias." As artérias são como a canalização de água das cidades, na qual só corre água limpa. As veias são como as canalizações das águas servidas.

Emília estava pensativa, com os olhos longe.

– Que bonito se fizéssemos uma viagem pelo corpo humano! – murmurou.

– Pois se fizéssemos essa viagem, eu só queria ver as glândulas – disse o Visconde. – Elas são umas danadas. Não há o que não façam. E existem duas que me interessam muito: a tireoide e a pituitária.

– Que nomes!

– A tireoide mora no pescoço. É pequenina, com a forma dum U e cor de borra de vinho. Vive cheia dum líquido amarelo, chamado tiroxina.

– Para que serve?

– Ela derrama esse líquido no sangue com resultados maravilhosos. Faz que a criatura cresça, imagine! E também faz que tudo fique ativo no corpo. É como um chicote. Quando há falta de tiroxina, o corpo amolece, vem a preguiça, o pulso cai, a temperatura desce, o freguês perde o apetite, a fala fica arrastada, o cérebro emburrece, o cabelo rareia, a pele torna-se amarela, a carne incha – um desastre, Emília! As crianças com pouca tiroxina no corpo param de crescer e ficam bobas – ficam cretinas.

– Ah, então, cretino quer dizer isso?

– Sim. Um cretino é uma pobre criatura em quem a glândula tireoide está desarranjada. Se você conserta a glândula, a criatura muda imediatamente e perde o cretinismo.

– Que coisa engraçada!

– Outra danadinha é a senhora Dona Pituitária. Muito pequena, assim duma meia polegada de tamanho. Mora dentro da cabeça. O seu caldinho, a pituitrina, tem um efeito prodigioso no organismo, sobretudo nos intestinos ou tripas, e nos rins. Se ela produz o tal líquido mais do que na conta certa, o freguês sente um apetite furioso por açúcar e doces, e engorda até ficar obeso.

– Vamos, Visconde – disse Emília assanhada – vamos fazer uma viagem pelo corpo humano! Está com jeito de ser mais interessante até do que a Lua.

– Havemos de ir, e então veremos que o caldinho da pituitária também governa o crescimento do corpo. Quando o caldinho é demais, o freguês fica gigante; quando é de menos, fica nanico ou anão.

– Então quando a gente vê o Major Trancoso que tem um metro e noventa de altura, já sabe que ficou assim por causa da muita pituitrina?

– Está claro. E quando vemos o Zezinho da Estiva, que só tem sete palmos, já sabemos que ficou assim por falta de funcionamento da pituitária.

O Visconde conversou longo tempo sobre aquele assunto, e falou na glândula pâncreas, na glândula pineal e em todas as mais que conhecia. Da glândula pineal disse que era a mais misteriosa. Os sábios ainda não sabem para que ela realmente serve. Tem o tamanho dum caroço de ervilha e está localizada no cérebro. Os antigos filósofos diziam ser ali que morava a alma das criaturas.

– E que dizem os modernos filósofos?

– Os filósofos modernos não se metem a falar das glândulas. Deixam isso por conta dos fisiologistas.

– E que dizem os tais fisiologistas?

– Dizem que a glândula pineal parece ser um olho que os animais vertebrados já tiveram e hoje não têm mais. Esse olho foi desaparecendo e está reduzido àquele caroço de ervilha. Nessa viagem ao País do Corpo eu iria decifrar o mistério da glândula pineal.

E tanto o Visconde falou naquilo, que lhes veio a ideia de organizarem um laboratório para experiências em animais.

– Se são as glândulas que tudo regulam nos seres vivos – disse Emília – nós podemos estudar as glândulas e enxertar umas nas outras, e fazer mais coisas, para ver de que maneira os animais ficam.

O Visconde, que era realmente um sábio, nunca rejeitou ocasião de aprender coisas novas; por esse motivo aprovou a ideia da Emília.

– Mas... e o microscópio? – disse ele. – Sem microscópio nós não nos arranjamos.

– Temos o binóculo de Dona Benta – disse Emília. – Com um pouco do caldinho da glândula faz-de-conta, podemos transformá-lo num maravilhoso microscópio.

– E o lugar do laboratório?

– Na Cova do Anjo. É o único ponto seguro aqui no sítio.

A Cova do Anjo era aquele enorme oco da Figueira Grande onde Emília tinha escondido o Anjinho de Asa Quebrada no dia em que as crianças inglesas invadiram o sítio. Lá ninguém entrava, porque era escuro e havia muito morcego. Podiam arrumar o laboratório no oco, sem que os da casa percebessem – porque se percebessem haviam de implicar-se, sobretudo Pedrinho, que depois da viagem à Europa andava todo totalitário, mussolinesco.

Num instante arrumaram o laboratório, com o binóculo transformado em excelente microscópio, com vidros vazios, uma lâmina Gillette para fazer de bisturi, várias agulhas e alfinetes, algodão, iodo etc. Emília também arranjou para o Visconde um aventalzinho e um gorro branco, dos que os sábios usam nos laboratórios de verdade.

– Muito bem. O laboratório está pronto. Temos agora de obter "pacientes" – disse o Visconde, pondo o avental.

– Que pacientes? – perguntou Emília.

– Os seres vivos em que vamos fazer as experiências – explicou o grande sábio. – Esses seres, se são gente, recebem o nome de *anima nobile* – almas nobres; se são bichos, recebem o nome de *anima vile* – almas vis.

E começaram com as formigas. Emília caçou uma porção de saúvas das mais cabeçudas e trouxe-as num vidro vazio.

– Pronto, Visconde. Aqui temos um bom lote de *anima vile* – como dizem os sábios.

Capítulo II
OS ESTUDOS

Ninguém soube o que os dois fizeram durante os dias e dias que lá passaram a examinar o interior das formigas e a descobrir-lhes as glândulas. E depois de descobertas as glândulas, fizeram remeximentos vários, empastelavam umas, misturavam outras, ou enxertavam as glândulas de uma formiga nas de outras, para "dobrar a força." Pela maior parte as pobres saúvas não resistiram à operação; mas com os aperfeiçoamentos da "técnica" do Visconde, muitas começaram a salvar-se; e depois de "operadas" eram postas num pastinho, fora do oco, com água para beber e ervinhas para se divertirem.

Depois chegou a vez duma minhoca, que foi "reglandulada", como dizia o Visconde; e por fim operaram uma centopeia, esse esquisito bichinho que tem cem pernas.

– Desaforo! Um bichinho com tantas e outro sem nenhuma.

Emília aproveitou a ocasião para arrancar seis pernas da centopeia e enxertá-las na minhoca.

Estavam nisso, quando sobreveio uma semana inteira de chuva, durante a qual os dois sabiozinhos não puderam sair de casa, Assim, porém, que o tempo endireitou, correram para lá – mas com grande desapontamento viram os cercados vazios. Todos os operados tinham fugido!

Depois que se cansaram de operar formigas, iniciaram experiências nos grilos, e tiveram de fazer outro pastinho para os grilos operados. Um dia Emília entrou no laboratório com uma pulga.

– Hoje, Visconde, a novidade vai ser esta pulga. Vamos fazer nela um enxerto de tireoide de formiga e pituitária de grilo. Há de dar qualquer coisa interessante.

E fizeram a operação.

– Maçada! – exclamou Emília. – Tanta trabalheira para um resultado zero. A maldita enxurrada levou daqui todos os nossos "pacientes"...

– O trabalho da ciência é penoso, minha cara – disse o Visconde. – Cumpre recomeçar. Os verdadeiros sábios nunca desistem das suas empresas.

Mas Emília, já enjoada daquele destripamento e enxertamento de bichinhos, desistiu.

– Para mim, chega. "Passo." Vou agora ajudar Pedrinho no aeroplano sem motor que ele está construindo. Imagine que gostosura, Visconde: dar voos por esses céus sem nenhum motor a atormentar os ouvidos da gente com aquele horrível barulho!...

– Pois eu vou refazer todas as experiências – disse o abnegado endocrinologista.

Endocrinologista é o nome dos sábios que estudam as glândulas do corpo. O nome é feio, comprido e difícil, mas a coisa é boa.

Capítulo III
A PULGA GIGANTESCA

Muitas semanas depois estava Dona Benta na varanda quando chegou o correio com os jornais do dia. Ela desdobrou-os e pôs-se a lê-los. De repente fez cara de interesse e disse a Narizinho:

– Uma coisa curiosa vem neste jornal. Leia.

A menina leu. Era uma notícia que dizia assim:

> Um caçador de Juiz de Fora anda a contar um caso que *se non è vero è bene trovato*. Diz ele que estava numa caçada de perdiz, num campo dos arredores desta cidade, quando viu aparecer no céu uma Coisa Preta, a qual foi crescendo de vulto e por fim pousou a cem metros do ponto em que ele se achava à espera da perdiz. Uma Coisa Preta e enorme, assim do tamanho duma anta. Intrigado com aquilo, armou a espingarda e aproximou-se. Mas quando levou a espingarda ao ombro para atirar, a Coisa deu um pulo e sumiu no céu. Diz que se trata dum animal esquisitíssimo, como jamais ele viu outro, nem teve notícia por boca de alguém. Dava ideia duma monstruosa pulga.

– Que poderá ser isso? – indagou Dona Benta, quando a menina concluiu a leitura.

– Bobagem, vovó! – disse Narizinho. – Essa gente dos jornais vive inventando mentiras.

E a coisa ficou por ali.

Dias depois, entretanto, os jornais repetiram a notícia mais ou menos em iguais termos, mas já com a Coisa em outro lugar. Fora vista em Catanduva, no estado do Paraná. Depois apareceu em Pilão Arcado, na Bahia. E depois em Blumenau, no estado de Santa Catarina; e em Vassouras, estado do Rio. E sempre da mesma maneira: descia do céu como desce uma bala de canhão, numa curva; sentava-se em terra; e, de repente, pulava de novo, desaparecendo no ar.

A repetição do caso fez que os homens de ciência se interessassem pelo assunto. O pavor nas cidades em que o monstro aparecia era enorme. Lendas se formavam, as mais absurdas. Era opinião geral tratar-se duma pulga gigantesca, porque não só a Coisa tinha o jeito duma pulga, como o seu modo de pular era o da pulga.

Pedrinho interessou-se vivamente pelo caso; começou a colecionar as notícias e a compará-las. O absurdo, porém, era tamanho, que ele chegou à conclusão de tratar-se duma tremenda patifaria dos jornais do país e de fora, com o fim de criar um assunto que aumentasse a venda avulsa.

– Bobagem – disse ele. – A mim é que não engazopam, estes trouxas.

IMAGINÁRIO   A REFORMA DA NATUREZA

Estavam nesse ponto, quando apareceu no sítio o Zé Candorra, um caboclo feio que morava nas vizinhanças.

– Que há, Candorra? – perguntou Dona Benta ao recebê-lo na varanda.

– O que há, Dona Benta, é que vou me mudar desta zona e vim oferecer meu sítio. A terrinha é boa para mandioca e milho. A senhora faz um negocião. Dou "quage" dado.

– Mas por que, meu caro, quer mudar-se duma terra onde morou toda a vida?

O caboclo inventou um pretexto qualquer; Dona Benta, porém, que era "psicóloga", viu que ele estava mentindo, e disse:

– Conte a verdade, Candorra. Estou lendo nos seus olhos que a razão não é nada disso que sua boca está dizendo. Fale a verdade, porque eu compro o seu sítio de qualquer jeito, seja lá qual for a causa da sua mudança.

O caboclo, desmoralizado, resolveu dizer tudo.

– Não vê que duns tempos pra cá eu ando meio assustado? Outro dia entrei no mato para colher umas brejaúvas e de repente, que é que a senhora imagina que eu vi?

– ?

– Vi, Dona Benta, uma formiga do tamanho dum tatu! Não "sirria", não, Dona Benta. Minha mulher também "sirriu" quando eu contei a história, mas pra castigo também topou com outra formiga daquela casta, e agora está que nem pode mais de medo, a coitada. Até já se mudou com as crianças para a casa do compadre Zidoro, lá na Água Fria.

– Não pode ser, Candorra! – disse Dona Benta. – As formigas são animaizinhos velhíssimos, de milhões de anos, e não consta que até agora aparecesse nenhuma maior que o içá. Nem na África, que é a terra dos bichos grandes, há formigas do tamanho de tatus.

– Pois a que eu vi, Dona Benta, era "inté" maior que um tatu – e a que minha mulher viu, diz ela, tinha o porte duma capivara.

Dona Benta riu-se.

– Vocês estão sendo vítimas de alguma alucinação, meu caro. Como podem ver coisas que não existem, nem nunca existiram? Absurdo.

– Dona Benta – disse o caboclo –, eu não quero que a senhora acredite em nada, só quero que compre minhas terras, porque por aqui não fico nem mais um dia só. T'esconjuro!

Pedrinho, Narizinho e Emília estavam presentes, e muito interessados na conversa.

– Isso é das tais coisas que só vendo – interveio Pedrinho. – Leve-me lá onde está o formigão, amigo Candorra. Quero ver para crer.

– Também vou – disse Narizinho. – Também sou como São Tomé. E você, Emília?

Emília respondeu que não, que tinha qualquer coisa a fazer no pomar, mas ficou com um ar esquisito, ressabiada. E assim que Pedrinho e a menina saíram com o Candorra, correu ao laboratório.

– Visconde – disse ela – o Candorra apareceu com a história duma formiga do tamanho dum tatu, e a mulher dele viu outra ainda maior, assim do tamanho duma capivara. Estou com medo que sejam as formigas que nós operamos e fugiram do cercadinho...

– Há de ser – disse o Visconde sem tirar o olho do microscópio. – Nós fizemos tremendos enxertos de pituitária, e se as formigas não morreram, podem muito bem estar do tamanho de tatus, e até maiores.

– E como é agora? – perguntou Emília, assustada.

– Agora é isso mesmo – respondeu o Visconde. – Elas andarão aí pelo mundo, a assustar os ignorantes, e por fim se extinguirão, porque não podem reproduzir-se. Oh, se se reproduzissem, seria um enorme transtorno para as gentes! Imagine milhões e milhões de formigas do tamanho de tatus, espalhadas por todas as terras! Como iria arranjar-se o *Homo sapiens?* Se sendo as formigas pequeninas como são elas já tanto o atrapalham, imagine se fossem do tamanho de tatus!

Só nesse momento ergueu os olhos do microscópio.

– Pois eu queria ver isso – continuou ele. – Se é verdade, nós, sem o querer, fizemos a maior descoberta do século, Emília – e vamos ganhar o prêmio Nobel! Podemos aplicar o processo nos bois, e obter bois do tamanho de montanhas. Para o abastecimento de carne aos açougues, um boi desse vulto seria a maior das minas.

Emília mostrava-se apreensiva; por fim falou:

– Quer dizer que a tal Coisa Preta, que os jornais contam que aparece ora num ponto ora noutro, é a nossa pulguinha operada?...

– Pode ser – concordou o Visconde. – Mas também essa pulga não se reproduzirá. Morrerá qualquer dia e pronto.

– As últimas notícias – continuou Emília – dizem que ela ataca os bois e carneiros para beber-lhes o sangue...

– Nada mais natural. As pulgas são "hematófagas", isto é, bebedoras de sangue. As pequeninas picam os animais e sugam uma gotinha. As "nossas", se são grandes assim, só poderão encontrar sangue suficiente num boi ou num carneiro. Nada mais natural.

– E de que tamanho será o pulo que elas dão? – quis saber Emília.

– Muito fácil fazer a conta – respondeu o Visconde tomando o lápis. – Pelo que você me diz, essa pulga tem o tamanho duma anta.

– Duma anta grande – confirmou Emília.

– Muito bem. Uma pulga de cachorro pesará um miligrama, e uma anta grande pesará aí uns duzentos quilos. Ora, como duzentos quilos correspondem a duzentos milhões de miligramas, a "nossa" pulga é duzentos milhões de vezes mais pesada que a pulga comum. E como uma pulga comum dá pulos de um palmo, a nossa pulgona poderá dar pulos de duzentos milhões de palmos, ou seja, quarenta e quatro mil quilômetros, ou mais de uma volta inteira em redor da Terra!

Emília riu-se.

– Que absurdo, Visconde! O pulo não pode estar em relação com o peso. Por muito favor estará em relação com o tamanho.

– Nesse caso – disse o Visconde – temos de fazer outra conta. A pulga comum tem dois milímetros de comprimento. A anta grande terá dois metros, ou sejam dois mil milímetros. Logo, a anta é mil vezes maior do que a pulga comum. E como a "nossa" tem o tamanho duma anta, pulará mil vezes mais do que a pulga comum. Pulará, portanto, mil palmos, ou seja, duzentos e vinte metros.

– Bem, isso já está mais razoável – disse Emília, concordando com a segunda matemática do Visconde – e pôs-se a refletir.

– Em que está pensando? – perguntou o Visconde.

– Estou pensando que se a guerra não tivesse acabado, os homens eram capazes de utilizar as nossas pulgas para os bombardeios de cidades. Engraçado! Em vez de fábricas de obuseiros, fariam criações de pulgas, que levassem uma bomba atada à cauda...

*

Logo que Narizinho e Pedrinho chegaram ao sítio do Candorra, foram para o mato onde andava a tal formiga gigante. Pedrinho levava o bodoque e um facão. Se encontrasse o monstro, faria como Hércules lá na Grécia: amassava-lhe a cabeça com uma pelotada, depois cortava-lhe o pescoço.

Mas nada acharam; por maior que seja uma formiga, não é fácil encontrá-la no meio da mata, de modo que a excursão esteve a pique de falhar. Pedrinho só encontrou dois periquitos e um tucano, aos quais não fez nada porque perto de Narizinho ele não tinha ânimo de usar o bodoque. A menina não admitia periquiticídios nem tucanicídios.

– Qual, seu Candorra! – disse ele. – Parece que o caso é mesmo como vovó disse: alucinação. Vocês, gente do mato, enxergam muita coisa que não existe. É o medo. Nada para criar monstros como o Senhor Medo.

– Mas eu juro que vi, Pedrinho! Vi com estes olhos que a terra há de comer. E minha mulher também. Então, se não fosse verdade, tinha ela fugido com as crianças para a casa do compadre Zidoro, que é uma bisca?

– Está bem. Se você jura, é outra coisa. Tenho de acreditar. Mas é uma pena que essa formiga só apareça para você e sua mulher...

Nem bem acabou de dizer isso e uma frialdade de sorvete lhe correu pela espinha. Qualquer coisa estava se mexendo na moita próxima.

– Pssiu!

Pedrinho aproximou-se pé ante pé, com o bodoque apontado. Foi chegando, chegando... De repente – *prrr!*, uma coisa enorme saltou da moita e sumiu no ar.

Pedrinho ficou de coração aos pinotes. Voltou correndo para perto da menina e do caboclo.

– Que susto!... Pude ver bem. Não era a formiga gigante, não, mas um grilo assim do tamanho do Rabicó! Eu podia ter atirado, mas minha mão tremeu na hora. Um grilão verde. Assim que me percebeu, armou pulo e sumiu no céu.

Narizinho estava impressionadíssima.

– Eu também vi – disse ela –, e se é assim, a história da formiga monstro pode ser verdadeira, e também a história daquela Coisa Preta que pula! O Candorra e os jornais estão certos. Que poderá ser isso, Santo Deus? Mudanças assim nos animais da natureza são coisas de que os livros não falam. Nunca houve.

– Não sei – disse Pedrinho. – Estou com as ideias atrapalhadas. Não compreendo nada de nada.

Voltaram para casa correndo.

– Vovó – disse Pedrinho ao entrar – não encontramos a formiga do Candorra, mas a história deve ser certa, porque dei com um grilo do tamanho do Rabicó e não foi alucinação. Narizinho e o caboclo também viram quando o grilão pulou da moita e lá se foi!...

Dona Benta arregalou os olhos. Tia Nastácia, que ia passando, murmurou

"Credo!" e fez três pelo-sinais.

— Se as coisas aqui vão ficar como lá na tal Grécia, eu me mudo do mundo – resmungou a preta.

— E para onde vai, boba? – perguntou a menina.

— Volto para a Lua. Lá ao menos só há o dragão de São Jorge, que é manso. Grilo do tamanho de Rabicó, formiga do tamanho de tatu, pulga do tamanho de anta – isto então é vida? Se todos os bichos começam a aumentar de porte e invadem a casa da gente, onde iremos parar? Se aparece aqui uma formiga desse tamanho, eu morro de medo – ah, se morro!...

— Pois eu prego-lhe uma bodocada – disse Pedrinho. – Se fosse vespa, vá lá; mas formiga... Medo não tenho.

Capítulo IV
A Noventaequatropeia

Dias depois a pobre Tia Nastácia quase realmente morreu de medo. Estando a fazer pamonha de milho verde, foi ao mato em busca de folhas de caeté, para enrolá-las. A moita de caetés era numa grota, por onde passava um riacho. Estava a pobre preta cortando as folhas com o facão de Pedrinho, quando, de repente, deu um grito. Largou tudo e voltou para casa na velocidade de cem quilômetros por hora.

Entrou sem fôlego, esbaforida:

— Ah, ah, ah...

Dona Benta correu-lhe ao encontro.

— Que é isso, Nastácia? Que aconteceu?

E a negra:

— Ah, ah, ah...

Não conseguia falar.

Narizinho trouxe um copo d'água.

— Beba! – ordenou.

A negra bebeu um gole, e continuou nos "ah-ah-ah" de quem perdeu o fôlego, só que mais molhados. Por fim, depois duns cinco minutos, conseguiu desatar a língua.

— Vamos embora daqui, Sinhá. O sítio está enfeitiçado. Nem queira saber o que eu vi lá na grota...

— Mas que foi? Fale...

— Um bicho impossível, Sinhá. Pior que o Minotauro. Era tanta perna...

Com muita dificuldade a boa negra explicou o acontecido. Estava já no fim do corte das folhas de caeté, quando ergueu os olhos e deu com uma coisa compridíssima, parada, olhando para ela.

— Era um bicho sem fim, amarelo sujo, grosso como um tronco de árvore e com aquela infinidade de pernas.

— Infinidade de pernas? – repetiu Dona Benta. – Como isso! Todos os animais têm duas, quatro ou seis pernas, como os insetos. Bicho com infinidade de pernas não há.

– Há, sim! – lembrou Emília. – A centopeia tem cem.

– É verdade – disse Dona Benta – mas a centopeia é um pobre bichinho insignificante, aí de poucos centímetros de tamanho.

– Mas pode ter aparecido alguma grande – disse Emília.

– Como aparecido, boba? Os animais não vão aparecendo assim sem mais nem menos.

– Pode, sim; alguma, por exemplo, que tenha a glândula pituitária muito desenvolvida...

Dona Benta arregalou os olhos. Aquilo da Emília falar em pituitária estava lhe parecendo ainda mais estranho do que a "alucinação" de Tia Nastácia.

– Que história é essa, Emília?

– Foi o Visconde que me ensinou o caso das glândulas...

– Hum!

Nastácia continuou a descrever o monstro, e por fim Dona Benta teve de concordar com Emília. Sim, só podia ser uma gigantesca centopeia. Mas... mas, como?

Pedrinho já estava de bodoque em punho.

– Eu vou ver, vovó, e se for verdade...

Pedrinho foi – e viu. O monstro ainda estava lá, parado, olhando. O medo de Pedrinho foi tal que voltou ainda mais depressa do que a negra e perdeu o bodoque pelo caminho.

– Ah, vovó, é mesmo! – disse ele depois de tomar fôlego. – É uma centopeia monstruosíssima, cascuda, toda cheia de anéis, e com aquelas horríveis cem pernas.

– Noventa e quatro! – corrigiu Emília, sem que ninguém entendesse.

– Eu só tinha medo de vespa, vovó, mas a centopeia me fez correr. Tive medo, sim, confesso, e duvido que haja alguém no mundo que não tenha – que não corra de semelhante horror...

O caso deixou Dona Benta atrapalhadíssima. Evidentemente não era faz-de-conta, não. Era pura realidade. E embora nada tivesse visto com seus próprios olhos, não podia duvidar do testemunho de tanta gente – o Candorra e a mulher, Pedrinho, Narizinho, Tia Nastácia... E no susto em que ficou, o remédio foi apelar para Emília.

– Emília, que acha que devemos fazer?

Emília já estava segura de que aqueles monstros eram os animaizinhos operados no laboratório do Visconde, e que portanto não havia perigo. Bastava matá-los e pronto. Quando um animal não se reproduz, também não se perpetua, e portanto não há perigo nenhum. E respondeu com a maior calma, embora um tanto misteriosa:

– A coisa é de "somenos importância". Os "casos" são poucos. Assustam as gentes e só.

– Como sabe que são poucos? – perguntou Narizinho.

– Sei porque não ignoro – respondeu Emília, fazendo bico. – Isso não passa de *distúrbios glandulares*. Artes da tireoide e da pituitária...

Ninguém entendeu.

658　　Monteiro Lobato · Volume 1 · *Obra completa*

Capítulo v
O MEDO DO MUNDO

As experiências do Visconde foram em número de vinte e tantas, de modo que deviam andar soltos pela Terra uns vinte e tantos monstros incompreensíveis – diversos com forma de formiga; um com forma de grilo; outro com forma de centopeia; e outro com forma de minhoca. Essa minhoca monstro fora vista pela primeira vez numa fazenda ali das redondezas. Um homem vinha vindo a cavalo e deu com ela na estrada. O cavalo assustou-se, jogou o homem ao chão e sumiu no galope. O pobre coitado chegou à fazenda a pé, todo amarrotado e trêmulo.

– O minhocão!... Vem vindo!... Na estrada... – foi o mais que pôde dizer, mas bastou para que todos os moradores da fazenda corressem para o topo de um morro muito alto.

A notícia correu. Os jornais contaram o novo acontecimento na mesma coluna em que falavam das novas proezas da pulga gigante. Fora vista em Corumbá, depois em Manaus, depois em Belém do Pará.

Os jornais do mundo inteiro não tratavam de outra coisa. Os governos mexeram-se. Colocaram-se canhões antiaéreos em vários pontos para atirar contra a Coisa Preta – mas, como, se nunca sabiam onde ela ia aparecer? Aviões de caça andavam pelo ar, procurando-a.

O primeiro ponto em que a Coisa Preta havia aparecido fora em Juiz de Fora, de modo que uma comissão de investigadores internacionais foi ter àquela cidade. Queriam ver se descobriam o ponto de partida do monstro. Lá tomaram todas as informações possíveis; muita gente, além daquele caçador, havia visto a Coisa Preta passar pelo ar; e com essas informações os investigadores foram aos poucos se certificando de que o ponto de partida era nos arredores do Picapau Amarelo. Isso fez que o sítio de Dona Benta se tornasse o principal centro das investigações.

– Deve ser por aqui – dizia o Doutor Zamenhof, chefe da comissão. – Por aqui foram avistadas as primeiras formigas monstros, a gigantesca Noventaequatropeia, descoberta pelo Senhor Pedro Encerrabodes de Oliveira, e também o grilão e o minhocão. Temos de organizar um cerco e irmos fechando o círculo.

Na véspera os jornais haviam dado notícia de que a Coisa Preta aparecera nos arredores do Canal do Panamá, e fora pilhada bebendo o sangue dum cavalo das forças americanas lá estacionadas. Assim que ela pulou, os canhões antiaéreos da defesa do Canal abriram fogo, e uma das balas a atingiu.

– Será que ela estalou ao morrer? – perguntou Emília a Dona Benta.

– Estalou?

– Sim, as pulgas morrem estaladamente...

Dona Benta riu-se.

– O jornal não diz nada, Emília; mas, com ou sem estalo, a monstruosa pulga veio por terra e foi transportada para o museu de História Natural de Nova York. Conta ainda o jornal que a afluência de curiosos está sendo tamanha, que há cauda na rua. Os sábios mostram-se intrigadíssimos; não sabem como explicar o estranho fenômeno.

– Há um sábio que com certeza sabe: o Visconde – lembrou Emília. – E para mim o caso é dos mais simples: não passa de exageros da senhora Dona Pituitária, Quando ela dá para fazer estrepolias num corpo, ninguém pode com sua vida. Uma danadinha...

Dona Benta estranhou aquelas palavras, mas nada disse. Pedrinho vinha entrando com o Doutor Zamenhof, um sábio barbudíssimo, de óculos duplos no nariz.

– Vovó, aqui está o Dr. Zamenhof, chefe dos "procuradores" dos bichos monstruosos. Seus estudos indicam que o foco donde saem essas criaturas é aqui por perto, porque todos são primeiramente vistos aqui e só depois mais longe.

– A pulga não foi – disse Dona Benta. – Apareceu pela primeira vez em Juiz de Fora, que é longe daqui.

– Engano seu, minha senhora. Encontramos aqui pelas redondezas um preto velho...

– O Tio Barnabé – adiantou Pedrinho.

– Perfeitamente – confirmou o sábio. – O Senhor Barnabé Semicúpio da Silva, morador numa casinha perto da ponte, declarou-nos ter visto essa pulga em seu pastinho. Mas não acreditou no testemunho dos próprios olhos, achou que talvez fosse "visão de negro velho", e não falou no caso a ninguém. E viu-a dois dias antes do aparecimento do monstro em Juiz de Fora. De modo que todos os monstros que andam a assustar o mundo foram primeiramente vistos aqui. Logo, as probabilidades são de que o foco seja por aqui.

– Pode ser – disse Dona Benta – e eu não me admiro de nada. Tem acontecido tanta coisa neste meu abençoado sítio...

Capítulo VI
Os dois colegas

E Dona Benta contou numerosas passagens dos assombros e espantos ocorridos ali – a viagem à Lua, a chegada do anjinho, a visita das crianças inglesas, a surra que o marinheiro Popeye levou etc. Depois contou que morava ali um grande colega do Doutor Zamenhof.

– Já ouvi falar – disse este. – O Visconde de Sabugueira, não é?

– ...bugosa – emendou Emília.

– Sim, é isso. Pois eu teria imenso prazer em trocar ideias com o ilustre colega. Onde anda ele?

– Não sei – disse Dona Benta. – O Visconde, duns tempos para cá, pouco me aparece, anda sempre por fora, com certeza mergulhado nos seus estudos. Vá ver se encontra o Visconde, Emília.

Emília foi, e minutos depois apareceu acompanhada do sabuguinho. Dona Benta fez as apresentações.

O Doutor Zamenhof mostrou-se admiradíssimo. Esperava um homem como ele, um sábio de barbas e óculos, e apresentavam-lhe um sabugo de cartola! Julgando que fosse brincadeira, quase zangou.

– Minha senhora – disse ele – parece-me que a mistificação está sendo um tanto excessiva...

Dona Benta não entendeu.

– Mistificação, Doutor?

– Sim, falam-me dum sábio e apresentam-me um sabugo de cartola! Se eu não mereço respeito, acho que deve ser respeitada a ciência que eu represento.

Dona Benta caiu em si e riu-se.

– Tem toda a razão, Doutor. É tão estranho este caso do nosso sabuguinho falante, que um homem normal, como o senhor, não pode ter outra impressão. Mas converse com ele e veja por si mesmo se o nosso Visconde é ou não é um sábio.

– Converse com ele? – repetiu o Doutor Zamenhof. – Pois então ele fala?

– Se fala! – bedelhou Emília. – E só fala ali na batata científica! Experimente.

O Doutor Zamenhof não percebia nada de nada, e continuou firme na convicção de que todos queriam empulhá-lo. Chegou a corar até à raiz dos cabelos. Mas quase caiu para trás, de espanto, ao ouvir o Visconde abrir a boca e dizer:

– Estou me lembrando da minha conferência com os professores da Universidade de Princeton, nos Estados Unidos. Também eles muito se espantaram de que uma criatura como eu falasse...

O susto fez o Doutor Zamenhof perder a língua. O sabuguinho falava mesmo e muito bem! Tia Nastácia veio com um copo d'água, que o sábio engoliu dum trago. Depois:

– Desculpe, minha senhora – disse ele dirigindo-se a Dona Benta. – Errei nas minhas desconfianças – mas quem não me perdoará este humaníssimo erro? A coisa me parece a tal ponto absurda que chego a duvidar de mim mesmo. Estarei por acaso sonhando?

– Belisque para ver – disse Emília.

O Doutor Zamenhof beliscou-se. Sim, não era sonho, não. Estava acordadíssimo. Mas continuou no ar, sem conseguir pôr em ordem suas ideias.

– Café! – gritou Dona Benta para a cozinha. – Para consertar estas situações mentais, nada como os cafés de Tia Nastácia.

Veio o café com bolinhos. O barbudo sábio tomou-o e foi assentando as ideias. Minutos depois estava de braço dado ao Visconde, passeando pela sala e absorvido numa profundíssima conversa sobre glândulas.

– Ando interessado em descobrir a verdadeira função da glândula pineal – dizia o Visconde.

– Credo! – exclamou Tia Nastácia, que tinha vindo tirar a bandeja do café. – Até assusta a gente, essa "linguage"...

A conversa dos dois sábios foi interrompida por uma gritaria lá fora. Correram todos para a varanda. Vinha vindo um agitado bando de homens em busca do Doutor Zamenhof.

– Que há? – interpelou este de longe.

– Descobrimos a Noventaequatropeia! – berrou o da frente. – Está a um quilômetro daqui!...

O Dr. Zamenhof despediu-se às carreiras e lá se foi, seguido do Visconde e de Pedrinho. Não queria que matassem o monstro. Sua intenção era pegá-lo vivo para pô-lo num jardim zoológico.

Capítulo VII
A CAÇA AO MONSTRO

A Noventaequatropeia estava lá na mesma grota úmida dos caetés de Tia Nastácia, sempre parada, olhando. Parece que o gosto dela era parar e olhar. O Doutor Zamenhof e seus homens cercaram-na de longe e examinaram-na com os binóculos.

– Noventa e quatro pernas, sim – observou o sábio –, evidentemente, seis foram arrancadas, porque ainda aparecem os buracos em que deviam estar inseridas. O corpo é formado de anéis córneos, exatamente como o das pequeninas centopeias. O aspecto externo é o mesmo das centopeias, e aqui estou garantindo que esse monstro não passa duma centopeia gigantesca, que perdeu seis pernas nalgum desastre.

Depois de bem examiná-la pelo binóculo e de medir com o "olhômetro" as dimensões do monstro, discutiu com os seus auxiliares os meios de captura.

– Temos de construir um canudo de vinte metros de comprimento e um metro de diâmetro interno, com tampa dos dois lados, disse por fim.

– E como fazê-la entrar no canudo? – perguntou um dos assistentes.

O maior problema era esse. O Doutor Zamenhof coçou a barba. Estava indeciso.

– Eu sei o jeito – disse Pedrinho. – Faz-se um curral de paus a pique em forma de funil, ou que se vá estreitando até dar na boca do canudo. Depois toca-se o monstro a pedradas e a barulho; ele assusta-se, vai andando para o bico do funil e acaba entrando no canudo.

Como não aparecesse ideia melhor, o plano de Pedrinho foi aprovado – e imediatamente a turma pôs mãos à obra.

A construção do canudo levou tempo; fizeram-no de taquaras trançadas, como os jacás de frangos. E depois construíram um curral de paus a pique em forma de funil. O serviço foi muito facilitado pela atitude da Noventaequatropeia, que se mantinha sempre parada, a olhar bobissimamente para todas as coisas. Era uma perfeita cretina.

Emília não resistiu à tentação de também aparecer por lá, e as maneiras lerdas do monstro causaram-lhe espécie.

– Para mim, Doutor – disse ela dirigindo-se ao sábio – a bicha está com defeito na tireoide. Essa glândula atrofiou-se nela, não produz bastante tiroxina; daí a lerdeza, a "paradura"...

O barbudo sábio olhou-a com os olhos arregalados.

Depois de prontos o canudo e o curral, surgiu o problema de tanger o bicho para a frente, de modo que fosse caminhando para o bico do funil e entrasse no canudo. Mas nem as pedradas, nem a gritaria, o levaram a sair da sua "paradura", como dizia Emília.

– Assim não vai – disse o Doutor. – Temos de estudar outro meio.

Pensa que pensa, quem teve a boa ideia foi de novo Pedrinho.

– Só a laço – disse ele. – Fazemos uma comprida corda de cipó trançado e puxamo-lo para dentro do canudo.

O Doutor Zamenhof deu ordem para que experimentassem a ideia. Em poucos minutos estava feita uma grossíssima corda dos melhores cipós da mata. Depois enfiaram-na pelo canudo. Restava agora o mais difícil: correr a laçada na cabeça do monstro.

Foi operação difícil e demorada, mas que se realizou da melhor maneira. A insistente "paradura" do monstro muito facilitou o trabalho. Pronto! Era só puxá-lo agora.

Mas os seis auxiliares do Doutor Zamenhof, por mais força que fizessem, não conseguiram mover do lugar a Noventaequatropeia. Bicho que tem noventa e quatro pés agarra-se ao chão como cola-tudo.

– E agora? – exclamou o Doutor Zamenhof, já meio desanimado.

– Só com o Quindim – lembrou Emília.

Mas o sábio, que nunca ouvira falar em Quindim, ficou na mesma.

– Que história é essa? – perguntou.

Emília riu-se.

– Em vez de explicar – disse ela – o melhor é mostrar. Suspenda o serviço que eu já volto – e tocou para casa correndo.

Os homens ficaram à espera, com caras bobas, a olharem-se entre si e depois para o Doutor Zamenhof, o qual só respondia fazendo beiço, como quem diz: "Não entendo nada de nada destas coisas por aqui".

Minutos depois, um grito soou.

– Socorro! Um novo monstro vem vindo! – berrava um dos auxiliares do Doutor Zamenhof, que se havia distanciado dos companheiros.

O pobre homem vinha na volada.

– Um monstro com aparências de rinoceronte do Uganda! – disse ele assustadíssimo ao chegar.

– Preparem as armas!

Todos correram às carabinas e puseram-se de joelhos, à espera.

Mas Pedrinho interveio.

– Nada de tiros! Trata-se do nosso rinoceronte, que é mansíssimo e muito camarada. Justamente o tal Quindim de que a Emília falou.

O Doutor Zamenhof enxugava o suor do rosto. Que terra esquisita, Santo Deus! Tudo estranho, tudo incompreensível! Sabugos científicos, rinocerontes camaradas...

Nisto repontou a enorme massa do Quindim, com a Emília a cavalo no chifre. O assombro do sábio e dos seus homens subiu mais dez pontos, e foi um custo para os sossegar. Diversos treparam às árvores próximas, como macacos.

Depois de mil explicações, a calma voltou aos expedicionários e Quindim foi atrelado à ponta do cipó.

– Vamos, Quindim! – ordenou Emília lá do seu posto – e o rinoceronte moveu-se pesadamente. O cipó esticou como corda de viola, e a Noventaequatropeia, a despeito das suas noventa e quatro pernas coladas ao chão, não teve remédio senão sumir-se no canudo. Assim que a viram lá dentro, os homens correram com as tampas e fecharam as duas extremidades.

Pronto! Graças às ideias de Pedrinho e à lembrança da Emília, o tremendo fenômeno da natureza estava encanudado no enorme jacá de frangos. Tinham agora de construir uma carreta especial, que o levasse dali para o jardim zoológico.

– Bom – disse o Doutor Zamenhof – vocês agora vão cuidar da carreta enquanto eu vou novamente conferenciar com a proprietária do sítio. E separaram-se.

Evidentemente o que ele estava querendo não era conferência nenhuma, e sim outro cafezinho de Tia Nastácia...

– Minha senhora – disse o Doutor ao entrar – aceite mil felicitações pelos netos que tem. Graças às sugestões desses meninos, apanhamos o monstro e o encanudamos.

– Netos? – repetiu Dona Benta, sem compreender.

– Sim – disse o Doutor – aqui o Senhor Pedro e ali a Senhora Emília.

– Ah – exclamou Dona Benta, rindo-se. – Essa não é neta, não, Doutor Zamenhof. Emília é uma boneca que evoluiu para gentinha.

O sábio arregalou os olhos. "Boneca que evoluiu para gente?" Estaria a velha a caçoar com ele?

Percebendo a sua atrapalhação, Dona Benta disse:

– A história é muito complicada, Doutor, não pode ser dita em meia dúzia de palavras. Mas, creia ou não, a coisa é como lhe digo. Netos tenho dois, Pedrinho e Narizinho – embora a Emília, quando me quer agradar, também me chame "vovó"...

Capítulo VIII
ERA REINAÇÃO

Estava o Doutor Zamenhof naquela prosa, quando os seus auxiliares vieram contar que tinham descoberto o minhocão.

– Animal esquisitíssimo! – disseram eles. – Em tudo igual a uma minhoca, mas com seis pernas que o deixam completamente atrapalhado. Os pares de pernas estão a cinco metros de distância um do outro, de modo que no intervalo o corpo do minhocão bambeia. Uma perfeita montanha russa, sobe, desce, sobe, desce. Isso faz que ele não consiga mover-se, nem penetrar na terra. Não entendemos o fenômeno...

– Hão de ser pernas postiças – lembrou Emília.

– Parece que não – disseram os homens. – A forma dessas pernas lembra as do monstro que encanudamos. Mais do que lembram: são iguaizinhas. Parece até que alguém arrancou as pernas de um para as botar no outro.

– Ahn! – exclamou o Doutor Zamenhof. – Deve ser isso mesmo. É por isso que a centopeia gigante só tem noventa e quatro pernas. As seis que faltam foram parar na minhoca. Mas o fenômeno me é totalmente incompreensível. Em tudo isto paira um grande mistério...

Emília olhou para o Visconde com o rabo dos olhos.

Nesse mesmo dia os investigadores apanharam a primeira formiga-tatu, e ao trazerem-na para a casa de Dona Benta o assombro foi geral.

– Nossa Senhora! – exclamou Tia Nastácia. – É tal e qual as saúvas que comem as nossas roseiras, mas dum tamanho que nunca vi. Credo!

Os ferrões pareciam braços abertos. Pedrinho experimentou-os com uma cana. O formigão fechou o ferrão e atorou a cana. Fizeram uma gaiola e puseram-no dentro.

No dia seguinte foi caçada a segunda formiga, e essa ainda mais monstruosa que a primeira, pois tinha um extraordinário desenvolvimento das mandíbulas e das pernas dianteiras. Era quase que só mandíbulas e pernas dianteiras.

O Doutor Zamenhof pôs-se a estudá-la, sem compreender coisa nenhuma. Em dado momento Emília não se conteve e disse:

– Isto está me parecendo um caso de "acromegalia".

O Doutor olhou para ela por cima dos óculos.

– Sim – continuou Emília – trata-se, com certeza, duma reinação de Dona Pituitária. Quando, nos animais já adultos, essa glândula começa a produzir em excesso os seus caldinhos, acontece isso: em vez de crescer o corpo inteiro, só cresce a cara, e também engrossam as mãos e os pés. O bicho fica assim como esse: "acromegálico"...

Dona Benta não se conteve. Agarrou Emília pelo braço e puxou-a para perto de si.

– Venha cá, diabinha. Há muito tempo que suas palavras andam misteriosas, e estou quase convencida de que estas monstruosidades não passam de outra reinação sua, como aquelas célebres reformas da Natureza. Vamos, conte tudo.

Emília olhou para o Visconde e por fim contou.

– A reinação desta vez não foi minha, Dona Benta. Foi ali do Visconde. Durante a estada lá na Europa pôs-se a estudar glândulas, e de volta montou um laboratório na Cova do Anjo. E lá fizemos o que ele chama experiências *in anima vile,* isto é, experiências em animais vagabundos, como formiga, grilo, pulga, centopeia e minhoca. Fazíamos a mexida nas glândulas e os púnhamos num cercadinho, em observação. Mas a maldita semana de chuva do mês de fevereiro nos atrapalhou o negócio. Enquanto ficamos presos em casa, o enxurro varreu com o cercadinho e levou para não sei onde os operados. Isto foi o que fizemos. Agora, se esses monstros que estão aparecendo são os operados, a culpa não é nossa – é lá das tais Donas Tireoide e Pituitária.

Aquelas revelações encheram o Doutor Zamenhof do maior assombro. Parecia-lhe impossível que um simples sabugo científico, auxiliado por uma gentinha como a Emília, houvesse feito "milagres endocrínicos" muito maiores que os realizados por todos os grandes especialistas da Alemanha e da América do Norte. Simplesmente formidável!

– Sabe – disse ele ao Visconde – que o colega fez a maior coisa que ainda foi feita nos domínios da ciência? Sabe que resolveu problemas tremendos e que daqui por diante a ciência vai basear-se nestas suas maravilhosas experiências?

O Visconde alisou as palhinhas de milho do pescoço e agradeceu modestamente o elogio.

– Quero ver o seu laboratório – disse o Doutor. – Deve ser a maravilha das maravilhas.

Mas quando foi à Cova do Anjo e viu que o maravilhoso laboratório não passava dum buraco na figueira, com um microscópio feito dum velho binóculo sem vidro, uma lâmina Gillette, umas agulhas e uns algodõezinhos, ficou sem saber o que pensar, nem o que dizer. Aquilo era positivamente o assombro dos assombros, o espanto dos espantos.

– Não entendo – disse ele. – Parece-me de todo impossível que com estes rudimentaríssimos recursos o Visconde conseguisse os prodigiosos resultados que conseguiu. Não entendo. E creio que se eu ficar por aqui mais uns dias, acabarei louco. Cada vez mais me espanto com as coisas que vejo...

– Não se afobe, Doutor! – disse Emília. – O nosso segredo é o Faz-de-Conta. Não há o que não se consiga quando o processo aplicado é o Faz-de-Conta. O nosso grande segredo é esse.

O barbudo sábio ficou na mesma, com perfeita cara de asno, e mais uma vez murmurou:

– Não entendo...

– Pois faça de conta que entende, Doutor, e vamos tomar o café. Agora é com pipoca... – concluiu Emília, puxando-o pela aba do paletó.

RECONTOS

AVENTURAS DE HANS STADEN

O HOMEM QUE NAUFRAGOU NAS COSTAS DO BRASIL EM 1553 E ESTEVE OITO MESES PRISIONEIRO DOS ÍNDIOS TUPINAMBÁS; NARRADAS POR DONA BENTA AOS SEUS NETOS NARIZINHO E PEDRINHO

Prefácio da segunda edição

As aventuras de Robinson Crusoé constituem talvez o mais popular livro do mundo. Da mesma categoria são estas de Hans Staden.

Se as de Robinson tiveram a divulgação conhecida, proveio de passarem às mãos das crianças em adaptações conforme a idade, e sempre remoçadas no estilo, de acordo com os tempos. Com as de Staden tal não sucedeu – e em consequência foram esquecidas.

Quem lê hoje, ou pode ler, o livro de Defoe na forma primitiva em que apareceu? Os eruditos. Também só os eruditos arrostam hoje a leitura do original das aventuras de Staden.

Traduzidas ambas, porém, em harmonia moderna, toante com o gosto do momento, emparelham-se em pitoresco, interesse humano e lição moral. Equivalem-se.

Anos atrás tivemos a ideia de extrair do quase incompreensível e indigesto original de Hans Staden esta versão para as crianças – e a acolhida que teve a primeira edição, bastante larga, leva-nos a dar a segunda. Trazia à guisa de prefácio estas palavras que ainda não são descabidas:

É inestimável o valor das memórias de Hans Staden, o aventureiro alemão que esteve prisioneiro dos tupinambás oito meses durante o ano de 1554. Representam o melhor documento daquela época quanto aos costumes e mentalidade dos índios. Em vista disso Dona Benta não poderia deixar de contar a história de Hans Staden aos seus queridos netos – como não poderão as outras avós e mães deixar de repeti-la aos seus netos e filhos. Para facilitar-lhes a tarefa damos a público este apanhado, em linguagem bem simples, no qual seguimos fielmente a obra original.

O grande valor do livro de Hans Staden para nós do Brasil é que é o primeiro aparecido no mundo, sobre a nossa terra. A primeira edição foi dada em Marpurgo, na Alemanha, em 1557 – isto é, 57 anos apenas, depois do descobrimento de Pedro Álvares Cabral.

Capítulo I
Quem era Hans Staden

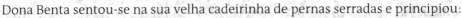

Dona Benta sentou-se na sua velha cadeirinha de pernas serradas e principiou:

— Hans Staden era um moço natural de Homberg, pequena cidade do Estado de Hesse, na Alemanha.

— De S? — exclamou Pedrinho, dando uma risada. —Que engraçado!

— Não atrapalhe – disse Narizinho. —Assim como em São Paulo há a Freguesia de Nossa Senhora do Ó, bem pode haver o Estado de S na Alemanha. Em que o O é melhor que o S?

—Não digam tolices – interrompeu Dona Benta. —Esse estado da Alemanha escreve-se em português HESSE, diz-se Hessen em alemão. Nada tem que ver com a letra S.

Depois desta lição Dona Benta continuou:

— O moço Staden tinha o temperamento aventureiro; não se contentava com o sossego da cidade natal. Queria ver o mundo, viajar, cortar os mares, e insistia nisso por mais que seu pai lhe dissesse que boa romaria faz quem em casa fica em paz.

Um dia resolveu sair de Homberg.

— "Adeus, meu pai! Não nasci para árvore. Quero voar, conhecer o mundo. Adeus!"

— "Pois vai, meu filho. Todos nós temos um destino na vida; se o teu destino é viajar, que se cumpra."

Hans partiu para a cidade de Bremen e de lá para a Holanda, onde, no porto de Campon, encontrou várias naus que se aprestavam com destino ao reino de Portugal. O moço embarcou em uma delas e chegou a Setúbal depois de quatro semanas de travessia.

— Quatro semanas! – exclamou Pedrinho. —Que carroça!...

— Naquele tempo de navegação a vela as viagens dependiam dos ventos, sendo por isso incertas e demoradas. Fazia-se em meses o que hoje se faz em dias.

Hans esteve algum tempo em Setúbal, com certeza provando o gostoso vinho moscatel que lá fabricam. Depois tomou o caminho de Lisboa. Sua tenção era seguir para as Índias numa das frotas que dali costumavam zarpar.

— Zarpar? – interrompeu Pedrinho. —Por que fala assim tão difícil hoje, vovó?

— Não estou falando difícil, Pedrinho. Há certas expressões que se chamam "técnicas" e que vocês precisam ir aprendendo. Zarpar se diz quando um navio ou uma esquadra sai dum porto. É uma expressão técnica, isto é, de sentido exato.

— Muito bem. Continue. Achou ele navio que o levasse para as Índias?

— Não teve sorte. Hans não encontrou nenhum navio com destino às Índias. Em vista disso engajou-se como artilheiro num barco do Capitão Penteado, que se destinava ao Brasil. Essa nau era mercante, mas ia armada de canhões, como se fosse navio de guerra, e levava ordem do rei para atacar os barcos franceses encontrados pelo caminho.

— Por que isso, vovó?

– Portugal e França estavam em luta por causa das terras novas descobertas em 1500, e era no mar que justavam contas.

A França julgava-se com tanto direito de explorar essas terras como Portugal, mas tais terras pertenciam a Portugal e Espanha que haviam tomado posse delas antes dos outros. Terra naquele tempo era de quem primeiro a pegava.

Mas a França não concordava com isso e o seu rei nessa época, Francisco I, havia dito em certa ocasião:

– "Eu quero que me mostrem o testamento de Adão que repartiu o Novo Mundo entre o rei de Espanha e o rei de Portugal, pondo-me fora da partilha."

Era por esse motivo que os franceses e portugueses se atracavam no mar, embora não existisse guerra declarada entre as duas nações.

Mas a nau em que ia o nosso Staden partiu de Lisboa, seguida de outra menor, e foi ter à Ilha da Madeira, onde já se produzia muito vinho e açúcar. Em Funchal, porto da ilha, a frota ancorou para receber víveres. Em seguida tomou o rumo das costas da Berberia.

– Berberia ou Barbaria, vovó? – perguntou o menino. –Não quer dizer terra dos bárbaros?

– Não, meu filho. Quer dizer terra dos berberes, nome genérico dado aos habitantes do norte da África. Talvez a palavra berbere venha de bárbaro. Os dicionários têm dúvidas a respeito.

Os navios foram ter ao porto de Arzila, cidade que os portugueses tinham tomado aos berberes e que depois perderam.

Por informação de pescadores espanhóis o Capitão Penteado soubera que por lá andavam navios corsários, em comércio com esses mouros, e tratou de dar-lhes caça.

De fato, encontrou um e imediatamente o atacou, mas a tripulação do corsário teve tempo de tomar os botes e fugir para terra. Os portugueses apossaram-se do navio, nele encontrando grande quantidade de açúcar, amêndoas, couro de cabrito, goma-arábica e tâmaras.

– Que gostoso! – exclamou Pedrinho, lambendo os beiços. Ele gostava muito de tâmara.

– Mas era direito isso, vovó? – indagou a menina.

– Ah, minha filha, a história da humanidade é uma pirataria que não tem fim. O mais forte, sempre que pode, depreda o mais fraco. Só quando a Justiça for uma realidade, em vez de ser um ideal, é que as coisas mudarão de rumo.

A nau vencedora levou a presa para a Ilha da Madeira, donde o capitão mandou o navio menor a Lisboa, saber do rei o que devia fazer, visto como parte do carregamento pertencia a espanhóis, com quem os portugueses não estavam em guerra.

– Foi o navio a Lisboa só para dar o recado? – Imaginem!...

– Que remédio! Não havia outro meio; não era como hoje, que a radiotelegrafia põe os barcos em comunicação instantânea com a terra sempre que é preciso.

O navio foi e voltou. El-rei mandou dizer que ia estudar o assunto; Penteado que deixasse a presa na ilha e continuasse a viagem.

Em seguida o Capitão Penteado voltou para Arzila, na esperança de apanhar nova presa.

Esse cálculo falhou. Sobreveio fortíssima tempestade, que arrojou a nau a quatrocentas milhas dali, para os lados do Brasil.

– Quantos metros tem a milha, vovó? – indagou Pedrinho.

– A milha varia muito, de país para país. É medida do tempo dos romanos, entre os quais valia mil passos. Mas como isso de passo cada povo o tem maior ou menor, conforme o comprimento das pernas, há milhas de 1.609 metros, como a inglesa, e milhas de mais de 8.000 metros, como a húngara. Mas hoje está generalizada a milha marítima de 1.853 metros.

– É uma danada, esta vovó! Parece um livro aberto – disse o menino, entusiasmado com a ciência da velha.

– Continue, vovó – pediu Narizinho, mais interessada na navegação de Hans do que na elasticidade da milha.

Dona Benta continuou:

– As naus, em vista do avanço que o temporal lhes imprimira no rumo do Brasil, deixaram em paz as costas da Berberia e seguiram viagem para as terras de Cabral.

Pelo caminho toparam grande quantidade de peixes-voadores. Erguiam-se do mar em cardumes, para fugir à perseguição dos peixes maiores; voavam um bom pedaço e iam cair na água, muito longe dos seus inimigos. Às vezes voavam à noite e vinham dar de encontro às velas e cordas dos navios; de manhã os marinheiros não necessitavam de pescar para o almoço; era só colhê-los no tombadilho. E assim foram os navios singrando até alcançarem a linha do equinócio.

– Que é isso, vovó?

– É o equador, meu filho. Já esqueceu a sua lição de cosmografia?

Chegados ao equador houve um período de calma, isto é, sem brisas, de modo que os navios ficaram parados sobre as ondas, com grande padecimento dos marinheiros em vista do calor sufocante.

Às vezes trovejava e caíam chuvas violentas; mas a calmaria sobrevinha de novo, enchendo de pavor a pobre maruja, porque o prolongamento daquela situação poderia trazer a todos o mais triste dos fins.

Certa noite de chuva apareceram no costado dos navios muitas luzes mortas, coisa que Staden não tinha visto ainda. Onde batiam as vagas ficava a brilhar uma luz azul. Os marinheiros alegraram-se com o fenômeno, a que chamavam santelmo e diziam ser sinal de bom tempo.

Assim foi. Quando raiou o dia principiou a soprar um vento favorável, que permitiu às naus prosseguirem na viagem.

A 28 de janeiro (isso no ano de 1554) avistaram uma ponta de terra, que Hans soube ser o Cabo de Santo Agostinho. Mais oito milhas de marcha e finalmente atingiram o Porto de Olinda, depois de oitenta e oito dias de mar.

– Mas a tal luz morta, vovó, que era? –quis saber Pedrinho, e Dona Benta explicou.

– Tratava-se da fosforescência de certos bichinhos que boiam sobre as águas do mar aos bilhões de bilhões, numa verdadeira vialáctea de massa viva.

É a mesma fosforescência dos vagalumes, mas em animálculos extremamente pequenininhos...

– Pare um pouco, vovó – pediu a menina. – Quero dar um pulo lá dentro para trazer a Emília. A coitadinha gosta tanto de ouvir histórias...

Capítulo II
A REVOLTA DOS ÍNDIOS

Logo que a menina voltou, Dona Benta, já esquecida dos "animálculos", prosseguiu:

– A colônia de Pernambuco era governada por Duarte Coelho, a quem o Comandante Penteado foi logo apresentar-se. Duarte Coelho contou-lhe que estavam em má situação, em vista de se terem revoltado os selvagens daquela zona.

– Por que, vovó?

– Porque os colonos haviam capturado e escravizado alguns selvagens. A raça vermelha, ou índia, nunca suportou a escravidão. Preferia a morte, e se não fosse a ganância dos brancos, quer portugueses, quer espanhóis, ganância que os levou a insistir na escravização dos índios, não teria havido nas Américas os horrores que houve.

Duarte Coelho pediu ao Capitão Penteado que o ajudasse naqueles apertos, indo com os seus homens guarnecer uma colônia de nome Iguaraçu,1 naquele momento cercada pelos índios. Essa colônia ficava a umas cinco milhas de Olinda.

O Capitão reuniu em um bote quarenta marinheiros e mandou remar para Iguaraçu, situada num braço de mar que avançava terra a dentro.

Lá encontraram noventa portugueses e uns trinta e tantos escravos, entre pretos e índios. Os selvagens sitiantes eram avaliados em oito mil.

– Oito mil, vovó? Que horror! Um verdadeiro exército!...

– "Avaliados" em oito mil, meu filho. As avaliações dos interessados em geral erram para mais. O Compadre Teodorico nosso vizinho, sempre avaliou o seu sítio em setenta alqueires. Veio o agrimensor, mediu e achou trinta...

A praça de Iguaraçu era defendida apenas por uma estacada de madeira, que a fechava de todos os lados. Para além da estacada estendia-se a floresta, na qual os índios construíram dois redutos feitos de grossos troncos; ao pé desses redutos abriram trincheiras nas quais passavam o dia, só saindo para guerrilhar.

Os índios conheciam imperfeitamente o poder das armas de fogo, e sempre que os portugueses davam uma descarga deitavam-se, convencidos de que assim se livrariam das balas.

---

1 Canoa grande. (n. a.)

De todas as bandas havia índios, de modo que ninguém podia sair da estacada sem ser flechado. Além disso os sitiantes atiravam as flechas para cima, calculando a curva de jeito que fossem cair verticalmente dentro da praça.

– Eu punha uma panela de cobre na cabeça e queria ver! – disse Pedrinho, com cara de quem descobriu a pólvora.

– Também usavam – continuou Dona Benta – flechas incendiárias, preparadas com algodão embebido em cera.

Acendiam-nas e lançavam-nas contra os tetos das casas. E tanta certeza tinham de vencer aos portugueses, que já combinavam o modo de os devorar a todos numa grande festa.

O cerco ia-se prolongando e as provisões começavam a escassear. Havia mandiocais junto à estacada, mas era impossível chegar até eles. Em vista disso o capitão de Iguaraçu ordenou que os quarenta marinheiros saíssem em dois barcos e fossem até à colônia de Itamaracá,2 a fim de trazer mantimentos.

Os quarenta marinheiros partiram sem demora, encontrando o braço de mar atravancado de grandes árvores, derrubadas pelos índios. Foi preciso jeito para conseguirem passar.

Vendo que a tranqueira tinha sido inútil para tomar-lhes o passo, os selvagens procuraram mais adiante asfixiá-los com a fumaça de grandes fogueiras erguidas nas margens, nas quais lançavam pimenta.

– E esta, vovó! – acudiu Pedrinho. –Então já conheciam o uso dos gases asfixiantes?

– É para ver, meu filho, que nada há de novo sob o sol. Essa fumaça de pimenta, aliás, pouco adiantou: fez arder os olhos dos marinheiros mas não os impediu de, com o auxílio da maré, passarem além e alcançarem Itamaracá.

Nessa colônia encontraram as provisões requeridas; encheram os botes e regressaram.

Quando iam chegando a Iguaraçu, viram que os selvagens não tinham desanimado de lhes atrapalhar a expedição. Haviam lançado à água novos troncos; além disso, cortaram rente ao chão duas árvores muito altas, que cresciam à beirinha d'água, mantendo-as de pé por meio de cipós, cujas pontas iam ter aos seus redutos. A intenção dos índios era deixar caírem as árvores no momento em que os barcos lhes passassem ao alcance.

Os marinheiros, porém, foram felizes e conseguiram escapar da armadilha. Uma das árvores tombou um pouco atrás de um dos barcos, e a outra, talvez empurrada pelo vento, caiu do lado da terra.

Restava a tranqueira da paulama derrubada na água, a qual oferecia um sério embaraço. Vendo a situação dura, os marinheiros pediram em altos brados o ajutório dos da praça. Mas os índios ergueram um tal berreiro que os sons se misturaram no ar e não foi possível ouvir-se em Iguaraçu o pedido de socorro.

Apesar disso, como esses quarenta homens fossem dos mais esforçados, mesmo sem auxílio estranho puderam romper os tropeços e penetrar com as provisões na estacada.

---

2   Pedra de maracá. (n. a.)

Este fato valeu a vitória para os portugueses. Os sitiantes desanimaram de vencê-los e propuseram uma paz que foi logo aceita, retirando-se em seguida para as suas tabas.

O cerco de Iguaraçu havia durado um mês.

Nada mais tinham que fazer ali os marinheiros de Penteado. Regressaram, pois, a Olinda, onde receberam muitos agradecimentos do governador. E como já os navios estivessem carregados, desfraldaram as velas e partiram.

– Coitada da Emília! – exclamou Narizinho, beijocando a boneca. –Está com cara de quem não entendeu coisa nenhuma, esta boba...

Capítulo III
A VOLTA PARA LISBOA

Saindo do Porto de Olinda, que os indígenas chamavam Marim,3 as naus velejaram quarenta milhas ao norte, em demanda da terra dos potiguaras.

– Que terra era essa, vovó?

– Essa terra corresponde hoje ao estado da Paraíba. Havia lá muito pau-brasil, madeira com que os índios comerciavam.

– Um parêntese, vovó – disse Pedrinho. –Por que motivo naquele tempo lidavam tanto com o pau-brasil e hoje não se fala mais nele? Será que lhe acabaram com a casta?

– Não, Pedrinho. O que se deu foi que o carvão-de-pedra derrotou o pau-brasil.

Pedrinho arregalou os olhos.

– Naquele tempo tirava-se dessa madeira uma substância colorante, empregada na tinturaria, como também se extraía o carmim dum inseto chamado cochonilha. Com os progressos da química, porém, a indústria descobriu meios de tirar do carvão-de-pedra as anilinas, isto é, as mães de todas as cores possíveis e imagináveis. E como isto ficasse mais barato, desapareceu a indústria do pau-brasil, da cochonilha, da garança, do anil e de quanto vegetal era cultivado com fins de tinturaria.

– Onde a senhora aprendeu tanta coisa, vovó? – quis saber Narizinho.

– Lendo e vivendo, minha filha. Mas o que sei é nada; parece alguma coisa para vocês, crianças que quase nada sabem; mas diante do que sabe um verdadeiro sábio, como aquele Darwin da *Viagem ao redor do mundo*, que eu quero que vocês leiam, minha ciência é igual a zero.

Mas voltemos à nossa história. Ao aproximar-se desse porto, o navio do Capitão Penteado encontrou um navio francês. De acordo com as ordens de el-rei atacou-o sem demora, na esperança de o apresar. O tal navio, porém, não era de brincadeiras. Espetou-lhe uma bala de canhão no mastro grande, destruindo-o e matando

---

3 Povoado. (n. a.)

vários homens. Em seguida afastou-se. O navio português não esperava por aquela resposta. Tonteou e...passe muito bem, sou um seu criado.

Para cúmulo de má sorte sobreveio a calmaria e não foi possível entrar no porto. Em vista do contratempo o Capitão desistiu do pau-brasil e deliberou regressar ao reino.

Volta péssima. Como não tinham podido tomar provisões na Paraíba, o mantimento veio a escassear de tal forma que passaram fome, sendo obrigados a comer um carregamento de couro de cabrito que traziam a bordo. Cada tripulante recebia apenas a ração diária de um copo d'água e um punhado de farinha. Esse horror durou cento e oito dias, até que alcançaram as Ilhas dos Açores, também pertencentes ao rei de Portugal.

Certo dia, em que estavam à pesca, apareceu ao longe um barco suspeito. *Incontinenti* dirigiram-se para ele, a fim de verificar se era amigo ou inimigo. Era inimigo – e os portugueses voaram-lhe em cima.

Como o navio não se achasse em condições de resistência, os seus tripulantes fugiram todos para terra. Penteado apossou-se do barco sem luta, e fez ótimo negócio, tanta farinha e vinho encontrou nos porões.

Foi um regalo. Os vencedores tiraram a barriga da miséria, comendo e bebendo pelo resto do ano.

– Que boa vida! – exclamou o menino. –Bem diz vovó que a história da humanidade é uma pirataria sem fim...

– Infelizmente é verdade, meu filho. Com este ou aquele disfarce de pretexto, o mais forte tem sempre razão e vai pilhando o mais fraco.

– É a fábula do lobo e do cordeiro...– lembrou a menina.

– Qual, cordeiro! – protestou Pedrinho.–É a fábula do lobo forte e do lobo fraco, uma que me anda na cabeça.

– Bem pensado! – disse Dona Benta. –Essa fábula não foi escrita por Esopo, nem La Fontaine, mas devia ser a fábula número um, porque é a que tem mais frequente aplicação na vida.

Liquidado o negócio da fábula, Dona Benta prosseguiu:

– Depois de refeitos dos padecimentos da viagem, os portugueses velejaram para a Ilha Terceira, em cujo porto se reuniram a numerosos navios que vinham chegando do Novo Mundo, uns com destino à Espanha, outros, a Portugal. E foi fazendo parte de um comboio de cem naus que o barco de Penteado alcançou Lisboa, depois de dezesseis meses de mar.

Em Lisboa, Staden descansou uns tempos, o necessário para esquecer os horrores da primeira viagem e sentir desejos de empreender segunda.

Já conhecedor da terra descoberta pelos portugueses, quis conhecer também os domínios dos espanhóis na América. O Rio da Prata e o Peru deslumbravam todas as imaginações com a fama das suas riquezas. O sonho dos aventureiros consistia em virem juntar ouro do chão, enchendo grandes sacos que os enriquecessem para o resto da vida.

– Mas era assim mesmo, vovó?

– Era. Nas jazidas à flor da terra e no cascalho de certos rios o ouro realmente abundava de maneira maravilhosa, e o que os portugueses e espanhóis tiraram da América não tem conta. Foram milhares e milhares de arrobas!

– Por que, então, não se tornaram esses países os mais ricos do mundo? – perguntou Pedrinho.

– Porque não souberam guardá-lo – respondeu Dona Benta. –Não basta ganhar, é preciso conservar, coisa muito mais difícil. Todo o ouro que Portugal tirou do Brasil foi se passando aos poucos para os países industriosos, sobretudo para a Inglaterra, em troca dos produtos das suas fábricas. Quando os portugueses abriram os olhos, era tarde – o ouro do Brasil estava todo em mãos de gente mais esperta.

Capítulo IV
A SEGUNDA VIAGEM

O nosso Hans Staden foi para Sevilha e lá encontrou uma frota de três navios comandados por Dom Diogo de Senabria, que fora nomeado pelo rei da Espanha governador do Rio da Prata. Hans engajou-se a bordo de um dos navios e partiu em 1553, no quarto dia depois da Páscoa.

Logo no começo tiveram ventos contrários, sendo os navios obrigados a procurar abrigo no Porto de Lisboa. Quando o vento virou de feição partiram de novo e velejaram para as Canárias, deitando âncora na Ilha da Palma. Ali tomaram provisões e combinaram reunir-se no grau 28 a sul do equinócio, caso durante a travessia alguma tempestade os dispersasse. A nau que lá chegasse primeiro interromperia a sua derrota e esperaria as demais.

– Derrota? – exclamou Pedrinho.

– Sim, derrota – afirmou Dona Benta. –Derrota não é só o que você sabe; é também o rumo, a direção que um navio leva quando singra os mares.

Feita a combinação, partiram e velejaram até Cabo Verde, já na África, onde quase foram ao fundo. Depois, sempre com maus ventos, tocaram algumas vezes nas costas africanas e alcançaram a Ilha de São Tomé, pertencente ao rei de Portugal. Em seguida velejaram de novo, não tardando que uma furiosa tempestade dispersasse a pequena esquadra.

– Que azar! – exclamou Pedrinho. –Era preciso muita coragem para ser navegante naqueles tempos.

– Pura verdade, meu filho. A navegação a vela foi uma epopeia.

– Que é epopeia, vovó? – perguntou a menina.

– Eu sei! – exclamou o menino. –Epopeia é por exemplo, *Os Lusíadas*, de Camões, não é, vovó?

–Não é, meu filho. Dar exemplo não é definir. Epopeia quer dizer poema em que o poeta canta uma grande empresa heroica, uma alta façanha. *Os Lusíadas* são uma epopeia, mas "a epopeia não é, por exemplo, *Os Lusíadas*..."

– Mas então, vovó, navegação é epopeia? É algum poema?

– Sim. É um poema não escrito, porque está acima das forças de um só poeta cantar a série infinita de dramas, heroísmos, abnegações e sacrifícios que enchem os anais da navegação.

Pedrinho achou que bastava.

– Entendi, vovó, pode continuar.

Dona Benta prosseguiu:

– A tempestade dispersou as três naus, sendo a em que ia o nosso Hans arrojada para a zona das calmarias.

Três meses ficou parada em pleno oceano!

O vento só reapareceu em setembro, e só então pode ela prosseguir na sua... na sua quê, Pedrinho?

– Derrota! – respondeu de pronto o menino.

– Isso mesmo, está certo. Vejo que minha lição não foi perdida. E prosseguiu sem incidentes na sua derrota até que um dia, a 18 de novembro, o piloto verificou a altura do sol e viu que estavam a 29 graus de latitude.

– Como é que se verifica a altura do sol? – perguntou Pedrinho.

– Com um instrumento chamado sextante, que nos permite calcular a longitude e a latitude, de modo a sabermos em que ponto do globo nos achamos.

– Fiquei na mesma – disse Narizinho -- mas continue, vovó.

– Pois é isso, minha filha, eles verificaram que o navio estava no ponto marcado para a reunião e trataram de procurar, na terra mais próxima, abrigo seguro onde pudessem aguardar a chegada dos companheiros. Velejaram então para Oeste, sem sair do grau 28, até que avistaram terra. Como, porém, não houvesse a bordo nenhum piloto conhecedor da zona, e como não é de bom conselho entrar em porto desconhecido, o navio ficou a cruzar em frente da costa.

– Cruzar?!...–repetiu Pedrinho.

– Sim, meu filho. Quer dizer, em náutica, bordejar, ir e vir, não se afastar muito de um certo ponto.

Mas estava o navio a bordejar em frente da terra desconhecida, quando rompe fortíssima tempestade. O perigo torna-se enorme. Perto como se achava da costa, podia o vento arrojar o navio de encontro às pedras e fazê-lo em pedaços.

O Capitão cuidou logo de precaver-se contra esse possível desastre. Mandou encher vários barris com pólvora, armas e mais objetos, calafetá-los cuidadosamente e amarrá-los uns nos outros.

– Para quê, vovó?

– Muito simples. Em caso de desastre o mar levaria à praia, com os destroços do barco, aquela penca de barris, onde os náufragos encontrariam o que há de mais precioso para quem se vê arrojado pelo destino ao seio de uma terra selvagem: armas de fogo e pólvora.

A tempestade cresceu de vulto; o barco não pôde resistir e foi arrastado a um ponto da costa cheio de recifes submersos. Não vendo salvação, o comandante mandou aproar para terra. Essa manobra viria favorecer o impulso dos ventos e permitir que a nau encalhasse. Iam-se os anéis mas ficavam os dedos.

Assim foi feito. O barco voou para a costa como um corpo que caísse em direção horizontal. Mas quando se aproximava dos arrecifes, apareceu ao lado um porto, a tempo ainda de permitir a manobra do leme. Em virtude disso, em vez de ir para cima das pedras, o barco foi ancorar numa angra bem abrigada e segura.

– Que sorte! – exclamou Narizinho.

– Foi sorte, não há dúvida, e é fácil imaginar a alegria daqueles homens, salvos no momento em que o desastre parecia inevitável. Lançada a âncora, agradeceram a Deus o precioso socorro que lhes enviara. Em seguida trataram de descansar e enxugar as roupas encharcadas.

Isso foi lá pelas duas da tarde.

Não demorou muito surgiu uma canoa de índios com mostras de lhes quererem falar.

Os espanhóis responderam que se aproximassem.

A canoa encostou ao barco, havendo falatório de baixo para cima e de cima para baixo, sem que,entretanto, ninguém se entendesse. Para não desconsolar os índios, os espanhóis os presentearam com machados e facas, coisa que muito os alegrou.

À noite apareceu outra canoa de índios, desta vez com dois portugueses dentro. Estes homens mostraram-se muito admirados de ver o navio naquele porto. Era uma angra de dificílima entrada, sobretudo em dia de temporal.

Os espanhóis narraram as suas tribulações e a maneira milagrosa pela qual vieram ter à angra no instante preciso em que esperavam a morte.

Chamava-se aquele lugar Superaguí4 e ficava distante dezoito léguas de São Vicente e oito de Santa Catarina, para onde os espanhóis pretendiam seguir.

Nesse ponto Narizinho interrompeu a narrativa, exclamando:

– Pare, vovó. Preciso ir ver o que o Rabicó anda fazendo lá no pomar.

E saiu a correr.

Capítulo V
RECONHECIMENTO DA TERRA

Quando a menina voltou, Dona Benta prosseguiu pausadamente:

– Depois de alguma espera, começou a soprar bom vento. O navio deixou a angra, a fim de procurar o porto de Santa Catarina. Velejou para lá, mas o dia estava tão encoberto que não foi possível encontrar esse porto.

Na manhã seguinte, enquanto os marinheiros rezavam a primeira oração do dia, formou-se uma tempestade. A escuridão ficou de breu. O piloto não sabia o que fazer, atrapalhado como se achava com as muitas ilhas ali existentes. Afinal enveredou ao acaso por detrás duma delas a fim de abrigar o navio. Foi feliz. Deu num porto excelente no qual pôde lançar âncora.

Em seguida os marinheiros tomaram um bote e saíram a fazer um reconhecimento.

Subiram por um canal, inspecionando as margens, a ver se descobriam alguma fumaça, indício certo de humanidade.

---

4   Nome de uma língua de terra ao norte de Paranaguá. (n. a.)

Como a noite estivesse chegando, o Capitão resolveu desembarcar numa ilhota próxima. Os marinheiros fizeram fogo para o jantar, que se compôs de palmitos cortados ali mesmo. Depois dormiram sossegados.

No outro dia pela manhã meteram-se pela terra a dentro. Estavam convencidos de que o lugar era habitado e tinham esperanças de encontrar algum morador. Logo adiante lhes apareceu uma grande cruz de madeira, fincada num monte de pedras. Ao pé dessa cruz havia um fundo de barril com a seguinte inscrição: "Se viniesse por ventura aqui la armada de Su Majestad, tirem um tiro que haran recado", o que quer dizer: "Se por acaso aqui vierem os navios de Sua Majestade, que deem um tiro que terão resposta".

A decifração muito alegrou aos marinheiros, e o comandante mandou disparar um tiro de peça.

– Então, vovó, os simples botes traziam canhões?

– Peças pequenas, meu filho, chamadas falconetes, feitas de bronze e de pequeno alcance. A artilharia naquele tempo não dava ideia dos canhões modernos, verdadeiros monstros de aço. Dispararam a peça e daí a algum tempo viram aparecer cinco canoas de selvagens. Os do bote ficaram na dúvida se esses índios vinham como amigos ou inimigos. Mas à medida que as canoas se aproximavam puderam divisar entre os remadores um homem barbado, vestido à europeia, com certeza um cristão. Os do bote gritaram-lhe que fizesse parar as canoas e viesse sozinho.

O barbaças obedeceu; fez parar as canoas e veio sozinho. Chamava-se esse homem João Ferdinando, era natural de Bilbau e fora mandado de Assunção a Santa Catarina justamente pelo Capitão Salazar, que agora voltara da Espanha comandando um dos navios desgarrados.

– Viera a Santa Catarina para quê?

– Para aconselhar os índios carijós dessa região a plantarem muita mandioca. Os navios espanhóis, destinados ao Rio da Prata, costumavam aportar ali para receber água – e se também pudessem receber farinha seria ouro sobre azul.

Disse mais o barbaças que o sítio onde estavam era pelos índios chamado Jurumirim,5 e pelos portugueses, Santa Catarina. Esta notícia grandemente alegrou os espanhóis, por ser aquele o porto que demandavam. Por curiosa coincidência, nele haviam penetrado justamente no dia de Santa Catarina.

Os do bote acompanharam o barbaças até a aldeia de selvagens em que ele morava e onde foram muito bem recebidos.

Sentindo-se em terra hospitaleira, o Capitão pediu ao barbaças que lhe arranjasse uma canoa de bons remadores, capaz de levar ao navio um mensageiro.

O mensageiro escolhido foi Hans Staden. Logo depois, quando aquela canoa misteriosa se avistou com o navio, houve a bordo grande alvoroço. Os tripulantes puseram-se em defesa, perguntando a Staden por que motivo vinha ele só no meio de tantos índios.

Hans calou-se e fingiu tristeza.

---

5 Barra pequena. (n. a.)

Aquela atitude embaraçou inda mais os do navio, que se puseram a murmurar que com certeza os tripulantes do bote haviam sido mortos e vinham os selvagens com o único restante para lhes armar alguma cilada. Firmaram-se nisso e fizeram menção de atirar contra a canoa.

Vendo mal parada a situação, Hans Staden principiou a rir-se e gritou-lhes de longe todas as boas notícias. Só então permitiram que a canoa abordasse o navio.

Hans subiu, mandou que os índios regressassem e deu as ordens do Capitão. O navio levantou ferro e desceu pelo canal até o sítio das cabanas, onde fundeou, com a ideia de permanecer ali até que chegassem as duas outras naus desgarradas.

Três semanas depois apareceu o segundo navio da frota. Do terceiro nunca houve notícia; naufragou em alto mar, com certeza.

Depois de embarcarem víveres para seis meses, visto terem de velejar ainda umas trezentas léguas, os dois navios aparelharam para seguir.

O azar que atrozmente perseguia esses navegadores manifestou-se mais uma vez. Ali mesmo, no porto, ocorreu um desastre, do qual resultou perder-se justamente o navio melhor.

Isso impediu o prosseguimento da viagem e forçou-os a ficarem naquele ponto durante dois anos, padecendo toda sorte de privações. Enquanto possuíam anzóis, facas e machados para trocar com os índios, a vida não lhes foi de todo má. Acabada que foi a provisão desses objetos, tiveram de contentar-se com o que podiam apanhar com as suas próprias mãos, e foram obrigados a comer quanto bicho havia – lagartos, ratazanas, mariscos das pedras.

Essa situação não podia prolongar-se por mais tempo e, como a tripulação dos dois navios não coubesse num só, o Capitão deliberou que metade dos homens seguisse por terra para Assunção. Tinham que caminhar trezentas milhas através de florestas e desertos desconhecidos. Felizmente conseguiram levar como guias alguns índios e alcançaram Assunção. Muitos pereceram depois de grandes padecimentos no caminho.

O Capitão lembrou-se de ir com o navio restante até São Vicente, onde talvez pudesse fretar um em melhor estado. Havia a bordo certo marinheiro de nome Romão, que já estivera em São Vicente e se obrigou a guiá-los até lá.

Partiram, e após dois dias de viagem alcançaram a Ilha dos Alcatrazes, assim chamada por causa das aves marinhas que ali se reuniam em grandes quantidades.

Nesse ponto o vento mudou, impondo a necessidade de fundear. O navio lançou âncora e a tripulação desembarcou na ilha.

Andavam os alcatrazes em época de postura, de modo que foi possível fazer-se abundante colheita de aves e ovos, petisqueira muito bem recebida por estômagos saudosos de gulodices.

Nessa ilha encontraram sinais de moradores – cabanas em ruínas e cacos de panela. Mas não viram ninguém. Tudo deserto.

– Vovó – interrompeu Pedrinho – é hora de botar a moringa no sereno.

– E é hora também de recolher-nos – acrescentou Dona Benta; vamos deixar o resto para amanhã.

Capítulo VI
O NAUFRÁGIO

No outro dia, à tarde, sob a copa da jabuticabeira cheia de jabuticabas "pintando", Dona Benta retomou o fio da narrativa.

– Os marinheiros jantaram fidalgamente aves e ovos, preparados de todos os jeitos. Mas a vida do mar não dá repouso. O céu enegreceu ao sul e o vento ganhou corpo. Como o ponto onde a nau fundeara não oferecia abrigo, qualquer vento teria força para arremessá-la de encontro às pedras.

Para prevenir essa hipótese, o Capitão tratou de alcançar naquele dia mesmo o Porto de Cananeia.6

Era tarde. A escuridão que envolvia a terra impediu-o de atinar com a entrada do porto– e como ficar bordejando rente à costa fosse perigoso, o navio fez-se ao largo.

– Então, vovó, em mar alto não há perigo? – perguntou o menino.

– Em mar alto não existem recifes à flor da água, de modo que o navio se deixa livremente arrastar pelos ventos e pelas correntes marinhas. O grande inimigo dos barcos é a pedra, sobretudo a pedra invisível, que não emerge à flor da água.

– Emerge ou imerge, vovó?

– São coisas diferentes. Imergir é afundar, mergulhar; emergir é o contrário – é desmergulhar.

Mas, como ia dizendo, o navio fez-se ao largo e durante a noite foi arrastado para tão longe que ao romper da manhã já não se avistava terra.

Foi preciso que velejassem um bom espaço de tempo para terem de novo costa à vista.

Romão, o homem que conhecia São Vicente, indicou certo ponto como sendo o porto procurado.

O navio rumou para lá; mas inutilmente, porque sobreveio forte cerração e a costa desapareceu dentro da neblina.

Tiveram que esperar. Quando a bruma se desfez, Romão declarou que o porto ficava bem defronte, bastando para atingi-lo dobrar o rochedo. Assim foi feito, mas não encontraram porto nenhum, de modo que a situação se tornou desastrosa. A tempestade desencadeou-se, e não houve remédio senão lançar o navio sobre a terra, para encalhá-lo antes que as ondas o desfizessem nas pedras.

Momento trágico! Vagalhões furiosos despedaçavam-se de encontro às rochas, rugindo e estrondeando, como se fossem monstruosos gigantes a escabujar em horrendos ataques epilépticos.

Por cima dele os ventos, tomados de verdadeiro acesso de loucura, uivavam, aos corcovos e rodopios.

Imaginem agora vocês a situação do pobre navio metido entre esses dois furores. Casca de noz, cheia de formiguinhas transidas de medo e agarradas às cordas

---

6   Nome derivado de *canindê*, arara.(n. a.)

por instinto de conservação, ora as vagas a erguiam em seu dorso, como o vento ergue a pluma, ora a despenhavam em abismos mais negros que a noite.

Súbito, um baque – e o navio do Capitão espanhol desfez-se como bolha de sabão ao dar na ponta dum alfinete...

– Bravos, vovó! A senhora está épica! – exclamou Pedrinho. –Fez uma descrição linda!...

Dona Benta riu-se e continuou.

– Os náufragos lançaram-se ao mar, uns a nado, outros unidos como ostras aos destroços da embarcação – e ganharam a terra. Estavam salvos!...

Nesses transes horríveis salvar a vida é tudo, de modo que caíram de joelhos para render graças à misericórdia divina.

E ali ficaram, naquela praia deserta de um país desconhecido, em penúria extrema, enregelados pelo vento e empapados d'água como esponjas na chuva.

Havia entre eles um francês, que, ao sentir-se entanguir, deu de correr ao longo da praia, a fim de esquentar o corpo. Correu, correu por longo tempo. Súbito, avistou ao longe umas casas. Dirigindo-se para lá teve a sorte de ver que por acaso dera num estabelecimento português, chamado Itanhaém, a várias milhas de São Vicente.

Contou aos moradores a desgraça que os acolhera e o frio e a fome que na praia deserta estavam padecendo os seus companheiros.

Os de Itanhaém imediatamente foram ter com os náufragos e os trouxeram para suas casas, onde lhes forneceram roupas e alimentos.

Nessa aldeia permaneceram uns dias, ganhando alento e refazendo as forças; depois seguiram para São Vicente, onde foi possível ao Capitão espanhol fretar o novo barco que os levou ao Rio da Prata.

Capítulo VII
O forte de Bertioga

Hans Staden ficou em São Vicente, colônia portuguesa situada numa ilha muito próxima do continente e que contava dois povoados: o de São Vicente, chamado pelos índios Ipanema,7 e outro de nome Enguaguaçu.8 Havia ainda pela ilha vários engenhos de açúcar.

Os índios dessa região eram os tupiniquins, cujos domínios se limitavam ao sul com a terra dos carijós, e ao norte com a dos tupinambás, tribos inimigas entre si.

Os tupinambás odiavam aos portugueses por se terem aliado aos tupiniquins, e como a cinco milhas de São Vicente ficasse a Bertioga,9 onde havia um canal de fácil entrada às suas canoas, um grupo de irmãos mamelucos, lá residentes,

7   Água ruim.(n. a.)
8   Pilão grande.(n. a.)
9   Lugar de tainhas.(n. a.)

tratou de erguer ali um forte. Era o meio de proteger contra as incursões desses índios às lavouras que começavam a formar-se nos arredores.

– Que é mameluco?

– Chamavam-se mamelucos os nascidos no Brasil, filhos de pai branco e mãe índia. Esses irmãos eram Diogo, João, Domingos, Francisco e André Braga, filhos de um tal Diogo Braga.

Com o auxílio de alguns portugueses e vários índios eles ergueram à entrada do canal um fortim, construíram casas e principiaram a cultivar as terras da Bertioga.

Logo que os tupinambás souberam disso prepararam uma expedição contra esses colonos, e certa noite surgiram no canal em setenta canoas.

O ataque deu-se pela madrugada. Os mamelucos e portugueses entrincheiraram-se nas casas e resistiram heroicamente. Mas foram vencidos, embora pudessem milagrosamente fugir. O mesmo não aconteceu com os tupiniquins que viviam com os irmãos mamelucos, os quais foram mortos, divididos em postas e assim conduzidos para a terra tupinambá. Quanto ao forte, os índios puseram-lhe fogo e fizeram-no arder como grande fogueira.

– Conduzidos em postas? –interrogou Narizinho. –Para serem enterrados lá?

– Não, minha filha: para serem comidos...

– Que horror! – exclamou a menina, fazendo uma careta de asco.

– Os tupinambás eram grandes apreciadores de carne humana, como vocês vão ver no decurso desta história.

Depois do desastre as autoridades e o povo de São Vicente tomaram a peito reconstruir o forte, convencidos da sua necessidade para a defesa local, e ergueram no mesmo ponto outro maior e mais bem armado.

Logo depois os tupinambás, vendo que seria difícil passarem ao alcance desse novo forte, ladearam a Bertioga e caíram de improviso sobre São Vicente, matando e aprisionando muitos moradores. Em vista disso os vicentinos cuidaram de erguer segundo forte em ponto que impedisse nova incursão daqueles terríveis inimigos.

Quando Hans Staden chegou a São Vicente essa fortaleza estava com a construção interrompida em virtude de não existir por ali nenhum artilheiro que se arriscasse a morar nela.

Hans era artilheiro e corajoso. Os vicentinos propuseram-lhe o negócio: davam-lhe companheiros e boa paga, além de que ele ganharia a estima de el-rei, sempre generoso com os que prestavam serviço às suas colônias.

Hans aceitou a proposta, contratando-se por quatro meses.

Foi para lá com mais três companheiros, aos quais ensinou o modo de lidar com as poucas peças de artilharia existentes. Viviam muito vigilantes, porque além do forte não ser seguro o inimigo era audaz e manhoso.

Nesse entretempo os vicentinos escreveram a el-rei, contando como era boa e bonita a terra onde moravam, prejudicada apenas pelo mal que aos seus moradores faziam os índios. El-rei mandou, para acudi-los, o Coronel Tomé de Sousa.

– Já havia coronéis naquele tempo, hem, vovó! – filosofou Pedrinho.

– Sim, meu filho, mas em menor número que hoje – e melhores, como esse Tomé de Sousa, que foi um benemérito.

Logo que este oficial chegou os vicentinos lhe falaram com muitos elogios dos préstimos de Hans Staden, da sua coragem e dedicação.

Tomé de Sousa foi examinar o forte, louvou o intrépido artilheiro e prometeu recomendá-lo ao rei quando regressasse ao reino. E como estivesse a terminar o prazo dos quatro meses, Tomé de Sousa propôs-lhe novo contrato por mais dois anos, findos os quais o enviaria a Portugal pelo primeiro navio.

Hans aceitou e continuou no forte, já agora melhorado e aumentado de mais alguns canhões.

A vigilância ali não cochilava, mas era maior em duas épocas do ano. Uma em novembro, quando amadurecia o abati, com o qual os selvagens preparavam o cauim.

– Abati? – exclamou Pedrinho. –Pensei que o cauim fosse feito de milho.

– Abati – respondeu Dona Benta– era o nome dado pelos selvagens ao milho. De modo que você não pensou errado, meu filho.

– E cauim, que é, vovó? – perguntou a menina.

– Era a bebida fermentada dos nossos índios. Cada povo possui a sua bebida nacional e os nossos indígenas não podiam fazer exceção à regra. Preparavam o cauim de um modo interessante: as mulheres mascavam o milho lançando-o com a saliva em grandes vasilhas, onde ficava a fermentar.

– Modo interessante, diz vovó? – exclamou a menina com ar de nojo. –Que porcaria!

– Para nós – explicou Dona Benta; –para nós, que temos outra cultura e modos de ver diferentes. Se você fosse uma indiazinha daqueles tempos havia de achar a coisa mais natural do mundo, e não deixaria de comparecer a todas as mascações de abati.

A outra época de vigilância era em agosto, tempo em que as tainhas afluem à foz dos rios para a desova. Como esse peixe constituísse alimento muito precioso para os índios, não só pela abundância, como porque de fácil e longa conservação, em agosto as tribos desciam do interior a fim de pescá-lo. Faziam da tainha uma paçoca a que chamavam piracuí.

– "Pira" eu sei que é peixe – disse Pedrinho. –Piracicaba, pirajuí, piracema, pirarucu...

– Isso mesmo – aprovou Dona Benta; – e "cuí" significa farinha.

– Por que não falamos nós no Brasil a língua dos índios, em vez da portuguesa? Não era a língua natural da terra?

– Quando numa região se chocam dois povos, como aqui, vence a língua do mais forte. Os portugueses suplantaram os índios; era natural que predominasse a língua portuguesa sobre a tupi. Mas a nossa língua brasileira, a que familiarmente falamos e serve sobretudo às populações no interior do Brasil, é uma verdadeira mistura de português e tupi, três quartos de português para um de tupi.

– É verdade, vovó, que a nossa língua é a mais bonita e rica de todas?

– É, sim, minha filha, para nós; para os ingleses é a inglesa; para os franceses é a francesa, e assim por diante. Para os índios a mais bela está claro que seria a tupi.

– Que pena ser assim! – exclamou Narizinho.

– Pena por que, menina?

– Porque então não há uma primeira, de verdade...

– Tanto melhor. Sendo cada língua a primeira para o povo que a fala, há no mundo muito mais gente satisfeita do que se não fosse assim.

Capítulo VIII
A CAPTURA DE HANS STADEN

– Hans tinha consigo no forte um escravo carijó, que para ele caçava e o acompanhava em suas excursões.

Certo dia em que apareceu de visita ao forte um tal Heliodoro Hesse, gerente de um engenho de cana de São Vicente, Hans, que na véspera mandara o carijó à caça, ficou apreensivo com a sua demora. Já passava de meio-dia, e nada do índio aparecer. Como não fosse bom sinal aquilo, Hans se foi a procurá-lo.

Encontrou-o, e já vinham os dois de volta, a conversar, quando de súbito uma gritaria irrompeu de dentro da mata e um bando de selvagens surgiu, de flechas apontadas.

– "Valha-me Deus"! – gritou Hans, e caiu ferido numa perna.

Os índios agarraram-no e despiram-no incontinente. Um tirou-lhe a gravata e pôs-se a dançar de gosto com ela na mão. Outro tirou-lhe a camisa; outro, o chapéu. Enquanto isso dois selvagens disputavam entre si a posse do corpo de Hans. Um berrava que lhe pertencia, porque lhe pusera a mão primeiro. O segundo alegava que não, pois fora ele que o derrubara. Como não chegassem a acordo, engalfinharam-se e começaram a espancar-se mutuamente com os arcos. Vendo aquilo, os outros agarraram o prisioneiro e levaram-no a correr para onde estavam as canoas.

– Tal qual na fábula do burrinho e dos ladrões – lembrou a menina. –Quando dois brigam, lucra um terceiro...

– É sempre assim na vida, e quanto mais vocês viverem tanto mais se convencerão da sabedoria das velhas fábulas. Mas levaram-no para as canoas e lá viu Hans surgirem novos índios, que vinham a correr numa grande alegria, mordendo os braços como para indicar que o iam comer.

– Que horror, vovó! – exclamou a menina horripilada. –Comer um homem!...

– Pois é, minha filha, davam sinais de que iam comê-lo e com um prazer enorme.

Diante do pobre Hans postou-se um morubixaba, ou cacique, armado de tacape, que contou aos outros como havia caçado aquele pero.

– ?

– Os índios chamavam peros aos portugueses, talvez porque o chefe dos primeiros aparecidos por cá fosse Pero, ou Pedro Álvares Cabral.

Depois de bem explicada e comentada a façanha, amarraram as mãos do prisioneiro e o puseram no fundo de uma das canoas. Trataram em seguida de puxá-las para a água e safarem-se, receosos de que os do forte já tivessem dado pela coisa e viessem vindo para disputar-lhes a presa.

Esses índios não eram todos da mesma taba, de modo que logo surgiu dúvida sobre a posse do prisioneiro; por fim um deles propôs que o matassem ali mesmo e cada qual levasse o seu quinhão.

Ouvindo aquilo o pobre Hans começou a encomendar a alma a Deus, certo de que não teria nem mais um minuto de vida. O cacique, porém, decidiu de outra maneira. Havia de levá-lo vivo à taba, para que as mulheres o vissem e se divertissem com ele; depois o matariam e – "*Kauiuim pipeg*"!, isto é, muito cauim havia de correr. Prometeu preparar bastante cauim, devendo todos os presentes lá se reunirem para o devorar em sociedade.

Assim combinados, amarraram-lhe ao pescoço quatro cordas, cujas pontas ataram à canoa, e partiram.

– Quer dizer que se não fosse a curiosidade das mulheres o pobre alemão morreria ali mesmo!

– É verdade. O seu tipo louro, tão diferente do tipo dos portugueses e tão raro naquela terra, fez que o cacique tivesse aquela boa lembrança. Se fosse moreno, estaria perdido...

Ao pé da ilha onde o aprisionaram havia uma ilhota, na qual se aninhavam umas aves aquáticas de penas vermelhas, chamadas guarás. Essas aves nascem pardacentas e vão avermelhando à medida que crescem. Os selvagens tinham em muito apreço as penas do guará, que lhes serviam de enfeites. Aqueles índios haviam vindo justamente com a ideia de apanhar guarás. O destino quis que em vez dessa caça de penas vermelhas encontrassem um bípede de cabelos louros, manjar muito mais raro e precioso. Todavia, não desistindo de levar alguns guarás, meteram-se pela ilhota atrás deles.

Nisto surgiu na praia um grupo de tupiniquins, com vários portugueses à frente. É que o escravo carijó, que conseguira fugir quando os índios agarraram o artilheiro, correra ao forte e dera o alarme. Vinham agora todos de lá, a ver se livravam o seu chefe.

Como, porém, se achassem em terra e os índios apresadores estivessem parte na ilha, parte no mar, nada puderam fazer, além da troca de umas flechas e zarabatanas. O morubixaba, que ia na canoa do prisioneiro com uma espingarda que lhe dera um francês, desamarrou-lhe as mãos e ordenou-lhe que atirasse contra seus amigos.

– E ele atirou?

– Está claro que sim, meu filho, pois não havia outro remédio. Mas com pontaria muito diferente da de Guilherme Tell...

Depois de breve escaramuça, receosos de que aparecessem canoas tupiniquins, os caçadores de caça humana afundaram os remos na água e afastaram-se, levando feridos três dos seus.

Passando perto do forte onde Hans costumava estar feito um rei no seu trono, puseram-no em pé para que os de lá o vissem.

O forte deu dois grandes tiros de peças, que nenhum mal fizeram às canoas. E lá se foram elas, remadas a toda velocidade, fugindo das canoas tupiniquins que principiavam a aparecer.

A perseguição durou pouco. Como os tupinambás levassem boa dianteira, breve deixaram a perder de vista os seus perseguidores.

– Coitado do artilheiro! – exclamou Narizinho, em cujos olhos brilhou uma lágrima de piedade. –Está aí, está no papo dos canibais, como se fosse um leitão assado...

Capítulo IX
RUMO À TABA

– A captura de Hans – continuou Dona Benta – deu-se ali pelas quatro horas da tarde, e como a taba fosse longe, resolveram os tupinambás dormir numa ilhota do caminho. Saltaram das canoas e as vararam em terra.

O pobre artilheiro achava-se em mísero estado; além de nada enxergar, pois tinha o rosto em sangue, não podia mover-se, devido ao ferimento da perna. Assim é que ficou deitado na areia, enquanto os índios preparavam o pouso. Naquela imensa aflição pôs-se a rezar um salmo, com os olhos em pranto. Ao vê-lo nesse estado, os índios escarneceram.

– "Vede como chora! Ouvi como se lamenta!"

Em transes idênticos os prisioneiros indígenas mostravam grande arrogância e profundo desprezo pela vida; arrostavam os seus matadores, ameaçando-os com a vingança dos amigos e parentes. Os brancos, porém, em geral se acovardavam, choravam e pediam misericórdia.

Os tupinambás acenderam fogueiras e deitaram o prisioneiro numa rede armada entre duas árvores, atando aos galhos as pontas das cordas manietadoras. Depois se acomodaram em redor, exclamando com ironia:

– "Che remimbaba indé" – És meu animal doméstico.

Ao raiar do dia partiram de novo e remaram até tarde; apesar disso, quando o sol descambou ainda faltavam duas milhas para chegarem ao último pouso.

Nesse entremeio formou-se no céu, atrás deles, negra nuvem ameaçadora, o que os fez remarem com fúria a fim de atingirem a terra antes da tempestade. Vendo que não podiam escapar à chuva, disseram a Hans:

– "Pede a teu Deus para que a tempestade não venha."

Hans concentrou-se e pediu a Deus nestes termos: – "Ó tu, Deus onipotente, que auxilias os que te imploram, mostra tua força a estes pagãos, por forma que eu saiba que estás comigo e eles vejam que me ouviste."

Hans ia deitado no fundo da canoa, de modo que não podia ver o céu, nem saber se sua prece fora atendida. Mas ouviu um índio dizer – "Oquaramõ amanaçu" – que significa:"A tempestade já passou".Fez então um esforço, ergueu-se nos cotovelos e pode olhar para o céu. De fato, as nuvens dispersavam-se, o que lhe trouxe um grande alento de esperança.

Afinal as canoas alcançaram a terra. Os índios desembarcaram, como na véspera, dizendo que no dia seguinte chegariam à taba.

Assim foi. Pela manhã partiram de novo, remaram o dia inteiro e às ave--marias alcançaram a taba de Ubatuba.

Entraram por uma praia perto da qual se viam as mulheres índias lidando numa roça de mandioca.

Ao passar por elas Hans foi obrigado a gritar-lhes:

– "Eis a vossa comida que vem chegando!"

Pedrinho riu-se dizendo:

– Assim mesmo, vovó, aqueles índios não deixavam de ter a sua graça...

– Para nós, hoje, meu filho; naquele momento o mísero Hans não achou graça nenhuma, nem você a acharia se estivesse em seu lugar.

As mulheres deixaram a roça e vieram rodeá-lo, cheias de curiosidade. Pela primeira vez viam um bípede implume louro, de olhos azuis e cara vermelha como presunto.

Os homens entregaram-lhes o prisioneiro, antes de irem para as cabanas guardar as armas e repousar. Então as mulheres, entoando os cantos que usavam quando iam devorar um inimigo, conduziram-no até à caiçara ou cercado de pau-a-pique que fechava a taba. Pelo caminho foram-lhe dando bofetões e arrancando-lhe punhados de barba.

– "*Che anama pipike aé*"! – exclamavam como quem diz: "Vingamo-nos em ti do que os teus fizeram aos nossos".

Depois o empurraram para dentro de uma cabana e o deitaram na "*inni*", ou rede, continuando a insultá-lo e maltratá-lo.

Entrementes,os homens se reuniram em outra cabana para beber cauim diante dos maracás, ídolos em cuja honra começaram a entoar cantos de agradecimento pelo feliz sucesso da expedição.

Essa música, horrível para Hans, durou meia hora, deixando-o bem convencido de que sua morte não estava longe.

Por fim apareceram na cabana os dois selvagens que o tinham capturado. Esses índios, seus donos por direito de guerra, eram os irmãos Alkindar-miri e Nhaepepô– nomes que significavam "alguidar pequeno" e "panela grande". Vieram dizer-lhe que o haviam dado de presente a um tio, Ipiruguaçu (tubarão grande), o qual iria tomar conta dele e matá-lo para ganhar um nome.

– Que história é essa de ganhar um nome? – quis saber o menino.

– Era uso dos índios herdar o nome das vítimas. Ipiru havia, um ano antes, capturado um escravo e presenteado com ele seu sobrinho Alkindar. Este moço, querendo agora retribuir a gentileza, dava-lhe Hans de presente. Ipiru, então, o mataria e lhe herdaria o nome, para acrescentá-lo ao seu, como um penacho.

Os dois irmãos deram o recado e concluíram:

– "As mulheres, agora, vão levar-te para o terreiro "*poracê*".

O prisioneiro não compreendeu o sentido desta palavra, que queria dizer dançar, e preparou-se para a morte.

As mulheres pegaram das cordas e puxaram-no para fora. Não sabendo o que queriam dele, Hans procurou consolar-se, recordando os sofrimentos de Jesus Cristo maltratado pelos judeus.

Foi levado para defronte da cabana do morubixaba Guaratinga açu (grande pássaro branco). Lá havia um monte de terra fresca, no qual o assentaram, sempre seguro pelas cordas.

Hans julgou chegado o terrível momento em que aparece a iverapema.

– Que era, vovó?

– Era um tacape próprio para o sacrifício dos prisioneiros. Usavam-no todo enfeitado de penas e manejavam-no de modo que ao primeiro golpe a vítima vinha ao chão, de crânio esmigalhado.

Hans, que conhecia o costume dos índios, correu os olhos em torno, a ver se já traziam a iverapema; como nenhum selvagem aparecesse com ela, sentiu um luar de esperança.

Nisto, uma índia surgiu com uma lasca de cristal na mão, com a qual se pôs a cortar-lhe as sobrancelhas. Depois quis fazer-lhe o mesmo à barba. Hans achou que era demais e pediu que o matassem com barba e tudo. As mulheres então lhe disseram que não iam matá-lo ainda.

Hans conseguiu dessa vez salvar a barba. Só mais tarde é que lha cortaram, com uma tesoura que os franceses haviam introduzido na aldeia.

– Que é que tinham os franceses com esses índios? – perguntou o menino.

– Os franceses faziam-se aliados de todas as tribos inimigas dos portugueses. Era o meio de poderem negociar em pau-brasil e outros produtos da terra, contra a vontade dos que se julgavam donos e queriam monopolizar o comércio do Brasil.

– Mas os portugueses tinham direito a isto aqui ou não? O Brasil não pertencia aos índios?

– O direito dos portugueses era o direito do mais forte. Os índios deixaram-se vencer e desse modo perderam a terra que até então haviam possuído.

– Sempre a fábula do lobo forte e do lobo fraco – comentou Pedrinho filosoficamente.

Capítulo X
Os Maracás

Dali as índias conduziram Hans para defronte da cabana, onde se guardavam os maracás, isto é, os ídolos ou deuses selvagens. Eram cabaças cheias de pedrinhas, atravessadas por um cabo e com uma grande boca pintada ou recortada. Cada selvagem possuía o seu maracá e o acomodava numa cabana especial, onde lhe dava de comer e o consultava sobre tudo.

– Mas o maracá respondia às consultas?

– Respondia, sim, meu filho, como todos os ídolos em todas as religiões respondem às perguntas de todos os fiéis...Quem cala consente: os maracás se calavam, logo, respondiam "sim" a todas as consultas dos índios.

Depois as mulheres formaram um círculo em redor de Hans, amarraram-lhe às pernas uns chocalhos e puseram-lhe à cabeça um turbante de penas chamado "araçoiá". Em seguida começaram a dançar, obrigando-o a bater no chão com o pé, para que o ruído dos chocalhos fosse marcando o compasso.

O ferimento da perna de Hans não estava cicatrizado, de modo que o mísero muito padeceu nessa ocasião.

Terminada a festa, as índias entregaram o prisioneiro a Ipiru-guaçu, a quem competia guardá-lo. Ipiru introduziu-o na cabana dos maracás, dizendo-lhe que aqueles ídolos lhes haviam profetizado a captura de um português.

Hans Staden redarguiu:

– "Esses ídolos não falam nada, ou se falam não dizem a verdade, porque é falso que eu seja português. Sou amigo e parente dos franceses; minha terra se chama Alemanha."

Os índios replicaram que era falso, pois se fosse francês não estaria entre portugueses, gente inimiga dos franceses. Disseram ainda que os franceses vinham todos os anos trazer-lhes facas, machados, espelhos, pentes e tesouras, levando em troca pau-brasil, algodão, penas e pimenta. Por isso eram amigos dessa gente. Já com os portugueses fora o contrário. Tinham vindo àquela terra muitos anos antes e logo se ligaram com os seus rivais tupiniquins. Apesar disso, eles, índios, tentaram aproximar-se e penetraram em seus navios, como costumavam fazer nos navios franceses. Mas foram miseravelmente traídos. Quando os peros viram a bordo um bom número de tupinambás, agarraram-nos e entregaram-nos aos tupiniquins, para que os comessem. Além disso mataram a tiro muitos que estavam de fora, nas canoas. Essas e outras crueldades fizeram-lhes nascer no coração um ódio de morte contra os peros.

– Quer isso dizer que se os portugueses houvessem tratado com justiça aos selvagens do Brasil eles seriam amigos – observou Pedrinho.

– Certamente – respondeu Dona Benta. –Mas os conquistadores do Novo Mundo, tanto portugueses como espanhóis, eram mais ferozes que os próprios selvagens. Um sentimento só os guiava: a cobiça, a ganância, a sede de enriquecer, e para o conseguirem não vacilaram em destruir nações inteiras, como os astecas do México e os incas do Peru, povos cuja civilização já era bem adiantada.

– Mas como é então, vovó, que esses homens são gloriosos e a história fala deles como grandes figurões?

– Por uma razão muito simples: porque a história é escrita por eles. Um pirata quando escreve a sua vida está claro que se embeleza de maneira a dar a impressão de que é um magnânimo herói. Há uma fábula a este respeito. À entrada de certa cidade erguia-se um grupo de mármore, que representava um homem vencendo na luta ao leão. Passa um leão, contempla aquilo e diz: "Muito diferente seria essa estátua, se os leões fossem escultores!".

Mas voltemos à história do nosso Hans. Depois que os índios expuseram as razões gerais da inimizade para com os peros, entraram alguns a alegar motivos particulares. Alkindar e Nhaepepô contaram como os portugueses haviam ferido a seu pai num braço, com um tiro do qual resultou a morte do velho. Esse crime exigia a vingança que sobre Hans ia ser exercida.

Hans defendeu-se. Não era português, tinha vindo com os espanhóis; e se o encontraram entre os peros fora devido ao naufrágio que o arrojara ali. Não era português e pois não merecia que a vingança dos índios recaísse sobre sua cabeça.

Esse argumento calou no ânimo dos selvagens, nos quais o sentimento da justiça não era escasso, e foi resolvido que se averiguasse melhor.

Meses antes da captura de Hans os tupiniquins haviam arrasado uma aldeia tupinambá; os velhos tinham sido devorados e os moços vendidos aos portugueses. Mais tarde um destes conseguiu fugir para a aldeia de Ubatuba, onde ainda se achava, naquela ocasião. Chamaram-no para prestar depoimento a respeito de Hans.

O moço declarou que o conhecera de São Vicente e que Hans realmente viera em navio de espanhóis, gente, aliás, amiga dos portugueses.

Esta declaração melhorou um pouco a situação de Hans, mas não foi suficiente. Pediu ele então que o guardassem vivo até que por ali aparecesse algum filho da França.

Os índios concordaram e ficaram à espera de um francês que andava pela zona, a negociar pimenta.

Hans respirou. Conhecia a lealdade dos índios. Sabia que se um francês aparecesse e o reconhecesse como irmão, estaria salvo. Ficou, pois, à espera do salvador providencial que, segundo as notícias, não andaria longe daqueles sítios.

Capítulo XI
O FRANCÊS SEM CORAÇÃO

Um dia surge um selvagem pela cabana de Hans a dentro, gritando:

– "Está cá o francês mercador de pimenta; vamos verificar se és da mesma raça dele ou não."

O pobre artilheiro exultou de contentamento. Era um cristão que vinha ao seu encontro e que fatalmente o salvaria. Apressou-se, portanto, em comparecer à presença daquele juiz que lhe caía do céu.

Essa entrevista, meus filhos, é uma cena de tragédia das mais empolgantes. Quem a figura na imaginação não a esquece nunca mais.

Os selvagens levaram-no à presença do francês, nu como ele andava, tendo apenas nos ombros um pano de linho que achara na aldeia.

O mercador de pimenta dirigiu-lhe a palavra em francês. Hans, que mal conhecia essa língua, atrapalhou-se nas respostas. O monstro, então, voltou-se para os selvagens e disse-lhes em língua da terra:

– "É português dos legítimos, meu e vosso inimigo. Matai-o e comei-o!"

– Que horror! – exclamou Narizinho. –Que monstro de crueldade! Como podem existir no mundo criaturas assim?

– Realmente, minha filha, custa crer que possam existir no mundo almas tão duras. E se o efeito da sua resposta é em nós o que você sentiu, imagine qual não foi no mísero prisioneiro que depositara nesse cristão todas as suas esperanças!...

Hans insistiu ainda, pediu-lhe por misericórdia que o salvasse da sanha dos selvagens. Tudo inútil. O francês era de pedra.

Desesperado de qualquer socorro, Hans repetiu uma imprecação do profeta Jeremias: – "Maldito seja o homem que nos outros homens confia" – e retirou-se com a alma espedaçada.

Em caminho arrancou o pano dos ombros – pano que usava para abrigar-se do sol que muito o castigava.

– "Se tenho de perecer, para que resguardar esta carne em proveito dos índios?"

Os índios levaram-no de novo à cabana da sua prisão, onde Hans se atirou ao solo, a chorar em aflição extrema.

Os índios murmuravam entre si:

– "É português legítimo: está agora a lamentar-se de medo da morte."

O francês demorou-se dois dias na taba; no terceiro partiu. Ipiru, então, resolveu que se fizessem os preparativos necessários ao devoramento do prisioneiro.

Uma desgraça nunca vem só. Para cúmulo de tanta miséria, Hans amanheceu com uma dor de dentes que quase o pôs louco e que, como era natural, não o deixava comer coisa nenhuma.

Ipiru-guaçu veio indagar por que motivo não comia; ao saber da causa retirou-se, voltando logo depois com um instrumento de pau para lhe extrair os dentes.

– Que instrumento seria esse? – indagou Pedrinho, que mostrava certa vocação para a arte dentária.

– Não sei – respondeu Dona Benta. –Mas devia ser um instrumento de meter medo, porque logo que o viu o pobre Hans declarou que a dor já havia passado...

Mesmo assim o índio insistiu em arrancar-lhe os dentes, muito custando a Hans fazê-lo desistir da ideia. Ipiru-guaçu, então, ameaçou-o de matá-lo antes do tempo, caso persistisse em não comer.

– Por quê, vovó? – indagou a menina.

– Porque não comendo, emagrecia e os índios queriam comê-lo gordo...

E assim, para prolongar um pouco mais a sua triste vida, teve o pobre Hans de comer à força, embora a estalar com a sua horrorosa dor de dentes.

Alguns dias depois os índios o levaram para a taba de Ariariba (lugar das ostras), onde morava o grande chefe tupinambá, Cunhambebe, um dos poucos selvagens que deixaram nome em nossa história.

Havia lá uma grande festa, na qual os de Ubatuba queriam exibir o prisioneiro como se fosse um animal raro.

Hans foi. Ao aproximar-se da taba ouviu forte rumor de cantos e trombetas, e viu defronte das cabanas quinze cabeças espetadas.

Apavorou-se com o horrível quadro e disse consigo: "Amanhã, talvez, estará lá também a minha...".

E foi neste doloroso estado de alma que penetrou na taba sinistra, rodeado de guardas que iam gritando:

– "Aqui vos trago o escravo pero que caçamos na Bertioga!"

Os índios correram a examinar a bela peça de caça loura e de olhos azuis e depois o conduziram à presença do grupo de chefes, que estavam a beber cauim. Os chefes olharam-no desconfiados e disseram:

– "Vieste como inimigo?"

Hans respondeu:

– "Vim, mas não como inimigo."

Os chefes deram-lhe de beber.

Hans já conhecia de fama o cacique Cunhambebe,10 guerreiro audacioso e hábil, que muito mal fazia aos portugueses. Mas não o conhecia pessoalmente. Como ninguém lho designasse, dirigiu-se a um que, pelo aparato e truculência, parecia ser tal chefe.

– "És tu Cunhambebe? Vives ainda?"

– "Sim – respondeu o índio – vivo ainda."

– "Já muito ouvi falar da tua pessoa e sei que és homem de grande coragem."

O morubixaba ergueu-se, cheio de orgulho, e pôs-se a passear pela sua frente, qual um pavão. Usava grande pedra verde no lábio inferior, e ao pescoço trazia um colar de conchas brancas de umas seis braças de comprimento. Depois sentou-se de novo e perguntou por que motivo Hans atirara contra eles na Bertioga.

O prisioneiro respondeu:

– "Os portugueses me puseram à força no forte e me obrigaram a atirar."

– "Mas tu és pero, o francês o disse; tu não entendes a língua dele."

Hans, aflito, respondeu:

– "Sim, é verdade que a não entendo bem; estive muito tempo fora da terra dos franceses e esqueci a língua. Mas não sou pero."

Cunhambebe sorriu com incredulidade e disse:

– "Já comi cinco portugueses e todos mentiram..."

Hans estremeceu ao ouvir tais palavras, perdendo a pouca esperança de salvar-se que ainda tinha.

Cunhambebe continuou, perguntando o que os portugueses diziam dele e se o temiam.

– "Sim – respondeu Hans – falam muito de ti e das guerras que lhes costumas fazer; por isso fortificam melhor a Bertioga."

O morubixaba redarguiu:

– "Hei de caçá-los a todos, como os de Ubatuba caçaram a ti."

– "Teus verdadeiros inimigos são os tupiniquins, os quais prepararam vinte e cinco canoas para atacar tua gente."

– "Havemos de vencê-los e devorá-los a todos" – foi a resposta do chefe, que se regozijava dos muitos índios e peros que havia comido.

Durante a entrevista esgotou-se o cauim daquela cabana e os bebedores passaram-se para a imediata, terminando assim o primeiro encontro de Hans com o terrível Cunhambebe.

– Estou com medo, vovó – disse Narizinho. –Esse Cunhambebe me faz tremer...

– Pois eu estou entusiasmado! – gritou Pedrinho. –Gosto de um tipo assim!Ele estava no seu papel. Estava defendendo a sua terra, invadida por estrangeiros. Tinha o direito de comer quantos peros quisesse...

Narizinho fez cara de horror ante a bravata do menino. Dona Benta riu-se e continuou.

---

10 Gago, língua arrastada. (n. a.)

Capítulo XII
ANTROPOFAGIA

Cunhambebe, além de terrível comedor de inimigos, era guerreiro de valor. As suas expedições contra os tupiniquins e peros sempre foram bem conduzidas e lhes causavam estragos enormes.

Em outra ocasião Hans Staden encontrou-o sentado à frente de uma grande cesta de carne humana. Cunhambebe estava comendo uma perna, que chegou à boca de Hans, perguntando-lhe se gostava.

Hans repeliu o horrível assado, dizendo que, se nenhum animal irracional comia o seu semelhante, como podia um homem comer a outro?

O antropófago cravou os dentes na carne, arrancou um naco e respondeu com a boca cheia:

– "*Jauara ichê* (sou um tigre). Está gostoso!"

– Realmente, que tigre! – exclamou Narizinho horrorizada, olhando para Pedrinho, que dessa vez não teve ânimo de defender o canibal.

– Depois que Hans deixou Cunhambebe – continuou Dona Benta – os índios levaram-no em exibição de cabana em cabana.

Um filho do cacique atou-lhe as pernas em três pontos e obrigou-o a pular de pés juntos. Todos riam-se e exclamavam:

– "Aqui está a nossa comida pulando!"

Hans desconfiou que aquilo já fossem preparativos para o sacrifício e perguntou a Ipiru se o iam matar naquele dia. Ipiru respondeu que não, mas que era costume tratarem assim aos prisioneiros.

– Faziam como faz o gato ao camundongo – lembrou Narizinho.

– Isso mesmo – confirmou Dona Benta – mas notem vocês que havia nisso mais brincadeira do que crueldade. Não há termo de comparação entre o modo pelo qual os índios tratavam os prisioneiros e o que era de uso na Europa. Lá a "civilização" recorria a todos os suplícios, inventava as mais horrendas torturas. Assavam os pés da vítima, arrancavam-lhe as unhas, esmagavam-lhe os ossos, davam-lhe a beber chumbo derretido, queimavam-na viva em fogueira. Não há monstruosidade que em nome da lei de Deus os carrascos civilizados, em nome e por ordem dos papas e reis, não tenham praticado. Mesmo aqui na América o que sobretudo os espanhóis fizeram é de arrepiar as carnes.

Os índios, não. Brincavam com as vítimas, apenas. Assim é que depois da tal dança de pernas amarradas eles rodearam Hans para escolher pedaços. A perna é minha – dizia um; – o braço é meu –dizia outro; – eu quero este pé – exclama terceiro.

Em seguida obrigaram-no a cantar. Hans obedeceu e entoou versos religiosos em latim. A curiosidade dos índios quis logo saber o que significaram.

– "São versos cantados em honra do meu Deus" – explicou Hans.

– "Teu Deus é '*tipoti*'(excremento)" – exclamaram diversos.

Hans, que era muito piedoso, magoou-se com aquilo e murmurou, olhando para o céu: – "Como podes tu, Deus poderoso, sofrer com paciência estes insultos?"

Finda a festa, os índios reconduziram o prisioneiro à taba de Ubatuba. No momento da partida os ariaribenses gritaram-lhe:

– "Breve lá estaremos para provar da tua carne!"

Não se pode imaginar um bota-fora mais sinistro...

Hans regressou a Ubatuba, onde novos dias se passaram sem que os índios se resolvessem a comê-lo. Iam contemporizando sem que ele soubesse por quê.

Certa madrugada houve grande rebuliço na aldeia.

– "Os tupiniquins!" – gritavam os índios, correndo de um lado para outro, em preparativos para a luta. De fato, era um bando de tupiniquins, vindos em vinte e cinco canoas, que rodeavam e atacavam a aldeia a flechadas.

Hans aproveitou-se do ensejo e disse aos tupinambás:

– "Vós me tendes por português, mas vou provar-vos que não sou; dai-me arco e flechas que quero ajudar-vos na defesa da taba."

Os índios aceitaram a proposta; deram-lhe armas e Hans portou-se como um verdadeiro chefe, gritando para animar os defensores e atirando flechas o melhor que podia. Sua intenção porém era saltar a estacada logo que pudesse e fugir para o campo tupiniquim, onde o acolheriam como amigo. Mas aconteceu que em meio da luta os atacantes desistiram do assalto e retiraram-se para as suas canoas. Não pôde, pois, o nosso Hans realizar a fuga que havia projetado e teve que voltar para a cabana que lhe servia de cadeia.

Na noite desse dia os chefes tupinambás reuniram-se ao luar, no centro da taba, e levaram-no para o meio deles por entre zombarias e maus tratos. Iam resolver sobre a época do seu sacrifício. Enquanto os índios conferenciavam, Hans, muito triste, olhava para a lua, a dizer consigo:

– "Ó meu Deus, ajuda-me nesta aflição e faze que breve me veja livre deste martírio."

Os selvagens estranharam-lhe os modos e perguntaram-lhe por que olhava tanto para a lua.

– "Noto que ela está zangada" – respondeu ele. E, de fato, a lua lhe parecia terrível, como Deus lhe parecia terrível, como tudo lhe parecia terrível.

Nhaepepô, que era um dos que mais desejavam o seu sacrifício, perguntou-lhe:

– "Com quem está zangada a lua?"

Hans respondeu com ares misteriosos:

– "Ela olha para tua cabana..."

Nhaepepô enfureceu-se. Para abrandar-lhe a cólera Hans remendou o dito:

– "Não será contigo; ela deve estar zangada com algum dos teus escravos carijós."

No dia seguinte chegou a notícia de que os atacantes da véspera, ao saírem dali, dirigiram-se a Mambucaba, cuja aldeia assaltaram e incendiaram. Os moradores puderam fugir, com exceção de uma criança que foi capturada.

– Coitadinha! – exclamou a menina compadecida. –E foi comida?...

– Não sei – respondeu Dona Benta; –Hans Staden nada conta do destino dessa infeliz, mas a mim me parece que a não mataram. Os índios poupavam as crianças.

Nhaepepô tinha em Mambucaba parentes e amigos e, ao saber do desastre, resolveu ir socorrê-los e ajudá-los na reconstrução de suas cabanas. E para lá se foi com vários auxiliares, levando a provisão de farinha de mandioca preparada para a festa do devoramento de Hans.

Este imprevisto incidente veio retardar o sacrifício e permitir que o prisionei-ro respirasse com alguma esperança.

– Que situação horrível, vovó, a de um homem no caso de Hans! – disse a me-nina. –Saber que vai ser comido e viver assim – é hoje, é amanhã...Seria preferível que o matassem logo no primeiro dia!

– Se o matassem logo no primeiro dia, não estavam vocês hoje a ouvir a sua história – respondeu Dona Benta.

Capítulo XIII
Esperanças

Logo depois da partida de Nhaepepô chegou de São Vicente um navio português, que deitou âncora perto da taba e disparou um tiro de canhão. Era o sinal do costu-me para que os índios das redondezas viessem ter com os navios.

Ao ouvirem o tiro os índios disseram ao prisioneiro:

– "Aí vêm teus amigos portugueses; querem saber se vives e se queremos dar--te em troca de alguma coisa."

A notícia encheu-o de esperança. Mas ser procurado por navio português era dar provas de ser português e Hans inventou logo uma história destinada a atrapa-lhar os índios. Disse-lhes que tinha entre os portugueses um irmão francês e com certeza era esse irmão quem vinha procurá-lo.

Os índios porém não deram crédito à história. Aproximaram-se do navio a ponto de fala e perguntaram o que queriam.

Os portugueses indagaram de como ia passando Hans. Os selvagens respon-deram que não sabiam de quem se tratava.

Não havendo meio de entendimento, o navio afastou-se, deixando o mísero artilheiro mergulhado na maior dor. Pela segunda vez, de todo perdia a esperança de salvar-se. Já via a iverapema sobre sua cabeça, prestes a desferir o golpe fatal. O sacrifício fora adiado por causa da partida de Nhaepepô; mas o índio regressaria breve, e então...

Assim o imaginou Hans, e ficou à espera do cacique, certo de que o seu regres-so lhe marcaria o fim do martírio.

Ouvindo uma tarde gritos na cabana de Nhaepepô, Hans estremeceu. Era cos-tume dos índios receberem com tais gritos os companheiros que tornavam das via-gens, e aquele barulho queria dizer que Nhaepepô estava de volta. Resignadamente, pois, ficou à espera do que desse e viesse.

Sem demora veio ter com ele um índio, que lhe disse:

– "Alkindar, o irmão de Nhaepepô, acaba de chegar e diz que os outros lá fica-ram em Mambucaba muito doentes."

O coração de Hans bateu apressado, com a esperança de novo renascida. Aquela doença de Nhaepepô viria afastar mais uma vez a época do seu sacrifício.

Não demorou muito e apareceu-lhe Alkindar; sentou-se e principiou com la-múrias, dizendo que Nhaepepô, sua mãe e seus sobrinhos tinham caído doentes em

Mambucaba, donde mandavam pedir a Hans que intercedesse perante o seu Deus para que todos sarassem.

– "Meu irmão – concluiu Alkindar – pensa que o teu Deus está zangado com ele."

Ao ouvir tais palavras o pobre Hans criou alma nova, e sem demora confirmou tal suposição.

– "Está zangado, sim, porque insistis em afirmar que sou português quando não é verdade. Ide ter com Nhaepepô e dizei-lhe que volte, que eu falarei a meu Deus para que todos sarem."

Com isto retornou para Mambucaba o índio e pela primeira vez dormiu Hans uma noite sossegada.

Alguns dias depois regressaram os doentes. Hans foi chamado à cabana de Nhaepepô, que lhe disse:

– "Tu sabias de tudo. Tu disseste naquela noite que a lua olhava zangada para a minha cabana."

Hans lembrou-se do incidente da lua e encheu-se de grande alegria, imaginando que Deus visivelmente o estava protegendo. Aproveitou-se do caso para convencer o índio de que era assim mesmo. A lua estava zangada com todos eles porque queriam comê-lo, como se fosse um pero, o que não era verdade. Vinha daí aquele rosário de desgraças.

Nhaepepô pediu-lhe que o curasse. Hans, então, deu-se ares misteriosos e girou em torno dos doentes, fazendo passes com as mãos e pronunciando palavras cabalísticas. Terminou assegurando que iriam todos sarar.

Infelizmente aquelas micagens não produziram nenhum efeito. No dia seguinte morreu uma criança; em seguida, a mãe de Nhaepepô e mais uma velha que andava fabricando os potes para cauim da festa de Hans.

– Que festa? – indagou Narizinho. – A festa em que iam comê-lo?

– Sim – respondeu Dona Benta –, como nós hoje fazemos uma festa em torno do sacrifício de um peru... Mas não ficou aí o desastre; dias após faleceu outra criança e, por fim, um irmão de Nhaepepô.

O morubixaba caiu em grande tristeza diante do estrago que a morte estava a fazer em sua família; e, com medo de ir-se também, pediu de novo a Hans a proteção do seu Deus. Hans consolou-o, e afirmou que nada lhe aconteceria, caso abandonassem a ideia de o devorar.

O morubixaba concordou e prometeu poupá-lo, proibindo que na sua cabana o maltratassem ou o ameaçassem de morte.

Continuou doente esse índio por mais algum tempo, e por fim sarou, juntamente com uma de suas mulheres; havia perdido oito pessoas da família, todas muito más para Hans.

O morubixaba da cabana vizinha, Guaratinga-açu, sonhou certa noite que Hans lhe aparecera e anunciara sua morte. De manhã cedo foi procurá-lo para contar-lhe o sonho.

Hans explicou que coisa nenhuma lhe sucederia, se também desistisse de o devorar.

O índio concordou nisto; declarou que não lhe faria mal algum; e caso o matassem, não lhe comeria da carne.

– Triste consolo! – exclamou Pedrinho.

– Do mesmo modo sonhou com Hans um terceiro morubixaba, Carimã-Cuí (farinha de carimã), que também o mandou vir à sua presença. Deu-lhe de comer e contou-lhe que outrora capturara um português, do qual comera tanto que desde então vinha sentindo um mal do estômago.

Hans disse logo:

– "Pois é isso. A carne humana é um veneno terrível e a tua doença vem de a teres comido. Se de hoje em diante desistires de comê-la, sararás e nunca mais terás sonhos tristes."

Carimã deu-se por convencido e prometeu nunca mais comer gente.

Começaram os índios a ter medo de Hans e a respeitá-lo. Até as velhas da taba, que eram voracíssimas e costumavam maltratá-lo com beliscões e ameaças, ganharam medo ao alemão, cujo deus se patenteava de maneira assim visível.

Uma delas veio dizer-lhe:

– "Meu filho, não nos deixes morrer. Se te tratamos mal é que te julgávamos português, gente a quem odiamos. Já comemos vários deles, mas o deus português não fazia caso. O teu deus zanga-se e por isso vemos que de fato não és português."

Desde essa ocasião todos da taba o deixaram em paz, embora o mantivessem sob vigilância, como dantes.

– O tal português que Carimã-Cuí comeu devia ser um pero de 24 quilates, para encruar assim no estômago de um canibal – comentou Pedrinho.

– Não caçoe dos seus avós, menino – advertiu Dona Benta a sorrir, e continuou.

Capítulo XIV
A VOLTA DO FRANCÊS

O tal francês, que tão cruelmente aconselhara os índios a que matassem e comessem o pobre Hans, voltou de novo à taba de Ubatuba, sempre a negócio de pimenta e penas. Veio de Iteron, nome primitivo de Niterói, que era onde aportavam os navios franceses.

Logo que chegou à taba admirou-se de ver ainda vivo o alemão.

– "Que é isso, homem? Pois inda estás vivo?"

– "Sim, estou vivo graças a Deus, pois só a ele devo o ter conservado a vida até agora, contra o conselho que destes aos índios."

O francês, que os índios chamavam Carauatá-uára[11] parecia mudado e não olhou para Hans com o rancor da primeira vez. Em vista disso Hans o chamou de parte e expôs o seu caso, de maneira a convencê-lo de que na realidade não era português, e sim alemão, náufrago de um navio espanhol.

---

11   Comedor da fruta gravatá. (n. a.)

O francês mostrou-se arrependido do que fizera. Disse que realmente o havia julgado português, gente má a quem tanto os índios como os franceses não poupavam. Mas já que não era assim, ia ajudá-lo a salvar-se.

Tudo mudou depois dessa conferência. Carauatá-uára explicou aos índios que se enganara da primeira vez; o prisioneiro de fato não era português e sim de um país chamado Alemanha, cujos habitantes sempre foram amigos dos franceses. E acabou pedindo aos índios que o deixassem levar consigo.

Os índios deram-se por vencidos, mas declararam que só o deixariam ir se o pai de Hans ou seus irmãos o viessem buscar num navio cheio de machados, facas, tesouras, pentes e espelhos. Tinham-no apanhado em território inimigo e, pois, lhes pertencia.

Carauatá-uára procurou de novo Hans e contou-lhe os passos que dera. Estava convencido de que os índios não o largariam de forma nenhuma.

Hans pediu-lhe pelo amor de Deus que o mandasse buscar pelo primeiro navio aportado, em Iteron. Carauatá-uara, depois de prometer-lhe isso, pediu aos índios que o guardassem cuidadosamente, até que seus parentes viessem buscá-lo. E partiu.

Enquanto se davam estes acontecimentos, os índios enfermos sararam e a vida da taba entrou no ramerrão habitual.

A volta da saúde trouxe a volta da gula, e o propósito dos índios de não comerem o prisioneiro começou a fraquear. As velhas murmuravam que os franceses, afinal de contas, não valiam mais que os peros.

Hans atemorizou-se com isso, porque não tinha grande confiança no caráter dos selvagens. Mas foi uma injustiça. Os tupinambás souberam cumprir o prometido, dando prova de que é mais de fiar-se um selvagem do que um rei branco como aquele Fernando, o Católico, de Espanha,que só cumpria a palavra dada quando lhe convinha.

Capítulo XV
CENAS DE CANIBALISMO

Algum tempo depois os índios de Ubatuba foram convidados para uma festa na taba de Ticoaripe, na qual iam comer um prisioneiro maracajá.

Os convidados partiram em canoas, levando Hans consigo.

Em todas as cabanas as mulheres estavam ultimando o preparo do cauim, bebida indispensável em tais festas.

Hans aproximou-se do prisioneiro maracajá e perguntou-lhe:

– "Estás pronto para morrer?"

O índio olhou-o com indiferença e respondeu, muito calmo, a sorrir:

– "Sim, estou pronto para tudo. Mas nós maracajás possuímos melhores muçuranas..."

– Que é isso, vovó? – perguntou Narizinho.

– Eram umas cordas que os índios preparavam especialmente para amarrar os prisioneiros no dia do sacrifício. Aquele maracajá sorria diante da morte e caçoava dos seus inimigos...

Hans Staden sentiu um grande dó do infeliz. Afastou-se e pôs-se a ler um livro de capa de couro, que os índios haviam trazido de um barco apanhado com auxílio dos franceses.

– Que livro seria esse, vovó? – indagou o menino.

– Não sei, meu filho. Hans esqueceu-se de transmitir à posteridade o nome dessa obra, talvez a primeira que veio circular no Brasil...

Logo depois voltou Hans a falar com o maracajá, dizendo-lhe:

– "Eu também sou prisioneiro e moro em Ubatuba. Vim de lá trazido à força, mas não para ajudá-los a comerem da tua carne."

– "Eu sei – disse o maracajá – que a gente da tua raça não come carne humana."

Hans procurou consolar a vítima e fez-lhe uma preleção. Disse que apenas lhe comeriam a carne, pois que sua alma voaria da terra com destino a um lugar muito alegre, para onde iam também as almas dos homens brancos.

– "Será verdade isso?" – exclamou o índio.

– "Sim, é verdade. Lá para onde vão as almas é que reside Deus."

– "Mas eu nunca vi esse Deus."

– "Na outra vida hás de vê-lo" – concluiu Hans.

Nessa noite um vento horrível açoitou a taba, chegando a arrancar pedaços do teto das cabanas. Os selvagens encolerizaram-se, dizendo que fora Hans quem trouxera o furacão.

– "Ele é um diabo – explicou um – e esteve hoje a olhar para o 'couro da trovoada'."

– Couro da trovoada, vovó?...

– Sim, o livro que ele estivera lendo... – Narizinho soltou uma gargalhada.

– Que idiotas!

– Os índios eram supersticiosos – explicou Dona Benta – e um livro seria para eles a coisa mais misteriosa e incompreensível do mundo, arte do demônio, como ainda hoje nossos caboclos classificam o gramofone, o telégrafo e as mais coisas que não podem compreender.

Afinal mataram o prisioneiro, assaram-lhe a carne e comeram-na, regando abundantemente o banquete a potes de cauim.

Finda a festa, cuidou-se da volta para Ubatuba, e os donos de Hans trouxeram consigo um pouco de carne do maracajá.

No primeiro pouso, no momento em que os índios erguiam na praia um rancho onde passarem a noite, começou a chover.

– "Faz cessar a chuva – disseram-lhe os índios – já que a chamaste sobre nós."

– "Deus está zangado convosco – respondeu Hans – por terdes comido carne humana."

Os selvagens aborreceram-se e disseram que a carne humana era a sua verdadeira comida.

Perto de Hans ia um menino, a roer uma canela do maracajá. Esse espetáculo horrorizava ao alemão, que mandou o pequeno deitar fora aquilo. O menino não fez caso e continuou a roer o osso. Enquanto isso a chuva ia apertando. Afinal o pequeno lançou fora o osso e, como logo em seguida a chuva cessasse, Hans aproveitou-se da coincidência para dizer:

– "Vedes? Meu Deus estava zangado porque o menino roía aquele osso."

Os índios, porém, não eram de todo broncos e um deles disse:

– "Mas se o menino tivesse comido a canela sem que tu visses, o tempo não se teria arruinado."

De volta a Ubatuba, Alkindar caiu doente dos olhos e andou cego por uns dias. O medo da morte fê-lo procurar Hans e pedir que rogasse ao seu Deus pela volta da vista. Hans o fez, e assim conseguiu também dele a promessa de não consentir que o matassem.

Capítulo XVI
Aparece outro navio

Já ia no quinto mês a escravidão de Staden. Sua situação melhorara muito; o espantalho do seu sacrifício estava de todo afastado. Os índios, muito supersticiosos que eram, respeitavam-no cada vez mais, com medo de que o Deus de Hans os castigasse.

Por essa época surgiu em Ubatuba outro navio vindo de São Vicente. Embora inimigos, os portugueses e tupinambás não deixavam de entrar em negócios. Esses índios produziam muita farinha de mandioca, gênero de que os portugueses faziam grande consumo nas suas plantações, lavradas por escravos. Quando a farinha escasseava em São Vicente, vinham de lá navios a fim de obtê-la dos índios em troca de machados e anzóis. Esses navios ancoravam no porto e davam o tiro do costume. Os índios saíam da taba a indagar do que era.

– "Negócio de farinha!" – gritavam os de bordo.

Os índios, então, juntavam-se na praia, de armas em punho, mandando uma canoa com dois parlamentares ao encontro do navio a fim de ajustarem as condições do negócio. Depois de tudo bem combinado, realizava-se a permuta das mercadorias, com as maiores precauções de lado a lado, porque um não confiava no outro.

Concluída a transação, recomeçava a guerra. Os índios despediam contra o barco uma nuvem de flechas e o barco por sua vez despejava contra os índios os seus canhões.

– Ora que curioso! – exclamou Pedrinho. –Está aí um costume que nunca imaginei possível.

– Era como se dissessem: inimigos, inimigos, negócios à parte – acrescentou Dona Benta. –No fundo, a necessidade os obrigava a isso. Uns não podiam passar sem anzóis, outros não podiam passar sem farinha. O armistício resolvia o apuro de ambas as partes, como breve parêntese na luta que só teve fim quando os índios foram completamente dominados.

O navio em questão entrou no porto e deu o tiro de aviso. Vieram os índios. Desta vez, não era farinha o que os peros queriam. Apenas desejavam saber notícias de Staden. Disseram mais que estava a bordo um irmão de Hans, com muitas mercadorias a ele destinadas.

Os índios parlamentares voltaram do navio com essa boa nova, e Hans pediu que o deixassem conversar com o seu irmão.

– "Quero pedir a meu irmão que conte a meu pai a minha história e lhe peça que venha buscar-me com um navio cheio de presentes."

Os selvagens acharam justa a pretensão; impuseram-lhe, todavia, que não falasse português. Andavam a preparar em segredo uma expedição contra Bertioga e receavam que o prisioneiro os traísse.

– "Nada temais – disse-lhes Hans; –os peros não compreendem a minha língua, nem a do meu irmão, que está a bordo."

Os índios deixaram-se embaçar e levaram-no à distância de uns cinquenta passos do navio. Dali Hans gritou:

– "Deus seja convosco, irmãos. Que venha um só falar comigo e não deem a perceber aos índios que não sou francês."

– Mas os índios não estavam a ouvir essa fala? – perguntou Pedrinho.

– Sim, estavam, mas esses índios não entendiam a língua dos portugueses, porque viviam em guerra com eles e sempre que apanhavam algum, em vez de o tomarem para professor, preferiam comê-lo assado. Desse modo, podia Hans falar livremente sem receio de ser entendido.

Em resposta às suas palavras adiantou-se o biscainho João Sánchez e disse:

– "Meu querido irmão, aqui vimos em busca de notícias tuas, visto como o primeiro navio mandado nenhuma nova pode levar. Quem nos envia é o Capitão Brás Cubas, de Santos, o qual deseja saber se estás vivo, a fim de te resgatar."

Hans retomou a palavra:

– "Que Deus vos recompense eternamente, pois vivo em grande aflição, sem saber o que estes selvagens querem de mim. Só sei que já me teriam devorado, se Deus não me houvesse protegido.Eles recusam-se a vender-me, pois esperam que meu pai venha de França buscar-me num navio cheio de presentes. Peço-vos que não os deixeis suspeitar que não sou francês, pois que isso me seria funesto, e peço--vos ainda que me deis facas, machados e anzóis com que eu possa presenteá-los."

Sánchez respondeu:

– "Sim, irmão, tudo faremos como desejas. Manda cá uma canoa buscar os presentes."

Neste ponto os índios deram mostras de que já se estava prolongando demais a fala. Hans, então, despediu-se de Sánchez.

– "Os índios não me deixam dizer mais. Cuidado com eles! Estão a preparar secretamente uma investida contra Bertioga. Adeus!"

– "Adeus, irmão! – disse Sánchez. –Antes que eles ataquem Bertioga, serão atacados pelos tupiniquins, cujas canoas estão prontas. Não desanimes. Deus te há de acudir em melhor momento, já que neste nada podemos fazer pela tua salvação."

E separaram-se. Os índios levaram Hans dali e mandaram uma canoa a bordo em busca dos presentes, que Hans distribuiu entre eles, dizendo:

– "Tudo isto me trouxe o meu irmão francês."

– "E que foi que disseste a teu irmão?" – perguntaram os índios.

– "Disse-lhe – inventou Hans – que procurasse fugir das unhas dos peros e voltasse para a nossa terra, e de lá tornasse num navio cheio de presentes para vós, visto que sois bons para comigo e não me maltratais."

Semelhante fala, como é natural, muito agradou aos selvagens, que murmuraram entre si:

– "Não resta dúvida que é francês; havemos de tratá-lo como irmão."

A partir desse momento gozou Hans de mais folga na taba; ia à caça com os índios e ajudava-os nos trabalhos de roça.

– Os selvagens, afinal de contas, não passavam de uns coitados– disse Narizinho. –Hans embaçou-os de uma vez.

– É que possuíam um grau de inteligência muito inferior ao dos brancos. Daí a facilidade com que os peros e os espanhóis, em muito menor número, conseguiram dominá-los. Neste caso de Hans, por exemplo, assistimos à luta da inteligência contra a bruteza. A inteligência, com suas manhas e artimanhas, acabou vencendo a força bronca do número.

Capítulo XVII
O CARIJÓ DOENTE

Havia na taba um prisioneiro carijó que houvera sido escravo dos portugueses e fora apanhado pelos tupinambás numa das expedições contra São Vicente. Esse carijó detestava Hans Staden e vivia dizendo que fora ele quem matara o pai de Nhaepepô com um tiro.

Era falso. O carijó estava ali na taba já de três anos e Hans só tinha um ano de estada no Brasil: não podia o índio, portanto, tê-lo conhecido em Bertioga, como afirmava.

Um dia, em que esse escravo caiu muito doente, Ipiru-guaçu, seu dono, chamou Hans para curá-lo.

Hans examinou-o e disse:

– "Está doente e vai morrer porque me quis fazer mal. Não tem cura."

Em vista disso Ipiru resolveu dar o carijó ao seu amigo Abaté,12 para que o matasse e ganhasse um nome.

Vários índios que se achavam à volta do doente foram da mesma opinião.

– "Sim, ele'quer'morrer; é melhor matá-lo já."

Hans horrorizou-se com a ideia e disse:

– "Não! Não o matem, que ele ainda poderá sarar."

De nada valeram as suas palavras; os índios levaram-no dali a braços, porque o doente não dava mais acordo de si.

Abaté recebeu o presente, agradeceu-o e foi para dentro buscar a iverapema. Trouxe-a, ergueu-a no ar e desferiu tamanho golpe no crânio do carijó que os miolos espirraram longe.

---

12   Homem notável, chefe. (n. a.)

Iam comê-lo. Hans interveio para aconselhar que não o fizessem; o carijó estava doente e sua carne poderia envenená-los.

Os índios vacilaram um instante. Estava tão feia a cara do carijó, além do mais cego de um olho, que se sentiram repugnados.

Nisto surge de uma das cabanas um índio mais desabusado, manda que as mulheres façam fogo ao pé do cadáver e decepa-lhe a cabeça, arrojando-a para longe.

Suprimida a parte do corpo que horrorizava pelo aspecto, desapareceu a repugnância dos índios, os quais tomaram o cadáver, chamuscaram-no ao fogo, esfolaram-no, dividiram-no em postas e distribuíram-nas entre os circunstantes. Logo depois em cada cabana começou a chiar ao espeto um naco de carijó...

– Pare, vovó! – exclamou Narizinho; –pare que estou sentindo uma bola no estômago...

– De fato, minha filha, o quadro é horroroso. No entanto fazemos nós hoje coisa muito parecida com os cadáveres dos bois e dos porcos...Afastado o aspecto moral, não vejo diferença entre o cadáver de um carijó e o cadáver de um boi.

– Basta, vovó! – disse Pedrinho. –De hoje em diante não comerei mais carne.

– Nem de galinha? – interpelou Dona Benta.

Pedrinho, que gostava muito de frango assado,vacilou.

– De galinha não digo; mas de boi ou de porco, nunca mais...

Capítulo XVIII
O TERCEIRO NAVIO

Os tupinambás haviam marcado para a sua expedição contra Bertioga o mês de agosto, tempo das tainhas. A abundância do peixe facilitava a operação guerreira, porque não há guerra possível quando não há facilidade de abastecimento.

Hans contava fugir por essa ocasião.

Ficaria na aldeia sozinho com as mulheres e fácil lhe seria escapar.

Oito dias antes da expedição, porém, chegou notícia de um novo barco francês ancorado em Iteron, ou Rio de Janeiro, como diziam os portugueses. Essa notícia viera por um bote pertencente ao navio, o qual chegara até Ubatuba em procura de pimenta, macacos e papagaios. Vinha no bote um tal Jacó, que sabia a língua dos tupinambás e o jeito de negociar com eles.

Hans insistiu com os selvagens para que o conduzissem até ao navio, onde devia estar seu irmão com os presentes esperados.

– "Não! – responderam os índios. –Esses franceses não são teus amigos. Vieram no bote e nem uma camisa te trouxeram."

Era bem verdade aquilo! Mas Hans insistiu; disse que se ele chegasse até à nau os franceses lhe dariam muita coisa.

– "Tem tempo – responderam os selvagens. –O navio demora-se ainda. Depois da expedição cuidaremos disso."

Enquanto o nosso Hans, na praia, aferrado às suas esperanças, debatia com os índios, o bote de Jacó começou a afastar-se.

Na sua ânsia de libertação Hans perdeu a cabeça e atirou-se ao mar, rumo ao bote. Os índios foram-lhe ao encalço; um deles chegou a por-lhe a mão. O desespero, porém, redobrou as forças do fugitivo, que repeliu o índio, safou-se e, a violentas braçadas, atingiu o bote.

– Finalmente! – exclamou Narizinho, comovida. –Também já era tempo...

– Engano, minha filha. Não era tempo ainda. Os franceses do bote não o deixaram entrar. Repeliram-no, alegando serem amigos daquela tribo e que se o deixassem entrar contra a vontade dos índios eles se vingariam. E o pobre Hans teve de voltar para terra...

– Que horror!

– Os índios, que já o supunham perdido, começaram a gritar alegremente: "Ele volta! ele não fugiu!".

Hans, ao pisar na praia, mostrou-se agastado.

– "Julgáveis então que eu pretendia fugir? Fui ao bote unicamente para dizer aos meus patrícios que viessem buscar-me depois da guerra e que trouxessem para vocês muitas coisas bonitas."

– Sim, senhora! – exclamou Pedrinho. –Esse alemão era das arábias! Conseguiu mais uma vez lograr os pobres índios...

– Lográ-los – confirmou Dona Benta – e agradá-los. Os índios ficaram contentíssimos com o seu gesto e passaram a tratá-lo ainda melhor.

Capítulo XIX
A GUERRA

Quatro dias depois se reuniram em Ubatuba as canoas destinadas à guerra.

Cunhambebe compareceu com a sua hoste de guerreiros. Conferenciou com Ipiru e determinou que Hans tomaria parte na expedição. Esta decisão vinha transtornar todos os seus planos de fuga. Hans, no entanto, soube esconder a contrariedade e fingir que iria de bom grado, na esperança de que durante o percurso não o guardassem muito de perto e ele pudesse desertar em terra tupiniquim.

A expedição compunha-se de quarenta e três canoas, tripuladas por vinte e três homens cada uma.

– Não era uma brincadeira – exclamou Pedrinho. –Quarenta e três multiplicado por vinte e três dão – esperem um pouco – dão novecentos e oitenta e nove homens. Irra! Quase mil!...

– A intenção de Cunhambebe era dirigir-se a Bertioga pelo ponto onde haviam capturado o artilheiro; ali se ocultaria nas matas para o ataque no momento oportuno.

Partiram a 14 de agosto de 1554, mês da piracema das tainhas.

Essa expedição devia encontrar-se com a que os tupiniquins andavam organizando e fora marcada para a mesma ocasião, como Hans soube pela fala de João Sánchez.

Durante a viagem perguntaram-lhe os índios o que pensava da expedição e se seriam felizes.

Hans, está claro, respondeu o que podia responder, mas teve a habilidade de acrescentar:

– "Meu parecer é que os tupiniquins vêm vindo ao nosso encontro."

Como era quase certo que assim fosse, queria arriscar uma afirmação que o fizesse passar como profeta.

As canoas iam sem pressa, parando sempre que topavam cardumes de tainhas. Os índios pescavam-nas em grande número, preparavam o piracuí e prosseguiam na marcha.

Quando se viram a um dia de viagem de Bertioga, arrancharam-se na Ilha de Maembipe, que os portugueses diziam de São Sebastião. À noite Cunhambebe passou pelo acampamento e fez uma fala aos guerreiros. Disse-lhes que eram chegados às fronteiras do inimigo, e que, portanto, procurassem ter sonhos felizes, por meio dos quais se guiarem.

Concluída a fala, houve dança em torno dos maracás até tarde da noite.

Ao raiar do dia seguinte reuniram-se os chefes em torno duma panela de peixe frito, e enquanto comiam contaram uns aos outros os seus sonhos.

Foi depois resolvido que se entrasse nesse mesmo dia em terra inimiga, por um lugar chamado Boiçucanga, onde aguardariam a noite.

Ao deixarem Maembipe perguntaram novamente a Hans o que pensava da guerra, ao que Hans respondeu, ao acaso, que em Boiçucanga iriam encontrar o inimigo.

Era intenção de Hans fugir nesse ponto, distante apenas seis léguas do sítio onde o haviam capturado.

As canoas puseram-se em movimento, remadas com vigor.

Perto de Boiçucanga avistaram-se entre duas ilhas as primeiras canoas contrárias.

– "Lá estão os inimigos tupiniquins! – exclamam os tupinambás. –Bem o disse o nosso francês!"

Aquelas canoas, porém, logo que perceberam as dos tupinambás, trataram de fugir. Os tupinambás deram força aos remos e perseguiram-nas durante quatro horas, até alcançá-las.

Eram apenas cinco, todas de Bertioga. Hans reconheceu-as. Numa estavam os seis mamelucos, entre os quais dois irmãos Braga – Domingos e Diogo. Estes homens resistiram heroicamente, um manejando o arco, outro, a zarabatana.

– Que é zarabatana, vovó? – indagou Pedrinho.

– É uma arma muito interessante, de uso na caça de animais pequenos. Consiste num tubo dentro do qual se oculta uma seta muito fina, de ponta envenenada. O atirador lança tal seta por meio de um sopro forte. A seta fere de leve e mata pelo veneno.

– Interessante! – exclamou Pedrinho. –Vou fazer uma.

– E onde arranja o sopro forte? – objetou a menina. –Para isso é preciso fôlego de índio...

Dona Benta deu-lhe razão e continuou:

– Domingos, Diogo e seus companheiros resistiram com extrema bravura durante duas horas. Resistiram a trinta canoas! Afinal as suas flechas esgotaram-se! Os tupinambás, então, deram-lhes em cima, capturando a uns e matando a outros.

Os irmãos Braga tiveram a sorte de não receber nenhum ferimento.

Finda a luta, os tupinambás cuidaram de regressar a Maembipe, onde os prisioneiros foram levados para as cabanas dos seus respectivos apresadores.

Os feridos receberam morte imediata, sendo espostejados e assados ali mesmo. Entre estes havia dois mamelucos cristãos, um de nome Jerônimo e outro chamado Jorge Ferreira, filho de um capitão português.

O corpo de Jerônimo coube ao índio Paraguá, que era companheiro de cabana de Ipiru-guaçu.

Paraguá assou-lhe a carne perto do ponto em que Hans se deitara para dormir.

Está claro que o nosso Hans não pode conciliar o sono. O cheiro do assado fê-lo erguer-se e sair. Andou então pelo acampamento em busca dos irmãos Braga, seus conhecidos de Bertioga;

Conseguiu encontrá-los e falar-lhes. A primeira pergunta que os infelizes fizeram foi se iam ser devorados.

Hans respondeu que tivessem fé na providência divina, pois, como estavam vendo, ali se achava ele entre os selvagens, vivo, após oito meses de cativeiro.

Isto consolou-os um bocado. Em seguida perguntaram-lhe de Jerônimo.

– "Já está assado – respondeu Hans; – e o filho do Capitão Ferreira, esse já está comido…"

Ao ouvirem tão tristes novas os dois irmãos não puderam reter as lágrimas. Hans procurou animá-los, contando-lhes toda a sua história e recomendando-lhes paciência.

– "O que Deus fez por mim – concluiu ele – também fará por vós. Entregai-vos, pois, à vontade divina, certos de que este mundo é mesmo um vale de lágrimas."

– "Nunca o verificamos tanto como agora"; – responderam os moços – e foram estas as últimas palavras que Hans lhes ouviu.

Capítulo XX
FESTAS DE CANIBAIS

Dali foi Hans Staden à choça onde estava Cunhambebe, ao qual perguntou o que pretendia fazer dos mamelucos.

– "Devorá-los"! – foi a resposta do truculento canibal. Em seguida o proibiu de conversar com eles. Cunhambebe estava encolerizado contra os mamelucos; achava que deviam ter ficado em casa, em vez de se meterem com os tupiniquins.

Hans rogou-lhe que os deixasse viver, e os vendesse aos portugueses.

O truculento chefe tupinambá, porém, repetiu-lhe que seriam devorados,

Hans desanimou, mormente presenciando com que prazer de glutão Cunhambebe comia naquele momento uma perna humana assada.

Ia começar a festa. O chefe ordenara que cada qual levasse o seu prisioneiro para um sítio limpo, adequado às danças.

Feito isso, principiaram as cerimônias. Os prisioneiros foram obrigados a cantar e chocalhar os maracás, enquanto os índios lhes dançavam em redor. Em certo momento adiantou-se um dos prisioneiros tupiniquins e falou com arrogância, de cabeça erguida:

– "Sim, saímos como costumam fazer os bravos, para matar e comer nossos inimigos. Fomos vencidos e aprisionados, mas pouco importa. Os valentes morrem em terra inimiga. Nossa nação é poderosa e há de vingar-nos!"

– Bravo! – exclamou Pedrinho. –Assim é que um homem deve morrer. E os tupinambás?

– Os tupinambás responderam: "Sim, nós também nos vingamos, nós também vamos agora vingar os muitos irmãos que nos matastes."

Concluídas as danças e as falas heroicas cada qual levou consigo o seu prisioneiro.

Três dias depois a expedição prosseguiu na viagem de volta. Boa que fora a caçada, davam por concluída a guerra. Os ubatubanos haviam capturado oito indígenas e três mamelucos, além dos dois que levavam assados.

Logo que os guerreiros-caçadores chegaram a Ubatuba, Hans lembrou-lhes a promessa feita antes da partida, de o levarem a bordo do navio francês, ancorado em Iteron.

Os índios responderam que sim, que iriam levá-lo; mas primeiro queriam descansar e comer o *"moquém"*, isto é, a carne dos mamelucos trazida já assada.

Em frente à cabana de Ipiru, onde residia Hans, ficava a cabana do cacique Tatamiri (foguinho). Este chefe deu uma festa; mandou preparar muito cauim e forneceu o assado: a carne de Jorge Ferreira, o filho do capitão português.

Os convidados beberam, comeram e cantaram numa grande alegria.

No dia seguinte requentaram os restos do *moquém* e repetiram a festança.

A carne do mameluco Jerônimo pertencia a Paraguá, índio morador na cabana de Ipiru. Paraguá tinha saído da taba em procura de mandioca para o preparo do cauim.

– Mas o cauim, vovó, não era feito de milho?

– Sim, de milho ou, na falta do milho, da mandioca, e às vezes de milho e mandioca ao mesmo tempo – respondeu Dona Benta. E prosseguiu:

– Hans impacientou-se. O navio devia estar prestes a sair, de modo que a demora de Paraguá poderia mais uma vez transtornar-lhe os planos.

Afinal o índio voltou, trazendo a mandioca necessária.

Fez preparar o cauim e reuniu os amigos para um regabofe em torno da carne de Jerônimo, que estava dura como pau.

A essa festa foram obrigados a comparecer os irmãos Braga e mais um mameluco de nome Antônio; tiveram de beber com os selvagens e assistir ao devoramento do companheiro.

Os índios conversavam com eles muito cordialmente, como se fossem amigos, mas na alma de ambos só havia desespero e dor, tão terrível era o fim que os aguardava.

– E foram comidos esses moços? – perguntou Narizinho.

– Não, minha filha. Puderam escapar. Hans indicou-lhes o melhor meio – e eles tiveram tanta sorte que conseguiram iludir a vigilância dos índios e fugir para a terra dos tupiniquins.

Capítulo XXI
HANS MUDA DE TABA

Depois desses acontecimentos, Ipiru-guaçu resolveu entregar Hans ao morubixaba Abati-poçanga (bebida de milho), da taba de Itaquaquecetuba.[13] O nosso artilheiro foi conduzido para lá, onde o entregaram a Abati, com recomendação de não lhe fazerem mal, porque o deus de Hans se mostrava terrível quando o maltratavam.

Hans confirmou tais palavras e disse que brevemente chegariam seu irmão e mais parentes, com um navio cheio de coisas destinadas ao morubixaba.

Abati-poçanga chamou-lhe "seu filho", tratou-o muito bem e nunca mais saiu à caça sem que o levasse consigo.

Sua situação mudara por completo. Embora prisioneiro, gozava de todas as regalias e já contava como certo o regresso à pátria.

Quatorze dias depois da sua chegada a Itaquaquecetuba, uns índios dirigiram-se a ele, dizendo ter ouvido tiros de peça dos lados de Iteron.

Era de fato um navio francês que entrara. Como o caso de Hans já andava muito espalhado, logo souberam dele a bordo, e o comandante mandou à sua procura dois homens.

Esses emissários eram boas almas, em tudo diferentes do Carauatá-uára e do Jacó. Ao se encontrarem com o prisioneiro sentiram-se tomados de piedade e com ele repartiram suas roupas. Depois explicaram que tinham vindo com ordem de conduzi-lo de qualquer maneira.

O coração de Hans palpitou violentamente, de júbilo e esperança. Qualquer coisa lhe dizia que era chegado o termo dos seus sofrimentos.

Conferenciou com os franceses e combinou o melhor meio de enganar os índios. Em seguida puseram em prática o plano.

Um deles, de nome Perot, apresentou-se a Abati-poçanga como o tão esperado irmão de Hans, dono do navio de Iteron, e convidou-o a ir até lá com os seus índios, para receber os presentes trazidos. Pediu-lhe que levasse consigo o prisioneiro, a fim de ser abraçado por outros parentes que ficaram a bordo. Quando o navio partisse, Hans regressaria à taba, entregando-se ao cultivo da pimenta, mercadoria que esse barco tinha de vir buscar no ano seguinte.

Os indígenas concordaram com a proposta e Abati-poçanga partiu para Iteron, levando Hans em sua companhia.

Lá chegando, subiram todos ao barco, sendo recebidos com toda a cordialidade pelos franceses.

Hans contou-lhes a sua história e todos se enterneceram profundamente com tão longa tragédia.

Cinco dias durou a permanência de Abati a bordo. Ao termo desse prazo perguntou ele pelos presentes. O comandante disse a Hans que o fosse entretendo até o momento de largar ferro, mas de modo que Abati não se zangasse nem desconfiasse.

Hans engambelou o índio; apesar disso Abati desconfiou e insistiu em levá-lo para terra.

---

13   Bambuzal. (n. a.)

Hans fez-lhe ver que quando parentes e bons amigos se encontram, depois de longa ausência, não podem separar-se assim depressa; pediu-lhe um pouco mais de paciência; o navio muito breve iria partir e então regressariam todos à taba.

Abati achou razoável aquilo e cedeu.

Finalmente, completa a carga, embarcaram-se os franceses e o navio aparelhou para zarpar.

O comandante reuniu os índios na coberta e, por meio do um intérprete, disse-lhes que estava muitíssimo contente com todos por terem poupado Hans, apesar de o haverem apanhado entre inimigos. Disse que mandara chamá-los a bordo para os presentear em agradecimento pelo bom trato que dispensaram ao prisioneiro; disse mais que sua intenção era deixá-lo na taba de Abati, entregue ao cultivo da pimenta, já que Hans se dava tão bem por lá e era tão amado.

Nesse momento o comandante foi interrompido por um grupo de dez franceses que se declararam irmãos de Hans e lhe pediram que conseguisse dos índios a restituição do prisioneiro, cujo velho pai ansiava por abraçá-lo de novo.

O comandante, depois de ouvida a súplica dos "dez irmãos," dirigiu de novo a fala aos índios. Disse-lhes que sua intenção sempre fora deixar o prisioneiro com Abati; mas os dez irmãos queriam o contrário e, como ele era um só e os outros dez, não tinha meios de resistir ao número, sendo forçado a ceder diante da força.

Mal o comandante cessou de falar, adiantou-se Hans para dizer que muito desejava ficar na taba de Abati onde fora tão bem tratado, mas que se via impedido disso pela atitude dos seus dez irmãos.

Abati-poçanga declarou então que consentia na sua partida com a condição de voltar no ano seguinte. Era seu amigo, considerava-o seu filho e estava zangado com os de Ubatuba por terem querido devorá-lo.

A comédia acabou bem. O comandante fez vir facas, espelhos, machados e pentes e entregou tudo a Abati.

Terminadas as despedidas, os índios desceram às canoas.

Ao vê-los, enfim, deixarem o navio, o nosso Staden soltou o maior *uf*! que a história do Brasil registra.

Estava salvo!

Capítulo XXII
A SALVAÇÃO

– Que navio era esse vovó?

– Esse navio chamava-se Catherine de Vataville e tinha por comandante o Capitão Guilherme de Moner.

No momento de deixar Iteron, o Vataville avistou um barco português que também saía, depois de ter negociado com a tribo dos maracajás.

Os franceses lançaram ao mar um escaler com algumas bocas de fogo, com o fito de atacá-lo, levando consigo Hans. Como o artilheiro falava português, quiseram que ele fosse para intimar os portugueses à rendição.

O trunfo, porém, saiu às avessas. O naviozinho atacado reagiu valentemente e repeliu o escaler. Morreram vários franceses, além de muitos ficarem feridos, entre os quais o próprio Hans.

– Que azar! – exclamou Pedrinho. –Teria graça se depois de livre dos canibais morresse das balas dos peros...

– E quase foi assim – disse Dona Benta–, porque Hans recebeu ferimentos graves; mas sua natureza era rija e por fim escapou.

A partida de Iteron deu-se no último dia de outubro de 1554. Ferido como se achava, Hans não pôde despedir-se daqueles céus e daquelas montanhas, mas lá do leito em que ardia em febre, disse mentalmente um "até nunca mais" à terra onde por um triz escapou de ser moqueado e comido.

A 20 de fevereiro do ano seguinte o Vataville chegou a Honfleur, na Normandia, depois de quatro meses de viagem sem incidentes.

Parece que a sorte adversa se cansara de perseguir o nosso aventureiro, depois de verificar que coisa nenhuma o vencia. Naufrágios, combates navais, guerra terrestre, sanha de antropófagos – nada pôde com ele.

Hans regressou à sua pátria, onde escreveu o livro em que conta estas histórias, livro precioso para nós, porque foi o primeiro publicado a respeito de coisas do nosso país.

Agora, que terminei a narração da sua vida atormentada, quero que vocês me digam que lição tiram dela – concluiu a vovó.

– Que não devemos desanimar nunca! – exclamou Pedrinho incontinente.

– Isso mesmo – aprovou a boa senhora. –E você, Narizinho, que lição tira?

– Que são horas de ir para dentro porque a Emília está pendendo de sono – respondeu a travessa menina, abrindo a boca num bocejo de urutau.

RECONTO

DOM QUIXOTE DAS CRIANÇAS

Capítulo I
EMÍLIA DESCOBRE O DOM QUIXOTE

Emília estava na sala de Dona Benta, mexendo nos livros. Seu gosto era descobrir novidades – livros de figura. Mas como fosse muito pequenina, só alcançava os da prateleira de baixo. Para alcançar os da segunda, tinha de trepar numa cadeira. E os da terceira e quarta, esses ela via com os olhos e lambia com a testa. Por isso mesmo eram os que mais a interessavam. Sobretudo uns enormes.

Uma vez a pestinha fez o Visconde levar para lá uma escada – certa vez em que Dona Benta e os netos haviam saído de visita ao compadre Teodorico.

Foi um trabalho enorme levar para lá a escadinha. O coitado do Visconde suou, porque Emília, embora o ajudasse, ajudava-o cavorteiramente, fazendo que todo o peso ficasse do lado dele. Afinal a escada foi posta junto à estante, e Emília trepou.

– Segure bem firme, Visconde – disse ela ao chegar ao meio. – Se a escada escorregar e eu cair vossa excelência me paga.

– Não tenha nenhum receio, senhora marquesa. Estou aqui agarrado nos pés da bicha como uma verdadeira raiz de árvore. Suba sossegada.

Emília subiu. Alcançou os livrões e pôde ler o título. Era o *Dom Quixote de La Mancha*, em dois volumes enormíssimos e pesadíssimos. Por mais que ela fizesse não conseguiu nem movê-los do lugar.

– Visconde – disse a travessa criatura limpando o suorzinho que lhe pingava da testa –, parece que estes livros criaram raiz. Sem enxada não vai. Temos de arrancá-los como se arranca árvore. Vá buscar uma enxada.

– Se a senhora me permite uma opinião, direi que o caso não é de enxada – sim de alavanca. Dona Benta já explicou que a alavanca é uma máquina própria para levantar pesos. Com a alavanca o homem multiplica a força do braço, conseguindo erguer pedras e outras coisas pesadíssimas.

Emília olhava para os livrões.

– Bom – disse ela. – A alavanca multiplica a força do braço dos homens, sei disso. Mas será que também multiplica a força do braço das bonecas?

– Experimente – respondeu o Visconde. – É experimentando que se fazem descobertas. Foi experimentando que Edison descobriu o fonógrafo.

– Deixe Edison em paz e traga a alavanca.

O Visconde trouxe um cabo de vassoura.

– Está bem certo de que isto é alavanca, senhor sabugo?

– Garanto que é. Experimente. Se a senhora enfiar a ponta do cabo de vassoura naquele vão e fizer uma forcinha, o livro move-se. Experimente.

A boneca fez a experiência. Enfiou o cabo de vassoura num vão, fez força, e o livro, que parecia ter raízes, moveu-se três dedos.

– Viva! Viva! – berrou a diabinha. – É alavanca, sim, Visconde, e das legítimas! Desta vez eu tiro a prosa deste peso.

E tirou mesmo. Tanto fez, que o livrão se foi deslocando para a beirada da estante, agora dois dedos, agora mais dois dedos, até que...

Brolorotachabum! – despencou lá de cima, arrastando em sua queda a escada, a Emília e o cabo de vassoura, tudo bem em cima do pobre Visconde.

A barulheira fez Tia Nastácia vir correndo da cozinha.

– Nossa Senhora! Que terremoto será aquilo? — exclamara ela. E ao entrar na sala, vendo o desastre: – Será possível, santo Deus? A terra estará tremendo?

– Foi a alavanca – explicou Emília. – A alavanca arrancou o livrão lá de cima e o derrubou em cima do Visconde...

– Em cima do Visconde, Emília? Então o pobre do Visconde está debaixo deste colosso?

– Está sim – tão achatadinho que nem se percebe. Malvada alavanca.

Levantando o livrão, a negra viu que realmente o Visconde estava embaixo – mas completamente achatado.

– Credo! – exclamou. – Parece um bolo de massa que a gente senta em cima. Será que morreu?

Sacudiu-o, virou-o dum lado para outro, gritou-lhe ao ouvido. Nada. O Visconde não dava o menor sinal de vida. Só deixava sair de si um caldinho.

– É o caldo da ciência – observou Emília. – Vou guardá-lo num vidro. Pode servir para alguma coisa.

– E agora? – disse a negra, de mãos na cintura, com os olhos naquele achatamento.

– Agora – respondeu a boneca – nós deixamos ele como está para ver como fica. Pedrinho logo chega e dá um arranjo. Pode ir cuidar do seu fogão.

Emília estava ansiosa por ver as figuras do *Dom Quixote*. Como fosse uma boneca sem coração, era-lhe indiferente que o Visconde ficasse por ali naquele triste estado. Além disso, tinha a certeza de que, dum jeito ou de outro, Pedrinho o consertaria. Criaturas de sabugo têm essa vantagem. São consertáveis, como os relógios, as máquinas de costura e as chaleiras que ficam com buraquinhos. Mas Tia Nastácia sempre de mãos à cintura, não tirava os olhos do pobre sabuguinho.

– Chega! – berrou Emília. – Não enjoe. Vá cuidar das suas panelas – e foi empurrando a negra até a porta da cozinha. Em seguida voltou correndo para o livro. Abriu-o e leu os dizeres da primeira página.

O ENGENHOSO FIDALGO DOM QUIXOTE DE LA MANCHA
por
Miguel de Cervantes de Saavedra

– Saavedra! – exclamou. – Para que estes dois aa aqui, se um só faz o mesmo efeito? – e, procurando um lápis, riscou o segundo a.

Feita a correção, começou a folhear o livro. Que beleza! Estava cheio de enormes gravuras dum tal Gustave Doré, sujeito que sabia desenhar muito bem. A primeira gravura representava um homem magro e alto, sentado numa cadeira que mais parecia trono, com um livro na mão e a espada erguida na outra. Em redor, pelo chão e pelo ar havia de tudo: dragões, cavaleiros, damas, coringas e até ratinhos. Emília examinou minuciosamente a gravura, pensando lá consigo que se aqueles ratinhos estavam ali era porque Doré se esquecera de desenhar um gato.

Nisto ouviu barulho na varanda. Dona Benta e os meninos vinham entrando.

– Que é isso, Emília? – indagou a velha, ao dar com o *Dom Quixote* esparramado no chão. – Quem desceu esse livro?

– Foi a alavanca – respondeu a boneca. – Artes do Senhor Visconde, e por isso mesmo ficou mais chato que um bolo que a gente senta em cima. E mudo. Parece que morreu.

Narizinho e Pedrinho correram a examinar o Visconde.

– Coitado! – exclamou a menina. – Um Visconde tão bom, tão científico. Veja, Pedrinho, se dá um jeito nele.

– O caldo da ciência eu salvei – disse Emília mostrando um vidro de homeopatia.

Tia Nastácia veio da cozinha explicar o desastre.

– Mas de que modo o livro caiu lá de cima? – quis saber Dona Benta.

– Não sei, Sinhá. Ouvi um barulho. Corri e achei o livro no chão. Quando levantei o livro, encontrei embaixo uma chatura: era o pobre Visconde. Nem gemia. Estava morto duma vez...

– Mas como foi que o livro caiu lá de cima?

– Não sei, Sinhá. O que vi foi uma escada no chão, o livro em cima do Visconde e um cabo de vassoura. Diz a Emília que foi não sei que duma tal alavanca...

– Hum! Hum! – rosnou Dona Benta cravando os olhos na boneca. – Estou compreendendo tudo. Alavanca é ela...

Capítulo II
DONA BENTA COMEÇA A LER O LIVRO

O que não tem remédio, remediado está. O Visconde ficou encostado a um canto, e Dona Benta, na noite desse mesmo dia, começou a ler para os meninos a história do engenhoso fidalgo da Mancha. Como fosse livro grande demais, um verdadeiro trambolho, aí do peso de uma arroba, Pedrinho teve de fazer uma armação de tábuas que servisse de suporte. Diante daquela imensidade sentou-se Dona Benta, com a criançada em redor.

– Este livro – disse ela – é um dos mais famosos do mundo inteiro. Foi escrito pelo grande Miguel de Cervantes Saavedra... Quem riscou o segundo a de Saavedra?

– Fui eu – disse Emília.

– Por quê?

– Porque sou inimiga pessoal da tal ortografia velha coroca que complica a vida da gente com coisas inúteis. Se um a diz tudo, para que dois?

– Mas você devia respeitar esta edição, que é rara e preciosa. Tenha lá as ideias que quiser, mas acate a propriedade alheia. Esta edição foi feita em Portugal há muitos anos. Nela aparece a obra de Cervantes traduzida pelo famoso Visconde de Castilho e pelo Visconde de Azevedo,

– Ahn! – exclamou Emília. – Então foi por isso que o nosso Visconde mexeu nele – para conhecer a linguagem dos seus colegas viscondes. Que raça abundante! Três só aqui nesta salinha...

Dona Benta continuou:

– O Visconde de Castilho foi dos maiores escritores da língua portuguesa. É considerado um dos melhores clássicos, isto é, um dos que escreveram em estilo mais perfeito. Quem quiser saber o português a fundo, deve lê-lo – e também Herculano, Camilo e outros.

– O português perfeito é melhor que o imperfeito, vovó? – indagou Narizinho.

– Está claro, minha filha. Uma coisa, se é perfeita, está claro que é melhor que uma imperfeita. Essa pergunta até parece da Emília...

– Então comece – pediu Pedrinho.

E Dona Benta começou a ler:

– *"Num lugar da Mancha, de cujo nome não quero lembrar-me, vivia, não há muito, um fidalgo dos de lança em cabido, adarga antiga e galgo corredor."*

– Ché! – exclamou Emília. – Se o livro inteiro é nessa perfeição de língua, até logo! Vou brincar de esconder com o Quindim. *Lança em cabido, adarga antiga, galgo corredor...* Não entendo essas viscondadas, não...

– Pois eu entendo – disse Pedrinho. – Lança em cabido quer dizer lança pendurada em cabido; galgo corredor é cachorro magro que corre e adarga antiga é... é...

– Engasgou! – disse Emília. – Eu confesso que não entendo nada. Lança em cabido! Pois se lança é um pedaço de pau com um chuço na ponta, pode ser "lança atrás da porta", "lança no canto" – mas "no cabido", uma ova! Cabido é de pendurar coisas, e pedaço de pau a gente encosta, não pendura. Sabem que mais, meus queridos amigos? Vou brincar de esconder com o Quindim...

– Meus filhos – disse Dona Benta – esta obra está escrita em alto estilo, rico de todas as perfeições e sutilezas de forma, razão pela qual se tornou clássica. Mas como vocês ainda não têm a necessária cultura para compreender as belezas da forma literária, em vez de ler vou contar a história com palavras minhas.

– Isso! – berrou Emília. – Com palavras suas e de Tia Nastácia e minhas também – e de Narizinho – e de Pedrinho – e de Rabicó. Os viscondes que falem arrevesado lá entre eles. Nós, que não somos viscondes nem viscondessas, queremos estilo de clara de ovo, bem transparentinho, que não dê trabalho para ser entendido. Comece.

E Dona Benta começou, da moda dela:

– Em certa aldeia da Mancha (que é um pedaço da Espanha), vivia um fidalgo aí duns cinquenta anos, dos que têm lança atrás da porta, adarga antiga, isto é, escudo de ouro, e cachorro magro no quintal – cachorro de caça.

– Para que a lança e o escudo? – quis saber Emília.

– Era sinal de que esse fidalgo pertencia a uma velha linhagem de nobres, dos que antigamente, na Idade Média, usavam armaduras de ferro e se dedicavam à caça como sendo a mais nobre das ocupações.

– Vagabundos é que eles eram! – exclamou a boneca.

– Não atrapalhe, Emília – murmurou Narizinho. – Continue, vovó.

Dona Benta continuou:

RECONTOS DOM QUIXOTE DAS CRIANÇAS

– Morava em companhia duma sobrinha de vinte anos e duma ama de quarenta. Chamava-se Dom Quixote. Era magro, alto, muito madrugador e amigo da caça. E mais amigo ainda de ler. Só lia, porém, uma qualidade de livros – os de cavalaria.

– Eu sei o que é cavalaria – disse Pedrinho. – Depois das Cruzadas, a gente da Europa ficou de cabeça tonta e com mania de guerrear. Os fidalgos andavam vestidos de armaduras de ferro, capacete na cabeça e escudo no braço, com grandes lanças e espadas. Montavam em cavalos que eles diziam ser corcéis e saíam pelo mundo espetando gente, abrindo mouros pelo meio com espadas medonhas. As proezas que faziam eram de arrepiar os cabelos. Já li a história de Carlos Magno e os Doze Pares de França...

– Isso mesmo – confirmou Dona Benta.

– Eram os cavaleiros andantes. Depois de lermos o *Dom Quixote* havemos de procurar o *Orlando Furioso*, do célebre poeta italiano Ariosto – e vocês vão ver que coisa tremenda eram os tais cavaleiros andantes.

– Por que se chamavam assim? – indagou a menina.

– Porque viviam a cavalo, sempre a correr mundo atrás de aventuras. E tais e tantas foram suas aventuras, que os poetas começaram a contá-las em seus poemas como esse de Ariosto; e os prosadores também; de modo que a literatura daquele tempo era só de cavalaria andante, como hoje é quase só de bandidos e policiais.

"Cervantes escreveu este livro para fazer troça da cavalaria andante, querendo demonstrar que tais cavaleiros não passavam duns loucos. Mas como Cervantes fosse um homem de gênio, sua obra saiu um maravilhoso estudo da natureza humana, ficando por isso imortal. Não existe no mundo inteiro nenhuma criação literária mais famosa que a sua.

"Dom Quixote não é somente o tipo do maníaco, do louco. É o tipo do sonhador, do homem que vê as coisas erradas, ou que não existem. É também o tipo do homem generoso, leal, honesto, que quer o bem da humanidade, que vinga os fracos e inocentes – e acaba sempre levando na cabeça, porque a humanidade, que é ruim inteirada, não compreende certas generosidades.

"Pois é isso. De tanto ler aqueles livros de cavalaria, o pobre fidalgo da Mancha ficou com o miolo mole; entendeu de virar também cavaleiro andante e sair com a velha armadura herdada de seus avós, mais a lança e o escudo, a correr mundo atrás de aventuras, isto é, atrás de outros cavaleiros andantes com quem se bater, e de maus a quem castigar. No delírio do seu sonho imaginava até a conquista de um grande reino lá pelo Oriente.

"Tanto imaginou aquilo que um dia se resolveu. Largando os livros, foi ver o cavalo que tinha na cocheira. Era um pobre cavalo desses que por aqui chamamos matungo e velho até não poder mais. Ossos só. Mas a imaginação desvairada de Dom Quixote via tudo ao contrário da realidade. Olhou para o feixe de ossos sem ver osso nenhum – viu um maravilhoso cavalo igual aos mais famosos do mundo, como aquele Bucéfalo de Alexandre, o Grande, ou o Babieca do Cide."

– Que Babieca é esse, vovó? – indagou a menina.

– O Cide foi um famosíssimo herói espanhol, que a lenda pinta como o maior fazedor de proezas da Espanha. Chama-se Dom Rodrigo de Bivar. E, como um herói desse tamanho tem que ter um cavalo também heroico, apareceu o Babieca, que hoje ocupa na literatura um lugar semelhante ao de Bucéfalo.

"Dom Quixote olhou para o seu cavalo magro, a pensar no nome que lhe daria. Tinha de ser um nome e tanto, que ficasse famoso como o de Bucéfalo ou o de Babieca. Depois de muito pensar achou um: Rocinante."

– Que quer dizer?

– Nada. Talvez a palavra venha de rocim, que hoje significa animalzinho magro, cavalinho à toa. O fidalgo achou sonoro o nome de Rocinante e com ele batizou o seu cavalo. Esse nome se tornou tão célebre no mundo inteiro que hoje quem vê um cavalo velho, magríssimo, diz logo: "Ali está um rocinante". Passou de nome próprio a nome comum.

"Muito bem. O nome do cavalo estava arranjado. Restava arranjar um bom nome para si próprio, visto que todos os cavaleiros andantes tinham lindos nomes, como o célebre Amadis de Gaula, que entre todos os cavaleiros andantes era o que Dom Quixote mais admirava. Sendo Quisana, ou Quezana, o verdadeiro nome do fidalgo da Mancha, dessa palavra tirou ele, Quixote, e como fosse nascido naquela aldeia da Mancha, ajuntou ao nome Quixote o nome da Mancha. Ficou sendo Dom Quixote de la Mancha. Bonito, hein?

"Bem. A coisa ia indo. Restava ainda arranjar a dama dos seus amores, porque todos os cavaleiros andantes dos livros viviam loucos de amor por uma dama misteriosa, também de lindo nome, a quem juravam servir a vida inteira, proclamando-a sempre a mais bela de todas. E ai de quem duvidasse disso! Vinham logo espetadas de lanças e espadadas de abrir uma pessoa de alto a baixo.

"Dom Quixote pensou, pensou. Por fim lembrou-se duma camponesa das vizinhanças a quem andou arrastando a asa quando mais moço, chamada Aldonça. Mas Aldonça, nome muito vulgar naquele tempo, não ficava bem à grande dama dum cavaleiro andante, e ele batizou-a de Dulcineia del Toboso. Toboso era a aldeia onde morava Aldonça.

"Muito bem. Estava tudo resolvido. Tinha cavalo, tinha nome sonoro e tinha a dama dos seus amores. Só restava enfiar no corpo a armadura e partir. A armadura, velhíssima, havia pertencido a um seu bisavô. Ele remendou-a como pôde e um belo dia, pela madrugada, fez o que vocês fazem aqui, quando vão meter-se em aventuras: ergueu-se nas pontinhas dos pés sem o menor barulho para não acordar a sobrinha e a ama, e dirigiu-se à estrebaria onde encilhou Rocinante. Montou e partiu. Quando o dia rompeu, já ele estava longe da aldeia em pleno campo deserto.

"Mas faltava ainda uma coisa. Os cavaleiros podem ter cavalo de nome bonito; podem ter armaduras; podem ter damas de amores – mas, antes de serem armados cavaleiros, não são cavaleiros."

Capítulo III
PRIMEIRAS AVENTURAS

– Dom Quixote já não estava armado? – observou Emília.

– Ser "armado cavaleiro" é coisa diferente de um cavaleiro armar-se com armaduras e armas. Ser armado cavaleiro é receber o grau de cavaleiro andante, dado por outro cavaleiro. E nisso ia pensando Dom Quixote pelo caminho. Era-lhe absolutamente indispensável encontrar um cavaleiro que o armasse cavaleiro. Mas onde esse cavaleiro padrinho? Dom Quixote olhava dum lado e de outro e só via o deserto. Nem sombra de cavaleiro.

Súbito, distingue ao longe um desses pobres albergues de beira de estrada muito comuns na Espanha; mas para sua imaginação sempre em fogo aquilo se afigurou imponentíssimo castelo com torres, ameias, ponte levadiça e o mais dos castelos famosos.

Ótimo. Lá dentro encontraria o cavaleiro em condições de o armar cavaleiro. O costume no tempo dos castelos era, quando algum visitante se aproximava das suas muralhas, ser avistado por algum anão do alto das torres, o qual anão tocava uma corneta, dando aviso ao senhor de que havia gente fora. Dom Quixote deteve-se a certa distância, à espera de que soasse o toque de "cavaleiro andante à vista". Não soou coisa nenhuma e como Rocinante, com uma fome danada, estivesse impaciente por entrar na estrebaria, Dom Quixote aproximou-se do albergue.

Na porta estavam duas mulheres do povo – mulheres vagabundas, dessas que hoje chamam "mulheres de porta de venda". Para a sua imaginação, entretanto, pareceram formosíssimas castelãs que ali respiravam a brisa do campo. E para elas se dirigiu. Nisto ecoou no pasto atrás da casa uma buzina: tratadores de cabras que faziam soar o toque de recolher. "Ótimo!" – pensou consigo o fidalgo. – "O anão da torre está dando ao senhor do castelo o aviso da minha chegada" – e aproximou-se das vagabundas, as quais, com medo daquela criatura tão esquisita, toda enlatada e armada, fizeram menção de fugir para dentro. Dom Quixote as sossegou com um gesto, e erguendo a viseira descobriu o rosto magro, coberto de pó.

– Que é viseira? – perguntou Narizinho.

– Viseira é a parte da armadura que recobre o rosto do cavaleiro. Uma parte móvel, que se ergue quando o enlatado deseja mostrar a cara, falar ou comer. Ergueu a viseira e disse:

"Não vos assusteis, ó gentis donzelas, de me verdes assim armado diante dos vossos divinos olhos. Pertenço à ordem dos cavaleiros andantes, a qual manda defender e acatar o belo sexo."

As vagabundas abriram a boca mal compreendendo tão lindas palavras. Por fim riram-se de serem tratadas de "gentis donzelas"; riram-se indecentemente, como as vagabundas costumam rir-se, o que muito desapontou e aborreceu o fidalgo. E já ia ele censurá-las, quando surge na porta um carão redondo e vermelho. Era o dono do albergue. Ao ver diante de si aquele cavaleiro magro e alto, todo ferragens pelo corpo e montado num feixe de ossos, teve vontade de rir também; só não o fez de medo da lança e da carranca do desconhecido. Conteve-se e disse:

"Ilustríssimo senhor cavaleiro, se Vossa Senhoria pretende pernoitar aqui, devo avisá-lo de que cama não há nenhuma; mas não sendo cama, tudo mais está às ordens de Vossa Senhoria.."

Pelo tom daquelas palavras Dom Quixote deduziu estar diante do senhor do castelo em pessoa, e respondeu-lhe:

"Por mim, senhor castelão, qualquer coisa me basta, pois que meu vestuário são as armas e meu descanso é o pelejar."

Ao ver-se tratado de castelão, o estalajadeiro refranziu a testa, nada entendendo; mas foi tratando de levar Rocinante à estrebaria, onde o desarreou e lhe deu água e capim. Em seguida voltou a saber que mais o fidalgo ordenava. Encontrou-o já reconciliado com as duas vagabundas, que o despiam da armadura. Tiraram-lhe o peitoral, o espaldar e ontras peças. Na viseira embaraçaram-se, por estar amarrada com uma fita verde na nuca.

"É nó cego" – disse uma. "Não desata. Só cortando com tesoura."

Mas o fidalgo não consentiu que lhe cortassem um nó tão bem dado e ficou de viseira no rosto. Impossível imaginar-se figura mais cômica – ele, muito alto e magro, despido da armadura toda, exceto no rosto... Aquelas gentilezas das "castelãs" encheram-no de gamenhice, fazendo-o improvisar uns versos:

> Nunca foi um cavaleiro
> De damas tão bem servido
> Como eu sou neste momento.
> Ao chegar da minha aldeia
> Donzelas cuidam de mim,
> Castelãos do meu rocim...

As "donzelas" nada entenderam, de tão brutas que eram, e o dono do albergue, voltando da estrebaria, disse ao fidalgo:

"Senhor paladino, como hoje é sexta-feira, só temos por aqui bacalhau com batatas. Se Vossa Senhoria não despreza este petisco dos pobres, correrei a servi-lo."

Dom Quixote deu a entender que para quem está morrendo de fome bacalhau é um manjar divino – o dono do albergue foi à cozinha buscar a coisa. Voltou com uma pratarrada de bacalhau com batatas, mais um pedaço de pão duro como pau, que colocou sobre a mesa sujíssima. Dom Quixote sentou-se e tentou comer. Mas comer como, com aquela ferragem na cara? Erguia a tampa da viseira; ao fazer o menor movimento com o queixo, a tampa caía e lhe fechava a boca.

O remédio foi ser ajudado pelo estalajadeiro e pelas "donzelas", as quais seguraram a tampa no alto, enquanto o homem ia, com o garfo, enfiando no herói, pela fresta da ferramenta, pedaços de bacalhau e batatas. A fim de despejar lá dentro vinho, teve de empregar um funil. E o fidalgo da Mancha tudo suportava só para que não lhe bulissem na fita verde que com certeza imaginava um presente da sua Dulcineia.

– Já vi Tia Nastácia encher assim o papo dum pinto doente – observou Emília. – Mas esse pinto não era andante – não tinha viseira.

Dona Benta riu-se da asneirinha e continuou:

– Terminado o enchimento do herói da Mancha, levantou-se ele e, pegando o estalajadeiro pela mão, levou-o para a estrebaria, onde estavam suas armas. Ajoelhou-se ao lado delas e disse:

"Valentíssimo cavaleiro, tenho um grande pedido a fazer."

O homem arregalou os olhou, surpreso.

"O que desejo ardentemente", continuou Dom Quixote, "é que amanhã bem cedo Vossa Senhoria me confira a ordem da cavalaria andante. E para isso, de acordo com as regras, tenho de passar a noite na capela deste alcáçar velando as armas."

– Que é alcáçar, vovó? – interrompeu Narizinho.

– É o mesmo que castelo, fortaleza. E velar as armas era uma cerimônia da cavalaria. Antes de ser armado cavaleiro, o candidato devia passar a noite diante de suas armas, velando-as.

– Quanta besteira, meu Deus! – exclamou Emília. – E ainda me chamam asneirenta. Asneirenta é a humanidade...

– Bem – exclamou Dona Benta, rindo-se. – O estalajadeiro ouviu aquilo e disse:

"Senhor fidalgo, esse desejo é bem digno da grande alma de Vossa Senhoria e será grande prazer meu satisfazê-lo. Sim, ilustríssimo cavaleiro, eu também, quando mais moço, dei-me a altas cavalarias. Que o digam as tavernas e subúrbios da cidade de Toledo, que foram os cenários das minhas façanhas. Depois que envelheci, retirei-me para este... castelo, onde minha profissão é hospedar cavaleiros andantes. Capela para velar as armas não tenho no momento, porque mandei derrubar a que havia a fim de construir outra muito mais luxuosa. Mas Vossa Senhoria não ignora que em casos excepcionais quando não há capela, os cavaleiros andantes podem velar as armas em qualquer lugar. Fique Vossa Senhoria aqui no pátio velando as armas que amanhã cedo realizarei a cerimônia. Mas antes disso: Vossa Senhoria traz dinheiro?"

"Dinheiro!", exclamou Dom Quixote. "Jamais li em meus livros que os cavaleiros andantes andassem munidos do vil metal."

O estalajadeiro torceu o focinho.

"Peço licença para declarar a Vossa Senhoria que Vossa Senhoria se engana nesse ponto. Se os livros nada falam a respeito, é que julgam ser matéria tão sabida que nem merece referência. Posso afirmar a Vossa Senhoria que os cavaleiros andantes andam sempre com a bolsa bem recheada; e por isso, na qualidade de próximo padrinho de Vossa Senhoria, ordeno que nunca mais corra mundo sem dinheiro, visto como o dinheiro é a vida, a alma e o sangue de tudo."

Dom Quixote prometeu seguir o conselho e transferiu-se para o pátio, onde colocou a armadura sobre o tanque de lavar roupa, já que não podia colocá-la sobre um altar de capela. Em seguida uniu a espada ao peito, empunhou a lança o pôs-se a passear de cá para lá, de lá para cá, diante das armas ao clarão da lua. Velar as armas era aquilo.

Uma hora mais tarde um tropeiro, também hospedado na estalagem, lembrou-se de dar água à sua mula. Veio ao pátio. Como visse aquela armadura trancando o tanque, arredou-a para que o animal pudesse beber. O fidalgo interrompeu o vaivém para berrar com voz de trovão:

"Ó tu, quem quer que sejas, atrevido cavaleiro, não toques nessa armadura sob pena de pagares com a vida a ousadia."

O labrego não fez caso da trovoada – ao contrário: irritou-se e jogou com toda a lataria no chão, longe dali. Ah! por que o fez? Aceso em cólera, Dom Quixote ergueu os olhos para o céu, exclamando:

"Dulcineia, senhora minha, ajuda neste passo o teu fiel cavaleiro!" – e arremete contra o bruto, de lança erguida qual porrete. E tamanho golpe lhe assenta no coco, que o estira. Vendo o atrevido por terra, imóvel, ajunta as armas e recoloca-as no altar do tanque. E continua de lá para cá, de cá para lá, como se nada houvesse acontecido.

Logo depois outro tropeiro aparece no pátio para o mesmo fim e igualmente limpa o tanque daquela tranqueira. Desta vez Dom Quixote não invocou a sua Dulcineia: foi descendo a lança na cabeça do homem sem dizer água vai. O berro que ele deu fez que acudissem o estalajadeiro e mais gente do albergue. Fechou-se o tempo. Os companheiros dos dois espancados, enfurecidos, armaram-se de paus e pedras para reduzirem Dom Quixote a pedacinhos. O herói, porém, com toda a imponência, ficou de lança em riste, a esperá-los impávido – e ainda por cima os insultava de vil canalha.

Vendo o caso malparado, o estalajadeiro acalmou os homens; mas resolveu desembaraçar-se de Dom Quixote o mais depressa possível. Declarou-lhe não ser necessário esperar pela manhã, pois podia armá-lo cavaleiro naquele mesmo instante. E foi correndo buscar um livro e um toco de vela.

O livro devia ser um livro sagrado. Como não houvesse nenhum, ele trouxe o borrador onde fazia os seus assentos diários. Também trouxe consigo as duas mulheres e um ajudante.

"Tudo arrumado, senhor cavaleiro!"

Dom Quixote ajoelhou-se diante do padrinho, o qual rosnou, com o livro aberto, umas tantas palavras ininteligíveis; depois deu um leve golpe no pescoço do fidalgo. As duas mulheres cingiram-lhe a espada e calçaram-lhe as esporas. Pronto! Estava o grande herói da Mancha transformado num legítimo cavaleiro andante, segundo todas as regras da ordem.

O júbilo de Dom Quixote foi intenso e imediatamente a comichão das aventuras fez-se sentir em seu corpo e em sua alma. Correu a selar Rocinante. Montou. Despediu-se do padrinho e lá partiu no galope.

Que alívio! Embora não recebesse um vintém pela hospedagem do afilhado, o estalajadeiro deu-se por bem pago com vê-lo afastar-se dali naquela rapidez. *Uf!*...

Capítulo IV
TERRÍVEL COMBATE

Ao sair da estalagem, convencido de que estava mesmo armado cavaleiro, Dom Quixote tocou para sua aldeia a fim de rechear o bolso, conforme o conselho do padrinho. Ia em meio da viagem quando lhe chegaram aos ouvidos os berros de dor duma criatura humana. Os sons partiam dum bosque próximo.

"Graças aos céus – murmurou ele – posso já no primeiro dia exercer o mais santo dever da minha nobre profissão de cavaleiro!"

Disse e cravou as esporas nos ossos de Rocinante. Num ápice estava no ponto donde vinham os gritos. Que vê lá? Um menino, assim um pouco maior que Pedrinho, amarrado a um tronco de árvore a receber uma tremenda sova de correia. A cada golpe o menino urrava e jurava:

"Nunca mais, senhor meu amo, nunca mais o lobo me enganará! Juro por todos os santos!"

Mas o patrão não queria saber de nada, e *lepte! lepte!*

"Crudelíssimo cavaleiro – gritou Dom Quixote – a ação que praticas é dum perfeito covarde. Monta no teu matungo e defende-te!"

O verdugo entreparou, olhando com olhos pasmados para aquela estranha figura de herói que assim tão de surpresa o interrompia – e teve medo da lança que Dom Quixote apontava para ele. Desculpou-se.

"Senhor cavaleiro – disse com humildade – este rapaz é meu empregado, guardador de ovelhas; mas guarda-as tão mal que raro o dia não me some alguma."

"Mentira! – gritou o menino. – Ele está a bater-me porque lhe pedi a paga de seis meses de ordenado que me deve, a sete moedas cada mês."

"Não te devo tanto assim, meu caro – contestou o patrão. – Esqueces de levar em conta que te forneci três pares de sapatos e ainda paguei as três sangrias que te fez o barbeiro quando estiveste doente."

"Basta de discussões – disse Dom Quixote. – Desamarra o menino e paga-lhe os seis meses atrasados – e já! Os sapatos e as sangrias fiquem como indenização das injustas lambadas que lhe deste."

"Senhor – respondeu o patrão desamarrando o menino – dinheiro não tenho nenhum cá comigo; mas André que vá à minha casa que tudo receberá até o derradeiro vintém."

"Nessa não caio eu! – gritou o menino. – Se ele me apanha lá, esfola-me vivo."

"Não será assim, André – observou Dom Quixote. – Farei este cavaleiro jurar o cumprimento da promessa, e lhe concederei que vá até sua casa contigo. Respondo pelo pagamento. E fica tu sabendo que sou Dom Quixote de la Mancha, um cavaleiro andante que corre mundo em defesa dos inocentes."

O patrão jurou e rejurou por todas as ordens de cavalaria existentes e por existirem, com grande satisfação do herói da Mancha, que, esporeando o magríssimo ginete, tocou para adiante no galope.

Assim que Dom Quixote desapareceu ao longe na curva da estrada, o malvado patrão voltou-se para o menino, dizendo:

"Muito bem, meu rapaz, vou pagar-te os atrasados aqui mesmo, como prometi àquele cabide de ferragens que lá vai."

"Pois está claro – tornou o bobinho. – Se não me pagar tudo quanto deve, correrei atrás dele para que volte e castigue exemplarmente o caloteiro."

"Ótimo! – exclamou o patrão – mas para aumentarmos a paga, acho bom aumentarmos a dívida. Disse e *nhoque!*, agarrou o menino, amarrou-o novamente à árvore e – *lepte! lepte!*, deu-lhe tal surra que o deixou recoberto de vergões. Por fim desatou-o entre gargalhadas: – Vai agora atrás do tal defensor dos inocentes e pede-lhe que te cure o lombo. Ah! ah! ah…"

– E o menino foi? – indagou Narizinho, danada com a brutalidade do homem.

– Ir, como? O coitadinho estava que nem podia consigo e Dom Quixote já havia dobrado a curva da estrada, muito contente consigo mesmo do ato de justiça que praticara.

– Pois eu ia – disse Pedrinho. – Fugia e saía pelo mundo até encontrar de novo Dom Quixote e trazê-lo para rachar o brutamontes de alto a baixo com a lança.

– Com a espada – emendou Emília. – Lança é só para espetar.

– Com a lança ou espada – insistiu Pedrinho. – Com essas duas armas pode-se fazer as duas coisas – rachar ou espetar.

– Não pode – contestou Emília. – Espada corta; o que corta não racha.

– Pode, sim, boba. Machado corta e racha.

– Mas lança não racha.

– Racha!

– Não racha!

– Racha!

Dona Benta interveio.

– Parem com isso e vamos à história. O menino André não foi à procura do herói da Mancha para que viesse espetar ou rachar o cruel patrão. Ficou por ali, estirado, a gemer, enquanto o carrasco, de mãos na cintura, se ria, gozando a peça.

– E Dom Quixote? – perguntou a menina.

– Dom Quixote estava longe e já com outra aventura engatilhada. Tinha visto um grupo de mercadores de Toledo que iam a comprar sedas em Múrcia, homens graúdos, bem montados em nédias mulas, com grandes guarda-sóis abertos.

– Nédias mulas quer dizer mulas ruças ou ruanas? – indagou Pedrinho.

– Não. Nédia quer dizer gorda, desse gordo que deixa os animais lustrosos.

– Pode-se dizer que fulana é uma moça nédia?

– Pode-se, mas é impróprio. Essa palavra se aplica quase que só aos animais.

– Mas a moça também é animal – objetou Emília. – Vegetal não é, apesar de haver moças chamadas Margarida, Violeta, Rosa etc.

– Boba – disse Narizinho. – Quando vovó fala de animal, quer dizer animal irracional, isto é, animal de rabo. Continue, vovó. Dom Quixote viu os mercadores de seda e...

– Bem – continuou Dona Benta. – Dom Quixote viu os mercadores repimpados em suas nédias mulas, de guarda-sóis abertos e seguidos de quatro capatazes a cavalo e mais três a pé. Lá consigo pensou: "Vamos ter aventura grossa!", e espetou-se no meio da estrada à espera dos homens. Quando eles chegaram a ponto de fala, bradou-lhes com arrogância:

"Não adianteis de um só passo antes de confessardes que a mais formosa dama do mundo é a sem-par Dulcineia del Toboso."

Surpreendidos com aquelas estranhas palavras, os mercadores entrepararam, de olhos fixos na estranha figura daquela ferragem falante. E um de língua mais solta exclamou:

"Que raio do diabo quer esse doido com a sua vesga Dulcineia? Ora já se viu que estupor?"

O sangue subiu ao rosto de Dom Quixote.

"Oh, infame canalha! – urrou ele. – Vou ensinar-te a respeitar a altíssima rainha da Mancha."

Disse e investiu de lança contra o mercador de língua solta. Infelizmente o pobre Rocinante tropeçou numa pedra e afocinhou, dando com o cavaleiro em terra, onde, embaraçado pelo trambolho da armadura que tinha no corpo, mais o escudo, a lança e a espada, ficou estatelado, sem conseguir erguer-se. Mesmo assim não cessou de lançar insultos contra os seus inimigos.

– "Não fujais, covardes! Unicamente a queda do meu ginete me impede de castigar-vos pela blasfêmia proferida."

Mas ninguém estava fugindo; ao contrário, estavam avançando. Um dos homens a pé arrancou-lhe a lança, e depois de parti-la ao joelho em dois pedaços malhou com um deles no cavaleiro, como quem malha feijão. Por fim largou-o, indo juntar-se ao grupo já a caminho.

– Com que pedaço ele malhou? – quis saber a Emília. – Com o mais grosso ou o mais fino?

Capítulo V
Dom Quixote volta para casa. A queima dos livros

Sem responder à pergunta, Dona Benta continuou:

– Quando o pobre cavaleiro andante se viu só, com o grupo já bem longe, soltou um profundo gemido. Quis levantar-se. Impossível. Estava completamente derreado. Deixou-se então ficar onde estava, a recordar vários lances da cavalaria andante em que o herói se vira em condições ainda piores que a sua. Vieram-lhe à lembrança uns versos de uma das histórias lidas.

> Onde estás, senhora minha,
> Que não te dói o meu mal?
> Ou não o sabes, senhora,
> Ou és falsa e desleal!

Nesse ponto apareceu gente. Apareceu um homem lá da aldeia dele, que andava em compras de trigo. Vendo o cavaleiro caído, correu a socorrê-lo. Tirou-lhe a viseira e exclamou:

"Que é isto? O Senhor Dom Quixote por aqui, neste estado? Fale! Que foi que lhe sucedeu?"

Mas não obteve resposta. O herói da Mancha perdera a fala.

Vendo a gravidade do seu estado, o homem o tomou nos ombros e o arrumou dobrado em dois sobre o burrinho em que viera. Depois recolheu as armas por ali espalhadas, o escudo, o espadão, os pedaços da lança, pendurando tudo sobre a sela do Rocinante – e lá se foi para a aldeia com aquele carregamento de cacos.

Ia caindo a noite quando parou à porta da casa de Dom Quixote, onde tudo andava de pernas para o ar desde o dia do seu desaparecimento. O cura da aldeia e o barbeiro lá se achavam, conversando com a ama e a sobrinha.

"Veja, senhor cura – dizia a ama – veja que desgraça! Há já seis dias que o nosso homem desapareceu com o cavalo, a lança, o escudo e aquela ferragem da armadura do bisavô! Tudo por causa dos tais malditos livros de cavalaria, que lhe viraram a cabeça..."

"É verdade, sim – confirmou a sobrinha. – O senhor cura pode crer que o meu honrado tio passava às vezes até quarenta e oito horas seguidas agarrado a esses bolorentos livros, sem querer saber de mais nada. Só os largava para erguer-se, pegar da espada e atirar golpes contra as paredes, gritando que estavam ali torres e gigantes. E quando, já exausto, não podia mais suster a espada, bebia um copão d'água, dizendo ser o preciosíssimo elixir com que o brindara o encantador Esquife, seu amigo."

"Fizemos mal em deixá-lo entregar-se de corpo e alma a tais livros – observou o cura. – O melhor é queimá-los todos sem demora. Chega o dano que já causaram."

Foi nesse ponto da conversa que soaram batidas à porta. Um criado correu a abrir, e com o maior dos espantos todos deram com a estranha carga que o homem trazia em seu burrico.

A sobrinha, a ama e o cura correram de braços abertos para o reaparecido, mas Dom Quixote não estava em estado de receber abraços de ninguém; só queria cama.

"Deitai-me já – murmurou com voz fraca – pois estou bastante moído, por culpa de Rocinante – e chamai quanto antes uma fada que me cure."

"Hum! – fez a ama virando-se para o cura. – Que lhe disse eu?" E para o fidalgo em pandarecos: "Venha, venha, senhor. Nós o poremos são como um pero, sem auxílio de fada nenhuma".

Com muitas cautelas, os homens ali presentes puseram Dom Quixote sobre a sua macia cama. Tiraram-lhe as ferragens; examinaram-lhe o corpo em procura de ferimentos; não acharam nenhum – apenas machucaduras.

"Eu estou é contuso – disse ele. – Numa luta contra terríveis gigantes meu cavalo veio ao chão e não pude defender-me. Moeram-me."

"Tá, tá, tá! – exclamou o cura. – Lá vêm os gigantes! Não há remédio: temos de queimar os tais livros quanto antes."

Foram feitas mais algumas perguntas ao herói escalavrado, mas Dom Quixote não queria saber de histórias. Só queria comer e dormir, de modo que tiveram de o deixar em paz.

No dia seguinte, muito cedo, enquanto o fidalgo ainda estava no melhor do sono, o cura voltou com o barbeiro. Depois de alguns cochichos com a sobrinha e a ama, foram-se todos à biblioteca, na ponta dos pés. Arrecadar os livros de cavalaria não custou muito, porque tudo lá era cavalaria – mais de cem, afora os miúdos. Foram levados para o quintal. Momentos depois uma enorme fogueira os devorava.

"Louvado seja Deus! – exclamou a ama diante do montão de cinzas. – Pelo menos estes não mais mexerão com a bola do senhor meu amo."

Mal acabara de dizer isso, ressoam lá dentro berros de Dom Quixote.

"Acudi, acudi, valorosos cavaleiros! – bradava ele. – Nesse andar, os cortesãos vencem a partida!"

Todos correm para o quarto do herói, e com espanto o veem de pé, em fraldas de camisas fazendo com a espada mil movimentos como se estivesse a bater-se contra gigantes invisíveis. O criado agarra-o pela cintura, e, a custo, ajudado pelo barbeiro, domina-o, despindo-o das ferragens e deitando-o novamente. Depois que sossegou um bocado, Dom Quixote disse ao cura:

"Ora, pois, senhor Arcebispo Turpim, não é a maior das vergonhas que por artes do vil encantador dos Doze Pares de França a vitória deste torneio penda para os cortesãos do Imperador Carlos Magno?"

Vendo que o doente ainda estava fora do juízo, o cura respondeu de modo a acalmá-lo, como se realmente ele, o cura, fosse o Arcebispo Turpim:

"Oh, não se aflija com isso, Senhor Dom Quixote. O que se perde hoje, ganha-se amanhã."

"Assim o espero, Senhor Arcebispo" – respondeu o fidalgo suspirando. E pediu o almoço.

Devorado o almoço, recaiu novamente no sono.

A fim de cortar o mal pela raiz, o cura e o barbeiro mandaram fechar com tijolos a porta que dava para a biblioteca, de modo que ninguém desconfiasse ter havido porta ali e foi recomendado à ama que, se ele estranhasse a ausência da porta, lhe dissesse que desaparecera por artes dum encantador.

Três dias após, quando o fidalgo se ergueu da cama, a primeira coisa que fez foi encaminhar-se para a biblioteca em procura dos amados livros. Mas ficou atônito ao dar com uma parede contínua sem marca nenhuma de porta. Apalpou-a, sondou, examinou. Por fim chamou a ama.

"E a biblioteca?"

"Sumiu, senhor – disse ela. – Enquanto meu amo esteve por fora em aventuras, um maldito mágico apareceu por cá, montado num dragão, e entrou na livraria. O que lá fez não sei. Só sei que a livralhada, e mais a sala da biblioteca, tudo desapareceu, e o mágico se sumiu pelo teto, numa fumaceira, berrando: 'Sou Munhaton! Sou Munhaton!'"

"Não era Munhaton – explicou Dom Quixote. – Era Freston. Oh, conheço-o muito bem! Trata-se do mais cruel dos meus inimigos. Persegue-me porque está escrito que um dia hei de vencer na luta certo cavaleiro que Preston muito protege."

"Ninguém duvida de semelhante coisa – observou a sobrinha, que ouvia o diálogo. – Mas diga-me rico tio, para que anda vosmecê a amofinar-se com aventuras, quando pode estar tão sossegadinho em casa? Isso de aventuras é perigoso. Lá diz o povo que quem vai buscar lã muitas vezes volta tosquiado."

"Cala-te! – retorquiu Dom Quixote. – Cá comigo, antes que me tosem eu os deixo pelados como leitões" – e embezerrou.

Durante uns quinze dias o herói da Mancha teve comportamento duma criatura normal. Mas não estava curado, não. Nos seus passeios pelas vizinhanças conseguiu seduzir um pobre lavrador de cabeça fraca e alma crédula, ao qual prometeu mundos e fundos, caso quisesse acompanhá-lo em novas aventuras.

"Sim, meu caro Sancho (Sancho Pança era o nome do lavrador). Serás meu escudeiro – e o escudeiro dum cavaleiro andante acaba sempre, no mínimo, governador dalguma ilha."

A palavra "governador" fez Sancho esbugalhar os olhos e cair em cismas. Era tentação forte, à qual não soube resistir e lá consigo deliberou largar a mulher e os filhos para deitar-se ao mundo como escudeiro do herói da Mancha. Combinado tudo, Dom Quixote lembrou-se do conselho do seu padrinho do castelo, isto é, de munir-se de dinheiro. Vendeu mais alguma terra, empenhou o que pode e desse modo conseguiu rechear a sua bolsa.

Em seguida tratou de refazer do melhor modo a velha armadura avariada pela surra do arrieiro, depois do que ajustou com Sancho a hora e o dia da viagem. Sancho teria de prover-se dos necessários alforjes, indo montado em seu burrinho, um excelente e fiel animal.

A princípio a ideia de andar à aventura seguido dum escudeiro montado em burro não agradou lá grande coisa ao fidalgo; mas por fim consentiu, lembrando-se que poderia dar a Sancho o corcel do primeiro cavaleiro encontrado pelo caminho e vencido em luta.

Tudo bem planejado e arranjado, partiram certo dia sem que os da casa vissem; ao romper da manhã estavam já tão longe que ninguém os poderia alcançar. Sancho, com as banhas escarranchadas no jumento e os bojudos alforjes lado a lado, dava a ideia dum patriarca bonachão. Em certo momento tomou da cabaça que trazia a tiracolo e disse, antes de sorver um gole:

"Ah, Senhor Dom Quixote, rogo-lhe que nunca se esqueça da ilha que me prometeu. Juro governá-la com a maior sabedoria."

"Descansa, amigo Sancho. Serei mais generoso contigo do que muitos cavaleiros de fama o foram com seus servidores. Costumavam deixá-los envelhecer sem nunca os galardoar com a merecida recompensa. Quando muito lhes davam alguma província e um reles título de conde ou marquês. Eu, porém, em menos de seis dias espero conquistar todo um reino – ou dois, e este segundo será teu."

"Oh, meu querido amo! – exclamou o escudeiro batendo palmas, aos pulos na sela. – Quer dizer então que ainda serei rei e a minha mulher Teresa, rainha e meus filhotes, príncipes?"

"Está claro" – confirmou Dom Quixote.

Mas Sancho pôs-se a rir. Estava a pensar na sua mulher.

"Coitada! – exclamou. – Ainda que chovam coroas, creio que nenhuma se ajustará na cabeça da pobre Teresa. Não dá para rainha, não, a coitada... Condessa ainda vá lá; mas rainha..."

"Não te preocupes com isso, Sancho. Tudo se há de resolver do melhor modo. Neste momento o que posso assegurar-te é que receberás um reino."

"Os anjos digam amém – murmurou Sancho com os olhos no céu. – Eu cá de mim fico sossegado, porque sei que palavra de cavaleiro não volta atrás. Inda mais a palavra do maior cavaleiro da Mancha, o meu valorosíssimo amo..."

Capítulo VI
PRIMEIRAS AVENTURAS EM COMPANHIA DE SANCHO

Dona Benta parou nesse ponto porque já era tarde – nove horas, hora de cama. Os meninos foram dormir e sonharam com as aventuras narradas. O melhor sonho foi o da Emília, que ela contou no dia seguinte.

– Ah, vocês nem calculam a sova que eu dei no tal malvado patrão de André! Ele apareceu por aqui, com aquela cara lavada de sem-vergonha.

"Senhorita, poderá fazer o obséquio de dizer-me se é aqui o sítio de Dona Benta?" – perguntou muito amável.

Eu, que sabia a malvadeza dele, fiz-me de tola.

"É, sim, seu cara-de-coruja. Que deseja Vossa Senhoria?"

"Vim ver se não está escondido por aqui um tal Andrezinho, um menino que eu quero muito, muito, muito bem! De medo dum doido vestido de armadura que anda a correr as estradas, ele fugiu-me lá do meu sítio e..."

"Ah, sei – disse eu. – Um tal Dom Quixote, não é? Um cavaleiro malvado que corre mundo a surrar as crianças, não é?"

O homem desconfiou um bocadinho. Eu continuei:

"Está aqui, sim. Está escondidinho no quintal, de medo do tal cavaleiro de ferro que bate nas crianças. Vamos até lá."

E levei-o ao quintal, onde Quindim estava pastando sossegadamente. O homem nunca tinha visto rinoceronte. Assustou-se.

"Que é aquilo? aquele monstro?"

"Não tenha medo – respondi. – É um rinoceronte de mentira que Pedrinho fez. De papelão. Não chifra."

"Mas como está pastando?", perguntou ele.

"Está pastando de mentira, bobo. Tudo é de mentira. Pedrinho é um danado para fazer coisas assim."

O homem acreditou e foi se aproximando do Quindim. E eu:

"O Andrezinho está escondido atrás desse bicho de papelão."

Ele foi chegando, chegando... De repente, gritei:

"Pega, Quindim!" – e Quindim deu um daqueles botes famosos – com o chifrão apontado, feito lança de Dom Quixote.

Nossa Senhora! Queria que vocês ouvissem o berro que o homem deu! Saiu numa disparada que mais parecia veado. Na porteira do pasto tropicou numa pedra e fez o mesmo que Rocinante: afocinhou. Rachou o nariz. E Quindim em cima – *fuqt fuqt* –, espetando-o com o chifre. E eu cá a berrar...

– Espere, Emília – disse Narizinho. – Esse sonho está muito bem arranjado para ser verdadeiro. O que você está fazendo é nos tapear com uma das suas lorotas.

Nesse momento entrou Dona Benta, que vinha continuar a história. Sentou-se e disse:

– Muito bem. Onde ficamos ontem?

– Dom Quixote estava outra vez na estrada, em companhia de Sancho, conversando sobre a ilha – lembrou Pedrinho.

– Isso mesmo – disse Dona Benta. – Estavam a conversar sobre a futura ilha de Sancho, quando o herói viu ao longe uns vinte ou trinta moinhos de vento.

"Sancho, meu caro Sancho! – bradou Dom Quixote. – A fortuna começa a favorecer-nos. Não vês lá ao longe aquele exército de gigantes?"

"Gigantes? – repetiu o escudeiro voltando-se para todos os lados. – Não vejo nem sombra de gigantes, senhor..."

"Aquilo, acolá" – disse Dom Quixote, com o magro dedo apontado.

"Oh, senhor! Aquilo nunca foi exército de gigantes. Não passa duns tantos moinhos de vento. Nada mais."

"São gigantes, sim – insistiu o herói – e vou combatê-los. Depois de derrotados ficaremos com os despojos. Ajoelha-te, Sancho, e reza enquanto dou cabo dos monstros – e, sem esperar resposta, cravou as rosetas nos ossos de Rocinante, partindo aos berros: – A mim! A mim, covardes ladrões! Eu sozinho, com esta lança, vos reduzirei a trapos."

O vento nesse instante aumentou, de modo que as asas dos moinhos começaram a girar com maior rapidez.

"Virai esses braços quanto quiserdes! – berrava Dom Quixote. – Ainda que tivésseis mais braços que o gigante Briaréu, do mesmo modo eu vos reduziria a trapos."

Estava já perto. Enristou a lança e atacou o moinho mais próximo, espetando o ferro numa das asas – e o que sucedeu foi algo espantoso. A asa em movimento colheu cavaleiro e cavalo e os arremessou para longe, em pandarecos.

Ao ver o desastre, Sancho, que ficara a rezar, esporeia o burro. Corre em socorro do amo. Encontra-o por terra, estirado, imóvel.

"Eu bem disse, meu amo, que os vultos eram moinhos e não gigantes. O meu amo não me deu crédito – agora está aí escangalhado, a gemer…"

"Cala-te, Sancho – respondeu Dom Quixote, – pois as coisas da guerra, mais que quaisquer outras, estão sujeitas às mudanças e aos caprichos da fortuna. Fica tu sabendo, Sancho, que o meu mais cruel inimigo é o terrível encantador Freston. Já me roubou a livraria; agora, para me tirar a honra de vencer estes gigantes, transformou-os em moinhos. Paciência. Haja o que houver, a minha fiel espada tem que vencer no fim – e Freston será castigado."

"Amém!" – tornou o escudeiro e ajudou o moído amo a repimpar-se sobre o pobre Rocinante, que mal podia aguentar-se de pé. O pior foi a lança do cavaleiro ter-se partido em três pedaços e um cavaleiro sem lança perde o jeito. Isso provocou no herói da Mancha as seguintes considerações:

"Certa vez um grande paladino espanhol, de nome Diogo Peres, quebrando a espada numa briga, arrancou um tronco de carvalho e com ele destroçou tal quantidade de mouros que recebeu a alcunha de Diogo Machuca, nome com que mais tarde se honraram todos os seus descendentes. Vou fazer o mesmo. Afeiçoarei com as minhas próprias mãos uma nova lança, com a qual assombrarei os mundos."

"Assim o permita Deus!" – exclamou Sancho com os olhos postos na figura alquebrada do cavaleiro, atitude que lhe causava má impressão. "Senhor meu amo, acho bom que se endireite um pouco mais na sela. Quem o vir assim, há de jurar que é corcunda…"

"Confesso-te, Sancho, que esta queda me achatou bastante; e se não me queixo, nem gemo as dores que sinto, é que um cavaleiro não deve jamais queixar-se, nem gemer, ainda que lhe ponham todas as tripas de fora."

"Oh – exclamou Sancho – está aí uma coisa que eu jamais faria. Não sei resistir. Ao menor arranhão, berro e gemo que nem cachorrinho novo ao qual cortam a cauda. Mas, diga-me, senhor, não acha que sejam horas de cuidar da pança?"

"Come tu, meu Sancho. Come tu, já que tens fome. Eu não careço de alimento."

O escudeiro não acreditou muito naquilo; mas em vez de contrariar o amo, cruzou uma perna sobre o cabeço da sela, abriu um dos alforjes, sacou de dentro parte do que havia e foi enchendo o bucho. Também não se esqueceu da cabaça de vinho, que ficou muito mais leve.

Capítulo VII
NOVAS AVENTURAS PELA ESTRADA. OS FRADES

– Por isso é que ele era tão gordinho – observou a menina. – Esse Sancho, aqui nos desenhos, parece um chouriço. O que quer é comer, comer, comer. Só não entendo uma coisa. Dom Quixote tinha a bola virada; era pois natural que visse fantasmas e gigantes de todos os lados. Mas Sancho? Como é que não tendo a bola virada seguia o cavaleiro por toda parte?

– Sancho – respondeu Dona Benta – era uma criatura de bom senso, sem nada de louco, mas um tanto simplório e espertalhão. Seguia Dom Quixote por interesse. Primeiro, a ilha; depois, coisinhas que pudesse ir pegando pelo caminho. As aventuras tinham de lhe render alguma coisa, disso estava ele certo.

– Sova, rendia! – observou a boneca. – Estou vendo que esse Dom Quixote é o que Tia Nastácia chama armazém de pancadas. As suas aventuras ainda estão no começo e quantas tundas já não recebeu?

– Lá isso é verdade – concordou Dona Benta. – Se vocês lerem a história inteira de Dom Quixote, irão repassar um rosário de sovas que não acaba mais – não só as que ele dava nos outros, como as que apanhava. E se Sancho ia pilhando coisas aqui e ali, também levava suas doses de pau muito bem malhado.

– Mas não havia de doer – disse Emília. – Ele era acolchoadinho de banhas. Eu não tenho dó de gente gorda que apanha. De gente magra, sim. Os gordos hão de ser como bonecos de borracha. Não há meio de quebrar lá dentro osso nenhum. As banhas acolchoam os ossos.

– Bem, bem – murmurou Dona Benta. – Continuemos. Os dois aventureiros iam de rumo a um lugar chamado Porto Lápice, zona onde esperavam muitas aventuras – e a esperarem aventuras se passou o dia. Ao cair da noite detiveram-se num bosque onde o fidalgo da Mancha procurou, achou e cortou uma grossa vara que lhe servisse de lança. Ajeitou-a convenientemente e com ela encabou o ferro pontudo. Nisso anoiteceu. Sancho acomodou-se, e logo dormiu, como se estivesse em colchão de plumas. Já o fidalgo não pode pregar o olho. A noite inteira passou-a com o pensamento na amada Dulcineia.

Lá pela madrugada, bradou:

"Acorda, Sancho, que são horas de partir."

"Sim, meu senhor, sim, meu senhor" – respondeu o escudeiro estremunhado, esfregando os olhos e escancarando a boca em bocejos.

Mas o melhor meio de espantar duma vez o sono era a cabaça – e, indo-se à dita, o escudeiro bebeu tantos goles que a deixou levezinha. Depois tratou de encher o estômago. Comeu, comeu, comeu. Dom Quixote, porém, não quis almoçar. Positivamente vivia de brisas. Logo se puseram a caminho e não tardou muito que vissem sinais de Porto Lápice perto.

"É por aqui, meu amigo – observou o herói da Mancha – que poderemos atolar-nos até as orelhas nisso que chamam aventuras. Cumpre-me, portanto, avisar-te de uma coisa: nunca deves tomar a espada para defender-me por maior perigo que eu corra, salvo se os atacantes forem gente baixa ou canalha vil. Contra cavaleiro, só cavaleiro."

"Fique descansado, senhor meu amo – respondeu Sancho. – Juro que lhe obedecerei fielmente. Bem sabe que sou de natureza pacífica e tenho horror a combates e barulhos. Mas se alguém me assentar a mão, ah, prego-lhe a catana. Isso, prego-lhe!"

"E farás muito bem – apoiou o cavaleiro. – Mas, quem vem lá?"

Eram dois frades beneditinos, repimpados em mulas bem tratadas. Traziam guarda-sóis abertos e óculos no nariz. Atrás vinha um coche seguido de quatro ou cinco homens a cavalo e dois a pé. Nesse coche viajava uma dama da Biscaia que ia ao encontro do seu marido em Sevilha. Os frades não faziam parte da comitiva da grande dama.

"*Up*! – exclamou Dom Quixote. – Ou muito me engano, ou temos famosíssima aventura. Estás vendo, Sancho, aqueles vultos negros? Pois são dois perversos encantadores que roubaram alguma princesa e a levam naquele coche. Haja o que houver, tenho de tirar isso a limpo."

"Mau, mau, mau, senhor! – exclamou Sancho. – Não vê Vossa Senhoria que são apenas dois frades e que a dama do coche não passa de simples viajante?"

Mas Dom Quixote, já a preparar-se para o assalto, a nada atendia. Nem ouviu os últimos gritos do escudeiro: "Meu senhor, meu senhor, não são feiticeiros, apenas gente do comum!". Sua espora fincou-se na ilharga de Rocinante e lá se foi ele na disparada.

"Alto aí, satélites de Barzabu! – berrou ao chegar ao grupo. – Soltai já essa maravilhosa princesa que tendes encerrada no coche ou vos farei em picado."

"Senhor cavaleiro – respondeu humildemente um dos frades – não somos satélites de coisa nenhuma, sim religiosos da ordem de São Bento, que seguimos o nosso destino. Nada sabemos de princesas encerradas em coches."

"Basta de mentiras, ó infame canalha! Conheço-os perfeitamente. A mim!" – e arremeteu, furioso, de lança no sovaco.

Ao ver aquele ferro de lança apontado em sua direção, o frade lançou-se da mula abaixo, enquanto o companheiro fugia a galope para longe dali. Mal viu o primeiro frade por terra, Sancho correu a despojá-lo. Nisto chegaram os homens do coche e o acusaram de estar no saque daquele monge, ao qual até a batina queria arrancar.

"Ah, ah, ah! – riu-se o escudeiro. – Acusação mais asnática nunca vi. Pois não sabem que quando um cavaleiro andante vence o inimigo, os despojos pertencem ao escudeiro do vencedor? O senhor Dom Quixote, meu amo, venceu esta batalha; logo, os despojos são meus."

"Sim? – exclamaram ironicamente os homens. – Pois então leve mais isto" – e descarregaram-lhe no lombo tal dose de coices, trancos e pauladas, que o deixaram no chão, a gemer lastimosamente. O frade caído aproveitou-se do incidente para erguer-se, montar e voar ao encontro do companheiro.

Enquanto isso Dom Quixote, rente à portinhola do coche, murmurava gamenhamente para a dama:

"Já Vossa Alteza não está mais cativa, minha senhora. Meu poderoso braço acaba de punir o atrevimento dos roubadores, e como é justo que Vossa Alteza queira conhecer o nome do seu libertador, aqui o proclamo: sou Dom Quixote de la Mancha, o cavaleiro andante."

Um dos biscainhos que seguiam o coche e estivera a ouvir achou demais a loucura e avançando para o herói segurou-lhe a lança, berrando:

"Vai-te já daqui, cavaleiro, que se não, pelo Deus que me criou, racho-te ao meio, não fosse eu biscainho."

"Miserável! – exclamou Dom Quixote. – Se foras de fato cavaleiro, já terias experimentado a violência do meu braço."

"Sou cavaleiro, sim! – replicou o homem. — Sou fidalgo biscainho! Põe-te em guarda, diabo! Hei de cortar-te a orelha. Vamos! Larga a lança e puxa a espada!"

Dom Quixote nada responde. Larga a lança. Ajeita o escudo e com a espada investe contra o biscainho, como gavião sobre pomba. Mas o homem teve tempo de tomar uma das almofadas do coche para lhe servir de escudo, e também de sacar a catana – e ataca. Desfere contra o herói da Mancha tal golpe que por um triz não o abre meio a meio. Por felicidade a lâmina pegou-lhe a cabeça de lado, resvalando pelo ombro e fazendo vir por terra parte do elmo, as peças guarnecedoras do peito, com um pedaço de orelha.

Dom Quixote soltou um berro de atroar e exclamou:

"Senhora minha, ajuda-me neste rude passo!" – e erguendo com ambas as mãos a pesadíssima espada, assentou um tremendíssimo golpe na cabeça do adversário.

O sangue jorra da boca, do nariz e das orelhas do biscainho, cujos braços descaem. Perde ele os estribos. Sua mula espanta-se, pula, escouceia e com uns corcovos deita-o em terra. Dom Quixote, já a pé, encosta-lhe a ponta da espada no gasnete, berrando: "Rende-te, miserável!"

O pobre homem estava sem fala; nada pode responder; e o herói da Mancha certamente o espetaria, se a dama do coche não acudisse, intercedendo pelo vencido.

"Concedo-lhe a vida – respondeu Dom Quixote imponente de orgulho –, já que Vossa Alteza mo pede; mas sob a condição de que vá a Toboso apresentar-se à sem-par Dulcineia para que a formosa das formosas determine o que lhe parecer conveniente."

A aflitíssima dama, ansiosa por ver-se livre de tamanho louco, prometeu que faria o biscainho cumprir a ordem dada.

E tratou de raspar-se dali. *Uf*! Que susto!...

Capítulo VIII
CONVERSAS DE DOM QUIXOTE E SANCHO

– Ai, ai! – suspirou Emília. – Quem me dera ter um cavaleiro andante que corresse mundo berrando que a mais linda de todas as bonecas era a senhora Emília del Rabicó...

– Que adiantava isso, boba? – disse Narizinho.

– Adiantava que eu ficaria bem ganjenta cá comigo. E também poderia receber muitos presentes. Com certeza esse biscainho, quando foi pôr-se às ordens da tal Dulcineia, lhe levou algum presente.

– Levou nada – gritou Pedrinho. – De medo, quando Dom Quixote os derrotava, esses patifes prometiam tudo, como aquele patrão do Andrezinho. Mas logo que o cavaleiro se afastava, era só nomes feios que diziam contra ele e mais a Dulcineia. Se você fosse uma Dulcineia, Emília, tinha de andar com a orelha em fogo o dia inteiro.

– Mesmo assim eu queria. Podia de repente aparecer um Cervantes que contasse a história num livrão como este, e me deixasse célebre no mundo inteiro como ficou a Dulcineia.

Narizinho fez um muxoxo.

– Exigente! Você já anda bem famosinha no Brasil inteiro, Emília, de tanto o Lobato contar as suas asneiras. Ele é um enjoado muito grande. Parece que gosta mais de você do que de nós – conta tudo de jeito que as crianças acabam gostando mais de você do que de nós. É só Emília pra cá, Emília pra lá, porque a Emília disse, porque a Emília aconteceu. Fedorenta...

– Isso mesmo! – apoiou Pedrinho. – Um dia eu agarro essa diaba e jogo o *Dom Quixote* em cima dela. Merece ficar mais chata que o Visconde.

– Por falar em Visconde, Pedrinho, como vai indo ele? – perguntou a menina. – Já sarou do achatamento?

– Está quase bom. Botei-o no torno, apertado em sentido contrário à achatadura. Está endireitando, mas acho que vai ficar meio quadrado, perdendo aquele redondinho de sabugo. Pena é que esteja mudo. Não sabe mais nada, não fala nada.

– É que com a espremedura a ciência dele saiu toda – explicou Emília. – Não viu aquele caldo que eu guardei no vidrinho?

– Essa está de bom tamanho! – exclamou Pedrinho. – Ciência líquida! Só mesmo você poderia descobrir isso. Ciência não é coisa sólida, nem líquida. Poderá ser gasosa – um fluido, um gasinho, como alma de pessoa.

– Pois a dele era líquida – tornou Emília. – Já fiz a experiência e vi que o que está no vidrinho é ciência pura. Pinguei um pinguinho numa formiga, que imediatamente ficou científica.

Dona Benta, que estivera a ouvir a prosa, interveio:

– Chega. Vocês estão hoje mais asneirentos do que nunca. Parece que a doença da Emília pegou em todos.

– Mas a senhora acha, vovó, que pode haver ciência líquida? – insistiu o menino.

Dona Benta ergueu os olhos para o céu.

– Pode, sim – gritou Emília. – Nos livros a gente lê constantemente coisas assim: "Uma questão líquida", "ponto líquido", "assunto líquido". Ora, se uma questão, um ponto ou um assunto podem ser líquidos, por que a ciência não poderá ser também?

Narizinho tapou com a mão a boca da Emília para que Dona Benta pudesse continuar.

Capítulo IX
A POUSADA COM OS CABREIROS

Dona Benta continuou:

– Ao ver-se livre dos homens que o moeram, Sancho ficou a seguir de longe o combate do senhor seu amo com o biscainho. A vitória final o entusiasmou tanto que correu para Dom Quixote, para ajoelhar-se e beijar-lhe a mão, dizendo:

"Que vitória estupenda, meu senhor! Creio chegado o momento de Vossa Senhoria dar-me a ilha – e fique certo de que a governarei muito bem."

"Amigo Sancho – respondeu o fidalgo – isto não são ainda aventuras de ilhas – não passam de simples recontros nos quais um cavaleiro o mais que ganha é ficar sem orelha e todo esfolado. Tem paciência. Quando chegar a boa ocasião, dar-te-ei o reino prometido."

Sancho, radiante de felicidade com a confirmação da promessa, ajudou-o a cavalgar o magríssimo Rocinante, e com alguma dificuldade também se pôs em cima do seu burro. E pela estrada deserta lá seguiram os dois até as proximidades de um bosque, cuja verdura deu uma ideia ao escudeiro.

"Ah, meu senhor – disse. – Vossa Senhoria deixou o biscainho à beira do inferno e portanto acho prudente pôr-nos em segurança antes que surjam os soldados del-rei. Assim que a comitiva chegar a Lápice, teremos a justiça em nossa perseguição."

"Cala-te, Sancho – volveu Dom Quixote. – Não digas asnidades. Quem te meteu na cachola que os cavaleiros andantes estão sujeitos à justiça dos reis? Sossega e adverte que se os soldados de el-rei viessem prender-me, eu é que os prenderia. Mas, aqui entre nós: já leste, por acaso, alguma história de cavaleiro mais valente do que teu amo?"

"Devo confessar, senhor, que não sei ler, nem escrever, e portanto não li nunca história nenhuma. Nem quero pensar nisso. Temos de cuidar da sua orelha, isso sim, que está sangrando muito. Nos meus alforjes há fios e um bom unguento."

"Ah, Sancho, Sancho! – exclamou o herói, erguendo os olhos para o céu. – Eu bem que dispensaria teus fios e unguentos, se tivesse comigo um boião do famoso bálsamo de Ferrabrás.

"Bálsamo de Ferrabrás? – repetiu o escudeiro franzindo a testa. – Diga lá, senhor, que maravilha é essa..."

"Oh, é um bálsamo, mas que bálsamo! Vale um reino inteiro. Olha, Sancho, com o bálsamo de Ferrabrás qualquer pessoa se ri das feridas, por mais graves que sejam – e até da morte. Toma bem sentido no que vou dizer-te. Quando tivermos esse bálsamo, e nalguma briga for eu cortado em duas metades (coisa frequente nas aventuras), corre em meu socorro, junta as duas partes antes que esfriem e pinga-me na boca umas gotas de bálsamo. Verás que ficarei são como um pero."

"Cáspite, senhor Dom Quixote! – exclamou Sancho, assombrado. – Se é assim, desde já desisto da minha ilha em troca dum boião do tal bálsamo. Poderei vendê-lo às gotas, duas moedas cada uma, e com o dinheiro assim junto passarei o resto da vida feliz como peixe n'água. Mas, diga-me, é difícil obter a maravilha?"

"Com a despesa de meia moeda poderei fabricar seis canadas" – respondeu o herói.

"Deus do céu – exclamou Sancho radiante. – Senhor Dom Quixote, ensine-me, já, já, essa receita."

"Ensinar-te-ei essa e outras ainda mais portentosas, mas trata-me da orelha, que está a doer muito."

Sancho tirou dos alforjes um chumaço de fios e o unguento, aplicando-os cuidadosamente ao resto de orelha que ficara no crânio do amo. Só então o cavaleiro da Mancha viu que seu elmo estava amarrotado e impossível de uso. Essa descoberta o enfureceu medonhamente. Pôs-se a gritar horrores, que fazia e acontecia, que rachava ao meio quantos paladinos topasse, até conquistar um capacete novo, bom como aquele.

Sancho suou para aplacar-lhe a fúria.

"Amigo – disse por fim Dom Quixote – vê se em teus alforjes ainda resta alguma coisa que se coma. Tenho de pensar um bocadinho no corpo, enquanto não chego a algum castelo onde pernoite e possa fabricar o bálsamo."

"Aqui só restam – respondeu Sancho examinando os alforjes – um pedaço de queijo e uma cebola, grosseiros manjares que não quadram a um cavaleiro andante da marca do meu amo."

"Sim, sim – observou Dom Quixote. – De fato, os famosos cavaleiros andantes só se alimentavam de finos manjares, dados em banquetes; o resto do tempo só se nutriam de pensamentos. Mas é também dos livros que quando os paladinos se perdem pelos desertos e matas onde não há banquetes, lhes é permitido manducarem frutas secas e coisas rústicas, como essas de que falas. Sigamos, pois, o exemplo dos mestres. Venha o queijo e a cebola."

"Bem – disse Sancho. – Doravante rechearei os alforjes de acordo com a ordem da cavalaria andante – finas frutas secas para Vossa Senhoria e para mim salsichas e outras coisas rústicas."

– "Eu não disse que os cavaleiros só se alimentam de frutas secas, Sancho. Contentam-se com elas quando não há outra coisa – e assim também de certas ervas que conheço."

– "Louvado seja Deus! – exclamou o escudeiro. – Muito me alegro que Vossa Senhoria conheça tais ervas, pois num deserto destes é muito provável que tenhamos de imitar Rocinante."

E, a dizerem mais coisas assim, deram cabo de tudo quanto restava nos alforjes, depois montaram e partiram em busca de um bom albergue. Não houve encontrar castelos, nem albergue nenhum. Só toparam umas choupanas de cabreiros.

Os guardadores de cabras receberam cortesmente o grande herói e o seu pançudo escudeiro – e também ao Rocinante e ao burro. Os dois esfomeados viandantes sentiram logo o aroma duma caldeirada ao fogão e com água a pingar da boca puseram-se a namorá-la com os olhos.

Quando chegou a hora da comida, os gentis cabreiros convidaram-os a cear. Um balde velho, virado às avessas, foi o assento oferecido a Dom Quixote. Sancho plantou-se atrás dele, de cócoras. O fidalgo interveio:

"Para que saibas, Sancho, o bom que há na cavalaria andante, e como ela rende honras às pessoas que privam com os cavaleiros, quero que te sentes ao meu lado, e comas e bebas comigo. A cavalaria é a mãe da igualdade."

"Muito agradeço tão alta honra – volveu Sancho – contanto que nada me falte, prefiro comer em pé a comer ao lado direito dum imperador. Muito melhor me sabe uma sardinha com pão manducada num canto, sem etiquetas, do que um peru recheado nessas mesas de luxo onde cada conviva tem que mastigar a compasso, e beber aos golinhos, e limpar a boca em guardanapos de renda, e não pode espirrar nem tossir, nem cuspir quando lhe dá ganas."

"Deixa-te dessas ridículas considerações, Sancho, e senta-te ao meu lado. Deus exalta o cavaleiro que se humilha" – e, puxando-o pelo braço, colocou-o junto de si.

Os cabreiros, homens rudes, nada entendiam daquelas arengas palacianas e por isso olhavam calados para tão exóticas figuras, que pareciam realmente esfaimadas. Nacos e mais nacos de cabra cozida foram desaparecendo a galope pelas respectivas gargantas.

A sobremesa foi um queijo mais rijo que pedra e uns punhados de avelãs, mas tudo muito bem irrigado de vinho. Dos dois odres que lá havia, um murchou completamente.

Dom Quixote de la Mancha, depois de saciar, bem saciada, a fome velha, tomou umas avelãs e pôs-se a mirá-las.

"Século ditoso – disse ele – século áureo! Naquele tempo o meu e o teu eram vozes ignoradas. Sim, meus amigos, nessa boa quadra, todos os mortais tinham o mesmo direito aos bens do solo. Para se alimentarem, bastavam as frutas e as nozes que as árvores produzem. As fontes cristalinas lhes matavam a sede; as abelhas operosas lhes davam o cheiroso mel. Humildes choupanas lhes serviam de morada. Tudo era paz, concórdia, amizade. Os homens não se enganavam uns aos outros, porque a mentira não nascera ainda. A justiça não sabia o que fosse favor ou interesse. Só mais tarde é que esses monstros vieram envenenar o coração dos homens. Foi-se a natural equidade. Foi-se a virtude, e hoje, acossada de todos os lados, não acha ela coração em que se abrigar. Só o vício reina, meus amigos. Só a maldade. Foi para combater tamanha invasão do mal que se instituiu a ordem da cavalaria andante, única que defende o fraco e ampara os órfãos. Irmãos cabreiros: eu pertenço a essa ordem, e sinceramente vos agradeço a boa acolhida que me destes, a mim e ao meu fiel escudeiro."

Um simples punhado de avelãs inspirara ao herói da Mancha aquela formosa arenga sobre a Idade de Ouro – arenga de que os cabreiros não pescaram um xis, e Sancho ouviu distraidamente, pensando em coisas mais sólidas, enquanto mascava e amiudava os goles da vinhaça.

Terminando o discurso, quis Dom Quixote começar outro mas Sancho, que estava a cair de sono, interrompeu-o logo às primeiras palavras.

"Vossa Senhoria não vê que este homens trabalharam o dia inteiro e estão querendo cama?"

"Bem te entendo, meu amigo – respondeu o herói. – Os vapores do vinho já te treparam à cabeça."

"Se eu reguei à vontade minha garganta, acho que Vossa Senhoria também não se descuidou da sua" – respondeu Sancho com desembaraço.

"Convenho – volveu o fidalgo. – Deita-te e dorme, se queres. Eu ficarei onde estou, porque os da minha igualha não dormem – velam sempre. Mas, antes de deitar-te, vem pôr mais unguento em minha orelha."

Um dos cabreiros quis vê-la e contou a Dom Quixote dum remédio excelente. Foi buscar um punhado de folhas de alecrim, mastigou-as, fez com a massa um emplastro que assentou sobre a ferida. Remédio ótimo. Minutos depois a dor passava. Findo o serão, Dom Quixote retirou-se para outra cabana, e Sancho, aninhado sobre palhas, entre Rocinante e o burro, entrou a assoprar como um fole.

Capítulo X
RENASCIMENTO DO VISCONDE

Dona Benta interrompeu a história nesse ponto. O relógio acabava de bater as nove horas.

– Cama, cama, criançada!

Mas Tia Nastácia entrou com o Visconde na mão.

– Veja, Sinhá – disse ela – que judiação os meninos andam fazendo com o pobre Visconde! Fui encontrar o coitadinho apertado no torno. Veja. Ficou quadrado e todo arrebentado por dentro. Pedrinho pensa que sabugo é massa de bolo que toma o jeito que a gente quer.

Dona Benta examinou o triste sabugo científico. Estava em miserável estado, como aquelas criaturas que antigamente eram submetidas ao suplício. E mudo. Morto. Mortíssimo.

– Que pena! – exclamou a velha. – Um viscondinho tão sabido, tão delicado. E tudo por artes da senhora Emília...

Emília protestou.

– Minhas, não, Dona Benta. Artes de Dom Quixote. Foi Dom Quixote quem fez uma aventura para cima dele e o esborrachou com a lança. Quem manda...

– Quem manda o quê, Emília?

– Quem manda o Visconde meter-se a valente? Dom Quixote estava quieto dentro do livro, com sua espada, seu escudo, sua lança no cabido. Veio o Visconde com a escada. Ora, Dom Quixote não é certo da bola. Pensou que a escada fosse alguma asa de moinho de vento e o Visconde algum mágico – o tal mágico Freston. E atirou-se lá de cima da estante em cima dele. O bobo do Visconde, em vez de desviar-se, ou aparar o golpe com um escudo, esperou que o livrão caísse e o achatasse. Por isso está quadradíssimo, espandongadíssimo. Felizmente eu salvei a ciência dele...

Dona Benta continuava contemplando os restos do Visconde.

– O remédio, Nastácia – disse por fim dirigindo-se à negra – é você arranjar outro sabugo e aproveitar a cabeça, os bracinhos e as pernas deste. Vá fazer isso já, porque me está dando aflição ver o nosso Visconde assim tão espandongado.

– Escolha um sabugo de milho vermelho – gritou Emília quando a negra se retirava.

– Por quê?

– Para variar. Já estou enjoada de Visconde de sabugo de milho branco. E como dizem que o milho vermelho tem mais vitaminas que o milho branco, talvez o sabugo de milho vermelho seja mais científico que o de milho branco.

Meia hora depois Tia Nastácia reaparecia com o Visconde consertado. Ficou em ordem, apesar do disparate que era aquilo da cabeça velha, dos braços velhos e das perninhas velhas enfiadas num corpo de sabugo novinho, debulhado naquele momento. Tia Nastácia deixou uma carreira de grãos de milho que descia de alto abaixo – exatamente vinte e cinco.

Mas o Visconde reformado permanecia mudo. Por mais que o sacudissem não falava nada. Emília então fez a experiência de pingar nele o caldinho do

Visconde velho. Maravilhoso efeito! A criatura arregalou os olhos, começou a mexer os braços, as pernas, e por fim murmurou: "A matéria atrai a matéria na razão direta das massas e na razão inversa do quadrado da distância".

– Eu não disse? – exclamou Emília vitoriosa. – Eu não disse que o caldinho era de ciência pura? Bastou pingar neste sabugo bobo o conteúdo do vidrinho para ele ficar tão científico que até a Lei da Gravitação já sabe de cor, sem um erro.

Todos se assombraram com o prodígio. Tia Nastácia de beiço derrubado, foi para a cozinha fazendo o pelo-sinal.

– Credo! A gente vê cada coisa neste mundo...

Depois de longos comentários sobre o maravilhoso acontecimento, Dona Benta retomou o fio da história.

Capítulo XI
GRANDE COMBATE COM ARRIEIROS. PANCADARIA EM DOM QUIXOTE E SANCHO

– No dia seguinte, bem madrugada, Dom Quixote e Sancho despediram-se dos bons cabreiros e puseram-se a caminho. Depois de atravessada uma extensa floresta, saíram num campo, através do qual corria um riacho de águas límpidas. Tão formoso lhes pareceu o sítio que apearam e soltaram as cavalgaduras para que pastassem livremente.

Amo e escudeiro sentaram-se na relva macia e abriram os alforjes, porque a ceia da véspera já estava digerida. Comeram com bom apetite. Confiado no bom gênio de Rocinante, Sancho deixou-o completamente solto – e disso veio desastre, porque, aparecendo um bando de animais, o cavalo correu a brincar com eles. Esses cavalos, porém, estavam com fome; queriam capim e não pândega; de modo que receberam o feixe de ossos a coices e mordidas, escangalhando-lhe os arreios. Os donos dos animais, vendo aquilo, correram de pau em cima do intruso. Ora, além de coices, receber pauladas, era muito para Rocinante. O pobre cavalo caiu por terra, derreado.

Diante de tamanha ofensa, Dom Quixote empunhou a espada e investiu contra os arrieiros, seguido de Sancho de cacete em punho. Travou-se renhidíssima peleja, onde houve espadeiradas e pauladas a valer. Por fim, vencidos pelo número, Sancho afocinhou e Dom Quixote foi estatelar-se junto ao escangalhado Rocinante. Os arrieiros, certos de que tinham dado cabo dos três, montaram precipitadamente em seus cavalos e fugiram.

Quem primeiro voltou a si foi Sancho. Abriu os olhos. Soltou um gemido profundo.

"Senhor Dom Quixote! Ah, senhor Dom Quixote!..."

"Que queres de mim, amigo?" – respondeu com voz débil o fidalgo.

"Se me pudesse dar umas gotas do tal bálsamo de Ferrabrás... Há de ser tão bom para amassamento a pau como para ferimentos de espada."

"Quem me dera ter aqui um bom frasco da maravilha! – exclamou o herói da Mancha. – Mas juro-te que em chegando a um castelo a primeira coisa de que cuidarei será abastecer-me duma boa reserva."

"Ah, senhor, como poderemos ir ter a castelos, se nem de pé conseguimos ficar?"

"São os ossos do ofício, meu caro. Muitas vezes nas aventuras acontecem coisas assim. Quando um cavaleiro está a ponto de tornar-se rei ou imperador, zás!, ocorre um desastre e lá se vão os sonhos."

"Queira Deus, senhor, não nos aconteça um desastre fatal antes que eu apanhe a ilha prometida..."

"Sossega, amigo Sancho. Hás de ter a tua ilha. Mas deixemos isto agora e vejamos se Rocinante pode erguer-se, porque desta feita também o pobre cavalo levou a sua dose."

"E por que não havia de levá-la? Não é ele um cavalo andante? O que me alegra é que meu burrinho não entrou na dança. Lá está o malandro a regalar-se nos capins, sem pensar em coisa nenhuma desta vida."

"Bem vês, Sancho, que a Fortuna sempre deixa uma porta aberta. Escuta. Na falta de Rocinante, não me pejo de ser carregado pelo teu jumento até onde possa curar-me das minhas feridas. Isto é dos livros. O bom Sileno, aio do deus Baco, entrou na cidade de cem portas (Tebas) montando um jumento. Levanta-te, pois; vai buscar o burro e partamos antes que caia a noite."

O pobre escudeiro, arrancando vinte ais, trinta suspiros e vários berros de dor, a muito custo conseguiu pôr-se em pé, e lá se foi, a arrastar a perna, para onde estava o burrinho. Trouxe-o. Ajudou em seguida o escangalhado Rocinante a erguer-se nas quatro patas. Trabalho maior foi enganchar Dom Quixote sobre o jumento. Uf! Só o conseguiu depois de tremendo esforço. Amarrou então a rédea de Rocinante à cauda do burro e tomou a frente, puxando-o pela rédea. E lá se foram...

Capítulo XII
AVENTURAS NA ESTALAGEM

O Visconde, que não tinha ouvido o começo da história de Dom Quixote, ficou apreensivo.

– Quem é esse doido? – perguntou ele.

– Pois não sabe? – gritou Emília. – É o famoso cavaleiro andante da Mancha, aquele que achatou você.

– Que me achatou? – repetiu o Visconde franzindo a testinha. – Mas eu não estou achatado.

Emília deu uma gargalhada.

– Achatou o outro corpo que você teve, Visconde. Esse vermelho é novo, botado hoje.

Mas o Visconde não entendia nada. Foi necessário que lhe contassem toda a sua vida anterior, ou antes, a vida anterior do outro sabugo. O caldinho da ciência com que Emília o embebera era só de ciência, não era a memória líquida do passado, de modo que o novo Visconde só sabia leis científicas, e experiências, e astros e átomos, e a distância da Terra à Lua – mas nada se lembrava do seu passado.

– Não se lembra nem daquele pinto que comeu os botões de milho que você trazia no peito? – perguntou Narizinho.

– Não! – respondeu o novo Visconde, com carinha de quem não se lembrava mesmo.

Pedrinho ficou apreensivo. Que história aquela? Tia Nastácia só mudara o corpo do Visconde. A cabeça era a mesma. Seria possível então que o Visconde pensasse com qualquer parte do corpo, em vez de pensar com a cabeça?

– Vovó, a senhora não está estranhando isso? – perguntou o menino. – Não está estranhando que o Visconde não pense com a cabeça?

Dona Benta suspirou.

– Ah meu filho, tenho visto nesta boa terra tanta gente que não pensa com o cérebro, que não me admiro de a este viscondinho acontecer o mesmo. Tudo é possível neste mundo...

– Continue, vovó – pediu a menina.

E Dona Benta continuou:

– Muito bem. Depois daquela tremenda esfrega, Sancho, com muita dificuldade, colocou o amo em cima do burrinho e lá se foi, puxando Rocinante pela rédea.

Légua e meia caminharam assim, até que surgiu uma estalagem, logo avaliada pelo fidalgo como castelo, apesar da opinião em contrário de Sancho. Inda estavam a disputar sobre esse ponto quando chegaram. O estalajadeiro franziu a testa, ao ver aquele fantasma vestido de ferragens, arcado sobre o burrinho, perguntou a Sancho quem era e o que queria.

"Nada de grave – respondeu Sancho. – Trata-se dum ilustríssimo cavaleiro andante que rolou por um despenhadeiro abaixo e ficou mal das costelas. Com repouso e tratamento fica logo ótimo."

A mulher do estalajadeiro, uma excelente criatura, acudiu logo, acompanhada duma servente asturiana bem mal-ajambrada. Feia até ali, coitadinha. Cabeça chata, carão mais largo que comprido, um olho vesgo, outro vermelho. Meio corcunda e quase anã – e sujíssima, pois nunca despegava do fogão. Maritornes, era o seu nome.

Ajudada pela Maritornes, a estalajadeira arranjou uma cama composta de três tábuas toscas sobre dois bancos cambaios, duma esteira velha e duns lençóis encardidíssimos. Ali foi acomodado o grande herói da Mancha, depois de bem emplastrado de cataplasmas e unguentos caseiros.

"Senhora – disse o escudeiro enquanto a mulher fazia os curativos – não grude nele todos os emplastros porque também eu estou precisadíssimo de alguns."

"Caiu no buraco também?" – indagou a boa criatura.

"Não – disse Sancho – mas ao ver meu amo rolar pelo despenhadeiro, senti tal choque que fiquei todo quebrado por dentro."

"E qual é o nome do doente?" – quis saber Maritornes.

"Dom Quixote de la Mancha, o mais valente e nobre de todos os cavaleiros andantes, passados, presentes e futuros" – respondeu Sancho.

"E que coisa é essa de cavaleiro andante?" – perguntou a rapariga.

"É um traste de ferro que está sempre em véspera de ser imperador ou de ser moído a pancadas."

Dom Quixote, que ouvira a pergunta da esfregona, não apanhou a excelente definição de Sancho; do contrário não teria metido o bedelho na conversa, dizendo:

"Senhoras castelãs, não foi desventurado o acaso que me trouxe ao vosso esplêndido castelo. O meu escudeiro dir-vos-á quem sou, já que a mim não me fica bem gabar-me. Limito-me a agradecer-vos tantos e tão finos obséquios, dos quais me lembrarei eternamente."

Castelãs, castelo! Eram palavras que a estalajadeira e a esfregona pela primeira vez na vida ouviam, e daí não as entenderem. Mas entenderam muito bem as palavras de agradecimento; sorriram satisfeitas e depois de muitas mesuras se retiraram.

No celeiro onde haviam posto o esmoído herói estava um amontoado de selas e mantas, dum arrieiro que também se hospedara na estalagem e ia dormir naquele mesmo cômodo. Como o arrieiro estivesse por fora, Sancho houve por bem aproveitar-se daquela tralha, para com ela ajeitar uma cama dez vezes melhor que a de tábua onde gemia o senhor seu amo. Arrumou-a, deitou-se, e incontinenti ferrou no sono.

Dom Quixote, porém, cuja cabeça era um perpétuo vulcão de aventuras e encantamentos, conservou-se de olhos abertos, como uma lebre. Remava o silêncio na semiescuridão apenas quebrada pela fumarenta lâmpada de óleo que ardia pendente duma trave. O herói sonhava acordado com a sua sem-par Dulcineia. Enquanto isso o arrieiro que andava por fora, tendo acabado de tratar dos seus animais, recolheu-se ao celeiro para dormir. Entrou na ponta dos pés para não acordar o doente que sabia estar lá.

Mas a Dom Quixote o vulto do arrieiro representou-se como o próprio encantador Freston, seu inimigo, que ali vinha para atacá-lo – e sentou-se na cama, preparando-se, apesar das dores, para agarrar o cruel inimigo. Quando o arrieiro passa rente à sua cama, dois braços magros o ferram, enquanto uma voz triunfal estruge:

"Agarrei-te, malvado! És meu prisioneiro!"

Surpreendido, o arrieiro defende-se. Assenta a murraça nos queixos de Dom Quixote. Trava luta. Sobe à cama e põe-se a pisá-lo aos pés, como os fabricantes de vinho pisam a uva. As tábuas partem-se. Vem tudo por terra. A coisa virou um bolo de cavaleiro andante, arrieiro, pontas de tábuas e bancos partidos, a dançar a sarabanda louca do soco-vai, vai-pontapé, tome-cabeçada, tudo em meio de grande estrondo.

Por fim o arrieiro desembaraça-se das mãos que o haviam agarrado e, furiosíssimo ainda, dirige-se para o canto onde deixara as mantas. Depara em cima delas um corpo gordo, a roncar. O arrieiro não indaga, nem discute. Vai fincando socos e pontapés naquela massa adiposa. Sancho senta-se estremunhado, julgando ser pesadelo – e engalfinham-se os dois.

Atraído pela barulheira, acode o dono da estalagem de lanterna em punho e tenta separar os combatentes. Leva um coice. A luz apaga-se – e a luta prossegue feroz no escuro.

Em outro cômodo do albergue estava dormindo um quadrilheiro da Santa Irmandade (que era como se chamava a polícia da Espanha naquele tempo). O quadrilheiro acorda. Ergue-se. Atenta no rumor e resolve intervir. Toma da vara (que era o seu signo de autoridade) e da lata onde trazia os seus títulos e vai, às apalpadelas, para o celeiro donde vinham os gritos.

"Aqui del-rei e da Santa Irmandade!" — berra ele com voz de trovão.

Na penumbra do recinto entrevê um vulto deitado por terra, em meio a destroços de cama. Avança para o vulto. Agarra-o pela barba e, percebendo que não se mexe, grita:

"Fechem a porta! Mataram aqui um homem!"

Essas palavras assustam os outros. Cessa a luta entre Sancho e o arrieiro. O dono da casa esgueira-se para o seu quarto na ponta dos pés. O arrieiro deita-se e finge dormir. O quadrilheiro pede luz para poder atuar como representante da lei. Ao ouvir isso, o estalajadeiro, que se ia retirando, apaga a lamparina da trave e deixa tudo imerso em profunda escuridão.

O único remédio que o quadrilheiro viu foi reacender o fogo da chaminé – e meia hora lá passou assoprando as brasas.

Enquanto isso Dom Quixote volta do seu desmaio e exala uma série de dolorosíssimos suspiros, ao cabo dos quais exclama com voz débil:

"Amigo Sancho, dormes? Dormes, Sancho amigo?"

"Dormir?! – responde Sancho. – Como pregar olho num inferno destes, acometido por cem mil diabos? Houve um que me esmoeu a socos e me tomou a cama tão gostosa."

"Assim é – disse Dom Quixote. – O castelo está encantado. Também a mim me moeu a pancadas o infame Freston."

Nisto reaparece o quadrilheiro, com a lanterna acesa. Sancho assusta-se.

"Ah, senhor! Não será esse que aí vem o bruxo Freston, que volta de lanterna acesa para ver se ainda nos resta algum osso inteiro?"

O homem da lei espantou-se de em vez dum defunto encontrar dois homens vivos a cochicharem entre si. Chega-se a Dom Quixote e indaga:

"Então, meu bom homem, como vai isso?"

"Insolente – exclama o herói da Mancha. – É assim então, que lá em tua infame terra se fala aos ilustríssimos cavaleiros andantes?"

O esbirro enfureceu-se e, jogando com a lanterna à cara do ex-defunto, afastou-se, rosnando mil desaforos.

"Bem te disse eu, amigo Sancho – filosofou o herói da Mancha. – Bem te disse que esse era o meu implacável e feroz inimigo Freston. Estás convencido? Ergue-te, Sancho, e vai pedir ao governador do castelo um pouco de azeite, vinho, sal e alecrim, com que eu prepare o excelente bálsamo de Ferrabrás. Com ele sararemos num abrir e fechar de olhos."

Sancho levanta-se para cumprir a ordem e sai às apalpadelas; tropeça aqui, tropeça acolá, até que esbarra no quadrilheiro que tinha ficado a escutar pelo vão da porta. Toma-o pelo dono da casa.

"Ah, senhor! Por quem é, tenha a bondade de dar-me um pouco de sal, alecrim, azeite e vinho para que possa curar-se um dos melhores cavaleiros andantes do mundo, ferido gravemente pelo bruxo Freston."

Ouvindo tais palavras, para ele sem sentido, o quadrilheiro vê logo que se tratava de loucos. Não impediu, porém que Sancho fosse em procura do estalajadeiro e lhe pedisse as drogas necessárias.

Dom Quixote pegou os ingredientes e misturou-os a seu jeito; depois ordenou ao escudeiro que levasse a mistura ao fogo e a fervesse, despejando tudo numa garrafa. Sancho cumpriu as ordens à risca e, pronta a garrafada, o herói da Mancha batizou-a com uns Padre-Nossos, Salves e Credos, ditos com trejeitos mágicos, E impacientíssimo que estava para provar a virtude do maravilhoso bálsamo, bebeu quase o conteúdo inteiro da garrafa.

A ação não podia ser mais rápida. Vomitou com a fúria de quem está vomitando a alma e as tripas. Sobreveio-lhe logo uma fraqueza e um suor abundantíssimo, que o fez cair na cama e dormir horas e horas a fio. Quando acordou sentiu-se quase bom. Ergueu-se. Experimentou os músculos. Ótimo tudo. Podia novamente meter-se em aventuras.

Boquiaberto ante o maravilhoso milagre, Sancho pediu a Dom Quixote que lhe desse o resto da garrafada. Mas quando despejou no bucho a nojenta droga, quase levou a breca. Vieram-lhe cólicas tremendas, que o fizeram rolar pelo chão aos berros. Sancho rogou mil pragas contra o bálsamo e mais o desalmado que inventara aquela receita.

"Amigo Sancho – disse calmamente Dom Quixote – não sabes por que o bálsamo maravilhoso produziu em ti efeito contrário ao operado em mim? É que não és cavaleiro andante. O efeito benéfico só se opera nos que foram armados cavaleiros."

"E por que então Vossa Senhoria não mo disse antes? Não estaria eu agora sofrendo o que sofro" – bradou Sancho – e continuou a torcer-se nas cólicas, que só uma hora depois serenaram.

Sentindo-se vigoroso e alegrinho, Dom Quixote tratou de safar-se dali em procura de novas aventuras. Foi ele mesmo selar Rocinante e o burro, sobre o qual colocou o descorado e gemebundo Sancho. Montou e, à porta da estalagem, disse para o estalajadeiro e mais vinte pessoas ali presentes:

"Senhor castelão, jamais esquecerei a vossa generosa cortesia. Se tendes algum serviço a reclamar de mim, juro pela ordem da cavalaria andante que o satisfarei *incontinenti*."

"Eu, senhor cavaleiro – disse o homem – só quero que Vossa Senhoria pague a conta da sua dormida nesta estalagem."

"Estalagem? – repetiu Dom Quixote admirado. – Pois então isto é uma estalagem?"

"Em carne e osso, meu senhor."

"Coisa singular! – exclama Dom Quixote. – Pareceu-me desde o começo um castelo magnífico. Mas, seja lá o que for, castelo ou espelunca, as regras da cavalaria opõem-se a que eu pague hospedagens. Estalajadeiros e castelões são por igual obrigados a receber gratuitamente os cavaleiros andantes, em vista dos trabalhos sem conta que eles padecem por amor ao gênero humano."

"Eu nada tenho com essas regras da cavalaria – tornou o estalajadeiro. – Tenho com as regras do meu negócio. Há uma conta devida. Quero que Vossa Senhoria a pague."

"Você, grande patife, além de mau estalajadeiro, é um perfeito sandeu" – replicou Dom Quixote, e sem mais picou Rocinante, pondo-se ao largo, sem olhar para trás e, pois, sem ver se o escudeiro o seguia.

Escapando-lhe assim o cavaleiro, o dono da estalagem pensou em Sancho. Se o amo não pagava, o servidor pagaria – e foi em busca do pobre Sancho. Ora, Sancho era um escudeiro convencido da cavalaria e dos mandamentos da ordem da cavalaria, de modo que o que fez foi repetir todas as palavras do amo. Infelizmente estavam na estalagem uns moços de Sevilha e Córdova, amigos da pândega, os quais resolveram tirar partido do incidente. Correram para Sancho e o desmontaram do burrinho.

"Vamos manteá-lo" – lembrou um.

Boa ideia! Correm em busca dum grosso cobertor, que seguram pelas pontas. Jogam Sancho dentro e lá começam – *Upa!* para cima! *Upa!* outra vez! *Upa!* mais uma!...

Era o jogo da peteca! Sancho berra que nem um possesso. Implora. Chora. E a rapaziada – *Upa! Upa! Upa!*...

Dom Quixote, de longe, ouve os gritos. Reconhece a voz e regressa de galope para salvar o escudeiro. Mas dá com a porta do albergue trancada. Procura outra. Não acha. E fica do lado de fora a ver a manteação do pobre escudeiro no pátio. Havia um trecho de muro que lhe tirava a vista da cena, mas por cima do muro via compassadamente aparecer Sancho, qual peteca, logo depois de cada *Upa!* E a coisa foi assim até que os rapazes se cansaram.

Que esfrega! Sancho, completamente moído, foi a custo que montou novamente no burrinho. Suara tanto que ficara completamente seco por dentro. Pediu logo de beber. Maritornes trouxe-lhe uma cuia d'água. Sancho fez careta. Queria vinho. Veio vinho. No momento de bebê-lo ouve um berro de Dom Quixote lá fora:

"Sancho! Sancho! Não bebas esse pérfido licor, porque te matará! Tenho aqui comigo o maravilhoso bálsamo de Ferrabrás, que te curará num relance" – e por cima do muro mostrou-lhe a garrafa.

Mas Sancho já conhecia a droga.

"Guarde lá Vossa Senhoria esse negregado bálsamo. Esqueceu, então que isso é droga só para cavaleiros andantes?" – e despejou nas tripas a vinhaça que Maritornes lhe dera.

Os moços abriram a porta do pátio e o espantaram dali, ficando o estalajadeiro com os alforjes, a título de penhor.

Capítulo XIII
COMBATE COM OS CARNEIROS

– Pobre Sancho! – exclamou Narizinho. – É possível que ainda pegue a ilha que Dom Quixote lhe prometeu, mas eu não queria uma ilha, nem que fosse a de Madagascar, por esse preço.

– Pois eu queria – contrariou a boneca.

– Está claro. Criaturas de pano, sem costelas, podem ser petecadas a vida inteira que não dói, nem quebra nada. Mas o pobre Sancho, apesar de gordinho, já devia andar com as costelas em pandarecos. Que adianta uma ilha para um homem descostelado?

O Visconde interveio com a sua ciência.

– Isso de quebrar costelas não tem muita importância – disse ele. – Elas soldam-se. Muito mais perigoso quebrar o crânio.

– Por quê? Crânio também solda. Todo osso solda – objetou Pedrinho.

– Sim, mas quando o crânio se quebra quase sempre a quebradura do osso espeta os miolos e o paciente fica de cérebro transtornado. Não se pode mexer no cérebro humano. Aquilo tem um tal arranjo, que qualquer desarranjinho provoca doenças horríveis – loucuras, perda de memória, mil coisas. A maior maravilha que existe é o cérebro.

– É verdade – concordou Emília. – Tudo quanto há na terra, feito pelos homens, sai dessa maravilha – as guerras, os crimes, as maluquices...

– Isso também não, Emília – disse Pedrinho. – Sai o mau e também o bom. Saem as invenções, saem as obras de artes, os livros como este...

Tia Nastácia entrou nesse momento com uma peneira de pipocas.

– Saem também pipocas! – gritou Narizinho. – Viva o cérebro de Tia Nastácia!

– Viva! Viva! – gritaram todos.

Enquanto comiam as salgadinhas pipocas de Tia Nastácia, Dona Benta prosseguiu.

– Sancho – disse ela – retirou-se da estalagem moidíssimo e embezerradíssimo. Para acalmá-lo, Dom Quixote tentou provar que tudo não passava de picuinhas e malvadezas dos tais mágicos encantadores. Mas Sancho já estava achando aquilo excessivo.

"Qual, meu senhor, o melhor é voltarmos para casa. O sosseguinho da família vale todos os impérios deste mundo."

Nesse momento avistaram ao longe uma poeirada. Dom Quixote entreparou e firmou a vista.

"Amigo Sancho – diz ele – parece que é chegado o meu grande dia de glória. Estás vendo acolá aquele turbilhão de pó? Pois é um tremendo exército em marcha. Repara!... À esquerda começa a levantar-se outra nuvem de pó. Há de ser o exército contrário. Vão chocar-se..."

Os dois exércitos não passavam de dois rebanhos de carneiros. Sancho de modo nenhum podia enganar-se tomando carneiros como homens de guerra; mas com tal calor e certeza seu amo afirmava aquilo, que ele duvidou de si próprio e admitiu que realmente podiam ser dois exércitos.

"Eia, meu Sancho! – exclamou o herói. – Subamos àquele morrote para vermos melhor e dir-te-ei logo que exércitos são esses e quem os comanda."

Subiram ao morrote. Dom Quixote olhou, olhou e disse:

"O da esquerda pertence ao Imperador Alifanfarrão e o da direita ao Rei Pentapolim, seu poderoso inimigo. O maometano Alifanfarrão quer impor suas malditas crenças ao Rei Pentapolim, que é um fiel seguidor de Cristo. Logo, tenho de tomar o partido deste último e juntamente com ele atacar os infiéis."

Mas Sancho, que não via nada de nada de tudo aquilo, ousou dizer:

"Oh, senhor! Vossa Senhoria estava a sonhar. Não vejo Alifanfarrão nem Pentapolim nenhum – nem a falar verdade, nenhum exército. Só distingo ovelhas..."

"Como? – exclamou Dom Quixote. – Pois não ouves o relincho dos cavalos e o toque das cornetas?"

"Não ouço nada do que Vossa Senhoria diz. Ouço més de carneiros, só isso."

Dom Quixote sorriu com desprezo.

"És um covarde, uma galinha-d'angola que não merece tomar parte na luta. Fica por aqui como espectador. Verás meu braço fortíssimo decidir da peleja num relance."

Disse e cravou as rosetas em Rocinante – e partiu na volada, de lança baixa, veloz como um raio, na direção dos dois exércitos. Sancho ainda tentou detê-lo, a berros:

"Senhor, senhor! Pare! Volte! Não são mouros nada, nem gigantes, nem exércitos. Simples ovelhas, e se Vossa Senhoria mata alguma teremos de pagá-las à custa dos nossos lombos."

O herói a nada atendia. Galopava num verdadeiro delírio.

"Sus! cavaleiros que combateis sob o pendão do valoroso Pentapolim, segui-me! Num ápice destroçarei as hostes do infame Alifanfarrão."

Chega ao rebanho. Entra por ele com ímpeto, trespassando com a lança os pacíficos animais assustados – e um, e dois, e três e quatro... Os pastores acodem em defesa. Metem pedras nas fundas, e iniciam o bombardeio do herói. Dom Quixote prossegue no espetamento das ovelhas, aos berros:

"Onde estás, onde te escondes, ó soberbo Alifanfarrão? Vem medir-te comigo em combate singular. Desafio-te sozinho!"

Mas um dos projetis o apanha pelo flanco, fazendo o herói da Mancha desferir um grito de dor – e parar para um gole de bálsamo. Quando ia emborcando a garrafa, uma pedra a apanha e a reduz a cacos. Logo a seguir, outra acerta na boca do cavaleiro, levando-lhe vários dentes. Terceira estropia-lhe uma das mãos. Quarta acerta-lhe na têmpora e o faz cair desmaiado.

Os pastores rodeiam-no e julgando que o tivessem matado: fogem dali com a carneirada, levando às costas as sete ou oito ovelhas vítimas dos lançaços...

Lá no topo da colina Sancho arrepela as barbas e maldiz a hora em que, por causa dum raio de ilha, se meteu pelo mundo como escudeiro de tal louco. Ao vê-lo cair, corre em seu socorro, bradando:

"Eu não disse? Eu não disse que eram ovelhas, senhor Dom Quixote? Ora, dá-se..."

Mas o desastrado cavaleiro andante gemia por terra na cantiga de sempre:

"Maldito encantador Freston! Mais uma vez me trocou tudo. Transformou dois poderosos exércitos num vil rebanho de ovelhas. Infame estratagema. Ai, amigo Sancho! Aproxima-te e cura-me estas feridas. Estou em cacos."

"Eu bem disse. Eu bem avisei. Teimou, não é? Pois agora é aguentar. E sabe o que mais? Os alforjes com os fios e o unguento lá ficaram de penhor na maldita estalagem. Estamos a nenhum."

Sancho desespera-se, fala em voltar para a aldeia, em desistir de tudo, até da ilha.

"Sancho, Sancho – gemeu Dom Quixote – é preciso haver paciência. O mal e o bem não são eternos. Nem um nem outro duram muito. E nunca estamos mais próximos da vitória do que quando tudo parece perdido."

"Perdoe-me Vossa Senhoria – disse Sancho em tom azedo –, mas Vossa Senhoria me parece mais talhado para pregador do que para cavaleiro andante. O caso, porém, é que os alforjes lá ficaram e o que nos resta a fazer são cruzes na boca."

"O Altíssimo, que alimenta as aves e os insetos, não nos faltará com socorro e alimento."

"Só se for com essas ervas que Vossa Senhoria diz conhecer, mas eu cá por mim bem que preferia ser reconfortado com um bom pedaço de pão com queijo. Não nasci comedor de ervas."

"Tudo se há de remediar no fim da jornada. Toma a dianteira e guia-me. Ficas livre de escolher o ponto de pouso."

Com muita dificuldade, Dom Quixote montou e lá partiram. Uma coisa amofinava a sério o nosso herói: ter deixado no campo de luta alguns dos seus melhores dentes.

"Boca sem dentes é moinho sem mó" – murmurou de si para si várias vezes.

Para tirá-lo da tristeza, Sancho disse:

"E por falar, meu senhor, quem é o tal Mambrino a quem Vossa Senhoria se refere amiúde?"

A fisionomia do herói da Mancha expandiu-se.

"Mambrino, amigo Sancho, foi um mouro possuidor dum elmo encantado. Um dia perdeu-o para Sacripante, depois de tremenda luta."

"Era realmente precioso o tal elmo?"

"Tão precioso que desde já fiz voto de combater mortalmente o cavaleiro que esteja na posse dele. Meu grande sonho é conquistar o elmo de Mambrino."

Nestas e outras práticas passaram a tarde. Veio a noite. A fome ia-se tornando intensa. Cada vez que se lembrava dos alforjes perdidos, Sancho arrancava um suspiro. E nada de avistarem sombra de moradia humana.

Por fim, quando a escuridão já era completa, distinguiram ao longe uma luzinha. Casa não era, pois a luz se movia – vinha se aproximando. E não uma só – várias. Sancho pôs-se a tremer, e também alguns fios dos cabelos de Dom Quixote se puseram de pé. Mas o herói dominou-se.

"Amigo Sancho – disse ele – vamos ter uma aventura tremendíssima! Havemos que apurar toda a energia da nossa alma e toda a força do nosso braço."

Recuam os dois para uma das margens do caminho, Sancho atrás do cavaleiro. Aquilo lhes parece avejões, abantesmas. Cerca de vinte criaturas a cavalo. Vultos segurando tochas e rosnando em voz surda palavras fúnebres. Atrás vinha uma liteira negra, seguida de seis cavaleiros de luto fechado.

A estranha comitiva deixou Sancho com as pernas moles, e também Dom Quixote bambeou um pouco. Por um momento só. As histórias lidas nos livros vieram-lhe à cabeça e ele admitiu que talvez se tratasse dum cavaleiro morto, ou traiçoeiramente ferido, crime que lhe competia indagar. Assim que essa ideia o dominou, a belicosidade lhe volta. Firma na mão a lança e vai plantar-se no meio do caminho.

"Alto! – gritou com voz de mando. – Dizei-me já quem sois, donde vindes e para aonde ides – e o que levais nessa liteira. Tenho comigo que sois traidores."

"A nossa pressa é grande – respondeu um dos homens a cavalo – e não há tempo para satisfazer a tantas perguntas."

"Atrevido! – exclamou Dom Quixote. – Já que não queres responder, defende-te!" – e avançou.

A mula em que vinha o tal homem assusta-se e dá com ele em terra. Dom Quixote arroja-se contra o segundo e também o derruba com um tranco de lança. Ataca o terceiro. Vendo aquilo, os demais deitam a fugir, apavorados.

"Vitória! Vitória!" – berra o cavaleiro da Mancha.

"Vitória! Vitória!" – repete Sancho, num entusiasmo louco, tão afeito andava ele a constantes derrotas.

O primeiro homem ainda estava no chão, com a tocha acesa ao lado. Dom Quixote apeia-se e corre a pôr-lhe a ponta da espada na garganta, intimando-o a render-se.

"Mais que rendido estou eu" – geme o infeliz – "visto que nem mexer-me posso. Tenho a perna quebrada. Senhor, se sois bom cristão não me mateis. Será um sacrilégio cometido contra um pobre sacerdote."

"Se Vossa Senhoria é sacerdote, que anda fazendo por aqui?" – interpelou o fidalgo.

"Coisas do meu destino – respondeu o padre – ou antes do meu dever. Eu com mais onze clérigos, vínhamos acompanhando o corpo dum velho fidalgo falecido em Baeça, o qual ordenou que o enterrassem em Segóvia, sua pátria. Eis tudo."

"Quem matou esse velho fidalgo?" – quis saber o herói da Mancha.

"Foi Deus, com uma febre maligna" – disse o padre.

"Bom, nesse caso não sou obrigado a vingar a sua morte. Declaro, porém, a Vossa Reverendíssima que me chamo Dom Quixote de la Mancha, cavaleiro andante que corre o mundo para corrigir agravos."

"Tomara eu, senhor cavaleiro, que Vossa Senhoria me corrigisse esta perna quebrada" – geme o sacerdote.

"Isso não está em mim e o que está feito, feito está. A culpa cabe a Vossa Reverendíssima e a seus companheiros, que se metem a caminhar de noite, vestidos de negro, com tochas acesas, formando um grupo que lembra logo coisa de satanás."

"Confesso a nossa culpa – volveu o padre – mas ajude-me Vossa Senhoria a retirar esta perna de sob a pata da mula, que isso me faz doer muito."

Dom Quixote chama o escudeiro para acudir o desgraçado, mas Sancho não vem. Está ocupadíssimo em remexer numa grande cesta de comestíveis que os clérigos abandonaram na luta. Tira dela o conteúdo e o aloja em dois sacos improvisados que arruma em cima do burrinho. Só depois é que corre a atender.

"Impossível, senhor, fazer duas coisas ao mesmo tempo. Aqui estou."

Sancho ergue o padre e encarapita-o sobre a mula. E diz:

"Se os outros clérigos perguntarem a Vossa Reverendíssima quem o deixou nesse estado – responda que foi o famosíssimo Dom Quixote de la Mancha, o *Cavaleiro da Triste Figura*."

O padre fez que sim e a gemer lá se foi.

Capítulo XIV
A AVENTURA DOS PILÕES

– O que eu gosto em Dom Quixote – observou Pedrinho – é que ele não respeita cara. Medo não é com ele. Seja clérigo, seja moinho de vento, seja arrieiro, ele vai de lança e espada em cima, como se fossem carneiros.

– Valente ele é – concordou Narizinho. – Pena que não vença todas as vezes. O tal Cervantes era mau. Judia muito desse personagem.

– Isso é para equilibrar outras histórias de cavaleiros andantes – explicou Dona Benta – nas quais os heróis venciam sempre. Havemos mais tarde de ler algumas.

– Como a dos Doze Pares de França – observou Pedrinho. – Aquilo é que é dar pancada. O Senhor Roldão e o Senhor Oliveiros, por exemplo, enfrentavam exércitos de trezentos mil mouros e derrotavam-nos. Roldão tinha a célebre espada durindana, ótima para abrir mouros de alto a baixo. Eu quando leio a história dos Doze Pares de França fico de cabeça quente – e estou contando uma boa que houve por aqui...

– Conte – disse Dona Benta.

– A senhora promete que não fica zangada comigo?

– Prometo.

– Pois lá vai. Lembra-se daquele milharal que a senhora plantou lá atrás da mangueira da Vaca Mocha?

– Como não hei de lembrar-me? Era um milharal lindo. Estava viçoso, gordo, quase já a soltar as bonecas, quando um malvado qualquer entrou lá e escangalhou tudo...

Pedrinho piscou para Narizinho.

– E a senhora nunca desconfiou de quem teria sido esse malvado, vovó? – perguntou ele.

– Ora quem havia de ser! Algum maluco que passou de noite pela estrada...

– Foi Roldão, vovó! – disse o menino.

– Roldão?!

– Sim, Roldão, o principal dos Doze Pares de França. Roldão encarnou-se em mim e...

Dona Benta arregalou os olhos, assombrada.

– Quer dizer então, Pedrinho, que foi você quem fez aquilo?

– Eu explico tudo, vovó – respondeu o menino. – Foi na semana em que caiu em casa aquele livrinho da história de Carlos Magno e dos Doze Pares de França. Comecei a ler e fui me esquentando, me esquentando, me esquentando até que não pude mais. Minha cabeça virou – ficou assim como a de Dom Quixote. Convenci-me de que eu era o próprio Roldão. E fui lá no quarto dos badulaques e tirei aquela espada que pertenceu ao velho tio Encerrabodes, e amolei-a no rebolo, bem amoladinha. E quando a senhora saiu com Tia Nastácia e Narizinho para visitar o compadre Teodorico, ah, que regalo! Corri ao milharal e não vi nenhum pé de milho na minha frente. Só vi mouros! Eram trezentos mil mouros! Ah! Caí em cima deles de espada que foi uma beleza. Destrocei-os completamente. Não ficou um só! Que coisa gostosa...

– Nastácia! – gritou Dona Benta. – Venha ver quem nos escangalhou o milharal. Foi Pedrinho.

Nastácia apareceu, sacudindo a cabeça.

– Eu andava desconfiada, Sinhá. Aquela história do maluco que ia passando, aquilo sempre me pareceu uma coisa meio sem jeito. Esse menino, credo!...

– Mas não fui eu, vovó – disse Pedrinho. – Foi Roldão. Ele encarnou-se em mim, juro. Essas coisas acontecem na vida, a senhora sabe.

– Sei, sei. Sei que moro com os maiores maluquinhos deste mundo. Mas continuemos a nossa história de Dom Quixote. Como vocês estão vendo, a loucura de Dom Quixote é coisa mais comum do que se pensa. O que Pedrinho fez não passa duma quixotada. Quem se encarnou em você não foi Roldão – foi o herói da Mancha...

E Dona Benta continuou:

– Aquela história de Sancho lhe chamar Cavaleiro da Triste Figura ficou a parafusar na cabeça do herói. Por fim ele não resistiu e disse:

"Ora, vem cá, Sancho. Que história é essa de Cavaleiro da Triste Figura?"

"Ah, senhor! A coisa foi que ao ver o rosto de Vossa Senhoria à luz do archote, pareceu-me ele tão esquisito, tão melancólico..."

"Meu Sancho – torna o herói – estás na aldeia e não vês as casas. Fica sabendo que tiveste uma pura inspiração. Os cavaleiros andantes devem ter alcunhas assim – e de agora em diante adotarei esse cognome e mandarei pintar em meu escudo uma bem estranha e triste figura."

"Isto é escusado, senhor! – torna Sancho. – Basta que Vossa Senhoria apareça ao natural e toda gente dirá logo: 'Eis o Cavaleiro da Triste Figura'."

Dom Quixote achou graça; riu-se. Em seguida retomaram a marcha até onde uma suave colina os convidou ao repouso.

Sancho abriu os sacos e foi tirando os petiscos tomados aos clérigos, gente que costuma passar bem. Comeram com vontade. Mas não havia vinho e quando não há vinho água serve. Dom Quixote e Sancho olharam em torno, em procura dalguma fonte. Perto dali a vegetação mostrava-se mais viçosa – sinal de umidade do solo. Talvez passasse por lá algum arroio.

Assim raciocinando, levantam-se os dois, tomam pelas rédeas ao Rocinante e ao burro e encaminham-se para lá. A noite era de lua – uma lua que Dom Quixote mentalmente comparou com a Dulcineia. Súbito, começaram a ouvir um rumor. À medida que avançam, o ruído cresce. Talvez viesse de alguma torrentezinha. Mas perceberam logo não se tratar disso. Não era só ruído de água. Havia algo mais.

Sancho assusta-se. Suas pernas entram a bambear. Misturados ao rumor da água que se despejava de bica, vinham-lhe sons de pancadas em compasso, e retinidos de ferros.

O sítio era de grandes árvores que o vento agitava. Os golpes surdos, os retinidos de ferro, o escachoar da água e a semiescuridão da noite, tudo isso enchia o coração de Sancho do mais honesto medo. Já o valente Dom Quixote não se alterou. Montou no corcel, enfiou no braço o escudo e, brandindo a lança, disse:

"Amigo Sancho, o Céu quis que eu nascesse para ressuscitar a idade de ouro neste século degenerado, e o destino reservou-me os maiores feitos. Por mais árdua que seja a aventura que se apresenta, não a evitarei. Arrocha a cilha de Rocinante e fica neste ponto à minha espera. Se eu não voltar desta aventura, retornarás à aldeia e dirás a todos que teu amo pereceu como os verdadeiros heróis perecem – na luta!"

Ouvindo tais palavras Sancho rompeu em choro de criança.

"Ai, meu querido amo! Para que há de Vossa Senhoria meter-se em tais embrulhos? Já não está de sobejo famoso com tantas proezas realizadas? Se meu amo perece, adeus minha ilha! Lembre-se, meu senhor, que tenho mulher e filhos e que sem a ilha ficarão todos desamparados. Ah, senhor, espere pelo menos que amanheça. De dia os perigos são menores."

"De dia ou de noite, tudo é o mesmo para o Cavaleiro da Triste Figura – respondeu o herói – e ninguém dirá que por ter sido noite deixou Dom Quixote de cumprir o seu dever. O Céu me ajudará e cuidará de ti caso eu pereça. Vamos. Aperta a cilha de Rocinante e espera-me neste ponto. Voltarei vencedor."

Vendo que nada deteria seu amo, Sancho empregou a astúcia para fazê-lo pelo menos esperar que amanhecesse. Fingiu que apertava a cilha de Rocinante, mas de fato peou o corcel das patas de trás, de modo que quando Dom Quixote deu esporas, em vez de partir no galope o cavalo pôs-se a pererecar.

"Vossa senhoria está vendo – disse o escudeiro radiante – que o Céu me escutou e está impedindo que Vossa Senhoria me abandone. O rocim não obedece à espora."

Dom Quixote danou com o cavalo; esporeou-o com vontade – mas Rocinante fazia tudo, menos sair do lugar. Por fim o herói desistiu.

"Bem. Nesse caso esperarei pela aurora" – e suspirou.

"Sem dormir?" – indagou o escudeiro.

"Sem dormir, está claro – respondeu o herói. – Dorme tu, meu Sancho, que para isso nasceste. Eu ficarei a dialogar com os meus altos pensamentos."

"Não se agaste, meu amo. Não tive tenção de o molestar."

O estranho barulho ao longe continuava, e o medo de Sancho crescia. E tanto cresceu que... que ele fez sem querer uma coisa que não pôde dizer.

"Que é isso Sancho? Que houve?" – perguntou Dom Quixote, tapando o nariz.

"A culpa não é minha, senhor. É de quem me trouxe para este horrível deserto, cheio de rumores pavorosos..."

Dom Quixote não quis ouvir mais. Ordenou a Sancho que se afastasse – e pela primeira vez desde a saída da aldeia, o fiel escudeiro teve de dormir a cinquenta passos do seu amo.

Pela madrugada Sancho levantou-se e, cautelosamente, para não ser pilhado, desfez o laço que peava as patas de Rocinante, o qual ao ver-se livre daquilo, deu pulos de alegria. Dom Quixote achou bom agouro e tratou de montar, para recomeço da nova aventura. Despede-se outra vez de Sancho, e diz que em seu testamento já estava ele devidamente contemplado, de modo que ainda que não viesse a ilha, seu futuro seria bom. Sancho enterneceu-se a fundo; chorou e jurou que jamais deixaria um amo tão excelente.

O enternecimento do escudeiro também enterneceu o herói. Imediatamente, porém, Dom Quixote reagiu contra a crise de sentimentalismo e belicosamente marchou para o sítio donde vinham as pancadas surdas. Sancho o seguiu a pé, puxando o burrinho. Ao alcançarem o topo da colina, avistam lá embaixo uma construção rústica, junto a altos rochedos, pelos quais se despejava uma torrente. Era daquele ponto que vinham as pancadas surdas.

Rocinante assustou-se e empinou. Sancho fez-se amarelo. Mas avançando um pouco mais, descobriu a causa de tudo. Eram monjolos.

Dom Quixote desapontou, e Sancho, de mãos na cintura rompeu a rir perdidamente – a rir do desapontamento do amo. Exasperado, o herói arrumou-lhe duas tremendas lambadas de lança no lombo.

"Ah, senhor! Não vê que estou rindo?" – diz o escudeiro.

"Por isso mesmo te castigo – diz Dom Quixote – Não sou objeto de riso. Podia eu acaso adivinhar que os estrondos fossem de monjolos? Supus muito naturalmente serem roncos de gigantes – e se fossem gigantes verias como lindamente eu lhes deceparia as cabeças."

"Creio piamente – tornou Sancho. – Mas Vossa Senhoria há de confessar que esta aventura foi bem engraçada..."

"Não nego que o fosse, mas um escudeiro não deve nunca faltar ao respeito devido a seu amo – e tu faltaste."

"Está bem, está bem, senhor. Perdoe-me por esta vez. Em ocasiões semelhantes saberei conter-me."

"E só assim continuaremos amigos" – concluiu Dom Quixote.

Capítulo XV
CONQUISTA DO ELMO DE MAMBRINO, O MAIS FAMOSO DO MUNDO

Estava Dona Benta nesse ponto da história, quando Narizinho se lembrou de perguntar por que razão nos livros velhos se fala tanto em barbeiros.

– Estou com esta pergunta a lhe fazer há muito tempo, vovó. Parece que antigamente os barbeiros eram muito mais importantes do que hoje. Por que isso?

– É, minha filha, que antigamente os barbeiros também funcionavam como médicos. O grande remédio da humanidade, durante muito tempo, foi a sangria – e os barbeiros, além de barbearem os fregueses, também os sangravam quando adoeciam.

– E por que foi esse remédio abandonado? – quis saber Pedrinho.

– Simplesmente porque não curava. A ignorância dos nossos antepassados era maior que a nossa de hoje. Em matéria de medicina, então, eles praticavam verdadeiros absurdos, como esse de tirar o sangue dos pobres enfermos, como se no sangue estivesse o mal.

– E isso durou muito tempo?

– Durou, meu filho. Tudo que é errado dura muito. A humanidade é bem isso que a Emília vive dizendo. A história da humanidade não passa de história de horrores, estupidez e erros monstruosos. Hoje por exemplo olhamos com grande superioridade para os antigos, com dó deles, certos de que nossas ideias são certas e hão de durar sempre. Mas nossos bisnetos rir-se-ão das nossas ideias como nós nos rimos das ideias de nossos bisavós, e os bisnetos dos nossos bisnetos rir-se-ão das ideias dos nossos bisnetos – e assim até o infinito.

– Que maçada ser assim, vovó! – disse Pedrinho. – Eu queria tanto ter certeza absoluta de alguma coisa...

– Eu tenho certeza duma porção de coisas – disse Emília. – Tenho certeza, por exemplo, que Tia Nastácia hoje não vem com pipocas – vem com bolinhos fritos.

O cheiro que vinha da cozinha tornava muito fácil adivinhar aquilo. Tia Nastácia variava sempre a comedoria da noite. Inventava coisas. Um dia, batata-doce assada. Outro dia, pinhão cozido. Outro dia, pipoca. Outro dia, amendoim torrado. Outro dia, cará, inhame ou mandioca. E sempre um café coado na hora que era "da hora", como Narizinho dizia.

Mas antes que viesse o café com bolinhos, Dona Benta contou mais um pedaço das aventuras de Dom Quixote.

— O céu foi-se cobrindo de nuvens — disse ela. — Começou a chuviscar. Sancho, muito naturalmente, propôs a Dom Quixote que se abrigasse no rancho dos monjolos; mas Dom Quixote havia tomado tal ojeriza àquelas rudes máquinas que recusou – e tocou por diante. Não tinham caminhado nem meia légua, quando apareceu lá longe na estrada um cavaleiro com qualquer coisa amarela na cabeça.

"Sancho! Sancho! – bradou o herói. – Vês naquele guerreiro, que num ginete ruço se dirige ao nosso encontro, o capacete de ouro que ele traz na cabeça? Pois é o tal elmo de Mambrino que jurei conquistar."

"Guerreiro, senhor? – exclamou Sancho firmando a vista. – Pois então Vossa Senhoria toma como guerreiro um homenzinho comum daqueles?"

"Tu tens cataratas nos olhos, amigo Sancho. Afirmo-te e reafirmo-te que é um legítimo guerreiro com o elmo de Mambrino na cabeça. E vou conquistá-lo."

Disse e investiu contra o homem, de lança enristada.

Não era cavaleiro nenhum, como Sancho vira logo. Tratava-se apenas dum pobre barbeiro, que vinha da aldeia próxima para atender a algum freguês suburbano, e como chovesse resguardara a cabeça com a bacia de barbear, comum a todos os barbeiros da época e feita de latão. O coitado, vendo avançar contra si aquele estranhíssimo homem todo recoberto de chapas de ferro e armado de tão medonha lança, não quis saber de histórias. Pulou do burro e fugiu, deixando cair a bacia reluzente.

"Covarde! – exclamou Dom Quixote. – Só mesmo a fuga te podia salvar. Sancho, apeia e pega esse elmo."

"Oh – exclamou o escudeiro – está tão novinha que vale bem meia moeda. Parece-me bacia de barbeiro."

Dom Quixote recebeu a bacia e colocou-a na cabeça, ajeitando-a.

"Grandíssima cabeça tinha o pagão dono deste capacete! E ainda não está todo ele aqui. Falta-lhe um pedaço."

Sancho quase disparou na gargalhada; a lembrança do que lhe acontecera no caso dos monjolos, porém, fê-lo rir-se só por dentro.

"É provável – continuou Dom Quixote – que este maravilhoso elmo haja caído nas mãos de algum ignorante, o qual, vendo que era de ouro puro, derretesse metade e afeiçoasse o resto sob a forma de bacia de barbeiro. Seja lá como for, mandarei compô-lo, restaurando-lhe a forma primitiva. Ficarei assim com um elmo superior ao que Vulcano fez para Marte."

Sancho não tirava os olhos do burro abandonado pelo barbeiro.

"Que faremos do animal, meu senhor? O dono com certeza não vem buscá-lo e o bichinho me parece bom de marcha."

"As leis da cavalaria – respondeu o herói – não permitem que o vencedor tome o ginete do vencido. Deixa-o, pois, em paz."

"Que levem a breca as tais leis – resmungou Sancho. – Tenho cá minhas razões para apropriar-me deste burrinho, ou pelo menos trocá-lo pelo meu, que é muito inferior. Poderá Vossa Senhoria informar-me o que dizem as leis da cavalaria sobre a troca de burros e de selas?"

"Nada sei a respeito – respondeu Dom Quixote – mas me parece que enquanto me informo podes trocar as selas. Impossível que as leis da cavalaria se oponham a uma coisa tão inocente."

Devidamente autorizado, Sancho tirou do burro do barbeiro a sela nova e colocou-a no seu. Ótimo. O cavaleirismo andante começava a render.

Capítulo XVI
A AVENTURA COM OS GALERIANOS

– Em seguida – continuou Dona Benta – almoçaram o resto da ceia e puseram-se a caminho, e foram indo, foram indo até que encontraram um grupo de doze galerianos. Vinham conduzidos por cinco homens armados de escopetas e lanças.

"Olá! – exclamou Sancho. – Temos agora uma leva de forçados."

"Forçados? – repetiu Dom Quixote. – Não se trata de forçados, meu amigo, e sim de honradíssimos súditos de Sua Majestade, vítimas de alguma cruel violência."

"Qual nada! – tornou Sancho. – Criminosos e dos bons, visto como foram condenados às galés."

"Não entendes disto, meu amigo. Aqueles homens estão sendo violentados e a mim cumpre socorrê-los."

Quando o grupo se aproximou, Dom Quixote inquiriu cortesmente do que parecia o comandante da escolta sobre o motivo de levarem algemados aqueles infelizes.

"Se Vossa Senhoria os interpelar, eles mesmo darão a resposta."

Dom Quixote indagou do primeiro sobre o crime que havia cometido.

"Coisinha de nada – respondeu o galeriano. – Namorei uma canastra de roupas e por isso fui preso e condenado às galés."

"E tu?" – indagou do segundo.

"Eu vou para as galés por haver *cantado na agonia* como um canário."

Como Dom Quixote fizesse de não entender, o comandante lhe explicou que o calceta havia sido posto em tortura, durante a qual confessara muitos furtos.

O terceiro inquirido parecia mais perigoso que os outros, tão encadeado estava. Dom Quixote informou-se da razão desse rigor.

"Este miserável – respondeu o guarda —- é o mais culpado de todos e por isso foi condenado a dez anos de galés. Talvez Vossa Senhoria já ouvisse falar dele. Chama-se Gines de Passamonte, ou Ginesinho de Parapilha."

"Alto lá com isso! – protestou o forçado. – Veja como me trata. Meu nome é Gines de Passamonte e dia virá em que eu abra buracos na barriga de quem hoje me chama Ginesinho de Parapilha."

E voltando-se para Dom Quixote:

"Dê-nos Vossa Senhoria alguma chelpa para refrescarmos as vísceras com o suco da vida, e não perca seu tempo em ouvir nossas histórias. Eu comecei a escrever a minha."

"E não a concluiste?"

"Interrompi-a quando escapei das galés, e, como agora volto, hei de retomar o fio. É nas galés que um homem pode sossegadamente cultivar as belas-letras."

"Pareces-me um homem de muita agudeza" – observou Dom Quixote.

"E por isso ando pelas prisões. Se fosse um pedaço de asno, certamente que nadaria em ouro."

"Bem, bem – disse Dom Quixote. – Estou vendo que nenhum destes homens vai para as galés de livre e espontânea vontade, e como cavaleiro andante que sou me vejo na obrigação de libertá-los. Senhores guardas, fazei-me o obséquio de soltá-los, pois do contrário meu vigorosíssimo braço vos forçará a tanto."

Os guardas abriram a boca.

"Homessa agora! – exclamou o comandante. – Sabe que mais, amigo? Endireita a bacia na cabeça e vá andando seu caminho. É o melhor."

"Covarde! Insolente! Patife!" – urrou o fidalgo – e sem dizer água-vai, ferra-lhe um lançaço que o estira no chão.

Os outros homens investem contra o paladino, mas Sancho ajuda os forçados a escaparem dos ferros e todos se juntam contra os guardas. Gines de Passamonte toma a escopeta do que caíra e aponta ora para um, ora para outro, forçando-os a abalarem dali em fuga. Um bombardeio de pedras os perseguiu ainda por um pedaço.

A vitória foi das mais completas; Sancho, todavia, apavorou-se com a perspectiva de a Santa Irmandade vir logo tirar vingança daquilo e sugeriu ao cavaleiro que se escondesse nos bosques da serra vizinha. O fidalgo, porém, no meio dos galeotes libertados, não o atendia. Estava a arengar os homens.

"Senhores, espero que não sejais ingratos e saibais agradecer o serviço que vos prestei. Só uma coisa peço: que chegueis à cidade de Toboso e presenteeis a ilustríssima senhora Dulcineia com as algemas de que estais livres, dizendo-lhe que esse ato é uma homenagem do Cavaleiro da Triste Figura."

Os galeotes entreolharam-se.

"O que Vossa Senhoria pede – respondeu Gines, falando pelo grupo inteiro – é impossível. Se formos a Toboso com estes ferros, a justiça nos apanhará pelo caminho. Contente-se Vossa Senhoria com os agradecimentos que lhe damos."

"Não aceito desculpas – gritou Dom Quixote já tomado de cólera. – Ordeno-te, Ginesinho de Parapilha, que, com teus sócios, vás cumprir a penitência de que falei, pois do contrário pico-vos a todos com a espada."

Aquilo era demais. Gines não aguentou. Saltando para o lado, pôs-se a bombardear o cavaleiro com pedras. Os outros fizeram o mesmo. E tal foi a chuva de balas, que o herói da Mancha rolou por terra. Um dos forçados tirou-lhe da cabeça a bacia e deu-lhe meia dúzia de baciadas no lombo. Outro furtou-lhe o casaco; outro, isto ou aquilo, tanto ao cavaleiro como ao escudeiro e por um triz não os largaram completamente nus. Feito o que, abalaram.

Vendo-se tão maltratado em paga do bom serviço que lhes prestara, Dom Quixote murmurou um provérbio popular: "Fazer bem a vilões é semear na areia".

"Já que Vossa Senhoria admite a verdade desse provérbio – tornou Sancho – queira seguir meu prudente conselho: fujamos para o bosque antes que chegue a Santa Irmandade."

"Fujamos?! Covarde que és! Um cavaleiro não foge nunca."

"Retiremo-nos, então. Retirada não é fuga, é estratégia. É medida urgente e sábia, quando o inimigo se mostra superior em forças."

"Bom. Isso já é outra coisa e não vejo razões para não satisfazer teu desejo."

Cavalgaram os dois e tomaram o rumo dos bosques de Serra Morena, por entre os quais se meteram. Ao cair da tarde sentaram-se à sombra duma árvore para reconfortar o estômago com o que ainda havia de comer; depois dormiram.

Gines de Passamonte, passando casualmente por ali, viu o burro de Sancho e o furtou. Quando ao acordar o pobre escudeiro percebeu a maroteira, entrou na maior lamúria e choro da sua vida, coisa de comover às próprias pedras.

"Ó filho querido, meu burrinho amado, nascido em minha casa, brinquedo de meus filhos, encanto de minha mulher, inveja de meus vizinhos, alívio de meus trabalhos! Ó meu burrinho do coração! Perdi-te para sempre e isso me matará de dor..."

Dom Quixote quis consolá-lo e o único jeito foi prometer-lhe três burrinhos, dos seis que ele possuía na aldeia. Era negócio. Sancho enxugou as lágrimas.

Continuaram a marcha pela floresta. Súbito, o cavaleiro entreparou e com a ponta da lança ergueu qualquer coisa do chão. Uma velha maleta ali perdida. Sancho atirou-se a ela como gato a bofes. Abriu-a com a faca. Havia dentro quatro camisas e outras peças de fino linho, um caderno de notas e um rolo com trinta peças de ouro.

"Louvado seja Nosso Senhor Jesus Cristo! – exclamou ele radiante, a dar pinotes de alegria. – Isto é que é aventura das verdadeiras. Viva!"

"Deixa-me ver o livrinho – disse Dom Quixote. – Servirá para anotar as minhas proezas. Quanto ao vil metal, podes guardá-lo para ti."

"Obrigadíssimo, senhor meu amo – respondeu Sancho beijando-lhe a mão. – Este vil metal convém muito à minha vil matéria" – e despejou no saco as moedas tilintantes.

"Como viria parar aqui esta mala?" – murmurou Dom Quixote, como falando consigo mesmo.

"Nada mais claro, meu senhor. Alguém que por aqui passou a perdeu."

"Tens carradas de razão, Sancho. Há de ser isso mesmo; mas continuemos nossa viagem."

O aspecto agreste daqueles sítios agradou sumamente Dom Quixote. Parecia-lhe em extremo apropriado para aventuras. À sua memória acudiram mil casos acontecidos em sítios ermos assim. Súbito, veio-lhe uma ideia.

"Sancho, Sancho – disse ele – cometi um grande erro libertando os galeotes."

"Agora é que Vossa Senhoria percebeu isso?"

"Mas tu ignoras, Sancho, que quando um cavaleiro cai numa falta dessas tem de penitenciar-se. Assim fez o famosíssimo Amadis de Gaula, a suprema flor da cavalaria andante. A fim de castigar-se dum erro cometido, retirou-se para um deserto como este e tomou o nome significativo de Tenebroso. Pois vou imitá-lo. Ficarei por aqui fingindo-me de insensato, de desesperado, de louco furioso até que expie cabalmente a minha culpa. Podes desde já considerar-me louco varrido, amigo Sancho."

"Que lhe faça muito proveito – disse o escudeiro. – Seja Vossa Senhoria o louco que quiser, que eu abalarei para minha casa, a ver a Teresa e os filhos. Tenho já o que lhes mostrar."

"Pois vai, mas volta dentro de quinze dias, que é quanto durará minha penitência."

Aquelas paragens impressionavam estranhamente a imaginação do herói da Mancha. Um arroio corria perto. Flores, árvores velhas, pedras musgosas. Ótimo tudo. Dom Quixote apeou-se, desencilhou Rocinante e deu-lhe uma palmada na anca.

"Concedo-te quinze dias de folga, ó meu nobre corcel, companheiro magnânimo de minhas fadigas sublimes. Vai pastar."

"Alto com isso, meu amo! Vossa Senhora bem sabe que me bifaram o burro e que a pé eu não valho nada. Sou gordo. Por isso, tem que me ceder o Rocinante."

"Não haja dúvida – respondeu Dom Quixote – mas quero que não partas já. Tens que ficar aqui uns dois dias para veres as minhas loucuras!"

"Ah, senhor, já vi tantas..."

"Mas não todas" – retorquiu Dom Quixote – e fez uma cabriola de amostra.

"Basta, basta! – gritou o escudeiro. – Vamos ao que serve. Tenha Vossa Senhoria a bondade de escrever duas linhas numa folha desse caderno, declarando que posso receber os três burrinhos prometidos."

Sobrinha, quando este papel receberes, darás ao meu escudeiro Sancho Pança três burrinhos dos seis que possuo.
Dom Quixote.

"Ótimo! Ótimo!" – exclamou Sancho, dobrando cuidadosamente o papel. "Vou agora partir montado em Rocinante e espalharei ramos quebrados pelo caminho, de modo a poder voltar quando Vossa Senhoria haja concluído a sua penitência."

"Amigo Sancho, adeus!" – exclamou o herói da Mancha, dando outra cabriola.

Capítulo XVII
FIM DA PENITÊNCIA. O PRÍNCIPE ETÍOPE. ESPANTOSA BRIGA

– Está aí uma coisa a que eu desejava assistir, vovó – disse Narizinho. – Dom Quixote dando vira-cambotas devia ser a coisa mais cômica do mundo. Coitado!

– De fato. Quando vocês crescerem e lerem este capítulo de Cervantes, hão de achá-lo engraçadíssimo – e ao mesmo tempo triste. A loucura é a coisa mais triste que há...

– Eu não acho – disse Emília. – Acho-a até bem divertida. E, depois, ainda não consegui distinguir o que é loucura do que não é. Por mais que pense e repense, não consigo diferençar quem é louco de quem não é. Eu, por exemplo, sou ou não sou louca?

– Louca você não é, Emília – respondeu Dona Benta. – Você é louquinha, o que faz muita diferença. Ser louca é um perigo para a sociedade; daí os hospícios onde se encerram os loucos. Mas ser louquinha até tem graça. Todas as crianças do Brasil gostam de você justamente por esse motivo – por ser louquinha.

– Pois eu não quero ser louquinha apenas – disse Emília. – Quero ser louca varrida, como Dom Quixote – como os que dão cambalhotas assim...

E pôs-se a dar vira-cambotas na sala.

Dona Benta riu-se.

– É inútil. Emília. Por mais que você faça, não consegue ser louca varrida – ficará sempre uma louquinha muito querida das crianças.

– Pare com Emília, vovó! – gritou a menina furiosa. – A senhora até parece o Lobato – Emília, Emília, Emília. Continue a história de Dom Quixote.

E Dona Benta continuou:

– Ao regressar para sua aldeia – disse ela – Sancho teve que passar pela estalagem onde os moços reinadores o haviam manteado. Logo que a defrontou, um arrepio correu-lhe pelo corpo. Que fazer? Entrar? Arriscar-se a outra esfrega? O medo o fazia cauteloso mas a fome era grande. Nisto saem lá de dentro dois vultos.

"Senhor cura – disse um – aquele tipo gorducho acolá não é o tal labrego Sancho Pança que se sumiu em companhia de Dom Quixote?"

"Exatamente! É ele sem tirar nem pôr. E aquele cavalo, juro que é o cavalo de Dom Quixote."

Os dois vultos eram o cura da aldeia e o barbeiro. O cura aproximou-se de Sancho e disse:

"Olá, amigo Sancho, que é feito do teu amo?"

Sancho contou tudo; narrou todas as aventuras em que Dom Quixote se tinha envolvido e a penitência que impusera a si mesmo. E acrescentou que ele, Sancho, muito breve estaria governador duma ilha ou monarca dum grande império.

O cura e o barbeiro entreolharam-se. O labrego pareceu-lhes tão fora do juízo como o amo.

"Pois queira aceitar meus sinceros parabéns, senhor futuro dono de ilha – disse o cura. – Mas enquanto a ilha não vem, temos de acudir ao teu amo, fazer que acabe já com essa penitência que lhe pode prejudicar a saúde. Antes disso, porém, entremos para reconfortar os estômagos."

"Deus me livre! – exclamou o escudeiro, com a cena da manteação bem avivada na memória. – Entrem vossas senhorias, que eu comerei cá fora em companhia de Rocinante."

Durante a refeição o cura e o barbeiro combinaram tudo quanto era mister fazer para reconduzir Dom Quixote a casa. Tinham de representar uma comédia, com disfarces e barbas postiças, e para isso montaram em suas possantes mulas e se foram de rumo à Serra Morena. Sancho seguiu na frente para avisar Dom Quixote.

Em caminho encontraram um rapaz de nome Cardênio, ao qual contaram tudo e pediram que os acompanhasse, tomando parte na comédia. Cardênio aceitou. Iria disfarçado em príncipe etíope juntamente com o barbeiro. Uma hora depois Sancho voltou no galope.

"Acudam depressa, meus senhores. Meu amo está no mais lamentável estado. De cuecas, magro que nem um arenque, amarelo como cidra. Se vossas senhorias não o sacam destas brenhas, ai de mim! Não terei ilha, não serei monarca! Mas quem é este fidalgo? – perguntou ao cura, vendo ali aquele moço desconhecido, já disfarçado em príncipe etíope, com um barbudo escudeiro também etíope ao lado.

O cura respondeu muito sério:

"Trata-se do príncipe herdeiro do grande reino de Micomicon, na Guiné, que vem suplicar ao ilustríssimo e excelentíssimo senhor Dom Quixote de la Mancha que o vingue de certo gigante malvado."

Sancho arregalou os olhos radiante.

"Fez bem de vir procurar meu amo – disse ele dirigindo-se a Cardênio – porque com uma só espadada Dom Quixote manda esse gigante para o inferno. E voltando-se para o cura: diga-me, senhor cura, o nome deste infeliz príncipe."

"É o Príncipe Micomicônio, do reino de Micomicon."

"Ahn! Percebo. Lá na Guiné é como aqui na Espanha – cada qual toma o apelido da sua aldeia."

O cura, que dera o seu disfarce ao barbeiro, dispensou-se de acompanhar os dois etíopes e ordenou Sancho que os levasse à presença de Dom Quixote, sem nada lhe dizer do encontro com ele, cura. Do contrário Dom Quixote não seria imperador, nem ele Sancho dono de ilha. Sancho prometeu calar-se e os três puseram-se a caminho.

Três quartos de légua adiante avistaram o herói da Mancha. Estava de pé, despido das armas. Foram ao seu encontro. O barbudo escudeiro etíope apeou-se da mula e ajudou o amo a fazer o mesmo. O príncipe arrojou-se aos pés do grande herói, exclamando:

"Ó tu, honra e glória da cavalaria andante, herói magnânimo, grande filho de Espanha, única esperança minha! Venho recorrer ao teu braço potentíssimo para vingança duma cruel injúria."

"Vingar-te-ei – respondeu Dom Quixote – contanto que essa empresa não seja contrária aos interesses do meu rei e da minha pátria."

"Peço-te, nobre cavaleiro – continuou o falso príncipe – que me acompanhes e não empreendas nenhuma outra aventura antes de vingar-me do gigante que me usurpou os estados."

"Juro a Vossa Alteza que assim será – respondeu Dom Quixote. – Tudo farei como quer. Partamos imediatamente. Minuto perdido para a glória é minuto perdido para sempre."

O príncipe quis beijar a mão do herói, mas este o abraçou com afeto e ordenou a Sancho que selasse Rocinante e lhe trouxesse as armas. O barbeiro, sempre ajoelhado, não se atrevia a falar, nem a mexer-se, de medo que lhe caíssem as barbas. Ao ver Dom Quixote montar, ergueu-se; correu a ajudar Cardênio a pôr-se sobre a mula; por fim montou e seguiu na rabada da comitiva.

Capítulo XVIII
A AVENTURA DOS ODRES DE VINHO

– Coitado! – exclamou Narizinho nesse ponto. – Cada vez fico mais penalizada da loucura do pobre Dom Quixote. – Um homem tão bom, de tão nobre sentimento, a servir de peteca a esses bobos todos. Até o cura! Por que esse padre não ficou lá na aldeia dizendo missas? Que tinha de meter-se com a vida do fidalgo?

– Você está sendo injusta, minha filha. O cura e o barbeiro eram amigos de Dom Quixote, que tudo faziam para vê-lo de novo em casa. Ora, o meio de conseguir isso só podia ser esse – enganarem-no. Do contrário, só levando-o à força, coisa muito pior.

– O que admiro – disse Pedrinho – é Sancho não desconfiar da comédia.

– Ele às vezes desconfiava, mas eram tantos a enganá-lo que o pobre gorducho acabava coçando a cabeça na dúvida.

– E depois, Dona Benta? – perguntou Emília. – Que aconteceu depois?

– Depois? Depois partiram todos. O pobre Sancho teve de seguir a pé, esbaforido, suando e suspirando de saudades do antigo burrinho. Mas consolava-se com a ideia de muito breve estar seu amo imperador de Micomicon e ele na posse da sonhada ilha. Só não estava gostando de serem negros como carvão os seus futuros vassalos; mas uma ideia súbita lhe fez brilhar os olhos: "Tanto melhor! Renderão dinheiro. Mandarei vendê-los em Espanha a cinquenta moedas cada um – e vai ser um rio de ouro. Que pepineira!".

O cura ficara a espiar de longe, escondido numa moita. De repente, apareceu, fingindo grande surpresa de ver ali Dom Quixote.

"Oh! Se não me engano é o valentíssimo compatriota, o invencível Dom Quixote de la Mancha, cujas aventuras assombram o mundo!"

Surpreso também do encontro, o herói da Mancha saudou o cura e quis ceder-lhe o cavalo. O cura agradeceu e montou no animal do barbeiro, que apeara – e lá seguiu par a par do cavaleiro andante, que se entretinha em conversar com o príncipe.

"Conte-me, príncipe, os seus infortúnios."

O falso etíope espirrou, escarrou, tossiu e disse:

"Senhor, eu me chamo Micomicônio, e meu pai, monarca do império de Micomicon, se chama Trinácrio, o Sábio, por ser habilíssimo nas artes mágicas. Graças a essas artes pôde adivinhar que a Rainha Xamarila, minha adorada mãe, ia morrer antes dele – e também adivinhou que sua própria vida estava chegando ao fim.

"Isso apenas o entristeceu; não o abalou; eram coisas naturais. O que o abalou tremendamente, foi saber que o seu império seria invadido por um horrendo gigante, rei da vizinha ilha de Pandafila: o Rei Zanaga. E que eu, já então no trono, seria expulso dos meus domínios se não me casasse com a filha do monstro.

"Meu pai tinha a certeza de que eu jamais me casaria com semelhante criatura, e portanto me aconselhou que viesse à Espanha em busca do poderoso cavaleiro andante Dom Chicot, Dom Gigot ou Dom Quixote – ele não sabia o nome ao certo. Explicou-me que era um cavaleiro alto, magro, com um sinal negro nas costas."

"Sancho! Sancho! – bradou o herói da Mancha. – Despe-me já, Sancho, para que o príncipe veja minha marca."

"Não é preciso – observou o escudeiro. – Eu juro a existência dessa marca e o príncipe acredita."

"Acredito, sim – disse o príncipe. – Não tenho a menor dúvida de achar-me diante do herói que meu pai indicou como único homem no mundo que poderá destruir o usurpador do nosso império. Esqueci-me de declarar a Vossa Senhoria que meu pai, o Imperador Trinácrio, deixou um papel ordenando que o reino fosse entregue a esse cavaleiro, logo que haja destruído o usurpador. Fiquei incumbido de realizar essa ordem entregando a Vossa Senhoria a coroa e o cetro imperiais."

"Não te dizia eu, Sancho? – exclamou Dom Quixote, voltando-se para o escudeiro. – Não te dizia que íamos ter reinos, impérios e ilhas a rodo?"

"Assim é senhor – respondeu Sancho, contentíssimo do reino que se aproximava. – Só desejo que Vossa Senhoria abra ao meio esse Rei Zanaga – e quanto antes melhor. Estou a arder pela ilha que ele possui. Viva! Viva!" – e Sancho deu pinotes de alegria, bateu palmas, beijou a mão do príncipe.

"Eis, senhores – continuou o príncipe – a breve história das minhas desgraças. Na viagem para cá, um naufrágio roubou-me o meu brilhante séquito e as riquezas e presentes que trazíamos. Só escapamos, sobre umas tábuas, eu e este escudeiro barbadão."

"Coragem, príncipe! – exclamou Dom Quixote. – As desgraças de Vossa Alteza acabarão muito em breve. Prometo não me separar de Vossa Alteza enquanto não cortar a cabeça ao pérfido Rei Zanaga."

Nesse momento avistaram na curva da estrada um indivíduo montado num burro. Sancho reconheceu imediatamente o seu burrinho, furtado por Gines de Passamonte – era o próprio Passamonte que vinha montado.

"Oh, velhaco! Oh, ladrão! – grita-lhe Sancho. – Larga já do meu burro, patife!"

Vendo Sancho em boa companhia Grines pulou do burrinho e fugiu para o mato. Sancho voou ao encontro do asno, que abraçou e beijou.

"Até que enfim te encontro, ó meu bem-amado burrinho, meu companheiro, meu filho querido!"

O jumento deixou-se abraçar e beijar sem dizer nada. Todos exultaram com o acontecimento e Dom Quixote declarou que apesar de ter Sancho reconquistado o burrinho, continuava com direito aos três que lhe dera. Nunca Sancho se achou tão feliz.

À beira dum límpido riacho o grupo se deteve para uma breve refeição com coisas trazidas da estalagem. Estavam a manducar as gulodices quando um meninote se aproximou.

"Bons dias, meu senhor – disse ele. – Não está reconhecendo em mim aquele André atado a um carvalho, que levou uma tremenda surra?"

Dom Quixote tomou-o pela mão e apresentou-o aos outros, dizendo:

"Eis, senhores, um vivo exemplo da utilidade da cavalaria andante. Dias atrás, cruzando certo campo, ouvi lastimosos gritos, e logo depois dei com este menino a ser surrado por um bruto que não lhe queria pagar os salários. Ordenei-lhe que o soltasse *incontinenti* e que tudo pagasse até o último vintém, o que me foi prometido sob juramento. Não foi assim, André?"

"Sem tirar nem pôr – respondeu o menino. – Mas assim que Vossa Senhoria se afastou..."

"Já sei, recebeste ali mesmo a paga dos salários vencidos, não é?"

"Sim, meu senhor, recebi a paga, não em moeda. Recebi-a em lambadas, e tantas que fiquei com as costas em sangue. Se não fosse a sua intervenção, meu senhor, eu teria ficado na primeira sova. Mas por causa da intervenção recebi duas – a segunda muito pior que a primeira. E nada do salário. O malvado vingou-se de Vossa Senhoria no meu lombo."

"Já, já, Sancho! – gritou Dom Quixote colérico. – Enfreia Rocinante que quero ir castigar o celerado de modo que espante as gerações vindouras."

"Ora, deixe-se disso – exclamou o rapazinho. – Prefiro que me dê alguma coisa para eu continuar minha viagem."

"Toma lá – disse Sancho – esta bucha de pão e esta lasca de queijo. Nós, escudeiros dos cavaleiros andantes, nunca temos nada de dar, de modo que é sorte tua teres pilhado isto."

Vendo que não vinha mais nada, o menino deitou a correr, gritando:

"Mil raios partam os cavaleiros andantes que só servem para dobrar as sovas dos malvados!..."

Dom Quixote magoou-se grandemente com aquilo.

Concluída a refeição, montaram e despejaram léguas. Chegaram por fim à estalagem do manteamento. O estalajadeiro, sua mulher e a Maritornes saíram ao encontro do Cavaleiro da Triste Figura, o qual os reconheceu e pediu que lhe dessem melhor cama que da última vez. E ao ver-se na cama Dom Quixote, exausto da penitência e da caminheira, dormiu imediatamente.

Os outros então combinaram que fazer. Mestre Nicolau tirou a barba postiça, pedindo que, quando Dom Quixote acordasse e desse pela falta do escudeiro barbudo, todos o informassem de que fora mandado a Micomicon para anunciar o feliz encontro do herói da Mancha.

O estalajadeiro estava a arrumar a mesa para a ceia quando Sancho desceu a escada aos trambolhões, berrando qual possesso:

"Acudam! Acudam! Meu amo está a acutilar o gigante!"

"Que loucura é essa, Sancho? – brada o cura. – O gigante está a mil léguas daqui."

Soa lá de cima a voz de Dom Quixote:

"Ladrão! Assassino! Desta vez não escaparás. Nada valem contra mim tua força e tua cimitarra!"

"Estão ouvindo? – diz Sancho. – Eu vi o gigante! Vi jorrar sangue da sua cabeça enorme! Vi escorrer sangue vermelho como vinho."

"Upa! – exclamou o estalajadeiro com uma ideia súbita. – Querem ver que esse raio de homem está a me abrir lá em cima os odres de vinho, pensando serem gigantes?" – e subiu as escadas a galope, seguido de todos.

Dom Quixote, em fraldas de camisas, barrete de dormir na cabeça, manta enrolada no braço esquerdo, feria com a espada os pobres odres de couro, alagando o quarto com ondas de vinho vermelho.

A fúria do estalajadeiro foi tamanha que se não o agarram era capaz de destruir Dom Quixote. Enquanto isso Sancho farejava pelos recantos em procura da cabeça do gigante.

"Maldita estalagem! – ia dizendo. — Está enfeitiçada. Eu vi a cabeça do gigante rolar por terra e agora só encontro odres furados..."

Dom Quixote, que fizera aquilo em sonho, acordou e arregalou os olhos.

"Príncipe – disse ele voltando-se para Cardênio – foi-se o tirano. Meu fortíssimo braço o fez morder o pó."

Sancho sorriu, reanimado.

"Estão vendo? Meu amo já arrasou com o patife e eu serei rei da ilha dos negrinhos."

Os circunstantes não resistiram por mais tempo. A gargalhada foi geral, exceto da parte do estalajadeiro, que não achou graça nenhuma em ver tanto vinho perdido. Também sua esposa e a Maritornes mostravam cara feia.

Mas o cura prometeu acomodar tudo. Pagaria o vinho entornado. E Cardênio daria a Sancho a ilha do gigante morto. Tudo ótimo. Dom Quixote embainhou a espada e voltou para a cama. Minutos depois adormecia.

Capítulo XIX
O QUE ACONTECEU NA ESTALAGEM

– Que história de odre é essa, vovó? – perguntou Narizinho.

– Odre era um saco de couro de cabra em que na Europa antigamente se guardava o vinho. Hoje não é mais usado. O vinho é guardado em pipas, barris e garrafas.

– Ahn! – exclamou Emília. – Talvez seja por isso que o povo diz "bêbado como uma cabra".

– Pode ser, não sei. O que sei é que cabra não bebe. A origem das velhas expressões populares é sempre muito confusa, e não me admirarei que a explicação de Emília seja adotada por algum filólogo, que são os homens que estudam essas coisas.

– Chega de Emília, vovó – disse Narizinho enciumada. – Continue.

Emília pôs-lhe a língua e Dona Benta continuou.

– Logo depois – disse ela – entraram na estalagem três amigos de Cardênio, que vinham para a ceia. Sancho foi buscar Dom Quixote.

Cearam com vontade. A sobremesa foi um discurso do cavaleiro da Mancha sobre os prodígios da cavalaria andante. Terminado o discurso, todos se recolheram. Só Dom Quixote ficou velando.

Foi ao pátio, arreou e montou no magro Rocinante. De escudo ao braço e lança em punho, ia pôr-se de guarda à hospedaria para que os encantadores e gigantes não viessem perturbar o sono do príncipe e dos demais.

Vendo aquilo, a Maritornes teve uma ideia malandra. No fundo da casa havia uma janelinha no alto. Para lá foi ela e de repente apareceu muito aflita, estorcendo as mãos, com os olhos no céu. Acenava para o cavaleiro em gestos desesperados, como a pedir-lhe que a socorresse.

Dom Quixote imediatamente viu na esfregona uma linda cativa que apelava para a cavalaria andante. Aproximou-se da janelinha. Ficou de pé no selim e alongou os braços para a desditosa castelã prisioneira. A perversa criatura, porém, laçoulhe as mãos com uma correia, que atou a um ferrolho – e fugiu dali a rir-se doidamente.

Sentindo-se preso, Dom Quixote gritou por Sancho. Nada. Sancho roncava no mais profundo sono de sua vida. Dom Quixote então pôs-se aos berros, naquela trágica posição, imobilizado, com as mãos para cima. sobre o magro Rocinante impassível. "Estou encantado *per secula seculorum*", refletiu lá consigo, certo de que novamente fora vítima de algum mágico. E assim passou a noite.

Ao romper da manhã quatro homens montados detiveram-se à porta da hospedaria e bateram.

"Cavaleiros ou escudeiros – gritou-lhes Dom Quixote – ignorais por acaso que as portas deste castelo só se abrem ao nascer do sol? Retirai-vos e esperai que clareie o dia e o castelão vos admita."

"Que raio do diabo de castelo e castelão está o estafermo a falar? – exclamou um dos homens, espantado de ver aquele espeque humano de pé sobre uma carcaça de cavalo e de mão para o ar. – Uma reles tasca destas transformada em castelo! Vê-se cada uma nesta vida... Desce daí e vem abrir-nos a porta, que é melhor."

"Insolente! – berrou Dom Quixote. – Achas-me com cara de taverneiro?"

Os homens riram-se e continuaram a malhar na porta. O estalajadeiro veio abrir, bocejando. Os homens saudaram-no a altos gritos. Rocinante assustou-se com a barulheira e escapou dali, deixando o seu dono dependurado pelas munhecas atadas. A dor fez Dom Quixote desferir um urro tremendo. Acode o estalajadeiro, enquanto a travessa Maritornes voa à janela e desata a correia, deixando que o herói da Mancha se esborrache no chão.

Mas Dom Quixote ergueu-se *incontinenti* e pulou para cima do cavalo. E sacudindo no ar a lança, bradou com voz terrível:

"Se alguém ousar dizer que mereci o encanto de que fui vítima esta noite, considere-se desde já desafiado – se o Príncipe Micomicônio o permitir."

Os viajantes abriram a boca. Não estavam compreendendo coisa nenhuma. Foi preciso que Cardênio, em rápidas palavras, lhes explicasse a loucura de Dom Quixote. Eles, então, depois de muita risada, propuseram-se a tomar parte na comédia do príncipe etíope, e Cardênio os apresentou ao herói da Mancha como pessoas de sua comitiva que também se haviam salvo do naufrágio.

Dom Quixote os saudou com solenidade e pediu ao príncipe que apressasse a partida, visto que estava cada vez mais ansioso por atracar-se com o gigante Zanaga.

A marcha continuou. O cura, porém, ia apreensivo. Se Dom Quixote percebesse que estava sendo conduzido para casa, certamente se revoltaria e lá se estragaria todo o plano. Teve uma ideia. Mandou construir uma grande gaiola gradeada onde um homem pudesse ficar à vontade, e arranjou um carro de bois. Pronto o gaiolão, Cardênio e os demais companheiros disfarçaram-se em fantasmas e de noite assaltaram Dom Quixote durante o sono. Amarraram-no e meteram-no na gaiola.

Ao ver-se tratado daquela maneira, Dom Quixote convenceu-se de que realmente fora vítima dos terríveis mágicos, e mais ainda quando o barbeiro, mudando a voz, lhe disse:

"Ó valentíssimo Cavaleiro da Triste Figura, honra e glória do mundo! Não te aflijas do teu inesperado cativeiro. Assim que fores posto em liberdade, poderás dar começo à aventura contra o gigante que persegue o império de Micomicon."

E voltando-se para Sancho:

"E tu, ó, o mais nobre e leal dos escudeiros, consola-te de ver engaiolada a flor da cavalaria andante. Breve também subirás ao ápice da grandeza. Dá crédito às minhas falas. Segue em paz o grande herói cativo e não te inquietes. Os teus dias de glória estão próximos. Adeus."

Sossegado por aquela voz oracular, Dom Quixote respondeu suspirando:

"Quem quer que sejas tu, ó duende que tomas a peito a minha sorte, não me deixes por muitos dias languescer neste vergonhoso cárcere. Tudo sofrerei sem uma queixa, contanto que esta provação me abra o caminho da glória. Quanto ao meu fiel escudeiro, se o destino me impossibilitar de oferecer-lhe a prometida ilha, ou um reino, minha gratidão e meu testamento o farão feliz."

Sancho agradeceu a bondade do seu amo, sem nem por sombras desconfiar da peça de que ambos estavam sendo vítimas.

Os duendes tomaram a gaiola e a arrumaram na carreta. Cardênio dispôs sobre Rocinante o escudo do herói e a bacia de barbeiro que era o elmo de Mambrino. Sancho montou no seu jumento. A mulher do estalajadeiro e a Maritornes vieram despedir-se, com fingida tristeza, do valente herói da Mancha. Dom Quixote consolou-as, dizendo que jamais esqueceria a ótima recepção que delas recebera.

Capítulo XX
A VOLTA DO ENGAIOLADO

– Sim, senhora! Boa bisca era a tal Maritornes – observou Narizinho. – Para mim não há gente pior que a que se diverte à custa dos pobres loucos.

– Também penso assim, minha filha – disse Dona Benta – e no entanto é essa a inclinação da humanidade. Repare naquela demente que anda solta na vila. Assim que sai para a rua dando aqueles gritos, junta-se a molecada atrás – e um dia até o Pedrinho se meteu entre eles, eu bem sei...

O menino defendeu-se.

– Mas não foi para ajudar, nem me rir dela, vovó. Acompanhei-a apenas para observar. A senhora mesma diz que é preciso a gente não perder nunca a menor ocasião de observar a vida. Eu estava observando a loucura.

– Bom, se foi assim, está direito, porque aquela pobre louca só merece compaixão. Ficou gira, sabem por quê? Por perder uma filhinha de cinco anos, num desastre horrível.

– Lá vem vovó com coisas tristes! – protestou Narizinho. – Volte depressa para a gaiola de Dom Quixote, antes que eu chore.

Dona Benta continuou a história do engaiolado.

– Não era mais necessário o auxílio de Cardênio – disse ela – nem dos amigos de Cardênio. O cura e o barbeiro despediram-se deles, prometendo inteirá-los mais tarde do resto da comédia. O falso príncipe e sua comitiva montaram e partiram. Em seguida pôs-se a caminho o curioso farrancho do herói engaiolado.

À frente seguia o carreiro guiando os bois; lado a lado, dois quadrilheiros que o cura chamara para auxiliá-lo; depois, o barrigudo Sancho escanchado no burrinho e com a ilha a lhe ferver nos miolos; depois, Rocinante, puxado pela rédea; finalmente, o cura e o barbeiro.

Dentro da gaiola via-se o grandíssimo cavaleiro da Mancha – sentado, cabisbaixo, mudo, imóvel como a estátua da resignação.

Duas léguas caminharam assim, até um vale de bom pasto, onde se detiveram para descanso dos animais. Sancho, que começava a desconfiar da comédia, aproximou-se do seu senhor e disse-lhe baixinho:

"Meu amo, esses dois embuçados que nos seguem eu juro que são o cura e o barbeiro lá da nossa terrinha. Tudo isto está me cheirando a uma refinadíssima comédia."

"Desconfia dos teus olhos, amigo Sancho – respondeu o herói. – Os mágicos encantadores tomam todas as formas. Provavelmente tomaram a forma do cura e do barbeiro para melhor nos iludirem."

Sancho ficou pensativo. Depois:

"Eu tinha vontade de fazer a Vossa Senhoria uma perguntinha, mas não ouso..."

"Ousa, ousa, meu filho. Que é?"

"É que... é que estou a matutar se Vossa Senhoria depois que foi encantado, não sentiu ainda uma certa necessidade..."

"Sim, sim amigo Sancho. Sinto necessidade de ver-me fora desta prisão."

"Não é disso que falo, meu senhor..."

"Então de que é?"

Sancho explicou-lhe que necessidade era.

"Percebo – respondeu o herói. – Sinto-a, sim, e bastante, neste momento."

Sancho deu uma risada gorda.

"Apanhei-o! Vossa Senhoria não vive dizendo que os cavaleiros encantados não comem, não dormem, não bebem, não fazem coisa nenhuma que os outros homens fazem? Logo, se Vossa Senhoria sente a tal necessidade, então é que não está encantado."

Dom Quixote ficou pensativo.

Enquanto o amo e o escudeiro dialogavam, os animais comiam a verde relvinha, e o cura, o barbeiro e os quadrilheiros aliviavam os alforjes das comedorias. Sancho aproximou-se do cura e pediu-lhe licença para soltar Dom Quixote por uns instantes, a fim de que ele desse uma voltinha pelo mato. O cura concedeu a licença com uma condição: que o herói prometesse sob palavra voltar à gaiola sem fazer nenhuma tentativa de fuga.

"É boa! – exclamou o escudeiro. – Se Vossas Senhorias são mágicos, não vejo necessidade de tal promessa. Basta que façam um aceno com a varinha e quem tentar fugir ficará grudado ao chão, preso de raízes..."

O carreiro foi abrir a gaiola. Dom Quixote saiu, estirou os braços e foi dar umas palmadas no pescoço de Rocinante.

"Meu querido cavalo, flor dos corcéis! Breve nos tornaremos a ver e continuaremos nosso glorioso rosário de aventuras."

Em seguida, antes de dar a volta pelo mato, deteve-se junto ao grupo para um dedo de prosa. Nesse instante ouviu-se um toque de buzina. Dom Quixote aprumou-se, à escuta, pronto já para a peleja.

Era uma procissão de penitentes que pediam chuva. Num andor vinha uma grande imagem de Nossa Senhora, que imediatamente Dom Quixote tomou como uma princesa a implorar socorro. E ei-lo que agarra da lança, do escudo, e salta sobre Rocinante, dizendo:

"Notai, senhores, a utilidade da cavalaria andante. Reparai na infeliz princesa que os malandrins levam cativa. Quem a libertaria, se aqui não se achasse um cavaleiro andante?"

Disse e fincou as esporas no cavalo, lançando-se contra a procissão.

– "Espere! Espere! – gritaram o cura e o barbeiro, aflitíssimos. – É uma simples procissão de penitentes, senhor! É a imagem de Nossa Senhora e não princesa nenhuma!..."

Foi o mesmo que clamar no deserto, Dom Quixote já ia longe.

"Vil canalha! – trovejava ele. – Libertai já essa infeliz princesa de ar triste que trazeis cativa."

A resposta foi uma gargalhada geral.

Dom Quixote enfureceu-se. Cobriu-se com o escudo e atacou. Mas um dos homens estava armado de porrete, com o qual lhe assenta tamanho golpe que o tonteia. Dom Quixote cai. Acodem Sancho, o cura, o barbeiro e explicam aos penitentes o caso do fidalgo da Mancha. E a procissão segue o seu caminho, enquanto o fiel escudeiro, debruçado sobre o amo imóvel, tudo faz para acordá-lo. Por fim Dom Quixote abriu os olhos e suspirou.

"Amigo – diz ele – ajuda-me a subir ao carro encantado. A dor que sinto no lombo não me permite cavalgar o valente Rocinante."

"Sim, meu senhor. Voltemos à nossa aldeia e fiquemos lá até que passe esse raio de encantamento, ou o que seja, que veio interromper nossas aventuras. Depois continuaremos – e havemos de operar prodígios."

E o invencível Cavaleiro da Triste Figura foi novamente enfiado na gaiola. A marcha recomeçou. No fim do sexto dia chegaram ao destino. Era domingo. Os camponeses vindos a compras na aldeia reuniram-se em redor do carro do gaiolão. Seguiram em massa – e foi assim que a caravana chegou à velha casa do fidalgo da Mancha.

O barulho atraiu à porta a sobrinha e a ama de Dom Quixote. Ao darem com ele numa gaiola, deitado num monte de palha, magríssimo e extremamente pálido, rompem as duas em choro e gritos.

A notícia da chegada dos dois heróis voou pela aldeia. A mulher de Sancho acudiu correndo. Abraçou-o, apalpou-o, como a ver se não lhe faltava pedaço nenhum, e perguntou logo pelo burrinho.

"Está mais que bom – respondeu Sancho – apesar do que lhe aconteceu. Desta vez não trouxemos a ilha, mas a ilha virá na certa. Serei conde, duque, marquês, o diabo. Governador dum grande reino, vais ver. E por conta já podes ir recebendo este ourinho" – concluiu ele, entregando à esposa o saco de moedas.

Os olhos da boa mulher brilharam.

"Oh, Sancho! Estou tão contente! Tudo isto só para começar'? Então iremos longe. Uma ilha! Conde! Duque! Governador! Que beleza!..."

"Se é! — exclama Sancho. – Mas custa um bocado. Antes de a gente apanhar essas coisas, é tunda e mais tunda, pau e mais pau. Além disso, uma trabalheira sem fim; ora a galgar montanhas cheias de pedras e espinhos, ora a trepar em rochas empinadíssimas; hoje a dormir ao relento; amanhã a pousar em castelo que vira albergue – e sempre uma tunda de pau no fim. A ilha vem, não há dúvida, mas as costelas vão ficando pelo caminho..."

Enquanto o casal dialogava nesse tom, o cura pagou o carreiro e deu uma gorjeta aos quadrilheiros, os quais se foram. Dom Quixote foi carregado ao seu quarto e posto em sua velha cama.

"E cuidado, hein? – rematou o cura dirigindo-se à ama e à sobrinha. – Não o deixem fugir. Olhem que me deu panças para botá-lo aqui. Cáspite!..."

Capítulo XXI
Terceira saída de Dom Quixote. Aventura do carro da Morte

Nesse momento Tia Nastácia entrou para avisar que uma pessoa lá na varanda queria ver Dona Benta. A velha saiu, deixando a criançada só.

Emília pôs-se a pular pela sala, como uma perfeita louca. Voltando-se para Pedrinho, Narizinho disse:

– As histórias de Dom Quixote estão virando a cabeça dela. Você vai ver, Pedrinho: o fim de Emília é no hospício...

– Ganja demais é isso – explicou o menino. – Aqui quem manda é ela. Tudo quanto ela faz aquele sujeito conta nos livros. Daí a ganja. Emília já não respeita ninguém. Não obedece a ninguém – nem a vovó.

Emília continuava a dar vira-cambotas. Depois foi buscar um cabinho de vassoura e disse que era lança, e começou a espetar todo mundo. E botou um cinzeiro de latão na cabeça, dizendo que era o elmo de Mambrino. Por fim montou no Visconde, dizendo que era Rocinante.

Foi demais aquilo. Narizinho não aguentou. Correu para cima dela e deu-lhe um peteleco.

Nesse momento Dona Benta voltou.

– Que barulhada é esta, meninos?

– É inveja, Dona Benta! – berrou Emília. – Esses dois não me aturam mais, de inveja pura, puríssima – e ria-se, ria-se...

– Inveja de quê? – perguntou Narizinho.

– Tinha graça, termos inveja duma maçaroca de pano de Cr$ 1,50 o metro...

– Inveja, sim! – berrou Emília. – Sou de pano, sim, mas de pano falante, engraçado paninho louco, paninho aqui da pontinha. Não tenho medo de vocês todos reunidos. Aguento qualquer discussão. A mim ninguém me embrulha nem governa. Sou do chifre furado – bonequinha de circo, Dona Quixotinha...

Dona Benta arregalou os olhos. Emília parecia realmente louca.

– Anastácia, acuda! – gritou ela. – Depressa um chazinho de erva-cidreira.

Ainda por uns minutos Emília esteve naquela crise de cambalhotas e fanfarronadas de todo o tamanho. Depois, subitamente, sossegou.

Só então Dona Benta pôde retomar o fio da história, mas enquanto falava ia espiando a boneca com o rabo dos olhos. Positivamente Emília estava mudada. Seria mesmo loucura?

– Por todo um mês – disse Dona Benta – Dom Quixote ficou de molho na cama, a retemperar-se com os bons caldos de galinha que a ama lhe dava. Suas forças foram-se levantando. No fim do mês veio o cura visitá-lo, sempre seguido de mestre Nicolau. O herói da Mancha os recebeu com a sua natural urbanidade.

"Está correndo a notícia – começou o cura – de que os turcos avançam com uma grande esquadra, sem que se saiba que ponto pretendem atacar. O nosso rei já mandou guarnecer de tropas e canhões as costas de Nápoles e da Sicília."

"Sua Majestade – respondeu Dom Quixote – agiu com todo o acerto, embora não houvesse necessidade disso. Bastaria que mandasse convocar a sons de trompa todos os cavaleiros andantes de Espanha, inda que sejam só doze – e os lançasse contra os turcos. Um conheço eu, cujo fortíssimo braço bastaria para dar cabo de todos os sectários de Mafoma."

"Jesus! Santo nome de Jesus! – exclamou a sobrinha. – Meu tio parece querer arvorar-se em cavaleiro andante!"

"Arvorar-se! – bradou Dom Quixote. – Arvorar-se! Ignoras então menina, que sou e sempre fui, pela graça de Deus, um invencível cavaleiro andante?"

O cura, que contara toda aquela história dos turcos só para experimentar o estado de espírito do doente, saiu dizendo:

"Não melhorou nada. Continua tão louco como antes." – Nisto soaram passos balofos. Era Sancho, que vinha vindo muito afobado. As duas mulheres saíram-lhe à frente.

"Vagabundo! Queres novamente induzir Dom Quixote a correr Seca e Meca?" – gritou-lhe a sobrinha.

A ama, de mãos na cintura, sacudiu a cabeça:

"Tudo por causa do raio da tal ilha! Imbecil! Se queres ser governador de alguma coisa, vai governar tua casa, que é o melhor. Tudo lá anda à matroca."

O cura e o barbeiro riam-se daquele pega. Mas Dom Quixote deu ordem para que o escudeiro entrasse.

"Ora vem cá, meu amigo. Senta-te. Que dizem de mim na aldeia?"

"Que hão de dizer? – respondeu Sancho. – Dizem que Vossa Senhoria não passa de um louco e eu dum imbecil."

"É sempre assim – filosofou Dom Quixote resignado. – A inveja nunca poupa aos heróis. Veja Alexandre, veja César ou mesmo o divino Hércules. E ninguém tomou o meu partido?"

"Ninguém – disse Sancho – salvo um certo bacharel de Salamanca, filho de Bartolomeu Carrasco. Esse rapazola chegou ontem e anda doido por falar com Vossa Senhoria."

"Pois que venha! Que venha já! – gritou o fidalgo com alegria. – Corre a chamá-lo, Sancho."

O escudeiro apressou-se a cumprir a ordem. O rapaz veio.

Era um moço de vinte e tantos anos, magricela, descorado, de cara redonda e olhos espertos. Parecia maligno e brincalhão. Logo que entrou no quarto do doente, ajoelhou-se e disse:

"Consinta Vossa Senhoria que eu beije a valentíssima destra do cavaleiro andante mais afamado de quantos existiram, existem e existirão. O eco das proezas de Vossa Senhoria enche o universo. Por toda parte o proclamam o orgulho e a glória da Mancha."

"Erga-se, erga-se, senhor Carrasco – ordenou-lhe Dom Quixote com a voz ardente. – Muito me alegra ter encontrado um digno apreciador da nobilíssima profissão que exerço."

Nesse momento Rocinante relinchou na estrebaria. Foi o bastante para Dom Quixote pegar fogo. Decide-se. Resolveu partir a correr mundo dali a três dias. O esperto bacharel achou a ideia excelente, e aconselhou-o a ir a Saragoça, onde estava para realizar-se uma justa ou torneio. Em seguida despediu-se com grandes palavras de admiração e louvor.

No dia seguinte a ama aparece na casa do bacharel.

"Ah, senhor Carrasco! Tudo está perdido! Meu amo desandou — quer partir novamente. E para quê? Para reaparecer na aldeia atravessado num jumento ou metido numa gaiola, pálido que nem cadáver e por um fio. Valha-nos Deus! Estou que não sei mais o que fazer..."

"Não se aflija – respondeu o bacharel. – Volte para casa. Vá cuidar do almoço que eu apareço dentro de meia hora."

Enquanto isso Dom Quixote discutia com Sancho Pança a propósito do ordenado. Sancho desejava ordenado certo.

"Olha, amigo Sancho – dizia o cavaleiro – eu nunca li em nenhuma história que os escudeiros recebessem ordenados. Os escudeiros nos servem unicamente com a esperança de, quando menos esperam, serem recompensados com uma ilha ou reino. E se não estás por isto, é recolheres à tua casa. Continuaremos amigos como dantes.

Sancho, pensativo, coçava a cabeça.

Logo depois entram no quarto a ama, a sobrinha e o bacharel. Este dá um abraço em Dom Quixote e diz:

"Ó flor da cavalaria! Não dilates a tua terceira arrancada. Corre à justa de Saragoça e se este escudeiro não quer acompanhar-te, eis-me pronto para substituí-lo."

O herói da Mancha voltou-se para Sancho.

"Então, que te parece, amigo? Bem vês que não me faltam escudeiros e de que naipe! Aqui está um finíssimo, eleito das musas de Salamanca. Oferece-se de coração aberto. Quer expor-se a todos os perigos, à fome, ao frio, às intempéries, só pela honra de acompanhar-me como fiel escudeiro. Ainda queres deixar-me, Sancho?"

"Oh, nunca, meu querido amo!" – volveu Sancho, debulhado em lágrimas.

A ama e a sobrinha rogaram mil pragas no bacharel e em Sancho, o que não impediu que naquele mesmo dia os três partissem de rumo a Saragoça.

Em caminho, perto duma floresta, viram, rodando ao seu encontro, um carro estranhíssimo, rodeado de gente mais estranha ainda. O carreiro era um diabo horrendo e à sua direita vinha a Morte sob a forma dum esqueleto humano. Atrás, um anjo de asas penduradas; depois, um imperador de coroa na cabeça; à esquerda do esqueleto, um Cupido de arco e seta mas sem venda nos olhos. E um guerreiro armado de ponto em branco. E mais figuras assim.

O invencível cavaleiro da Mancha arregalou os olhos, surpreso. Mas ardendo por mostrar o seu heroísmo, avançou, bradando:

"Carreiro, cocheiro de Lúcifer ou quem quer que sejas: dize-me incontinenti o que pretendes e para onde segues – e que gente levas contigo nesse carro que mais parece a barca de Caronte!"

"Somos atores cômicos – respondeu o vestido de diabo. – Inda há pouco representamos um drama na aldeia próxima, e pretendemos representá-lo hoje mesmo na que fica a uma légua daqui – por isso nem sequer nos despimos."

Dom Quixote desapontou.

"À fé de cavaleiro que supus tratar-se de coisa mais séria – disse ele. – Bem fala o ditado que as aparências enganam. Segue em paz. Vai representar o teu drama."

Nisto um dos atores se aproxima. Vinha coberto de dourados e guizos, com uma vara na mão com três bexigas cheias na ponta. Batia com ela e pulava, retinindo todos os guizos. A estranha e barulhenta figura assustou Rocinante, fazendo-o tomar o freio nos dentes e disparar num galope súbito, a que o cavaleiro não pôde resistir. Dom Quixote estatelou-se no chão. Acode Sancho. Apeia. O diabo dos guizos, vendo o burrinho à sua disposição, monta nele e dispara, a tocá-lo com bexigadas.

Sancho, aflito, ergue o amo, ajuda-o a cavalgar Rocinante e berra angustiado:

"Veja senhor! O diabo guizento furtou-me o burro!"

"Que diabo?" – perguntou Dom Quixote que não percebera a molecagem.

"O tal dos guizos, que assustou Rocinante. Lá vai ele longe, no galope..."

"Não te aflijas, Sancho. Fá-lo-ei restituir o animalzinho ainda que tenha de apanhá-lo no centro da terra. Acompanha-me."

"É escusado, senhor – disse Sancho com os olhos ao longe. – O ladrão acaba de apear-se. Largou o burrinho, o qual lá vem de volta, no trote..."

"Não, não – insistiu Dom Quixote. – Quero castigar esses insolentes – e castigá-los-ei ainda que sejam imperadores."

E atirou-se contra o carro da Morte, por mais que Sancho lhe gritasse:

"Senhor, senhor! Não se meta com histriões. Isso é gente de má casta!..."

Tudo inútil. O herói voava em cima dos ossos de Rocinante. Vendo aquilo, os atores prepararam-se para a resistência, munindo-se de pedras.

A certa distância o herói da Mancha sofreia o cavalo. Sancho insiste:

"Isso é mais que temeridade, senhor – atacar exército comandado pela Morte em pessoa e composto de imperadores, anjos e diabos. Ali não vejo nenhum cavaleiro andante."

"Tens razão, amigo – respondeu Dom Quixote. – Esta aventura não me está parecendo natural. Abandonemo-la. Procuremos outras mais dignas do meu forte braço.

Vendo que o herói parara na carreira e fazia menção de voltar, os atores tornaram ao carro e puseram-se em marcha. E o incidente ficou por aí.

Quanto ao bacharel Carrasco, esse sumira-se.

Capítulo XXII
AVENTURA DE DOM QUIXOTE COM O CAVALEIRO DOS ESPELHOS

Quando Dona Benta chegou a esse ponto, parou e indagou da Emília.

– Onde anda o diabretinho?

Emília desaparecera.

– Há de estar lá na cozinha atropelando Tia Nastácia – respondeu Narizinho. – Continue a história, vovó, enquanto a atrapalhadeira não aparece.

Dona Benta continuou.

– A floresta marginal – disse ela – apresentava sombras convidativas; os dois heróis resolveram tirar uma soneca de descanso. Estavam no melhor dela quando, horas depois, um ruído súbito acorda Dom Quixote, o qual se senta e vê dois homens a cavalo que param perto. Um deles disse ao outro:

"Tira os freios dos cavalos. Esta sombra está boa para um descanso."

Em seguida deitou no chão as armas e fez o mesmo ao seu corpo cansado.

O alvoroço de Dom Quixote foi grande ao ver que se achava à frente dum legítimo cavaleiro andante. Acordou Sancho e disse-lhe, baixinho:

"Sancho, Sancho, desta vez temos aventura das boas."

"Que realmente seja boa – respondeu o escudeiro esfregando os olhos. – De más estou farto. Onde anda ela?"

"Não vês acolá aquele cavaleiro deitado?"

"Vejo, sim, senhor, mas que tem isso? Acha que um cavaleiro deitado seja aventura?"

"As aventuras começam assim, meu caro Sancho."

E voltando-se para o desconhecido gritou-lhe a frase clássica:

"Quem vive?"

"Amigo" – respondeu o sujeito.

Dom Quixote adiantou-se, acompanhado pelo fiel escudeiro.

"Queira sentar-se aqui ao meu lado – disse o desconhecido. – Imagino que Vossa Senhoria é cavaleiro andante, pois está guarnecido de armadura e armas e jazia reclinado neste bosque, como faziam os heróis de outrora que se dedicavam à nossa alta profissão."

"É verdade, senhor – respondeu Dom Quixote. – Tenho a honra de ser cavaleiro andante e passo a vida a socorrer os fracos e a vingar os oprimidos."

"E a conquistar reinos e ilhas – acrescentou Sancho – para com eles e elas brindar o fiel servidor."

"Quem está falando?" – quis saber o desconhecido.

"É o meu escudeiro Sancho Pança" – respondeu Dom Quixote.

"Escudeiro? E ousa intervir na conversa do seu amo? – observou o desconhecido. – Pois acolá tenho o meu, o qual apesar de homem maduro, nunca se atreve a abrir a boca diante de mim."

"Essa é boa! – exclamou Sancho. – Se não abre a boca, é que é mudo. Eu cá falo ao senhor Dom Quixote sempre que me apraz – e não tenho papas na língua."

O escudeiro do desconhecido puxou Sancho pelo braço, murmurando-lhe:

"Afastemo-nos daqui para conversarmos à vontade."

Retiraram-se os dois para um canto da floresta.

"Meu caro – disse o novo escudeiro – nós levamos uma vida do inferno. Roemos pão duro, quando o há. Levamos pancadaria grossa. Suamos água e sangue."

"Assim é – concordou Sancho. – E em lugar de bons vinhinhos, só bebemos água das fontes e arroios."

"Isso mesmo. Mas esta noite não será assim. Tenho cá a minha borracha e este empadão. Toma um pedaço."

"Oh, vinho e empada! – exclamou Sancho arregalando os olhos. – Que banquete!"

Sancho mordeu a empada e a mastigá-la disse com os olhos na borracha de vinho:

"Permite-me Vossa Mercê que eu pespegue um beijinho nessa menina?"

"Com muito prazer" – respondeu o outro passando-lhe a borracha."

Sancho deitou-se, com a borracha na boca e os olhos no céu. Ficou uns instantes naquela posição, a mamar o delicioso vinho. Por fim senta-se e estala a língua.

"Este é legítimo de Ciudad Real, não?"

"Adivinhou! E velhinho."

Entrementes, o cavaleiro desconhecido – que era o Cavaleiro dos Espelhos – declarava a Dom Quixote.

"Sim senhor. Os meus trabalhos e aventuras igualam-se aos trabalhos de Hércules. Já percorri grande parte da Espanha, vencendo uma infinidade de cavaleiros. Mas o meu maior feito foi a derrota infligida ao famoso Dom Quixote de la Mancha."

"Dom Quixote de la Mancha, senhor? Vossa Senhoria engana-se. Dom Quixote de la Mancha está aqui. O que Vossa Senhoria venceu era falso."

"Falso ou verdadeiro – replicou o dos Espelhos –, o certo é que o venci. E tenho dito."

"Mente! – bradou o herói da Mancha. – Erga-se e tome a lança."

"Esperemos que amanheça – respondeu o outro – e então combateremos, mas com uma condição: o vencido obedecerá ao vencedor em tudo que não colidir com as regras da cavalaria andante. Aceita?"

"Aceito" – respondeu Dom Quixote.

Os dois campeões foram prevenir os respectivos escudeiros para que tudo aprontassem ao surgir do sol.

Só quando a manhã rompeu, pode Sancho reparar na cara do seu amigo escudeiro, e assombrou-se do enorme nariz que ele tinha. Do seu lado Dom Quixote observou o seu adversário, já com o rosto oculto pela viseira. Tinha a estatura mediana, se bem que retaco e forte.

Aproximam-se os cavalos arreados. Os dois contendores montam. Sancho, assustadíssimo com o tremendo nariz do escudeiro colega, sussurra para seu amo:

"Senhor Dom Quixote, estou com medo daquela penca. Vou ficar de longe, encarapitado numa árvore."

"Queres ver touros de palanque, é isso" – murmurou o cavaleiro.

Disse e cravou as esporas no magro Rocinante, que saiu no galope. O Cavaleiro dos Espelhos fez o mesmo. Mas ao dar a esporada, o seu corcel empinou e o jogou ao chão.

Vendo aquilo Dom Quixote volta. Sancho desce da árvore. Vão os dois acudir ao cavaleiro desastrado. Tiram-lhe o elmo e, oh, pasmo! Oh, assombro! Não era outro senão o bacharel Sansão Carrasco!...

"Que te parece, amigo Sancho? – disse Dom Quixote. – A malícia dos encantadores é infinita. Transformaram o Cavaleiro dos Espelhos no nosso amigo Carrasco..."

"Hum! – exclamou Sancho. – Pelo sim, pelo não, acho que Vossa Senhoria deve cortar-lhe a cabeça."

Dom Quixote gostou da ideia e já ia sacando da espada, quando o escudeiro do bacharel lhe caiu aos pés, bradando:

"Suspenda, senhor! Suspenda! Olhe que vai matar o seu melhor amigo!..."

"Nada de lérias – gritou Sancho, e vendo que o enorme nariz desaparecera do rosto do outro: – Onde está o seu nariz?"

"Aqui" – respondeu o escudeiro, mostrando um nariz de papelão.

Nesse momento Sancho reconhece o homem.

"Diabo! Não é o compadre Tomás Cecial?"

"Em corpo e alma, caro Sancho. Vou contar tudo. Vou contar por que motivo nos disfarçamos deste jeito."

Mas Dom Quixote já estava com a ponta da espada no gasnete do cavaleiro.

"Confesse, cavaleiro, que esse que venceu não era o autêntico Dom Quixote de la Mancha e sim algum parecido; como eu confesso que Vossa Senhoria não é o bacharel Carrasco e sim outro parecido."

"Perfeitamente, senhor – respondeu o cavaleiro estatelado. – Confesso tudo quanto Vossa Senhoria me ordenar."

Dom Quixote meteu a espada na bainha e o escudeiro Tomás ajudou o bacharel a erguer-se e a montar em seu cavalo. Estavam ambos desapontadíssimos. Carrasco se havia disfarçado em cavaleiro andante por instigações e conselhos do cura, com a ideia de bater-se com Dom Quixote, vencê-lo e obrigá-lo a tornar à aldeia. Infelizmente aquele inopinado tombo estragou tudo, fazendo o feitiço virar-se contra o feiticeiro.

O herói da Mancha, que tudo atribuía a feitiços e mágica, tomou o rumo de Saragoça, muito satisfeito consigo, enquanto o bacharel Carrasco, furiosíssimo com a derrota, jurava a todos os deuses não tornar à aldeia antes de abater para sempre o ilustríssimo Dom Quixote de la Mancha,

Meia légua dali Dom Quixote tem novo encontro – um homem montado em bonita égua, com um capote de veludo verde sobre os ombros e boné do mesmo pano. Num rico boldrié trazia um alfanje mourisco. Botas de verniz rebrilhante, esporas também verdes. Seu aspecto infundia confiança e respeito.

O homem entreparou e saudou Dom Quixote, mostrando-se admirado do encontro de tão magra e alta criatura sobre aquele magríssimo cavalo.

"Penso – disse o herói da Mancha – que Vossa Senhoria está a estranhar o ver-me armado desta maneira. Contarei do que se trata. Sou um cavaleiro andante que quer ressuscitar a nobre profissão e corre mundo a socorrer donzelas e a vingar agravos. Chamo-me Dom Quixote de la Mancha, o Cavaleiro da Triste Figura."

O gentil-homem baixou a cabeça ao ouvir nomear aquele exótico apelido.

"Muito desejo – continuou o herói da Mancha – saber o seu nome e conhecer suas ocupações – se não sou indiscreto."

"Sou Dom Diogo de Miranda – respondeu o fidalgo. – Resido numa aldeia perto daqui, onde espero que Vossa Senhoria me dê a honra de jantar comigo. Nasci razoavelmente rico. Acudo aos necessitados, arranjo a vida dos que a têm desarranjada; moro com minha mulher e filhos, e recreio-me na caça e na leitura dos bons livros."

"Uma vida que muito vos honra, Dom Diogo" – disse Dom Quixote.

Capítulo XXIII
A GRANDE CORAGEM DE DOM QUIXOTE DIANTE DOS LEÕES

Dona Benta interrompeu a narrativa para atender a uma pergunta de Pedrinho. O menino queria saber se ela estava contando a história inteira ou só pedaços.

– Estou contando apenas algumas das principais aventuras de Dom Quixote, e resumidamente. Ah, se fosse contar o Dom Quixote inteiro a coisa iria longe! Essa obra de Cervantes é bem comprida; passa de mil páginas numa edição in-16. Mas só os adultos, gente de cérebro bem amadurecido, podem ler a obra inteira e alcançar-lhe todas as belezas. Para vocês, miuçalha, tenho de resumir, contando só o que divirta a imaginação infantil.

– In-16, vovó? Que quer dizer isso'?

– É uma medida do formato dos livros. Os livros são feitos de papel, como você sabe. O papel vem da fábrica em folhas. Em cada folha imprime-se um certo número de páginas. Espere... O melhor é dar um exemplo. Traga um jornal.

Pedrinho foi buscar um número do *Jornal do Comércio*, que Dona Benta toda a vida assinou por ser um dos mais antigos do Brasil.

– Pronto, vovó – disse ele. – Aqui tem um.

– Muito bem – disse Dona Benta. – Vamos agora tomar uma folha inteira e desdobrá-la sobre a mesa, assim. Aqui tem você uma folha de papel. Se dobrarmos esta folha pelo meio, quantas páginas ficam? Página é um lado só do papel. Pedrinho dobrou a folha de papel e contou.

– Ficam quatro páginas.

– Isso mesmo. Ora, se imprimirmos um livro em páginas desse formato, esse livro se chamará um in-fólio. Agora dobre o papel mais uma vez e veja quantas páginas dá.

Pedrinho dobrou a folha de papel e viu que dava 8 páginas.

– Muito bem. Um livro impresso em páginas desse formato é um livro in-oitavo, ou in-8. Dobre o papel mais uma vez e conte.

Pedrinho dobrou o papel mais uma vez e contou dezesseis páginas.

– Isso mesmo. Um livro impresso em páginas desse formato é um livro in-dezesseis, in-16. Dobre o papel mais uma vez e conte.

Pedrinho dobrou o papel mais uma vez e contou trinta e duas páginas.

– Justamente. Um livro impresso nesse formato é um livro in-trinta e dois ou in-32. Dobre mais uma vez.

Pedrinho dobrou e viu que dava sessenta e quatro páginas.

– Isso mesmo. Um livro impresso nesse formato é um livro in-sessenta e quatro, ou in-64.

– E se eu dobrar mais uma vez, teremos o formato in-128, que é o dobro de 64; não é assim? – perguntou o menino.

– Exatamente.

– Ora veja só, vovó, uma coisa tão simples e eu não sabia! Vou ensinar a Narizinho.

A menina vinha entrando.

– Narizinho – disse ele – venha aprender uma coisa que você não sabe...

– Depois. Temos novidade – respondeu ela. – Emília anda lá fora fazendo as maiores loucuras. Virou cavaleira andante e obrigou Rabicó a virar Rocinante. Arranjou escudo, lança, espadinha e até armadura. E quer atacar Tia Nastácia, dizendo que não é Tia Nastácia nenhuma, e sim a giganta Frestona. O pobre Visconde segue atrás como escudeiro, vestido de uma roupa larga, que Emília encheu de macela para que ficasse gordo e barrigudinho como Sancho. Só vendo, vovó! Está doida, doida...

– Bem, bem – disse Dona Benta. – Emília que se divirta por lá. Nós vamos continuar a nossa história. Onde ficamos?

– Ficamos no ponto em que Dom Quixote encontra o tal Dom Diogo.

– Sim. Ele pôs-se de prosa com esse fidalgo enquanto Sancho se afastava para comprar uns requeijões dum cabreiro que vinha passando. Nisto repontou um carro ao longe. Dom Quixote, que, para descansar a cabeça, dera o elmo para Sancho segurar, reclama-o. Sancho, às voltas com os requeijões, paga-os depressa e corre a atender ao chamado de seu amo, mas no açodamento distrai-se e enfia os requeijões dentro do elmo.

"Sancho, Sancho, depressa, meu elmo – insiste Dom Quixote. A aventura que se aproxima requer todas as minhas armas e todo o meu esforço."

Sancho, com os olhos no carro, entrega ao amo o elmo que Dom Quixote, sem dar tento, põe na cabeça com os requeijões e tudo. Um chuveiro de soro escorreu-lhe pelas faces.

"Que é isto, Sancho? Parece que os meus miolos estão se derretendo. Nunca tanto me alagou o rosto. Depressa um lenço para enxugar-me."

Sancho passou-lhe um lenço, mas Dom Quixote, tirando o elmo, vê lá no fundo a massa de requeijões. Cheira aquilo e brada colérico:

"Ah, traidor! Guloso! – Deitaste requeijão fresco em meu elmo!"

"Requeijões frescos, senhor? – repetiu Sancho, fazendo-se de assombrado. – Malditos encantadores! De que haviam de lembrar-se para perder-me no conceito do meu bom amo! Mas passe para cá a massa, senhor, que a guardarei no meu bucho."

Enquanto o escudeiro ia acomodando no bucho os requeijões esmagados, Dom Quixote enxugava a cara e a barba e punha de novo o elmo já vazio. Firmou-se na sela e bradou:

"Que venha agora o que vier. Vencerei até Satã com toda a sua récua de demônios."

Dom Diogo olha na direção do "inimigo" e nada mais vê senão um carro conduzido por dois homens, um atrás, outro montado numa das mulas. Dom Quixote espetado no meio da estrada, de lança em punho, gritava:

"Para onde ides, amigos? A quem pertence esse carro? Que leva dentro? Que significam tais bandeirolas?"

– "Este carro é meu – respondeu o homem montado na mula. – Vão nele dois leões enjaulados que o governador de Ora manda de presente a el-rei. As bandeirolas indicam que é serviço de Sua Majestade. Eis tudo."

"São de bom tamanho esses leões?" – pergunta Dom Quixote.

"Dos maiores que a Espanha ainda viu. E como estão esfaimados, peço a Vossa Senhoria que não retarde por mais tempo a nossa viagem."

"A mim, leõezinhos! – exclamou Dom Quixote. – Já, condutor, abre-lhes a jaula. Quero medir-me com os cavaleiros do deserto. Quero provar aos mágicos encantadores quem é Dom Quixote de la Mancha."

Dom Diogo e Sancho muito trabalharam para dissuadi-lo de tão temerária resolução; vendo que era tempo perdido, correram dali a galope. Dom Quixote, receoso que Rocinante se espantasse com a caraça horrenda das feras, apeou. Enfrentaria os monstros a pé. E contra eles avançou, de espada em punho.

O condutor foi intimado a abrir de par em par a porta do gaiolão. Não teve remédio. Abriu-a, mas com espanto geral os leões, em vez de se arrojarem contra o cavaleiro, olharam-no por alguns instantes e, passando a língua pela beiçarra, deitaram-se, virando-lhe as costas.

Ofendido com aquela descortesia, Dom Quixote mandou que o condutor espancasse as feras.

"Impossível, senhor – respondeu o homem. – Se eu o fizesse, os leões me despedaçariam. Que mais pretende Vossa Senhoria? Já os desafiou. Já provou a sua tremenda valentia, e, como as feras se recusam ao combate, é que estão vencidas e Vossa Senhoria, vitorioso."

"Tens razão – concordou o herói. – Quero agora que me dês um atestado onde se confirme esta proeza altíssima. Que levem a breca os encantadores e viva a cavalaria andante!"

Em seguida agitou o lenço na ponta da lança para indicar aos medrosos, que de longe aguardavam o desenlace da aventura, que tudo ia bem. Dom Diogo e Sancho voltaram imediatamente.

"Amigo – disse Dom Quixote ao condutor – podes seguir teu caminho, e dá tu, Sancho, três moedas a este homem."

"Pronto! – exclamou Sancho metendo a munheca no bolso e tirando o dinheiro. – Mas que sucedeu aos leões? Estão mortos ou vivos?"

O condutor defez-se em gabos da extraordinária valentia do herói da Mancha, dizendo que tudo iria contar ao rei.

"Bem – disse Dom Quixote. – E poderás igualmente informar ao rei que Dom Quixote tomou para si mais um título – o de Cavaleiro dos Leões."

Os viajantes prosseguiram na jornada. Dom Diogo não podia compreender a louca temeridade de Dom Quixote. Tudo se lhe afigurava um sonho; entretanto ele, Sancho e todos os mais haviam testemunhado o fato.

Lá pelas duas da tarde chegaram ao solar de Dom Diogo, onde foram recebidos pela esposa do fidalgo, Dona Maria Cristina, e o filho mais velho, Dom Lourenço. Um criado conduziu o cavaleiro a um belo aposento, onde Sancho o despiu das armas. Aliviado daquele trambolho, Dom Quixote foi ter com a dona da casa, à qual Dom Diogo descrevia a prodigiosa aventura do Cavaleiro dos Leões.

Logo depois foram para a mesa, e o herói da Mancha, cuja fome era velha, comeu como poucas vezes em sua vida. Sancho, esse, quase rebentou.

Quatro dias passaram ali, comendo e bebendo do bom e do melhor. Ao cabo Dom Quixote disse a Dom Diogo:

"Senhor, sumamente agradeço a Vossa Senhoria e à sua digníssima esposa a generosa hospedagem que me deram. Mas o ócio não quadra à vida dos cavaleiros andantes. Novas aventuras me chamam, sobretudo a que me levará à caverna de Montesinos."

Dom Diogo e o filho aplaudiram a bela ideia duma investida contra a famosa caverna de Montesinos.

"Já que ambos aprovam a lembrança, peço que me forneçam um bom guia."

Dom Lourenço ofereceu-se para levá-lo até lá, e o herói da Mancha, depois de mil agradecimentos a Dom Diogo e esposa cavalgou o magro Rocinante. Sancho não se esqueceu de atochar de comestíveis os alforjes. Também levou umas cem braças de corda, conforme lhe recomendara o amo.

Chegados que foram junto à caverna, Dom Quixote apeou-se e Sancho passou-lhe a corda por debaixo dos braços, amarrando-a com firmeza – e lá ficou o Cavaleiro dos Leões com todas as suas armas, pronto para penetrar no abismo.

Havia por ali morcegos em quantidade, e corvos. Sancho e Dom Lourenço afugentaram aquela bicharia negra. Em seguida desceram Dom Quixote pela corda.

Minutos depois, como não recebessem nenhum sinal de baixo, resolveram suspender o corajoso herói, o que fizeram. Dom Quixote surgiu à tona adormecido. Com algumas sacudidelas voltou a si.

"Oh, meus amigos – exclamou abrindo lentamente os olhos – privastes-me do mais belo espetáculo do universo! Assentai-vos e ouvi."

Os dois homens sentaram-se-lhe lado a lado.

"Envolto nas trevas do abismo – começou Dom Quixote – percebi lá no fundo uma vaga claridade. Encaminhei-me na sua direção. Era uma abertura. Meti-me por ela e achei-me numa pradaria sem fim, na qual se erguia um deslumbrante palácio de cristal. Dele vinha saindo um venerável ancião de túnica verde e gorro negro. Trazia um rosário cujas contas vi serem enormes diamantes.

"O ancião aproximou-se de mim e abraçou-me.

"– Há muitos anos, ó valentíssimo cavaleiro da Mancha, que todos aqui jazemos encantados e a suspirar pela tua vinda. Segue-me, paladino ilustre. Quero revelar-te as assombrosas maravilhas deste palácio de luz, do qual eu, Montesinos, sou o governador eterno.

"Calou-se e levou-me a uma sala de paredes de alabastro, onde vi um túmulo de maravilhoso feitio. Sobre o túmulo, um homem deitado.

"Montesinos falou:

"– Depois da batalha de Roncesvales, o famoso nigromante Merlin encantou grande número de guerreiros do exército de Roldão, bem como outras pessoas de sua comitiva. O cavaleiro que vês estirado sobre esse túmulo é o valoroso Durandarte, íntimo amigo meu.

"Uma fala, então, saiu do homem deitado, que perguntou:

"– Montesinos, caro primo, que é feito do meu fiel escudeiro? De minha mãe Ruidera? De suas filhas e sobrinhas?"

"– Ai! – respondeu Montesinos com os olhos cheios de lágrimas – tu bem sabes que há quinhentos anos fomos trazidos para aqui pelo mágico Merlin. Tua mãe Ruidera, com suas filhas e sobrinhas, de tanto chorar se transformaram em fontes. O escudeiro Guadiana foi virado em rio. Mas talvez o famoso cavaleiro Dom Quixote de la Mancha nos desencante."

"– Se o não fizer, paciência – respondeu Durandarte, voltando-se para o outro lado.

"Neste momento soam gritos lamentosos. Olho e vejo em outra sala uma procissão de belíssimas damas em trajes de luto, com alvos turbantes na cabeça.

"– Eis as damas que compunham o séquito da infeliz Ruidera – disse-me Montesinos. – Quatro vezes por semana formam essa procissão e circulam em redor do corpo de Durandarte.

"Estava o venerável ancião nesse ponto da história quando senti um puxão na corda. Vi-me arrastado. Tudo desapareceu. Atravessei novamente a caverna escura e surgi cá em cima. Eis o que houve" – concluiu Dom Quixote.

Todos se assombraram.

"Mas como pode Vossa Senhoria ver tantas coisas em tão pouco tempo que esteve na caverna – só alguns minutos?"

"Alguns minutos?! – exclamou Dom Quixote. – Saiba que vi o sol nascer e morrer três vezes durante o tempo que estive lá."

Dom Lourenço nada objetou. Apenas disse que tudo repetiria fielmente ao seu pai Dom Diogo. Jantaram juntos e partiram, cada qual numa direção. Dom Lourenço voltou ao solar; Dom Quixote e Sancho seguiram ao acaso.

Capítulo XXIV
A BARCA ENCANTADA. DOM QUIXOTE ENCONTRA O DUQUE

Neste ponto a narrativa foi atrapalhada pelo súbito aparecimento de Tia Nastácia.

– Sinhá – veio ela dizer – Emília parece louca. Entrou na cozinha montada no Rabicó, toda cheia de armas pelo corpo, com uma lança e uma espada, e uma latinha na cabeça que diz que é o "ermo" de Mambrino, e começou a me espetar com a lança, gritando: "Miserável mágico! Por mais que te pintes de preto e ponhas saias, não me enganarás! Pérfido! Infame encantador!". E uma porção de coisas assim, sem pé nem cabeça. E a diabinha me espetaria de verdade com a lança, se eu não jogasse no quintal umas cascas de abóbora. Rabicó foi voando para cima das cascas e levou consigo a louquinha. E o pobre Visconde atrás, Sinhá – isso é o que dá mais dó! O pobre Visconde barrigudo, carregando uns saquinhos que ele diz que é alforje...

Dona Benta foi espiar pela janela e de fato viu as estrepolias que a Emília del Rabicó estava fazendo no quintal. Vestidinha de cavaleira andante, toda cheia de armaduras pelo corpo e de elmo na cabeça, avançava contra as galinhas e pintos com a lança em riste, fazendo a bicharada fugir num pavor, na maior gritaria. Até o galo, que era um carijó valente, correra a esconder-se dentro dum caixão.

Dona Benta gritou-lhe por várias vezes que acabasse com aquilo. Tudo inútil. A boneca fora tomada dum verdadeiro delírio de heroísmo.

– Não há remédio, vovó – disse Pedrinho –, temos de botar Emília numa gaiola, como o cura fez a Dom Quixote.

Todos aprovaram a lembrança.

– Faça isso, Nastácia – ordenou Dona Benta. – Agarre-a e ponha-a dentro da gaiola vazia do sabiá que morreu.

Tia Nastácia foi cumprir a ordem e dali a pouco reapareceu de gaiola em punho, com a cavaleira dentro. Emília esbravejou e espinoteou o mais que pôde. Por fim, cansada, sentou-se no poleiro, muito quietinha. Estava pensando no meio de fugir dali e vingar-se da negra.

– *Uf*! – exclamou Dona Benta. – Parece incrível que uma simples boneca de pano ponha a casa em polvorosa e nos dê tanto trabalho. Pendure-a aí nesse prego, Nastácia, e pode ir.

Tia Nastácia pendurou a gaiola no prego e voltou para a cozinha. Só então Dona Benta recomeçou a narrativa.

– Muito bem – disse ela com os olhos na gaiola. – Os nossos dois viajantes pernoitaram no bosque e na manhã seguinte encaminharam-se na direção do Ebro. Alcançando esse rio, avistaram uma barquinha sem velas, nem remos, amarrada a um tronco da margem. Dom Quixote apeou-se.

"Que pretende fazer, meu amo?" – quis saber o escudeiro."

"Entrar contigo neste esquife e entregar-nos a Deus e à ventura."

Disse e entrou na barca, ficando à espera do escudeiro. Mas Sancho não tinha coragem. Estava a tremer como geleia.

"Que é isso, homem pusilânime? – grita-lhe o cavaleiro. – Que te assusta desse modo? Eia, meu Pança! Coragem!..."

Sancho entrou e a barquinha partiu. Logo depois o cavaleiro disse:

"Eis-nos engolfados no vastíssimo oceano! Se eu tivesse cá um astrolábio, te diria com certeza absoluta em que ponto estamos a navegar. Mas mesmo sem astrolábio te asseguro que já está passado o Equador."

"Como pode ser isso, meu amo, se ainda vejo acolá na margem do rio o meu burrinho e o cavalo de Vossa Senhoria?"

Dom Quixote não teve tempo de responder. A barquinha chocara-se de encontro a uma roda de moinho, despedaçando-se. Ambos se salvaram a nado. Nesse momento surgiu o dono da barca aos berros, exigindo o pagamento do prejuízo.

"Sempre os malditos encantadores! – exclamou Dom Quixote. – Sempre a me atrapalharem os planos! Ó desventurado cavaleiro que jazes nessa fortaleza, perdoa-me se não te libertei. Quis e não pude."

A fortaleza era o moinho em cuja roda se quebrara a barquinha.

Os donos da barquinha exigiram cinquenta moedas de indenização, que Dom Quixote teve de pagar.

Depois de bem enxutos ao sol, os dois náufragos seguiram o seu caminho, e andaram, andaram, andaram até o encontro duns caçadores. Entre eles vinha uma formosa dama, de falcão em punho, montada em magnífica égua.

"Sancho – diz Dom Quixote – vai saudar da minha parte aquela ilustre dama e comunica-lhe que o Cavaleiro dos Leões pede licença para prestar-lhe homenagem. Toma muito sentido no bom desempenho desta missão."

"Fique descansado, meu amo" – respondeu Sancho metendo as esporas no burrinho. Aproximou-se da dama, apeou, ajoelhou e disse: "Eu, ilustríssima e excelentíssima senhora, me chamo Sancho Pança e sou fiel escudeiro do grande Cavaleiro dos Leões, aquele que Vossa Excelência vê acolá. Meu amo e senhor manda dizer a Vossa Excelência, que muito deseja servi-la e honrá-la, bem como a essa ave que Vossa Excelência tem no punho; mas antes disso implora de Vossa Excelência a necessária licença."

"Amável e urbaníssimo escudeiro – respondeu a fidalga – ergue-te e vai dizer ao teu amo, cujas façanhas já me são conhecidas, que eu e o duque meu esposo teremos imenso prazer em recebê-lo em nosso palácio, a pouca distância daqui."

Sancho voltou alegríssimo a dar conta da resposta, e Dom Quixote, empertigando-se na sela, tocou na direção da formosa duquesa. Já havia ela trocado umas palavras com o duque, combinando divertirem-se à custa do herói da Mancha. Iriam recebê-lo de acordo com todas as regras da cavalaria.

Dom Quixote chegou e esperou que o fiel escudeiro viesse segurar-lhe o estribo.

Sancho precipita-se para executar aquela cerimônia; no açodamento, porém, atrapalha-se ao segurar o estribo e vem ao chão. O herói da Mancha, sempre com os olhos na duquesa, não dá tento àquilo e desce em falso – e também se estatela.

Furioso com o acidente, Dom Quixote drago praguejaça em voz baixa contra o desasado escudeiro, que naquele momento dois caçadores erguiam do chão – e, coxeando do mau jeito que dera na perna, faz menção de ajoelhar-se ante a ilustre dama. O duque, seu esposo, o detém e o abraça, dizendo:

"Muita honra me será que o Cavaleiro dos Leões se digne acolher-se em meu palácio."

"A honra é toda minha" – murmurou Dom Quixote urbanamente."

Encaminharam-se todos para o palácio, indo a dama à direita de Dom Quixote. O duque galopara na frente para dar ordens ao seu mordomo.

Na porta do palácio apearam todos. Dois criados de libré cobriram os ombros de Dom Quixote com um precioso manto escarlate. As janelas encheram-se de homens e mulheres que lançavam sobre o ilustre visitante rosas desfolhadas.

"Viva! Viva a flor da cavalaria!"

Caminhando gravemente, Dom Quixote exultava de ser recebido como lera nos livros, e não a pau, como sucedia quase sempre. Foi levado a uma amplíssima sala, ricamente atapetada, onde seis pajens lhe tiraram as armas e a armadura. Depois o conduziram ao aposento a ele destinado.

Chegada a hora do jantar um pajem veio avisá-lo de que a mesa estava posta.

O duque e a esposa o esperavam de pé. Depois de alguma hesitação o herói aceitou o lugar de honra que a duquesa lhe designava, isto é, à sua direita.

"A respeito de lugares – disse Sancho – permitam-me Vossas Excelências que eu conte uma que se passou em minha aldeia. Certo barão, tendo convidado a jantar um pobre lavrador, acenou-lhe que se colocasse à cabeceira da mesa, que é o lugar de honra. O lavrador recusa. O fidalgo, cheio de cólera, agarra-o e o obriga a sentar-se, dizendo: 'Assenta-te, vilão, e fica sabendo que em qualquer lugar em que eu me coloque para contigo, esse será o lugar de honra'."

Ao ouvir aquele desfecho, o fogo da cólera subiu às faces de Dom Quixote – e foi a custo que os donos do palácio contiveram o riso. Nunca em toda a sua vida fora Sancho tão desastrado.

Finda a refeição, uma bela criada veio ensaboar a barba do herói da Mancha; outra passou-lhe uma toalha pelo pescoço. Depois de bem ensaboada aquela barba rude, a ensaboadeira fingiu que faltava água e retirou-se – e com a cara branca de espuma lá ficou Dom Quixote exposto aos olhares maliciosos dos presentes. Figura mais exótica era impossível.

"Que belo sistema! – exclamou Sancho. – Barba ensaboada depois do jantar! Quando eu tiver minha ilha, hei de adotar lá esse costume. Mas quando me chegará a tal ilha?"

"Não te desesperes, meu caro Sancho – disse o duque. – Eu possuo nove. Dar-te-ei uma."

"De joelhos, Sancho! – bradou Dom Quixote. – Beija os pés de Sua Excelência, que te honra com tão alto donativo."

O escudeiro, radiante, atirou-se aos pés do duque.

A duquesa fez vir o despenseiro, ao qual ordenou que tratasse Sancho à vela de libra, já que era a flor dos escudeiros e breve estaria governador de um reino.

Feita a barba, Dom Quixote foi dormir à sesta. Sancho entupiu o estômago e fez uma visita ao amado burrinho. A duquesa retirou-se para os seus cômodos. O duque saiu a dar novas ordens. Queria que durante a estada ali do Cavaleiro dos Leões, todos o tratassem rigorosamente no estilo da cavalaria andante – não como é na realidade, mas como se lê nos livros.

Capítulo XXV
HISTÓRIA DE DOLORIDA. O CAVALO ENCANTADO

– Lê nos livros nada! – gritou Emília lá da sua gaiola. – Tudo isso são potocas. Camelo, quem acredita. Quando sair desta gaiola hei de botar fogo nesse *Dom Quixote*, como o cura botou fogo nos livros dele. E boto fogo na casa também. No sítio inteiro. No mundo inteiro...

Todos ficaram a olhar para a bonequinha, sem saberem o que dizer. O estado de Emília era grave. Não se tratava mais daquela loucurinha divertida que ela sempre mostrou. Emília estava realmente louca, louca furiosa, varridíssima.

– Está demente, vovó – disse Pedrinho. – Está no pontinho de ser internada no hospício.

Ao ouvir essas palavras, Emília teve um novo acesso de cólera. Berrava, esperneava. Deu tantos pontapés nos arames da gaiola que furou um dos pés, deixando escapar uma porção de macela. Vendo isso, rompeu em choro.

Dona Benta condoeu-se do estado da coitadinha.

– Nós erramos, meus filhos, prendendo-a na gaiola do sabiá. Para as perturbações mentais a violência não é remédio. Vamos soltá-la e experimentar outro tratamento. Desça a gaiola, Pedrinho.

O menino desceu a gaiola. Abriu-a. Emília saltou fora, ainda lavada de lágrimas, com o pé furado estendido.

– Meu pé está acabando – dizia ela. – Meu pé está sumindo. Tia Nastácia, venha consertar meu pé...

Tia Nastácia apareceu com agulha, linha e um bocado de macela. Num instante deixou-a perfeitamente restaurada.

– Pronto! Está com o pé ainda mais bem feito e gordinho do que antes. Pode andar.

Emília deu uns passos pela sala e riu-se, feliz.

– Estão vendo? – disse Dona Benta. – Bastou que a tratássemos com humanidade para que a loucura se fosse embora. Venha, Emília, sentar-se no meu colo para ouvir o resto da história. Seja boazinha.

Emília correu para o colo de Dona Benta e a história do cavaleiro da Mancha pôde continuar.

– O duque – disse ela – havia dado ordem ao mordomo para organizar uma farsa assim, assim, e explicou como a queria. O mordomo piscou o olho. Tinha compreendido tudo muito bem.

Nisto chegou a hora do jantar, que foi servido no jardim e correu sem novidade até a sobremesa. Inesperadamente um toque de buzina soou, seguido de rufo de tambores. Todos ficaram atentos, à espera de qualquer coisa. A coisa foi o aparecimento de um gigante entrajado de negro, com uma barba que lhe vinha até a cintura.

O gigante avançou a passos lentos e ajoelhou-se aos pés do duque e disse em voz pausada:

"Excelência, sou Trifaldino, escudeiro da Princesa Trifaldi, a Dolorida. Essa desditosa princesa veio do reino de Candaia até aqui para implorar a Vossa Excelência que a informe quanto ao invencível cavaleiro Dom Quixote de la Mancha, o único ser humano que poderá salvá-la. Ali na porta do palácio, minha ilustre ama espera licença para entrar.

"Já de muito tempo – respondeu o duque – sei dos infortúnios da triste Princesa Dolorida. Vai buscá-la e dize-lhe que, por uma feliz coincidência, o incomparável cavaleiro da Mancha é meu hóspede e está aqui."

O escudeiro retirou-se às arrecuas. Pouco depois apareceu a princesa, acompanhada de doze damas, veladas, vestidas de branco. Três delas sustinham a comprida cauda do vestido de Dolorida, a qual trazia o rosto oculto num véu e caminhava apoiada em seu escudeiro.

O duque e a duquesa ergueram-se para recebê-la. Dom Quixote também. Sem tirar o véu, Dolorida dobrou o joelho diante do duque, que a fez erguer-se e sentar-se ao lado da duquesa. E perguntou-lhe o que tinha a dizer.

A triste princesa disse:

"Poderosíssimo senhor, e vós, belíssima dama e ilustríssimos ouvintes aqui reunidos: não tardarei a comover-vos com a minha triste história, mas antes de tudo desejava ser informada se o gloriosíssimo cavaleiro Dom Quixote de la Mancha e o seu fidelíssimo escudeiro se acham presentes."

"Sim, madamíssima – bradou Sancho. – Eis ali em pessoa o valentíssimo Dom Quixote de la Mancha e cá o seu fidelíssimo escudeiro Sancho Pança. Estamos os dois prontíssimos para defender em todos os terrenos a vossa dolorosíssima beleza."

Dom Quixote fez uma curvatura, como a dizer que ele era ele, e prometeu tudo arrostar no serviço da desditosa princesa. Dolorida, emitindo um oh! de feliz surpresa, quis abraçá-lo pelos joelhos. O herói, comovido, obstou-lhe e pediu que contasse as suas desgraças.

A princesa começou:

"A rainha Magonce, viúva do rei Arquipielo, governava o famoso reino de Candaia, do qual era eu a única herdeira. Vários príncipes se apresentaram para obter minha mão. Entre tantos pretendentes um só me agradou. Era jovem, gentil, músico e poeta. Encantada com ele, resolvi que nenhum outro seria meu consorte. Casei-me, pois, com Dom Clavijo, contra a vontade de minha mãe, a rainha, que em consequência disso morreu de dor.

"Logo após o enterro, surge do seu túmulo, montado num cavalo de pau, o famigerado gigante Malambruno, primo de minha mãe e crudelíssimo feiticeiro. Vinha vingá-la. Para isso transformou Dom Clavijo num horrendo crocodilo de bronze com esta inscrição sobre o pedestal em que se assentava: 'O culpado Clavijo só recobrará sua forma primitiva quando o cavaleiro da Mancha se atrever a desafiar-me para combate'.

"Em seguida Malambruno voltou-se para mim e com umas palavras mágicas me fez nascer no rosto, e no de minhas damas, compridas barbas de homem. Eis a razão de usarmos véus."

Para provar o que dizia, a princesa tirou o véu e todas as suas damas fizeram o mesmo. Que linda coleção de barbas negras, ruivas e brancas!

"Eis – continuou a princesa – o triste estado a que nos reduziu o miserável Malambruno. Suas últimas palavras foram estas: 'Vai em busca de Dom Quixote. Quando o encontrares, mandar-lhe-ei este cavalo de pau, que é mais rápido que o pensamento e se guia por meio duma cavilha de madeira. É a obra-prima do grande mágico Merlin'."

Mal a princesa acabou de pronunciar essas palavras, eis que surgem quatro selvagens puxando um cavalo de pau.

"Pronto – dizem eles. – Cá está o famosíssimo ginete Cavilhardo. O paladino que vai bater-se com Malambruno poderá cavalgá-lo, juntamente com o seu escudeiro. Mas para que o espantoso voo desse cavalo não os assuste, é mister que ambos vendem os olhos e assim fiquem até que Cavilhardo relinche – sinal de que findou a jornada."

Dito isso, os selvagens largaram o animal de pau e desapareceram.

Dom Quixote não quis saber de mais nada. Estava a arder pelo início daquela aventura maravilhosa. Monta imediatamente no cavalo, seguido de Sancho, o qual resmunga. Sancho preferia ficar naquela mesa, devorando mais petiscos. Um pajem lhes venda os olhos. Dom Quixote leva a mão à cavilha e a move. Gritos soam:

"Boa viagem! Boa viagem, valorosíssimo cavaleiro! Deus te guie a ti e ao intrépido Sancho!"

Silêncio em seguida.

Julgando-se nas alturas, Dom Quixote observa para Sancho:

"Que maravilha, amigo! Jamais cavalguei ginete mais firme. Parece imóvel, e no entanto está a voar a mil léguas por hora. Percebo-o pelo deslocamento do ar."

"E eu também – confirmou Sancho. – Sinto um vento desta banda."

O duque havia mandado que uns homens com grandes foles ventassem a toda força sobre os imaginários viajantes.

"Se não me engano – disse Dom Quixote – estamos na região média do ar. Breve atravessaremos a linha do fogo."

O duque manda que se aproxime deles archotes acesos.

"Entramos já, nessa região, meu senhor – exclama Sancho. – Estou a arder e com medo de incêndio em minha barba. Uf! Vou desamarrar os olhos."

"Não faças tal, que seria a nossa desgraça. O reino de Candaia deve estar perto."

"Deus o permita! – murmurou Sancho. – Minhas nádegas não foram feitas para cavalgar uma dureza destas. Cavilhardo poderá ser um prodígio de velocidade – mas em macieza de sela, prefiro o meu burrinho."

O duque, a duquesa e os mais riam-se, tapando a boca. Jamais espetáculo tão cômico lhes passara pelos olhos. O fim da aventura foi ainda mais amolecado. Um pajem aproximou-se do cavalo de pau e deitou fogo na mecha que havia junto à cauda. A mecha incendiou a pólvora que recheava o cavalo. *Puff!* Uma explosão. Dom Quixote caiu dum lado; Sancho, de outro. Grande fumaceira envolveu tudo.

Enquanto isso, Dolorida e suas damas barbadas desapareciam do jardim, e o duque, a duquesa e os mais se punham em atitude de sono profundo.

Dom Quixote e o escudeiro ergueram-se tontos, e depois que a fumaça se foi esgarçando viram uma lança cravada no chão com um pergaminho escrito.

"O incomparável Dom Quixote de la Mancha – dizia o escrito – rematou a aventura da Princesa Dolorida. Malambruno está satisfeito... Não exige mais. Acabou-se o encantamento. Que desapareçam as barbas! Que Dom Clavijo volte à sua forma natural e seja restabelecido no trono ao lado de sua esposa. Glória eterna ao Cavaleiro dos Leões!"

Radiante com o feliz desenlace, o herói da Mancha vai despertar o adormecido duque, ao qual diz:

"Pronto, caríssimo duque! Tudo está findo, conforme o declara o pergaminho da lança."

O duque abriu os olhos; o mesmo fizeram a duquesa e todos os mais. Erguem-se. Rodeiam os grandes heróis. A duquesa interroga-o sobre a aventura.

"Ah, senhora! – exclamou o metediço Sancho. – Foi uma viagem espantosa. Atravessamos a região dos ventos e do fogo. Por um triz não se me queimaram as barbas. Senti o cheiro do chamusco; nesse momento levantei uma pontinha da venda dos olhos e vi lá embaixo a terra tão pequena que mais parecia uma noz. Os homens sobre ela eram ainda menores do que grãos de mostarda..."

Todos sorriram e entreolharam-se.

Capítulo XXVI
CONSELHOS DE DOM QUIXOTE. SANCHO ASSUME O GOVERNO DA ILHA

A narrativa teve de parar nesse ponto por causa da peneirada de pipocas que Tia Nastácia trouxe. Enquanto as comiam, Dona Benta deu uns conselhos à boneca.

– Nós todos aqui, Emília, gostamos muito de você – mas você às vezes se excede e abusa. O sábio na vida é usar a moderação em todas as coisas. Uma loucurinha de vez em quando tem sua graça; mas uma loucura varrida é um desastre – e acaba sempre em hospício ou gaiola.

Emília explicou-se.

– Sei disso, Dona Benta, mas às vezes me dá comichão de fazer estrepolia grossa, como as do cavaleiro da Mancha. Porque eu não acho que isso seja loucura. É apenas revolta contra tanta besteira que há no mundo.

– Lá vem você com as palavras plebeias! Muitas professoras, Emília, criticam esse seu modo desbocado de falar. "Besteira!" Isso não é palavra que uma bonequinha educada pronuncie. Use expressão mais culta. Diga, por exemplo, "tolice".

– E não é a mesma coisa?

– É, mas não ofende o ouvido das pessoas finas. Neste ponto eu estou de pleno acordo com os conselhos que Dom Quixote deu a Sancho, antes de ele assumir o governo da ilha.

"Amigo Sancho – disse Dom Quixote – vais ser governador duma ilha e é bom que saibas comportar-te com a dignidade que o posto exige."

"E que devo fazer para isso, meu amo?" – perguntou o escudeiro.

"Deves fazer e não fazer muitas coisas. Deves cortar as unhas e tomar banho todos os dias. Um governador sem unhas grandes e sempre bem lavadinho, inspira mais respeito que um unhudo e sujo. Deves falar com sobriedade, nem demais, nem de menos; e prestar muita atenção no que dizes, nunca usando palavras grosseiras ou plebeias. Deves abandonar esse hábito de ir enfiando um rifão sobre outro, como contas de rosário, venham ou não venham a propósito."

"Ah, isso há de ser difícil, meu amo, porque tenho na cabeça mais rifões do que os há nos livros. Dá aos pobres que emprestas a Deus. Foi buscar lã e saiu tosquiado. Quem quer vai, quem não quer manda. Os rifões são tantos dentro da minha cachola que quando abro a boca eles se atropelam para sair. E, afinal de contas, não constituem a sabedoria popular?"

"Perfeitamente. São a sabedoria popular, quando bem empregados. Mal-empregados, constituem a estupidez popular – e tu os empregas tão mal às vezes que com isso só mostras a estupidez que Deus te deu."

"Muito bem, senhor meu amo. Hei de botar tento nisso, porque Deus ajuda quem cedo madruga, e tantas vezes vai a bilha à fonte que um dia lá fica. Ou, como diz o outro, quem se faz de mel as moscas atrai."

"Tá, tá, tá! Lá vem a asneirola! Outra coisa em que te deves comedir, Sancho, é no comer. Nada estraga tanto os homens como o excesso de comilança. Além de entorpecer o corpo e produzir a gota e mais doenças, estupidifica completamente o cérebro. Comer pouco é um dos maiores princípios da sabedoria."

"Está aí uma coisa bem difícil, meu amo. Quando penso em ser governador, o que mais me seduz é justamente a mesa farta que vou ter – os perus assados, as galinholas ensopadas, os ricos peixes de escabeche e o mais – e por cima de tudo aquela vinhança velha, gostosa. Até lambo os beiços só de pensar nisso..."

"Pois terás de te corrigir dessa gula; do contrário não ficas muito tempo na governança. Os reis gulosos têm reinado curto. Ou estouram, ou são depostos por homens menos excessivos no comer. Aconselho-te a que comas moderadamente; é o melhor meio de durares no governo da ilha."

Sancho coçou a cabeça.

Dom Quixote deu-lhe ainda muitos outros conselhos, cada qual mais sábio e digno de ser seguido.

Pronto. Estava Sancho preparado para bem dirigir a sua tão esperada ilha.

Nessa mesma tarde, depois de magnificamente vestido e dotado dum numeroso séquito, foi o novo governador despedir-se do duque e da duquesa, aos quais beijou a mão. Veio depois abraçar-se aos joelhos de Dom Quixote, que o abençoou. Finalmente pôs-se a caminho, montado num belo macho de ricos arreios, à frente de lustrosa comitiva. Encaminhou-se para um burgo duns mil habitantes, que pertencia ao duque e que lhe disseram ser a ilha da Barataria.

Às portas do burgo estavam reunidas as pessoas mais graduadas do lugar, em vestes domingueiras, que vinham receber o novo governador. Romperam toques de sinos. Gritaria. Foguetes. Aclamações. Sancho é conduzido triunfalmente para a igreja, na qual foi cantado um *Te Deum*. Finda a cerimônia, entregaram-lhe as chaves da cidade e aclamaram-no governador perpétuo da ilha da Barataria.

Depois da igreja foi levado ao tribunal, onde o mordomo do duque lhe disse:

"É uso antigo de Barataria que cada novo governador comece julgando duas ou três causas, para que o povo possa avaliar de sua sabedoria e alegrar-se ou afligir-se do novo chefe que vai ter."

"Venham as causas" – murmurou Sancho gravemente, já em tom de juiz.

Dois homens adiantaram-se. Um falou:

"Senhor governador, eu sou alfaiate. Este sujeito cá se apresentou em minha oficina com uns metros de pano e perguntou-me se eu lhe poderia fazer um capote.

"– Posso, pois não – respondi.

"Admirado de não haver eu medido o pano antes de responder, o homem julgou que houvesse pano de sobra e indagou:

"– E dois capotes? Podes fazer?

"– Perfeitamente – respondi.

"– E três?

"– Faço três, pois não – e até cinco.

"O homem então encomendou cinco capotes. Eu fiz os cinco capotes e agora ele não quer pagar-me o trabalho."

Sancho voltou-se para o segundo sujeito.

"O que esse alfaiate está dizendo é verdade?" – perguntou.

"Sim, senhor. É a verdade pura" – respondeu o homem.

"Muito bem – murmurou Sancho. – Nesse caso que apareçam os capotes."

"Ei-los aqui, senhor governador" – disse o alfaiate mostrando-lhe cinco capotinhos minúsculos.

A assistência desatou a rir-se do provável embaraço do governador; mas Sancho, sem se atrapalhar, deu a seguinte sentença:

"O freguês que perca o pano; o alfaiate que perca o feitio; os capotinhos que sejam divididos pelos presos da cadeia – e pronto."

Todos se admiraram daquela sabedoria.

Em seguida apresentaram-se dois velhos. Um deles disse:

"Senhor, eu emprestei dez escudos de ouro a este homem sem exigir recibo, supondo que fosse pessoa séria. Agora está a alegar que já me pagou a dívida, o que é falso."

"Que me diz a isto?" – perguntou Sancho ao devedor.

"Digo que paguei os dez escudos e estou pronto para jurar."

"Então jure."

O devedor, que estava com um bengalão, pediu ao credor que o segurasse, e só depois disso jurou, nestes termos:

"Juro por tudo o que há de mais sagrado que entreguei ao meu credor os dez escudos de ouro que ele me deu de empréstimo" – disse e apressou-se em reaver a sua bengala.

Sancho ficou uns instantes pensativo, enquanto a assistência se entreolhava, certa de que dessa feita o governador iria embaraçar-se no julgamento. Mas Sancho veio com uma solução inesperada. Voltando-se para o velho que acabava de jurar ordenou-lhe:

"Entregue esse bengalão ao outro."

O velho cumpriu a ordem, muito admirado. Sancho, então, disse ao outro.

"Quebre essa bengala ao joelho e veja o que tem dentro."

O credor assim o fez e ao partir a bengala viu saltarem de dentro os dez escudos de ouro.

"Pronto – exclamou Sancho. – Está julgado o caso. Leve os seus escudos, e este devedor patife que vá para a cadeia por ter tentado enganar-nos a nós todos."

A assistência ficou assombrada com a esperteza do novo governador, que parecia um verdadeiro rei Salomão. E, contentíssimos, levaram-no dali para a sala dos banquetes. Na cabeceira da mesa estava um alto personagem vestido de preto, com uma varinha na mão.

Sancho, a morrer de fome, abancou-se e foi avançando num guisado de carneiro – mas o tal personagem tocou no prato com a varinha e o guisado desapareceu. Sancho leva a mão a uma terrina fumegante. A varinha do homem desce sobre a terrina, que também desaparece.

"Que raio de diabo é isto? – brada o governador. – É então costume nesta terra comer com os olhos?"

O homem de preto explicou-se.

"Eu, senhor, tenho a honra de ser o médico dos governadores da ilha, com a missão de zelar-lhes pela saúde, não deixando que comam o que lhes possa fazer mal. O primeiro alimento de que Vossa Senhoria quis servir-se é de penosa digestão e por isso o afastei. O segundo poderia causar em suas ilustres tripas uma perigosa inflamação; por isso também o afastei. O que Vossa Senhoria deve comer é apenas um pedaço de marmelada com uns biscoitinhos."

Sancho mediu o médico de alto a baixo e fechou a carranca.

"Como se chama Vossa Mercê?"

"Meu nome é Pedro Rezio de Aguero – respondeu o doutor. – Nasci na aldeia de Tirteafuera, situada entre Carquel e Almodovar del Campo. Formei-me em medicina pela universidade de Ossuna."

"Pois, Senhor Pedro Rezio de Aguero – brada Sancho – ponha-se já daqui para fora antes que eu o mande pendurar duma forca. Já!..."

O médico safou-se e Sancho então comeu, comeu como nunca em toda a sua vida de comilão.

Durante a sobremesa chegou uma carta do duque. Dizia o seguinte:

> Acautele-se, senhor governador. Fui informado de que cinco assassinos pretendem assaltar Vossa Senhoria esta noite. Sendo mister, mandarei socorro. Adeus. Confio na coragem e na prudência de **Vossa Senhoria**.

Sancho leu aquilo e voltou aos pratos, dizendo:

"Fortifiquemos as nossas posições. Uma fortaleza tanto mais resiste quanto mais bem consolidada" – e entupiu-se com as comidas que restavam, até ficar como um chouriço que com uma gotinha mais rebenta.

Capítulo XXVII
SANCHO ABANDONA A ILHA E O QUE LHE ACONTECE PELO CAMINHO

– Como percebeu Sancho que as moedas estavam dentro da bengala, vovó? – perguntou a menina.

– Ele era maroto e os marotos pescam muito bem a maroteira dos outros – disse Dona Benta. – Quando viu o devedor entregar a bengala ao credor antes de fazer o juramento, e depois de feito o juramento agarrá-la de novo com certa avidez, desconfiou que ali havia marosca. E deu certo.

– Mas, então vovó, esse Sancho não era nada tolo – disse Pedrinho.

– Era e não era, meu filho. Há no mundo muita gente como Sancho. Ele tinha o sólido bom-senso dos homens do povo e todas as qualidades e defeitos do homem do povo, isto é, do homem natural, sem estudos, sem cultura outra além da que recebe do contato com seus semelhantes. Já em Dom Quixote vemos o contrário. Possuía alta cultura. Tinha todas as qualidades nobres e generosas que uma criatura humana pode ter – apenas transtornadas em seu equilíbrio. Quando vocês lerem a história de Dom Quixote como Cervantes a escreveu, convencer-se-ão de que o fidalgo da Mancha era um homem de alto engenho e muitas luzes – embora dementado pela mania do andantismo.

Podemos até dizer que esses dois homens representam a humanidade. Sancho é a matéria. Dom Quixote, o espírito. E como um não pode existir sem o outro, vinha daí a ligação, a amizade, a inseparabilidade do cavaleiro da Mancha e do seu escudeiro. Completavam-se.

– Eu me sinto muito do jeito de Dom Quixote e nada do jeito de Sancho – confessou Emília. – Tudo quanto Dom Quixote faz eu acho certíssimo.

– É que você pertence ao tipo superior, Emília. Sancho representa o tipo inferior da humanidade – o realista, o terra-a-terra. Dom Quixote é o idealista, o sonhador. Um é a barriga; outro é o cérebro. Mas as coisas do mundo só andam quando os dois tipos se ligam. Um nada faz sem o outro.

– Continue a história, vovó – pediu Narizinho.

Dona Benta continuou.

– O mordomo do palácio do governador – disse ela – veio avisar Sua Excelência Dom Sancho que a ceia o esperava – e que nela não apareceria o Doutor Pedro Rezio de Aguero.

"Ótimo! – exclamou Sancho. – Eu gosto de trabalhar, como todos estão vendo; mas só trabalho bem quando o bucho está cheio de coisas sólidas, abundantemente regadas do suco da uva. Vazio, não funciono."

E foi para a mesa. Ceou regaladamente, com arrotos de bem-aventurança. Lá pelo fim da refeição um oficial veio convidá-lo para uma volta pela ilha. O governador acedeu. Saíram juntos.

Ao passarem por certa rua, um soldado apresentou-lhe um mancebo que fugira ao avistá-lo. Aquilo parecera suspeito ao guarda.

"Por que fugiu, rapaz?" – interpelou Sancho.

"Para não ser preso" – foi a resposta.

"Muito bem. Mas onde ia a estas horas da noite?"

"Tinha saído a tomar ar" – respondeu o moço. – "Gosto de ser levado pelas brisas noturnas."

"Ótimo. A principal brisa desta cidade sou eu – disse Sancho – e sopro-te na direção da cadeia. Levem-no."

Todos se riram da agudeza do governador.

Durante sete dias Sancho regeu aquele reino com alto saber, fazendo leis que até hoje são observadas e conservam o seu nome: *Leis e posturas do grande governador Sancho Pança.*

Certa noite em que ele descansava da trabalheira diurna, foi sobressaltado por um grande estrondo, seguido do repiques de sinos. A ilha como que se afundava.

Sancho senta-se na cama, atento. Soam trombetas. Rufam tambores. Espantado daquilo, levanta-se e, mesmo em fraldas de camisa, abre a porta para o corredor. Um grupo de homens armados avançava com archotes acesos.

"Às armas! Às armas! Vista-se já, senhor governador! O inimigo acaba de desembarcar. Só o valor de Vossa Excelência poderá salvar-nos."

"Às armas? – repete Sancho com voz trêmula. – Mas saibam os senhores que isso de armas não é o meu forte. Dirijam-se ao valente paladino, meu amo, e asseguro-lhes que enquanto o diabo esfrega o olho ele dá cabo de quantos inimigos houver, inda que sejam um milhão de gigantes."

"O perigo cresce, senhor! – bradam os homens. – Aqui tem Vossa Excelência armas. Tome-as e defenda a sua vida."

E assim dizendo arrumam com as armas em cima de Sancho e enfiam-no dentro daquelas cascas de ferro, que atam com correias. Na mão gorducha metem-lhe a lança. O pobre governador fica como uma tartaruga de ferro por fora e banhas trêmulas por dentro.

"Marchemos, governador! – gritam os homens. – Ao inimigo! Vamos!..."

Sancho quer dar um passo; perde o equilíbrio e estatela-se no chão. Nisto os archotes se extinguem. Trevas profundas. Dentro do escuro trava-se a peleja. Golpes de cá, golpes de lá, espaldeiradas, gritos de dor e cólera, elmos que retinem no chão ao cair – uma barulhada infernal. Sancho suava e tressuava, apavorado. Se algum daqueles golpes o pega de jeito...

Em dado momento um vulto lança-se sobre ele e encavalga-o, gritando:

"Tragam breu derretido e azeite a ferver! Fechem a porta! Levantem tranqueiras! Tudo bem..."

"Bem? Nunca vi tudo tão mal – geme Sancho. – Tomara ver-me livre desta horrível ilha..."

As vozes aumentam em redor dele.

"Vitória! Vitória! Apareça o governador para gozar o seu grande triunfo."

"Como hei de aparecer se nem posso levantar-me? Estou enlatado – responde Sancho. – Arranquem de mim esta ferralhada horrível. E deem-me um trago de vinho."

Vem o vinho. Desarmam-no. Metem-no na cama – e Sancho não consegue conciliar o sono, tal fora o susto passado.

Na manhã seguinte ergue-se tarde. Veste-se lentamente, como quem está absorvido em cismas. Sai do aposento e seguido dos habituais cortesãos, encaminha-se para a estrebaria, onde dá um beijo no focinho do jumento.

"Meu bom amigo e companheiro – murmura suspirando – enquanto vivi contigo, a aproveitar-me do teu lombo e a prestar-te serviços, passei horas, dias e anos muito sossegados. Mas logo que te abandonei para, pela escada da ambição subir ao trono da grandeza, só aborrecimentos e sustos tenho tido..."

Ia falando e arreando o burrinho. Põe-lhe a sela. Põe-lhe o cabresto, o freio. Por fim, monta e diz aos cortesãos que o rodeavam:

"Meus senhores, permitam-me que volte à minha liberdade de outrora, pois sem liberdade não há ventura. Quero antes comer tranquilo um pedaço de pão bolorento, do que ser um governador esfaimado pelo médico, contrariado por todos, pisado e cavalgado como fui. Adeus."

Disse e abalou no trote, deixando os burlões que se divertiam à custa dele desapontados com tamanho gesto e bom-senso.

Tomou a direção do palácio do duque, mas lá não chegou. O burrinho tropeçou e caiu num profundo buraco. Impossibilitado de sair, lá deixou-se ficar Sancho a esperar pacientemente que o sol nascesse.

Capítulo XXVIII
DOM QUIXOTE EM BARCELONA.
O CAVALEIRO DA BRANCA LUA

– É uma lástima – disse Dona Benta – eu estar contando só a parte aventuresca da história do cavaleiro da Mancha. Um dia, quando vocês crescerem e tiverem a inteligência mais aberta pela cultura, havemos de ler a obra inteira nesta tradução dos dois viscondes, que é ótima.

– Ótima nada! – berrou Emília. – A gente não percebe metade do que eles dizem. "Adarga antiga!" "Lança em cabido!" Bolas!

– É que está escrita em português que já não é bem o nosso de agora. Hoje usamos a linguagem a mais simplificada possível, como a de Machado de Assis, que é o nosso grande mestre. Os escritores portugueses, que chamamos clássicos, usavam uma forma menos singela, mais cheia de termos próprios, mais rica, mais interpolada...

– Lá vem, lá vem a senhora com palavras difíceis! "Interpolada!..."
Dona Benta riu-se.

– Sabem o que é? Nada mais, nada menos que a combinação de várias orações na mesma frase. Vou dar um caso.

Dona Benta abriu o livrão e procurou uma frase que servisse de exemplo. Achou esta, do episódio dos galeotes algemados...

...tamanha foi a revolta, que os guardas, já para terem mãos nos galeotes, que se estavam soltando já para se avirem com Dom Quixote que os acometia a eles, não puderam fazer coisa que proveitosa lhes fosse.

– Que embrulho! – berrou Emília. – Que "interpolação" levada da breca...
Dona Benta explicou:

– Neste período há muitos verbos e portanto muitas orações, umas interpoladas com as outras, isto é, metidas entre as outras.

– Um picadinho de orações, uma salada – disse Emília. – Eu gosto dos períodos simples, que a gente engole e entende sem o menor esforço. Esses assim até dão dor de cabeça. São charadas.

– Para vocês, meus filhos, que estão começando a lidar com a língua. Já eu entendo o período perfeitamente, sem nenhuma dificuldade.

– E como se diz isso em língua moderna, simplificada?

– Poderá ser dito assim: "Tamanha foi a revolta dos galeotes, que os guardas nada puderam fazer diante daquele duplo embaraço: os prisioneiros a se soltarem das algemas e Dom Quixote a atacá-los com a espada."

– Bom – disse Narizinho. – Isso já está mais claro.

– E não dá dor de cabeça — acrescentou Pedrinho. – Eu poderei admirar muito os escritores clássicos; mas, para ler, quero os modernos, como esse tal Machado de Assis que a senhora tanto gaba.

– Bem, bem – disse Dona Benta. – Continuemos a história do cavaleiro da Mancha, que já vai perto do fim. Dom Quixote, depois que Sancho partiu para governar a ilha, começou a sentir muita falta nele, e a se aborrecer com as contínuas festas do palácio. Por fim deliberou ir-se embora. Estava com saudades da aventurosa vida ao ar livre. Despediu-se do duque e da duquesa, montou no velho Rocinante e lá se foi sem destino certo.

Por casualidade passou rente à furna onde se afundara Sancho. Ouviu gemido lá dentro. Parou para escutar. Uma voz dizia:

"Não haverá aí por cima alguma alma caridosa que se compadeça dum infeliz encovado vivo?"

"Parece a voz de Sancho! – pensou consigo o cavaleiro e para certificar-se gritou: – Quem se queixa aí no buraco?"

"Quem há de ser se não Sancho Pança, o governador da ilha da Barataria, antes disso o fiel escudeiro do famoso e saudoso cavaleiro andante, Dom Quixote de la Mancha?"

E para dar um atestado de que aquilo era assim mesmo, fez o burrinho dar um zurro.

"Eles mesmos! – murmurou Dom Quixote. – O zurro e a voz humana são sons meus conhecidos. Espera, amigo Sancho. Vou num galope ao palácio buscar ajuda."

Dom Quixote voltou ao palácio e contou ao duque o desastre sofrido pelo seu fiel escudeiro. O duque espantou-se de que Sancho houvesse abandonado o governo da ilha e ordenou aos seus criados que levassem escadas e cordas para tirá-lo do abismo, o que foi feito.

Quando o pobre Sancho se viu desenterrado, seu primeiro gesto foi correr ao palácio a fim de agradecer aos seus bons salvadores. Defrontando-se com o duque fez uma reverência e disse:

"Vossa Excelência deu-me, sem que eu o merecesse, o governo da ilha da Barataria, que governei o melhor que pude. Súbito, o inimigo assaltou-nos. Houve o diabo. Por fim asseguraram-me que eu havia vencido. Mas, vencedor ou vencido, vi que não fui fadado para tais alturas. E antes que as alturas me abandonassem, abandonei-as eu. Nu entrei na ilha e nu a deixei – eu e o meu burrinho. Mas ao vir para cá, no escuro da noite, afundei numa cova – e lá estaria ainda se não fosse o meu bom amo e senhor Dom Quixote. Eis tudo, senhor."

O duque lamentou que Sancho houvesse abandonado um cargo que vinha desempenhando tão bem, e prometeu arranjar-lhe outra coisa. Por sua parte a duquesa mandou que o mordomo o regalasse com bons petiscos – o melhor meio de consolá-lo em suas desgraças.

Contente de haver recuperado o seu fiel escudeiro, Dom Quixote deu-se pressa em pôr-se a caminho. Despediu-se novamente do duque, havendo troca recíproca das maiores gentilezas. A duquesa mandou dar a Sancho uma bolsa de duzentos escudos de ouro, que ele beijou com lágrimas nos olhos e meteu no seio.

Bem enlatado dentro da sua armadura e repimpado em cima dos ossos de Rocinante, com Sancho atrás no seu burrinho, Dom Quixote entreparou na frente do palácio. As janelas estavam cheias de fidalgos e damas. Na principal apareciam o duque e a duquesa. Dom Quixote fez-lhes um gentil cumprimento com a lança e partiu, saudado pelos lenços que se agitavam. Tomou o rumo de Barcelona, para onde o duque mandara cartas aos amigos avisando-os da breve chegada do herói.

Trotam, trotam os dois, e por fim chegam à grande cidade justamente no dia de São João. Tudo lá mostrava o alvoroço da festa. Cavaleiros ricamente ataviados passavam a galope pelas ruas. Descargas de mosquetaria alternavam-se com o toque de tambores. Os canhões dos navios davam salvas.

Dom Quixote e Sancho maravilharam-se de tudo, e mais ainda que um grupo de cavaleiros os abordasse com estas palavras:

"Bem-vindo seja o luminoso farol da cavalaria andante, o valoroso, invencível e inimitável Dom Quixote de la Mancha!"

Dom Quixote não teve tempo de responder. Foi levado em triunfo à residência de Dom Antônio Moreno, amigo particular do duque, onde teve o mesmo alto tratamento que recebera na corte ducal.

Sancho não cabia em si de contente, pois que a fartura de comida era ali a mesma que em casa de Dom Diogo e do palácio do duque. Comeu, comeu, comeu de arrebentar.

Seis dias se passaram naquelas festas, com passeios contínuos. Num desses passeios, Dom Quixote, sempre montado no poderosíssimo Rocinante e seguido de Dom Antônio, encontrou-se na praia com um cavaleiro armado da cabeça aos pés, montado num soberbo ginete. O cavaleiro para e diz em tom arrogante:

"Ilustre e valoroso Dom Quixote de la Mancha, saiba que tem diante de si o Cavaleiro da Branca Lua, cujas memoráveis façanhas correm mundo. Venho medir minhas forças com as de Vossa Senhoria; e como tenho absoluta certeza de minha superioridade aconselho a Vossa Senhoria a render-se à discrição."

Surpreso de tanta arrogância, Dom Quixote replica:

"Rio-me da tua arrogância, cavaleiro, e da tua ingenuidade em supor que o paladino da Mancha possa render-se sem luta. Batamo-nos. Dize as tuas condições."

"Ei-las – respondeu o Branca Lua. – Se eu vencer Vossa Senhoria, Vossa Senhoria se retirará para sua casa, na aldeia, e ficará cinco anos sem cingir a espada. Se Vossa Senhoria me vencer, ficará com minhas armas, meu cavalo e minha glória."

Dom Quixote aceitou as condições e tomou posição de combate. O Branca Lua fez o mesmo. Súbito, atiraram-se um contra o outro.

O cavalo de Branca Lua era muito mais vigoroso que Rocinante, de modo que no embate peito a peito o botou logo por terra, com Dom Quixote e tudo. Estava decidida a batalha. Branca Lua apoiou a ponta da lança no gasnete do adversário caído, gritando:

"Morto estás, se não confirmas as condições estabelecidas."

"Confirmo-as" – murmurou o herói da Mancha num suspiro.

O vencedor afastou-se no galope. Sancho e mais amigos ergueram Dom Quixote e o colocaram numa padiola – e lá seguiu para a residência de Dom Antônio o lúgubre cortejo.

Tudo aquilo fora um arranjo do bacharel Simão Carrasco para salvar Dom Quixote e restituí-lo à família. Carrasco se disfarçara em Cavaleiro da Branca Lua, obtendo de Dom Antônio aquele excelente corcel, na certeza de que com o primeiro tranco daria com o matungo de Dom Quixote por terra. E tudo correu do modo previsto.

Moído da queda e mais ainda pela derrota moral, Dom Quixote ficou seis dias de cama em tratamento. No sétimo levantou-se. Estava em condições de retornar a viagem. Despediu-se de Dom Antônio, cavalgou Rocinante e, de cabeça baixa, numa grandíssima tristeza, tomou rumo de sua casa. Pelo caminho não lhe saiu da boca uma só palavra.

Na aldeia foi recebido pelo cura, pelo barbeiro e pelo bacharel Carrasco, que o abraçaram afetuosamente. Ao entrar em casa a sobrinha e a ama lançaram-se a ele, radiantes de felicidade.

Essas expansões de carinho, porém, não lhe serviam de consolo. De sua cabeça não saía, nem por um momento, a lembrança da fatal derrota. E de tanto mói e remói, adoeceu.

Capítulo XXIX
Doença e morte de dom quixote

– Coitado de Dom Quixote! – exclamou Narizinho. – Esse tal Cavaleiro da Branca Lua não passava dum grande malvado. E o duque e todos os seus amigos não passavam duns perversos sem coração.

– Realmente, minha filha, dói-nos assistir ao fim do famoso cavaleiro da Mancha, sobretudo quando lhe lemos a história completa, do modo pelo qual Cervantes a escreveu. Mas tudo na vida tem que ter um fim. Cervantes não podia conservar Dom Quixote vivo a vida inteira.

– Por que não? – objetou Emília. – Eu, se fosse o Saavedra com dois aa, não o mataria nunca. Deixá-lo-ia como uma espécie de judeu errante – eternamente vivo. Para quê matá-lo? Para quê deixá-lo morrer? Não acho graça nenhuma nisso...

– É que todos nós morremos, Emília. Não tinha propósito Cervantes não pôr termo à vida do seu personagem.

– Tinha sim – insistiu Emília. – O fato de toda gente morrer não é razão para que ele morresse. Podia ficar para semente, como o judeu errante. Ser uma exceção. A senhora não vive dizendo que todas as regras têm exceção?

– Mas as leis da natureza não têm exceções, Emília – e morrer é uma lei da natureza.

– Bolas para a natureza! – gritou a boneca. – Para mim Dom Quixote não há de morrer. Não quero ouvir o resto da história. Até logo. Vou brincar com o Quindim e levo Dom Quixote bem vivinho dentro da minha cabeça. Não sou urubu. Não gosto de carniça. Até logo! – e saiu da sala correndo.

Dona Benta ficou uns instantes pensativa.

– Conte logo a morte dele, vovó – pediu Narizinho. – Tia Nastácia não tarda com os pinhões – hoje é pinhão.

– Pois morreu, minha filha. Ficou vários dias de cama, cada vez mais magro, seco e amarelo. O cura, o barbeiro e o bacharel vinham visitá-lo todos os dias.

– E Sancho?

– Também. O pobre Sancho estava numa aflição nunca vista. A sua amizade pelo cavaleiro era profunda.

Lá pelo oitavo dia, o médico o desenganou. Disse que estava por horas. Percebendo que era assim mesmo, Dom Quixote reuniu todos os seus amigos e falou:

"Meus caros, já não sou Dom Quixote de la Mancha. Voltei a ser aquele antigo Alonso Quijana, que o povo desta aldeia havia cognominado O Bom. Já não sou imitador desses cavaleiros andantes que os livros descrevem e que a loucura me levou a tomar como modelos. Sou o vosso velho amigo, um homem que perdeu a razão e só no fim da vida a recobrou."

Todos se entreolharam com surpresa e dor. O moribundo prosseguiu:

"Sinto-me cada vez mais fraco. Chamai o tabelião para anotar minhas últimas vontades."

"Escreve – disse-lhe Dom Quixote. – Deixo a Sancho, meu fiel amigo, duzentos escudos de ouro. À minha sobrinha deixo tudo mais quanto possuo, com a condição de sempre ter consigo esta boa ama, que cuidou de mim a vida toda. E também há de presentear o senhor cura, mestre Nicolau e o amigo Carrasco, ao qual nomeio meu executor testamentário."

Fechou os olhos e morreu.

A choradeira foi imensa. Nunca se derramaram tantas lágrimas naquela aldeia. O bacharel Carrasco compôs os seguintes versos para o seu túmulo:

> Aqui jaz o fidalgo raro
> Que a tanto extremo chegou
> De valente, que o preclaro
> Seu nome eterno ficou.

– E Sancho, vovó? – quis saber Narizinho.

– Sancho, depois de muito chorar, voltou à sua vida antiga de camponês. Viveu o resto da vida na abastança, graças ao legado de Dom Quixote e aos muitos presentes recebidos da duquesa.

– E que mais?

– Só.

Por várias vezes Narizinho tentou contar a Emília a morte do cavaleiro da Mancha. Emília tapava os ouvidos.

– Morreu, nada! – dizia ela. – Como morreu, se Dom Quixote é imortal?

Dona Benta ouvia aquilo e ficava pensativa...

RECONTOS

OS DOZE TRABALHOS DE HÉRCULES

O LEÃO DA NEMEIA

Capítulo I
HÉRCULES

Na Grécia Antiga o grande herói nacional foi Héracles, ou Hércules, como se chamou depois. Era o maior de todos — e ser o maior de todos na Grécia daquele tempo equivale a ser o maior do mundo. Por isso até hoje vive Hércules em nossa imaginação. A cada momento, na conversa comum a ele nos referimos, à sua imensa força ou às suas façanhas lendárias. Dele nasceu uma palavra muito popular em todas as línguas, o adjetivo "hercúleo", com a significação de extraordinariamente forte.

A principal característica de Hércules estava em ser extremamente forte, extremamente bruto, mas dotado de um grande coração. No calor das façanhas muitas vezes matava culpados e inocentes — e depois chorava arrependido. Disse Anatole France: "Havia em Hércules uma doçura singular. Depois de em seus acessos de cólera golpear culpados e inocentes, fortes e fracos, Hércules caía em si e chorava. E talvez até tivesse dó dos monstros que andou destruindo por amor aos homens: a pobre Hidra de Lerna, o pobre Minotauro, o famoso leão do qual tirou a pele para transformá-la em peliça. Mais de uma vez, ao fim dum daqueles feitos, olhou horrorizado para a clava suja de sangue... Era robustíssimo de corpo e mole de coração".

— Coitado! Tinha coração de banana...

Esta conversa ocorria no Sítio do Picapau Amarelo, entre a boa Dona Benta e seu neto Pedrinho. E o assunto recaíra em Hércules porque o garoto estivera a recordar passagens das suas aventuras na Grécia Heroica, como vem contado no *O Minotauro*.

— E se voltarmos para lá? — exclamou Pedrinho. — Aquela Grécia não me sai da cabeça, vovó...

— Para que, meu filho?

— Para assistirmos às outras façanhas de Hércules. Só vimos uma: a destruição da Hidra de Lerna. São doze...

Dona Benta fez ver que o fato de terem saído incólumes da luta entre Hércules e a hidra fora um verdadeiro milagre, sendo impossível que tal milagre se repetisse nas outras façanhas.

— Eu quase morri de medo — disse a boa velhinha — quando, lá na casa de Péricles, em Atenas, tive comunicação de que você, Emília e o Visconde estavam assistindo a essa luta de Hércules com a tal serpente de sete cabeças...

— Nove — corrigiu Pedrinho. — Oito mortais e uma imortal.

— Ou isso. Quase morri de medo, porque bastava que uma simples gota do sangue da hidra espirrasse em vocês para irem todos para o beleléu.

Pedrinho danava com aqueles medos da vovó. Sempre que ele sugeria alguma aventura nova, lá vinha ela com o tal medo e a tal pontada no coração. Resultado: ele metia-se nas aventuras do mesmo modo, mas escondido, sem licença dela.

— Os velhos não entendem os novos— dizia Pedrinho. —Querem nos governar, querem nos obrigar a fazer exatinho o que eles fazem. Esquecem-se de que se fosse assim, o mundo parava — não havia nada novo... E note-se que vovó não é como as outras velhas. No começo não quer, e opõe-se; mas se realizamos às escondidas alguma aventura, assim que vovó sabe faz uma cara de espanto e de zanga, mas esquece logo a zanga e gosta, e às vezes ainda fica mais entusiasmada do que nós mesmos.

E Narizinho acrescentou:

—Vovó diz que não, só por dizer, porque o tal "não" sai da boca dos velhos por força do hábito. Mas o "não" de vovó quer quase sempre dizer "sim".

Dona Benta opôs-se a que Pedrinho voltasse à Grécia para tomar parte nas onze façanhas do grande herói, mas opôs-se dum modo que era o mesmo que dizer: "Vá, mas escondido de mim..." e Pedrinho exultou.

— Falei com vovó — foi ele correndo dizer a Narizinho — e ela veio com aquele "não" de sempre, que nós traduzimos por "sim". Vou mandar o Visconde fabricar o pó de pirlimpimpim necessário. Volto lá com o Visconde e a Emília...

— E eu? Fico chupando no dedo?

— Ah, você não pode ir, Narizinho. Vovó não anda boa do reumatismo, tem necessidade de um de nós sempre junto dela.

Capítulo II
Preparativos

Pedrinho explicou ao Visconde os seus planos de nova viagem pelos tempos heroicos da Grécia Antiga.

—Vamos nós três, eu, você e Emília.

— Emília já sabe do projeto?

— Já, e está atropelando Tia Nastácia para que lhe arrume uma canastrinha nova. Diz que desta vez vai completar o seu museu com mil coisas gregas.

O Visconde suspirou. Sempre que Emília se lembrava de viajar com canastra, era ele o encarregado de tudo: de carregá-la às costas, de vigiá-la. E se desaparecia qualquer coisa, lá vinha ela com a terrível ameaça de "depená-lo", isto é, arrancar-lhe as pernas e os braços.

— Que quantidade de pó quer? — indagou o Visconde.

— Aí um canudo bem cheio.

O pó de pirlimpimpim era conduzido num canudinho de taquara-do-reino, bem atado à sua cintura. Ele tomava todas as precauções para não perder o precioso canudo, pois do contrário não poderia voltar nunca mais. Mas como em aventuras arrojadas a gente tem de contar com tudo, o Visconde sugeriu uma ideia ditada pela prudência.

— O melhor é levarmos três canudos, um com você, outro comigo e outro com a Emília. Desse modo ficaremos três vezes mais garantidos.

Emília, na cozinha, atropelava Tia Nastácia.

— Quero uma canastrinha nova e maior, onde caiba muita coisa.

A negra, entretida em fritar uns lambaris, resmungava:

— Pra que isso agora? Estou cansada de fazer coisas para você, Emília. Ora é isto, ora é aquilo. Canastra agora!... Não serve mais a última que fiz?

— Muito pequena. Quero uma, o dobro.

— E pra quê? Que tanta coisa tem para guardar? — e largando da colher espiou bem dentro dos olhos da ex-boneca.

— Hum! ... Estou cheirando reinação nova... Esses olhinhos não negam. Que vai fazer?

— Nada — respondeu Emília com a maior inocência. — Só que tenho muitas coisas a guardar e a canastrinha velha já está cheia.

— Eu sei, eu sei... — resmungou a preta. — Pra mim, é reinação nova. Onde é? Vá — diga...

Emília começou a inventar uma mentira bem arranjada demais. Todas as mentiras da Emília eram assim: tão bem arrumadinhas que todos logo desconfiavam. A negra não acreditou em coisa nenhuma; mas, para se ver livre da atropeladeira, disse:

— Está bom. Faço, sim. Que remédio? Você quando quer uma coisa fica pior que carrapato... — e à noite, no serão, fez a canastra nova do tamanho que a atropeladeira queria. Dona Benta apareceu e viu a negra entretida naquilo.

— Hum!... Canastrinha nova... Isso é sinal de Grécia. Pedrinho está com saudades de mais aventuras por lá.

— E Sinhá deixa? — disse Nastácia, lembrando-se das aflições passadas no labirinto de Creta, quando andou às voltas com o horrendo Minotauro.

— Eu já disse que não — respondeu a boa velha — mas Pedrinho não acredita nos meus "nãos." Eles querem acompanhar Hércules em seus outros trabalhos...

— Credo! — exclamou a preta, sem saber que "trabalhos" eram aqueles, e Narizinho veio pedir à vovó que falasse de Hércules.

Dona Benta falou.

— Ah, minha filha, que maravilhoso herói foi esse massa bruta! Era filho de Zeus, o grande deus lá dos gregos, e de Alcmena, a mulher mais bela da época, grande como uma estátua, forte, imponente. Mas Zeus era casado com a deusa Hera, a qual, enciumadíssima com aquele filho de seu esposo na terra, jurou persegui-lo sem cessar. E assim foi. A vida do pobre Hércules tornou-se um puro tormento, tais e tais armadilhas lhe armava a deusa. Mas era defendido por Zeus. Hera armava as armadilhas e Zeus as desarmava — e assim foi até o fim.

— Que fim? — quis saber a menina.

— O triste fim que Hércules teve, coitado, um herói tão bom...

— Conte o fim de Hércules, vovó.

Dona Benta contou que depois duma infinidade de aventuras, entre as quais os famosos Doze Trabalhos, Hércules casou-se com Dejanira, a quem amava muito. Mas um dia, numa das suas expedições, foi dar nas terras do centauro Nesso. Hércules já se havia batido contra os centauros do antro de Folo e matara-os a todos, menos a esse Nesso, que fugira. Parece que Hércules não reconheceu nessa ocasião o seu velho inimigo, pois tendo de atravessar um rio a nado, pediu a Nesso que passasse Dejanira. Daí lhe veio a desgraça. Nesso, no meio do rio com a esposa de

Hércules ao ombro, teve a ideia de dar-lhe um beijo à força. Lá da margem Hércules viu tudo e, tomando uma flecha, zás, espetou-a no coração do centauro. Era ferida mortal. Nesso ia morrer, mas antes disso teve tempo de dar a Dejanira um filtro potentíssimo. Quem pusesse no corpo uma peça qualquer do vestuário respingada com esse filtro envenenar-se-ia e morreria a pior das mortes. Dejanira guardou o filtro e alcançou a nado a margem onde Hércules a esperava.

— E o centauro?

— Esse morreu na água e lá se foi boiando... Tempos depois Hércules se meteu em nova aventura, na qual salvou uma linda moça de nome Iole, levando-a consigo à Ilha de Eubeia, onde havia um altar a Zeus. Lá, querendo oferecer um sacrifício a Zeus, mandou um mensageiro à sua casa em Traquis, buscar uma túnica. Chamava--se Licas, esse mensageiro. Era um abelhudo. Em vez de limitar-se a cumprir a missão, contou a Dejanira toda a aventura e falou da maravilhosa beleza de Iole, que Hércules salvara e levara para Eubeia. Uma feroz onda de ciúme encheu o coração de Dejanira, fazendo-a lembrar-se do venenoso filtro de Nesso. E sabe o que fez? Entregou ao mensageiro a túnica que Hércules mandara buscar, mas toda borrifada com o tal filtro...

— Malvada! — exclamou a menina.

— Ao receber a túnica, o pobre Hércules vestiu-a descuidosamente e foi ao altar fazer o sacrifício a Zeus. Lá chegando, começou a sentir no corpo uma dor horrenda como se tivesse vestido uma túnica feita de chamas implacáveis. E morreu torrado.

— Malvada! — repetiu Narizinho, mas Dona Benta explicou que a intenção de Dejanira não fora aquela.

— Nunca imaginou que a túnica fosse vestida pelo herói; julgou que era destinada à linda Iole; de modo que ao saber do acontecido, desesperou-se e correu a enforcar-se numa árvore.

Capítulo III
PERTO DA NEMEIA

No terceiro dia pela manhã já tudo estava pronto para a partida. Pedrinho deu uma pitada de pó a cada um e contou: Um... dois e...três! Na voz de Três, todos levaram ao nariz as pitadinhas e aspiraram-nas a um tempo. Sobreveio o *fiun* e pronto.

Instantes depois Pedrinho, o Visconde e Emília acordavam na Grécia Heroica, nas proximidades da Nemeia. Era para onde haviam calculado o pó, pois a primeira façanha de Hércules ia ser a luta do herói contra o leão da lua que havia caído lá.

O pó de pirlimpimpim causava uma total perda dos sentidos, e depois do desmaio vinha uma tontura da qual os viajantes saíam lentamente. Quem primeiro falou foi Emília:

— Estou começando a ver a Grécia, mas tudo muito atrapalhado ainda... Parece que descemos num pomar...

Pedrinho também viu árvores em redor. Esfregou os olhos. Deixou passar mais alguns segundos. Depois:

— Não é pomar. É um olival. Esta Grécia é o país das oliveiras, as árvores que dão azeitonas. E parece que estas oliveiras estão carregadas.

Instantes depois estavam os três em estado normal. O Visconde sentara-se em cima da canastra da Emília, a qual não tirava os olhos das árvores.

— Maduras, Pedrinho. Por que não enche o seu emboral? Gente é como automóvel: não anda sem estar sempre comendo qualquer coisa. O automóvel bebe gasolina nas bombas; a gente "manduca" o que encontra.

Pedrinho trepou numa oliveira das mais carregadas e começou a encher o emboral, depois de haver provado uma e cuspido, numa careta.

— Estão maduras, sim — disse ele — mas Nastácia, que só conhece azeitonas de lata, não é capaz de reconhecer estas. Gosto muito diferente e horrível. Lembra certas frutinhas do mato que ninguém come, de tão amargas ou ités.

As azeitonas só se tornam comestíveis depois de várias semanas de maceração em água de sal. Ficam então deliciosas. Mas sem isto, nem macaco as come! Emília fez logo o projeto de uma grande produção de azeitonas, e:

— Mais, mais, Pedrinho! — não cessava de dizer e ele ia jogando.

Perto dali ficava a residência do dono do olival e uma pastagem muito bonita, com um rebanho de carneiros tosando o capim. Um pastorzinho distraía-se a tocar flauta, com um cão ao lado. Súbito o cão farejou qualquer coisa, enfitou as orelhas — e veio para o olival, na volada.

Pedrinho nunca teve medo de cachorros. Dominava-os com o olhar e a firmeza da voz. Assim foi com aquele.

— Quieto, quieto, Joli! — gritou energicamente. O cachorro parou de latir e pôs-se a balançar a cauda. Depois, dando com o Visconde, "não entendeu". Arrepiou-se todo de medo. Era-lhe um desconhecido — e o desconhecido amedronta qualquer animal.

Pedrinho tentou sossegá-lo, passou-lhe a mão pelo pescoço.

— Nada de sustos, Joli. Não é nenhuma aranha de cartola e sim o nosso grande sábio lá do sítio, o Senhor Visconde de Sabugosa — mas a explicação de nada adiantou: o pobre cachorro positivamente "não entendia" o Visconde...

Lá adiante o pastor se levantara e guardava a flauta. Estava com a cara de quem diz: "Que diabo disto é aquilo?".

Pedrinho dirigiu-se a ele, acompanhado dos outros. Em que língua iriam entender-se? "Que acha, Emília?" E ela: "Aplique o faz-de-conta. Faça de conta que nós sabemos grego e ele nos entende muito bem".

Assim foi. Graças ao grego "faz-de-conta" de Pedrinho, puderam conversar perfeitamente.

— Bom dia, amigo! Somos viajantes vindos dum século e duma terra muito distantes destes aqui.

— Destes o quê? — perguntou o jovem grego.

— Deste século e desta terra...

O pastorzinho não entendeu, nem podia entender, o que levou Emília a exclamar: "Ai, ai! Vamos ter de novo aquelas mesmas dificuldades de entendimentos que tivemos com Fídias e os outros em Atenas", e não querendo perder tempo com tentativas inúteis, perguntou:

— Pastorzinho grego, pode dar-nos notícias do senhor Hércules?

O interpelado fez cara de bobo. "Hércules? Quem seria esse Hércules?". Nunca ouvira pronunciar tal nome. Emília explicou que era um "massa bruta" assim, assim, que andava pelo mundo fazendo proezas das mais tremendas. De nada adiantou a explicação. O rapaz não tinha a menor ideia de Hércules. O Visconde, que estava de banda, sentado sobre a canastrinha, sacudiu a cabeça e riu-se com o riso filosófico dos sábios.

— Ai dos ignorantes! — exclamou. — Como é que este moço há de saber de Hércules, se nesta Grécia nunca houve Hércules nenhum? Hércules não é nome grego; é o nome romano com o qual foi batizado mais tarde. O herói que andamos procurando chama-se em grego Héracles.

Ao ouvir aquele nome tão popular naquele tempo, o pastorzinho iluminou o rosto.

— Bom, este conheço. Não há quem o não conheça por aqui, tantas e tantas têm sido as suas proezas. Héracles é um herói invencível...

— Pois é a ele que andamos procurando — disse Pedrinho. — Amigo velho. Já caçamos juntos...

— Já caçaram juntos? — repetiu o pastorzinho, espantado. — Que é que caçaram?

— Uma cobra de nove cabeças, a célebre Hidra de Lerna.

O rapaz não entendeu porque para ele essa façanha de Hércules ainda estava no futuro, e mostrou-se muito admirado quando Pedrinho contou a história do Leão da Nemeia que Hércules iria matar.

— Leão da Nemeia? — repetiu. — Sim, eu sei desse leão. É um terribilíssimo monstro que caiu da lua e anda por lá comendo gente. Só se alimenta de gente.

— E por que o não matam? — quis saber Emília.

O pastorzinho riu-se de tanta ignorância.

— Matar o Leão da Nemeia! Quem pode, se é invulnerável?

Emília ignorava a significação da palavra "invulnerável", mas não querendo passar por ignorante aos olhos do moço fingiu precisar qualquer coisa da canastra e foi ter com o Visconde. E enquanto abria e remexia na canastrinha, perguntava a meia voz:

— Que quer dizer invulnerável, Visconde? Responda bem baixo.

O Visconde compreendeu e ajudou-a.

— Invulnerável é o que não pode ser ferido por arma nenhuma, uma espécie de "corpo fechado".

Emília ainda perguntou:

—E que tem a palavra "invulnerável" com ferida?

O Visconde explicou que em latim "ferida" era "vulnera." Emília, muito lampeira, voltou a falar com o pastorzinho.

— Com que então é invulnerável? ah, ha!... Havemos de ver isso. Quero ver se Hércules vulnera ou não vulnera esse leão da lua... Já sabe da novidade — que Hércules foi convidado a vir matar esse leão?

O pastorzinho não sabia e admirou-se. Não havia dúvida que Héracles nunca havia perdido luta nenhuma, mas que poderia fazer contra um leão em cuja carne seta nenhuma penetrava?

—Pobre Hércules! — exclamou ele. — Desta vez vai espetar-se...

O cachorro do pastor não tirava os olhos do Visconde, e volta e meia dava um "au". Nunca vira um animalejo tão estranho, de cartolinha e ainda por cima falante...

— Deixe o Visconde em paz, Joli! — gritou Pedrinho.

O jovem grego explicou que o nome do cachorro era Pelópidas.

— E a tal Nemeia onde fica? — indagou Emília. — Longe?...

— Perto. Vocês seguem por esse carreiro até a encruzilhada. Lá tomam à esquerda e vão andando, andando, até encontrarem um rio. Depois seguem rio acima até uma ponte. A Nemeia começa para lá da ponte.

— Não há letreiro? — perguntou Emília, fazendo o Visconde, lá na canastrinha, sacudir a cabeça e murmurar: "Letreiro! Que ideia! ... O pobre rapaz nem sabe o que é letra, quanto mais letreiro".

E estavam nisso, quando, de súbito, um berro distante soou. Evidentemente um urro de leão da lua, coisa muito mais horrenda que urro de leão da terra. O pastorzinho tremeu. Só pensou numa coisa: juntar o rebanho e tangê-lo para o curral — e lá se foi no galope, seguido pelo cachorro.

O urro vinha de muito longe — da Nemeia. Eles tinham de ir para lá, pois só lá era possível encontrarem o grande herói grego. Se ficassem ali estavam perdidos, pois quem os defenderia do leão? O pastorzinho? Ah, ah... Já na Nemeia talvez encontrassem Hércules, e na companhia de Hércules nada teriam a temer.

— Vamos para a Nemeia! — ordenou Pedrinho.

O Visconde espantou-se.

—Para a Nemeia? Ao encontro do leão que lá está urrando?

— Ao encontro de Hércules — respondeu Pedrinho. — Se tivermos a grande sorte de encontrá-lo, estaremos salvos, mas aqui... Se o leão nos pega por aqui, estaremos irremediavelmente perdidos. Terra de gente medrosa. Olhe como corre o pastorzinho...

De fato, o pastorzinho já ia longe com os carneiros, como se estivesse sendo perseguido por mil leões.

Foram para a Nemeia. Seguiram pelo carreiro até a encruzilhada; depois tomaram à esquerda até dar num rio, e subiram rio acima até uma ponte.

Capítulo IV
NA NEMEIA

— A Nemeia começa aqui — disse Pedrinho ao chegar à ponte, e com as mãos na cintura pôs-se a examinar a paisagem. Não levou muito tempo nisso. Novo urro do leão, muito mais perto, o fez arrepiar-se.

— Temos que trepar numa destas árvores — sugeriu ele precipitadamente, e deu o exemplo: marinhou árvore acima com agilidade de macaco. Emília fez o mesmo; repimpou-se num galho bem lá de cima.

Lá embaixo só ficou o Visconde, todo pateta. Subir em árvore o Visconde não subia. Os sábios são desajeitadíssimos. A única solução era suspendê-lo. Pedrinho correu os olhos em torno. Viu um cipó num galho perto. Conseguiu agarrá-lo, depenou-o de todas as folhas e desceu uma ponta ao Visconde.

— Segure bem que eu o suspendo.

— E a canastrinha? — lembrou o pobre sábio.

— Deixe-a aí ao pé da árvore — resolveu Emília. — Leão não come canastras...

Assim foi feito. O Visconde escondeu a canastrinha num oco da árvore e pendurou-se na ponta do cipó. Pedrinho o foi suspendendo. Já estava o sabugo para mais de meio quando a sua cartolinha esbarrou num ramo seco e lá caiu. Que fazer? Voltar para apanhar a cartola ou...

Novo urro do leão já bem perto fez o Visconde esquecer-se da cartolinha para só pensar na salvação da pele. Um sábio sem cartola é uma coisa feia, mas um sábio devorado por um leão é coisa mais feia e triste ainda. A árvore era a mais alta dali, e de tronco muito reforçado. Ainda que tentasse, o monstro não os alcançaria em seus pulos.

E foi a conta. Nem bem se tinham acomodado nos melhores galhos, quando a fera rugiu pertíssimo — e afinal apareceu!

Que horrendo bicho! Pedrinho nunca imaginou que os leões da lua fossem tão enormes, tão possantes, com tão copiosa juba e tão afiadas presas. Parece que havia acabado de comer alguém. As manchas de sangue no seu pelo ainda estavam frescas.

O leão parou junto ao tronco da árvore e farejou. Sentiu que havia seres humanos lá em cima — chegou a entortar a cabeçorra e espiar. Pedrinho, que levara uma pedra no bolso, arremessou-a contra o olho da fera! Está claro que não adiantou coisíssima nenhuma, porque os leões invulneráveis têm também os olhos invulneráveis. O monstro nem sequer piscou. Apenas botou fora a horrenda língua vermelha e passou-a pela beiçorra, como quem diz: "Se alguém anda em cima desta árvore, meu papo está garantido. Sento-me aqui e espero que o almoço desça".

Pedrinho sondava os horizontes, ansioso pelo aparecimento de Hércules. Só o grande herói podia salvá-los daquela perigosa situação. A não ser que Emília...

— Emília — disse ele erguendo os olhos — que faremos caso Hércules não apareça?

— É no que estou pensando — respondeu a diabinha. — Há o pó. Mas se recorrermos ao pó, ele nos leva muito longe daqui e perdemos a primeira façanha. O remédio é um só: esperar para ver o que acontece.

O Visconde, muito satisfeito de ter-se livrado da canastrinha, declarou achar-se muito bem; ele não tinha a menor dúvida em ficar morando ali toda a vida. Sim, as coisas são muito simples para os seres que não comem. O terrível da vida é o eterno problema da comida. "A gente come e não adianta nada" — costumava dizer a ex-boneca — "porque por mais que comamos, temos de comer no dia seguinte. Ai que saudades do tempo em que eu não comia!..."

O leão deitara-se, mas com a cabeça erguida, atento. Súbito, deu um ronco rosnado e enfitou os olhos em certo rumo, como quem está cheirando qualquer coisa.

— Ele farejou carne humana! — disse Pedrinho. — Será Hércules?

Era. Logo depois o vulto do herói emergiu de trás duma grande moita. Estava de arco em punho. Ia atirar.

O leão pôs-se de pé, como que à espera. Hércules ajeitou no arco uma seta, fez pontaria e *zás!* despediu-a como Zeus no Olimpo despedia raios. A seta assobiou no ar e veio bater de encontro ao peito do leão. Mas em vez de cravar-se naquele largo peito, entortou a ponta de ferro e caiu. Hércules lançou segunda flecha, e terceira e quarta e quinta. O resultado foi o mesmo. Despedaçavam-se no peito do leão ou entortavam a ponta.

— Bem disse o pastorzinho que este leão é invulnerável — exclamou Emília. — Inflechável! E o bobo do Hércules não percebe. Melhor avisá-lo, Pedrinho.

Pedrinho botou as mãos em concha para aumentar o volume da voz e gritou na direção do herói: "Assim, é inútil. Ferro não entra no peito deste leão. É invulnerável... As flechas acertaram nele, mas entortam a ponta ou se despedaçam. Abandone o arco e pense noutra coisa".

Hércules ouviu atentamente aquelas palavras e, como não distinguisse o menino lá entre as folhas, julgou ser algum aviso do céu, donde muitas vezes lhe viera socorro. Se a deusa Hera o perseguia, a grande Palas Atena e outras deusas menores o ajudavam.

A fera encaminhava-se já em sua direção, a passos lentos e decididos, o olhar chamejante de cólera. Ia raivosamente atacar e devorar aquele audacioso humano que estupidamente a atacava a flechaços.

— Pobre Hércules! — exclamou Emília. — Está ali, está liquidado. Como há de defender-se das garras deste monstro, se suas flechas nem lhe arranham a pele?

— Com flecha não vai — disse Pedrinho — mas há a clava. Vovó me contou que a clava de Hércules é pior que os martelos-pilões das fábricas de ferro: não há o que não amasse. Esse leão é invulnerável, mas será também inamassável?

Hércules havia largado o arco e tomado a clava, ou maça, feita dum tronco de oliveira, que havia arrancado com raiz e tudo — madeira duríssima. E não esperou que o leão se chegasse até ele, também ia avançando ao seu encontro.

O momento era dos mais emocionantes. Lembrava aqueles momentos nos circos de cavalinhos em que a música para. A música ali era a conversa dos pequenos aventureiros empoleirados na árvore. Todos haviam emudecido. Que pode a palavra humana dizer em circunstâncias assim?

Já estavam bem perto um do outro, os dois tremendos contendores. Súbito, o leão armou bote e lançou-se que nem bomba voadora. Hércules, agilissimamente, regirou no ar a poderosa clava e desferiu um golpe de derrubar montanhas. O tremendo golpe alcançou o leão no ar — *plaf!*... bem no centro da testa. O leão caiu, tonto, mas a clava se fez em vinte pedaços. Uma lasca veio cair ao pé da árvore dos picapauzinhos. Hércules arregalou os olhos. A fera tonteara apenas, já estava novamente de pé e ainda mais ameaçadora — e ele desarmado — sem a sua potente clava... Que fazer? E Pedrinho viu-o levantar os olhos para o céu, como quem pede inspiração.

— Dê uma ideia, Emília! — gritou Pedrinho.

— Se o não ajudarmos com uma boa lembrança, lá se vai o nosso querido Hércules.

Emília pensou rapidamente: "Se as flechas falharam e se a clava se despedaçou ao primeiro golpe, o jeito agora é atracar-se ao pescoço do leão e afogá-lo." Pensou e gritou para Hércules:

— Atraque-se com ele, senhor Hércules! Grude-se no pescoço do leão e vá apertando até que ele morra de falta de ar. O leão é invulnerável e inamassável, mas talvez não seja inasfixiável...

Novamente Hércules ouviu aquilo como se fosse uma sugestão do céu, e bobamente ergueu os olhos para as nuvens como agradecimento. Sim, era o que lhe restava: atracar-se com o monstro e procurar asfixiá-lo. E foi o que fez. Lançou-se contra o leão ainda mal saído da tonteira e abraçou-o pela garganta.

Ah, que luta foi aquela! Jamais iria Pedrinho esquecê-la. O abraço de Hércules era pior que o abraço de mil tamanduás. Havia juntado o pescoço do leão como uma torquês junta o pedaço de ferro que aperta. O leão escabujava, fazia esforços tremendos para desvencilhar-se — mas quem jamais se desvencilhou dum abraço herculeo? Pedrinho, Emília e o Visconde "torciam".

— Aí, Hércules! — gritava o menino. — Firme, firme! Vá apertando como chave inglesa aperta porca de parafuso...

— Não afrouxe nem um minutinho! – berrava Emília. — Ele já está sem fôlego. É apenas invulnerável, não é inafogável...

Até o Visconde ajudou, cientificamente:

— Os pulmões dos quadrúpedes param de funcionar quando o oxigênio não entra. Conserve-o sem ar nos pulmões por dois ou três minutos que as funções metabólicas ficam perturbadas e ele afrouxa...

Hércules apertava, apertava. O monstro já tinha os olhos saltados, como querendo pular das órbitas. A língua saíra para fora quase um palmo — aquela horrível língua vermelha de leão da lua.

O monstro começava a afrouxar. Seus músculos foram se bambeando.

— Mais um bocadinho e pronto! — gritou o menino. — Ânimo, senhor Hércules!...

O herói parecia de aço. Aqueles músculos potentíssimos quase que estalavam, de tão tensos. E que alentado era! Seu peito perdera a forma do peito humano normal — virara uma série de tremendos nós de músculos, cada um maior que o outro. E foi assim por mais dois ou três minutos. Finalmente o leão moleou o corpanzil duma vez. Estava liquidado. Hércules ainda o manteve no arrocho por mais algum tempo e afinal o largou. A massa morta do leão da lua descaiu, aplastou-se no chão.

— Morto! Mortíssimo! — berrou Emília. — Hurra! Hurra! Hurra!... Viva o herói dos heróis!...

Capítulo V
O ENCONTRO

Só então Hércules percebeu que as vozes vinham da árvore e não do Olimpo. Firmando os olhos, deu com os três picapauzinhos repimpados nos galhos. Mas estava tão frouxo que nada disse. Respirava ofegantemente. Seu peito subia e descia. O suor brotava-lhe da pele em grossos pingos — o suor herculeo.

— Podemos descer — disse Pedrinho, e escorregou pela árvore abaixo. Os outros fizeram o mesmo. Já mais aliviado da canseira, Hércules se aproximou.

— Quem são vocês? — foi a pergunta.

Pedrinho explicou que tinham vindo de um século futuro para acompanhá-lo em onze de seus trabalhos, onze só, porque a um deles — a luta com a Hidra de Lerna — já haviam assistido. Hércules não entendeu. Além de burrão de nascença, como todos os grandes atletas, não podia entender aquela história de "vir dum século futuro". Talvez nem século ele soubesse o que era. Um herói daqueles só sabe de hidras, leões, minotauros e mais monstros com que tem de bater-se. E fez a cara palerma dos que não entendem o que ouvem.

Emília tomou a palavra:

— Somos do sítio de Dona Benta, senhor Hércules. Este aqui é o Pedrinho, o neto número um e primo de Narizinho. E esta aranha de cartola (o Visconde já estava de cartolinha na cabeça) é o famoso sábio Sabugosa, carregador da minha canastra. Fugimos lá do sítio, montados no pó de pirlimpimpim, unicamente para acompanhar os Onze Trabalhos de Hércules que nos faltam. Já temos um na coleção.

Hércules ficou na mesma. Olhava para um, olhava para outro e não entendia nada de nada. Emília continuou:

— Queremos ajudá-lo, Senhor Hércules, e já o ajudamos na sua luta contra o leão. Quem deu a ideia do afogamento fui eu, que sou a "dadeira de ideias" lá no sítio. Caçoam de mim, chamam-me asneirenta, dizem que tenho uma torneirinha de asneira — mas nos momentos de aperto é comigo que todos se arranjam.

Hércules continuava com cara de bobo. Emília prosseguiu:

— Podemos fazer o seguinte. O Visconde fica sendo o seu escudeiro, como aquele Sancho que acompanhava D. Quixote. Sempre há de servir para alguma coisa. Eu forneço as ideias. Pedrinho dá um excelente oficial de gabinete, ou ajudante de ordens. O senhor fica sendo o muque do bando; Pedrinho, o órgão de ligação; eu, o cérebro; e o Visconde, a escudagem científica...

Depois de Emília falou Pedrinho, dizendo a mesma coisa com outras palavras.

Por fim falou o Visconde. E tanto falatório fez que o grande herói fosse compreendendo alguma coisa. Compreendeu e riu-se. Achou graça naquela estranha associação e pediu esclarecimentos. Informou-se de quem era Dom Quixote.

Emília respondeu:

— Ah, Senhor Hércules, nem queira saber! Dom Quixote é um famoso cavaleiro andante dos séculos futuros, um tremendíssimo herói da Espanha — mas com uma diferença: em vez de vencer nas aventuras como os heróis daqui ele sai sempre apanhando, com as costelas quebradas, mais moído de pau no lombo do que massa de pão bem amassada — e foi por aí além. Contou as principais façanhas de Dom Quixote, todas terminadas com uma pancadaria no lombo do herói.

— Mas se é assim — disse Hércules — por que lhe chamam herói? Herói aqui na Grécia não apanha, dá sempre...

— É que ele é herói moderno. No nosso mundo moderno tudo é diferente. Até o Visconde é um herói científico.

Hércules sentara-se junto ao tronco da árvore, com Pedrinho de pé à direita e Emília já sentada em seu colo. A pouca distância ficara o Visconde, também sentado sobre a canastrinha. Emília falava, falava sem parar. E tais coisas disse que acabou ainda mais amiga de Hércules do que o ficara do Quindim.

O sol ia descambando, mas na Grécia não se dizia sol, sim "carro de Apolo". Hércules ergueu os olhos para o céu e murmurou:

— O carro de Apolo está já perto do fim do seu curso. Vésper não tarda no céu. Tenho de partir...

Pedrinho, que sabia muita coisa da vida do grande herói grego, desejava fazer algumas perguntas sobre pontos incertos.

— É cedo ainda, Senhor Hércules. Antes de levantarmos acampamento quero que me responda várias perguntas.

— Fale.

Pedrinho queria saber por que motivo, sendo Hércules tão forte, se havia submetido ao rei Euristeu, o qual lhe impusera aquele trabalho.

—Por que não escangalha com esse rei duma vez, com um bom golpe de clava na cabeça, em vez de andar correndo perigo para satisfazer às imposições do malvado? Vovó não soube me explicar esse ponto.

— Ah — exclamou Hércules suspirando. — A coisa é comprida, vem de longe; vem do tempo de minha loucura...

— Então já esteve louco? — perguntou Emília. — Que engraçado...

Hércules estranhou aquele "engraçado".

Como podia alguém achar graça na loucura? Emília explicou-se contando o caso da loucura de Dom Quixote, que ela achava engraçadíssima.

Hércules desfiou a história do seu casamento com Mégara, da qual teve oito filhos.

— Sim, oito filhos e filhas, e um dia os matei a flechaços...

— Matou os filhos a flechaços? — repetiu Emília, horrorizada.

— Sim, mas não por culpa minha — coisas lá da deusa Hera, que tanto me persegue. Essa deusa me fez cair num acesso de loucura — e eu então matei meus próprios filhos e filhas, coitadinhos...

— Como foi? Conte...

— Eu estava nessa ocasião em Tebas, donde saí para realizar uma aventura. Deixei Mégara e meus filhos entregues aos cuidados de Anfitrião. Minha aventura era liquidar uma série de monstros e gigantes malvados. E andava lidando nesse trabalho, quando um tal Licos se apoderou de Tebas e matou muita gente — e ia também matar Mégara e meus filhos. E já estava com a espada erguida sobre a cabeça de minha esposa, quando concluí o meu trabalho e voltei para Tebas. Ah! foi a conta! Dei tamanha mocada em Licos que o achatei como esta folhinha aqui — Hércules exemplificou com uma folhinha seca apanhada do chão. —Logo em seguida tratei de oferecer aos deuses um sacrifício de agradecimento — e foi então que Hera me enlouqueceu. E, louco furioso, matei não só meus filhos como também a pobre e querida Mégara, minha esposa...

— Que horror! Deusa malvada a tal Hera — exclamou Pedrinho.

— Malvada, sim. Nunca me perdoou o fato de ser eu filho de Zeus com Alcmena — e me persegue sem cessar. Tudo que na vida me cai em cima vem de Hera...

E depois de matar minha pobre gente eu me aprestava para matar também o bom Anfitrião, quando a boa Palas...

— A mesma que os romanos iriam chamar Minerva — explicou o Visconde.

— ... me salvou de mais esse horrendo crime.

— Como?

— Lançando-me lá do céu uma grande pedra contra o peito. A pedrada de Palas curou-me da loucura. Voltei a mim e horrorizei-me com o que havia praticado. Não há maior desgraça que um bom pai e um bom esposo matar os seus queridos filhos e sua querida mulher. Horrorizei-me...

— Mas desde que estava louco, não tinha culpa nenhuma — disse Pedrinho. — Matou sem querer...

— Crime involuntário — explicou cientificamente o Visconde.

Hércules continuou:

— Involuntário ou não, cometi esse horrendo crime — e o remorso tomou conta de mim. Condenei-me então ao desterro, e fui consultar o Oráculo de Delfos para saber qual a terra para onde exilar-me. Eu por esse tempo não me chamava Hércules, como agora. Meu nome era Alcides. Foi a Pítia do Oráculo de Delfos quem me trocou o nome e sugeriu a minha vinda para as terras do Rei Euristeu. Esse rei me impôs como penitência a realização de Doze Trabalhos terríveis. A luta contra o Leão da Nemeia foi o primeiro.

Pedrinho sentiu uma batida forte no coração. Quis avisar Hércules duma coisa, mas conteve-se. Depois com pretexto de ver se o leão já estava frio, afastou-se com a Emília e o Visconde e disse-lhes:

— O pobre Hércules sabe menos da sua própria vida do que eu, que sou de séculos adiante. Vovó me contou como foi. O caso é este: Hércules consultou a Pítia, a Pítia lhe deu um mau conselho. A diaba andava vendida a Hera. Faz tudo que Hera manda — e por isso aconselhou a procurar o tal Euristeu, que é a maior das pestes. Os tais Doze Trabalhos foram o meio que Hera achou de metê-lo em tremendos perigos, de modo que não escape. Que acham vocês: devo avisá-lo disso ou não?

Emília pensou depressa e com muita lógica.

— Não! Não deve avisá-lo de coisa nenhuma, pois do contrário ele desobedece à Pítia e nós ficamos logrados —ficamos impedidos de assistir aos seus trabalhos famosos. O melhor é conservá-lo na ignorância do futuro, mesmo porque ele vai sair vitorioso. Aquele Oráculo de Delfos! Não há patifaria maior. A Pítia deixa-se subornar, e dá palpites de acordo com os que melhor lhe pagam. A patifaria humana é eterna, como diz o Visconde.

— Sim, é isso — concordou Pedrinho. — Hera está convencida de que o herói não aguenta os tais Doze Trabalhos, a boba!... Mas Hércules vai realizá-los maravilhosamente. Melhor, mesmo, ficarmos quietos. Ele que continue na ilusão — e voltaram para a companhia do herói, com carinhas muito fingidas.

— Está mortíssimo, sim — disse Emília referindo-se ao leão. — Já esfriou. Que vai fazer dele?

O carro de Apolo já estava mais baixo — mais perto da cocheira onde se recolhia todas as tardes. Hércules levantou-se.

— Vou tirar-lhe a pele. Já que esse leão é invulnerável, seu couro dará um ótimo escudo.

Disse e encaminhou-se para o leão morto. Tinha de escorchá-lo, mas para isso era indispensável faca — e Hércules estava sem faca. Olhou em redor, como à procura de qualquer instrumento cortante, caco de vidro, lasca de pedra. Não viu nenhum. Pedrinho compreendeu.

— Já sei o que procura, amigo Hércules. Faca, não é? Faca não tenho comigo. Vovó nunca me deixou andar com faca de ponta, aquela boba. Mas tenho um bom canivete Rodger — e sacou do bolso um canivete Rodger de cabo de osso queimado e lâmina afiadíssima.

Hércules achou graça no instrumento, pois não havia canivetes naquele tempo. Examinou-o atentamente. Abriu-o e fechou-o diversas vezes — e numa delas cortou o dedo. Emília correu à canastrinha em busca do carretel de esparadrapo. Destacou a fita gomada e cortou um pedaço, dizendo:

— Para pequenas cortaduras, nada melhor que isto. Chama-se es-pa-ra-dra- -po ou ponto-falso. Conhece?

Hércules não conhecia. Deixou que a ex-boneca lhe colocasse no dedo a tira de esparadrapo e admirou-se de ver o sangue estancar. Ótimo! A sua associação com os três picapauzinhos já estava dando bons resultados. Em seguida virou o leão de barriga para cima.

— Vocês seguram-no pelas patas nessa posição, que eu vou riscá-lo no ventre.

Pedrinho segurou bem firme as patas dianteiras do leão enquanto a Emília e o Visconde faziam o mesmo às traseiras — e Hércules riscou dum extremo a outro a pele do leão.

O Visconde veio com a sua ciência:

— Lindo golpe longitudinal!—palavra que deixou o herói na mesma. Nunca houve no mundo um atleta que soubesse o que é "longitudinal".

— Hércules não está entendendo nada, Visconde — disse Emília. — Explique- -lhe o que é isso.

— Um golpe longitudinal— explicou o Visconde com toda a seriedade — é um golpe ao comprido, ou no sentido do comprimento.

— E um golpe no sentido da largura? — quis saber Emília.

— Não temos para isso palavra especial — respondeu o sabinho. — Devia ser "golpe latitudinal", porque largura é latitude, mas tal palavra não existe nos dicionários.

Pedrinho contou a Hércules que o Visconde era um grande gramático, o que também deixou o herói na mesma. O coitado nem gramática sabia o que era...

Riscada a pele do leão com aquele lindo corte longitudinal, Hércules, com a mão direita, agarrou a pele pela juba e com a esquerda segurou firme a carcaça do animal — e dum só puxão arrancou a pele inteirinha.

— Que força tem o nosso amigo! — exclamou Pedrinho, entusiasmado. — Lá no sítio, para tirar a pele dum boi, um "camarada" leva tempo — tem de a ir destacando da carne com a ponta da faca. Hércules dá um puxão e pronto!...

Mas não basta arrancar uma pele, é preciso esticá-la com varas e pô-la ao sol para secar. Que iria fazer Hércules, com a noite já próxima?

— E agora? — indagou Pedrinho. — Que é do sol para secar esse couro?

RECONTOS OS DOZE TRABALHOS DE HÉRCULES

Hércules mostrou-se indeciso. Sim, o carro de Apolo já ia entrando na cocheira. Só se dormissem ali para secá-la no dia seguinte...

Entreolharam-se. Não sabiam o que fazer.

Nas histórias das grandes façanhas estes pequenos detalhes práticos da vida nunca aparecem, e no entanto sem atendê-los convenientemente as grandes coisas se tornam impossíveis. Uma pele de leão tem de ser secada ao sol. Em seguida há que ser curtida, pois do contrário resseca, fica mais dura que pau e não tem utilidade para coisa nenhuma. O Visconde deu uma boa opiniãozinha:

— Couro cru, isto é, não curtido, não vale nada. Se houvesse um curtidor aqui por perto...

Hércules só entendia de proezas tremendas.

Para as coisinhas prosaicas da vida era a maior das inutilidades. Ouviu a história do curtidor e abriu a boca, com expressão de quem está sem nenhuma ideia na cabeça. Emília tomou a palavra.

— Já descobri o jeito de resolver o problema. Lá no olival onde aterrissamos há aquele pastor de carneiros. Todo pastor entende de curtimento de couro, porque vive lidando com a pele dos carneiros que morrem ou são mortos. Minha ideia é irmos ter com ele — e até podemos dormir naquela casinha...

Hércules achou excelente a ideia.

Capítulo VI
O COURO DO LEÃO

— Pois vamos ver o tal pastor — disse ele; e pondo a pele fresca aos ombros, bem dobrada, fez menção de partir.

Um problema surgiu. Pedrinho podia, ainda que com esforço, acompanhar as passadas gigantescas do herói —mas Emília e o Visconde? Como criaturas tão minúsculas conseguiriam acompanhá-lo? A solução veio de Hércules:

— Muito simples. Levo montados em meus ombros cá a minha "dadeira de ideias" e mais o meu escudeiro...

Disse e, pegando a Emília, colocou-a sentada em seu ombro direito; e com o Visconde fez o mesmo, colocando-o em seu ombro esquerdo sobre a pele do leão.

Sobrou Pedrinho, que teria de acompanhá-lo correndo.

Pronto! Hércules pôs-se em marcha, e só nesse momento Emília lembrou-se da canastrinha.

— Pare, Hércules! O Visconde esqueceu a minha canastra...

Pedrinho correu em busca da canastrinha e entregou-a a Hércules, que a passou ao Visconde.

— Que há dentro desta caixeta? — perguntou o herói, retomando a marcha interrompida.

— Por enquanto, bem pouca coisa ainda — mas vai acabar cheia. Aqui dentro estão os guardadinhos de emergência que eu trouxe lá do sítio e três unhas do Leão da Neméia — lembrança deste primeiro trabalho.

De fato, Emília não se esquecera de arrancar e guardar lá dentro três formidáveis unhas do famoso leão da lua...

Durante a marcha rumo ao olival Hércules foi contando aventuras e mais aventuras, enquanto Emília desfiava todo o rosário das coisas prodigiosas acontecidas no sítio de Dona Benta.

— Que sítio é esse? — perguntou o herói.

— Ah, nem queira saber! — respondeu Emília. — É a nossa Grécia Heroica lá do mundo moderno, no século XX. O sítio é a nossa fazendinha gostosa. Temos o pomar, temos o ribeirão, temos a porteira do pasto, temos o cupim perto da porteira, temos a Vaca Mocha...

Hércules entendia bem pouco de tudo aquilo, mas estava gostando de ouvir. Era como se fosse música nova — a música dos tempos futuros. Emília não parava.

— E temos Dona Benta, a melhor vovó que existe, de óculos, saia rodada. E temos Tia Nastácia, a cozinheira. Para bolinhos, não há outra. E temos Narizinho, a neta de Dona Benta, muito minha amiga.

— Por que não vieram todos? — perguntou Hércules.

— Ah, estas façanhas são muito fortes para as duas velhas. Medrosíssimas, coitadas! Narizinho podia vir porque é como nós, não tem medo de nada. Ficou por causa dos reumatismos e das pontadas da vovó. Da outra vez viemos todos, mas Dona Benta, Narizinho e Nastácia ficaram em Atenas, em casa de Péricles, no século V antes de Cristo.

Hércules não entendia nada.

— Que história é essa de século V antes de Cristo? — perguntou.

Pedrinho teve de explicar a cronologia, isto é, a marcação do tempo antes e depois de Cristo.

— Aqui, por exemplo — disse ele — vocês estão no século VII antes de Cristo. Quer dizer que Cristo vai nascer daqui a sete séculos. E nós vivemos no século 20, depois do nascimento de Cristo.

Ah, que trabalhão teve Pedrinho para explicar toda essa história de séculos antes e depois de Cristo — e para explicar quem havia sido Cristo...

— Sim — disse ele — porque todos estes deuses da Grécia de hoje, inclusive Zeus, que é hoje o supremo, tudo isso vai desaparecer.

Por que foi dizer aquilo? Hércules parou, assombrado. "Desaparecer"? Como desaparecer, se eram os deuses eternos e únicos?

Até o Visconde teve de tomar parte na discussão, e por fim Hércules fingiu que entendeu, embora na realidade não houvesse entendido coisa nenhuma. E ainda estavam a falar em séculos e deuses, quando avistaram ao longe o olival.

— Estamos chegando! — gritou Emília. — Lá está o bosque de azeitoneiras...

A luz do dia já no fim mal dava para avistarem o vulto sombrio do olival e a casinha do dono. Havia luz dentro.

— Que luz usam por aqui? — perguntou Emília, e ao saber que era a luz dos candeeiros de azeite riu-se de dó e contou a história do gás e da luz elétrica. Hércules não podia compreender outra luz que não a dos candeeiros de azeite e a dos archotes. Emília explicou-se como pôde. Falou dos fósforos, uns pauzinhos que se acendem com uma simples esfregação na caixa, e falou dos botões da eletricidade, que "a gente aperta e todas as lâmpadas se acendem". O pobre herói estava tonto.

Chegaram. Encontraram a casinha fechada. A luz, interna aparecia por uma frincha da porta. Hércules apeou de seus ombros os dois engarupados e jogou a pele no chão. Pedrinho adiantou-se e —*toc, toc, toc*— bateu.

— Quem é? — respondeu uma voz lá dentro.

— Somos viandantes que queremos pouso — gritou o menino.

Imediatamente a porta se abriu e a cara do pastorzinho apareceu.

— Boa noite, amigo! — disse Pedrinho. — Está me reconhecendo?

— Sim, você esteve lá no pasto dos carneiros, naquela hora em que o leão urrou...

— Exatamente. E de lá fomos à Nemeia e encontramos Héracles e "matamos"o leão da lua. Aqui está a pele...

Só então o pastorzinho deu com o vulto agigantado do herói — e tremeu. Ficou sem fala.

— Nada de medos — disse Pedrinho. — O amigo Héracles é de boa paz. Eu sou o seu oficial de gabinete. Ele tirou a pele do leão e anda em procura de quem a saiba curtir. Você deve entender de curtimento de couros, não?

O pobre pastorzinho gaguejou que sim, sem que seus olhos se despregassem do tremendo vulto do herói.

— Pois então está tudo ótimo. Hércules vai deixar aqui o couro do Leão da Nemeia para que você o prepare como faz aos pelegos. Ele quer servicinho bem feito, está entendendo?

— E também queremos que nos dê pousada por esta noite — ajuntou Emília. — Quem é o dono da casa? Você?

O pastorzinho explicou que não. Os donos estavam fora, tinham ido consultar o Oráculo de Delfos. Ele ficara tomando conta de tudo, mas com ordem de não deixar entrar ninguém. Pedrinho objetou que o tal "ninguém" não podia referir-se a eles, porque eles eram eles e Héracles era o famoso Héracles, o grande benfeitor da Grécia que acabava de libertar a zona do mais terrível dos leões.

O pastorzinho, trêmulo como geleia fora do cálice, abriu a porta. Hércules entrou com os outros atrás.

Casinha modesta, de humildes agricultores, fabricantes de óleo de oliva. A azeitona era a principal cultura dos gregos. Não só a usavam na comida, como para a iluminação. Havia ali na sala uma prensa rústica de extrair azeite.

Emília, lampeiríssima como sempre, foi tomando conta da casa. Varejou os quartos, mexeu nos guardados, foi ter à cozinha. Viu lá o fogo aceso e uma perna de carneiro no espeto. O pastorzinho estava preparando o seu jantar.

— Viva, viva! — exclamou ela cheirando a carne assada. — Está no ponto. Mas isto aqui dá só para o pastorzinho. Pedrinho e eu. Como irá Hércules arrumar-se?

E foi para a sala discutir o assunto.

— Encontrei o pastor assando um lindo pernil que só dá para nós. E o Senhor Hércules? Como vai arranjar-se?

Hércules era um gigante de estômago gigantesco. Comia um boi inteiro com a mesma facilidade com que Pedrinho comia meio frango assado. O assunto foi rapidamente debatido. Hércules declarou que estava com fome e, como não houvesse por ali nenhum boi, contentava-se com três carneiros — e foi ao curral examinar os que havia.

Capítulo VII
O JANTAR DO HERÓI

O pastorzinho estava na maior aflição.Três carneiros! Que conta iria dar aos patrões quando voltassem? Pedrinho tomou a palavra.

— Um herói como Hércules nunca pensa em dinheiro, nunca anda com dinheiro no bolso — e nem bolso ele tem, pois vive nu, de tanga. E o dinheiro que eu tenho comigo não vale nada nesta Grécia Heroica. Mas podemos fazer um negócio; sou dono aqui deste canivete que o próprio Hércules acha a maravilha das maravilhas — e mostrou o canivete ao pastorzinho depois de abrir a lâmina grande. —Veja que corte. É Rodger, a melhor marca inglesa. Vale seis carneiros; mas como não sou cigano, troco-o por três apenas...

O jovem grego, já sorrindo, examinou atentamente a maravilha. Experimentou a lâmina num pauzinho. Que fio!

— Pois aceito o negócio. E até dou em troca os seis carneiros.

— Para que quero seis? — disse Pedrinho. — Amanhã vou-me embora para longe. Só me interessam os três que o Senhor Héracles vai devorar.

Estavam nesse ponto, quando Hércules apareceu com três carneiros às costas, já de pescoço torcido. Ele matava carneiros como Tia Nastácia matava frangos. Zás, trás, pronto.

E como assar aquilo? Está claro que lá fora, pois no fogão da casinha era impossível.

Hércules arrancou várias árvores secas, com raiz e tudo, e amontoou-as. O Visconde levou brasas da cozinha e acendeu a fogueira. Quando tudo se reduziu a tições, Hércules preparou três espetos e enfiou neles os três carneiros, depois de tirar-lhes as peles e limpá-los das barrigadas. Um forte cheiro de carne assada invadiu a casinha. O jovem grego olhava, olhava. Quando havia de imaginar semelhante coisa? Ele ali diante de Héracles, o mais famoso herói da Grécia, o matador do Leão da Nemeia e autor de tantas façanhas que corriam de boca em boca!...

Enquanto se assavam os carneiros, todos ficaram em redor do fogo trocando impressões e contando histórias. Pedrinho mostrou-se interessado em saber da vida ali.

— Que é que vocês gregos fazem? Como se vestem? Que comem, além de carneiro assado?

E o pastorzinho a tudo atendia. Deu-lhes uma boa ideia da vida simples que levavam os gregos da Grécia Heroica e indagou da que eles levavam nos tais tempos modernos.

— Ah, nem queira saber, greguinho! — respondeu Emília. — Nós lá vivemos uma vida que vocês não podem entender. Tudo diferentíssimo, tão diferente que não vale a pena tocar no assunto. Quando estivemos em Atenas — na futura Atenas do tempo de Péricles — foi um trabalhão para fazer aqueles escultores e filósofos entenderem um bocado da nossa vida moderna. Por fim desistimos. Em comparação com a nossa época moderna, vocês são atrasados demais...

Os carneiros já estavam no ponto. Hércules arrancou um do espeto e pôs-se a comê-lo, como Pedrinho comia mangas lá no sítio: dava mordidas e besuntava-se todo de gordura. Comeu os três carneiros como se fossem três queijadinhas. Depois limpou a boca nas costas da mão e disse que estava com sono. Recolheu-se.

Cama para um homem daquele não havia. O remédio foi arrumar-lhe uns pelegos no chão da sala. Seis pelegos — e ele ainda ficou com os pés de fora!...

Num instante dormiu, tal qual criança nova que se deita e já vai fechando os olhos.

Os outros ainda se quedaram por ali a conversar. Pedrinho contou a história da luta de Hércules com o Leão da Nemeia.

— Ah, foi bonito! Nós lá de cima da árvore não perdíamos nem uma isca. Primeiro lançou uma série de flechas, mas foi o mesmo que nada. Era leão dos invulneráveis. As setas batiam-lhe de encontro ao peito e espatifavam-se, ou entortavam a ponta. Depois atacou-o com a clava — com a tremenda clava feita dum tronco inteiro de árvore, e a clava partiu-se em mil pedaços, como se fosse de vidro. Depois Emília gritou: "Agarre-o pelo pescoço e afogue-o!" e foi o que ele fez. Atracou-se ao pescoço do leão e estrangulou-o...

O pastorzinho estava assombrado.

— Felizmente! — exclamou. — Esse leão andava fazendo os maiores estragos no povo da Nemeia. Só se alimentava de carne humana e não havia o que lhe chegasse. A semana passada comeu cinco homens, quatro mulheres e três crianças...

Uma coisa preocupava Pedrinho: como é que, sendo invulnerável, o seu canivete cortara tão bem a pele do leão? Mistério. Emília veio com uma explicação como o nariz dela. "É que era canivete Rodger..." — e o Visconde apresentou uma ideia mais científica:

—Invulnerável enquanto vivo; depois de morto perdeu a invulnerabilidade.

— Mas, sendo assim — lembrou Pedrinho — de nada vai adiantar para Hércules um escudo feito dessa pele, já que a pele morta é vulnerável...

Aquele ponto ficou obscuro.

A dormida dos picapauzinhos na casa do olival foi das melhores. Estavam cansadíssimos, de modo que tiveram um sono de pedra. Só o jovem pastor não conseguiu fechar os olhos. Héracles ali na sala, dormindo naqueles pelegos! Héracles roncando como um boi! Héracles com três carneiros assados no bucho! Muita coisa para um pobre pastor...

No dia seguinte, muito cedo, o herói levantou-se e foi tomar banho no rio que passava ali perto. Quando voltou já os picapauzinhos estavam de pé e com saudades do café da manhã lá no sítio.

— Ah, Tia Nastácia aqui! — suspirou Pedrinho. — O que mais falta me faz nestas excursões é sempre aquele café da manhã, com pão-de-ló, com bolinhos de milho, com broinhas de fubá — todos os dias ela inventa uma coisa nova...

O "café" ali no olival era leite de ovelha, só, sem mais nada. Emília fez careta, mas tomou-o; depois foi ao léu em busca de azeitonas. Havia por lá tinas próprias para a maceração, sempre cheias de azeitonas na salmoura.

— Leite com azeitonas! — disse ela. — Está aqui um "café da manhã" que nunca imaginei...

Hércules declarou que tinha de ir à cidade de Micenas, onde morava o Rei Euristeu, para dar conta da façanha realizada.

— Querem ir comigo ou ficam aqui? — perguntou ele a Pedrinho.

— Ficar aqui fazendo o quê? — foi a resposta do menino. — Viemos para assistir a todas as suas façanhas, Senhor Hércules, não viemos para ficar colhendo azeitonas num olival...

— Pois então aprontem-se que vou partir.

Na véspera tinha vindo o Visconde sentado sobre a pele do leão, no ombro esquerdo de Hércules, muito a cômodo no macio pelo da fera. Mas agora? Como poderia manter-se naquele ombro nu — manter-se a si e ainda tomar conta da canastrinha?

Emília achou melhor que Hércules conduzisse a sua canastrinha já muito pesada para o pobre Visconde. E arranjando com o pastor uma correia de bom comprimento, atou as pontas nas alças da canastrinha e entregou-a ao herói.

— Leve-a a tiracolo, como se fosse o seu binóculo, Senhor Hércules — e o grande herói grego obedeceu: arrumou a canastrinha da Emília a tiracolo como se fosse um binóculo...

Pedrinho riu-se consigo mesmo, como quem diz: "A diabinha já tomou conta deste massa-bruta. Já faz dele o que quer...

Hércules disse ao pastorzinho que voltaria mais tarde, depois da pele curtida — ou então mandaria buscá-la pelo seu escudeiro Sabugosa. Ao ouvir isso, o Visconde arregalou o olho. Ter de voltar ali e levar para Micenas aquele couro de leão da lua lhe pareceu aventura maior que todos os Trabalhos de Hércules juntos. E olhou para Emília com ar de quem pede socorro. Emília riu-se.

— Não se aflija, Visconde. Na hora dou um jeito qualquer.

Partiram. O pastorzinho ficou de pé na soleira da porta, a acompanhá-los com os olhos. Ainda não voltara a si completamente. A estranha aventura da véspera era das que escacham com qualquer pastor. Depois lembrou-se do canivete e riu-se. Foi buscá-lo. Tentou abri-lo. Não sabia. Lida que lida, acabou também cortando o dedo. Atou-o com uma tira de pano e voltou à porta.

Já iam longe os aventureiros. Pedrinho corria atrás do herói, como um cachorrinho corre atrás dum touro...

A HIDRA DE LERNA

Capítulo I
OS CENTAUROS

Apesar de já de língua de fora, Pedrinho não cessava de admirar a maravilhosa musculatura de Hércules. Já Emília não dava àquilo nenhuma atenção. O que queria era prosa, e sobretudo convencer o herói de ir passar uns tempos no Picapau Amarelo.

— Não há nada de mais nisso — dizia ela. — Até Dom Quixote já esteve lá, e bem que dormiu uma soneca na redinha de Dona Benta. Você não vai sentir nenhuma diferença de clima, porque aquilo lá é uma Grécia, do mesmo modo que esta Grécia aqui é o sítio de Dona Benta da Antiguidade.

— Mas há lá, então, os mesmos seres que existem por aqui? — perguntou Hércules, sem moderar a marcha.

— Há e não há — respondeu Emília. — Há porque às vezes os mesmos daqui aparecem por lá, como aconteceu com a Quimera. E não há porque...

O herói interrompeu-a com cara de espanto.

— A Quimera? Pois esteve lá a Quimera?... Aquele monstro horrível contra o qual lutou Belerofonte?...

— Isso mesmo — confirmou Emília. — Foi vencida por Belerofonte, o qual, entretanto, não a matou bem matada. A Quimera sarou e virou um verdadeiro monstro doméstico. Ele tem dó dela, coitada, e guarda-a no quintal, como faz o Tio Barnabé com aquele burro velho. Já não sai fogo de sua boca, só uma fumacinha de vulcão extinto.

— E como foi a Quimera parar lá? —quis saber Hércules, ainda admirado de tamanho prodígio.

— Ah, isso aconteceu quando todos os personagens do Mundo das Fábulas resolveram mudar-se para as "Terras Novas", isto é, as fazendas vizinhas que Dona Benta comprou especialmente para acomodá-los — e Emília desfiou o principal das aventuras contadas no *O Picapau Amarelo*.

Hércules gostou muito do pedacinho em que Sancho aparece no palácio do Príncipe Codadade, em busca de remédios para as machucaduras de seu amo D. Quixote, o qual havia tido um encontro com a Hidra de Lerna. Riu-se com desprezo. Não há maior desprezo do que o dos heróis antigos para com os heróis modernos.

— Atacar a Hidra de Lerna, ah, ah... É que ele não sabe que esse monstro de nove cabeças tem uma imortal. Homem nenhum poderá destruí-la — e muito receio que Euristeu me imponha como Segundo Trabalho uma luta contra a Hidra de Lerna...

Depois, voltando a Dom Quixote, riu-se de novo, ah, ah, ah...

— Com aquele espeto comprido que ele usa quando monta em Rocinante. Rocinante é o cavalo dele — magro como um cambau.

O Visconde, lá do outro ombro, cochichou ao ouvido de Hércules que o tal espeto comprido era uma lança.

— Sim, uma lança — repetiu o herói. — Chega a ser irrisório! Mas se esse tal herói saiu da luta apenas machucado, então é que a hidra nem sequer lhe deu a honra de atacá-lo com uma das suas nove cabeças — limitou-se a dar-lhe duas ou três chicotadas com a ponta da cauda. Ah, ah, ah...

A risada de Hércules encheu Pedrinho de curiosidade. "Que será que estão conversando?" Ele não aguentava mais a carreirinha no trote. Sentia-se frouxo. Criou coragem e gritou:

— Senhor Hércules! Pare um bocadinho. Preciso descansar uns minutos...

O herói parou, virou o rosto e deu com o seu oficial de gabinete lá atrás. Riu-se e, como tivesse muito bom coração, atendeu ao pedido, do menino quase sem fôlego. Ficou a esperá-lo.

— *O meu oficial está frouxo* —murmurou. — Muito pequeno para me acompanhar. Mas com paradas assim, quando chegaremos a Micenas? Vamos lá, senhora dadeira de ideias. Dê uma ideia que resolva este problema.

Emília tinha mais ideias na cabeça do que um cachorro magro tem pulgas no pelo. Resolveu o caso num ápice.

— O jeito que vejo é um, um só, amigo Hércules: arranjar para Pedrinho um cavalo, porque a pé já vi que não nos acompanha. Se está de língua de fora no comecinho das nossas aventuras, imagine no fim...

Depois teve uma ideia melhor ainda.

— Cavalo, não, Hércules. Um centauro!... Pedrinho a nos acompanhar montado num centauro, haverá coisa mais linda?

Hércules sorriu.

— Os centauros são monstros indomáveis. Já lutei contra eles e sei.

— Um potrinho de centauro — sugeriu Emília.

A ideia abalou Hércules. Sim, um potrinho de centauro talvez fosse amansável... Ele jamais pensara nisso nem ninguém ali na Grécia.

— Podemos tentar, não há dúvida. Aqui perto fica a querência duma manada de centauros. Se entre eles houver um bom potrinho, podemos laçá-lo e experimentar o amansamento.

Estavam nesse ponto quando Pedrinho os alcançou.

— *Uf!* — foi exclamando, enquanto se sentava numa pedra. — Estou a botar os bofes pela boca...

— Mas o remédio está achado, Pedrinho — disse Emília lá de cima do ombro do herói. — Hércules vai arranjar para você um centauro...

Pedrinho arregalou os olhos.

— Um centauro? Eu lá aguento andar montado num desses monstros?

— Um centauro filhote, Pedrinho. Um potrinho de centauro...

O rosto do menino iluminou-se. Se era um potrinho, então podia ser viável — e que gosto o seu, quando de volta ao século xx pudesse contar a todo mundo que a sua montaria lá na Grécia fora um potrinho de centauro! A inveja do Jojoca e dos outros. As suas entrevistas aos jornais...

— E onde encontraremos isso?

— Por aqui mesmo — respondeu Hércules. — Eu estava contando à dadeira de ideias que fica por estas paragens a querência dum pequeno bando de centauros. Muito provável que haja entre eles algum novinho...

Disse e também se sentou em outra pedra ao lado de Pedrinho, apeando Emília e o Visconde. A ex-boneca não cabia em si de tanta importância. A sua última ideia aumentara muito a consideração em que o herói já a tinha. "Dadeira de ideias", sim, e das boas... Restava descobrir em que rumo ficava a tal querência. O Visconde aproveitou o ensejo para mostrar a sua ciência filológica.

— Querência! — exclamou. — Gosto muito desta palavra. É como lá onde moro os campeiros denominam os lugares onde os animais nascem e passam os primeiros anos. Ficam querendo bem a esses lugares, e se um campeiro os leva para longe e solta-os, eles vêm correndo para ali. É uma palavra que vem do verbo querer...

Mas Hércules não queria gramática, queria descobrir o ponto de reunião dos centauros, e para isso ergueu-se e pôs-se a sondar os horizontes. Seu nariz farejava. Depois disse, apontando em certa direção:

— Deve ser deste lado...

— Como sabe? — perguntou Emília.

— Saber propriamente não sei, mas sinto, tenho um palpite que é neste rumo — e apontou.

— E são bons os seus palpites, senhor Hércules? Lá em casa a palpiteira-mor é Tia Nastácia. Outro dia teve um palpite na Vaca e jogou dois cruzeiros. Quase acertou. Deu o Touro — pertinho...

Hércules não entendeu, porque na Grécia só havia os Jogos Olímpicos, não havia o Jogo do Bicho.

— Pois então vamos para lá — propôs Pedrinho já ansioso por ver-se montado num potro de centauro.

Foram. A um quilômetro de distância Hércules entreparou e aspirou o ar, como faz um cachorro perdigueiro.

— Bom — disse ele. — Estamos perto. Vou deixar vocês ocultos aqui nesta moita para que não me atrapalhem no laçamento do potrinho. Mas... e laço? Como arranjarei um laço?

Não havia laço por ali nem sequer cipó — e Hércules ficou sem saber como agir. Estava acostumado a atacar centauros com suas flechas e mesmo com a clava, mas agora tinha de apanhar um vivo — e como, sem laço? Hércules olhou para Emília com ar de quem diz: "Vamos, dê uma ideia." Mas dessa vez quem deu a ideia foi Pedrinho:

— Nada mais fácil — disse ele. — Lá nos pampas os gaúchos pegam os animais de dois jeitos: com laço ou com bolas...

— Que é isso de bolas? — quis saber o herói.

— Ah, é uma esperteza das boas. Eles arranjam três bolas bem rijas, aí do tamanho de laranjas, e as prendem a uma correia de certo comprimento; depois juntam as três correias pela outra ponta, num nó.

— Mas como é que com isso podem pegar cavalo?

— Muito simples. Eles correm atrás dos cavalos bravos e quando chegam a certa distância giram no ar as três correias com bolas e arremessam aquilo de encontro às pernas dos animais. As bolas vão regirando pelo ar e ao darem de encontro às pernas traseiras dos cavalos, enrolam-se — eles perdem o equilíbrio e caem.

Hércules admirou-se muito da esperteza. Bem razoável, sim. Mas como arranjar três bolas? Pedrinho resolveu o problema.

— Três pedras mais ou menos redondas servem — e aqui há muitas. Vou escolhê-las.

Num instante descobriu três pedras arredondadas, assim do tamanho de laranjas. Voltou correndo.

— Estas servem, e correia temos a da canastrinha da Emília.

Hércules encarregou-o de fazer as "bolas" — e em quinze minutos Pedrinho deu conta do recado. Ficou um jogo de bolas bem tosco, mas servia. Depois fez uma demonstração do manejo daquilo.

Regirou as bolas no ar e projetou-as de encontro a duas varas fincadas a certa distância. As bolas bateram nas varas e enrolaram-se nelas.

— Está vendo? — disse o menino radiante. — Se em vez de varas fossem as pernas do centaurinho na corrida, ele perdia o equilíbrio e vinha ao chão. Entendeu?

Apesar de burrão, Hércules entendeu perfeitamente; e chegou a dizer que se saísse bem com as bolas no caso do centaurinho, ia adotar o sistema. Além do arco e da clava, levaria também consigo um bom jogo de bolas sempre que saísse para aventuras.

— Faça uma prova, senhor Hércules — propôs Emília. — Aprenda a calcular bem a força.

Hércules fez. Tomou as bolas, regirou-as no ar como vira o menino fazer e arremessou-as de encontro às duas varas.

Mas foi um desastre. As duas varas foram arrancadas do chão e sumiram-se ao longe, arrastadas pela violência do impacto.

— Sua força é grande demais, Senhor Hércules — disse Emília. — Tem que lançá-las só com uma forcinha...

O herói repetiu a experiência e por fim acertou o "ponto de bala" da força.

— Ótimo! — disse ele. — Agora me vou. Fiquem aqui bem quietinhos, que não me demorarei.

E Hércules partiu no rumo da querência dos centauros, com as bolas ao ombro.

O Visconde filosofou que o laço de laçar animais, as bolas de embolá-los, as armadilhas de apanhá-los vivos, tudo são produtos da inteligência em sua luta contra a força bronca. A força não tem esperteza, é burríssima, e por isso acaba sempre vencida pela esperteza da inteligência.

Emília assanhou-se toda. Esperteza e inteligência eram com ela.

— Sei disso, Visconde. Depois que domei o Quindim e agora tomei conta deste Hércules, estou mais convencida que a verdadeira força é a cá do miolinho...

Conversaram mil coisas. O sabugo informou que a segunda aventura de Hércules ia ser o pega com a Hidra de Lerna, façanha a que eles já haviam assistido.

— Valerá a pena repetir?

— Para mim, não — disse Emília. — É coisa vista e já contada. Podemos acompanhar o Senhor Hércules até Lerna, e lá, enquanto ele mata a Hidra, nós nos divertiremos com qualquer coisa que houver.

E assim ficou assentado.

Uma hora passaram ali dentro da moita, projetando isto e mais aquilo. Pedrinho aproveitou a pausa para uma soneca. Súbito, um rumor estranho. Correram para fora. Olharam. Lá longe vinha vindo Hércules atracado a um centaurinho. Ah, bem que ele pinoteava e corcoveava, mas que animal naqueles mundos jamais escapou das unhas do herói? Pedrinho suspirou.

— Se é bravo assim aquele potro, não sei o que será de mim... Só se eu aplicar a peia...

Ele chamava assim uma correia atada às duas patas traseiras dos cavalos de modo a impedi-los de disparar. A peia embaraça o livre jogo das pernas.

Hércules chegou, rindo-se.

— Deu tudo certo — disse ele. — Encontrei um bando de oito centauros, com este potrinho no meio. Fui me aproximando agachado, de modo que não me percebessem. Quando me vi a boa distância para lançar as bolas, ergui-me de repente e volteei-as rápido no ar. Os monstros assustaram-se e fugiram num galope louco. O potrinho, como o mais fraco, galopava na rabeira. Eu, zás! Lancei as bolas com o mínimo de força possível. As bolas assobiaram no ar e pegaram-no pelas pernas. O pobre animalzinho levou o maior tombo de sua vida. Rebolou pelo chão como se estivesse virando cambalhotas. Os outros sumiram-se ao longe, enquanto eu alcançava este antes que tivesse tempo de desembaraçar as patas. E agarrei-o. Cá está a sua montaria, Pedrinho.

— Temos que lhe aplicar a peia —disse Emília.

Hércules ignorava o que fosse. Pedrinho explicou e aplicou o sistema. Apesar dos valentes coices do potro, conseguiu pear-lhe as patas traseiras, de modo a deixá-lo sem movimentos livres.

— Pronto, senhor Hércules! — gritou o menino depois de acabado o serviço. Pode soltá-lo.

— E se fugir?

— Não foge, não. No primeiro tranco que der para fugir, cai por terra, do mesmo modo que quando foi embolado.

Hércules afrouxou o braço. O centaurinho desembaraçou a cabeça e, supondo-se livre, deu um arranco para escapar no galope. Ah, quem disse? Saiu tudo exatinho como o menino previra. A peia agiu que nem de encomenda, e o potrinho rolou no chão, vencido. Ergueu-se, fez nova tentativa para escapar no galope e foi novo tombo. Terceira tentativa, terceiro tombo. E como já estivesse exausto de tanta luta, sossegou.

Depois de descansar uns instantes, respirando ofegantemente, o potrinho ainda fez duas ou três tentativas de fuga mas os novos tombos que caiu fizeram-no compreender que era tudo inútil. Estava vencido...

— Pode montar — gritou Hércules.

Ainda com medo, o menino aproximou-se do centauro. Fez uma tentativa para saltar-lhe sobre o lombo mas o potro refugou, fugiu com o corpo e Pedrinho caiu.

— Coragem! — gritou Hércules. Tente de novo — e foi agarrar o rebelde pelo pescoço.

Dessa vez o menino conseguiu montar.

— Posso largá-lo? — perguntou Hércules, que ainda o conservava preso pela cintura.

— Pode! — respondeu Pedrinho corajosamente, e Hércules largou-o.

Ah, os pinotes que o animalzinho deu, os corcovos e as novas quedas! Mas Pedrinho era um verdadeiro domador de cavalo bravo. Tanto se havia exercitado lá no sítio com o pangaré e outros animais novos, que ficou em cima do centauro que nem um carrapato.

— Aguenta, Pedrinho! — gritava Emília entusiasmada.

— Mostre para esse bobo que em outra vida você já foi caubói de cinema.

Até o Visconde, sempre tão calmo e científico, se entusiasmou. Batia palmas, dançava.

Os centauros são homens e cavalos ao mesmo tempo, e como têm a parte dianteira homem, com cabeça, peito e braços de homem, pensam e sentem como os homens. E falam.

O centaurinho, convencido de que fora domado, aquietou-se e falou. Perguntou porque lhe faziam aquilo. Emília explicou tudo tão bem explicado e fez-lhe tais e tais promessas, que ele não só sossegou como até chegou a sorrir.

— Pois é isso — concluiu ela radiante. — Podemos te levar lá para o sítio. Já temos o rinoceronte e o Burro Falante e a Vaca Mocha. E vai ver o que é vida boa, meu amor! A gente brinca de tudo, até de viagem ao céu.

Daí a pouco estavam mais camaradas do que se tivessem nascido juntos.

Hércules não voltava a si do espanto. Que prodígios eram aquelas três criaturas do tal século xx! Tinham ideias melhores que todas as ideias da Grécia. Resolviam problemas dos mais complicados. Chegavam até a realizar prodígios ainda maiores que as suas façanhas. Domesticar um potrinho de centauro!... Quem na Grécia Heroica jamais pensara nisso?

E seus olhos não se despregavam do maravilhoso quadro: Pedrinho, Emília e o Visconde brincando com o centaurinho — brincando, como as crianças brincam de corre-corre, esconde-esconde, chicote-queimado...

Capítulo II
Em Micenas

A viagem dali para Micenas foi um regalo. Estava resolvido o problema do transporte não só de Pedrinho como dos outros dois e da canastra. Todos e tudo no lombo daquele novo amigo conquistado graças às excelentes ideias de Pedrinho e tão bem engambelado pelas lábias da Emília. Até o Visconde, que nunca havia brincado por causa da sua gravidade de sábio, resolvera brincar também — e brincava muito desajeitadamente, mas com grande prazer.

Emília cochichou para Pedrinho:

— Veja o milagre! O nosso Visconde era um verdadeiro caixão de defunto, de tão sério — parecia até o Burro Falante, que jamais brincou em toda a sua vida. Agora está até bobo, a fazer coisas de palhaço...

Depois de muito caminhar, avistaram ao longe uma cidade.

— Micenas! — exclamou Hércules. —Lá mora o Rei Euristeu. Vamos todos juntos ao palácio ou vou eu só?

— Todos juntos! — berrou Emília lá de cima do centauro. — Quero ver a cara desse malvado.

— Por que malvado? — perguntou Hércules.

O bom Hércules nada sabia da terrível trama contra ele cozinhada entre os deuses do Olimpo. Fora por instigação de Hera que o Oráculo de Delfos o mandou dirigir-se para Micenas, quando, depois da sua loucura assassina, o herói pensou em castigar-se com o desterro. A razão era a seguinte. Euristeu viera ao mundo antes de Hércules, e Hera havia pedido a Zeus que concedesse ao futuro rei uma graça, qual a de "dominar a todos os seus vizinhos". Como Hércules fosse nascer logo depois nas proximidades de Micenas, tinha de ficar submetido a Euristeu, e isso por um decreto do Deus Supremo — decreto que nem esse próprio Deus Supremo podia revogar. A tramoia de Hera deu certo. Embora fosse o tremendíssimo herói que sabemos, tinha o pobre Hércules de ficar sempre submetido a Euristeu. E o rei títere vivia lhe ordenando que executasse tais e tais trabalhos, escolhidos entre os mais perigosos, para que de um momento para outro ele acabasse vencido e destruído. O primeiro trabalho de que Euristeu encarregou Hércules foi o que já vimos: ir à Nemeia e dar cabo do leão da lua. Se por acaso Hércules voltasse com vida, Euristeu o encarregaria de outro ainda mais perigoso — e assim até dar cabo dele. Tudo por instigação da ciumenta Hera...

Os picapauzinhos sabiam disso, porque eram do século xx, mas Hércules tudo ignorava e, portanto, nada suspeitava daquela conspiração.

A entrada dos expedicionários em Micenas foi o maior acontecimento jamais ocorrido naquela cidade: Hércules na frente e um centaurinho muito risonho atrás, com três criaturas no lombo — uma compreensível: um menino, embora vestido exoticamente; e duas incompreensíveis: uma miniatura de menina, aí de três palmos de altura; e uma "aranha de cartola". Como naquele tempo não houvesse milho, já que o milho é originário da América e só seria conhecido na Europa depois de Cristóvão Colombo, ninguém podia adivinhar que o corpo de tal aranha não passava de um sabugo de espiga de milho.

A notícia correu e o ajuntamento nas ruas foi se tornando cada vez maior. Nas proximidades do palácio, os expedicionários tiveram de abrir caminho na multidão.

O Rei Euristeu ficou desapontadíssimo com a volta do herói, pois estava mais que certo de sua morte. Se o Leão da Nemeia era invulnerável, como poderia alguém escapar-lhe das unhas?

— Sim, Majestade — disse Hércules. —Matei-o, sim. Matei o Leão da Nemeia... Euristeu sofismou.

— E que provas me dá disso? Trouxe a pele do leão?

— Eu ia trazer — respondeu Hércules — mas "eles" acharam melhor que eu a deixasse num curtidor.

— Eles quem? — berrou o rei, mal dominando a sua cólera, filha do despeito.

— O meu oficial de gabinete, a Emília "dadeira de ideias" e o meu escudeiro Sabugosa...

O rei nada entendeu e ainda mais colérico ficou. E quase estourou quando Hércules fez a apresentação dos três picapauzinhos.

— Aqui estão eles — Pedrinho, Emília e o Visconde...

Os cortesãos aproximaram-se do rei e deram-lhe chá de erva-cidreira. Euristeu sossegou um pouco mais.

— Mas a pele? Quero saber da pele. Faço questão de ver a pele.

— Verá, Majestade — respondeu Hércules com a maior paciência — mas só depois de curtida. Já determinei ao meu escudeiro que fosse buscá-la no curtidor, lá perto da Nemeia, quando estiver pronta. Coisa de pouco tempo.

Emília resolveu meter o bedelho.

— Majestade — disse espevitadamente como era seu costume —, não é só a pele que mostra que um leão foi morto as garras também...

O rei ficou na mesma. Emília continuou:

—Eu trouxe em minha canastra de viagem três unhas desse leão. E voltando-se para o Visconde: "Vá buscar minha canastrinha".

O Visconde foi e voltou com a canastrinha às costas, bufando. Emília abriu-a, tirou as três unhas do leão e apresentou-as ao rei.

— Unhas de leão, isto? — exclamou o estúpido soberano. — Esporas de galo velho, isso sim. Não me enganam, não. Quero a pele.

Hércules conformou-se e prometeu apresentar-lhe a pele dentro de alguns dias. Apesar de toda a sua má vontade, Euristeu foi obrigado a concordar.

Deixando o palácio, tratou Hércules de acomodar-se em Micenas. Como o curtimento duma pele leva dias, ele era forçado a ficar por ali matando o tempo. Emília teve uma ideia.

— Enquanto estamos parados, podemos fazer uma coisa: um circo de cavalinhos! Hércules levantará pesos incríveis e entortará barras de ferro. O centaurinho poderá fazer muita coisa, pular arcos, dar coices, além de que só sua presença já é um acontecimento. Esta cidade nunca viu nem sombra de centauro.

Mas Pedrinho achou bobagem pensarem tal coisa. Um herói como Hércules prestar-se a exibir-se como hércules de feira!

— O bom é irmos esperar num campo aberto. Isto de cidades não serve para Hércules. Ele não cabe nelas, fica desajeitado, sem movimentos... Tem que hospedar-se numa hospedaria como todo mundo. Na hora do jantar como é? Vêm umas comidinhas para a mesa, que não lhe chegam nem para a cova dum dente. Não me saem da lembrança os carneiros assados que ele comeu no olival. Três, Emília, três!...

— Pois vou sugerir-lhe a sua ideia, Pedrinho: irmos acampar longe da cidade, num ponto onde haja rebanhos. E também vou lhe dizer uma coisa: que quem come com tamanha fúria, tem que pagar. Isso de correr mundo sem dinheiro no bolso não está certo. No olival você teve muita sorte: pagou os carneiros com o canivete — mas agora? Você não pode andar dando tudo o que tem para pagar o que o heroísmo come.

Hércules tinha saído para acomodar o centaurinho numa estrebaria. Pouco depois voltou. Emília fez-lhe "gesto de subir" — ou de ser subida ao seu ombro.

Era assim que conversava com o tremendo herói, bem pertinho de seus ouvidos.

— Hércules — disse ao ver-se lá em cima. — Não podemos ficar nesta cidade. Não há espaço para você, não há carneiros para assar, o centaurinho vai ficar triste. Melhor irmos para um campo. Ar livre. Horizontes. Olivais. Carneirada. Rios para banho...

— Era no que eu estava pensando — respondeu Hércules. — Não me ajeito em cidades. Nunca me ajeitei. Não posso pôr os pés na rua sem que comece a juntar-se gente. Tenho medo de que de súbito me venha algum acesso de cólera e eu os arrase...

Outro ponto sobre que discutiram foi a conveniência de mandarem o Visconde para o olival.

— Ele que fique lá aguardando o aprontamento da pele.

— E vai montado no centaurinho?

— Oh, não! — exclamou Emília. Por coisa nenhuma no mundo Pedrinho entregaria o potro ao Visconde. Ele é sábio, Hércules, e os sábios são péssimos cavaleiros. Caía logo e adeus, potro! Meioameio está muito nosso camarada, mas...

— Meioameio? — interrompeu Hércules sem entender.

— Sim, foi como batizei o potrinho. Está nosso camarada, mas de repente vem a saudade da vida livre e bota-se.

— Mas se não vai no centauro, o escudeirinho tem de ir a pé — e a pé leva um ano para chegar lá.

— A pé, sim — concordou Emília — a pé ele levará um ano para chegar ao olival. Mas a pó?

Hércules não entendeu.

— A pó?

— Sim. Se em vez de ir a pé, ele for a pó de pirlimpimpim? O Visconde traz consigo na cintura um canudo desse pó.

Conforme o tamanho da pitada, o pó leva a gente para mais perto ou mais longe — e num instante. É *zás, trás* — pronto! A maior maravilha moderna é o nosso pó de pirlimpimpim. Quer ver? — e Emília chamou pelo Visconde.

— Escute aqui, sabinho. Resolvemos que você vá esperar o curtimento da pele lá no olival e que parta imediatamente.

— No centauro? — perguntou o Visconde.

Emília deu uma gargalhada.

— Isso é o que você quer, maroto, para ir brincando pelo caminho — mas pensa que o Encerrabodes deixa?

— Mas se eu não for no centaurinho, não poderei trazer a pele...

— Ora não pode! Nunca vi coisa mais simples. Basta vestir a pele num carneiro grande e esfregar uma pitada de pó de pirlimpimpim no nariz dele — o carneiro vem chispando, com a pele de que está vestido e ainda com você montado. E aqui chegando, Hércules come o carneiro.

O rostinho do Visconde iluminou-se. A solução pareceu-lhe maravilhosa.

Emília ainda fez várias recomendações e saiu com o Visconde a fim de ver nas lojas um presentinho para o pastor. De volta disse a Hércules, referindo-se ao pó:

— Repare como isto chispa.

O Visconde tirou da cintura o canudinho de pó, tomou uma pitada e um, dois... três! Desapareceu como por encanto.

Capítulo III
O Visconde desgarra-se

Ninguém notou o seguinte: quando o Visconde cantou o três e ia aspirando a pitadinha de pó, Emília, sem querer, esbarrou nele, fazendo que uns grãos de pó caíssem por terra. Coisa das mais insignificantes, que nem Emília nem Visconde perceberam — mas, bastou para que o Visconde, em vez de ir acordar no olival, fosse acordar em ponto muito diferente: em Serifo, um lugar que ele nem sabia onde era, e acordou bem em cima do telhado dum palácio.

Foi isso uma grande sorte, pois se caísse numa rua seria fatalmente caçado e levado para algum jardim zoológico. Todos ali na Grécia o achavam com muito jeito de aranha. Mas havendo, sem que ninguém o visse, aterrissado naquele teto, estava salvo — e se aspirasse uma pitadinha mais bem calculada iria parar no olival.

Aconteceu, porém, uma coisa extraordinária. O Visconde era um sábio, e os sábios gostam de saber. Quis logo saber que telhado era aquele e quem morava no palácio. Algum rei?

O Visconde já de algum tempo andava transformado. Mudara muito. Perdera a casmurrice antiga, ria-se, dizia graças — e chegou até a dançar de contentamento

— coisa que deixou Emília muito apreensiva. Pois essa mudança no Visconde estava se revelando também ali no telhado. Em vez de tirar da cintura o canudo de pó e tomar a pitadinha que o levasse ao olival, só pensava numa coisa: levantar uma telha, esgueirar-se para o forro da casa e lá de cima espiar o que pudesse. Quanto à ida ao olival em busca da pele do leão, nisso nem pensou.

Visconde teve de fazer muita força para recuar uma das telhas. Suou para o conseguir. E passando pela fresta entrou no forro do palácio. Tudo bastante escuro ali, naquele intervalo entre as telhas do telhado e o forro propriamente dito. Mesmo assim encontrou várias rachinhas, pelas quais podia espiar o que se passasse lá dentro.

Era o palácio do Rei Polidectes, o qual se achava celebrando um banquete por motivo de seu noivado com Hipodâmia. Nessa festa reuniam-se os principais chefes guerreiros do país e vários heróis entre estes o grande Perseu. Estavam à mesa do banquete, muito alegres e rumorosos, já bastante bêbados. Em dado momento Perseu perguntou ao rei que presente desejava receber de todos eles.

— Cavalos! — respondeu Polidectes.

— Posso até presenteá-lo com a cabeça da Medusa! — exclamou Perseu, já perturbado pelos vinhos. — Dar um cavalo é pouco para mim.

Todos riram-se de tamanha basófia, porque a tal Medusa era o horror dos horrores. Mas ficaram sérios e com dó de Perseu quando o rei disse:

— Pois bem. Traga-me a cabeça da Medusa, em vez dum cavalo.

A Medusa era uma Górgona! Só mesmo na Grécia poderia aparecer uma coisa assim. O Visconde sabia da história das Górgonas e pôs-se a recordar.

— Eram três irmãs: Esteno, Euriale e Medusa. As duas primeiras tinham propriedades divinas: não estavam sujeitas à velhice nem à morte. Mas Medusa era mortal. E que feia, que horrenda megera! Tinha o rosto sempre convulso pela cólera e a fazer esgares. Os cabelos eram fios de bronze entrelaçados de serpentes coleantes. Nariz chato, dentes de porco, alvíssimos, e uns olhos muito redondos, que chispavam relâmpagos. Negra. Vivia a lançar gritos — e eram os mais terríveis e espantosos gritos da Antiguidade. E ainda tinha asas e braços de bronze. O pior da Medusa, porém, era o seu poder de reduzir a pedra todas as criaturas em que fixasse os olhos.

Impossível monstro mais hediondo e mais perigoso porque com um simples olhar petrificava à distância qualquer herói que pretendesse atacá-la.

O banquete correu na maior animação até tarde da noite e por fim começaram a dispersar-se. O Visconde pensou lá consigo: "Perseu vai ver se traz a cabeça da Medusa e eu posso assistir a essa façanha" — e tratou de sair para a rua. Como não houvesse iluminação de lampiões naqueles tempos, o Visconde podia andar desembaraçadamente pela cidade, sem medo de que o descobrissem e pusessem num museu.

Os últimos convidados iam saindo, e entre eles o herói. O Visconde tinha de acompanhá-lo de longe, mas como, assim no escuro? Em resposta às suas dificuldades, a nuvem que tapava a lua se esgarçou e caiu sobre a terra um lindo luar.

O Visconde pôs-se a seguir o herói. Perseu caminhava de cabeça baixa, como quem está imerso em profunda cisma. Foi andando até sair da cidade, e encaminhou-se para uma praia ali perto. O reino de Serifo era numa ilha.

Lá na praia sentou-se nuns arrecifes, com a cabeça entre as mãos. Num momento de entusiasmo alcoólico fora fazer aquela bravata e agora arcava com as consequências: tinha de levar ao Rei Polidectes a cabeça da Medusa... Mas como, se Medusa petrificava com o olhar quem dela se aproximava? Tudo isto o Visconde, escondido ali atrás dele lhe ia lendo na expressão do rosto e nas palavras que de vez em quando lhe escapavam da boca.

E estava nisso quando, de repente, surge Hermes ou Mercúrio. Hermes era o mensageiro dos deuses, o leva-e-traz.

— Que é que o põe triste assim, Perseu? — perguntou Hermes.

O herói contou a sua desgraça.

— Num banquete a nós oferecido perguntamos a Polidectes que presentes queria receber. "Cavalos" — foi sua resposta — eu, já toldado pelo vinho, prometi, sabe o quê? A cabeça da Medusa...

Hermes animou-o.

— Para tudo há jeito, Perseu. Vou ajudá-lo, e farei que lá no Olimpo a deusa Palas também o ajude. Palas é sua amiga.

E sentando-se ao lado do herói, começou a formular um plano.

— Escute. Há as Greas, também filhas de Forcis, como as Górgonas. São três: Penfredo, Ênio e Dero, e as três só possuem um dente e um olho, dos quais se servem cada uma por sua vez. Você tem de ir procurá-las; e no momento em que uma for passando o olho para outra, tem de agarrá-lo, bem agarrado. Elas vão ficar na maior ânsia para que lhes seja restituída aquela preciosidade — e então você impõe condições.

— Que condições devo impor, Hermes?

— Basta uma. Que indiquem o caminho que leva à mansão das ninfas possuidoras dos objetos necessários para a vitória sobre a Medusa.

— Quais são esses objetos?

— A coifa de Hades que torna invisível quem a põe na cabeça; umas sandálias de asas e um surrão.

— Para que esse surrão?

— É um surrão próprio para conduzir a cabeça da Medusa depois de cortada. Faça tudo como digo, que irá cobrir-se de fama com um dos feitos mais prodigiosos destes tempos.

O Visconde tudo via e ouvia. Prestou muita atenção na vestimenta do mensageiro dos deuses, que já conhecia daquela vez em que com Pedrinho e Emília penetrou no Olimpo. Hermes usava asas no calçado, para andar bem depressa. Mensageiro vagaroso não vale nada.

Bom. Hermes não tinha mais nada a fazer ali. Despediu-se e lá se foi, veloz como um patinador.

Perseu estava radiante. Nunca um socorro divino chegara tão no momento. E, levantando-se da pedra, pôs-se a caminho rumo à morada das três Greas. O Visconde seguia-o rente — e teve de fazer prodígios para acompanhá-lo. Enquanto Perseu dava uma passada o sabugo tinha de dar oito. Por felicidade o herói não mostrava pressa nenhuma — ia caminhando vagarosamente. Afinal chegaram. As Greas estavam na sala examinando um ponto de tricô. Enquanto uma o via com o olho único da casa, as outras esperavam a vez, completamente cegas. Depois o tricô mudava de mãos e o olho também e assim as três se arrumavam para enxergar.

Perseu entrou e apresentou-se — e enquanto uma o via com o olho único, as outras demonstravam a maior sofreguidão para receber o olho e vê-lo também. "Dá cá o olho! Dá cá o olho!", diziam as duas cegas, espichando as mãos para pegar a preciosidade.

Outra mão também espichou — e quando a que estivera usando o olho tirou-o da órbita e estendeu-o para as irmãs, quem o apanhou foi Perseu.

O "fecha" foi tremendo. Gritaria histérica. Desmaios. Todas falavam a um tempo e ninguém se entendia. Por fim o herói conseguiu tomar a palavra.

— Escutem, tontas! Vou restituir o olho. Para que quero este olho se tenho dois? Está claro que vou restitui-lo — mas só se me ensinarem o caminho da mansão das ninfas...

— As que guardam os objetos necessários para a vitória sobre a Medusa? — perguntaram as três ao mesmo tempo.

— Sim — respondeu Perseu.

Elas relutaram. Acharam que era traição. Perseu procurou convencê-las. Disse que a Medusa era um monstro que já havia feito a desgraça de muita gente. Se ele conseguisse cortar-lhe a cabeça, era um grande bem para o mundo.

As três Greas conferenciaram entre si, aos cochichos e por fim concordaram.

— Pois não há dúvida. Vamos revelar o caminho para a mansão de tais ninfas e você nos restituirá o nosso olho.

— Fechado! — exclamou Perseu.

E assim foi. Elas ensinaram-lhe o caminho e ele lhes restituiu o olho preciosíssimo.

O Visconde, atrás da porta, tudo via e ouvia.

Capítulo IV
A CABEÇA DE MEDUSA

Nas aventuras heroicas é o mesmo que na vida comum moderna. O meio de conseguir qualquer coisa é descobrir o jeito.

Medusa abusava do seu poder porque até então só heróis pouco espertos tinham ido combatê-la. Atacavam-na como se atacassem uma fera qualquer — e iam ficando reduzidos a estátuas de pedra. Com Perseu não ia ser assim, porque aprendera o jeito certo e único.

O caminho para a mansão de tais ninfas era dos mais complicados.Tomava por ali, virava acolá, torcia à esquerda, agora à direita. Só mesmo seguindo um roteiro escrito como o que as Greas haviam dado a Perseu.

Afinal o herói chegou e pediu as três coisas. As ninfas não opuseram a menor resistência. Parece que tinham ordem de entregar aquilo ao primeiro que alcançasse chegar até lá.

O Visconde, sempre rente, espiando tudo, com muitas cautelas para não ser visto. Medo do jardim zoológico...

A lua estava quase no fim de seu curso. Mais uns momentos e o sol a substituiria no céu — coisa que para o Visconde era o diabo. Vinha daí o seu interesse em que o herói concluísse a aventura da Górgona antes do amanhecer. E lá ia ele trotando atrás do herói já na posse dos três preciosos objetos. Não ficava muito longe a casa ou o antro de Medusa. Anda que anda, trota que trota, chegaram.

Perseu espiou. Medusa estava dormindo despreocupadamente. Que horrenda era! Apesar de valoroso, o Visconde sentiu-se de pernas bambas. Teve de agarrar-se à parede.

Perseu foi entrando com as maiores cautelas, apesar de ter na cabeça a coifa que o invisibilizava. Quando chegou à distância própria, tirou a faca da cintura e com um golpe de mestre decepou a cabeça do monstro. Em seguida meteu-a no surrão.

Pronto! Estava realizada uma das maiores façanhas da Antiguidade.

O Visconde teve ensejo de ver bem como era a tal famosa cabeça da Medusa. Os olhos não viu, porque ela os tinha fechados: morrera dormindo. Mas viu-lhe os cabelos de bronze entremeados de cobras. Era um verdadeiro ninho de cobras, das quais só apareciam a cabeça e metade do corpo. As caudas ficavam inseridas no couro cabeludo, como raiz de cabelo. Horrendo, horrendo...

Quando Perseu deixou o antro da Górgona decapitada, os dedos cor-de-rosa da aurora começavam a anunciar a vinda do sol. O Visconde pôs o dedo na testa.

— Inútil continuar acompanhando este herói — refletiu consigo — Já vi o principal. O resto vai ser a entrega da cabeça da Medusa ao rei, o qual ficará com cara de bobo, admiradíssimo da façanha de Perseu. Não preciso ver mais.

E assim pensando, tirou da cintura o canudinho de pó de pirlimpimpim e mediu na palma da mão a dose necessária para ir dali ao olival. Feito o que, aspirou-o — e pronto! Foi aterrissar diante da casinha. O pastor guardava as ovelhas lá no pasto, e tocava a mesma flauta daquele dia.

O Visconde encaminhou-se para ele.

Quando ia chegando, o cachorro o percebeu e pôs-se, com os pêlos do dorso arrepiados, a recuar, e a rosnar na linguagem do "medo ao desconhecido", própria dos cães.

O pastorzinho olhou.

— Oh, a aranha de cartola por aqui outra vez? Que veio fazer?

— Ver se a pele do leão já está pronta. Hércules tem de apresentá-la ao rei como prova de que, de fato, matou o leão. Do contrário o rei não acredita.

— Pronta? — exclamou o pastorzinho. — Você pensa que isto de curtir uma pele grossa como a dos leões é coisa que se faça assim do pé para a mão? Leva tempo, meu caro. Leva ainda mais uma semana, pelo menos.

— Uma semana? — repetiu o Visconde coçando a cabeça.

— Isso no mínimo. Pode até levar mais. Depende. Nunca curti couro de nenhum animal da lua. É possível que sejam diferentes dos nossos aqui.

— E que fico eu fazendo toda uma semana neste olival? — perguntou o Visconde.

— Isso é com você. Poderá ajudar-me na tosa dos carneiros, que vai começar amanhã. Poderá colher azeitonas...

O Visconde não gostou de nenhum dos dois alvitres. Ia pensar sobre o assunto.

De repente o pastorzinho olhou bem para ele e deu uma risada.

— Escute, aranha. Diz você que veio buscar a pele do leão?

— É verdade. Para isso vim.

O pastor quase morreu de tanto rir.

— Ah, ah, ah... Uma pulga de animalejo desse tamanho lá pode com aquele couro de leão, o maior que ainda vi? Ora vá se lavar...

O Visconde explicou-lhe a ideia da Emília: costurar a pele sobre um carneiro bem grande e dar-lhe a cheirar uma pitada do pó.

— Que pó é esse? — perguntou o pastorzinho.

O Visconde explicou pachorrentamente os maravilhosos efeitos do maravilhoso pó, mas não conseguiu convencê-lo.

— Vá saindo com essas histórias! —disse o rapaz. — Pó... Pó... Cara de pó tem você, sua barata tonta! E, depois, se fosse verdade, então acha que me ia levando daqui um carneiro assim sem mais nem menos? Pensa que isto aqui é a casa da sogra, onde entra todo o mundo e todos fazem o que querem? Outro ofício.

O Visconde explicou que tinha de ser assim, porque ou ele levava a pele do leão com um carneiro dentro ou Hércules danava e vinha buscá-la — e o pastorzinho bem sabia que, nesse caso, em vez de perder um carneiro ele iria perder três...

O argumento valeu. Os melhores argumentos são os que ameaçam o bolso das criaturas.

Foram ver se a pele estava no ponto. De caminho o Visconde perguntou:

— Que tanino emprega?

— Tanino? — repetiu o jovem grego, que pela primeira vez ouvia essa palavra.

— Sim, o tanino de curtume...

O pastorzinho engasgou. Ele não usava tanino nenhum para curtir couro, porque naqueles tempos esse processo ainda não fora inventado. O Visconde explicou.

— Quando você morde certas frutas verdes, não sente uma coisa que "pega"na boca? Pois é o tanino da fruta. À medida que ela vai amadurecendo, vai o tanino se transformando em outras coisas; mas enquanto a fruta está verde o tanino é muito forte. Na banana verde, por exemplo. O tanino está ali em quantidade! Pois é esse tanino a substância que lá no mundo moderno os homens usam para curtir os couros crus, ou "verdes", como dizem os técnicos. Os couros são mergulhados durante um ou dois meses numa solução fortíssima de tanino, e ficam curtidos, isto é, não mais apodrecem, como o couro cru, e ainda se tornam impermeáveis à água e macios. Mas aqui? De que modo vocês curtem couros?

Enquanto falavam iam andando de rumo ao "curtume". O Visconde admirou-se. Era a primeira vez que via curtir couro pelo sistema do fumeiro. Havia uma cova no chão com muita lenha acesa, uma cova tampada de modo a canalizar a fumaça para uma abertura ou chaminé. E sobre a chaminé estava estendida a pele do leão, esticada por varas e mantida suspensa por quatro esteios.

— Então é assim? No fumeiro?...

— Exatamente.

O pastorzinho examinou o estado da pele.

— Ainda não está no ponto — disse. — "Ele" quer serviço bem feito.

— Quanto tempo vai demorar?

O pastorzinho apalpou o couro, cheirou-o, experimentou-o entre os dentes e com a ponta da língua. Depois respondeu com a maior segurança:

— Seis dias. Em seis dias deixo isto uma beleza.

O Visconde arrenegou. Ficar ali seis dias caçando moscas, a matar o tempo?...

Se o pastorzinho fosse de mais cultura, esse tempo de espera não queria dizer nada. Mas que adiantava a um sábio como o Visconde conversar com um ignorante? E o Visconde pensou em Sócrates. "Ah, se ele estivesse aqui! Até um ano eu esperaria, na prosa com esse grande filósofo, sem perceber a passagem do tempo."

Capítulo V
Meioameio

Enquanto lá no olival o Visconde procurava meios de matar o tempo, na cidade de Micenas, Hércules acolhera muito bem o conselho de Emília e estava se preparando para a mudança.

— Sim, o campo aberto... O ar livre... Os horizontes... As carneiradas...

Esse ambiente para uma criatura excepcional como o herói, no qual tudo era imenso — as cóleras, as lutas, o apetite, as venetas... Hércules só se sentia bem quando solto na plena e larga natureza.

Partiram. Pedrinho na frente trotava no gracioso potro semi-humano, com Emília e a canastra no colo.

Hércules vinha atrás, a sorrir, com os olhos no lindo quadro. Ele já estava querendo bem àquelas criaturas do século xx. E como as admirava! A inteligência daquele menino, a habilidade e a esperteza de Emília, a ciência do seu escudeiro saído em busca da pele do leão... Notável, tudo notável... E Meioameio era também um encanto.

Hércules sempre vivera em luta com os centauros, já tendo abatido muitos. Mas pela primeira vez via bem de perto e a cômodo um desses entes, e conhecia-o na intimidade — e nada encontrou em Meioameio que justificasse o seu antigo ódio aos centauros. Sim, se eram uns brutos, isso vinha apenas da falta de educação. Que diferença entre eles e os homens também sem educação? E Hércules, com toda a sua burrice, "teve uma ideia", talvez a primeira ideia de sua vida: que é a educação que faz as criaturas.

Saídos da cidade, Hércules tomou certo rumo e foi ter a uma bela campina a duas léguas dali. Topografia ondulante, belos trechos de floresta nas baixadas pasto rasteiro nas mansas encostas. Um rio de águas cristalinas passava por ali.

— Que lindo ponto para uma fazenda! — exclamou Pedrinho. — Se fossem minhas estas terras, eu erguia a casa naquele tope — e indicou certa elevação a pouca distância do rio.

Hércules chegou até à margem e bebeu pelas mãos em cuia. Bebeu como um elefante. Pedrinho teve a impressão da existência dentro dele de verdadeira "caixa d'água" — e para enchê-la só mesmo nos ribeirões.

Beber e comer. Hércules tinha bebido, precisava agora comer. O seu apetite estava já de bom tamanho. Pôs-se a sondar os longes daquela pradaria. Não tardou a sorrir: tinha visto um rebanho de carneiros.

— Lá está o meu almoço — disse ele e voltando-se para o centaurinho: — Vá lá e me traga três carneiros de bom ponto.

O centaurinho partiu no galope.

Emília estranhou aquela sem-cerimônia.

— Como vá lá e traga? — disse ela. — Aqueles animais têm dono. Quem quer carneiros, compra-os. Não entendo esta moda aqui na Grécia.

Hércules deu uma risada hercúlea.

— Ah, ah, ah... Comigo é assim. Quando quero, pego. Isso de comprar as coisas com dinheiro é para os que não podem pegá-las.

— E não acontece nada?

— Claro que não — respondeu o herói. — Lá no olival, por exemplo: que aconteceu depois que comi os três carneiros? Nada.

Pedrinho entrou na conversa.

— Sim, mas isso foi porque eu paguei os carneiros.

Hércules fez cara de surpreendido.

— Com que moeda?

— Dei em troca dos carneiros o meu canivete Rodger, afiado que nem navalha.

Hércules comoveu-se ao saber daquilo. O pobre menino sacrificara uma prenda querida para sanar a brutalidade que ele, Hércules, havia cometido, qual a de tomar os carneiros sem consentimento do dono. E sentiu que aquele menino já era um produto da educação que a ele, Hércules, faltava. A ideia da educação que momentos antes havia concebido estava a aperfeiçoar-se em seu cérebro. E Hércules disse:

— Estou achando bonito esse sistema de respeitar o que é dos outros. Bonito, sim. Só hoje botei o pensamento no caso — e aprovo. E se ainda fosse criança como você, era o caminho que eu ia seguir. Na idade que tenho já não posso mudar. Muito difícil...

— Quer dizer que vai continuar pegando o que quer sem dar satisfação ao dono?

— Sim.

— Por quê?

— Porque é tarde. A varinha nova, o jardineiro verga e lhe dá esta ou aquela forma — mas que jardineiro dá forma ao tronco duma oliveira velha?

Meioameio havia alcançado o rebanho e abatido a coices três carneiros. Os outros fugiram por aqueles campos, tomados do maior pânico. Nada mais imprevisto que a aparição de um centaurinho.

Minutos depois Meioameio chegava com os três carneiros às costas. Jogou-os aos pés do herói.

Hércules sorriu o bom sorriso da fome que vê chegar o prato. Mas na hora de abrir os carneiros surgiu uma dificuldade. Não havia faca e Pedrinho estava sem o seu precioso canivete. Que fazer?

Emília salvou a situação.

— Tenho na canastrinha uma lâmina Gillette — e foi buscá-la.

Quando a apresentou a Hércules, o herói arregalou os olhos.

— Que é isto?

— Uma lâmina boa para abrir carneiros — respondeu Emília.

Hércules tentou pegar na lâmina, mas deixou-a cair. Fina demais, delicada demais para aquelas mãos tremendas. E veio-lhe uma risada hercúlea.

— Ah, ah, ah. Então quer você abrir os carneiros com esta coisinha tão mimosa? Que bobagem!

Mas Pedrinho ia mostrar que não era bobagem. Apesar da sua velha repugnância pelo sangue, foi ele quem abriu carneiros. Só fez isso. O resto, a tirada da pele e das entranhas, foi serviço do centaurinho.

— Por que não trouxe quatro? — perguntou-lhe Hércules.

— A ordem foi para três — respondeu o obediente Meioameio, que também estava com fome e esperançoso de que pelo menos um quarto de carne Hércules lhe daria.

E foi o que aconteceu. Depois de assada toda aquela carnaria, o herói mediu Meioameio de alto a baixo e disse:

— Para você um quarto basta — e deu-lhe um quarto de carneiro. — E você, Pedrinho? E você, Emília... Sirvam-se.

Pedrinho e Emília juntos comiam tão pouco em comparação com os seus companheiros, que Hércules arregalou os olhos ao ver o menino tirar a sua parte.

— Só isso?

— Isto me enche o papo por um dia inteiro — e ainda sobra para encher o papinho da Emília...

Foi um regalo aquele almoço ao ar livre, à margem do ribeirão de águas cristalinas. Hércules confessou jamais ter comido uma carne tão deliciosa.

— Que fizeram vocês neste carneiro que ficou tão bom?— perguntou.

— É que trouxemos da cidade uma boa dose de sal — respondeu Emília. — Nós dos tempos modernos não comemos carne sem sal.

Hércules nunca prestava atenção a essas pequeninas coisas, e muitos bois e carneiros assados comera sem sal nenhum. Agora estava verificando como a carne melhora com o salgamento.

Vendo aquilo, Emília suspirou:

— Ai que saudades...

— De quem, Emília?

— De Tia Nastácia. Estou imaginando o maravilhoso assado que ela faria com estes carneiros, se estivesse aqui conosco. Ah, aquilo é que é cozinheira.

Hércules interessou-se pelo assunto.

— Quem é essa dama?

— Não é dama nenhuma — respondeu Emília. — É simplesmente Tia Nastácia, a maior quituteira do mundo — e tais coisas contou das proezas culinárias da negra, que um fio d'água começou a pingar da boca do herói e do centaurinho.

— Um dia há de conhecê-la, senhor Hércules. Não perco a esperança de vê-lo aparecer lá pelo Picapau Amarelo. Lembre-se de que já me prometeu.

Capítulo VI
A PELE DO LEÃO

Lá pelo fim do sexto dia estavam sentados à beira do ribeirão, na prosa de todas as tardes, quando subitamente um animal estranhíssimo "apareceu" a certa distância. Não veio de outro lugar, não *foi chegando* como um animal comum. *Apareceu!* E pelo aspecto não lembrava nenhum animal conhecido. Tinha um vago jeito de leão, por causa da juba, mas um leão desengonçado, com as patas bambas, ou melhor, com oito patas: quatro exteriores, enormes, bambas, verdadeiras patas de leão, e outras quatro mais delicadas e firmes como as dos carneiros.

— Que estranho monstro será aquele? — exclamou Hércules, passando a mão no arco.

Foi Emília quem adivinhou.

— Já sei! — berrou ela antes que o herói lançasse a flecha. — É a pele do leão da lua!...

Hércules não entendeu.

— Como? Que história é essa?

— Sim — respondeu Emília. — O Visconde estava atrapalhado com o problema de trazer a pele e eu então dei essa ideia: "Você costura a pele em cima dum carneiro dos maiores e esfrega-lhe no nariz uma dose do pirlimpimpim. — Ele vem voando e com ele a pele." Juro que é isso — e correu na direção do estranho animal.

Exatamente. Era um carneiro revestido duma pele curtida; e agarrado ao pelo da juba, uma esquisita aranha: o Visconde de Sabugosa! Tinham vindo juntos os três: o carneiro, a pele e o sabugo. Mas o Visconde ainda estava desacordado. Voltou a si nos braços da Emília.

— Coitadinho... Deve estar sofrendo do coração. Já custa a sair do desmaio do pirlimpimpim...

Pedrinho descoseu a pele do leão e soltou o carneiro, que permaneceu bobo e apalermado a ponto de nem sair do lugar. Hércules aproximou-se. Tomou a pele. Examinou-a.

— Ótimo! Desta vez Euristeu vai dar-se por convencido... — e jogou a pele sobre o ombro.

Desde aquele momento nunca mais iria o herói abandonar a pele do Leão da Nemeia. Passou a usá-la como escudo — e de muitos golpes esse escudo o livrou, porque era invulnerável. Pedrinho verificou esse ponto. Não conseguiu abrir nela nem sequer um furo com a ponta das setas de Hércules.

Como então o seu canivete a cortara naquele dia? Podia ser por muita coisa. Talvez a invulnerabilidade "cochilasse" naquele momento e fosse apanhada desprevenida. O caso é que a pele "vulnerável" do dia da morte do leão estava de novo "invulnerabilíssima".

— Bom. Tenho de voltar a Micenas para apresentar isto ao rei.

— Eu, se fosse você — disse Emília — não apresentava nada. Ia chegando e esfregando a pele na cara dele. Aquele rei antipático o que precisa é disso: uma boa esfregação de pele nas fuças...

Hércules lá se foi com a pele ao ombro.

O Visconde viu-se imediatamente rodeado e especulado. Todos queriam saber das suas aventuras no olival.

— Aventura no olival não tive nenhuma, mas de caminho para lá aconteceu-me a coisa mais inesperada e prodigiosa...

— Que foi? — indagaram todos na maior ansiedade.

O Visconde gozou aquilo e não teve pressa em contar. Queria irritar-lhes ainda mais a curiosidade.

— Ah, uma coisa que nem queiram saber. Uma coisa tremenda!...

Emília, indignada, agarrou-o pelo pescoço.

— Conte já tudo, depressa, se não eu o depeno...

O Visconde contou.

— De caminho para lá caí em cima do telhado dum palácio...

— Como? Então errou no cálculo da pitada?

— No cálculo não errei, mas agora me lembro que no momento de aspirar o pó você deu uma cotoveladinha sem querer. Bastou isso. Uns grãos de pó caíram e eu não aspirei a pitada certa. Resultado: em vez de aterrissar no olival, aterrissei no telhado do palácio de um rei...

— Como há reis nesta Grécia! — observou Emília. — Até parece livro de contos da carochinha...

— Aterrissei no telhado e resolvi espiar... — e o Visconde contou tudo quanto vira no palácio do Rei Polidectes, e foi contando, até referir-se à cabeça da Medusa.

Ao ouvir essa palavra, Pedrinho arrepiou-se, pois sabia da história.

— A cabeça da Medusa? — exclamou ele. — Pois teve Perseu a coragem de espontaneamente oferecer ao rei a cabeça dessa Górgona, em vez de um simples cavalo como os outros?

— Ele estava bêbedo — resolveu Emília.

— Pois ofereceu — continuou o Visconde — e contou tudo: a saída de Perseu para fora da cidade, suas meditações lá na praia, sentado no rochedo; o aparecimento de Hermes...

Ao falar em Hermes, Emília perguntou:

— Ainda usa aquelas asinhas nos pés?

— Sim — respondeu o Visconde — e também inventou uma moda de asinhas no capacete. Mas apareceu Hermes, sentou-se ao lado dele e...

E o Visconde contou tudo quanto já sabemos. Ao chegar ao ponto da entrada de Perseu na casa da Medusa, descreveu com cores tão vivas a cabeça do horrendo monstro que Emília desmaiou...

— Olhe o que você fez, Visconde! — ralhou Pedrinho, amparando-a. — Emília já não é aquela mesma de outrora, do tempo de boneca, quando não tinha nem uma isca de coração. Virou gentinha e das que têm coração de banana...

Mas não demorou muito o desmaio da criaturinha. Com uns borrifos d'água voltou a si.

O Visconde contou o resto, mas sem carregar muito nas cores, de medo de outro desmaio.

— E foi assim — concluiu ele — que tive a sorte de ver o que ninguém no mundo viu. Ver, ver, ver... Ver a Medusa viva, dormindo! Ver o herói cortar-lhe a cabeça dum só golpe, antes que ela tivesse tempo de abrir os olhos petrificadores. E vê-lo botar aquela cabeça de cabelos de cobra dentro do surrão mágico... Tudo isso eu vi, e ninguém no mundo viu nem verá. A minha maior glória vai ser essa...

A curiosidade em torno de tão prodigiosa aventura não se satisfez com a narrativa do Visconde. Emília reclamava detalhes.

— Como era a inserção dos cabelos cobras?

— Tinham a cauda enfiada no couro cabeludo.

— E moviam-se, esses cabelos-cobras?

— Logo que entramos, Medusa estava dormindo e as cobras também. Mas depois que Perseu a decapitou, as cobras acordaram, assanhadíssimas, e não pararam mais de se mover dum lado para outro.

— Com as bocas e as línguas de fora?

— Sim. Umas boquinhas muito vermelhas e aquelas linguinhas nervosas.

— E os olhos da Medusa?

— Não pude vê-los, porque a encontrei dormindo. Mas são muito redondos.

— E petrificavam as pessoas...

— Sim, isso posso atestar. Ali pelas redondezas do antro da Medusa vi muitas estátuas de pedra estranhíssimas, cada qual numa atitude de ataque. Uma tinha o braço erguido, no gesto de quem vai arremessar uma lança. Outra era a dum bonito herói com o arco distendido e a flecha apontada. Outra era de outro herói com a clava no ar. Eu não entendi aquilo. Julguei que aquela paragem fosse algum grande parque em abandono, ainda cheio de estátuas de pedra. Depois compreendi tudo: eram os heróis que haviam procurado destruir a Medusa e que com um simples olhar dos seus terríveis olhos redondos ela transformara em pedra.

— Que horror! E quantas estátuas dessas viu lá? — quis saber Pedrinho.

O Visconde franziu a testa, como quem calcula mentalmente. Depois disse:

— Umas cem...

— Cem?...

— Talvez haja mais. Umas cem visíveis. Deve haver muitas outras ocultas pelo mato.

Pedrinho ficou cismativo. Estava ali uma coisa que ele queria ver: o parque de heróis petrificados pelo tremendo olhar da Medusa...

Depois mudaram de assunto. Pedrinho perguntou:

— E como se arranjou com o pastorzinho para que cedesse sem pagamento esse carneirão?

— Provei-lhe a maravilha que é o pó de pirlimpimpim e dei-lhe uma dose. Mas tenho medo de que o bobinho haja desrespeitado as minhas instruções e a estas horas esteja a umas mil léguas de lá, em um século muito distante deste.

Estavam nesse ponto de prosa, quando Hércules apontou. Vinha de volta.

Todos ficaram muito atentos, à espera das novidades.

— E então? — exclamou Pedrinho.

Hércules tinha o ar preocupado.

— Aconteceu exatamente o que eu receava — disse ele. — O rei mostrou-se visivelmente contrariado quando verificou que a pele era mesmo de leão e duma espécie de leão que não há na terra.

Logo, só podia ser o leão caído da lua. E então me disse: "Muito bem, grande herói. Vejo que é deveras valente e forte, e que há de gostar de sair ao encontro de inimigos ainda mais fortes que o Leão de Nemeia. Ordeno, portanto, que se apreste e vá destruir a Hidra de Lerna. Esse monstro anda a arrasar aldeias, e a fazer estragos horríveis. Informe-se de tudo e traga-me aqui as cabeças da hidra"...

— E isso o preocupa, Hércules? — perguntou Emília.

— Sim, porque essa hidra tem nove cabeças, uma das quais imortal. Como um ente mortal como eu pode vencer um imortal?

Os picapauzinhos já haviam assistido a essa façanha de Hércules e pois não compartilhavam dos receios do herói. Mas nada disseram. Seria a maior das complicações explicar-lhe a história da primeira estada deles ali naquela mesma Grécia Heroica. E Emília disse:

— Ótimo. Pois vamos atrás dessa porcaria de hidra. Juro que Hércules vai matá-la bem matada e limpar aqueles pântanos de Lerna de tão horrendo monstro. Mas como essa aventura não nos interessa, apenas o acompanharemos até lá; e enquanto ele mata a cobra, nós brincaremos de pega-pega com Meioameio.

E assim foi. Partiram dali para Lerna só fazendo pouso para dormir e comer.

Quando avistaram os pântanos, Pedrinho disse:

— Amigo Hércules, como a aventura da hidra não nos seduz, vamos acampar aqui, e aqui ficaremos à sua espera. Vá, mate a hidra e em seguida venha ter conosco. Nós o esperaremos com três carneiros assados.

Hércules afastou-se, muito triste de ter de deixar a companhia de seus novos e preciosos amigos. De vez em quando voltava os olhos para trás. Da última vez que o fez pareceu-lhe que estavam inventando um brinquedo novo.

E era verdade. Emília havia dito:

— Chega de cartola! Isto não passa dum pedaço queimado. Temos de variar. O brinquedo de hoje vai ser a "ciranda-cirandinha" — e ensinou a Meioameio como era.

O centaurinho vivia no maior enlevo. Lá no rebanho ele era o único da sua idade, de modo que vivia sorumbático por falta de companheiros de brinquedo. Mas ali, oh delícias! Emília, uma louca no brinquedo, chegava até a ficar fora de si. Pedrinho não o era menos — e oVisconde, no seu começo de loucura heroica, dera de brincar com tal espetaculosidade que chegou a dar na vista.

— Pedrinho — cochichou Emília —, não acha que o Visconde está se excedendo?

— Sim, acho que está muito mudado e que continua a mudar...

— Pois isso está me preocupando bastante —confessou Emília. — Ele também é um heroizinho e todos os heróis passam por um período de loucura. Não viu Dom Quixote?

— É verdade, sim, Emília. Dom Quixote, Rolando, e até o nosso amigo Hércules, quase todos os heróis enlouquecem. Sobre a loucura de Rolando até há aquele célebre poema de Ariosto que vovó tem lá numa edição de luxo, com desenhos de Gustavo Doré, *Orlando Furioso*. Orlando é o nome de Rolando em italiano.

Dali a pouco estavam na ciranda-cirandinha, e quem cirandava com maior fúria era justamente o Visconde de Sabugosa, o ex-grave e cartoludo sabinho lá do sitio. Até nem mais de cartola andava. Com um pontapé havia jogado a velha cartolinha nos pântanos de Lerna, berrando:

— Chega de cartola! Isto não passa dum pedaço de canudo de chaminé com abas. Por que cartola? Para que cartola? — e pôs-se a dançar uma rumba...

A CORÇA DE PÉS DE BRONZE

Capítulo I
A CORÇA DE PÉS DE BRONZE

A Hidra de Lerna tinha fama de possuir muitas cabeças — mas quantas? As opiniões variavam de sete a cem. E o numero certo só ficou perfeitamente estabelecido depois da façanha de Hércules. Só então a Grécia soube que a hidra tinha nove cabeças, oito mortais e uma imortal.

Mas Hércules tivera receio de enfrentar a hidra sozinho, e fora em busca do seu amigo Iolau. Enquanto isso, naquele prado que marginava o pântano os pica-pauzinhos brincavam.

Meioameio estava numa verdadeira lua-de-mel com os seus novos amigos. Como os achava delicados! Como eram gentis e bons de sentimentos! Nada de coices, como lá entre os brutíssimos centauros, nada de violências e arbitrariedades. E Meioameio sonhava com os encantos do tal sítio de Dona Benta sobre que tanto falavam. Ah, se ele se pilhasse lá...

Mas como os brinquedos daquele dia até passassem da conta, em certo momento todos afrouxaram.

— Chega! — disse Pedrinho deixando-se cair na grama (e os outros fizeram o mesmo.) — Estou que não aguento mais...

— Eu também — ajuntou Emília.

— E eu dei tantas cambalhotas — disse o Visconde — que estou com uma dorzinha no pescoço.

Estiraram-se no chão e dali a pouco todos dormiam — exceto o Visconde. Os ameaçados de loucura começam assim: perdendo o sono.

O centaurinho também dormiu, mas despertou antes dos outros e saiu por ali a fora no galope.

Ao cair da tarde, quando depois de haver matado a hidra, Hércules reapareceu acompanhado de Iolau, só o Visconde lhe iria dar os parabéns. Pedrinho e Emília continuavam num sono de pedra. Hércules fez a apresentação:

— O Visconde de Sabugosa, meu escudeiro.

Iolau espantou-se.

— Seu escudeiro, Hércules? Uma aranha dessas...

— Pois, meu caro, é a aranha mais sabida que pode haver. Fala com a competência dos grandes mestres de Atenas. Quer ver?

E voltando-se para o Visconde:

— Vamos, amigo escudeiro, diga uma sabedoria aqui para o Iolau...

O Visconde não vacilou, e declarou em muito bom grego:

— *Panta rei, ouden menei.*

— Que é isso? — perguntou Hércules, que em matéria de pensamentos filosóficos era o que no século xx nós chamamos "uma besta".

— Estas palavras querem dizer "tudo passa, nada permanece". São palavras do grande filósofo Heráclito de Éfeso, que vai vir ao mundo no ano 576 antes de Cristo.

Iolau refranziu a testa: sinal de que não estava entendendo. Hércules explicou:

— Há aqui um embrulho de séculos para diante e para trás que eu não entendo por mais que eles me expliquem.Também vivem às voltas com um tal Cristo e um tal Sítio lá dum tal "século xx". Ouço a conversinha deles como quem ouve a música das terras exóticas. Bem pouco pesco.

— E aquela anãzinha ali? — perguntou Iolau mostrando Emília, ainda ferrada no sono.

— Ah, essa é a minha "dadeira de ideias"...

— Quê?

— Sim, é quem me dá ideias...

— E pode lá ter ideias um pingo de gente assim?

— Fique sabendo, Iolau, que dessa cabecinha brotam mais ideias do que vespas duma vespeira — e algumas excelentes! A ideia de matar o leão da lua por estrangulamento veio dela. Foi quando os conheci. Estavam trepados a uma árvore, e eu, já sem flechas em meu carcás e com uma clava reduzida a estilhaços, não sabia o que fazer, quando uma vozinha alambicada soou: "Senhor Hércules, agarre-o pelo pescoço e afogue-o" — e foi o que fiz... Chama-se Emília, e parece que é Marquesa de Rabicó, ou coisa assim. Quando estão brigados, só a tratam de Marquesa.

— E este belo menino?

— Ah, este é o meu oficial de gabinete...

— Oficial de gabinete?

— Coisa lá deles. É um companheirinho, um auxiliar: menino excelente, tão educado que às vezes até me envergonha. Parece incrível, mas tenho aprendido muita coisa moral com esse menino. E até coisas técnicas. Ensinou-me um meio excelente de derrubar centauros na corrida — e contou minuciosamente a história da captura do centaurinho por meio das bolas.

— Pegou então um centaurinho?

— O estranho não é tê-lo pegado, é que esse centaurinho está hoje tão nosso amigo, e progride tanto em educação, que ando com remorsos de haver outrora matado tantos centauros. Eles são gente como nós, Iolau, apenas mais rústicos, mais selvagens. Mas se os trouxermos para o nosso convívio, ficarão iguaizinhos a nós mesmos — e Hércules expôs a Iolau aquela sua "ideia sobre a educação", a única que jamais brotou na cabeça bronca do herói.

— E onde está o centaurinho domesticado? — perguntou Iolau.

— Por aí. Olhe!... Lá vem ele no galope...

Realmente, Meioameio vinha na volada como quem viu qualquer coisa prodigiosa.

— Que há?

O centaurinho estava tão ofegante que mal podia falar.

— Eu... eu saí no galope por esse mundo a fora e... fui dar num bosque muito estranho. Parecia um parque abandonado, tal o número de estátuas de pedra que se erguiam em certo ponto: estátuas de heróis no ataque, uns esticando o arco, outros arremessando a lança. Compreendi tudo. Eu estava na terra das Górgonas, lá onde "ele" viu Perseu cortar a cabeça de Medusa — e ao dizer "ele" apontou para o Visconde. E então me veio a curiosidade de espiar o cadáver sem cabeça da monstra.

Iolau arregalara desmesuradamente os olhos.

— Cadáver sem cabeça? Pois cortaram a cabeça da Medusa?

— Sim — interveio o Visconde. — Assisti a tudo. Vi tudo com meus olhos. Perseu cortou aquela cabeça toda cobras e guardou-a num surrão mágico... —

— Para quê?

— Para levá-la de presente ao Rei Polidectes...

O assombro de Iolau era tamanho que ele não conseguia fechar a boca. A Górgona decapitada, afinal!... Aquilo era o pior monstro da Grécia, por causa do olho petrificador.

— Continue, Meioameio — disse Hércules.

O centaurinho continuou:

— Pois é. Eu estava evidentemente nas proximidades do antro da Górgona, conforme indicavam aqueles heróis de pedra —os heróis que foram matá-la, e ela de longe, com um simples olhar, transformou em estátuas... E afinal dei com o antro. Fui entrando cautelosamente. Súbito, ah, Zeus, que horrendo quadro! Estendido no chão, o corpo sem cabeça da Medusa...

O Visconde interveio:

— Quando Perseu a decapitou ela estava na cama...

— Pois encontrei-a no chão — disse o centaurinho. — Nessas mortes assim há sempre estrebuchamento e o corpo ferido muda de lugar. Estava no chão. Eu olhava, olhava... Olhava sobretudo para o corte vermelho do pescoço. Subitamente, imaginem o que aconteceu! Aquele corte começou a mexer-se... começou a alargar--se como se qualquer coisa fosse saindo de dentro. E essa coisa afinal saiu. Era um cavalo branco... Um cavalo de asas enormes, a mais linda visão que alguém possa imaginar...

— Pégaso! — exclamou Pedrinho, que acordara e viera juntar-se ao grupo. Bem disse vovó que o lindo Pégaso era um "produto" da Górgona...

Meioameio continuou:

— Pois vi o prodigioso cavalo de asas sair de dentro do cadáver da Medusa!... Vi com estes meus olhos e custa-me a acreditar...

— E que fez ele, depois de sair de dentro do cadáver da Medusa? — quis saber Emília, que também se aproximara.

— Fez como fazem as borboletas quando deixam o casulo: ficou uns instantes a secar as asas úmidas e a experimentar os músculos, até que por fim tentou o voo.

— E voou?

— No começo tentou só. Quem nunca voou atrapalha-se no começo. Tem que ir aos poucos. Mas tive medo de que me acontecesse qualquer coisa e disparei para cá.

Pedrinho falou da visita de Belerofonte lá ao sítio de Dona Benta.

— Que Belerofonte? — perguntou Hércules.

O menino explicou que Belerofonte era o nome do herói corintio que em breve iria conquistar e domar Pégaso, fazendo dele o seu animal de sela. Pois esse herói, montado em Pégaso, havia aparecido lá pelo sítio e ficado na casinha de Dona Benta durante vários dias. Pégaso fora posto no pasto do Burro Falante, onde também estava o Rocinante de Dom Quixote. Isso no século xx depois de Cristo.

Hércules piscou para o Iolau como quem diz: "Essa é a linguagem deles. Falam sempre nessas coisas misteriosas — "sítio, vovó", "D. Quixote", "antes e depois de Cristo..."

Súbito, um berro da Emília:

— Lá está ele!... Pégaso!... Já criou força e está se elevando no céu...

Todos olharam na direção indicada e de fato viram uma coisa, deslumbrante: Pégaso no voo!... Suas grandes asas brancas lembravam o movimento das asas dos gaivotões do mar. Que serenidade, que majestade de voo!... Muita coisa bonita há no mundo, muita coisa bela. Mas quem não viu Pégaso voando não viu a coisa mais bela de todas. O sol batia naquela brancura de asas e torna-va-as deslumbrantes...

Pégaso seguiu no seu voo, sempre a subir, a subir em espiral, até que desapareceu atrás das nuvens. Os picapauzinhos, portanto, assistiram à estreia de Pégaso no céu tão azul da Grécia...

Capítulo II
EM MICENAS DE NOVO

Levaram toda uma hora a comentar a maravilha das maravilhas. Depois Hércules falou:

— Basta. Temos agora de voltar a Micenas.

Ele trazia numa sacola as cabeças da hidra — oito, segundo disse.

— Oito, Hércules? — reclamou Emília. — E a nona?

—Ah, essa não pude trazer. Era a imortal. Tive de enterrá-la bem fundo, e colocar uma enorme pedra em cima. Continua viva, mas no seio da terra.

Emília não gostou daquilo.

— Aquele rei antipático é capaz de encrencar — disse ela. — É capaz de exigir a apresentação da nona cabeça...

— Isso não — tornou Iolau — porque Euristeu não sabe que a hidra tinha exatamente nove cabeças. A lenda corrente ora diz um número, ora diz outro: vai de sete a cem.

Nada aconteceu dali até Micenas. Volta e meia Hércules e Iolau erguiam os olhos para as nuvens, na esperança de verem Pégaso por mais uma vez — mas inutilmente.

Iolau admirava-se da transformação que se ia operando no gênio de seu amigo. Nada mais da bruteza antiga. Estava sociável, alegre, brincalhão, sempre muito atento às ideiazinhas da Emília, aquele espirro de gente. E que familiaridade tinha ela com o tremendo herói! Era "você para lá, você para cá", como se se dirigisse a Pedrinho ou ao Visconde. E o herói gostava daquilo...

Ao avistarem Micenas, Hércules disse a Pedrinho que fosse esperá-lo com os outros lá no "camping", enquanto ele entrava na cidade com Iolau para dar contas a Euristeu da segunda façanha realizada. E separaram-se. Pedrinho e o bando partiram para o "camping"; Hércules e o amigo entraram em Micenas.

A notícia do Segundo Trabalho de Hércules já havia explodido como bomba, começando a circular de boca em boca. Quando o herói foi a palácio, já o rei sabia de tudo.

Euristeu estivera carrancudo, a excogitar um novo trabalho para aquele maldito herói que de fato tinha jeito de ser invencível. E consultou um seu ministro de Estado, célebre pelas manhas e patranhas.

— Eumolpo — disse o rei — Hércules não tarda a vir procurar-me para dar conta de sua peleja com a Hidra de Lerna, mas já sei de tudo. Ele venceu-a como também venceu o Leão da Nemeia. Que terceiro trabalho posso impor-lhe?

Eumolpo segurou o queixo, a refletir. Depois sorriu.

— Achei!... — disse muito contente. — Hércules venceu o leão e a hidra, monstros brutescos que só valiam pela força. Mas se o lançarmos contra a famosa Corça de Pés de Bronze?

— A Corça Cirinita?

— Sim, a linda corça de chifres de ouro e pés de bronze lá do templo de Ártemis, no Monte Cirineu. Essa corça é consagrada à deusa, de modo que Ártemis a protege. Tem grande fama, porque nada no mundo corre com maior velocidade — e não se cansa. Pode correr um ano inteiro sem parar — e tem os pés de bronze justamente para isso — para correr o tempo que quiser sem necessidade de descanso para o casco. Hércules é pesadão. Escora hidra e leões. Mas duvido que pegue uma corça tão veloz e, ainda mais, protegida pela irmã de Apolo...

Euristeu aprovara imediatamente a insidiosa ideia, de modo que estava todo amável e risonho quando Hércules apareceu.

Fingindo não saber de nada, disse logo de começo:

— Então, Héracles? Venceu a hidra também ou...

— Venci-a, sim, Majestade, e aqui trago a prova — respondeu o herói abrindo o saco e mostrando as horríveis oito cabeças do monstro. Falta uma, a nona, justamente a imortal. Essa tive de esmagá-la, queimá-la e enterrá-la bem fundo, com uma enorme pedra em cima.

— Meus parabéns, Héracles! Muito prazer me dá vê-lo de novo forte e perfeito com mais um Trabalho realizado. Tuas proezas justificam a fama que tens. Aqui em Micenas o povo só fala em Héracles, só quer saber de Héracles. E ainda ficará mais apaixonado pelo grande herói, se Héracles me trouxer aqui, vivinha, a Corça Cirinita.

Hércules empalideceu. Sabia da fama dessa corça invencível na corrida. Mas lembrando-se da sua "dadeira de ideias" e dos mais companheiros de aventuras, consolou-se lá por dentro com um "Quem sabe?" e disse ao rei:

— Perfeitamente, Majestade. Espero ter a honra de trazer, aqui, bem vivinha, a famosa veada dos pés de bronze.

Logo que Hércules saiu, Euristeu esfregou as mãos e disse ao velhaco Eumolpo: — Desta vez não me escapa...

Quando o herói ia chegando ao "camping", todos lhe voaram ao encontro, encarapitados no centauro.

— Sua Majestade meteu-me agora num sério embaraço. Quer que eu traga a célebre Corça Cirinita.

— Que é isso?

— Uma corça lá dum templo de Ártemis no Monte Cirineu, mas não uma corça comum. Além de protegidíssima da deusa, tem os chifres de ouro e os pés de bronze. Quer dizer que não gasta os cascos por mais que corra — e tem fama de correr tão rápida como o corisco. Este Trabalho vai me dar mais trabalho que os outros. Que vale minha força contra a velocidade?

Todos puseram-se a refletir porque o caso realmente oferecia dificuldades e aspectos novos.

Pedrinho foi o primeiro a falar.

— Escute, Hércules. Lá no sítio de vovó eu vivo lidando com os caçadores vizinhos e deles aprendi mil coisas. Caçar essa corça deve ter relação com o que lá chamamos "caçar veado", mas com uma diferença: veado cansa na corrida e esta veadinha de pés de bronze não pode cansar. Assim sendo, minha ideia é não incluir a caçada de corça na categoria da "caça de veado", e sim na de paca...

Hércules não sabia o que era paca. Pedrinho explicou o melhor que pôde.

— E paca, Hércules, a gente caça dum modo muito diferente: *esperando que ela volte para a toca...*

— Mas a corça não tem toca!

— Não há ser vivo que não tenha a sua toca. Até eu, o Visconde e Emília temos a nossa — disse o menino apontando para a cabana de ramagens. — Chamo toca ao lugar certo em que o animal, quando se cansa de correr mundo, vem para descansar. Podemos primeiramente fazer uma tentativa de pegar a corça na corrida — e para isso dispomos de Meioameio. Se falhar, então recorreremos ao método da "espera na boca da toca".

Hércules achou razoável a proposta e, para caçoar com a Emília, disse:

— Este meu oficial de gabinete está me saindo melhor que a encomenda. Suas ideias até parecem superiores às da minha "dadeira de ideias..."

Emília fez focinho de pouco caso.

— Ah, ah, ah... Você não me conhece, Lelé (e desde aquele momento passou a tratá-lo assim). Dou ideias nas ocasiões gravíssimas, quando o perigo é grande. Nessas coisinhas sem importância da vida diária, deixo que o cérebro de Pedrinho funcione — e assim não canso o meu. Você ainda há de ver, Lelé, como são as minhas grandes ideias...

Pedrinho cochichou ao ouvido de Hércules que quando se via em grandes apuros, sem saber o que fazer, Emília lançava mão do "faz-de-conta", o que é muito fácil. Depois teve de explicar ao herói toda a técnica do faz-de-conta, que Hércules achou maravilhosa.

— E dá certo esse tal faz-de-conta?

— Está claro que dá, mas é um recurso de vencidos. A gente só deve recorrer ao faz-de-conta quando se sentir na última extremidade — na ultimíssima...

Hércules ficou a cismar naquilo.

Capítulo III
O MONTE CIRINEU

No dia seguinte levantaram acampamento e lá se foram de rumo ao Monte Cirineu. Viagem linda. Em certo ponto deram com um bando de ninfas que saíam do bosque, tontas de terror, perseguidas por três sátiros.

— Lelé! — berrou Emília. — Não deixe monstros tão feios atropelarem as coitadinhas...

Hércules não disse nada. Sacou do carcás três setas e dobrando o arco, despediu uma atrás da outra — *záz! zás! zás!*... Os três sátiros rolaram por terra, mas embolados apenas, não mortos. As flechas não os haviam trespassado.

Hércules admirou. Quê? Pois então suas flechas já não atravessavam um sátiro?

Emília explicou, com o maior lampeirismo:

— Fui eu, Lelé, que tirei a ponta de várias flechas de seu carcás. Deixei metade com ponta, metade sem ponta.

— Para quê?

— Para isso que aconteceu. Não seria uma estúpida maldade dar cabo dos pobres sátiros? Assim, com a minha ideia das flechas sem ponta as ninfas se salvaram e eles ficaram apenas machucados.

— Acho que Emília tem razão — ajuntou Pedrinho. — Nada de mortes inúteis. Para quê?

Hércules não gostou muito daquela reinação mas resignou-se. Se fosse discutir, seria pior. Os argumentos emilianos eram como flechas de ponta: dos que matam as objeções.

Foram ver os sátiros caídos lá adiante.

— São meioameios também! — exclamou Emília. — Corpo de homem e pernas e pés de bode — e chifres de bode na testa...

— E catingudos! — observou Pedrinho tapando o nariz. — O mesmo cheiro daquele bode lá da fazenda do Coronel Teodorico...

Os três sátiros jaziam por terra, estropiados pelos setaços de Hércules, mas sem ferida de sangue. Gemiam com a dor da machucadura.

— Olhem quem está espiando! — exclamou em certo momento o Visconde e todos viram lá na fímbria do bosque o bando de ninfas com os olhos fixos neles.

Hércules disse:

— Assim que sairmos daqui, correm todas para cá e vêm cuidar destes sátiros. As ninfas fogem dos sátiros só por coquetismo. Na realidade pelam-se por eles. Onde há sátiros há ninfas, e onde há ninfas há sempre sátiros...

E assim foi. Logo que todos se afastaram dali, as ninfas vieram na carreira ao encontro dos sátiros caídos. Depois os levaram a braços para dentro da floresta.

Continuaram a viagem. Como era agradável viajar na Grécia! Uma delícia de clima, uma delícia de paisagem. De vez em quando cruzavam-se com viandantes a pé, e havia paradas para uma prosinha.

Foi numa dessas paradas que vieram a conhecer os donos do olival, uma família composta de marido, mulher e três filhos. O vulto agigantado de Hércules assustara o homem, fazendo-o colocar-se à frente da esposa e dos filhos como para defendê-los. E ao dar com o centauro, ficou com mais medo ainda, branco que nem papel.

Pedrinho interveio:

— Somos de paz, amigo. Este é o grande Héracles que anda a realizar os seus famosos trabalhos. Já matou o Leão da Nemeia e a Hidra de Lerna... E cá o Meioameio é um grande amiguinho nosso...

— Matou o Leão da Nemeia? — repetiu o homem com assombro.

— Sim. Por que se admira?

— É que moro lá nas vizinhanças. Saímos em peregrinação a Delfos, para consulta ao Oráculo de Apolo e...

Emília interrompeu-o:

— Ah, então já sei. Moram no olival, onde há um pastorzinho com um rebanho, não é?

— Exatamente! — exclamou o homem com a fisionomia iluminada. — Como sabe disso, menininha?

— É que estivemos lá e até dormimos em sua casa.

O assombro do homem não tinha limites.

— E o senhor Héracles também?

— Claro que sim.

— Mas... não há lá cama que lhe sirva.

— Dormiu em seis pelegos estendidos no chão.

— Bom. Só assim. E como vão os meus carneiros?

— Ótimos. Só que desapareceram quatro.

— Quatro? Como?

— O pastorzinho contará o que houve.

Hércules já estava dando sinais de fome e Pedrinho propôs que acampassem ali e Meioameio fosse incumbido de obter a boia. Emília convidou os donos do olival a almoçarem com eles.

Meia hora depois estavam todos perfeitamente acamaradados diante de quatro carneiros sobre as brasas, e o assombro do homem não teve limites quando viu Hércules sozinho dar cabo de três. Sua esposa cochichou-lhe baixinho: "Está explicado o desaparecimento dos quatro carneiros nossos...".

Depois do almoço, Hércules gostava de tirar uma breve soneca, o que fez sem nenhuma cerimônia. Os donos do olival ficaram sentados junto dele vendo a juventude divertir-se. Meioameio estava empenhado em fazer cabriolas de todo jeito para assombro dos meninos do olival, os quais não cabiam em si de tanto gosto.

— Deixa-me montar um bocadinho? — atreveu-se a dizer um deles, vendo Pedrinho encavalado no centauro.

— Venha para a garupa.

O menino foi, e boa galopada deram por aqueles campos! Quando voltaram, Hércules, já desperto, estava se espreguiçando—"Ahhhh!..."—um espreguiçamento hercúleo que assustou o casal.

— Bom, criançada! — gritou o herói erguendo-se. — Toca a andar. Daqui ao Monte Cirineu ainda é um bom pedaço.

Despediram-se. O homem agradeceu a Hércules a honra que lhe dera de escolher sua casa para dormir, e ofereceu-lhe os seus préstimos e os da filharada.

Separaram-se.

— Adeus! Adeus! Voltem lá. Vão passar uns dias conosco! ... — gritavam de longe os três meninos. E Pedrinho, de cima do centauro, respondia:

— E vocês apareçam pelo sítio de vovó. Está chegando o mês das tangerinas...

A última etapa do percurso foi vencida com certa lombeira. Isso de carregar tantos carneiros no bucho não torna a gente mais leve...

— Será aquele morro? — perguntou em certo ponto Emília.

Era, sim. Era aquele o Monte Cirineu e logo depois avistaram o templo de Ártemis.

— Quem é essa Ártemis? — perguntou Emília, e o sabuguinho contou:

— Ártemis é o nome duma das grandes deusas do Olimpo, filha de Zeus e irmã de Apolo. É a Diana dos romanos — a Diana Caçadora que a gente vê nos desenhos com arco na mão e carcás de flechas a tiracolo...

— E acompanhada dum cachorro ou duma veadinha — rematou Emília. —Dona Benta me mostrou uma Diana assim.

— Exatamente — disse o Visconde. — Mas a nossa Ártemis é uma deusa meio masculina. Não quer saber de trabalhos de mulher, tricô, bordados, cozinha. Seu gosto é a caça. Vive caçando e não tem medo de nenhum animal feroz. Voa atrás deles nas florestas e vara-os com os seus dardos.

— Que é dardo, Visconde?

— Uma pequena lança de arremessar.

— E como é então que o noivo da filha do Elias Turco escreveu aquela carta que Narizinho viu, com esta frase que me ficou na cabeça: "Teus olhos dardejam...".

— Bom — explicou o Visconde —, dardejar quer dizer arremessar dardos. A palavra aí está em sentido figurado. Os turcos têm os olhos muito fortes, muito brilhantes, e os daquela turquinha parecem emitir raios de luz. O Candinho, noivo dela, achou raios parecidos com os dardos e usou a palavra "dardejar..."

Meioameio havia parado bem diante do templo — um lindo templo grego, todo colunas na frente e em cima aquele triângulo do frontão. Pedrinho apeou, desceu os outros e ficou de nariz para o ar, contemplando as esculturas em alto-relevo.

O Visconde abriu o bico e disse:

— Esse alto-relevo do frontão representa a matança das Nióbidas, ou filhas da pobre Níobe.

Todos puseram-se atentos, inclusive o centaurinho. O Visconde continuou:

— Níobe, filha de Tântalo, casara-se com um grande herói tebano de nome Anfião, e tivera nove filhos, cada qual mais bonito. Mas cometeu a imprudência de orgulhar-se disso e andar se gabando de ser superior em fecundidade à mãe de Ártemis. Resultado: esta deusa que é muito vingativa, resolveu dar cabo da bela ninhada. Invadindo a casa de Níobe, matou a flechaços todas as suas filhas, enquanto o irmão de Ártemis, Apolo, fazia o mesmo a todos os filhos homens, que andavam por fora, caçando. Essas esculturas representam a grande tragédia de Níobe...

Meioameio abria a boca sempre que o Visconde abria a sua torneirinha de ciência. Que fenômeno prodigioso! — pensava lá consigo o potro de centauro. Como dentro duma aranha daquele tamanho cabia tanta coisa! E duma vez em que perguntou a Emília a razão do fenômeno, ela respondeu:

— Porque ele é um sábio. Sábio quer dizer isso: cheio de ciência. O Visconde é um sabugo de milho que em vez de ter grãos de milho por fora, tem grãos de ciência por dentro. É só darmos corda e a caixa de música pega a tocar...

Hércules havia entrado no templo para oferecer um sacrifício à deusa. Emília teve a ideia de fazer o mesmo.

— Vamos, Pedrinho, oferecer um sacrifício a Ártemis? Aqui a moda não é rezar, é sacrificar.

— E que é sacrificar? — perguntou o menino.

Emília deu a palavra ao Visconde, o qual respondeu:

—Sacrificar é oferecer um holocausto no altar de um deus. E holocausto quer dizer queimar totalmente uma vítima. Essa palavra vem de "holos", que quer dizer "todo", e "kaio", que quer dizer "eu queimo". Para ser holocausto é preciso que haja destruição pelo fogo da vítima inteirinha...

Capítulo IV
A Corça

O Visconde fez uma preleção completa sobre os sacrifícios gregos, ou melhor, antigos, porque todos os povos da antiguidade usavam esse meio de aplacar a cólera dos deuses ou conquistar-lhes o favor. "Eles eram ingênuos" — disse o sabuguinho. "Julgavam que o fumo das carnes queimadas nos templos ia ter aos narizes dos deuses e os aplacava ou comovia." Contou que depois esse costume foi mudando. Em vez de queimar animais, queimavam plantas aromáticas ou derramavam vinho no fogo; depois passaram a depositar oferendas nos altares — costume que muito agradou aos sacerdotes, os quais, na qualidade de "espoletas" dos deuses, ficavam com as oferendas — e o Visconde foi por aí além.

Não havendo nem sequer um pombo para sacrificar à deusa (coisa aliás que Pedrinho não admitiria), a ideia da ex-boneca foi queimar no altar de Ártemis três fios de cabelos da cauda do centaurinho. Meioameio comoveu-se com a lembrança. Três fios de cabelos de sua cauda queimados no altar da deusa, que amor!

Hércules já ia saindo do templo — e eles, com a prosa, não puderam verificar que sacrifício o herói oferecera; e já iam entrando no templo com os três fios de cabelo sobre as duas mãos em salva da Emília, quando um "bé" soou. Um "bé" da veadinha...

— A corça! — gritou Hércules e todos se atiraram na direção do "bé", ainda a tempo de verem no ar o risco dos três pulos com que a corça venceu a distância que ia dali até o bosque próximo. Seus chifres de ouro brilharam ao sol, e quando suas patas de bronze batiam nalguma pedra do chão o som era de sino.

— Está no bosque! — exclamou Hércules. — Vamos cercá-lo de cinco lados, já que somos cinco — e colocou seus quatro companheiros em quatro pontos estratégicos, ficando ele a ocupar o quinto.

O bosque era pequeno, um simples capão de mato no meio da pradaria circundante.

— E agora — continuou — temos que ir fechando o círculo. Ela há de tentar fugir por uma das cinco direções — e quem sabe se conseguiremos agarrá-la no pulo?

E assim fizeram. Cercaram o bosque e foram apertando o círculo, mais, mais, mais, de modo que a corça, bem lá no meio do capão de mato, ou pulava fora do círculo constringente ou seria agarrada.

A corça percebeu o jogo e compreendeu o plano. Mas errou num ponto: contou só quatro perseguidores. Não incluiu entre eles o Visconde, nem sequer prestou a menor atenção nesse heroizinho. Quem, no mato, pode prestar atenção a um sabugo de milho ainda com palhinhas no pescoço e sem cartola? E como não houvesse prestado atenção no Visconde, a corça resolveu fugir justamente pelo setor do Visconde. "Eles esqueceram-se de botar alguém ali..." devia ter pensado consigo mesma. Mas não fugiu naqueles tremendos pulos que dava no limpo, visto como dentro da mata os embaraços são muitos — cipós, galhos, ramagens. Arremessou-se aos pulinhos, e num deles caiu justamente em cima do Visconde, o qual agarrou-se a uma das suas patas de bronze. A corça nem percebeu o que fora. Era como se alguma simples maçaroca de palha houvesse enganchado em seu pé, e lá continuou nos pulinhos até ver-se em campo aberto. Aí parou e voltou a cabeça, porque sentiu que a maçaroca ainda estava presa à sua perna. Fez uns movimentos de coice e nada — a maçaroca não desgrudava. A corça, então, raivosa, firmou a pata e com os chifrinhos de ouro arrancou o Visconde e arremessou-o para trás mas sem perceber que se tratava dum ser vivo, inteligente e agente. E lá se foi pela pradaria a fora, aos pulos de vinte metros cada um. Os outros caçadores, percebendo que a corça já havia saído do bosque, trataram de reunir-se, na esperança de que um deles a houvesse agarrado.

— Olá, olá, aqui todos! — gritou Hércules e todos correram para onde ele se achava. — Então, Pedrinho?

— Nada...

— Não saiu do seu lado, Meioameio?

— Não...

— Nem do seu, Emília?

— Não...

Que mistério aquele? A corça devia ter-se escapado por um dos cinco lados... Só então Pedrinho lembrou-se do Visconde.

— Falta o Visconde! — gritou. — Ainda nada sabemos do setor do Visconde.

Mas que fim levara o Visconde? Pesquisaram em todas as direções, e nada. Voltaram ao bosque e examinaram minuciosamente o setor que lhe tinham dado — e nada.

Pedrinho era muito hábil em descobrir coisas nas florestas, de tanto que as frequentava lá no sítio de Dona Benta. Não tardou a perceber, pelo amassado da vegetação, que o setor de fuga da corça fora justamente aquele. E pôde acompanhar os rastros da corça até à saída para o campo. Os rastros amiudavam-se em certo ponto.

— Aqui ela parou uns instantes e pererecou. Houve qualquer coisa aqui...

Pedrinho estava certo. Fora ali que a corça arrancara com o chifre a "maçaroca" presa à sua pata de bronze.

Pedrinho continuava no exame.

— E daqui — disse ele — ela partiu no galope. Há estes rastos de pererecamento e mais nada. O próximo rasto deve estar neste rumo a vinte metros de distância — e de fato a vinte metros dali encontrou novo rasto da corça.

— Mas o Visconde, Pedrinho? — insistiu Emília. — Será que a corça o levou nos dentes? Ele é milho e as veadas são milhívoras...

— Quem procura acha — respondeu Pedrinho — e puseram-se todos a procurar o Visconde ali na macega, porque no bosque não havia o menor sinal dele.

Súbito, *pá!*, o pezinho de Emília deu uma topada numa coisa nem dura como pedra nem mole como queijo. Ela abaixou-se para ver o que era, recuou os capinzinhos e deu um berro:

— Eureca! Achei o Visconde!... Está aqui, mas completamente morto e amarrotado.

Todos correram para lá, e de fato viram o Visconde morto e destroçado, sujo de terra, com várias palhinhas do pescoço arrancadas. Pedrinho agarrou-o e auscultou-o, para ver se o coração batia. Um riso de triunfo acendeu sua cara.

— Vivo!... Vivo, sim!... O coração está fraquinho, mas batendo. Foi um desmaio apenas. Mas que é que teria acontecido?

— Num dos pulos a corça caiu bem em cima dele e amassou-o, foi isso — disse Emília.

— Se fosse isso, tínhamos de encontrá-lo lá no bosque; no ponto em que havia ficado, e não aqui tão longe. Como veio parar aqui? Eis o mistério.

Meioameio foi no galope a um riacho perto a fim de trazer água. Que água milagrosa! Bastaram uns borrifos no rosto do Visconde para que ele abrisse os olhinhos e voltasse a si. Olhou para todos, ainda tonto e pateta. Depois disse:

— Foi com o chifre. Foi com o chifre de ouro que a malvadinha me arrancou.

— Está "variando" — cochichou Pedrinho para Emília, mas logo depois viu que não: o Visconde estava mas era contando muito certo o que havia ocorrido.

— Ela rompeu do meu lado... Vinha em cima de mim... Eu agarrei-a pelo pé e fechei os olhos. Parece que ela nem percebeu. Continuou de pulo em pulo até sair do mato, mas aqui no campo me viu agarrado ao seu pezinho de bronze e sacudiu-o no ar. Como eu não o largasse, veio com o chifre... e me arrancou dali e me jogou longe. Perdi então os sentidos.

A consternação foi geral, não só pelo que acontecera ao Visconde como pelo fato de a corça, depois de uns momentos nas unhas de um deles, ter conseguido escapar.

— Que pena, ter tomado pelo setor do Visconde, justamente o mais fraquinho do grupo! Ah, se viesse do meu lado...

Hércules mostrava-se desapontadíssimo. Perdera aquela oportunidade única, e agora? Como descobrir a corça outra vez? Naquele seu galope desapoderado, onde estaria ela naquele momento? E por mais que pensasse no caso não conseguia formular ideia nenhuma.

Capítulo V
O PLANO DE PEDRINHO

Sentaram-se todos eles nos degraus do templo para o estudo da situação. O centaurinho propunha-se a seguir os rastos da corça, e a persegui-la no mais louco dos galopes, se acaso a encontrasse.

Pedrinho objetou que era inútil.

— Pois se de cada pulo ela vence vinte metros, como pode um cavalo alcançá-la?

Emília advertiu-o de que Meioameio não era cavalo.

— Eu disse cavalo — justificou-se o menino — porque para os efeitos da corrida ele é cavalo — e Meioameio concordou.

O problema era saber que direção tomara a corça. Os rastos, visíveis no chão até certo ponto, perdiam-se dali por diante. Ela tanto podia ter-se dirigido para norte como para sul, para leste como para oeste. E devia já estar longíssima.

— E se consultássemos o Oráculo de Delfos? — lembrou Emília.

Pedrinho não achou sem pé nem cabeça a sugestão.

— Vale a pena tentar, sim, Emília. E podemos mandar para lá o Visconde, no pó de pirlimpimpim. Num instante ele vai e volta. Como já esteve em Delfos e conhece o Oráculo, há de arranjar-se muito bem.

— Não sei — duvidou Emília. — O Visconde esteve lá apenas como "oferenda" que fizemos aos sacerdotes. Com a Pítia ele não lidou.

— Não lidou mas sabe como se deve fazer. Os sábios sabem tudo.

Hércules, que estava sem ideia nenhuma na cabeça, também aprovou a lembrança da Emília. Quem sabe? Tudo era possível naquela Grécia.

Assentado o plano, Pedrinho deu ao Visconde todas as instruções e mandou-o tomar a pitada. Hércules o havia informado com precisão da distância dali até Delfos, de modo que o Visconde não errou no cálculo do pó, indo aterrissar direitinho nos arredores da cidade.

Mas — ai!, um grande transtorno o esperava. Já ia ele entrando no Templo de Delfos, quando, por azar, deu nos olhos do mesmo sacerdote a quem Pedrinho o entregara como oferenda. O sacerdote arregalou os olhos e exclamou:

— Por Apolo! Os cavalos de Diomedes me comam se esta aranha não é a mesma que me fugiu lá da Tesouraria — e *zás!*, agarrou o Visconde pelas palhinhas do pescoço e encaminhou-se para o depósito. O pobre sabinho nem sequer esperneou. Para quê? Numa situação daquelas, nada mais inútil que o esperneamento. O sacerdote abriu o depósito e jogou-o para cima dum montão de oferendas: blocos de ouro, estatuetas preciosas, peças de seda bordada, frascos preciosos de perfumes, muito âmbar, muito marfim, incenso e mirra.

Pedrinho havia calculado que em uma hora o Visconde ia, consultava o Oráculo e voltava, mas já se haviam passado três horas e nada. Chegou por fim a hora do jantar e nada de Visconde.

Meioameio pôs-se a preparar o assado de Hércules — que nesse dia era um garrote de dez arrobas. Os outros, sentados em redor do braseiro, debatiam o estranho caso do Visconde. Que lhe poderia ter acontecido? Cada qual formulava uma hipótese

— e foi Emília quem acertou. Depois de muito parafusar, disse:

— Juro que ele está guardado na Tesouraria!

— Que ideia! — exclamou Pedrinho.

— Por quê?

— Com certeza um daqueles sacerdotes que o levaram para o depósito das oferendas o reconheceu — e o trancafiou de novo.

— Mas...

— Sim — continuou Emília —, porque o Visconde tem o defeito de ser dessas criaturas que dão muito na vista. É exótico demais. Impossível que se apresentasse diante do Oráculo sem que os sacerdotes o reconhecessem. Quem é que vê o Visconde e depois se esquece?...

Pedrinho ficou pensativo. Quem sabe?...

— E agora, Pedrinho, nós é que temos de ir a Delfos, não só para consultar a Pítia como para salvar pela segunda vez o Visconde.

— Isso não! — gritou Pedrinho. — Ele está com um canudo de pó na cintura. Com uma pitadinha escapa de lá ainda que mil sacerdotes o cerquem.

— Perfeitamente. Mas como o Visconde não aparece, é sinal de que os sacerdotes o "desarmaram" antes de prendê-lo no depósito.

Pedrinho não entendeu o "desarmaram".

Emília explicou:

— Tomaram-lhe o misterioso canudinho da cintura.

Hércules continuava com a cabeça completamente vazia de ideias. Estava tão aborrecido com a perda do escudeiro que às vezes lhe vinham ímpetos de ir a Delfos, arrombar a golpes de clava a porta da Tesouraria e arrancar de lá o Visconde, bem nas barbas dos sacerdotes.

A refeição daquela tarde foi das mais tristes. Apesar da excelência do assado, todos o comeram por comer, com o pensamento longe dali.

Pedrinho estava com ar concentrado, piscando muito: sinal de intensa preocupação. Por fim assentou no plano proposto.

— Sim, Emília, não há remédio. Temos de ir nós dois a Delfos. Do contrário perdemos o Visconde. Ele que não aparece é que está sem o canudinho — e de que vale nesta Grécia um Visconde sem pó?

— Pois vamos — resolveu Emília. — Podemos partir amanhã cedo. O Oráculo abre às dez horas.

O sono daquela noite fez *pendant* com o jantar: um sono inquieto, com pesadelos, desagradável. Até Hércules custou a pregar os olhos. Só quando os primeiros galos cantaram é que o sono o venceu. Mas a preocupação de Hércules não era apenas o caso do seu escudeiro e sim também como apanhar a corça.

Na manhã seguinte Pedrinho discutiu com Emília sobre o presente a oferecer aos sacerdotes da Pítia, porque os sacerdotes não fazem nada de graça. Com eles é ali no "quem não paga não tem." E só aceitavam boas pagas. Que poderiam os dois picapauzinhos oferecer aos orgulhosos sacerdotes do Oráculo de Delfos?

— A pele do leão da lua! — lembrou Emília.

— Oh, mas você pensa que Hércules vai consentir em desfazer-se dessa maravilhosa pele-escudo invulnerável? Nunca...

— Sei disso, Pedrinho, mas podemos dar um jeito.

— Não acho nada porque não sei onde é a terra dos hiperbóreos. Só o Visconde poderá me esclarecer. Temos de esperar pelo Visconde. Ele é lerdo, como todos os sábios, mas impossível que não sinta o cheiro da pele e não desconfie. E se desconfiar, está claro que vai examiná-la e dará com o meu recado escrito.

— Mas que dose de pó você calculou?

— Ah, pensei muito nisso, sim. Pus uma verdadeira pulga de pitadinha, a necessária para ele escapar de lá e cair nos subúrbios da cidade. Temos de ir esperá-lo lá na estrada grande.

E assim fizeram. Plantaram-se à beira da estrada grande, muito atentos, sempre a olhar em todas as direções a ver se de repente o Visconde e a pele aterrissavam. O lance era arriscadíssimo. Se antes do pôr do sol o Visconde não reaparecesse com a pele, tudo estava perdido: teriam então uma só coisa a fazer — voar para o sítio de Dona Benta, abandonando a aventura dos Doze Trabalhos de Hércules. Era essa a opinião de Pedrinho.

— E deixamos aqui o Meioameio? — objetou Emília quase com carinha de choro.

— Que remédio? Porque de uma coisa eu tenho certeza: se Hércules descobre que nós lhe furtamos a pele, e nos vê de novo pela frente, ah, dá-lhe uma daquelas cóleras hercúleas e ele nos achata com o pé, como achatou o caranguejo.

Emília suspirou com os olhos no sol. Que horas seriam?

— Calculo em três já passadas — disse Pedrinho. — O tempo está voando e aquele estupor do Visconde não dá sinal de si. Com certeza nem viu pele nenhuma e está estudando cientificamente alguma baratinha grega...

Parece mentira cabeluda, mas assim que acabou Pedrinho de pronunciar essas palavras, eis que uma coisa cai a poucos passos dali — plaf! Uma pele! A pele do leão. Pedrinho e Emília correram para lá. Abrem-na e dão com o Visconde dentro, ainda tonto, a passar a mão pelos olhos!

— Avé! Avé! Evoé... — berrou Emília, fazendo que vários passantes olhassem para ela e rissem.

Depois de bem voltado a si, o Visconde contou tudo quanto havia acontecido.

— Pois é — disse ele. — Assim que aterrissei, tonto ainda que eu estava, senti um agarramento. Eram as duas mãos dum sacerdote que me seguravam de jeito a não me deixar o menor movimento livre. "Estes bichos às vezes mordem", pareceu-me ouvi-lo dizer — e lá se foi comigo para a Tesouraria. Antes de me largar lá, examinou-me de alto a baixo e deu com o meu canudinho de pó atado à cintura. Tirou-o, cheirou-o sem aspirar, provou um bocadinho com a ponta da língua. "Que será isso? Talvez o alimento deste inseto. Mas como foi que da outra vez me fugiu daqui? Não compreendo..." e afinal fechou-me na Tesouraria, no meio duma montanha de preciosidades.

— E quais foram os seus pensamentos lá na Tesouraria, Visconde? — quis saber Emília.

— Eu pensei o que podia pensar: que dando por falta de mim, vocês fatalmente viriam procurar-me; e que chegando cá a Delfos, fatalmente descobririam o meu paradeiro; e que descobrindo o meu paradeiro...

— Já sei, Visconde — interrompeu Emília. — E como descobriu o nosso recado escrito na pele?

— Pelo cheiro. Mal o sacerdote largou lá a pele, senti uma forte catinga de leão no ar. "Macacos me lambam se isto que acabou de entrar não é a pele do leão da lua!" E levantando-me fui ver. Sim, era ela mesma, reconheci-a logo. E por felicidade dei com o recado, porque a pele estava enrolada com o pelo para dentro. O resto não é preciso contar...

— O que é preciso é voltarmos incontinenti. O carro de Apolo já está bem perto da cocheira...

Sim. O relógio de parede de Dona Benta devia estar dando quatro horas lá no sítio. Pedrinho calculou duas pitadas de pó e distribuiu-as pelas duas palminhas de mãos estendidas. Depois calculou uma terceira para si. Aspiraram as três pitadas ao mesmo tempo e *zuann!*... foram despertar no Monte Cirineu, a poucos metros da laje.

— Emília — disse Pedrinho logo que a tontura passou — vá com o Visconde ver Hércules e entretenha-o enquanto eu coloco a pele debaixo das folhas. E quando eu der um assobio de dois dedos, pode vir.

Emília pegou o Visconde pela mão e foi correndo na direção do templo. Encontrou Hércules dormindo ao sol, feliz como um lagarto. Quando no sono o herói esquecia-se de todas as suas inquietações. Meioameio estava ausente, com certeza em busca do jantar. Emília pegou do chão uma palhinha e fez cócegas no ouvido de Hércules. O herói deu um grande tapa em si mesmo e despertou. E ficou uns instantes apatetado ao ver diante de si o seu prodigioso escudeiro ali com a boneca.

— Então, meu caro, que foi que aconteceu?

Emília tomou a palavra. Era preciso falar e falar e falar até que soasse o assobio de Pedrinho — e ela falou pelos cotovelos. Contou tudo de tudo e mais alguma coisa. E quando no fim Hércules disse: "Bom. Estou ciente. Preciso agora ir recolher a minha pele" — Emília deu uma grande risada.

— Está ciente, Lelé? Ah, como é ingênuo! Tenho muita coisa ainda a dizer e da mais alta importância, como, por exemplo...

Mas não precisou inventar mentiras: o assobio de Pedrinho havia soado.

— Que assobio é aquele?—indagou o herói.

— É de Pedrinho. Está nos chamando na laje.

Hércules rumou para lá, acompanhado da Emília. Pedrinho, de mãos na cintura, olhava muito atento para a camada de folhas.

— Posso retirar a pele? — perguntou ele logo que o herói chegou — e na voz de "sim", esparramou as folhas e suspendeu a linda pele. Hércules levou-a ao nariz. Fez uma careta.

— Extraordinário! Como é que depois de passar horas e horas ao sol sob uma camada de folhas odoríferas, esta pele só mostra a mesma catinga de sempre? Estou vendo que nas peles invulneráveis nem os cheiros penetram...

Capítulo VII
Vitória

Depois de sossegados quanto ao ponto principal, que era a restituição da pele, Pedrinho chamou o Visconde para uma consulta. Queria saber que eram os hiperbóreos.

O Visconde sabia.

— Hiperbóreos: os antigos chamavam assim aos povos do norte, das terras glaciais perto do Polo.

— Bom — disse Pedrinho. — Então a resposta do Oráculo quer dizer que a corça vai numa carreira até perto do Polo e só depois volta cá para este templo. A interpretação está das mais fáceis.

E pôs-se a raciocinar. Se a corça ia e voltava, nada mais inútil do que saírem dali. Em vez de correrem mundo às tontas, como cegos, sem quase nenhuma probabilidade de encontrar a corça, o cômodo, o bom, o certo, o agradável, era ficarem acampados ali até que ela voltasse.

Outra: se a corça vencia vinte metros de cada pulo, era fácil calcular aproximadamente quanto tempo levaria para ir e voltar. Eles estavam na Grécia cuja latitude é de...

— Visconde: qual a latitude da Grécia?

— A Grécia fica entre 37 e 40 graus de latitude norte.

— E as terras hiperbóreas que a Pítia falou?

— Isso é o arquipélago de Spitzberg, lá entre 76 e 80 graus de latitude. A distância daqui até lá é duns 40 graus; quer dizer que passa de 5 mil quilômetros.

Pedrinho coçou a cabeça. Cinco mil quilômetros! Que pena haver tantos quilômetros no mundo... Depois calculou a velocidade da carreira da corça, achando 200 quilômetros por hora. Mesmo assim ela levaria 52 horas para ir e voltar. Não era muito. Podiam esperar ali. Mas apesar de haver feito pouco caso no faz-de-conta da Emília, Pedrinho resolveu recorrer a ele para encurtar o prazo.

— Sim — disse para si mesmo. — Faz-de-conta que a corça volta depois de amanhã — e correu a dizer aos outros que com base em seus estudos e nos do Visconde, a corça estaria de novo ali depois de amanhã à tarde.

Hércules não duvidou. Ele já não duvidava de nada que os seus maravilhosos companheirinhos dissessem.

— E como vamos fazer para pegá-la?

— Aplicar o meu sistema de esperar a paca na toca. No caso da corça, a toca é o templo de Ártemis. Podemos esperá-la aí no campo, cada um de nós num dos pontos de passagem mais provável.

Emília já estava ali, muito atenta, de mãos na cinturinha. Ao ouvir aquilo, deu uma risada.

Depois:

— Mas se o templo é a toca, por que não a esperarmos dentro da toca?

Hércules assustou-se com a ideia. Seria uma profanação, um desrespeito à vingativa Ártemis. Mas Emília não cedeu.

— Tenho um jeito que acomoda tudo — disse ela. — Armamos uma rede à entrada do templo. A entrada não é bem dentro do templo e a deusa não pode dizer nada.

Hércules ainda coçou a cabeça, indeciso, mas Pedrinho e Emília foram cuidar da rede.

— Há de haver pau de embira no capão de mato — disse o menino. — Vou ver — e correu para lá.

Meia hora depois voltava com uma boa quantidade de embira excelente. Chamou os outros.

— Temos de desfiar toda esta embira e torcer uma cordinha assim da grossura dum barbante — e puseram-se ao trabalho. Hércules ajudava, segurando a ponta do cordel que os outros iam torcendo.

Meioameio mostrou-se muito hábil naquilo. Uma hora depois estavam com um novelo de cordel mais que suficiente para a rede necessária.

Pedrinho imaginou-a no formato dos sacos de filó que usam os caçadores de borboletas. Também lembrava certas armadilhas de pegar peixe.

— Tal qual um covo — dissera o Visconde.

Pronta a rede, armaram-na entre as colunas da fachada do templo, num ponto por onde a corça fatalmente passaria. Armaram-na só para experiência, porque a rede não podia ficar ali dois dias à espera da corça. Embora não fosse um templo muito frequentado, volta e meia aparecia por lá um ou outro fiel.

Muito bem. Tudo estava perfeitamente estudado e preparado, e Hércules já sorria no antegozo da vitória.

O jantar daquela tarde foi dos mais alegres, porque estavam novamente todos reunidos e absolutamente certos da vitória. Mais umas horas e pronto! O malvado Euristeu iria ficar com a cara de asno.

O dia seguinte foi só de brincadeiras e galopadas no centauro. Mas Pedrinho notou que o Visconde estava se tornando muito "variável". Ora brincava, ora não brincava, e quando saía do brinquedo era para ficar com o olho parado. Emília cochichou para Pedrinho: "Será um grande transtorno se ele enlouquece aqui...".

— Por que há de enlouquecer, Emília? Não seja agourenta.

— É que os sintomas estão se amiudando. Durante todo o caso de Delfos o Visconde comportou-se com a maior perfeição, sem a menor loucurinha, mas hoje não está bem.

— Vovó diz que os loucos têm períodos de lucidez e loucura — lembrou o menino.

— Deve ser isso.

Dormiram muito bem aquela noite todos, menos o Visconde. O sabugo passou-a de olhinhos arregalados e parados num ponto, piscando muito.

*

E afinal chegou o grande dia da vitória, o dia em que tinham de apanhar viva a Corça de Pés de Bronze.

Logo pela manhã Pedrinho veio com uma boa ideia: pôr Meioameio de sentinela na estrada, com instruções para espantar qualquer visitante do templo que aparecesse.

— Fique dentro do mato da margem, escondidinho. Quando aparecer algum fiel, dê um pulo para a estrada e amedronte-o como quiser. Coices, só em caso de última necessidade.

Meioameio riu-se.

— Não vai ser preciso. Este povo tem tal pavor dos centauros, que a simples vista de um os faz correr ainda mais rápidos que a corça.

Bom. Estavam sós no campo, livres de importunos, e podiam armar a rede. Pelos cálculos de Pedrinho só lá pela tarde a corça chegaria, mas precaução nunca é demais. E foi ótimo que pensasse assim, porque a corça veio três horas antes do cálculo de Pedrinho.

Hércules não largava dos meninos e babava-se de gosto ao vê-los brincar. Na sua vida de herói, sempre em luta com toda sorte de monstros e guerreiros, nunca tivera tempo de prestar atenção nesses bichinhos tão interessantes chamados "crianças." E das crianças o que mais agora o interessava era o "tal de brinquedo". Parece que a única preocupação do bicho criança é brincar e brincar e brincar. E no brinquedo usam muito aquela maravilha do faz-de-conta. A gente grande não sabe o que é isso, por isso a gente grande é tão infeliz. Hércules começou a compreender que a maior maravilha do mundo é realmente o faz-de-conta — isto é, a Imaginação, o sonho.

A casinha nova já não era casa — era templo habitável. Templo por fora e casa de morada por dentro. Mas os templos têm que ser dedicados a alguém.

— Templo de que deus ou deusa, Pedrinho? — perguntou Emília depois de tudo pronto.

O menino pensou. Os deuses e deusas da Grécia andavam fartos de templos, tantos havia por lá. O melhor era dedicarem aquele templozinho à vovó, coitada, tão longe dali e com reumatismo. Emília concordou — e imediatamente viu surgir na fachada do templo um letreiro entalhado em mármore faz-de-conta: templo de avia.

Emília não entendeu.

— Avia é vovó em latim — explicou Pedrinho.

— Mas a língua aqui é a grega. Ponha aí vovó em grego.

— Era o que eu queria fazer, mas não sei e não quero dar o gosto de me informar com Hércules. Se ele descobrir que não sei nem como é vovó em grego, é bem capaz de perder a fé em toda a minha sabedoria...

Que deliciosa noite passaram na casinha nova! Hércules dormiu ao relento, como de costume, e o centaurinho também. Isso fez que a sensação de segurança dos picapauzinhos fosse imensa. Guardados pôr um semideus e por um centauro! Que mais poderiam desejar?

No dia seguinte chegou um mensageiro com um pergaminho. Hércules, que era analfabeto, pediu a Pedrinho que o lesse.

O menino desdobrou o rolo e leu o seguinte:

> Sua Majestade o Rei Euristeu, de Micenas e Tirinto, ordena ao seu súdito Héracles que siga imediatamente para Erimanto, na Psófida, a fim de descobrir o monstruoso javali que anda a assolar aquelas paragens. E como assim quer, assim manda. Eumolpo, Primeiro-Ministro de Sua Majestade Altíssima.

Hércules arreganhou um sorriso. Se era um javali, então se tratava de massa-bruta, e de massa-bruta ele jamais teve medo. Para Hércules o perigo estava em trabalhos como o da corça, contra a qual a sua força era inútil, um trabalho que requeria muita inteligência. Se vencera com tamanha facilidade a Corça de Pés de Bronze, isso fora em virtude da colaboração de Pedrinho e dos outros.

"Sim", refletia consigo o herói. "Eles representam a Inteligência e eu só disponho da Força. Em muitos casos a Força nada vale e a Inteligência é tudo — como no da corça. Mas um javali, ah, ah, ah... São ainda mais broncos do que eu..."

Depois deu ordem aos outros já reunidos em seu redor:

— Aprontem-se que amanhã de madrugada vamos partir para o Erimanto.

Emília lembrou-se da casinha.

— E fica largada aqui este nosso amor de casinha?

— Que remédio? Mas espero que ninguém ousará pôr as mãos nela, sabendo que é nossa. Todos aqui temem os meus músculos...

E Hércules concluiu o seu pensamento com uma "piada" muito fina, a primeira e última de sua vida:

— E se alguém estragar a casinha, aplicamos o faz-de-conta e o estrago desaparece...

Emília teve de engolir o remédio que ela tanto receitava para os outros, mas apesar disso foi lá à casinha e pregou um letreiro de papel de verdade (papel não: costas do pergaminho momentos antes recebido), o qual dizia assim:

ESTA CASA TEM DONO. AI DE QUEM MEXER NELA!... SERÁ ESMAGADO PELO PÉ DE HÉRACLES, COM A MESMA FORÇA COM QUE ESMAGOU O CARANGUEJO...

No dia seguinte, às quatro e meia da madrugada, partiram para o Erimanto.

O JAVALI DE ERIMANTO

Capítulo I
O JAVALI DE ERIMANTO

Hércules e seus companheiros lá iam de rumo à Arcádia. Nessa parte da Grécia ficava o Monte Erimanto, que vinha sendo assolado por um gigantesco javali. Cada vez que o monstro descia para os vales era para fazer estragos horrorosos. Daí o pavor dos seus moradores e o pedido de socorro que endereçaram ao Rei Euristeu: "Majestade, haja por bem dar jeito nesta fera, pois do contrário estamos perdidos". E com esperança de que Hércules perdesse na luta, Euristeu mandou-o combater o feroz javali.

A Arcádia era a região mais atrasada de toda a Grécia, por ser muito montanhosa e por isso mesmo pouco povoada. A indústria não ia além da pastoril. Sempre que um poeta grego fazia um poema bucólico, era na Arcádia que punha a cena. Se outro precisava dum pastor, ia buscá-lo na Arcádia, E com o passar do tempo a Arcádia ficou para o resto da Grécia como o símbolo do bucolismo, da vida simples e rústica. Até hoje a palavra Arcádia lembra pastores tocando flauta para os carneiros ouvirem e pastoras de cestinhas no braço atrás das margaridas do campo.

Quem deu essas noções sobre a Arcádia foi o Visconde, que andava passando bem do desarranjo cerebral. Pedrinho não sabia se ele sarara de todo ou se estava atravessando um "período de lucidez".

— E as pastoras também usavam grandes chapéus de palha de aba larga — lembrou Emília. — Vi pastoras assim num leque antigo de Dona Benta.

O Visconde contou que os poetas são uns mágicos: tomam as sujas pastoras da realidade e as transformam em mimos de criaturas, com açafates de flores ao braço, pezinhos bem calçados, saia rodada e o clássico chapéu de palha preso ao queixo por uma barbela de fita. Fazem delas uma coisa de leque e de poema, mas as pastoras de verdade são muito diferentes, coitadas: são mulheres do povo, grosseiras por falta de educação e trato — e nem sombra imaginam como aparecem faceiríssimas nos tais leques e poemas.

Nesse ponto da conversa Hércules, que seguia na frente parou para falar com um viandante. Queria saber onde ficava a residência do centauro Folo, seu amigo.

— Folo? — repetiu o viandante. — Mora por aqui, sim, coisa de uma légua neste rumo. Mas está aí uma coisa que eu não sabia: que Hércules tivesse um amigo centauro...

— Tenho dois, esse Folo e o de nome Quíron, que mora na Maleia — respondeu o herói. — Confesso o meu antigo ódio aos centauros, do que aliás me arrependo, pois vi que com um pouco de educação eles se tornam excelentes criaturas, como o nosso amigo Meioameio.

O passante não sabia quem era. Hércules explicou:

— Um centaurinho novo que capturamos e amansamos. Lá vem ele... e apontou para Meioameio que vinha na volada com os carneiros do almoço aos ombros.

O viandante ficou apavorado, pois era a primeira vez que via um desses tremendos seres. Folo morava por lá, mas o nosso homem nem sequer passava por perto de seus domínios.

Enquanto o centaurinho preparava o almoço, Hércules deixou-se ficar sentado ali, a conversar com o passante, isso depois de ter feito a apresentação de Pedrinho, do Visconde e da Emília. Grande admiração e espanto do homem, sobretudo diante do Visconde, que ele achou parecidíssimo com uma aranha.

— E esse canudo com abas que ele tem na cabeça?

— Chama-se "cartola" — respondeu Emília. — É o chapéu usado no mundo moderno pelas pessoas importantes — presidentes de República, ministros, doutores, sábios. Estezinho é sábio.

Depois de informar-se de muita coisa do "tal mundo moderno", o homem pediu a Hércules que lhe contasse por miúdo a sua atuação no célebre caso do choque entre os Centauros e os Lápitas. Hércules, porém, tinha vergonha de contar coisas da Grécia perto do seu escudeiro, o qual sabia de todos os assuntos muito mais que ele — e deu a palavra ao Visconde.

— Escudeiro, conte a este homem o que sabe dos centauros.

E o sabuguinho contou.

— Antes de mais nada — disse ele — temos de ver como os centauros surgiram nesta Grécia. A coisa começou no Olimpo, certa vez em que os deuses estavam se banqueteando com a ambrosia e o néctar. Entre os comensais figurava um criminoso asilado no Olimpo: Íxion, o Rei dos Lápitas, o qual era filho de Zeus e uma ninfa.

— Asilado por quê? — indagou Pedrinho.

— Porque havia matado o sogro, e Zeus, com dó do filho assassino, asilou-o na morada dos deuses. Mas esse Íxion era do chifre furado. Em vez de ficar quietinho, sabem o que fez? Pôs-se a namorar Hera ou Juno, a esposa de Zeus.

— Que desaforo! — exclamou Emília. — E Zeus?

— Zeus estava de muito bom humor quando percebeu a coisa, e em vez de zangar-se com o patife, teve uma ideia: mandou que uma nuvem tomasse a forma de Juno e correspondesse ao namoro de Íxion.

— Que coisa engraçada! — exclamou Pedrinho. — Estou vendo que o Olimpo dos gregos é um verdadeiro teatro.

— Se é! E por isso não tem conta o número de dramas, comédias e tragédias da literatura clássica em que o enredo é uma passagem qualquer lá no Olimpo.

Nunca houve no mundo maior manancial de casos prodigiosos, e isso porque o Olimpo era filho da Imaginação grega, a mais rica de todas as imaginações da antiguidade. Esse caso de Íxion até hoje é recordado. Quando alguém toma uma coisa por outra, o uso é dizer-se: "Ele tomou a nuvem por Juno".

— E que aconteceu?

— Aconteceu que Íxion namorou a nuvem e depois andou se gabando. Zeus, então, encheu-se de cólera e arremessou-o ao Tártaro, que era o inferno dos gregos, onde Mercúrio, por ordem de Zeus, o amarrou a uma roda que iria virar eternamente — uma roda a que também estavam amarradas inúmeras serpentes...

— Mas que tem tudo isso com os centauros?

— Tem que os centauros começaram assim. Nasceram dos amores de Íxion com essa nuvem e um dia declararam guerra ao filho de Íxion que o sucedera no trono, reclamando sua parte na herança. Esse filho de Íxion teve medo da luta e fez com eles um acordo; depois convidou-os para a festa de seu casamento com Hipodâmia. A grande encrenca nasceu daí. Os centauros eram também filhos de Íxion, desses que puxam ao pai. No meio da festa ficaram com as cabeças muito esquentadas e puseram-se a namorar a noiva. Depois quiseram raptá-la, e também as outras moças presentes na festa.

— Que escândalo!

— E que desastre! — exclamou o Visconde. — Imaginem que entre os convivas estavam três tremendos heróis: aqui o meu amo Hércules, Teseu e Nestor. Esses heróis se atracaram com os insolentes centauros, mataram a muitos e expulsaram da Tessália os restantes. Foi então que vieram refugiar-se aqui, nestas montanhas da Arcádia.

Hércules estava de boca aberta. Como é que aquela aranhinha pernuda sabia tanta coisa certa? Talvez fosse sortilégio "daquilo" que ele não tirava da cabeça e no mundo moderno se chamava "cartola". Daí a grande veneração e respeito do herói pela cartolinha do Visconde.

Depois falaram em Folo, o centauro amigo que o herói desejava visitar, e Hércules voltou-se para Meioameio.

— Escute. Vamos daqui à morada de Folo e é possível que encontremos por lá outros centauros. Tenho receio de que você sinta a voz do sangue e queira nos abandonar...

O centaurinho deu uma gargalhada.

— Ficar por aqui entre estes brutos? Nunca!... Depois do que ouvi de Pedrinho e Emília, só um lugar no mundo me serve: o sítio de Dona Benta.

— Então posso ficar sossegado? Sem receio de que você nos fuja e fique aqui por estas montanhas com os seus iguais?

— Claro que pode. Fiz tal amizade com Pedrinho que nada no mundo nos separara.

Hércules sossegou.

Capítulo II
LUTA COM OS CENTAUROS

À tarde chegaram à morada de Folo, o qual, com grandes demonstrações de contentamento, veio à porta receber o amigo. Eram na verdade velhos camaradas. Folo admirou-se muito de o ver em companhia de um centaurinho, e mais ainda ao saber do modo como Hércules o pegara.

Depois de muita prosa, Folo abriu um barril de vinho para festejar o aparecimento do herói. Era um vinho excelente e de cheiro muito forte — cheiro que o vento levou até à floresta onde estavam os outros centauros.

— Hum!... — fez um deles, farejando o ar. — Aposto que Folo abriu aquele barril de vinho que recebeu de presente. Isso quer dizer que está de visita. Quem será?

E, conversa vai conversa vem, surgiu entre eles a ideia de um ataque à morada de Folo para "raptar" o barril de vinho. Armaram-se de machados, paus e grandes pedras e partiram em desapoderado galope. Quem os viu foi Emília, com os seus olhinhos de telescópio.

— Estou vendo! — gritou ela do alto duma grande penedia. — Estou vendo um bando de centauros! Talvez sejam os parentes de Meioameio que o querem tomar de nós. Avise ao Lelé, Visconde! — e enquanto o Visconde corria a avisar o herói, Emília, de pezinha na ponta dos pés, olhava, olhava.

— O bando vem vindo no galope! Uns trazem machados, outros trazem paus e pedras. Vêm de nariz para o ar, farejando o barril de vinho que Folo abriu...

Hércules estava de prosa com o seu amigo centauro, sem nada desconfiar do furacão em marcha. O Visconde aproximou-se com o recado.

— Senhor Hércules, a Emília manda dizer que os centauros vêm vindo no galope.

Hércules deu um pulo, já em guarda e de mão no carcás. E enquanto Folo perguntava o que era, ele sacava as flechas sem ponta e jogava-as a um canto. Só queria as bem pontudas.

— Os centauros vêm vindo! — repetiu Hércules. — Vamos ter luta feroz.

— É que cheiraram esta vinhaça — disse Folo. — Eles são a própria intemperança em pessoa.

Nesse momento chegou até eles o tropel dos centauros, cada vez mais próximos. Hércules passou a mão na clava e esperou. As flechas ele as usava para os ataques à distância.

Os tremendos monstros chegaram e pararam de brusco diante da morada de Folo, como param cavalos no galope quando o cavaleiro colhe dum tranco as rédeas. O mais alentado de todos avançou e disse:

— Sabemos do barril de vinho e queremos beber. O cheiro nos foi levado pelo nosso amigo vento.

Folo explicou que abrira aquele barril para obsequiar o seu velho amigo Héracles, que tinha vindo visitá-lo.

O nome de Héracles provocava ódio e pavor entre os centauros, de modo que ao ouvi-lo o bando caiu em guarda. E como já tivessem bebido naquele dia e estivessem com as cabeças quentes, a arrogância os empolgou. O chefe disse:

— Ótimo que o tenhamos encontrado! Entre nós e esse herói há velhas contas a ajustar. Por sua causa estamos reduzidos à nossa atual condição aqui nestas agrestes paragens. Ele que salte cá fora, se não é o poltrão dos poltrões.

Mal disse isso e, como uma bomba voadora que cai do céu, Hércules explodiu no meio deles. Sua clava, pesada como uma montanha, alcançou o chefe dos centauros pelo ombro e "apeou-o" isto é, fê-lo vir ao chão estrebuchando. Vendo aquilo, os outros atiraram-se contra o herói com as armas que traziam, mas foi o mesmo que agredir o rochedo de Gibraltar. O herói unia a força à agilidade; com esta desviava-se dos golpes e com a força golpeava uma vez só. Cada clavada era um centauro no chão. Caíram assim quatro, e os dois restantes fugiram. Hércules ainda teve tempo de espetar um deles com uma seta.

Folo ficou sentidíssimo daquilo, porque era parente e amigo dos cinco centauros mortos. Que loucos! Que imprudentes! Virem atacar a quem? A Héracles, o invencível herói que já os havia destroçado na festa dos Lápitas. Loucos, loucos!... Tinha agora de enterrá-los — e Folo reuniu todos os corpos num certo ponto para o funeral. Depois foi em busca do fugitivo alcançado à distância pela seta de Héracles. Tomou o cadáver nos braços. A seta estava cravada em suas costas. Folo arrancou-a, mas ao fazê-lo feriu-se na mão. Foi a conta. Dali a pouco estorcia-se em dores e morria uma morte horrorosa. O veneno que Hércules usava nas setas era infalível.

O triste fim de seu amigo centauro encheu de dor o coração do herói. Hércules chorou como uma criança, apesar das palavras de Pedrinho:

— Não adianta, Hércules! O que adianta é fazermos os funerais de Folo e enterrarmos o cadáver dos outros.

Emília censurou-o com a maior severidade:

— Esse seu gênio exaltado não dá certo, Lelé. Por qualquer coisinha fica fora de si, enxerga tudo vermelho e lá vem a hecatombe. Matar cinco lindos centauros, que judiação! Bastava dar-lhes uma boa sova. De sova a gente sara, mas quem morre desaparece para sempre. O bom sistema é o dos americanos nas fitas de caubói. Quando chega a hora, o pega é tremendo, é dos que fazem a gente se torcer na cadeira. O "bom", depois de ser quase vencido, acaba vencendo e pondo o "mau" nocaute. Mas ninguém morre! Era o que você devia fazer aqui: pôr nocaute estes centauros, mas só. Que direito tem uma criatura de tirar a vida de outra — não é mesmo, Visconde?

— Sim — respondeu o escudeiro. — Entre os mandamentos da Lei há um que diz: "Não matarás".

— Está vendo Lelé? Até o seu escudeirinho sabe que isso de matar é só quando se trata de hidras de Lerna ou de leões da Lua. Matar cinco centauros é contra todas as leis, porque há poucos centauros no mundo, e no dia em que todos desaparecerem o mundo ficará vários pontos mais sem graça.

O herói ficou envergonhadíssimo de sua ação, e concordou que era um bruto, indigno de ter um escudeiro como o Visconde de Sabugosa.

Depois do sermão moral da Emília e duma prédica do sabuguinho, Héracles disse:

— Muito bem. O que está feito, está feito. Vamos enterrar com toda a solenidade o meu querido Folo e depois prosseguiremos em nossa penetração rumo ao Erimanto.

O enterro de Folo foi um ato comovente. Pedrinho fez um discurso ao pé da cova, tão bonito que Hércules esvaziou toda a sua reserva de lágrimas.

Emília aparou uma dessas lágrimas num vidrinho de homeopatia lá da sua canastra, e escreveu no rótulo: "Lágrima herculéa, recolhida por mim mesma no dia do enterro de Folo." A ciganinha não perdia ensejo de tirar partido de todos os acontecimentos.

Mas esse encontro de Hércules com os seis centauros não foi o último. Tempos depois o herói esqueceu as censuras da Emília e o sermão do Visconde, e teve outro encontro com o resto dos centauros, aos quais atacou a flechaços e fez fugir para a Maleia. Lá morava Quíron, o mais sábio de todos os centauros e também amigo de Hércules. A cólera de Hércules, porém, não respeitou coisa nenhuma: foi para a Maleia e mesmo nos domínios de Quíron continuou a perseguição dos centauros fugidos. E como aconteceu que uma das suas setas acertasse por acaso em Quíron, mais esse seu amigo veio a morrer por causa da cólera do herói.

O desespero de Hércules nessa ocasião não teve limites, e para vingar a morte de Quíron voltou-se contra o resto dos centauros com fúria maior ainda. Muito poucos se salvaram: só os que conseguiram alcançar um promontório onde o deus das águas, Netuno, os transportou para a Ilha das Sereias. E foi nessa ilha que se extinguiu a curiosa raça dos centauros, filhos do Rei Íxion e da nuvem E que ele tomou por Juno.

Bom, mas isso se deu tempos depois, não foi tragédia assistida pelos picapauzinhos. A parte a que eles assistiram foi apenas a luta entre Hércules e os seis centauros beberrões, atraídos pelo barril de Folo. Pedrinho não quis que Meioameio visse aquilo, para que não fosse testemunha do massacre de tantos parentes.

E durante todo o tempo tratou de mantê-lo afastado do antro de Folo, ora a fazer isto, ora a fazer aquilo, sempre coisas distantes. Uma delas foi informar-se lá pelos arredores do Monte Erimanto se o monstruoso javali ainda andava muito feroz.

— Cada vez mais calamitoso — veio dizer Meioameio depois de uma galopada até lá. — Dizem os moradores das vizinhanças que ainda ontem desceu o monte com a velocidade duma avalancha de pedras que rolam pela encosta abaixo. Por onde passou ficou uma estrada aberta no arvoredo. Ele galopava às cegas, preferindo derrubar as árvores a desviar-se...

— Quer dizer que é um tanque de carne — observou o menino, fazendo que Meioameio perguntasse o que era tanque.

— Tanque é um javali de aço que lá nos nossos tempos modernos os homens usam na guerra. Também não se desviam de árvores: derrubam-nas e passam-lhes por cima.

Meioameio ficou a ruminar aquilo.

"Javali de aço! Como era lá possível uma coisa assim?"

Capítulo III
RUMO AO ERIMANTO

No dia seguinte, bem descansado da luta da véspera e já com a cabeça fresca, porque os seus remorsos só duravam algumas horas, lá partiu Hércules de novo.

Os três picapauzinhos, montados em Meioameio, seguiam ao lado do herói, entretidos no comentário dos acontecimentos da véspera.

— Pobre Folo! — dizia a ex-boneca. Quando havia de pensar que por causa da tal fera do Erimanto ia ter uma morte horrível e tão fora de tempo? Mas será eternamente lembrado lá no meu século xx...

Hércules não entendeu.

— Porquê?

— Porque levo em minha canastra um souvenir dele: a ponta de sua cauda.

Hércules riu-se.

— Pelo que vejo, Emília, o seu museuzinho é a maior maravilha moderna...

— E é mesmo Lelé. Há lá coisas que nenhum museu no mundo tem nem terá, como, por exemplo, um vidrinho de néctar do Olimpo, um trinco de porta do quarto de Dona Aspásia...

Pedrinho arregalou os olhos.

— Até isso trouxe de lá, Emília? E não nos contou nada...

— Não contei para que não se implicassem comigo, mas tenho lá esse trinco, e o pé de frango de seis dedos e tantas outras coisas que só indo lá e vendo.

Pedrinho contou a Hércules toda a história da Emília nos começos, no tempo em que era boneca de pano e muda, e falou muito de sua célebre torneirinha de "asneiras".

— Era uma danada naquele tempo. Assim que abria a boca, lá vinha uma asneira — e bem engraçada às vezes. Lembro-me de uma. Nós tínhamos ido ao País das Fábulas, onde encontramos Monsieur de La Fontaine caçando fábulas para o livro que escreveu. Era um homem já bastante antigo, do tempo em que se usavam calções de seda, sapatos de fivelas e cabeleiras de cachos. Emília achou muito sem jeito aquele homem de cabelos compridos, porque isso de cabelos compridos é coisa de mulher. E indo então à sua célebre canastrinha tirou de lá uma "perna de tesoura", que deu de presente ao fabulista. La Fontaine olhou bem para aquilo, e riu-se. "Para que quero isto bonequinha?" E ela muito lambeta: "Para cortar o seu cabelo". La Fontaine admirou-se. "Como cortar o meu cabelo se é uma tesoura de uma perna só?" E a Emília soltou a asneirinha: "Pois corte de um lado só...". Eram assim as asneirinhas dela, coisas absurdas, sem pé nem cabeça. Hoje está mudada e mais sábia que um dicionário, mas mesmo assim de repente dá uma abridinha na torneira...

Emília não prestava atenção à conversa, toda absorvida no canto de um rouxinol. Quando a avezinha parou, bateu palmas.

— Viva! Viva! Derrota longe os sabiás lá do sítio. Parece que vai inventando as músicas...

O Visconde, que era entendidíssimo em música de passarinhos, confirmou o "parece" da Emília.

— Sim — disse ele. — O rouxinol não repete música, não é como os outros passarinhos que aprendem um canto e passam a vida a repeti-lo.

— Mas o canário não é assim. Aquele belga de Pedrinho, lá no sítio, canta inventadamente — lembrou a ex-boneca.

— Parece — disse o Visconde. — O que ele faz é cantar uma música muito comprida, mas depois que chega ao fim volta ao começo. E assim todos os outros passarinhos lá da roça, o sabiá, o pintassilgo, o "soldado"... Acho que o rouxinol é o único que não repete música, e por isto tem tanta fama. É a maravilha do mundo passarinheiro. Uma caixinha de música viva e encantada. Assim que o dia morre e vem se aproximando a noite, ele começa a cantar nos sombrios da mata, e canta cada vez mais triste até que a noite cai. Não há quem ouça a sua música e não fique melancólico.

O rouxinol que provocara aquelas considerações começou a cantar novamente. O Visconde ergueu o dedo, em gesto de "parem e escutem". Todos pararam e escutaram.

Sim, não podia haver música mais saudosa, nem mais bem executada. Não havia um errinho, não havia a menor desafinação. O prodigioso cantor de penas ia improvisando, inventando a sua música de despedida da luz do sol. Pela primeira vez na vida, Hércules deu atenção ao rouxinol — e aquela música mexeu com ele lá por dentro. Era a "educação" — e "sua ideia sobre a educação" lhe voltou à cabeça, fazendo-o pensar este pensamento: "Estes picapauzinhos estão me educando...".

Quando o rouxinol emudeceu, todos ficaram por alguns minutos sem dizer nada, ainda magnetizados pelo enlevo. Depois o Visconde falou:

— Tudo aqui neste povo tem uma explicação poética. Sabem como os gregos explicam o aparecimento do rouxinol e da andorinha?

Ninguém sabia. O sábio ali era só o Visconde, o qual tossiu o pigarro e contou a história de Filomela e Progne.

— Estas duas moças, filhas de Pândion, rei de Atenas, eram muito amigas, dessas que não se largam. Certo dia Progne casou-se com Tereu, rei da Trácia, de quem teve um filho de nome Ítis. Mas nem esse menino a consolava da ausência de Filomela. Que saudades! Era das que quanto mais o tempo passa, mais apertam. Um dia Progne não aguentou mais e disse ao marido: "Vá a Atenas e traga minha irmã, pois do contrário morrerei de saudades".Tereu foi, mas era um mau sujeito esse tipo. Ao dar com Filomela, uma beleza de criatura, apaixonou-se violentamente; e ao trazê-la, tentou no meio do caminho obrigá-la a fugir com ele. Filomela, cheia de indignação, repeliu aquela proposta absurda — e sabem o que aconteceu?

— Tereu suicidou-se! — disse Emília.

— Matou-a! — disse Pedrinho.

— Raptou-a à força! — disse Hércules.

— Suspirou! — disse Meioameio.

O Visconde riu-se.

— Todos erraram. Tereu nem se suicidou, nem a matou, nem a raptou, nem suspirou. Como Filomela não parasse de chorar e gritar, ele cortou-lhe a língua, e depois trancou-a num velho castelo abandonado que havia por ali, deixando-a sob a guarda de gente de sua confiança. E continuou a viagem sozinho. Chegando em casa fez um ar muito triste e contou a Progne que a "coitadinha da Filomela havia morrido".

— Imaginem o desespero de Progne! — disse Emília. — Eu, quando voltar para o sítio, nem conto essa história para Tia Nastácia...

O Visconde continuou:

— A coitadinha da Filomela ficou sem a língua mas não ficou sem cérebro, de modo que não fazia outra coisa senão pensar num meio de mandar aviso à sua irmã, desmascarando aquele monstro. Mas avisá-la como? Pensa que pensa, afinal descobriu um jeito: fazer um comprido bordado com uma série de cenas que fossem representando toda a sua história. Se Progne visse esse bordado, compreenderia tudo e viria salvá-la. E assim foi. Depois de terminar o lindo bordado, jogou-o por uma das janelinhas da torre. Jogou-o ao vento — e o bordado foi cair bem no meio da estrada. Não tardou que uns viajantes a caminho da Trácia o vissem e pegassem. "Que lindo! Que maravilha!..." exclamaram. "Uma coisa bela assim merece ser levada de presente à rainha", e quando chegaram à Trácia foram ao palácio oferecer à rainha a maravilha. Assim que Progne viu o bordado, seu coração palpitou: reconheceu os pontos que em menina ela mesma havia ensinado à sua irmã Filomela; e atentando na série de cenas do bordado, compreendeu tudo: Filomela não estava morta, como havia dito o infame Tereu, e sim presa no castelo.

— Que bom! — exclamou Emília batendo palmas. — Aposto que Progne vai salvá-la.

— Isso poderá fazer — disse Pedrinho. — Mas a língua? Quem conserta uma língua cortada? Continue, Visconde.

— Então — continuou o Visconde — durante uma das grandes festas a Dionísio, que o Rei Tereu dava todos os anos, Progne aproveitou-se da barafunda para disfarçar-se e correr ao castelo velho, onde subornou os guardas, entrou e raptou a irmã. Cá fora, disfarçou-a também e toca para o palácio em festa! Entraram sem que ninguém as visse. O rei estava se banqueteando num desses banquetes dos reis antigos que varam horas e horas e vão até à madrugada. E Progne, então... Que imaginam que essa rainha fez?

— Consertou a língua de Filomela —disse Hércules.

— Deu-lhe uma faca para que matasse o rei — disse Pedrinho.

— Desmascarou o rei seu marido — disse Meioameio.

— Nada, nada! — declarou o Visconde. — Progne estava tomada de tal ódio pelo marido que imaginou a mais terrível das vinganças: ajudada pela irmã, matou o menino Ítis, filho de Tereu, e cortou-lhe a cabeça...

— Que monstra! — berrou Emília. Que culpa tinha o coitadinho?

— Nenhuma, está claro. Mas é sabido que o ódio é assim: não respeita coisa nenhuma. O ódio de Progne contra o marido estendeu-se ao menino, que era um produto desse marido, uma espécie de prolongamento dele. Muito bem. Tereu estava no banquete, já com a cabeça tonta de tanto vinho, de modo que quando viu entrar Filomela com uma coisa em punho julgou que fosse visão. Esfregou os olhos. Olhou de novo. Sim, era ela mesma... A cunhada adiantou-se e jogou para cima da mesa a coisa que trazia na mão. Tereu arregalou os olhos: era a cabeça de seu filhinho Ítis!

Hércules estava comovidíssimo. Quis dizer qualquer coisa mas engasgou.

— E que fez o Rei Tereu? — perguntou Emília.

— Ficou uns instantes apatetado. Depois sacou da espada e investiu contra seu próprio irmão Drias, também ali presente, certo de que esse irmão era cúmplice em tudo aquilo. Atravessou o pobre Drias com a espada e atirou-se em perseguição das duas irmãs.

— E matou-as também?

— Não teve tempo. Os deuses do Olimpo, achando que aquela família precisava de conserto, transformaram Filomela em rouxinol, Progne em andorinha, Ítis em corruíra e Tereu em poupa.

— Isso é que é saber fazer as coisas! Filomela que por ter perdido a língua não podia falar, virou a linguinha de ouro de toda a passarinhada! Mas se eu fosse Zeus virava Tereu em urubu. Era o que ele merecia.

Capítulo IV
A FÊNIX

Do rouxinol a conversa passou para outras aves e por fim recaiu sobre a célebre fênix.

— Oh, a fênix! — exclamou Hércules. — Já ouvi falar. Dizem que vive séculos. Tem o tamanho da águia e na cabeça um topete dum vermelho vivíssimo. As penas do corpo, também vermelhas, com exceção das do pescoço que são douradas.

— E as da cauda?

— Essas são brancas, entremeadas de algumas cor de sangue.

— Que linda deve ser! — exclamou Pedrinho.

Já era noite quase fechada. Hércules ajeitou-se por ali mesmo para dormir, e os picapauzinhos procuraram o abrigo duma gruta de pedra. Meioameio deitou-se na entrada da gruta. Era ele o guarda-noturno dos seus amigos do século xx.

Os sonhos daquela noite foram sonhos "ornitológicos", como disse no dia seguinte o Visconde, e foi explicando: "Ornitologia é a ciência que estuda as aves. Logo, quem sonha com passarinho tem um sonho ornitológico...".

Ao retornarem à viagem para os montes do Erimanto, a conversa voltou ao mesmo assunto da noite anterior: aves.

— Conte mais alguma coisa da fênix, Lelé! — pediu Emília — e o herói contou.

— O que me disseram foi o que narrei ontem e mais isto: a fênix tem olhos brilhantes como estrelas...

— Que lindo!...

— E quando sente que a hora da morte está chegando, começa a juntar no mato ramos de plantas cheirosas, resinas e gravetos; e com aquilo tudo faz uma espécie de ninho dentro do qual se acomoda. Isso antes do carro de Apolo aparecer no horizonte. Quando aparece e seus raios começam a esquentar, aquele ninho resinoso pega fogo e vira uma grande fogueira na qual a fênix é completamente consumida, só ficando um montinho de cinzas. E aí então é que acontece o prodígio: no meio daquela cinza aparece um ovo, do qual logo sai uma nova fênix. Essa fênix junta toda aquela cinza e vai depositá-la no altar do Sol, na cidade de Heliópolis.

— Que lindo! — exclamou Emília. — A fênix renasce de suas próprias cinzas!

— E não há nenhuma fênix aqui por esta Grécia, Lelé?

— Às vezes aparece alguma, vinda de outras terras. Mas não é ave grega.

Minutos depois dessa conversa Emília gritou: "Alto!..." e todos pararam. Ela trepou ao ombro de Meioameio e ali de pé, com a mão em viseira, pôs-se a sondar a distância. E ia falando:

— Estou vendo muito longe uma ave a amontoar um ninho-fogueira... Belíssima, sim... Toda cor de pitanga, com topete muito vivo e rabo branco...

— Será uma fênix? — exclamou Pedrinho, já assanhado — e Emília continuou:

— Não sei, mas está fazendo direitinho como Lelé disse. Traz para o ninho-fogueira plantas odoríferas...

O Visconde suspirou. Estava achando aquilo um pouco demais. Que daquela distância Emília visse a ave trazer plantas para o ninho, ainda vá lá. Mas declarar que as plantas eram *odoríferas*? Seria possível que além dos olhinhos de telescópio ela possuísse tele-olfato?

— Está pronto o ninho-fogueira! — continuou Emília. — Agora a ave ajeitou-se no meio daqueles "combustíveis" e está rezando de mãos postas, à espera de que um raio de sol venha incendiá-la...

Embora Hércules acreditasse cegamente no que a ex-boneca dizia, também começou a achar aquilo "demais" — e deu ordem a Meioameio para correr até lá e ver se era assim mesmo.

O centaurinho partiu no galope, com o Visconde no lombo, porque os verdadeiros sábios nunca perdem ensejo de verificar o que podem. E enquanto Meioameio galopava na direção da fênix, Emília continuava a ver "coisas", mas já preparando uma escapatória.

— Uma vez no Deserto do Saara —disse a marotinha — eu vi uma coisa linda: um chafariz lá muito longe. Não podia haver encontro mais lindo no Saara do que o de um chafariz, para gente que estava morrendo de sede, como nós...

Pedrinho pensou em desmascarar a ex-boneca, dizendo que tudo aquilo era invenção. Emília jamais havia estado em Saara nenhum; mas de dó dela limitou-se a dizer:

— Esse chafariz devia ser uma das chamadas "miragens" tão frequentes nos desertos. Os viajantes sedentos veem oásis e coisas onde não há oásis nem coisa nenhuma.

Hércules ficou na mesma, porque na terra grega não havia desertos, nem oásis, nem miragens. Emília continuou.

— E bem pode ser que aquela fênix seja uma miragem... Não! Não é!... Esperem, esperem um pouco...Está mas é pegando fogo! Pronto! O ninho-fogueira pegou fogo!... A fênix está se consumindo nas chamas...

O centaurinho acabava de chegar ao ponto indicado e por mais que olhasse não percebeu fênix nenhuma. O Visconde sorriu consigo, murmurando: "Aquela Emília..." E como nada achassem, voltaram.

— Não encontramos ave nenhuma — disse Meioameio ao chegar. — Eu e o Visconde demos uma volta por lá e nem sinal.

Hércules, já meio desconfiado, olhou para Emília, a qual botou as mãos na cintura e deu uma gargalhada gostosa.

— Nunca vi dois sarambés maiores! Quando chegaram lá, a fênix já havia sido devorada pelo fogo. Em vez de procurarem uma "ave", deviam ter procurado uma "cinzinha", mas aposto que nem pensaram nisso.

Meioameio olhou muito desapontado para o Visconde. Realmente, eles não tinham tido a ideia de procurar cinzinha nenhuma...

— Pois, meus grandes bobos, o que se deu foi isto: enquanto vocês galopavam para lá, a fênix desapareceu consumida pelas chamas e ficou reduzida a um punhadinho de cinzas.

Querendo tirar a prova daquilo, Hércules deu ordem a Meioameio para voltar e verificar a existência da cinzinha. Meioameio partiu, e enquanto galopava para lá Emília "continuou" a ver.

— Que beleza! — exclamou fazendo cara de admiração. — Estou vendo a maravilha das maravilhas... A cinza está se juntando... está tomando forma... É a fênix que renasce de suas próprias cinzas. Pronto! Está formadinha... Agora começou a experimentar as asas. Vai voar... Voou!...

Hércules estava de boca aberta. Que maravilha, aquela criaturinha! Enquanto isso Meioameio e o Visconde chegaram novamente ao ponto indicado e puseram-se a procurar cinzinhas. Nem sombra! Não havia nem cheiro de cinza — e voltaram desapontados.

— Nada encontramos, Hércules — disse Meioameio ao chegar; e o Visconde confirmou:

— Não há lá nem sequer sombra de nenhuma cinzinha.

Emília deu nova gargalhada.

— Os bobos!... Como poderiam ter encontrado cinza, se quando vocês estavam no meio do caminho a fênix renasceu e lá se foi pelos ares? Queriam que ela ficasse parada, à espera dos dois sarambés?

Desse modo Emília embaçou a todos com a sua prodigiosa esperteza e até Pedrinho ficou na dúvida. "Quem sabe se é mesmo verdade tudo quanto ela disse?" Apenas um não duvidou da Emília: Hércules. Não duvidou naquele momento nem nunca. Ficara tão escravo daquela criaturinha, que era Emília dizer, era ele jurar em cima, como se ela fosse o próprio escudo da deusa Palas.

O incidente foi o assunto da conversa entre Pedrinho e Hércules, num momento em que os dois se afastaram do resto do bando.

— Emília faz coisas que atrapalham a gente — disse Pedrinho. — Aquela história da pulga que ela viu nas escamas do dragão de São Jorge parece caçoada pura — mas quem sabe? Tudo é possível neste mundo. Esse caso da fênix, hoje. Ela veria mesmo a fênix incendiar-se e renascer das cinzas ou estava nos enganando? Impossível saber.

Hércules, porém, já não tinha a menor dúvida.

— Na minha opinião, viu. Ela contou tudo tão certinho...

— Ah, Hércules, você não conhece a Emília. É um dos maiores mistérios dos tempos modernos. Nasceu boneca de pano, feia e muda, feita lá pela Tia Nastácia, e foi indo, foi "evoluindo", até ficar no que é.

Hércules não tinha vergonha de perguntar o que era quando não entendia alguma palavra, e perguntou o que queria dizer "evoluindo."

— Evoluir é mudar com aperfeiçoamento. Uma coisa que muda mas não se aperfeiçoa, não está evoluindo. A água dum rio está sempre mudando de lugar, mas não evolui; porque muda sem aperfeiçoar-se, entendeu?

Hércules fez um esforço para entender e parece que entendeu, pois disse:

— Nesse caso, eu também estou evoluindo. Minhas ideias estão mudando.

— Para melhor ou para pior?

— Para melhor...

Capítulo V
PÃ, O DEUS DA ARCÁDIA

A Arcádia tinha o seu deus especial. Os picapauzinhos ficaram sabendo disso depois do encontro dum velho viandante. Não era nenhum velho tonto, mas um grande velho do tipo "filósofo". O Visconde agarrou-o e não o largou o tempo inteiro, porque os sábios gostam de conversar com os sábios.

O principal assunto da conversa foram os deuses, e sobretudo o deus da Arcádia.

— Sim — dissera o velho em certo momento — esta Arcádia tão rústica tem um deus só dela: Pã.

O Visconde tinha suas noçõezinhas sobre Pã, mas ignorava os pormenores e a verdadeira especialidade desse deus. O velho viandante proporcionou-lhe uma aula sobre o assunto.

— Pã é o deus especial da Arcádia, o guardião destes rebanhos e o seu multiplicador. É também o protetor dos pastores.

— Veio do Olimpo? — indagou o Visconde.

— Não. Pã nasceu nestas paragens, e dum modo muito interessante. Certa vez Hermes, o mensageiro dos deuses, aterrissou por aqui, bem nos campos sagrados de Cilene, e se apaixonou loucamente por uma formosa ninfa. Apaixonou-se a tal ponto que se ofereceu como pastor a Driops, o pai da ninfa.

— Que graça! — exclamou Emília. — Ele, um deus do Olimpo, a empregar-se como pastor de ovelhas...

E Pedrinho recordou o caso do Jacó da Bíblia, que por amor a Raquel, filha de Labão, contratou-se por sete anos como pastor das ovelhas do futuro sogro, e findo o prazo contratou-se por mais sete anos. Só assim conseguiu casar-se com Raquel.

— Pois com o deus Hermes aconteceu coisa parecida — disse o velho. — Teve de servir de pastor nos rebanhos de Driops para obter a mão de sua filha. Afinal casou-se — e o deus Pã foi o resultado desse casamento. Mas Pã nasceu com pés de bode e chifrinhos na cabeça. Todos se horrorizaram com o fenômeno, menos Hermes. Assim que o estranho menino nasceu, tratou de voar com ele para o Olimpo a fim de mostrá-lo aos seus companheiros de divindade. Embrulhou-o numa pele de lebre e lá se foi. Quando no Olimpo abriu a pele e exibiu o filhote, houve risadas e caçoadas — e deram-lhe o nome de Pã.

"O deusinho de pés de bode foi crescendo aqui na Arcádia e ficou moço.

"Mas muito feio, o pobre, com aqueles pés e aqueles chifres: As ninfas metiam-no a riso, o que o fez jurar que nunca em seu coração amaria mulher nenhuma. Mas certo dia Cupido travou com ele uma luta corpo a corpo e, apesar de ser apenas um menino, venceu-o. As ninfas que assistiram à cena deram grandes gargalhadas. E o pobre Pã não teve remédio senão amar."

— Com Tia Nastácia também foi assim — berrou Emília. — Quando eu a espetei com uma das flechas de Cupido, levou as mãos ao peito, revirou os olhos para o céu e pôs-se a soltar suspiros de amor...

O velho também não entendeu aquilo, e continuou:

— Começou a amar, e logo depois encontrou a ninfa Sirinx, que só queria saber da caça e tinha recusado a mão de todas as divindades. Pã foi se chegando e dizendo que queria ser seu esposo. Sirinx não disse nada, saiu correndo por ali a fora — e Pã atrás. Mas como era um deus e os deuses correm mais que as ninfas, acabou alcançando-a lá adiante.

— E agarrou-a!...

— Ah, não!... Assim que a ia agarrando, Sirinx virou uma touceira de caniço...

Emília cochichou para Pedrinho:

—Aposto que o tal caniço era taquara do reino.

— E dessa touceira de caniço começou a levantar-se um canto muito suave e queixoso. Pã comoveu-se e cortou sete canudos de vários tamanhos; depois emendou-os em cera — e foi assim que nasceu a célebre flauta de Pã, instrumento que nunca mais ele iria abandonar e ficaria sendo o seu distintivo.

— Por que nunca mais abandonou essa flauta? — quis saber Emília, e o velho respondeu:

— Porque assim que a usava, fluíam de todos os bosques ninfas e mais ninfas, para dançar em redor dele. Entre essas ninfas havia uma de nome Pítis, que diante das músicas de Pã se mostrava mais enternecida que as outras. E vai então, e o deus feio sente de novo o fogo do amor a arder em seu coração. E tocando na flauta com maior sentimento ainda, vai andando, vai andando, rumo a um lugar solitário onde havia um alto rochedo. Lá se senta bem no píncaro e continua a tocar. Atraída pela música, Pítis vem vindo, e para melhor ouvi-lo senta-se a seu lado. Pã, coitado, perde a cabeça e faz-lhe uma declaração de amor. Mas a ninfa era a namorada de Bóreas, o terrível vento norte, o qual, enciumadíssimo, toma-se de grande furor e sopra uma rajada para cima deles.

— Bóreas soltou um pé-de-vento, eu sei! — disse Emília.

— E tão forte foi essa rajada que a pobre Pítis perdeu o equilíbrio e tombou do rochedo abaixo, despedaçando-se nas pedras. Os deuses lá no Olimpo, que tudo viam, apiedaram-se da coitadinha e transformaram os seus pedaços em pinheiros — um pinheiro que cresce entre pedras. Desde esse dia Pã tomou o pinheiro como a sua árvore e passou a andar com uma coroa de folhas de pinheiro enganchada nos chifres.

— Quer dizer que ele amava e não conseguia casar?

— Exatamente. Seu destino era nunca poder unir-se à criatura amada, como mais tarde no caso da ninfa Eco, filha do Ar e da Terra. Cada vez que Pã tocava, essa ninfa repetia as últimas notas lá longe. Pã voava para lá e tocava de novo — e Eco repetia de novo as últimas notas, mas sempre ao longe, como se estivesse mofando dele.

Emília deu uma risada gostosa.

— Deus mais bobo nunca vi! Pois não percebia que a tal Eco não era ninfa nenhuma e sim isso que chamamos eco? Conte aqui ao velho o que é eco, Visconde.

O sabuguinho explicou que eco era a reflexão dum som. "O som dá de encontro a um obstáculo e reflete, isto é, volta para trás".

O velho prosseguiu:

— Pois o deus Pã não sabia disso e levou muito tempo a correr atrás da ninfa Eco...

— E eu sei desse deus mais um pedacinho que você não sabe — disse o Visconde para o velho. — No reinado do imperador romano Tibério, reinado que vai ser a muitos séculos de distância-tempo daqui, o capitão de um navio ancorado num porto do Mediterrâneo ouvirá uma voz misteriosa que clamará: "O grande deus Pã morreu!". E desde aí ninguém mais ouvirá falar nele.

— Isso não sei — disse o velho —, porque é coisa do futuro. Só sei que hoje o deus Pã ainda existe e continua a multiplicar os carneiros e cabras desta Arcádia, a proteger os pastores, e a perseguir a ninfa Eco com as melodias de sua flauta de sete canudos.

Depois contou o começo da história da ninfa Eco.

— Ah — disse ele —, Eco havia se tornado tão faladeira e inventadeira de coisas, que a deusa Hera enfureceu-se e condenou-a a um castigo muito interessante: só repetir os últimos sons do que acabasse de ouvir. Desse modo a mentirosíssima Eco parava de mentir, porque só podia repetir o finzinho do que ouvisse.

— Então foi daí por diante que ela virou eco — disse Emília.

O Visconde explicou que o som "eco" tem esse nome por causa da ninfa Eco e não o contrário, como supunha a Emília. O velho concordou e Hércules roncou.

Sim, porque durante toda aquela aula de mitologia o grande herói não fez outra coisa senão dormir e roncar. Estavam descansando à beira duma fonte, junto à floresta. Lá dos campos de pastagem vinham os "més" dos carneiros da Arcádia.

— Um dia em que Eco saiu à caça — continuou o velho — deu com um rapaz da mais perfeita beleza: Narciso filho do Rei Cefise. Imediatamente seu coração se encheu de amor — mas como declarar esse amor, se o castigo de Hera a impedia de falar antes dele? A coitada só podia repetir as últimas palavras que Narciso dissesse...

— Que horror! — exclamou Pedrinho.

— Só agora compreendo a crueldade desse castigo...

— Sim, o pior possível — concordou o velho — como a pobre Eco iria verificar. Narciso se perdera na mata e não vendo nenhum dos seus companheiros gritou: "Não há alguém por perto de mim?"."Mim" — respondeu Eco de trás dum rochedo. Narciso olhou em redor e não viu ninguém. "Se há" — gritou de novo, "então juntemo-nos!" E Eco, muito alegre, repetiu:"juntemo-nos!".E apresentou-se aos olhos de Narciso. Mas o rapaz teve uma decepção. Esperava ver surgir um dos seus companheiros e o que apareceu foi a importuna e insistente ninfa. E repeliu-a, dizendo: "Pensa que eu te amo?" A pobre Eco foi obrigada a repetir o "eu te amo" final e fugiu no maior desespero. Desde então caiu em profunda tristeza e foi emagrecendo e se consumindo até ficar só ossos; quando chegou a esse ponto, Zeus transformou-a em pedra e deixou que sua voz ficasse no mundo a repetir as últimas notas dos sons refletidos.

Emília bateu palmas.

— Gosto dos gregos porque em tudo botam uma historinha. Para o Visconde e os sábios modernos o eco é a tal reflexão dos sons. Para os gregos é a voz da ninfa Eco transformada em pedra. Cem vezes mais lindo...

Capítulo VI
O MONTE ERIMANTO

E foi assim, com paradas pelo caminho e conversas com viandantes, que o grupo alcançou a região onde se erguia o Monte Erimanto. Lá estava ele! Coberto de vegetação, mas listrado, de alto a baixo, como se grandes penedos houvessem descido pela encosta. Hércules explicou:

— Aquelas faixas de vegetação arrasada correspondem às descidas do javali rumo ao vale. Vejam que violência tem o ímpeto desse monstro...

Pedrinho observou que nos tempos modernos só os tanques conseguiam produzir efeitos assim — e teve um trabalhão para dar ao herói uma boa ideia do tanque.

— Mas que é que os puxa? — queria saber Hércules, e muito se admirou da resposta de Pedrinho:

— Os tanques não são puxados, são empurrados de dentro por um grande número de cavalos invisíveis, chamados hp.

Hércules ficou a cismar naquilo.

Muito bem. Estavam em face do Erimanto, o monte habitado pelo feroz javali. Tinham de conferenciar sobre o que fazer. A ideia de Hércules era avançar contra a fera e matá-la a flechadas ou golpes de clava, mas Pedrinho apresentou uma objeção:

— Mata e depois? Como vai provar ao Rei Euristeu que de fato matou o javali do Erimanto e não outro javali qualquer?

— Levo a pele — disse o herói.

— A pele! A pele!... Peles de javali não faltam no mundo. O rei tem direito de duvidar.

— Que devo fazer então?

— Levar o javali vivo!

Hércules coçou a cabeça e ficou a pensar. Depois pediu a opiniãozinha da Emília.

— E você que acha, Emília?

— Acho o mesmo que Pedrinho. Um javali vivo convence muito mais que uma pele de javali.

— E você, Visconde?

— Idem, idem — respondeu o Visconde — e explicou que esta palavra latina "idem" queria dizer "o mesmo".

A Meioameio o herói nada perguntou, porque não dava muita confiança ao centaurinho. Refletiu mais uns minutos e resolveu:

— Pois fica assim. Não o matarei. Apanhá-lo-ei vivo. Mas como?

Aqui Pedrinho entrou com o seu jogo, mestre que era em armadilhas de caçador. Lembrou-se logo do mundéu.

— Só com mundéu, Hércules!

— E que é isso?

— O mundéu é um fosso de boa profundidade coberto de paus com uma camada de terra e folhas secas por cima. Constrói-se o mundéu no carreiro do animal, isto é, num caminho por onde ele tenha fatalmente de passar.

— E que acontece?

— Acontece que quando o animal vem pelo caminho, de repente pisa na tampa falsa do mundéu e tudo aquilo afunda para o buraco com ele junto.

O rosto de Hércules iluminou-se.

Como era engenhosa e clara aquela astúcia!

— Sim — disse ele. — Adotemos o sistema, que parece ótimo — e encarregou Pedrinho de determinar o melhor ponto para a construção do mundéu.

Nada mais difícil, porque o mundo é grande e a caça perseguida pode passar por aqui, por ali ou por acolá. Como armar o mundéu na trilha certinha que a caça vai escolher?

Isso era trabalho de muita dedução, como os de Sherlock Holmes, e realmente deu serviço ao miolo dos três picapauzinhos. Em que ponto armar o mundéu? Pela faixa de vegetação amassada nas encostas do Erimanto via-se que o monstro não tinha carreiro certo. Ora rasgava a floresta num ponto, ora a rasgava em outro muito distante do primeiro. Como adivinhar? E estavam na maior indecisão, quando Emília resolveu o caso.

— Grandes bobos! — disse ela. Quando as coisas encrencam desse modo, vocês bem sabem que só há um remédio: aplicar o faz-de-conta — e tomando a frente do bando caminhou até certo ponto da encosta e disse com a maior segurança: — Faz de conta que é exatamente por aqui que a fera vai passar.

Hércules nada entendeu daquilo, e Pedrinho não quis entrar em grandes explanações. Apenas disse que o faz-de-conta era um sistema infalível, mas só aplicável como último recurso.

Determinado o ponto onde armar o mundéu, a tarefa de escavar o chão coube ao herói. Hércules lascou um tronco de árvore para fazer uma cavadeira, e com ela abriu, num instante, um enorme fosso de sete metros de largura por outros tantos de comprimento e profundidade — e chamou Pedrinho para ver se bastava.

— Sim — disse o menino, depois de medir com os olhos a fundura do fosso.

— Não há javali, nem animal nenhum, que vença sete metros no pulo.

— Como não? — contestou Emília. —Qualquer tigre ou veado pula muito mais que isso.

Pedrinho explicou que realmente pulavam muito mais, porém aproveitando-se do impulso da carreira. Lá no fundo do fosso, sem espaço para correr e ganhar impulso, o animal pulador ficava como que sem pernas. Pedrinho era mestre em pulos.

Emília concordou.

Depois de pronto o fosso, Hércules, sempre dirigido por Pedrinho, quebrou galhos e os foi colocando par a par sobre a boca do fosso. Em seguida jogou terra sobre aquela estiva e cobriu a terra com folhas secas. Pedrinho. colaborou na parte final da obra, consistente em deixar a camada de folhas secas "bem natural", de modo que o javali não desconfiasse.

Emília chegou a espalhar por cima umas flores silvestres.

— Bom! — disse Pedrinho depois de armado o mundéu. — É preciso agora torcermos cordas bem fortes, por que temos de içar o bicho aí do fundo — e mandou Meioameio buscar embiras em quantidade. Eles já haviam torcido cordas na aventura da Corça de Pés de Bronze, de modo que o serviço andou depressa. Pedrinho precisava de quatro cordas, duas compridas e fortíssimas ou "cordas de guia", como as denominava; depois, uma menor para "peia" das patas do animal; e a última para a "focinheira".

Hércules ficou sentado, a vê-lo preparar a peia e a focinheira, embora não compreendesse muito bem aquilo.

Prontas que foram as cordas, Hércules mandou-os ficarem escondidinhos numa gruta próxima.

—Nada de trepar em árvores, porque esse javali derruba com a maior facilidade qualquer árvore.

E depois que os viu bem abrigados, plantou-se atrás do mundéu e rompeu em berros de desafio ao javali, que evidentemente morava no topo do Erimanto.

— Porcalhão. Venha, se tem coragem! Aqui o aguarda Hércules, o herói invencível!...

O bobo do javali, lá no alto do Erimanto, caiu na asneira de ouvir aquilo e enfurecer-se. Está claro que não tinha a menor noção de quem fosse o tal Hércules, e no caso só viu um humano qualquer que tinha o topete de desafiá-lo, a ele, o javali invencível. E lançou-se com a maior impetuosidade na direção do desafio, arrasando a floresta em sua passagem. O barulho foi de avalancha. Grandes árvores estalavam e abatiam-se como se fossem débeis plantas de jardim.

Por via das dúvidas Hércules se mantinha de clava em punho, uma clava nova feita do melhor pau daqueles arredores. Mas à sua frente jazia bem oculto o mundéu de Pedrinho...

Quando o javali divisou o vulto de Hércules, faíscas de gana espirraram de seus olhos vermelhos — e ele avançou para o herói em linha reta. De repente *tchibum!* Pisou na tampa falsa e lá se foi para o fundo do fosso, de cambulhada com toda aquela paulama e folharia seca.

— Hurrah! — berrou Pedrinho ao ouvir o estrondo e, montado em Meioameio, partiu no galope de rumo ao mundéu. Lá estava o monstro a roncar e a debater-se, tonto da queda e sem a menor ideia do que lhe acontecera. Em seguida chegaram Emília e o Visconde, e ficaram todos à beira do fosso, a espiar o monstro colhido no mundéu.

— Cara de coruja! — berrava Emília. — Faça avalancha agora, se é capaz...

Depois de gozarem por algum tempo a fúria impotente e o desespero do javali, trataram de laçá-lo com as duas cordas compridas — e aí quem resolveu o caso foi o Visconde.

— Desça lá, e corra a laçada na pata do monstro — ordenou Pedrinho.

Ah, para essas proezas arriscadas o bom era sempre o Visconde, não só por não atrair a atenção da presa como por ser "consertável." Cada vez que lhe acontecia alguma, Tia Nastácia tomava do paiol um sabugo novo e refazia-o. O Visconde era a fênix do Sítio do Picapau Amarelo.

Apesar de todo o seu medo, o sabuguinho desceu ao fundo do fosso e foi passando a laçada pelo pé do javali. O monstro bem que o viu, mas não ligou a mínima importância. Um animal naqueles apuros não liga importância a milhos.

Preso que foi o javali pelo pé, Hércules o suspendeu como os guindastes dos portos suspendem as grandes cargas; e quando as patas traseiras ficaram de jeito, Pedrinho amarrou a peia. Depois disse a Hércules:

— Deixe-o cair de novo no fundo do buraco. Temos agora de laçá-lo pelo pescoço e suspendê-lo de modo que eu possa colocar a focinheira.

E assim foi feito. Dessa vez não foi preciso o auxílio do Visconde. Depois de algumas tentativas com a laçada, Hércules colheu o javali pelo pescoço e puxou. Lá foi lentamente suspenso pelo guindaste hercúleo — e Pedrinho pôde ajeitar-lhe no focinho a engenhosa focinheira.

— Pronto! — gritou. — Pode sacá-lo fora duma vez, Hércules!

Com um puxão o herói sacou do fosso o monstro peado e enfocinheirado. Meioameio segurava a ponta da outra corda, de modo que o bicharoco já nada podia fazer. Uma corda o mantinha dum lado e outra corda o mantinha do lado oposto. Mesmo assim o javali estrebuchou e corcoveou como burro bravo.

Capítulo VII
RUMO A MICENAS

Depois de muito pinote e corcovo o javali do Erimanto compreendeu que era inútil resistir. Estava completamente frouxo.

— Bom — disse Hércules. — Podemos agora levá-lo a Micenas. Eu sigo na frente segurando-o pela corda do pescoço, e Meioameio segue atrás, segurando-o pela corda do pé — e foi assim que o tremendíssimo javali do Erimanto chegou a cidade de Micenas, com grande assombro da população e maior desapontamento do Rei Euristeu.

— Pronto, Majestade! — disse Hércules ao surgir diante do rei com a terrível fera na corda.

Euristeu, sentado no trono, tremeu de medo. E se aquelas cordas arrebentassem e o javali se lançasse contra ele?

Mas não houve nada disso. Eumolpo deu ordem para a rápida construção duma jaula, e uma hora depois o javali do Erimanto estava solidamente engaiolado e exibido na praça pública às multidões curiosas.

A notícia desse Quarto Trabalho de Hércules correu pela Grécia inteira com a velocidade do raio. Desde Atenas até Esparta só se falava daquilo, e lá no Olimpo a deusa Hera teve um faniquito. Maldito herói! Pela quarta vez saía incólume duma terrível trama contra ele preparada. E a implacável perseguidora pôs-se a pensar em um novo trabalho, dessa vez absolutamente acima das forças de qualquer herói. Qual seria? pensou, pensou... Depois sorriu e disse consigo: "Já sei!..." — e mandou Hermes, o mensageiro dos deuses, levar um recado a Euristeu.

Enquanto isso, Hércules e os picapauzinhos voltavam ao "camping" à beira do ribeirão. Lá encontraram tudo como haviam deixado. Ninguém ousara tocar em coisa nenhuma da casinha da Emília — ou do Templo de Avia...

No dia seguinte Hércules recebeu chamado urgente do palácio de Euristeu. Foi.

— Às ordens, Majestade!...

Euristeu estava risonho — sinal de que o novo Trabalho ia ser muito mais duro que os primeiros. Eumolpo, rente ao trono, babava-se de gosto.

— Hércules — disse Euristeu —, muito bem te saíste na façanha contra o javali do Erimanto, e agora tenho nova incumbência a dar-te.

— Às vossas ordens, Majestade! — respondeu o herói humildemente.

Euristeu continuou no mesmo tom amável:

— Quero que vás ao reino de Augias visitar esse colega e que limpes as suas famosas cavalariças.

Hércules voltou ao "camping" muito apreensivo. "Que será? Que me reservará a mim o Rei Augias?" E quando Pedrinho lhe perguntou qual ia ser o Quinto Trabalho, respondeu:

— Uma visita, meu caro! Apenas uma visita e umas vassouradas. Euristeu encarregou-me de ir ter com o Rei Augias e de lhe limpar as cavalariças.

— Quem é ele?

— Um rei possuidor de inumeráveis rebanhos de cavalos...

— Só isso? Só fazer a limpeza?

— Só...

Capítulo VIII
A FUGA DO JAVALI

Que linda a manhã do dia seguinte!

O carro de Apolo galopava no campo azul do céu sem nuvens. Hércules, depois do banho no ribeirão, chamou Pedrinho para debater a viagem ao reino do Rei Augias. E estavam nisso quando um mensageiro a cavalo apontou ao longe. Vinha no maior dos galopes.

— Que será? — murmurou Pedrinho.

O cavaleiro chegou e apeou bem diante deles. Estava quase sem fala.

— Que há, homem? — perguntou Hércules.

O mensageiro tomou fôlego e falou entrecortadamente:

— Há... há que o javali... arrebentou a jaula e fugiu...

— Fugiu?

— Sim... Fugiu e está fazendo os maiores estragos na cidade... Investe contra toda gente e estraçalha os que pega... Os guardas do rei atacaram-no, mas em vão... Sua Majestade Euristeu não sabe mais o que fazer e manda pedir socorro a Hércules...

O herói pôs-se de pé e correu em busca da clava. Depois pendurou a tiracolo o carcás de flechas e tomou o arco.

— Pois vamos ver isso! — gritou e foi correndo para a cidade.

Os picapauzinhos ficaram tontos por uns instantes, sem saber o que fazer. Depois decidiram-se. Tinham de acompanhar o seu amigo Hércules. Meioameio já estava pronto para recebê-los no lombo.

O cavalo do mensageiro, assustadíssimo de ver o centauro, havia disparado por aqueles campos a fora. O pobre homem ficou a pé.

— Monte aqui na garupa! — gritoulhe Pedrinho, e ajudou-o a colocar-se na garupa do Meioameio. E o centauro, com aquela penca de gente no lombo, lá se foi no galope rumo a Micenas.

Ao entrar na cidade, Hércules dera com a população tomada de verdadeiro pânico. Uns escondiam-se nos porões, outros trepavam ao telhado das casas.

Depois que os guardas do rei foram destripados pelas terríveis presas do javali, ninguém mais ousava atacá-lo. Só pensavam em fugir ou esconder-se.

— Onde está ele? — perguntou Hércules ao ministro Eumolpo, que avistou a tremer de medo em cima do telhado do palácio.

— Na praça do mercado! — gritou o ministro.

Hércules encaminhou-se para a praça do mercado, e já de longe avistou o monstro fazendo os maiores estragos nas verduras. Em seu redor havia muitos cadáveres de guardas destripados, alguns ainda vivos e gemendo de cortar o coração.

— Espera que te curo! — rosnou Hércules, firmando a mão no cabo da clava e avançou.

O javali reconheceu-o. Largou as verduras e levantou a cabeça, os olhos já chamejantes de cólera. Ia destroçar aquele imprudente herói como havia destroçado os guardas do rei.

Nesse momento Meioameio, que viera em desapoderado galope, entrou na praça, de modo que os picapauzinhos puderam assistir à batalha.

E que batalha tremenda foi! O javali investiu contra Hércules e Hércules o esperou com a clava erguida.

— Chegamos a tempo de assistir ao primeiro *round*! — berrou Pedrinho pondo-se de pé no lombo do centauro.

— Aposto que no primeiro golpe já Hércules o abate.

Mas não foi assim. O golpe do herói pegou a fera em pleno crânio, mas parece que o crânio do javali era de aço.

A clava rachou pelo meio...

— A clava rachou — berrou Emília e o monstro nem deu sinal de sentir. —Só com flechas. Hércules que recue e...

Foi o que Hércules fez. Dando um tremendo salto para trás, colocou-se a vinte metros do javali, de modo a poder ajeitar no arco uma flecha. Esticou a corda e *zás!*... A flecha espetou no toitiço do monstro, mas não cravou fundo, nem alcançou centro vital. Apenas serviu para enfurecê-lo ainda mais — e o javali investiu para cima do herói com o ímpeto de uma bomba voadora.

Hércules deu outro salto para trás e despediu segunda seta, a qual não produziu maior resultado que a primeira.

O javali deu um bote traiçoeiro e quase apanhou o herói com suas presas afiadíssimas.

Eumolpo, lá de cima do telhado, estava radiante. "Desta vez Hércules está perdido. O javali vai dar cabo dele", e gritou para o Rei Euristeu, que a tudo assistia do balcão do palácio:

—A clava de Hércules falhou e as flechas também estão falhando. Tudo vai indo otimamente.

Euristeu, lá no balcão, sorriu.

A situação de Hércules não era boa, e isso porque na pressa de partir lá do acampamento errara na escolha das flechas, pondo no carcás justamente as de que Emília tinha arrancado a ponta. Só depois de haver lançado a segunda seta é que o herói percebeu a causa do desastre. Desastre, sim, porque nunca em sua vida de herói acontecera semelhante coisa: lançar duas flechas contra um corpo de animal e não vê-lo cair estrebuchando. E se estava sem as suas famosas flechas tão mortais, que fazer? E Hércules suou frio.

Súbito, Pedrinho empalideceu.

— Estou compreendendo tudo! Ele está lançando contra o monstro justamente as flechas que Emília "humanizou". E agora?

E voltando-se para Emília:

— E agora, sua mexedeira? Sem clava e sem flechas de ponta o nosso amigo Hércules está desarmado...

Emília assustou-se. Seu coraçãozinho pulou como cabrito lá dentro do peito. O remédio era um só: recorrer ao faz-de-conta. E ao ver Hércules lançar contra o monstro a terceira seta, gritou:

— Faz de conta que essa é de ponta!

Remédio milagroso! A seta cravou-se no toitiço do javali ao lado das outras duas, mas com um efeito muito diferente. O monstro dá um urro, revira os olhos e descai sobre as patas traseiras como um animal descadeirado. Depois afocinhou.

Estava vencido...

— Hurrah! Hurrah!... — berrou Pedrinho — e de cima de todos os telhados hurras delirantes estrugiram. E Emília cantou o "Avé! Avé! Evoé..." que ela não sabia o que significava, mas achava um grito muito próprio para ocasiões assim.

Os micenianos escondidos no fundo das casas ou abrigados em cima dos telhados começaram a afluir à praça e breve uma grande multidão se juntou em redor do javali morto. Cada um dizia uma coisa ou dava uma ideia. Súbito, um boato entrou a circular: que Hércules andava associado a uma pequenina feiticeira dotada de forças maravilhosas. O rumor tivera origem na mexericagem do homem que viera na garupa de Meioameio; de lá assistira ele a toda a luta e ouvira o grito mágico da Emília: "Faz de conta que essa é de ponta".

— Sim, foi ela! — dizia o homem para o povo. — Eu vi tudo muito bem. Só depois de seu grito mágico é que as flechas de Hércules voltaram a ser mortais. Antes disso espetavam o javali e não lhe causavam o menor dano — e surgiu a ideia de uma manifestação popular à estranha criaturinha.

Aqueles rumores não tardaram a chegar aos ouvidos do rei, o qual, furioso com a intervenção da pequena feiticeira, deu ordem aos seus guardas para que a prendessem. Vendo as coisas nesse ponto, Pedrinho tomou uma resolução de verdadeiro chefe.

— Toca para o acampamento e na volada! — gritou. — Já, já!... — e o centaurinho rompeu no galope.

Minutos depois todos apeavam muito contentes junto ao Templo de Avia.

— Não gosto de povo nem de reis — disse Pedrinho. — É com a maior facilidade que eles passam dum extremo a outro. Nada como este nosso isolamento aqui, bem guardados como estamos pela clava de Hércules e pelo nosso amigo centauro. Mas... que fim levou Hércules?

Pedrinho olhou em todas as direções e não viu sinal do herói. Súbito, Emília gritou:

— Lá está ele!... Vem saindo da floresta.

Sim. Hércules vinha saindo da floresta, onde se internara a fim de escolher madeira para uma nova clava.

— Bom! — exclamou Pedrinho já sossegado. — Se Hércules está conosco, nada mais temos a temer.

AS CAVALARIÇAS DE AUGIAS

Capítulo I
AS CAVALARIÇAS DE AUGIAS

— Se as cavalariças de Augias exigem um Hércules para a sua limpeza, então esse rei tem cavalos que não acabam mais.

— Sim, possui-os inúmeros e além disso é ladrão de cavalos.

— Como?

— Certa vez um tal Neleu mandou quatro excelentes animais, já vencedores em várias provas, disputar uma corrida de carros na capital do reino de Augias. Sabem o que Augias fez? Gostou muito dos cavalos, elogiou-os para o auriga...

— Que é auriga?

— Cocheiro. Elogiou-os para o auriga e com o maior cinismo lhe disse: "Pode ir embora. Estes cavalos ficam sendo meus".

— Que patife! — exclamou Emília. —Eu pregava-lhe um coice... E que fez dos cavalos?

— Pôs junto com os demais, lá na sua imensa cavalariça.

Nesse ponto da conversa Pedrinho começou a abrir na cara o sorriso de quem descobriu a pólvora.

— Já estou percebendo o negócio! —disse ele. — Esse rei devia ter uma grande ideia na cabeça. Diga-me uma coisa: era fértil a terra lá onde ele morava?

— Sim. Muito fértil.

Pedrinho atrapalhou-se. Sua ideia fora que Augias estava acumulando esterco para fertilizar o reino; mas se as terras eram férteis, então, então...

— Então ele era um grande porco! — resolveu Emília e deu uma cuspidinha de nojo.

Quem estava contando aos picapauzinhos a história de Augias era um viandante. Em todas as aventuras pela Grécia eles encontravam, nos "momentos psicológicos", um viandante de aspecto venerável, que tudo sabia e tudo explicava. Da primeira vez ninguém desconfiou de coisa nenhuma; mas a coincidência daquele encontro em quase todas as aventuras fez que a hipótese da Emília fosse aceita: "Ele é um emissário de Palas, ou Minerva, a deusa da sabedoria; repare que aparece como por acaso nos momento que temos necessidade de saber qualquer coisa da história antiga ou da vida deste país". E Emília botou-lhe o nome de Minervino...

A réplica de Emília, achando que Augias era um grande porco, fez que o velho Minervino sorrisse; ele já estava acostumado com aqueles desbocamentos da ex--boneca.

— Não sei se o Rei Augias é isso, menininha, só sei que os seus estábulos são imensos e estão com uma camada de esterco como nunca foi vista igual no mundo.

— No mundo antigo pode ser — objetou Emília. — Lá no nosso mundo moderno "tivemos" as camadas de guano do Peru, que, segundo diz o Visconde, atingiam a metros de espessura. As das cavalariças de Augias não devem ser tão espessas, pois como então podem os cavalos entrar lá? Hão de bater com a cabeça no forro...

— Não sei — disse o velho viandante — nada vi com meus próprios olhos, mas ouço falar nisso. E agora vai para lá Hércules, com ordem de Euristeu para limpar as cavalariças de Augias. Estou curioso de ver como o nosso herói se desempenhará dessa missão.

Emília cuspiu de novo, com carinha de nojo e disse:

— Não vou gostar deste Quinto Trabalho de Lelé. Muito sujo... E o cheiro de tanto esterco deve ser horrível.

A palavra "cheiro" teve a propriedade de arrancar o Visconde do torpor em que se achava. O sabuguinho levantou-se e aproximou-se da Emília com os olhos muito arregalados e com o dedo no ar repetiu várias vezes a mesma palavra:

— O cheiro... O cheiro... O cheiro...

Todos julgaram que o Visconde houvesse enlouquecido de uma vez, mas não.

Ele havia apenas resolvido um problema — o terrível problema que o preocupava desde a véspera: "Por que razão havia Euristeu dado aquele trabalho a Hércules?". Sim, porque isso de limpar uma cavalariça, mesmo enorme como a de Augias, não era um trabalho na altura de Hércules, já que só exigia força física e paciência. Com uma boa turma de trabalhadores armados de enxadas e pás, qualquer empreiteiro pode limpar todas as cavalariças do mundo. Mas quando Emília falou em "cheiro", a cabecinha do Visconde iluminou-se.

— Sim, o cheiro!... Sim, o mau cheiro daquilo!... Deve ser um cheiro venenoso e mortal, uma espécie de gás asfixiante!... Euristeu lembrou-se de encarregar meu amo desse Trabalho não porque seja um Trabalho acima das forças de qualquer homem comum, mas porque as venenosas emanações do esterco revolvido vão afinal destruir meu amo...

O Visconde, como bom escudeiro, só tratava Hércules de "amo", tal qual Sancho com Dom Quixote.

Ao ouvir aquele monólogo, Pedrinho bateu palmas.

— Bravos ao Sherlock! Descobriu tudo!... Sim, só pode ser isso. E que vai aconselhar ao seu amo, Visconde?

— O emprego de uma boa máscara contra gás, daquelas usadas na Grande Guerra.

— E onde arranja tal máscara?

— Você constrói uma.

— Eu?... — exclamou o menino — e pôs-se a refletir. Já tinha visto uma das tais máscaras. Não era coisa muito complicada. Acontecia, porém, que as máscaras dependem dos gases, isto é, para tal gás tal máscara. Ora, não conhecendo ele o gás das cavalariças de Augias, não podia construir uma máscara de confiança, certa, segura, havendo a possibilidade de o pobre Hércules levar a breca com máscara e tudo. O problema era mais complicado do que parecia. Por fim, cansado de pensar naquilo, disse consigo mesmo: "Na hora veremos", e mudou de assunto.

— Escute, Minervino — pediu em seguida. — Conte-nos mais histórias desse Augias.

O velho viandante contou que Augias era um dos Argonautas; e depois teve de contar a história dos Argonautas; e para contar a história dos Argonautas teve de referir-se ao Tosão de Ouro. Pedrinho, que já ouvira falar no Tosão de Ouro, quis saber o que era. O viandante explicou:

— Um pelego de carneiro...

Foi um desapontamento. Pedrinho esperava coisa muito mais misteriosa.

— Sim — disse o viandante. — Um pelego, mas que pelego!... Provinha do carneiro mágico que levou pelos ares Frixo e Hele...

— Quem eram esses dois? — quis saber Emília.

O viandante coçou a cabeça, desanimado; depois disse:

— Estas histórias emendam-se de tal maneira uma na outra que não têm fim. Para explicar o caso dos argonautas tenho de ir recuando, recuando... Bom, Frixo era um herói beócio...

— Como beócio? Bobo?

— Não. Os beócios não eram bobos, eram apenas os nativos da Beócia, uma das partes da Grécia. Mas, por amor de Palas, Emília, pare com as perguntas, se não tenho que ir recuando até aos começos do mundo. Frixo, um herói beócio que juntamente com sua irmã Hele fora indicado para o sacrifício ao tempo de uma grande seca na zona, era dono de uma verdadeira preciosidade: um carneiro de velo de ouro...

— Que é velo? — quis saber Emília.

— É pelo — respondeu Minervino, já meio danado, e prosseguiu: — possuía esse carneiro de velo de ouro, que lhe fora dado por sua mãe Néfele. E foi nesse carneiro mágico que os dois irmãos fugiram momentos antes de serem levados para o altar do sacrifício. Fugiram, e ao passarem das terras da Europa para as da Ásia, Hele perdeu o equilíbrio e caiu no mar.

— Eles iam voando?

— Sim, os carneiros mágicos voam. Caiu no mar e desde aí aquela nesga de mar passou a chamar-se Helesponto, em homenagem à pobre Hele. O Visconde meteu o bedelhinho para dizer que nos tempos modernos o Helesponto mudara de nome, passando a chamar-se Dardanelos.

— E Frixo? Que fez? — perguntou Pedrinho.

— Frixo continuou no voo e desceu na Cólquida, onde sacrificou o precioso carneiro num templo de Ares.

O Visconde explicou que esse Ares era o mesmo deus Marte dos romanos.

— Sacrificou o carneiro, tirando-lhe a pele, deu-a de presente a Etes, o rei da Cólquida. Etes ficou radiante, porque era uma preciosidade sem-par no mundo, e guardou-o pendurado de um velho carvalho, com um terrível dragão junto ao tronco, de sentinela.

— Quem sabe se esse dragão não é o mesmo que São Jorge levou para a Lua? —sugeriu Emília, mas Pedrinho tapou-lhe a boca:

—Deixe Minervino falar.

O viandante prosseguiu:

— O caso espalhou-se imediatamente pela Grécia inteira, despertando as maiores invejas. Todos os reis gregos passaram a sonhar com o Tosão de Ouro — entre eles Pélias, o rei de Iolcos. Esse Pélias tinha um sobrinho que era herói...

— Pelo que vejo, isto de heróis nesta Grécia Antiga é uma profissão como a de capanga lá no nosso mundo moderno...

— Não atrapalhe, Emília! Continue, Minervino.

— Sim, Jasão, o tal sobrinho de Pélias, já estava com fama de herói e por isso Pélias o encarregou da grande empresa: ir à Cólquida e apoderar-se do Velo de Ouro, custasse o que custasse. Isso foi o começo da célebre expedição dos Argonautas.

Capítulo II
Os Argonautas

— E que fizeram esses Argonautas? — quis saber Emília.

— Embarcaram no navio *Argo*...

— E daí lhes vem o nome de Argonautas — observou sabiamente o Visconde. — "Nauta" quer dizer navegador. Argonautas são os navegadores do *Argo*.

Minervino olhou para o Visconde com espanto. Como sabia coisas aquela aranha de cartola! Depois contou que até Héracles fazia parte desse grupo de navegadores — Hércules, Castor, Pólux, Orfeu, Telamon, Peleu, todos comandados por Jasão.

— Era um grupo de heróis dos mais luzidos e valentes — e tinha de ser assim, dadas as tremendas dificuldades da empresa. A ordem do rei a Jasão era para lhe trazerem o Velo de Ouro "custasse o que custasse".

— E como foi que eles pegaram o pelego? Como se livraram do dragão?

— Ah, a história é comprida! — respondeu o viandante. — O rei da Cólquida tinha duas filhas feiticeiras, uma de nome Circe, muito famosa, e outra de nome Medeia, que ia ficar famosíssima justamente por causa da expedição dos Argonautas. Quando o *Argo*, depois de muitas voltas, chegou à Cólquida, Medeia conheceu Jasão e apaixonou-se. Foi um namoro que rendeu grandes coisas. Jasão contou-lhe muito em segredo ao que vinha, isto é, que vinha roubar o Velo de Ouro. Medeia assustou-se. O dragão era de fato terrível e invencível e acabaria devorando todos os Argonautas, se por acaso o atacassem de frente. Era preciso recorrerem à astúcia. "Vou fazer uma coisa", disse Medeia. "Sou mágica; sei de drogas para tudo e tenho uma que fará o dragão adormecer; esse dragão está guardando o velo justamente porque tem a propriedade de dormir com um olho e vigiar com outro — e então você furta o velo".

— Estou vendo — disse Emília — que nessa aventura dos Argonautas o verdadeiro herói não foi Jasão nem nenhum de seus companheiros. Foi Cupido...

— Quem é Cupido? — perguntou o viandante.

O Visconde explicou que Eros, o deus do Amor, iria chamar-se mais tarde Cupido, "porque todos estes deuses gregos de hoje vão mudar de nome; Zeus passará a ser Júpiter; Hera virará Juno; Palas passará a ser Minerva — e assim por diante. Até o meu amo Héracles passará a ser Hércules".

— Hum!... — exclamou o viandante como quem afinal compreende uma coisa. — Estou agora entendendo porque vocês o tratam de Hércules...

— Sim — disse o Visconde. — Meu amo é Héracles para vocês aqui desta Grécia Heroica. Nos nossos tempos modernos ele é Hércules, como Eros é Cupido... Continue lá a sua história.

O viandante continuou:

— Pois graças ao filtro que Medeia deu ao dragão é que o seu namorado conseguiu a pele do carneiro. O pobre dragão, pela primeira vez na vida, adormeceu com os dois olhos...Obtida a pele, o que aos Argonautas restava era fugirem dali com a maior rapidez — e lá zarpou o *Argo* com todas as velas soltas, levando a bordo Medeia.

— Fugiu com o namorado então?

— Fugiu e foram juntos para Iolcos, onde se casaram e ela realizou mágicas famosas.

— Conte uma — pediu Emília.

— A mais famosa de todas as mágicas de Medeia foi o "remoçamento" do velho Eson, pai de Jasão. Medeia picou o velho em pedacinhos e ferveu tudo numa grande caldeira. E do vapor fez que brotasse um Eson vivinho e moço...

— Que maravilha! — exclamou a ex-boneca. — Imagine se pilhássemos Medeia lá no sítio para picar e ferver Dona Benta e Tia Nastácia... Que lindo não seria Dona Benta aí com vinte anos e Tia Nastácia uma mucama toda requebrada de dezenove... E que mais houve com Medeia?

— Ah, nem queira saber!... Não houve o que ela não fizesse, inclusive dar cabo de Pélias, tio de Jasão, que havia ocupado o trono do velho Eson. Medeia usou duma engenhosa esperteza: convenceu as filhas de Pélias de que também podiam remoçar o pai por aquele processo da fervura na caldeira. As moças que o picassem e pusessem o picadinho numa caldeira; ela Medeia se encarregaria de fazê-lo renascer jovem e bonito. As bobas assim fizeram: mataram e picaram o pai e ferveram tudo na caldeira. Mas quando chegou a hora de reviver aquele picadinho, Medeia deu uma grande risada... O que ela queria era ver o Rei Pélias morto para que o seu esposo Jasão ocupasse o trono...

— Que danada! — exclamou Emília. — E deu certo a patifaria?

— Falhou, porque antes de Jasão pegar o trono, um irmão de Pélias, de nome Acasto, pegou-o primeiro... e Medeia e o marido tiveram de fugir para Corinto. Mas se eu for contar toda a história de Medeia, não acabo mais. Era mesmo uma danada, como disse esta menininha.

— E os Argonautas? Volte à história dos Argonautas — pediu Pedrinho.

— Ah, os Argonautas ainda fizeram mais que Medeia, em suas famosas viagens do *Argo*. Mas não vou contar nada disso. Contei o que contei unicamente para mostrar quem eram esses famosos aventureiros, entre os quais figurava o nosso Augias, rei da Élide — o homem do esterco.

Nesse ponto da história apareceram Hércules e Meioameio que tinham saído juntos para a caça ao almoço. Vinham vindo com um novilho — e o almoço daquele dia foi novilho ao espeto.

Hércules continuava preocupado com a incumbência que lhe dera Euristeu: limpar as cavalariças de Augias. Como fazer para a realização de semelhante coisa? E, cansado de pensar naquilo, pediu a opinião dos picapauzinhos.

— Que acha do meu caso, Emília? — perguntou à ex-boneca.

— Ainda não acho nada, Lelé. Estou ruminando...

— E você, escudeiro? — perguntou ao Visconde.

O sabuguinho expôs a sua teoria dos gases venenosos, que fatalmente escapariam dos estábulos quando tamanha massa de esterco fosse removida — e Hércules arregalou os olhos. Achou muito propósito naquilo.

— E você, oficial? — perguntou depois a Pedrinho.

Pedrinho também estava com medo das emanações mefíticas do esterco e andava a pensar num modo de remover de longe aquele guano. Assim se evitaria a aspiração dos gases.

— Tudo depende da situação das cavalariças — respondeu o menino. Se, por exemplo, houver um rio perto, que corra em nível mais alto que o das cavalariças, há um meio...

— Qual? — perguntou o herói, ansioso.

— Desviar o curso desse rio, de modo que ele jorre para dentro dos estábulos e leve para longe a estercaria toda...

O rosto de Hércules iluminou-se. Estava ali uma ideia realmente maravilhosa. Sim, jogando um rio para cima do esterco o caso se resolvia perfeitamente. E mais uma vez o herói assombrou-se da extraordinária inteligência daquele picapauzinho. Mas tinha que ver. Tinha que falar com Augias, obter dele autorização para a limpeza e depois examinar os arredores a fim de descobrir um rio de nível mais alto. E a debaterem o assunto lá prosseguiram na viagem rumo à Élide, depois de comido inteirinho o novilho assado.

Na manhã do outro dia entraram nas terras de Augias. Já de longe viram o seu palácio, e mais adiante as tais cavalariças. Oh, eram imensas! Davam para conter mais de mil cavalos. Pelos campos vizinhos pastava uma cavalhada solta que não tinha fim. Não havia dúvida: aquele Augias devia ser o maior ladrão de cavalos da Grécia Heroica.

Capítulo III
O REI AUGIAS

Chegados à capital, Hércules mandou que os picapauzinhos o esperassem em certo ponto fora da cidade e foi sozinho falar com o rei. Encontrou-o examinando um novo lote de lindos cavalos recebidos naquele momento.

— Majestade — disse Hércules reverentemente — aqui estou em trânsito e desejava fazer uma visita às famosas cavalariças de que tanto se fala na Grécia inteira.

Augias tinha orgulho de suas cavalariças e gostava de mostrá-las aos visitantes.

—Pois não — respondeu, e foi ele mesmo mostrá-las a Hércules.

Imensas! Davam para abrigar mais de mil, talvez dois mil cavalos, e Hércules notou que a camada de esterco era não só espessíssima como dura como um chão de terra batida. E abordou o assunto:

— Majestade, porque não faz nestas cavalariças uma limpeza em regra? Tanto esterco assim acumulado não pode fazer bem aos animais.

— Sim, já pensei — mas limpá-las como? Meus homens têm medo de mexer nisso — medo de envenenamento. E noto que meus cavalos já andam a ressentir-se. Tenho de limpá-las, sim, mas como?

Hércules correu os olhos pelas redondezas e perguntou como quem não quer:

— Majestade, não há aqui por perto algum rio?

O rei estranhou a pergunta, mas respondeu que sim — que passavam ali por perto dois rios, o Alfeu e o Peneu. Hércules então animou-se e disse:

— Pois, Majestade, proponho-me a limpar completamente estas cavalariças, sob uma condição...

— Qual?

— Pagar-me o serviço com dez por cento da cavalhada.

Augias segurou a barba e ficou pensando — ficou pensando num meio de tratar o serviço por aquele preço e depois passar a perna no herói. E piscando o olho respondeu:

— Pois aceito o negócio. Você me limpa as cavalariças e em pagamento recebe a décima parte dos meus animais. — Hércules, porém, sabia que os reis não são criaturas merecedoras de muita confiança e exigiu uma testemunha para maior garantia do contrato. E como estivesse presente o jovem Fileu, filho de Augias, pediu-lhe que testemunhasse o ajuste. Fileu concordou. Ficou como testemunha e fiador do pai.

— Pois muito bem — disse Hércules. — Amanhã começarei o serviço — e, despedindo-se de Augias, voltou para o lugar onde havia deixado os picapauzinhos.

— Pronto! — disse a Pedrinho. — Já contratei o serviço da limpeza e amanhã tenho de meter mãos à obra.

— E indagou da existência do rio?

— Sim, existem dois, o Alfeu e o Peneu.

— De nível mais alto que as cavalariças?

— Imagino que sim, mas não sei. Temos que verificar isso — e deu ordem ao escudeiro Sabugosa para tirar a limpo aquele ponto.

O Visconde era um sábio que sabia tudo, inclusive medir o nível dum lugar em relação a outro, como fazem os engenheiros. Pediu a Pedrinho que o pusesse sobre o lombo de Meioameio e lá se foi no galope. Uma hora depois voltava com boas notícias.

— Fiz os cálculos necessários — disse ele — e meu amo pode ficar certo de que os dois rios correm três metros acima do nível das cavalariças.

— Como o verificou? — quis saber o herói.

—Por meio de cálculos geométricos e trigonométricos — respondeu o sabugo científico, deixando o herói na mesma. O pobre Hércules nem sequer desconfiava da existência da Geometria e da Trigonometria. — Mas — continuou o Visconde — medi o volume das águas dos rios e verifiquei que só juntando os dois poderemos ter o enxurro necessário para remover a estercaria toda.

Juntar no mesmo leito as águas dos dois rios era coisa muito simples para um "massa bruta" como Hércules, porque dependia apenas de força física. Mas... e se depois de juntas as duas águas a torrente resultante corresse noutro rumo que não no das cavalariças?

— Também estudei esse ponto — disse o Visconde. — A topografia do terreno nos favorece. Se as águas forem encaminhadas para tal e tal rumo, entrarão por uma garganta que vai despejar a jusante das cavalariças.

Hércules tonteou com aquele "jusante" de engenheiro... Mas entendeu mais ou menos. Se era assim, então estava o caso resolvido. Com as águas do Alfeu reunidas às do Peneu obtinha ele um volume torrencial com a força suficiente para arrastar toda aquela estercaria — e tratou de ir realizar o trabalho da junção das águas.

Enquanto isso, lá no palácio o Rei Augias esfregava as mãos, contentíssimo. "Se ele executar a tremenda empreitada, eu resolvo o grande problema que tanto me preocupa; mas isso de pagar o serviço com a décima parte de meus animais me parece muita coisa...". E ficou a refletir no meio de lograr o herói. Nesse momento entrou na sala do trono um intrigante de nome Lepreu, o qual disse:

—Já descobri tudo, Augias. Héracles veio cá por instigação do Rei Euristeu...

— Por instigação de Euristeu? — repetiu Augias. — Hum!... Isto tem água no bico... — e deu uma risada gostosa, como quem acaba de descobrir a solução dum problema.

— De que está a rir-se? — perguntou Lepreu.

— Uma boa ideia que me veio — disse Augias, mas calou-se, não revelou o seu pensamento.

No dia seguinte ao meio-dia já os trabalhos de escavação estavam prontos; só faltava romper uma barreira para que os dois rios se juntassem. Os picapauzinhos foram para junto do herói, a fim de assistirem à junção das águas. Chegada a hora, Emília contou: um... dois e...três! Na voz de três, Hércules pregou um tremendo pontapé na barreira. A terra voou longe e as águas do Alfeu e do Peneu se juntaram com grande fragor. E escachoando numa espumarada cor de terra vermelha, rolaram em torrente pela garganta que ia ter às cavalariças.

Nesse momento Pedrinho teve uma ideia de primeira ordem.

— Hércules, Hércules! — gritou ele. — Você esqueceu-se duma coisa: arrombar as paredes das cavalariças na face em que a água vai bater. Se não fizer isso, a enxurrada passa dos lados e todo o seu esforço estará perdido.

Hércules viu que era mesmo e foi voando para as cavalariças. Tinha de arrombar a parede antes que o enxurro chegasse — coisa muito simples, pois que só exigia força. Com meia dúzia de pontapés demoliu as paredes. Logo depois a torrente de lama chegou e foi enveredando pelo rombo aberto. Os cavalos presos lá dentro fugiram espavoridos, enquanto a água ia arrancando enormes placas de estercaria velha, revolvendo aquilo e arrastando tudo para longe.

Uma hora depois não havia naqueles estábulos nem cheiro da imensa porcaria acumulada. Hércules então tratou de barrar as águas reunidas e fazê-las novamente correr pelos velhos leitos do Alfeu e do Peneu.

Pronto! Estava realizado mais um dos famosos Trabalhos de Hércules: a limpeza das cavalariças de Augias. Só lhe restava agora ir ter com o rei e cobrar o preço da empreitada.

Hércules foi procurá-lo.

— Pronto, Majestade! As vossas cavalariças acham-se mais limpas que o chão deste palácio.

Augias estava contentíssimo daquilo, mas como fosse um grande patife não tinha a menor ideia de cumprir o trato. E veio com a desculpa mais indecente do mundo.

— Sim — disse ele. — Reconheço que o trabalho de limpeza foi realizado de maneira perfeita, e em paga desse serviço quero ter o gosto de oferecer ao amigo Hércules um excelente cavalo de sela.

— Um cavalo de sela? — repetiu o herói, atônito. — Como isso? Nosso trato foi o pagamento do décimo da cavalhada.

Augias riu-se e negou com o maior cinismo.

— Não me lembro de ter feito semelhante acordo...

Eileu, o filho de Augias, estava presente. Era um moço honesto, que não havia puxado o mau caráter do pai. Ao ouvir aquilo, adiantou-se e disse:

— Perdão, meu pai! Fui testemunha do trato. Meu pai prometeu a Héracles, em troca da limpeza das cavalariças a décima parte da cavalhada.

Augias mordeu os beiços, danado com a intervenção daquele "mau" filho, e agarrou-se a outro pretexto.

— Sim, pode ser que eu haja feito essa combinação. Minha memória às vezes falha. Mas se acaso a fiz, não sou obrigado a cumpri-la, porque o Senhor Héracles veio cá limpar as minhas cavalariças por instigação do Rei Euristeu, e portanto não me sujeito às suas sugestões. Se quer um cavalo de sela em paga do serviço, escolha--o. Se não quer, então que se ponha daqui para fora imediatamente — e você também, Fileu! Um rapaz da sua idade, filho de rei, que não sabe agir politicamente nada merece de seu pai. Ponham-se daqui para fora os dois!

Hércules teve vontade de rachar aquele rei pelo meio, mas conteve-se. Disse apenas:

— Isto não ficará assim, Majestade. Dentro de alguns dias darei a minha resposta — e retirou-se.

Quando os picapauzinhos souberam do infame procedimento de Augias, encheram-se da mais nobre indignação. Emília quis aplicar um golpe faz-de-conta. Hércules sossegou-os.

— Qualquer coisa que fizermos para este rei, ele lançará contra nós os seus soldados, que são muitos, e estaremos perdidos. Minha resposta vai ser outra. Vou formar um grande exército, a cuja frente virei destronar Augias e colocar no trono o meu honesto amigo Fileu. — disse apoiando a mão sobre o ombro do moço.

Se fôssemos contar a história inteira da formação do exército de Hércules teríamos, só para isso, de encher mil páginas. Diremos apenas que Hércules formou o seu exército e veio atacar o Rei Augias. O Visconde foi encarregado do serviço da Intendência militar; Pedrinho assumiu o cargo de chefe do Estado-Maior — e Emília encarregou-se da espionagem. Mas apesar de toda aquela excelente organização, a luta acabou em desastre, e isso por causa dum acidente que ninguém esperou: a súbita doença de Hércules. Antes de travar-se a batalha o herói caiu de cama com uma febre altíssima.

O seu fiel escudeiro Sabugosa teve de largar a Intendência e vir tratar do bom amo. Tomou-lhe o pulso, examinou-lhe a língua.

— Está saburrosa, sim — disse o sabuguinho. — Os sintomas são de envenenamento. Meu amo envenenou-se com os gases mefíticos das cavalariças de Augias. Até eu senti dor de cabeça naquele dia.

— E eu, uma tontura — declarou Emília.

— E eu, uma azia de estômago — declarou Pedrinho.

— E eu, um calafrio — declarou Meioameio.

— Pois é — concluiu o Visconde. —Tudo isso, efeitos dos gases letais daquela infame esterqueira. Mas como estávamos muito longe, respiramos apenas um mínimo de gás. Já meu amo teve de aproximar-se para arrombar as paredes e foi então que se envenenou.

— E por que só agora se manifestaram os efeitos dos gases? — interpelou Pedrinho.

— Porque num organismo forte como o de meu amo um veneno leva semanas para agir. As defesas orgânicas dos seres hercúleos são também hercúleas.

Meioameio estava de boca aberta diante da ciência do sabuguinho.

Aquela inoportuna doença de Hércules foi um desastre, porque o exército se viu privado de seu grande chefe e foi facilmente derrotado pelas forças de Augias.

Hércules teve de fugir e ficar oculto num bosque durante toda a doença. Como se debateu no incêndio da febre!

Como delirou!... E teria morrido, se não fosse o acerto das drogas que o Visconde lhe deu a beber, preparadas com ervas dali mesmo — mentruz-de-sapo, digitalis, beladona e outras.

Capítulo IV
SEGUNDA EXPEDIÇÃO DE HÉRCULES

Doze dias durou a doença de Hércules. No décimo terceiro a febre começou a ceder e o Visconde disse:

— Meu amo está salvo!

O regozijo foi imenso. Meioameio saiu no galope pelos campos vizinhos, a corcovear, a dar coices para o ar, a espojar-se na relva, feliz como um potrinho novo. Durante os doze dias da doença do herói, Meioameio não arredara pé ali de sua cama de folhas secas.

Pedrinho foi quem ouviu as primeiras palavras de Hércules já salvo do perigo.

— Onde estou eu? — perguntou o convalescente. — Que houve? — E ao saber que o seu exército fora destroçado e ele estava oculto numa floresta, chorou de paixão. O Visconde deu-lhe um chazinho de erva-cidreira para acalmá-lo. Hércules caiu em sonolência profunda. No dia seguinte pulou da cama, já completamente bom.

— E agora? — perguntou Emília.

— Agora, figurinha, agora tenho de levantar outro exército e fazer com o Rei Augias o que fiz com a parede de sua cavalariça; mandá-lo para o beleléu com um bom pontapé.

Hércules havia aprendido com a Emília a palavra "beleléu" e volta e meia aplicava-a.

A organização do novo exército foi fácil e rápida, porque já tinham a experiência do primeiro. O Visconde voltou a dirigir o Serviço de Intendência e Pedrinho passou de chefe do Estado Maior a Ajudante de Ordens do General Hércules.

— E que aconteceu?

— Ah, aconteceu que o exército de Augias levou a maior surra de que há memória na Grécia Antiga. Augias foi arrancado de seu trono e jogado pela janela como se fosse um caco de telha. Caiu a duzentos metros de distância, espatifando-se todo.

Depois da tremenda vitória, o herói indagou do paradeiro de seu amigo o jovem Fileu.

— Está na Dulíquia — informaram-no.

Hércules chamou Meioameio e disse:

— Vá voando à Dulíquia e traga-me cá Fileu.

— Onde é a Dulíquia? — perguntou o centaurinho.

— Não sei — berrou Hércules. — Pergunte. Vá num pé e volte noutro. Meio-ameio saiu com velocidade dum vendaval. Duas horas depois voltava coberto de suor espumarento, mas com Fileu no lombo. Hércules abraçou-o e disse:

— Augias está morto e seu exército derrotado. O novo rei é você — e fincou-o no trono.

Depois disse ao escudeiro:

— Avise aos povos da Élide que o novo rei é Fileu.

O Visconde chegou à janela, pediu a Pedrinho que o erguesse no ar, e com sua voz de milho gritou para a multidão aglomerada defronte:

— Rei morto, rei posto! Viva Sua Majestade o Rei Fileu!

— Viva! Viva! — aclamou a multidão com o maior entusiasmo, porque ninguém na Élide gostava de Augias.

E assim terminou a segunda expedição de Hércules.

— Bom. E agora? — perguntou Pedrinho depois de tudo terminado.

— Agora temos de voltar a Micenas. Preciso dar conta a Euristeu da realização de mais este Trabalho.

Emília, que andava "por aqui" com o tal Euristeu, desabafou.

— Por que não vai lá e não faz com ele o mesmo que fez com Augias?

— Impossível, figurinha! Euristeu é protegido de Hera...

Foi nesse instante que o Visconde de Sabugosa deu o primeiro sinal positivo de loucura. Estava sentadinho por ali ouvindo a conversa dos outros, de cartola na cabeça, como sempre. Aquela cartola fazia parte do Visconde, não era como o chapéu comum dos homens que é posto na cabeça e tirado quando dentro de casa. O Visconde não tirava da cabeça a cartola nem nas igrejas. Também não cumprimentava a ninguém pelo sistema de "tirar o chapéu". Dizia só "Olá", fazendo um gestinho de adeus, ainda que o cumprimentado fosse o próprio Júpiter. Também comia e dormia de cartola na cabeça. Pois naquela tarde tudo mudou. Assim que da boca de Hércules saiu o nome da deusa Hera, o sabuguinho tirou da cabeça a cartola e jogou-a longe. Depois deu uma gargalhada histérica e resmungou: "Hera! Hera! Era uma vez uma vaca amarela que entrou por uma porta e saiu por outra. Quem quiser que conte outra...".

Todos estranharam aquilo — aqueles modos e aquelas palavras tão impróprias de um sábio. E mais ainda quando o Visconde segurou as palhinhas do pescoço, como se fossem barbas repartidas ao meio, e disse com ar satisfeito:

— As armas e os barões assinalados... barões e viscondes. Viscondes e condes de Monte Cristo. Condes de Monte Cristo e duques e marquesas, e comendadores, e coronéis e cabos-de-esquadra e eu... e eu... e eu. Bumba-meu-boi! Zubumba! Os Zumbis... os Zumbis... os Zumbis — e seus olhos pareciam querer saltar das órbitas.

Não havia a menor dúvida: o pobre Visconde de Sabugosa enlouquecera! Já de algum tempo vinha mostrando certos sinais de perturbação dos miolos, mas com intervalos de perfeita lucidez. Agora, porém, a incoerência de suas ideias já não deixava nenhuma dúvida. Louco... Louquíssimo...

A consternação foi geral. Hércules suspirou uma vez, e depois outra e outra. Pedrinho ficou profundamente apreensivo e Emília danou.

— Em vez de enlouquecer lá no sítio, onde temos todos os recursos, este estrepe vem enlouquecer justamente aqui, para nos atrapalhar a viagem! E para mim essa loucura é fingimento. Como sabe que todos os heróis acabam loucos, ou passam durante a vida por um período de loucura, está "bancando" o louco, para ficar igual a Hércules, a Rolando, a Dom Quixote...

Pedrinho ameaçou-a de um beliscão se continuasse a fazer tão má ideia do pobre sabuguinho.

— Não há nada na vida do Visconde que justifique semelhante hipótese, Emília. O Visconde sempre foi honestíssimo, incapaz duma mentira...

— Mentiu sim — berrou Emília — naquela vez do pau falante!

— Mentiu à força, coitadinho. Você obrigou-o a mentir. Espontaneamente o Visconde jamais mentiu nem uma isca de mentira em toda a sua existência. Para mim ele é o modelo dos sabugos.

— Mas isso não é razão para vir nos atrapalhar com uma loucura tão fora de propósito — insistiu Emília. — Quer ficar louco? Vá ficar louco na casa de sua sogra...

O Visconde não dava o menor tento ao que dele diziam. Continuava a pronunciar palavras sem nexo, quase sempre científicas:

—A metempsicose tem suas raízes na Índia... A sobrevivência do mais forte... Hormônios... Fava de Santo Inácio...— isso em meio a uma série de gargalhadas histéricas e arrepiantes. Depois, ah, depois fez tal qual Dom Quixote quando o famoso herói da Mancha se despediu de Sancho para ficar de retiro e penitência na montanha. Dom Quixote despediu-se de Sancho e pôs-se a virar cambalhotas, em fraldas de camisa... Pois o Visconde fez a mesma coisa; deu uma série de cambalhotas e ficou a fazer experiência de andar com as mãos no chão e os pés no ar...

Nesse ponto Pedrinho não reteve as lágrimas — chorou, e Hércules desviou o rosto para que não vissem a lágrima que também lhe veio. Mas Emília, nada! Nada de comover-se. Estava a rir-se ironicamente e a caçoar do pobrezinho.

— Cambalhotas mais feias nunca vi. Um verdadeiro sábio não enlouquece desse jeito tão bobo. Se não fossem as suas defesas orgânicas (Pedrinho e Hércules), eu o agarrava agora e depenava...

Ao ouvir aquele "depenava", o Visconde interrompeu as cabriolas e pôs-se a tremer como geleia. Era o antigo pavor que mesmo na demência reaparecia: o velho medo de ser "depenado" de suas pernas e seus braços. Tanto Emília o ameaçou com isso, desde os começos da vida do Visconde, que o terror ficou incrustado em seu subconsciente — e agora, na loucura, manifestava-se naquele tremor. Depois o coitadinho caiu de joelhos, começou a rezar e a fazer pelo-sinais.

Capítulo V
O LOUCO

— Pronto! — exclamou Emília. —Agora é que está perdido de uma vez. Dona Benta diz que as loucuras religiosas são incuráveis.

O Visconde rezava num murmúrio imperceptível. Pedrinho aproximou-se para ouvir. Eram palavras incoerentes de louco varrido:

—Fava de Santo Inácio... Erva de Santa Maria... Xarope de São João... Melão-de--são-caetano...

Emília teve uma ideia.

— Esperem!... Esperem!... Já sei... Ele está nos sugerindo uma coisa: que há remédios no mundo e que se lhe derem um bom remédio talvez o curem.

Pedrinho achou razoável aquilo.

— Sim. Pode ser. Mas que remédio podemos dar ao Visconde? De medicina eu não entendo nada.

— Lelé há de entender alguma coisa. Pergunte-lhe.

Pedrinho perguntou a Hércules se entendia de remédios.

— Não, mas sei onde mora um homem que é o mais sabido em doenças e curas de toda a Grécia.

— Quem é?

— O grande Esculápio, o herói da medicina.

— E onde poderemos encontrá-lo?

— Esculápio é um filho de Apolo que foi educado pelo meu amigo Quiron, na cidade de Epidauro. Tudo quanto Quiron sabia da arte de curar, transmitiu-o ao moço — e Esculápio revelou-se um desses alunos que ficam sabendo mais que os mestres. No tempo da nossa expedição para a conquista do Pelego de Ouro, o médico do *Argo* era ele, e durante toda a campanha foi quem nos curou todas as feridas e males. E sei que sua ciência nunca parou de crescer. Já no tempo do *Argo* conseguia ressuscitar mortos...

— Ressuscitar mortos? — repetiu Pedrinho com assombro.

— Sim — reafirmou Hércules. — Diante de meus olhos ressuscitou vários companheiros, como Licurgo, Tíndaro, Glauco, e mais tarde ressuscitou Hipólito, vítima da Rainha Fedra. Podemos dar um pulo até Epidauro para uma consulta a esse semideus da medicina. Se Esculápio não curar o meu escudeiro, quem o curará?

— Sim — repetiu Pedrinho. — Para quem ressuscita gente morta, curar uma loucurinha como a do Visconde deve ser brincadeira de criança. Mas como levar o pobre Visconde? Os loucos têm que andar amarrados ou em camisas-de-força.

— Ou em gaiolas! — berrou Emília. — Na loucura de Dom Quixote o remédio foi uma boa jaula.

Pedrinho não achou fora de propósito a ideia. Se levassem o Visconde solto, isso iria exigir uma vigilância permanente, diurna e noturna — coisa muito cansativa. Mas uma boa gaiola dispensava tal vigilância — e assim pensando, foi cortar varas na floresta para construir a gaiola do louco.

Que momento doloroso o em que, depois de feita a gaiola, Pedrinho agarrou o Visconde e botou-o lá dentro como se fosse um passarinho!

Até Emília se comoveu. O pobre demente ficou de pé, agarrado às varetas da gaiola, gritando:

—O binômio de Newton!... O quadrado da hipotenusa!... A Cabeleira de Berenice... — tudo coisas científicas. Os verdadeiros sábios só têm uma coisa dentro de si: ciência, e mais ciência.

— Ele sempre foi assim — disse Emília. — Daquela vez lá no sítio em que ficou com "obstrução de álgebra", o Doutor Caramujo abriu-lhe a barriga e tirou um mundo de letras, sinais e coisas algébricas. Foi então que vi que os sábios têm um verdadeiro recheio de ciência nas tripas...

Outra dificuldade se apresentou: como levar até Epidauro aquela gaiola com o louquinho dentro? Meioameio opôs dificuldades. Com a gaiola no lombo ele não poderia galopar, ficaria com os movimentos embaraçados. Quem resolveu o problema foi Hércules.

— Posso levá-lo a tiracolo, como levo a minha aljava de setas — e foi o que se fez. Pedrinho arranjou uma correia e com ela amarrou a gaiolinha na aljava do herói...

A viagem até Epidauro foi muito triste. Hércules já havia criado amor ao seu escudeiro, e os outros estavam apreensivos, com medo de que o louco não aguentasse a caminhada e falecesse no caminho. Emília resmungava como negra velha, apesar das advertências e ameaças de Pedrinho.

— Hei de contar a vovó essa sua maldade, Emília. Todos aqui, até Meioameio, estamos tristíssimos com o caso do Visconde — só você, em vez de tristeza, está que é só gana... Coisa mais feia nunca vi...

— Não nasci para enfermeira — disse a diabinha. — Acho que quem ficar doente ou louco deve ir para a casa de sua sogra.

— Mas o Visconde não quis ficar doente! — berrou Pedrinho. —Ficou louco sem querer, em virtude dos gases venenosos.

— Por que não tapou o nariz, como eu?

— Esquecimento, Emília. Você não ignora que os verdadeiros sábios são muito distraídos. Ele esqueceu-se de tapar o nariz.

— Pois quem se esquece de tapar o nariz numa ocasião como aquela é bem merecedor de que os outros também o esqueçam à beira duma estrada...

E assim discutindo chegaram a Epidauro.

Hércules indagou da residência de Esculápio e recebeu uma desanimadora informação. E sabem dada por quem? Pelo famoso viandante que aparecia nos momentos mais oportunos. Quem o viu primeiro foi a Emília.

— Olhem quem ressuscitou: Minervino!...

— Onde?

— Lá vem ao nosso encontro...

Nada mais certo. O misterioso viandante aproximou-se e saudou-os como a velhos camaradas.

— Então, por aqui? Que querem em Epidauro?

Hércules contou a história da loucura de seu escudeiro e disse que tinham vindo consultar o famoso Esculápio, o semideus da medicina.

O viandante suspirou.

— Ai de nós!... — disse num gemido. — O grande mestre da arte de curar já não reside entre os gregos...

— Para onde foi?

O viandante apontou para o céu.

— Zeus o transformou numa das constelações da abóbada celeste...

— Por quê?

— Ah, meu amigo, Esculápio aperfeiçoou-se demais na sua ciência, e daí lhe veio a perdição. Não se limitava a só curar os doentes, também ressuscitava os mortos. E tantas ressurreições fez, que Plutão, o deus dos infernos, inquietou-se e foi queixar-se a Zeus: "Esculápio está baixando muito a população do meu reino. A barca de Caronte, transportadora dos mortos, já não encontra passageiros". Zeus franziu a testa. "Por quê?", perguntou. E Plutão respondeu: "Porque Esculápio anda a ressuscitar todos os que morrem". Zeus refletiu consigo que aquilo era de fato uma grande irregularidade na ordem das coisas. Se Esculápio devolvia a vida aos mortos, então estava se tornando um deus como os do Olimpo — e, cheio de ciúmes, fulminou-o com um raio. Depois, reconhecendo o grande mérito do fulminado, transformou-o numa das constelações do céu.

— Em qual delas?

— Na constelação da Serpente.

— Por que da Serpente e não do Jacaré?

— Porque o Galo, o Cão e a Serpente haviam sido consagrados ao grande Esculápio.

— Mas por que o Galo, o Cão e a Serpente e não o Rato, o Coelho e o Hipopótamo? — insistiu Emília.

O viandante calmamente explicou.

— Porque o Galo e o Cão correspondem aos símbolos da Vigilância — e os bons médicos devem estar sempre vigilantes à cabeceira dos enfermos; e a Serpente porque é o símbolo da Prudência, qualidade indispensável aos médicos de peso.

Pedrinho observou que no mundo moderno a Serpente ainda era um dos símbolos da medicina.

Hércules ficou desapontadíssimo com aquele desfecho. Já que Esculápio não existia, que fazer do seu escudeirinho louco?

Emília bateu na testa: sinal de ideia de primeira ordem.

— Já achei a solução! — berrou. — Esculápio não existe, mas existe Medeia. Levemos-lhe o Visconde. Ela pica-o em pedacinhos, ferve tudo num caldeirão e do vapor extrai um Visconde novo, moço, lindo e sem loucura nenhuma.

Os outros entreolharam-se. Não havia dúvida que era uma solução.

— Mas onde encontraremos Medeia? — perguntou Pedrinho.

— Minervino há de saber — disse Emília, e olhou para o viandante.

O velho sorriu, como quem de fato sabia do paradeiro de Medeia. E Hércules também sorriu, mas de outra coisa; da estranha coincidência de também ter sido Medeia quem o curara da sua loucura.

— Sim — disse. — Foi Medeia quem me curou da loucura em Tebas, mas ignoro onde reside hoje essa grande mágica.

— Está numa cidade da Ática, casada com o velho Rei Egeu — informou o viandante.

— Pois então vamos para lá — determinou Hércules.

Capítulo VI
No palácio de Medeia

Foi outra viagem muito penosa e triste a que fizeram em procura da grande mágica. Afinal chegaram. Medeia reconheceu o herói que anos antes ela havia curado da loucura e perguntou-lhe ao que vinha.

Hércules respondeu:

— Andamos peregrinando em procura de quem restabeleça o meu escudeiro Sabugosa.

— Que tem ele?

— Loucura. Respirou os maus gases das cavalariças de Augias e ficou desarranjadinho da cabeça.

— Pois traga-o à minha presença —respondeu Medeia — e assombrou-se quando Hércules abriu a gaiolinha a tiracolo e tirou de dentro o pobre sabugo científico.

— Isto?... Então é isto o escudeiro do grande herói nacional da Grécia?...

Muito custou a Hércules convencê-la de que se fisicamente o Visconde era aquilo só, em ciência era um sábio maior que todos os sábios de Atenas — e contou-lhe diversas passagenzinhas científicas do Visconde.

Medeia olhou para Hércules com certa desconfiança, como quem está pensando: "Será que eu não o curei bem curado? Será que está novamente de miolo mole?". E só depois do testemunho dos outros, de Pedrinho, Emília e até de Meioameio, é que deliberou consertar oVisconde.

— Dê-me isso aqui — disse ela — e pegando o Visconde arrancou-lhe os braços, as perninhas e a cabeça; depois picou o tronco inteiro com uma faca.

Lançou tudo numa caldeira e acendeu o fogo. Com alguns minutos de fervura o picadinho ficou no ponto. Um vapor grosso ergueu-se da caldeira. Medeia rezou as suas palavras mágicas — e com o maior assombro todos viram surgir um Visconde de Sabugosa novinho em folha, jovem e corado, sem a menor sombra de loucura nos miolos...

— Pronto! — disse ela entregando ao herói o escudeiro consertado. — Pode levá-lo, mas em paga quero uma coisa: e cochichou-lhe ao ouvido o que desejava em pagamento da cura do Visconde.

— Oh, impossível! — respondeu o herói.

— Impossível por quê? — teimou Medeia e Hércules puxou-a de banda para um prolongado cochicho.

Emília estranhou aquela conspiração em que volta e meia os dois olhavam para ela, mas nunca veio a descobrir a causa. Fora o seguinte. Medeia, como boa feiticeira, já havia descoberto o grande "segredo mágico" de Emília, e estava pedindo ao herói que lhe desse como pagamento da cura do Visconde "aquela criatura tão maravilhosa". Mas que "segredo mágico" era esse que interessava até a uma grande feiticeira como Medeia? Simplesmente o "faz-de-conta" como qual Emília solucionava os casos mais difíceis. A história da aplicação do "faz-de-conta" na luta entre Hércules e o Javali do Erimanto já havia chegado até aos ouvidos de Medeia.

E foi uma felicidade que Emília não viesse a saber da proposta de Medeia, pois que do contrário havia de querer ficar no palácio da grande feiticeira para picar gente e ferver o picadinho no caldeirão mágico. Só divertimentos assim encantavam realmente a diabinha.

Enquanto Hércules conversava com Medeia, Emília e Pedrinho examinavam e reexaminavam o Visconde novo. "Vire de costas" — dizia um. — "Agora vá até lá" — dizia outro. — "Dê uma carreirinha num pé só" — mandou Emília — e o Visconde saiu pulando num pé só, como o saci, coisa que nunca havia feito em sua vida.

— Ótimo! — exclamou Emília. — Medeia nos deu um Visconde mais esperto e ágil que um macaco. Resta saber se é sábio como o Visconde velho. Pergunte-lhe qualquer coisa de ciência, Pedrinho.

E o menino perguntou:

— Quantos dedos tem uma mão-de-milho?

— Cinquenta! — respondeu o belo viscondinho, e explicou: —"Mão-de-milho" é uma medida de milho ainda em espigas. Cada mão-de-milho tem vinte e cinco pares de espigas. Logo, as espigas são os dedos da mão-de-milh o. E como vinte e cinco pares de espigas são cinquenta espigas, a mão-de-milho tem cinquenta dedos!...

Pedrinho abriu a boca diante da esperteza do Visconde fervido — e teve vontade de pedir a Medeia que também o fervesse a ele em sua caldeira mágica.

Imaginem que Pedrinho não sairia!

Hércules não pôde pagar a Medeia o preço da cura do Visconde, teve de ficar devendo. Despediu-se dela e retirou-se segurando Emília pela mãozinha — de medo que no último instante a terrível feiticeira a raptasse.

Nada mais tinham a fazer ali. Era tempo de voltarem a Micenas a fim de que o herói desse conta a Euristeu da execução do Quinto Trabalho.

Puseram-se a caminho, e no dia seguinte tiveram mais uma vez a preciosa companhia do tal viandante. E o estranho é que ele apareceu justamente na horinha em que Emília desejou saber a história de Circe, a irmã de Medeia...

— Que pena Minervino não estar aqui para nos contar a história da Circe! — havia dito a ex-boneca — e como por encanto Minervino apareceu. Uma coincidência assim era para espantar qualquer criatura — mas que é que espantava os picapauzinhos? Em vez de arregalar os olhos, Emília disse com a maior naturalidade:

— Conte-nos, Minervino, a história da Circe, irmã de Medeia...

E o viandante contou.

— Ah, Circe foi a mais famosa feiticeira de todos os tempos. Sua história é toda um romance...

— Pois leia-nos esse romance — pediu Emília.

Minervino limpou o pigarro e falou da Ilha de Ea onde morava Circe.

— Que maravilhosa ilha!—disse ele. — O palácio da feiticeira era um puro encanto. Impossível maior luxo. E lá dentro vivia Circe uma verdadeira vida de sonho, cantando, dançando ou fazendo preciosíssimos bordados no meio de numerosos leões, tigres, lobos e outros animais selvagens...

— Que história é essa? — exclamou Emília, intrigada. — Não estou entendendo...

— Circe era possuidora de uma beleza sem-par — explicou o viandante — de modo que vivia atraindo heróis para a sua ilha. Mas assim que eles desembarcavam, ela os tocava com a sua varinha mágica e os virava no que queria, leões, tigres, lobos... Quando de volta da Guerra de Troia o navio de Ulisses aportou naquela ilha, a curiosidade de muitos companheiros do herói fez que eles fossem espiar a famosa feiticeira — e Circe, *zás!*, transformou-os em porcos.

— Em porcos? Coitados...

— Sim, em porcos. Mas um que escapou da triste sina foi contar tudo a Ulisses. Este Ulisses era o verdadeiro símbolo da habilidade humana e da astúcia.

Ao saber da sorte dos companheiros, refletiu, e tratou de aconselhar-se com Hermes, de quem era protegido. Hermes deu-lhe uma planta mágica que o defenderia de todos os sortilégios de Circe e instruiu-o de tudo quanto tinha a fazer. E lá vai Ulisses, muito fresco da vida, para o palácio de Circe. E tais e tantas fez com suas histórias e manhas que acabou enfeitiçando a feiticeira. A boba ficou perdidinha de amor por ele. Ora, quem ama nada nega ao objeto amado — e Ulisses conseguiu que a feiticeira "desvirasse" os seus companheiros transformados em porcos. Voltaram a ser homens outra vez. Ulisses passou todo um ano na ilha de Ea, enlevado na beleza de Circe; e depois, com muito jeitinho, conseguiu licença para dar um pulo até à Ilha de Ítaca...

— Eu sei! — disse Pedrinho. — Ítaca era a terra desse herói, onde morava a sua fiel esposa Penélope, sempre a fazer aquele bordado que não acabava mais.

— Por que não acabava mais? — quis saber Emília.

— Porque Penélope desmanchava de noite o pedaço feito de dia.

— E para que essa bobagem?

Pedrinho danou.

— Boba é você com tantas perguntas. Não sabe então a história de Penélope, que vovó contou? Penélope era a fiel esposa de Ulisses, o qual havia ido com todos aqueles heróis de Homero para a famosa Guerra de Troia, a qual durou dez anos. Terminada a guerra, levou Ulisses outros dez anos em viagens por mar e aventuras maravilhosas, antes de chegar à sua Ilha de Ítaca...

— E a pobre da Penélope passou todo esse tempo a esperá-lo? Mulher mais boba nunca vi!...

— Sim — disse o viandante. — Ela era um símbolo de fidelidade conjugal.

— A boba número um é o que ela era! — berrou Emília. — Vinte anos a esperar um marido que não fazia outra coisa senão namorar todas as Circes do caminho! Ah, se fosse eu...

— Sim, Penélope esperou-o com a maior paciência — prosseguiu Minervino — e para ganhar tempo e iludir os numerosos príncipes que a cortejavam...

— Por que a cortejavam?

— Todos queriam casar-se com ela a fim de ocupar o trono de Ulisses. E ela então...

— Já sei! — interrompeu Emília. — A palerma ficou a fazer o tal bordado que não acabava mais — a tal teia de Penélope. Agora me lembro que Dona Benta nos contou isso.

Minervino quis saber quem era essa tal Dona Benta de quem volta e meia os picapauzinhos falavam. Emília explicou:

— Ah, meu amigo, Dona Benta é uma Circe dos tempos modernos, uma feiticeira lá da nossa Ilha do Picapau Amarelo...

— Também transforma heróis em animais?

— Não! Faz o contrário. Transforma animais em seres racionais e lindos de alma. A varinha de condão de Dona Benta chama-se Bondade. Foi com essa varinha que ela me transformou de boneca de pano em gente, e transformou um rinoceronte da África no Quindim e fez do Burro Falante um verdadeiro filósofo — e Emília foi inventando mil coisas sobre Dona Benta, metade verdadeiras, metade fantasias.

Pedrinho admirou-se da imaginação da ex-boneca e cochichou para o Visconde:

—Ela está melhor do que nunca! Parece até que foi fervida...

E assim, nessa prosa encantada em que se misturavam feiticeiras e deuses, heróis e bichos, invençõezinhas da Emília e mitologias de Minervino, o bando de Hércules chegou a Micenas.

Capítulo VII
O REI ANTIPÁTICO

O acampamento à beira do ribeirão estava exatinho como o haviam deixado.

O viandante gostou muito do Templo de Avia e das costeletas dos carneiros "achados" pelo centaurinho. Hércules foi espadanar-se na água do ribeirão, em mais um dos seus banhos hercúleos. Hercúleos, sim, tais e tantas eram as cabriolas que ele fazia na água. Parecia um boto.

Pedrinho, espiando a canastrinha da Emília, encontrou lá dentro várias novidades muito curiosas: um pacotinho de esterco das cavalariças de Augias, um vidrinho do caldo da fervura do Visconde e até uma mentira mitológica: um pedaço da teia de Penélope.

Depois do banho, Hércules foi a Micenas falar com "o antipatia", que era como a ex-boneca chamava Euristeu. Esse rei já estava no conhecimento de tudo relativo ao Quinto Trabalho de Hércules. Como o herói demorasse a aparecer, a notícia de sua grande proeza tinha chegado na frente. Na Grécia inteira não se falava em outra coisa senão na limpeza das cavalariças de Augias e na destruição desse mau rei pelo segundo exército do herói.

Emília aproveitou o ensejo para "apertar" o misterioso viandante e forçá-lo a contar quem era.

— A mim ninguém me engana — disse a ex-boneca. — Juro que você é um mensageiro do Olimpo, uma espécie de Hermes da deusa Minerva...

O viandante abriu a boca. Não podia compreender como aquela criaturinha houvesse penetrado em seu segredo.

— Como sabe? — perguntou.

— Ora como sei!... Sei porque adivinho as coisas. Isso de você aparecer justamente nos "momentos psicológicos" e de saber tanta coisa da história e da lenda deste país, isso me fez desconfiar...

Minervino acabou contando tudo.

— Sim — disse ele — sou um mensageiro de Palas, e fiquem sabendo que é graças a essa deusa que vocês ainda estão vivos...

— Por quê? — exclamou Pedrinho, assustado.

— Porque Hera já sabe tudo e está danada com o auxílio que vocês vêm dando a Hércules. A verdadeira razão do herói já ter realizado cinco trabalhos sem que nada de mal lhe acontecesse, está unicamente numa coisa: na ajuda que vocês lhe têm dado. O caso do Javali do Erimanto, por exemplo, deixou Hera impressionadíssima; e com meus próprios ouvidos pilhei-a dizendo a Hermes: "É aquela feiticeirinha que me está estragando o jogo. Possui um talismã mágico, o tal "faz-de-conta", com o qual já salvou Hércules de várias situações perigosíssimas". Disse e encarregou Hermes de roubar da Emília esse talismã...

— Que coisa! — exclamou Pedrinho, assustado. — Então o Olimpo já está a incomodar-se conosco?

— Se está!... Não discutem outro assunto. Até Zeus anda interessado em vocês, mas a favor. Hera está contra e por causa disso Palas me destacou para, sob a forma de viandante, guiar vocês nos passos perigosos e ir neutralizando ou desmanchando as armadilhas de Hera. O grande empenho dessa deusa é dar cabo de Emília.

Ao ouvir semelhante coisa, Emília avermelhou de cólera e desabafou:

— Forte bisca!

O Visconde entrou no debate para adverti-la de uma coisa muito séria.

— Cuidado com a Nêmesis, Emília! — disse ele.

Só Minervino entendeu o Visconde, e lhe deu razão, dizendo:

— Sim, Nêmesis é a divindade da justiça e é também a divindade que castiga os culpados da *hybris*.

— *Hybris*? — repetiu Pedrinho.

— *Hybris* é o pecado da "insolência na prosperidade". Quando uma pessoa fica muito importante e começa a desprezar os outros, e a orgulhar-se muito de seus dons, comete o pecado da *hybris* — e lá vem Nêmesis castigá-la, abater-lhe o orgulho. Emília anda orgulhosa demais, gabando-se demais. Isso é *hybris*. E se é *hybris*, que tome cuidado com a deusa Nêmesis!...

— E não está aqui você para proteger-me contra tudo por ordem de Minerva?

— Estou, sim, mas meus poderes não são ilimitados. Se você passar da conta, que poderei fazer? Nêmesis é poderosíssima.

Emília encolheu-se, um tanto amedrontada. Momentos depois Pedrinho descobriu-a queimando umas ervas-secas em cima duma pedra.

—Que é isso?—perguntou-lhe.

E a diabinha:

—É um altar da grande deusa Hera, à qual estou oferecendo um sacrifício de plantas aromáticas.

Pedrinho piscou para o mensageiro de Palas.

Lá no palácio de Euristeu, Hércules nem pôde falar. Assim que abriu a boca para dar conta da realização do Quinto Trabalho, "o antipatia" o interrompeu com um gesto.

— Já sei de tudo — e estou muito descontente com o desfecho desse último Trabalho. Minha ordem foi apenas para que limpasse as cavalariças de Augias, não para que o expelisse do trono. Espero que daqui por diante faça o que mando e não se exceda em façanhas não encomendadas.

— Assim será, Majestade — respondeu o herói humildemente. — E agora?

Euristeu já havia combinado com Eumolpo o novo Trabalho a impor a Hércules, um Trabalho muito mais perigoso que os cinco primeiros: a destruição das ferocíssimas aves do Lago de Estinfale.

— O novo trabalho que hei por bem impor-te, Hércules — disse com a maior solenidade Euristeu — é ires a Estinfale destruir os avejões de penas de bronze. É só — e fez gesto de fim de audiência.

Hércules nada sabia de tais aves, mas não deixou de ficar apreensivo. Se Euristeu o mandava atacá-las, então é que não eram aves comuns. E se não eram aves comuns, então como seriam?

De volta ao acampamento, Pedrinho correu-lhe ao encontro.

— E agora, Hércules?

O herói respondeu:

— Tenho de voltar à Arcádia para destruir as aves do pântano de Estinfale...

— Que aves são essas?

— Não sei...

Hércules nada sabia de tais aves, mas Minervino devia saber. Que não sabia o misterioso mensageiro? Pedrinho foi consultá-lo.

— Amigo, que sabe das aves do Lago Estinfale? Euristeu acaba de dar ordens a Hércules para ir destruí-las.

Minervino empalideceu.

— As aves do Lago Estinfale? Oh, sei... São aves monstruosas e invencíveis por causa do número e das penas...

— Das penas? — repetiu Pedrinho sem entender.

— Sim, possuem penas de bronze, penas enormes, pesadíssimas e cortantes como facas. Essas aves só se alimentam de carne humana, dos passantes que transitam por perto do lago. De grande distância arremessam tais penas com pontaria segura — e ai do viandante por elas alcançado!... Na minha opinião este Trabalho é muitíssimo mais difícil e perigoso que os outros.

— Por quê?

— Por causa do número de aves — mais de mil. Imagine todas elas arremessando contra o herói suas venenosas penas de bronze. Basta que uma acerte...

— Mas de longe Hércules poderá matá-las com suas flechas.

Minervino sorriu.

— Hércules é um e elas são mil. Para cada flecha que o herói lance, elas lançam mil penas afiadas. De que maneira poderá ele resistir? Acho o caso muito sério e vou aconselhar Hércules a nada fazer antes que eu discuta no Olimpo o assunto.

Pedrinho ficou seriamente apreensivo. Sim, aquele Trabalho era muito diferente dos outros. Até então Hércules tivera de enfrentar um inimigo único; agora tinha de enfrentar mil ao mesmo tempo. Tudo mudava de aspecto. E Pedrinho lembrou-se das formigas que apesar de tão minúsculas vencem pelo número.

Minervino deu a palavra de ordem:

— Combinemos uma coisa, vocês podem ir já para a Arcádia, mas nada façam sem ouvir-me. Vou consultar minha deusa e depois irei procurá-los.

— Onde?

— Nos arredores da cidade de Estinfale. Nada façam sem minhas instruções. Disse e afastou-se.

AS AVES DO LAGO ESTINFALE

Capítulo I
AS AVES DO LAGO ESTINFALE

O lago pantanoso de Estinfale ficava na Arcádia, perto da cidadezinha do mesmo nome. Era um lago como outro qualquer daquele tipo. Certa manhã, porém, ocorreu uma curiosa novidade: o lago estava cheio duns estranhos avejões aquáticos.

O contentamento dos estinfalinos foi grande. As aves aquáticas em regra são boas para comer, como os patos, as marrecas, as batuíras — e os caçadores locais se assanharam. Logo depois partiu rumo ao lago um grupo duns cinquenta, armados de arco e flechas. Iam em busca do jantar.

De longe já os caçadores viram a superfície das águas cheia dos tais avejões, muito maiores que os cisnes. E de uma cor esquisita, como a do bronze — uma cor metálica. Que aves seriam aquelas? Os homens aproximaram-se cautelosamente, agachados, escondidos pela vegetação marginal; quando viram as aves ao alcance, fizeram boa pontaria e lançaram suas flechas.

As flechas, entretanto, acertavam nas aves e ricocheteavam como se houvessem batido de encontro a corpos sólidos. Nova série de flechas foram arremessadas, igualmente sem efeito nenhum. Davam de encontro ao peito das aves e ricocheteavam.

O caso espantou seriamente aqueles homens, e mais ainda verem que em vez de se mostrarem assustadas, como é o comum quando caçadores atacam as aves aquáticas, aquelas se puseram a arrepiar as penas e a investigar com os olhos muito vivos, como que tomando a posição dos seus atacantes. Evidentemente iam passar de agredidas a agressoras. E como pareciam belicosas!

Que fazer? Os caçadores entreolharam-se. Por fim resolveram tentar mais uma revoada de setas — e mais cinquenta setas voaram rumo ao peito dos avejões. E o que então sucedeu foi o assombro dos assombros.

Os avejões, mais arrepiados ainda, romperam numa gritaria atordoadora; depois sacudiram as enormes asas como se quisessem desembaraçar-se das penas — e mil penas vieram cair em cima dos caçadores. Que hecatombe! Não ficou um só de pé. Todos caíram como que fulminados. As penas arremessadas eram de bronze e cortantes como facas...

Em seguida as aves acudiram num grande açodamento e em minutos estraçalharam e devoraram todos aqueles corpos. Eram aves antropófagas.

Como os cinquenta caçadores não reaparecessem em Estinfale, a população inquietou-se. Novos homens partiram em procura dos primeiros — e também não voltaram. Só depois da destruição de duzentos ou trezentos estinfalinos é que a cidade compreendeu o que se passava.

O pânico foi imenso. Não tinha fim a choradeira das mulheres que haviam perdido tão tragicamente os seus homens. Apenas um conseguiu salvar-se e lá apareceu em Estinfale com duas penas de bronze. Ah, como aquilo andou de mão em mão!

Todos queriam vê-las, cheirá-las, prová-las. E ficou assente um ponto: o lago estava coalhado de tremendíssimas aves de penas de bronze comedoras de carne humana...

Que fazer? A luta era impossível. Tornava-se necessário recorrer aos heróis, porque só os grandes heróis, Hércules, Teseu, Perseu, Jasão e outros, sabiam lutar e vencer os monstros. Mensageiros foram mandados à corte dos reis com pedido de socorro — e foi então que Euristeu pensou em Hércules. Ah, dessa vez o herói sucumbiria na empresa.

Enquanto isso, as aves do lago continuavam na faina de caçar caçadores, pastores e gente do comum, fosse homem mulher ou criança. Viandantes incautos, que nada sabiam daquilo e passavam pela beira do lago, eram impiedosamente lacerados pelas penas de bronze e em seguida devorados. A matança tornou-se horrorosa.

Estavam as coisas nesse pé quando Hércules chegou a Estinfale. A alegria dos habitantes foi enorme. Ninguém lá ignorava quem fosse o herói. Sua vitória sobre o javali do Erimanto, montanha não longe dali, corria de boca em boca.

Hércules foi conferenciar com o chefe da cidade.

— Sim, chefe, aqui estou a mandado de Euristeu para destruir as aves de penas de bronze.

— De que modo vai atacá-las?

— Com as minhas setas mortais.

O chefe riu-se.

— Seta nenhuma tem efeito contra essas aves, porque são revestidas duma verdadeira couraça de penas de bronze. Nossos caçadores tiveram ensejo de verificá-lo — e já não existem, os imprudentes...

Hércules riu-se. As flechas dos homens comuns eram uma coisa; as suas, algo muito diferente. Nunca houve ser vivo, homem ou animal, que resistisse a uma só das suas setas — e apesar da advertência do mensageiro de Palas o herói resolveu fazer naquele mesmo dia a experiência. Depois de acomodar Meioameio, Pedrinho e os mais num "camping" à beira da cidade, partiu sozinho, de arco em punho, com a aljava bem cheia de setas. E teve o cuidado de examiná-las, uma a uma, para ver se a Emília não as tinha "humanizado". O meio de Emília "humanizar" as flechas era quebrar-lhes aponta...

Hércules aproximou-se do lago o mais cautelosamente que pôde, agachado, ora oculto por um tufo de vegetação, ora por uma pedra. Desse modo chegou a um ponto de onde pôde observar à vontade os avejões. Grandes, sim, enormes, e cor de bronze. Estavam calmos, vogando serenos na superfície turva do lago. Minutos antes haviam apanhado e devorado toda uma família de viajantes descuidosos.

Hércules escolheu uma seta de ponta bem aguçada, firmou-a na corda do arco e retesou-se ao máximo. Fez pontaria e *zás!...* A flecha assobiou num silvo de serpente e foi bater em pleno peito da ave mais próxima.

— *Blen!...*

O choque produziu um som de sino de bronze, mas nada da seta cravar-se no alvo; desviou-se para a direita e lá adiante afundou na água. Aquele som de sino foi um toque de rebate. Todas as aves o ouviram e arrepiaram-se; mas como não descobrissem onde estava o imprudente caçador, não houve nenhum arremesso de penas de bronze. Limitaram-se a permanecer alertas, espiando de todos os lados.

Hércules ficou apreensivo. O mensageiro de Palas estava certo. Com as flechas não poderia vencer os avejões, nem tampouco os venceria com a sua poderosa clava. Como entrar em semelhante pântano com a clava em punho? Atolar-se-ia e as aves o devorariam vivo. Melhor aceitar o conselho de Minervino — e deliberou ir esperá-lo no acampamento.

Hércules afastou-se do pântano com as mesmas cautelas com que se havia aproximado; e como ao lado dos esqueletos dos caçadores mortos visse muitas penas de bronze, apanhou uma das menores para levá-la de presente à Emília.

Ao chegar ao acampamento encontrou o centauro assando os três carneiros de todos os dias, com os outros sentados por ali em redor do fogo. Pedrinho ergueu-se.

— E então, Hércules? Que resolveu? — perguntou o menino.

O herói emitiu um suspiro.

— Nada ainda. Verifiquei um ponto bem aborrecido: minhas setas não varam as penas de bronze dos tais avejões. Batem nelas, arrancam um som de sino e ricocheteiam. E como também nada posso fazer com a clava, não sei...

— Bem disse o mensageiro que era um Trabalho muito difícil! — lembrou Emília. — Agora o que Lelé tem a fazer é esperar pela volta de Minervino.

Capítulo II
AMOR, AMOR...

Ninguém tinha a menor ideia de quanto tempo teriam de esperar ali nos arredores de Estinfale. Podia ser uma hora, podiam ser vários dias. Pedrinho deliberou montar um acampamento como o de Micenas e para isso saiu em Meioameio para a escolha do sítio mais adequado. Breve encontrou um bem ajeitadinho, com ribeirão de águas cristalinas, floresta próxima e carneiros ao longe. A Arcádia era toda um carneiral.

As únicas pessoas por ali existentes eram pastores e pastoras, algumas bem jovens e bonitas. Depois de instalado o acampamento, volta e meia surgiam pastorinhas curiosas que vinham espiá-los, a princípio muito medrosas, depois acamaradadas.

Isso deu em resultado uma coisa de todo imprevisível e prodigiosa. O Visconde, cujo caráter mudara muito depois da fervura, começou a sentir lá por dentro umas comichões estranhas. De vez em quando suspirava, revirava os olhos. Emília desconfiou e foi dizer a Pedrinho:

— Está me parecendo uma coisa: o Visconde está amando!...

— Quê?

— Amando, sim. Cada vez que aparece por aqui aquela graciosa pastorinha de nome Climene, ele fica todo atrapalhado, como quem sente uma coisa que não sabe o que é. Para mim trata-se de amor...

— Impossível, Emília! Nunca houve milho que amasse...

— Também nunca houve milho que falasse e soubesse ciência, e o Visconde fala e sabe ciência. Ele "mudou", exatamente como eu mudei. Mudou por efeito da fervura de Medeia.

Pedrinho pôs-se a cismar naquilo e a observar o Visconde.

Logo depois apareceu Climene, uma garota de dez anos, com um lindo presente de queijo e azeitonas. O gosto dessa pastorinha era contar coisas ali da Arcádia e indagar de como era a vida no mundo moderno. As histórias do sítio de Dona Benta, que Emília narrou, andavam a lhe virar a cabeça.

Que linda menina a Climene! Pele dum lindo moreno claro e perfil perfeitamente grego, com o clássico nariz em linha reta. Emília lembrou-se daquela escrava Aglaé lá da casa de Péricles. O mesmo tipo, o mesmo modo de falar e até as mesmas curiosidades. Seu maior prazer era montar com os outros no centaurinho para galopadas pelos campos.

Assim que a Climene apareceu com o queijo e as azeitonas o Visconde corou. Pedrinho pôs-se a observá-lo disfarçadamente. Sim, o Visconde "ficava outro" perto da pastorinha. Se ia falar, engasgava. Se ia andar, tropeçava. E não tirava os olhos dela. Em certo momento afastou-se do grupo, e foi colher um buquezinho de flores silvestres, muito desajeitadamente, que veio oferecer à menina.

Climene foi o primeiro amor do Visconde de Sabugosa — primeiro e último. Nunca mais a tirou do coração. Tudo lhe eram pretextos para procurá-la, para ensinar-lhe coisas de ciência. E não cessava com os presentinhos. Climene acabou notando aquela assiduidade e disse-o à Emília.

— Por que é que ele tanto me olha e lida comigo?

Emília riu-se.

— Ah, Climene! O Visconde era uma coisa antes dá fervura e está muito diferente agora — e contou o caso da passagem do Visconde pela caldeira de Medeia. Até aquele dia, era um sábio como outro qualquer. Só cuidava de ciência. Mas de repente enlouqueceu, e então nós o levamos ao palácio da grande feiticeira para uma boa fervura no caldeirão mágico. Do vapor que saiu, a famosa Medeia fez um viscondinho novo, muito diverso do primeiro. Ele hoje ainda gosta de ciência e sabe coisas — mas a ciência já não é tudo para ele, como no começo. E isso, sabe por quê? Porque está amando.

— Amando? — repetiu a menina muito admirada.

— Sim. Está perdidinho de amor por você...

Climene abriu a boca. Era muito criança ainda e nada sabia do amor. Emília teve de explicar-lhe tudo.

— E que devo fazer? — perguntou Climene.

— Oh, deve corresponder ao amor do Visconde. Quando ele piscar, você pisca também — e explicou-lhe o "pisco" do namoro. — E quando ele suspirar, você também suspira. E se ele revirar os olhos, você também revira os olhos.

— E quando me der um buquezinho de flor?

— Você beija as flores e prende-as no vestido. Também pode, de vez em quando, dar-lhe uma flor...

O namoro do Visconde tornou-se o divertimento de Emília e Pedrinho durante horas de espera ali no "camping" de Estinfale. Até Hércules percebeu o jogo e encantou-se.

Hércules estava começando a ficar seriamente apreensivo. Três dias já se tinham passado e nada de Minervino aparecer. Uma ideia lhe veio à cabeça. Chamou o oficial de gabinete e disse:

— Estou com medo duma coisa: que Hera tenha descoberto a função de Minervino e esteja a atrapalhá-lo. Lembre-se como ele nos aparecia tão de pronto nas viagens anteriores — e agora, nada justamente agora que nos prometeu vir. Receio que lhe tenha acontecido alguma coisa.

O herói estava certo. Os repetidos aparecimentos de Minervino no Olimpo fizeram que Hera desconfiasse. Ele aparecia por lá e ficava pelos cantos aos cochichos com Palas, a protetora de Hércules. E tantas Hera fez, que afinal descobriu a função daquele homem: era o leva-e-traz de Palas, o seu mensageiro secreto.

— *Hum!* — rosnou a vingativa deusa. — Espera que te curo — e chamou Hermes. — Escute aqui. Palas anda tramando coisas contra mim, para favorecer Hércules. Vive aos cochichos com aquele mensageiro lá — e apontou para Minervino. — Quero que você vire mosca e pouse perto deles para ouvir o que conversam.

Hermes assim fez. Virou mosca e foi pousar no ombro de Minervino, naquele momento muito entretido com Palas.

— Ele já está lá? — havia perguntado a deusa. (Ele era Hércules.)

— Deve estar — respondeu Minervino. — Separamo-nos em Micenas, depois que Euristeu o encarregou de destruir os avejões do Lago Estinfale. Eu, porém, aconselhei-o a ir para a cidade desse nome e a nada fazer antes de receber instruções minhas — e cá estou para receber as ordens da grande Palas. Aquelas aves são indestrutíveis pelos meios comuns flechas e clava — por causa das penas de bronze que as revestem. Se Hércules as ataca, ei-lo perdido. Neste momento já deve o herói estar acampando nos arredores de Estinfale, à minha espera.

Palas ficou momentos a refletir. Depois disse:

— Sim, sem a minha ajuda Hércules nada conseguirá. Aquelas aves de bronze são um estratagema de Hera, que as pôs naquele pântano justamente como armadilha para Hércules. Mas ando cá com uma ideia. Sou dona daqueles címbalos com que Hefaistos me presenteou. O som do bronze desses címbalos é tão terrível que não há ouvidos que o suportem. Vou mandar meus címbalos para Hércules. Ele que se aproxime do lago e vibre-os com toda a força. As aves, atordoadas, fugirão para longe, porque nem sequer as aves de penas de bronze suportam a vibração dos címbalos de Hefaistos.

Disse e foi buscá-los. Embrulhou-os num pedaço de nuvem e disfarçadamente entregou-os ao mensageiro. Minervino partiu.

A mosca sentada em seu ombro imediatamente voou e, depois de assumir a forma de Hermes, apressou-se em contar tudo à vingativa esposa de Zeus.

— Hércules só usará desses címbalos se eu deixar de ser a deusa das deusas —rosnou Hera. — Vá colocar-se à porta do Olimpo, Hermes. Quando o mensageiro aparecer, arremesse-o montanha abaixo, de modo que role por entre as pedras e se despedace. Ah, Palas! Tu não sabes com quem estás lidando...

Hermes cumpriu fielmente as instruções recebidas. Correu a colocar-se na porta do Olimpo, e quando Minervino apareceu, com os címbalos, arremessou-o morro abaixo com um grande tranco. O pobre mensageiro rolou pela escarpa da encosta do Monte Olimpo, dando de pedra em pedra e fazendo-se em mil pedaços.

Mas Palas, espertíssima que era, percebeu a manobra e acudiu-o dum modo curioso: fazendo que os seus pedaços fossem cair bem dentro da caldeira de Medeia. A grande feiticeira, que estava a ferver um novo picadinho humano, levou susto no momento de condensar os vapores. Em vez de um "rejuvenescido", apareceram dois — o que lhe haviam encomendado e um novo, totalmente imprevisto.

— Quem é você? — perguntou Medeia a Minervino, que voltara à vida novo em folha, jovem e corado — e ao saber de tudo a feiticeira alegrou-se. Ela era amiga de Hércules, ao qual já salvara da loucura e que estava a lhe dever o rejuvenescimento do "escudeiro".

Minervino, ainda tonto da fervura, pegou os címbalos de Palas, ali caídos ao pé da caldeira, e encaminhou-se a toda pressa para Estinfale. Foi encontrar o herói ao pé do braseiro, comendo o assado de todos os dias. Quem primeiro o avistou foi Emília.

— Lá vem um lindo moço! — disse ela, ao vê-lo aparecer lá longe. — Quem será? —

Todos olharam. Sim, um moço de bela aparência, com um embrulho debaixo do braço. Ninguém ali o conhecia.

Minervino aproximou-se e disse:

— Pronto, Hércules. Aqui estou, conforme prometi.

O herói não entendeu.

— Quem é você?

— Não me conhece mais, Hércules? Não conhece mais o mensageiro de Palas? Todos riram-se.

— O mensageiro de Palas é um velho — disse o herói. — Você é moço.

— Fui velho — explicou Minervino mas o caldeirão de Medeia me rejuvenesceu — e contou toda a história. Depois para documentar as suas palavras, desembrulhou os címbalos e entregou-os a Hércules.

— Aqui tem — disse ele — os prodigiosos címbalos com que Hefaistos, o deus do fogo e dos metais, presenteou minha deusa Palas. Ela os oferece a Hércules como o único meio de afugentar as aves de penas de bronze.

— Como? — indagou o herói, sem nada compreender.

— Se estes címbalos forem vibrados à beira do Estinfale, as aves de bronze, atordoadas, abandonarão o pântano e se sumirão para sempre no espaço.

Pedrinho aproximou-se para ver o instrumento. Era um triângulo de ferro com uma série de campainhas do mais sonoro bronze que ainda houve no mundo. Hefaistos, que tinha o segredo de todos os metais, jamais fundira um tão poderoso como aquele — e justamente porisso o oferecera a Palas, a sua grande amiga do Olimpo. Emília teve a má ideia de experimentar o som duma das campainhas e nela bateu com uma lasca de Pedra. Apesar da pancadinha ter sido na realidade insignificante, o som produzido deixou-os completamente atordoados por mais de uma hora, com a impressão de haverem ensurdecido. Imaginem-se o efeito de todas aquelas campainhas tocadas ao mesmo tempo pela força hercúlea do grande herói!

— Quem é Hefaistos? — quis saber Emília — e o mensageiro de Palas explicou.

Capítulo III
O ESPARRAMO DAS AVES

— Hefaistos, menininha, é um dos filhos de Zeus e Hera. Como nascesse muito feio, sua mãe, furiosa, arremessou-o do Olimpo abaixo.

— Que peste! — exclamou Emília mas bateu na boca, como quem retira a expressão. — Isto é, que danada...

— Sim, Hera horrorizou-se com aquele filho e arrojou-o do Olimpo abaixo,bem em cima da Ilha de Lemnos, onde havia um vulcão. Lá cresceu Hefaistos e virou ferreiro e que ferreiro! ... Um ferreiro como nunca houve outro no mundo, cuja forja era o vulcão.

O Visconde cochichou para Climene que aquele ferreiro era conhecido no mundo moderno por Vulcano. Minervino prosseguiu:

— Nessa forja gigantesca ficou ele a trabalhar os metais — todos os metais, inclusive o bronze maravilhoso com que fez estes címbalos. E era a Hefaistos que Zeus encomendava os seus raios. Periodicamente o divino ferreiro galgava a montanha do Olimpo para levar a Zeus novos feixes de raios e consertar os que entortavam. Construiu suas oficinas dentro da terra, junto ao vulcão, e lá trabalhava com os Ciclopes, os gigantes de um só olho no meio da testa. Todas as afamadas peças de metal da nossa grande Grécia têm sido fabricadas por ele. Foi ele quem fez o trono e o cetro de Zeus. Foi quem fez o carro de Hélios...

O Visconde explicou a Climene que Hélios era o cocheiro que conduzia o carro do sol.

— ... o escudo de Aquiles, e tantas coisas mais. Como fosse muito feio e coxo, a título de compensação deu-lhe Zeus como esposa Afrodite, a deusa da formosura suprema.

O Visconde cochichou para Climene que Afrodite era a mesma Vênus, mãe de Eros ou Cupido.

— Mas — continuou Minervino — em trabalho nenhum Hefaistos se aprimorou tanto como na têmpera do bronze destes címbalos — e vocês acabam de ter prova. Com a pancadinha que Emília deu num deles, quase ficamos todos com os tímpanos arrebentados.

— Mas por que cargas d'água esse Hefaistos fez semelhante presente a Palas? — quis saber Pedrinho.

— Ah, porque não há deusa que Hefaistos mais queira, visto como veio ao mundo justamente por intermédio dele.

— Como?

— Certa ocasião fora Zeus assaltado por uma dor de cabeça horrível. Remédio nenhum a aliviava. Por fim, levado pelo desespero, mandou chamar Hefaistos lá na Ilha de Lemnos. "Que desejas de mim, Zeus?" — perguntou o ferreiro. "Quero que me fendas o crânio com um golpe de malho, porque já não suporto a imensidão desta dor."Hefaistos não discutiu; ergueu o malho e desfechou sobre a cabeça do deus dos deuses um golpe tremendo, tal o de Hércules no crânio do javali.

— E os miolos de Zeus saltaram longe... — disse Emília.

— Não. Da cabeça de Zeus não saíramos miolos; saiu Palas Atena, armadinha de escudo e lança. Daí a ligação entre Hefaistos e a minha grande deusa.

Minervino ainda contou muita coisa do ferreiro coxo, enquanto ia mastigando o naco de carne assada que Pedrinho lhe dera.

— Bom — disse Hércules depois de finda a história. — Tenho de cuidar da minha missão. Vou ao lago atordoar as aves com estes címbalos. Fiquem vocês aqui e tapem o mais que puderem os ouvidos.

— Com quê? — indagou Emília. — Se houvesse uns chumaços de algodão...

Não havia algodão, mas na floresta abundavam musgos. Meioameio saiu no galope em busca dum sortimento. Todos atafulharam os ouvidos com musgo. Hércules fez o mesmo e lá se foi de rumo ao pântano, com os címbalos debaixo do braço.

Emília trepou à árvore mais alta de todas para espiar a cena de longe, e lá de cima foi descrevendo aos outros as peripécias da façanha. Parecia um *speaker* de rádio a dar conta dum jogo de futebol.

— Lá vai indo ele!... Firme, garboso, lindo... Que amor de atleta é o nosso Lelé!... Já chegou à beira do lago. Está correndo os olhos pelas aves, como a despedir-se delas... As aves já o viram. Começam a arrepiar-se...

Nesse momento um som terrível encheu os ares. Apesar de terem os ouvidos tapados e estarem tão longe, todos se sentiram completamente surdos. Emília lá do alto continuava a gritar embora ninguém mais a ouvisse.

— Começou!... Está sacudindo os címbalos com uma força tremenda. Parece que a gente vê o som espirrar do bronze... As aves estão aflitas... Não compreendem o que há. Estão tapando com toda a força os ouvidos... Inútil... O som dos címbalos vara qualquer obstáculo... Agora as aves começaram a pererecar como doidas... Sim... Parecem baratas em dia de chuva, quê não sabem se correm ou voam... Algumas já estão voando... E outras... E outras... E agora todas... Todas, sim!... Todas levantaram voo e lá vão subindo para as nuvens... Vão ficando pequeninas... Pontos no espaço... pronto! Desapareceram.

Hércules havia parado de vibrar os címbalos.

— Vamos ao seu encontro! — gritou Pedrinho. — O nosso grande herói acaba de realizar maravilhosamente o seu Sexto Trabalho.

Foram-lhe ao encontro, ainda com os ouvidos surdos e uma zoada lá dentro.

Acharam-no caído por terra, como morto. Pedrinho sacudiu-o:

— Hércules! Hércules!... Que há, amigo Hércules? — e o herói nada, mudo como um peixe.

— Será que foi ferido por alguma pena? — sugeriu Emília, mas o exame feito não revelou coisa nenhuma.

— Ele está em "estado de choque" por causa da violência do som — disse o Visconde. — Temos de deixá-lo em repouso por uma ou duas horas.

Mas não foi assim. Só no dia seguinte Hércules voltou a si daquele "estado de choque" causado pela violência do som dos címbalos de Palas Atena. Mas ficou como se acabasse de sair de um pesadelo.

Pedrinho tomou os címbalos e embrulhou-os muito bem no pedaço de nuvem, dizendo: "Se isto fica a descoberto, de repente recebe uma pancadinha por acaso e nos põe novamente surdos."

E o mensageiro?

Sumira-se misteriosamente.

O som dos címbalos não os atordoara apenas a eles ali nas proximidades do pântano. Alcançara também a cidade.

Não houve por lá quem não ensurdecesse. Mas depois de completamente restaurada a normalidade dos tímpanos, não houve quem não corresse a visitar as margens do lago. Que desolação!... Esqueletos e mais esqueletos, de gente comida pelas aves antropófagas. E uma quantidade de penas de bronze pelo chão! Cada qual levou uma para casa, como lembrança.

Minervino havia partido para o Olimpo e lá estava a cochichar com Palas num canto.

— Ah, deusa! Nunca vi trabalho mais bem feito. Assim que Hércules começou a sacudir os címbalos, o som "foi demais"; as aves entraram a agitar-se como que tomadas de súbita loucura. E foram levantando o voo e todas se sumiram no espaço.

— Para onde iriam?

— Afastaram-se rumo sul. Com certeza, para os fundões da África.

Depois contou o tranco que Hermes lhe havia dado e de como caíra bem dentro da caldeira de Medeia...

— Sei, sei — disse Palas. — Vi tudo e foi por agência minha que você caiu em tal caldeira. Mais uma vez saiu Hera derrotada.

A alegria da população de Estinfale foi imensa. Estavam livres da maior das calamidades. Houve festas em honra do grande herói e seus amigos. Climene não largava mais do bando, cada vez mais cortejada pelo Visconde... e também por Pedrinho. Ah, que cena melancólica foi a da "desilusão do Visconde", quando percebeu que tinha um rival e era esse rival o realmente gostado por Climene! A pastorinha correspondia ao amor do Visconde por brincadeira. Gostar mesmo de verdade, só de Pedrinho.

Quando Hércules falou em partir, houve resistências.

— Por que tão cedo? — disse o menino. — É tão simpática esta cidade de Estinfale...

O Visconde suspirou e falou em ficar mais uns dias para "estudos do dialeto grego falado ali" — e até Climene puxou brasa para a sua sardinha.

— E se as aves voltarem? — disse ela. — Eu, se fosse Hércules, ficava por aqui ainda algum tempo — por prevenção...

De dó dos três, o herói retardou a volta por mais três dias. Por fim disse:

— Chega de namoros. Toca para Micenas.

Houve despedidas comoventes. Abraços. E por instigação da Emília o Visconde deu um beijinho em Climene o primeiro e último de sua vida...

Capítulo IV
A VOLTA

A viagem de volta correu sem novidades. Como Emília mostrasse interesse em conhecer a vida do herói desde os começos, o Visconde tomou a palavra.

— Estive ontem conversando sobre o assunto com o mensageiro de Palas, e posso contar o que ouvi.

— Pois conte. Como foi o nascimento de Hércules?

O Visconde cuspiu o pigarrinho e começou:

— A mãe de Hércules era a mulher de maior beleza de seu tempo. Chamava-se Alcmena. Um dia deu à luz duas crianças gêmeas: Íficlo e Alcides, que foi o primeiro nome do nosso herói. Mas Juno desconfiou da alegria de seu divino esposo. Aquele interesse de Zeus pelos gêmeos causou-lhe ciúmes — e a partir dali entrou a persegui-los. A primeira coisa que fez foi dar ordem a duas horríveis serpentes de escamas azuis para que fossem ao berço das crianças e as devorassem.

— Juno ou Hera? — interrompeu Emília.

— Hera é a mesma Juno. Eu prefiro dizer Juno porque o nome Hera confunde-se com o verbo "era" e às vezes atrapalha a história. Os meninos estavam no melhor dos sonos quando as serpentes se insinuaram no quarto, com os olhos vermelhos de fogo e as línguas de fora. A escuridão era completa; ninguém podia vê-las. Como salvar as duas crianças? Mas lá no Olimpo, Zeus descobre a maldade de Juno e faz que uma claridade intensa ilumine o quarto. Os gêmeos acordam ofuscados pela luz — e dão com as cobras!...

— Imaginem o susto dos coitadinhos! — exclamou Emília. — E depois?

— Íficlo foi o que despertou primeiro. Dá um grito de pavor e foge na disparada. Só então Alcides acordou. Acordou mas não fugiu, porque o seu destino era não fugir de perigo nenhum. Em vez de fugir, agarra nas duas serpentes pelo pescoço e começa asfixiá-las como fez ao Leão da Nemeia. As serpentes enrolaram-se nele, tomadas de horríveis convulsões, mas suas mãos não afrouxavam o aperto, de modo que elas não tiveram outro remédio senão morrer.

— Bravos! Bravos!... — berrou Emília. — Um filhinho assim até eu queria ter. E a tal Alcmena, mãe deles? Não fez nada?

— Alcmena dormia num quarto próximo. Ao ouvir o grito de Íficlo, despertou seu esposo Anfitrião e mais gente do palácio. Correm todos para o quarto das crianças — e lá dão com aquele quadro horrível: o pequeno Alcides agarrado ao pescoço das duas serpentes, uma em cada mão! Alcmena solta um grito de horror, mas o pequeno Alcides sorri e lança-lhe aos pés as duas serpentes mortas...

— Que gosto para Alcmena, ter um filhinho assim!... E depois?

— Depois Alcmena foi consultar um grande adivinho daqueles tempos, o famoso Tirésias, para que lhe tirasse a sorte do menino. Tirésias concentrou-se e falou que nem o Oráculo de Delfos: "Vosso filho vai tornar-se um herói invencível e acabará transformado numa das constelações do céu, mas isso depois de haver cá na terra destroçado os monstros mais tremendos e sobrepujado os guerreiros mais temíveis. O Destino lhe impõe Doze Trabalhos de grande vulto. Por fim morrerá devorado pelo fogo de Nesso — e então sua alma irá viver no Olimpo".

— E tudo saiu certinho?

— Sim. Tirésias não se parecia com as tiradeiras de sorte do nosso mundo moderno, que erram muito mais do que acertam. Tudo quanto declarou se cumpriu fielmente. Depois da leitura da sorte do menino, Alcmena sossegou e tratou de criá-lo da melhor maneira. A educação de Alcides foi orientada por Linos, filho de Apolo, o qual lhe ensinou as ciências e as letras.

Emília fez focinho irônico e disse que não dava nada por aquele professor, visto como Hércules, em matéria de ciências e letras, valia menos que um sabugo científico. O Visconde explicou:

— É que as ciências ensinadas não eram as do nosso mundo moderno e sim as ciências da luta, ou a arte da luta, porque a luta é mais arte do que ciência. Ensinou-lhe todos os truques dos grandes lutadores, as rasteiras, como aplicar um bom *swing* no queixo do adversário, como fazer todas essas coisas de que Pedrinho tanto gosta. Também lhe ensinou a manejar a clava e a não errar um só flechaço. E ensinou-lhe a governar os carros de corrida, a enristar a lança, a defender-se com o escudo, a atacar o inimigo e livrar-se de seus golpes, a organizar um exército. Não houve o que lhe não ensinasse.

— Aposto que houve! — disse Emília. — Aposto que não lhe ensinou a ler e escrever.

— A leitura e a escrita de pouco adiantam aos heróis. Em geral são analfabetos. Com eles é ali no muque e na agilidade, só. E assim se foi formando Alcides, de modo a não deixar em má posição o grande Tirésias que lhe leu o futuro. Um poeta grego, de nome Teócrito, conta num dos seus poemas que a cama de Alcides menino era uma pele de leão, e que desde muito novo alimentava-se de carne assada, em vez de sopas de pão, leite condensado e outras delicadezas modernas. E já então comia mais que um carregador.

— Hoje, três carneiros é a conta — disse Emília. — Não faz por menos. Naquele dia em que só comeu dois, até tive dó dele. Que fome teve de noite!

O Visconde continuou:

— Mas a sua tremenda energia tinha de causar desastres — e daí tantas mortes ou homicídios que lhe enchem a história. Tornou-se um grande matador de gente e bichos — e sabem quem foi a sua primeira vítima?

— Quem?

— O seu próprio mestre Linos...

— Bem feito! — exclamou Emília. — Quem o mandou ensinar-lhe tanta "ciência"? E por que matou Linos?

— O caso foi assim. Querendo Linos certa vez avaliar os progressos do discípulo, pediu-lhe que escolhesse o melhor livro duma estante cheia de verdadeiras obras-primas das letras gregas. E vai Alcides e escolhe o Manual do Perfeito Cozinheiro dum tal Simão. Linos, danado, passou-lhe uma descompostura. E o jovem Alcides, perdendo a cabeça, pegou de uma *cítara*, que estava ao alcance de sua mão, e aplicou em Linos um dos golpes que esse mestre lhe havia ensinado. Matou-o.

— Irra! Que gênio!... — exclamou Pedrinho.

— Era um crime aquele, dos que as leis punem — e lá vai o nosso Alcides para o tribunal de justiça. Lá se defendeu citando uma célebre "Lei de Radamanto" que não considerava crime o homicídio cometido contra um atacante. Linos o atacara com palavras violentas; ele respondera com uma citarada. Foi absolvido... Mas Anfitrião, com medo de outras façanhas como aquela, enviou o rapaz para o Monte Citeron, a viver entre pastores — e foi lá que o desenvolvimento de Alcides se completou. Em Citeron matou o primeiro leão — um terrível leão que andava a desbastar os rebanhos do rei dos Téspios. Começa neste ponto a sua verdadeira vida de herói.

— Para mim começou com o asfixiamento das cobras, quando ainda estava-no berço — quis Emília.

— Seja — disse o Visconde. — Mas as grandes coisas de Alcides vieram depois da morte desse leão. Indo a Tebas, encontrou essa cidade vencida pelo Rei Ergino, o qual impôs aos tebanos o pagamento dum tributo anual de cem bois. Hércules chegou à cidade exatamente no dia em que os emissários de Ergino estavam a reclamar os cem bois do primeiro pagamento. "Que história de bois é essa?", foi ele dizendo, e ao saber da imposição de Ergino, agarrou os emissários e cortou-lhes os narizes e as orelhas. "Digam lá ao Rei Ergino que os cem bois são estes narizes e estas orelhas cortadas." Ofensa mais grave não era possível e Ergino levantou um exército para atacar os tebanos. A grande força desse exército estava na cavalaria, mas o nosso herói, à frente dos tebanos, usou dum recurso: forrou de enormes pedras a única passagem entre montanhas por onde poderiam entrar os cavalarianos. Isso atrapalhou grandemente o ataque de Ergino, o qual foi batido e morreu na luta. Os tebanos, então, impuseram ao reino de Ergino o pagamento dum tributo de duzentos bois. Graças a Hércules a situação invertera-se. Muito gratos da sua preciosa ajuda, os tebanos consagraram ao herói vários templos e lhe erigiram diversas estátuas. Uma delas, Héracles Rinokloustes, ou "o que corta narizes"; e outra dedicada a Héracles Hipodetes, ou "o que barra os cavalos". E ainda por cima o rei de Tebas concedeu-lhe a mão de sua filha Mégara.

— Sei, sei! — exclamou Pedrinho. —A mesma que ele matou durante o seu período de loucura.

— Sim. Mégara deu-lhe três filhos, e tudo estava correndo muito bem, quando Juno...

— Já estava demorando! Juno era dessas que não esquecem nem perdoam nunca. Uma perfeita me... —ia dizendo Emília mas engoliu o resto da palavra "megera". Emília andava com medo de Juno.

Capítulo V
MAIS FAÇANHAS DE HÉRCULES

O Visconde continuou:

— A loucura de Hércules foi um artifício de Juno. A deusa o enlouquecera de propósito, para que ele matasse a esposa e os filhos — e já vimos como isso se deu. Em consequência desse desastre é que Hércules se condenou a si mesmo ao exílio, indo parar nas unhas de Euristeu.

Tudo isto contou o Visconde, bem acomodado no lombo de Meioameio, enquanto seguiam de rumo a Micenas.

Hércules, lá atrás, marchava calado, remoendo qualquer ideia. Emília lançou-lhe uma olhadela e disse: "Em que será que Lelé está pensando?".

— Aposto que no jantar — respondeu Pedrinho, medindo com os olhos a altura do sol. — Já estamos na hora.

Logo adiante, à beira de um riozinho, detiveram-se para cuidar dos estômagos.

Meioameio saiu no galope para "prear" os carneiros do costume e os picapauzinhos foram conversar com o herói.

— Em que é que está pensando, Lelé? — perguntou Emília.

Hércules fez cara de quem acorda de um sonho. Ficou de olhos parados por uns instantes. Depois disse:

Pedrinho confirmou as palavras da Emília.

— Sim, meu caro Hércules. Para nós modernos esta Grécia é tão bonita que por meu gosto eu me mudava para cá. Como vovó gostou da Atenas do tempo de Péricles! Até hoje ela suspira quando se lembra da semana passada lá. Houve uma panateneia em que Narizinho tomou parte — e vovó também, metida num vestido velho de Dona Aspásia... Por mim, eu não saía nunca mais daqui. Acho a Grécia o encanto dos encantos. Um suco!

Hércules recaiu em cismas de olho parado...

O jantar daquele dia foi o melhor de todos. Além dos assados do costume, tiveram uma esplêndida sobremesa. Depois o assunto caiu sobre a aventura de Tia Nastácia com o Minotauro na Ilha de Creta. Isso fez que o herói se referisse ao que andava correndo na boca do povo.

— Fala-se muito num touro enfurecido que anda por lá a fazer os maiores estragos. Meu receio é que depois deste meu trabalho, Euristeu me mande dar cabo desse touro...

— "Receio", Hércules? — exclamou Emília. — Pois então Hércules receia alguma coisa?

O herói explicou que se tratava dum "touro louco", e ele tinha medo dos loucos.

— Depois do meu período de demência, fiquei com um verdadeiro horror à loucura. A gente nunca sabe como um louco vai agir. Os loucos me desnorteiam e me causam uma sensação muito desagradável de insegurança...

— Com os bêbados também é assim — disse Pedrinho. — É o que vovó vive dizendo. E por falar em bêbado, Hércules, será verdade o que contam do deus Baco? Que vive bêbado? Lá no nosso mundo moderno chamamos aos bêbados "devotos de Baco"...

Quem contou aos picapauzinhos a história de Baco não foi Hércules, e sim o mensageiro de Palas, que inopinadamente reapareceu naquele momento.

Capítulo VI
Dionisos

Antes de Minervino tomar a palavra, o Visconde explicou que na Grécia nunca houve nenhum Baco. Esse nome é romano. Na Grécia houve Dionisos, que mais tarde os romanos transformaram em Baco.

— Que história é essa — observou Emília — dos tais romanos mudarem o nome de todos os deuses gregos?

— Ah, depois que os romanos dominaram e conquistaram a Grécia, eles reformaram tudo e foram mudando os nomes. Dionisos virou Baco.

Minervino, que não sabia nada disso, por serem coisas do futuro, admirou-se muito. Depois contou a história de Dionisos.

— Esse deus — disse ele — é filho de Zeus e de Semele, a qual veio a morrer fulminada meses antes que ele nascesse. Zeus então tomou o menino e colocou-o dentro de sua própria coxa, onde o deixou ficar até o dia marcado para o nascimento.

— Que coisa! — exclamou Emília. —Esses tais deuses do Olimpo nascem de todos os jeitos. Palas brotou da cabeça de Zeus. Agora este Dionisos sai de sua coxa... Isto me faz lembrar a cartola daquele prestidigitador que apareceu lá na vila no circo de cavalinhos. Não havia o que não saísse de sua cartola: marrecos, pombos, coelhos...

Minervino continuou:

— Assim nasceu Dionisos e foi educado pelas ninfas de Nisa. Mas educado às soltas pelo mundo como um verdadeiro selvagem. Que vida a sua! Mais parecia um herói que um deus. Visitou muitos reis, fez-se amar por Ariadne na Ilha de Naxos, tomou parte na famosa guerra entre os deuses e os gigantes, comandou uma expedição à Índia. Tinha nomes em quantidade: Nísio, Brômio, Ditirambo, Evio, Baco, Zagreu, Sabázio... E andava seguido duma alegre comitiva de sátiros, faunos, ménades, bacantes, silenos e até do deus Pã.

— Que pândego não devia ser! — comentou Emília.

— E não foi o inventor do vinho?

— Indiretamente — respondeu Minervino —, porque a uva é atribuída a ele. Vinho não passa de caldo de uva fermentado. Daí o ter-se tornado o deus mais popular de todos, o deus das alegres festas em que há muito vinho e todos ficam de cabeça tonta...

Estas histórias iam sendo contadas durante a marcha para Micenas. Minervino seguia ao lado de Meioameio, de modo a poder conversar com os picapauzinhos enquanto caminhavam. E ainda estava ele a falar de Dionisos, quando chegaram a uma aldeia em festas, justamente uma festa dionisíaca, isto é, com muita dança alegre e muito vinho mais alegre ainda. Hércules deu ordem de alto. Seria curioso mostrar aos picapauzinhos como era uma festa popular na Arcádia.

Na praça principal da aldeia todo o povo estava reunido para assistir ao desfile duma procissão cômica. Na frente vinha um bode enfeitado de flores e coroas; a seguir dançarinos e músicos tocando flautas e cítaras. E uns cantavam e pulavam. E havia os que gritavam como que tomados de delírio. Depois a procissão parou diante dum tablado tosco onde estava sendo levada uma representação teatral muito cômica. Mas tudo no maior entusiasmo.

Minervino ia explicando:

— Eis a alegria dionisíaca. Há uma contaminação geral. Todos vibram de alegria. São as festas de que o povo comum gosta mais.

Pedrinho observou que aquilo devia ser a origem do carnaval moderno, e deu a Minervino uma ideia do carnaval moderno.

— Mas lá o deus do carnaval não é Dionisos, e sim Momo. Os devotos de Momo regalam-se, pulam e divertem-se como aqui, excitados pelo álcool e pelo "ar". Fantasiam-se de todos os jeitos, com máscaras no rosto e as vestes mais extravagantes. Estou vendo que as coisas do mundo são eternamente as mesmas; só mudam de nome.

O Visconde assanhou-se e resolveu tomar parte na representação. Galgando o tablado, pôs-se também a pular, dançar e cantar. E como todos achassem muita graça naquela esquisitíssima aranha de cartola, tornou-se o herói da festa. Depois deram-lhe um gole de vinho. O Visconde bebeu de um trago — e começou a "exceder-se". Fez coisas de matar de vergonha Dona Benta e Tia Nastácia, se elas soubessem.

— Bobo alegre!... Quem vai ficar aí toda a vida é você, porque foi você, não Lelé, quem se revoltou contra os deuses. Aguente!...

Ao ouvir isso, Atlas teve um acesso de fúria, e mesmo de céu aos ombros espichou a mão para agarrar Emília e torcer-lhe o pescoço. Com esse movimento a abóbada celeste vacilou, quase caiu... Foi um instante terrível. Hércules, de um pulo, escorou o céu dum lado — enquanto Pedrinho quase arrancava o braço de Emília com o puxão que lhe deu.

O perigo passou. Todos respiraram O céu havia voltado ao equilíbrio de sempre, bem firme no ombro de Atlas.

Pedrinho ainda estava com o coração aos pulos, do tremendo perigo passado. Custou-lhe voltar ao normal. Nisto viu Emília arrumando qualquer coisa na canastrinha. Espiou. Era o pomo das Hespérides! Atlas o havia deixado cair no chão e ela, mais que depressa o apanhara e escondera...

Capítulo VII
Euristeu enfurece-se

Foi um alívio quando chegaram de novo ao acampamento de Micenas.

— *Uf*! ... — exclamou Emília. — Escapamos de boa. Tive medo que depois do caso do gigante ainda nos acontecesse mais alguma. Não há o que não aconteça nesta Hélade...

O herói estava derrancado. O esforço que tinha feito para sustentar o céu fora o maior de toda a sua carreira. Chegou e caiu na relva para um sono de vinte e quatro horas. Esqueceu-se até de comer. Os grandes cansaços tiram a fome.

Enquanto Hércules dormia, os picapauzinhos ocuparam-se das coisas do costume. Pedrinho deu ordem a Meioameio para "cavar" seis carneiros.

— Sim, porque a fome de Hércules, quando acordar, vai ser dupla. Traga seis, ou sete...

O sono de Hércules foi o mais prolongado de sua vida. Vinte e quatro horas! Meioameio voltou com a carneirada. Matou-os, assou-os e ali ficou com aquela carnaria toda à espera de que o herói acordasse. Só no dia seguinte, lá pelas onze, Hércules abriu os olhos. Espreguiçou-se.

— Onde estou eu? — disse estremunhado. Mas ao dar com os seis carneiros no espeto sorriu e seu jantar foi verdadeiramente hercúleo. Só deixou os ossos.

— Que sono, Lelé! — exclamou Emília. — Pensei que não acordasse mais.

O herói sorriu.

— Sono de quem teve de sustentar o céu às costas... — disse ele. — Acha que é brincadeira?

E o resto do dia passaram ali no acampamento recordando as peripécias do Sexto Trabalho.

Pedrinho observou:

— Acontecem por aqui coisas que lá em nosso mundo ninguém acredita nem pode acreditar. A aventura do gigante Atlas, por exemplo. Quem lá em nosso mundo vai acreditar numa coisa assim? Começa que lá Atlas não é gigante nenhum, e sim um livrão com uma série de mapas — Europa, Ásia, África, América e Oceania...

— E é também o nome de um osso acrescentou o Visconde — uma das vértebras que sustentam a cabeça.

— E é também o nome duma montanha do norte da África — lembrou ainda Pedrinho. — Ah, cada vez gosto mais desta Grécia. Que terra! Vai a gente por um caminho e de repente que vê? Um titã sustentando o céu... Bem diz Emília que isto é a terra do "não há o que não haja...".

Hércules confessou que estava sentindo uma dor nas costas.

— Pudera! — exclamou Pedrinho. — E bom será que não esteja com qualquer quebradura lá por dentro. Você abusa, Hércules. Um dia se estrepa...

Hércules ainda ignorava que o pomo de ouro estivesse com Emília. Quando soube, quis ver. Tomou-o na mão, contemplou-o longamente e disse:

— Vocês não calculam o que tem havido nesta Grécia por causa destes pomos... Há certos tesouros que constituem uma verdadeira desgraça para o mundo. Todos querem possuí-los — e sobrevêm guerras, lutas, calamidades. Estes pomos têm dado o que fazer aos heróis — e o primeiro que sai lá do Jardim das Hespérides é justamente este...

Emília estava com medo de perder a preciosidade. Pensou, pensou, e por fim teve uma ideia: esconder o pomo dentro de uma casca de laranja.

Assim camuflado, ninguém o furtaria. Mas onde a laranja?

— Não há laranjas por aqui, Minervino? — perguntou ela ao mensageiro de Palas.

— Sim, há. A laranja é uma fruta comum a todos os países destes mares.

Estes mares queria dizer o Mediterrâneo e os pequenos pedaços do Mediterrâneo que têm tantos nomes: Mar Tirreno, Mar Adriático, Mar Egeu, Mar Negro. Todas as terras banhadas por esses mares são laranjíferas. Mas como ali por perto do acampamento não houvesse laranjeira nenhuma, Emília pediu a Meioameio que, quando encontrasse alguma, não deixasse de lhe trazer.

— Quero uma laranja um pouco maiorzinha que o pomo...

No dia seguinte, bem descansado, foi Hércules para Micenas dar conta ao soberano da realização daquele último Trabalho. Ao saber que o herói havia espantado para longe as aves do Estinfale, Euristeu mordeu o beiço.

— Minha ordem não foi essa! — berrou erguendo-se do trono. — Minha ordem foi para que destruísse aquelas aves. Se se limitou a espantá-las, logo as teremos lá outra vez.

— Não há perigo, Majestade. A lembrança do som daqueles címbalos fará que nunca mais voltem.

— Que címbalos?

— Os címbalos com que Hefaistos presenteou a grande deusa Palas.

Euristeu, que de nada sabia, arregalou os olhos.

— E como os obteve?

— Diretamente do Olimpo, mandados por Palas por intermédio dum mensageiro.

Euristeu olhou para Eumolpo, ali muito lambeta ao lado do trono. O caso se complicava. Se Hércules andava assim tão protegido por Palas, então Hera tinha de tomar outras providências. E Euristeu esfriou. Conhecendo o poder de Palas, teve medo de que essa deusa, na fúria de proteger Hércules, acabasse dando cabo dele, Euristeu. Tinha de pensar naquilo.

— Bom, se é assim — disse para Hércules — apareça aqui amanhã. Vou pensar no assunto e ver qual o novo Trabalho.

Hércules voltou ao acampamento e no dia seguinte lá compareceu perante o rei, cujo ar já não era o da véspera. Mais alegre e confiante, como quem está de ideias novas. A razão da mudança era que em sua conferência com o ministro Eumolpo este lhe havia falado assim: "Há uma coisa que talvez Hércules não consiga realizar: a destruição do Touro de Creta". Euristeu ignorava o que fosse. "Que touro é esse?", perguntou. E Eumolpo respondeu: "Ah, Majestade, é um touro gigantesco que está tomado de loucura. Um touro louco! Se um simples cão hidrófobo é o que sabemos, imagine-se um touro louco! Impossível que desta vez Hércules saia vitorioso". Euristeu sorriu diabolicamente — e foi à esfregar as mãos que recebeu o herói.

— Às ordens de Vossa Majestade! — disse Hércules, humilde como sempre. — Aqui estou para receber a missão que Vossa Majestade haja por bem confiar-me. E Euristeu, com um riso mau na boca feia:

— Quero que vá à Ilha de Creta e me traga vivo o Touro Louco. Só.

Hércules retirou-se bastante aborrecido. Touro louco! Depois de seu período de loucura viera-lhe um incoercível medo aos loucos. Mas que fazer? Eram ordens do rei. Tinha de cumpri-las — e voltou para o acampamento com a notícia.

— Temos agora de ir a Creta! — gritou de longe para os picapauzinhos. —Há lá o tal Touro Louco. Euristeu quer que eu lhe traga vivo esse monstro...

Emília bateu palmas.

— Creta? A ilha do Minotauro? Que amor!... Eu já estava com saudades dessa ilha onde passamos dias tão interessantes — e contou a Hércules toda a história de Tia Nastácia quando esteve detida no labirinto do Minotauro.

Hércules espantou-se.

— Como? Pois então entraram no labirinto e conseguiram sair? Isso me parece um portento, porque quem lá entra nunca mais encontra a porta de saída.

— Pois nós entramos e saímos. E descobrimos lá dentro Tia Nastácia a fazer bolinhos e o tal Minotauro gordo como um porco de tanto comer bolinhos — e desfiou a história inteira.

— Hoje — disse ela — o coitado deve estar magríssimo e portanto muito mais perigoso. Quando terá mais daqueles bolinhos?

Hércules quis saber o que eram "bolinhos", e Emília os pintou tão gostosos que lhe veio água à boca. O herói suspirou. "Bolinhos", "pipocas", "cocadas de fita", "manjar branco", "quindins", "rosquinhas" — ah, como deviam ser deliciosos os doces e quitutes daquela cozinheira cujo nome vivia na boca dos picapauzinhos!

— Sim — disse Emília. — Tia Nastácia é a Circe da cozinha. Pega um pato e faz um "pato com arroz" que é da gente comer e berrar por mais. E para doces, então, não há igual. Dona Benta diz que ela é uma "doceira do céu...".

Meioameio, que tudo ouvia, lambeu os beiços.

O dia seguinte passaram-no em preparativos. O Templo de Avia foi reformado e enfeitado com uma série de placas comemorativas dos Trabalhos realizados.

Pedrinho fincou em redor do templo uma porção de estacas, cada uma tendo na ponta uma escultura tosca: um leão, uma hidra, um javali, uma ave de pena de bronze, uma corça — mas engasgou na representação do Quinto Trabalho: a limpeza das cavalariças de Augias. Como figurar aquilo numa escultura?

Emília resolveu o problema.

— Faz de conta que as cavalariças são um cavalo e os Rios Alfeu e Peneu são dois cachorros que se atiram contra o cavalo — e foi assim que Pedrinho figurou em sua escultura o Quinto Trabalho de Hércules.

Em seguida pôs-se a diabinha a pensar na "defesa" do pomo de ouro. Não era conveniente andar com ele na canastrinha, viajando de um ponto para outro. Muito melhor guardá-lo bem escondido ali mesmo. E foi o que fez. Pediu a Pedrinho que cavasse um buraco bem fundo. Ajeitou lá dentro o pomo de ouro e a pena de bronze. E depois de tudo bem coberto com terra, mandou que Hércules botasse uma grande pedra em cima.

O TOURO DE CRETA

Capítulo I
O TOURO DE CRETA

O caso do touro de Creta foi consequência da briga entre um deus e um rei. Mas antes de o abordarmos, temos de ver para quem é a cartinha que o Visconde está escrevendo. Hércules havia pingado o ponto no seu sexto Trabalho e dera ordem de levantar acampamento. Enquanto Meioameio e Pedrinho cuidavam disso, Emília remexia em sua canastrinha e o Visconde "elaborava" uma carta.

— Para quem está escrevendo, Visconde? — perguntou a ex-boneca sem interromper a arrumação de seus guardados.

— Para Dona Benta — respondeu o sabuguinho.

Emília continuou a lidar com os seus bilongues ainda por uns vinte minutos — e o Visconde sempre trabalhando lá com a carta. De repente Emília desconfiou:

— Que cartinha tão comprida é essa, Visconde? — e correu para ver. O Visconde tapou-a com a cartola. Emília deu um peteleco na cartola e agarrou a carta. Não era para Dona Benta, não. Era para a Climene...

— Ah, malandro!... Escrevendo cartinha de amor, hein? — e pôs-se a ler enquanto o Visconde apanhava a cartola e a limpava com o cotovelo, muito vexado e desapontado. Emília leu:

Idolatrada criança! É com o coração despedaçado de mágoas que tomo da pena para traçar estas linhas. Tua imagem não me sai da imaginação. Em tudo te vejo, Climeninha. Olho para os olhos de Hércules e o que vejo são os teus olhos, Climeninha. Olho para aquelas florestas e o que vejo são os teus cabelos, Climeninha. Minha vida virou uma tristeza. Não acho graça em nada — nem na Emília...

Nesse ponto Emília interrompeu a leitura e encarou-o com olhinhos duros.

— Nem em mim, hein? Julga que ando fazendo graças para os estafermos acharem?... — e botou-lhe a língua. Depois continuou a ler:

Hércules não para, coitado. Tem agora de ir a Creta atrás dum touro hidrófobo. Hidrófobo quer dizer louco, isto é, louco propriamente não, porque "hidro" você bem sabe que é "água" no lindo idioma grego; e "phobos" é também outra linda palavra grega com significação de "horror". Hidrófobo: que tem horror à água. Mas lá no nosso mundo o povo ignorante chama "louco" ao que é "hidrófobo".

Emília interrompeu a leitura para observar que nas cartas de amor o galã não deve dar lições de língua.

— Pedantismo deste tamanho nunca vi, Senhor Visconde. A Climene é o que lá no mundo moderno chamamos uma "burrinha do campo". Bonita, sim, de rosto, mas crassa na ignorância... Crassa, crassa... Que é crasso, Visconde? Minervino disse ontem que Hércules é de uma "ignorância crassa".

O Visconde explicou que a palavra "crasso" vem do latim "crassus" — espesso, grosso, pesado. Ignorância crassa quer dizer ignorância grossa, cascuda. Emília continuou:

— Pois a Climene é assim: um mimo de nariz, mas crassa lá por dentro — e o Senhor Visconde com essas hidrofobias!... Nem quero ler o resto — tome a carta. E ponha um P. S. meu, assim: "Emília manda dizer que entrou por uma porta e saiu por outra". Só isso.

— Por quê? — indagou o Visconde, desnorteado. — Que quer dizer com isso?

— Nada.

— Então por que me manda escrever?

— Para equilibrar, Visconde. Conheço aquela menina, Juro que ela vai pular por cima de todas as suas hidrofobias e gostar do meu P. S. Para uma boba daquelas a gente só deve escrever bobagens. Outra coisa: como vai mandar essa carta?

— Pelo pirlimpimpim. Esfrego uma isca de pó no nariz dela e...

Emília arregalou os olhos, como fulminada por súbita ideia. Ficou uns instantes assim. Depois berrou, no maior entusiasmo:

— Que maravilha!... Parece incrível que eu já não houvesse tido essa ideia. *Assim como o pirlimpimpim transporta gente, também poderá transportar coisas.* É só esfregar uma isca de pó no nariz das coisas!...

E a cabeça de Emília começou a ferver com as novas possibilidades do transporte pirlimpimpinesco que ela via diante de si. Até o pomo... Até a pena de bronze... Sim... podia "expedi-los" para o sítio de Dona Benta por meio do pirlimpimpim e desse modo cessavam as suas preocupações ali na Grécia.

— Visconde, Visconde! — gritou ela agarrando o sabuguinho e abraçando-o. — Sabe que inventou, sem querer, uma das maiores invenções modernas? Mande a carta da Climene já, e mande dentro uma pitadinha do pó para a resposta, com explicação sobre o modo de usar... E se nós recebermos a resposta da Climene, então fica provado que o Visconde de Sabugosa é o maior inventor de todos os tempos...

O Visconde ainda não havia terminado a carta a Climene, mas teve de mandá-la assim mesmo, incompleta e sem jeito, tamanha era a ânsia de Emília em verificar a realidade da grande invenção.

Hércules lá de longe gritou:

— Estamos na hora. Toca a partir!

Mas Emília discordou.

— Não, não herói!... Impossível partirmos hoje. Estou empenhada numa experiência formidável. Corra aqui.

Hércules aproximou-se de Emília.

— Que há?

— Há isto — e Emília explicou-lhe a ideia do Visconde, de remeter uma carta para Estinfale pelo processo do pirlimpimpim.

Hércules não entendeu.

— Como?

Emília explicou:

— O pirlimpimpim age pelo nariz. A gente aspira o pó e pronto. O Visconde teve a ideia de esfregar uma isca de pirlimpimpim no nariz da carta. Se produzir efeito, se a carta fizer *fiun* e sumir no espaço e chegar direitinha ao endereço, então, então, então... — e Emília nem pôde concluir, de tão comovida que estava.

— Então, quê? — indagou Hércules, com toda a sua burrice de herói nacional.

Emília encarou-o com ar de dó.

— Que crasso você é, Lelé!... Pois não percebe que se isso acontecer estará descoberto um meio maravilhoso para o transporte das coisas? Se a carta for direitinha e chegar às mãos de Climene, e se a resposta de Climene também nos vier direitinha... — e Emília nem pôde concluir. Pôs-se a chorar. Choro de emoção. Choro de Madame Curie quando viu brilhar no escuro a primeira partícula de radium.

Hércules continuava com o seu ar pasmado. Emília danou.

— Pois não vê, homem de Deus, que se o pirlimpimpim levar uma carta pode levar tudo mais, até um elefante?

Hércules arregalou os olhos. Estava começando a compreender. Depois, aplicando o caso ao seu caso, disse:

— Sim... É mesmo!... Podemos até trazer o touro de Creta com uma boa pitada de pó!...

— Pois está claro! Podemos trazer o touro, podemos trazer até a Ilha de Creta inteira, com o labirinto e tudo. E isso será a maior das revoluções de todos os tempos! Só sinto uma coisa: que a ideia tenha sido do Visconde e não minha. Eu é que merecia ter tido essa ideia...

Pedrinho aproximou-se, e ao saber da grande ideia também vibrou.

— Meu Deus! — disse ele. — Se a coisa der certo, o mundo fica sendo nosso, Emília! Não haverá o que não possamos fazer.

Meioameio, que estivera cuidando dos preparativos da viagem, aproximou-se e disse ao herói:

— Pronto. Já arrumei tudo. Podemos partir.

— A viagem está adiada — respondeu Hércules. — Temos de aguardar a experiência do Visconde.

O sabuguinho tirou da cintura o canudo de pó e derramou na palma da mão uma isca. Depois, com muitas cautelas, esfregou o pirlimpimpim no nariz da cartinha, já galantemente sobrescritada:

Exma. Senhorita Climene, gentil pastorinha residente em ESTINFALE (na Arcádia)

Assim que a carta sentiu no nariz a ação do pó, espirrou o *fiunnn* e desapareceu.

Todos bateram palmas, inclusive o herói. A coisa ia indo otimamente. Restava apenas que viesse a resposta — e com que ânsia esperaram a resposta da Climene! Pedrinho duvidou.

— Não vem resposta nenhuma — disse ele. — Climene não sabe escrever; ela mesma me disse. São ignorantíssimos aqueles pastores da Arcádia.

— Mas tem uma amiguinha que sabe — gritou Emília — a Cloé, filha do chefe dos pastores.

Capítulo II
TUDO DEU CERTO!

O resto do dia foi passando na maior inquietação. Emília não tirava os olhos do céu, na esperança de ver uma cartinha cair de súbito ali no acampamento.

E havia apostas. "Aposto que ela vai cair aqui" — dizia um. "E eu aposto que ela não cai, fica pairante no ar como folha seca ao vento", — dizia outro. A ânsia era geral, e talvez mais em Hércules do que nos outros. Estava pensando no touro. Euristeu queria o touro vivo. Ora, era muito longe a tal Creta, separada do continente pelo mar, de modo que o problema de trazer um touro de Creta até Micenas, e ainda mais um touro louco, ocupava-lhe todos os pensamentos. Se a invençãozinha do Visconde resolvesse o problema, seria ouro sobre azul... Hércules chegou até a perder a fome. Quando à tarde o centaurinho assou os três carneiros do costume, o herói só comeu dois. Pela primeira vez sobrava comida.

O carro de Apolo ia descambando no horizonte quando a resposta de Climene chegou. Chegou como uma folha seca que o vento traz. Chegou, deu várias voltas no ar e foi cair bem junto aos pés do Visconde. Todos se precipitaram. Quem a agarrou foi Emília. Coitadinha!... Estava tão trêmula de emoção que nem pôde abrir a carta.

— Abra, Pedrinho.

Pedrinho abriu. Devia ser a letra da Cloé.

> Amiguinho Visconde:
> Chegou sua carta! Como fiquei contente...Cloé a leu para mim. Sinto muito suas aflições. Cloé diz que a história da "hidrofobia" está certa. Aqui tudo na mesma. As aves do lago não voltaram. O assunto de todos ainda é o mesmo: as aves de penas de bronze. Cloé vai me ajudar a fazer como você diz: esfregar o pozinho no nariz desta resposta. Não contei a ninguém este caso — só à Cloé. De medo que me tomem como feiticeira. Adeus. Muitas lembranças ao Senhor Pedrinho e ao Senhor Hércules. Tenho saudades das galopadas que dei no lombo de Meioameio. Sua criada obrigada,Climene

Que delírio!... Emília pulava, dançava, dizia palavras sem sentido. O Visconde beijava a cartinha e apertava-a de encontro ao coração. Pedrinho sonhava mil sonhos cada qual mais louco, e Hércules sorria: estava resolvido o problema do transporte do touro louco de Creta até Micenas! Só Meioameio não deu demonstrações de entusiasmo. Sua inteligência não alcançava as tremendas consequências que da invenção do Visconde poderiam advir para o mundo.

Hércules, já de coração sossegado, foi comer o último carneiro, completando assim a ração normal de três. Em seguida deu ordem de partida. A viagem a Creta era longa. Não convinha perderem mais tempo.

Emília propôs que em vez de partirem a pé, como das outras vezes, partissem "a pó".

— Sim, todos aspiramos uma pitada de pirlimpimpim e num *fiunnn* estamos em Creta.

Hércules tonteou com a ideia. Mas seria o pó suficientemente forte para levá-lo a ele, que pesava dez arrobas? Pedrinho contou que até Tia Nastácia já tinha ido à lua "a pó". Disse que para o pirlimpimpim um peso como do herói "era canja". Mesmo assim Hércules estava irresoluto. Quem o forçou a decidir-se foi a Emília.

— Nada mais fácil do que experimentar, Lelé. Se o pó não puder com você, nós vamos "a pó" e você vai "a pé". Experimentemos.

Hércules concordou. Pedrinho tirou da cintura o seu canudo e pôs-se a calcular as doses e a distribuir as pitadas. Para Hércules deu quatro. Depois ensinou-lhe como fazer.

— Todos temos de aspirar o pirlimpimpim ao mesmo tempo, quando eu cantar três. Vem o *fiunnn* e pronto.

— E se vocês forem e eu ficar? — ainda objetou o herói.

— Nesse caso, voltamos e seguiremos todos a pé.

Hércules aceitou essa solução. Pedrinho disse:

—Pois então aprontem-se que vou cantar os números — e começou—: um... dois... e três! —Na voz de três, todos aspiraram o pó e o *fiunnn* soou violento.

*

O primeiro a acordar em Creta foi Pedrinho. Abriu os olhos, tonto. Viu todos ali juntos, mas ainda desacordados. O segundo que abriu os olhos foi o Visconde. Os outros continuavam em estado de "choque", como dizia o sabugo.

— Será que dei pó demais? — refletiu Pedrinho e foi sacudir Emília. A ex-boneca arregalou os olhos, tontinha, tontinha. Depois Meioameio despertou. Só faltava Hércules.

O tremendo herói estava aplastado no chão, como morto. Os picapauzinhos o rodearam. Deram-lhe tapas no peito. De um rio perto trouxe Meioameio água nas mãos e jogou-lhe na cara. Emília espetou-o em vários pontos com um espinho. Nada. Nada de Hércules acordar!

— Será que lhe dei dose forte demais? — murmurou Pedrinho já meio inquieto. — Hércules nunca aspirou este pó. Quem sabe lhe fez mal ao coração e está morto?

O Visconde encostou o ouvido ao peito de Hércules para auscultá-lo. Sentiu o bater do coração.

— Vivinho está — gritou o sabugo, — mas o seu estado de choque é dos tremendos. Tudo com Hércules é enorme: o seu apetite, a sua força física, os seus sonos... Temos de esperar.

E esperaram. Mais de duas horas passaram ali ao lado do herói, à espera de que ele voltasse a si — e nada de Hércules voltar a si. A situação ia se tornando séria.

Pedrinho arrependeu-se do que tinha feito. E se Hércules morresse? Nêmesis era capaz de vir justar contas com eles...

Vendo as coisas nesse pé, Emília tomou uma resolução extrema. Ajoelhou-se, de mãos postas, e pediu com todo o fervor: "Palas, deusa linda, valei-nos nesta aflição! Mandai-nos socorro pelo vosso diligente mensageiro Minervino!".

O milagre operou-se: Minervino não tardou a aparecer! E apareceu já ciente de tudo e com o remédio na mão. Curvando-se sobre o herói adormecido, derramou-lhe na boca entreaberta várias gotas de filtro mágico. Foi a conta. O herói abriu um olho. Depois abriu o outro. Depois suspirou e por fim sentou-se.

— Onde estou eu? — foram suas primeiras palavras.

— Talvez na Ilha de Creta — respondeu Pedrinho. —Certeza não tenho. Não há por aqui letreiros.

Minervino confirmou a suposição. Estavam realmente na Ilha de Creta. E enquanto Hércules voltava totalmente a si, contou que lá do Olimpo a deusa Palas havia acompanhado tudo com o maior interesse, e vendo Hércules por tanto tempo sem sentidos, lhe tinha dado ordem de vir socorrê-lo.

— Estes atletas — disse Minervino — têm em geral o coração hipertrofiado, de modo que drogas que para uma criatura do comum não fazem mal, para eles são muitas vezes venenos. Vocês agiram com grande imprudência. Desse modo ainda acabam liquidando com o grande herói nacional da Grécia...

— Gotas do que, essas que lhe pingou na boca? De elixir paregórico? — quis saber o Visconde.

— Os deuses do Olimpo não revelam aos mortais o segredo de seus filtros. Palas Atena deu-me este frasco sem dizer o que continha.

Emília tirou-lhe da mão o frasco para ver se trazia rótulo. Depois cheirou. Ficou na mesma. Os filtros de Palas eram realmente impenetráveis para as criaturas humanas.

Hércules já estava completamente restabelecido, e ao saber do longo desmaio e da intervenção da deusa alegrou-se. Evidentemente, Hera tentara destruí-lo, mas fora obstada pela sua protetora — e erguendo os olhos para o céu agradeceu com um olhar a preciosa intervenção de Palas.

Depois:

— Com que então é isto aqui a Ilha de Creta?

— Sim. Estamos em Creta — respondeu Minervino.

— E o touro?

— Ainda não mugiu — disse Emília—, mas não tarda. Sinto uma aura de loucura no ar.

Nem bem falou, e um mugido horrendo se fez ouvir ao longe. Hércules pôs-se em pé, já de clava em punho. Seus olhos chamejaram. Seus músculos se retesaram.

Mas Pedrinho advertiu-o de que tinha de levar o touro vivo. Nada, pois, de clava nem flechas.

— Sim — disse Hércules, recordando-se. — Euristeu exige que lhe leve o touro vivo... Puseram-se a planejar a captura do touro. Pedrinho foi de opinião que o melhor meio era laçá-lo, como lá no mundo moderno fazem os vaqueiros do sertão. Hércules não tinha prática de laço. Teve de receber lições do menino.

— Mas, antes de mais nada — disse —, precisamos trançar um laço — e explicou como se fazem os laços. — Toma-se um couro de boi e com uma faca bem afiada vai-se cortando nele um tento sem fim...

— Que quer dizer tento sem fim? — indagou Hércules.

— Tento sem fim é uma tira que a gente corta em forma de espiral, como quando descascamos laranja. Fica uma tira compridíssima. E precisamos de quatro couros para obter quatro tentos do mesmo tamanho. Depois é só trançá-los.

— Trançar de três eu sei — gritou Emília. — De quatro, não.

Pedrinho sabia trançar de quatro, e se Meioameio lhe obtivesse quatro couros de boi ele se encarregaria de tudo: de cortar os tentos e trançá-los.

O touro mugiu outra vez ao longe.

Hércules, nervoso, apertou novamente o punho da clava.

Pedrinho pediu a Meioameio que saísse de galope e só voltasse com quatro couros de boi; e explicou:

— Couros crus. Curtidos não servem. E couros sem buracos de berne.

Minervino ignorava o que era berne, porque na Grécia não havia semelhante praga — e ficaram a conversar sobre bernes e carrapatos enquanto o centaurinho partia a galope por aqueles campos afora.

A Ilha de Creta era "bovinífera", como disse o Visconde, isto é, abundante em bois. Tudo ali era boi. O Minotauro era um boi-homem ou um homem-boi. E para Emília até o Rei Minos tinha jeito de ser um verdadeiro "boi real".

Capítulo III
A PEGA DO TOURO

Minervino contou a história desse rei.

— Era filho de Europa — disse ele — e sobrinho de Cadmo...

— O que inventou o alfabeto?

— Sim, Cadmo goza a fama de ter sido o criador do alfabeto. Ele e Europa eram filhos de Agenor, um rei da Fenícia. Certo dia em que a linda Europa passeava com suas amigas pelas praias da Fenícia, eis que de súbito aparece um touro de maravilhosa beleza que vinha raptá-la. E de fato a raptou. Esse touro era o próprio Zeus metamorfoseado em touro.

Emília cochichou para Hércules que "metamorfose" era o mesmo que "virar" e citou um caso:

— Eu, por exemplo, me metamorfoseei, da boneca de pano que era na gentinha que sou.

Minervino prosseguiu:

— O belo touro arrebata Europa lá na Fenícia e foge com ela para aqui. O Rei Minos não passa do produto desse rapto. Minos, Minos!... Um grande rei. É o legislador da ilha, foi quem a livrou dos piratas saqueadores e foi o aprisionador do

Minotauro. Quando esse monstro surgiu e pôs-se a devastar a ilha, Minos incumbiu Dédalo da construção do famoso labirinto — e prendeu o Minotauro lá dentro.

Minervino ia contar mais coisas de Minos, quando Meioameio apareceu com os quatro couros encomendados. Jogou-os ao chão perto de Pedrinho.

—Pronto!

Pedrinho examinou-os e achou-os ótimos.

—Nem um buraquinho de berne. Vão dar uns tentos ótimos. E faca? Sem faca bem afiada, nem Hércules desdobra um couro em tentos.Preciso de uma faca! — berrou o menino, e todos ficaram a olhar uns para os outros.

Quem salvou a situação foi a Emília.

—Faca não tenho em minha canastra, mas tenho aquela perna de tesoura que dei para o Senhor La Fontaine e ele felizmente não aceitou. Bem amoladinha, substitui qualquer faca. Veja minha perna de tesoura aí na canastra, Visconde!

Pedrinho, que era mestre em amolar, descobriu por ali uma laje bem lisa, na qual deixou a perna de tesoura afiada como navalha.

Hércules olhava, olhava. A diligência daquele menino o enchia de satisfação.

Depois começou Pedrinho a "desdobrar os couros em tentos". Suou, coitado, e teve de ser ajudado por Meioameio. Horas depois estavam prontos quatro tentos compridíssimos. Restava trançá-los — e Pedrinho "trançou de quatro" à vista de todos, para que todos aprendessem.

Hércules olhava, olhava.

Meioameio vinha revelando muita habilidade. Aprendia com rapidez incrível e desse modo confirmava aquelas ideias de Hércules sobre a educação. O dia inteiro passaram naquilo e também metade do dia seguinte. E afinal ficou pronto o laço, um formidável laço, porque Pedrinho cortara os tentos com um centímetro de largura.

— Experimente, Hércules. Veja se isto aguenta a pega de um touro.

Hércules experimentou e admirou-se da resistência daquela "corda de couro".

Estavam nisso quando sobreveio uma agitação. Gritaria ao longe. Passou um homem a correr. E depois mulheres e crianças, todas com ar espavorido.

Pedrinho correu a informar-se do que havia.

— O touro louco! O touro louco!... — era o que toda gente gritava, sem interromper a fuga. —O touro louco está devastando a nossa aldeia, destruindo nossas casas...

— Por que o não matam? — indagou Pedrinho.

— Impossível!... — respondeu um dos homens. — Esse touro parece um raio. Investe como um corisco.

— Sabe que Héracles está aqui e veio especialmente para livrar a ilha?

Na voz de Héracles, o homem parou olhou para o menino, muito espantado. Não havia entre os helenos quem não conhecesse o grande herói — e se ele estava em Creta, razão já não havia para fugas. E o homem gritou para os outros, e num instante uma multidão inteira se reuniu em redor de Pedrinho.

—Diz este menino que Héracles está aqui, vindo para pegar o touro.

—Héracles? O filho de Zeus e Alcmena? Onde está ele?

Pedrinho levou aquela multidão à presença do herói, e todos se assombraram. As caras iluminaram-se como lampiões que se acendem. Héracles ali!... Estavam salvos!... Pedrinho tomou a palavra e disse:

— Povos de Creta! As vossas desgraças chegaram ao fim. O grande Hércules veio do continente com fim expresso de agarrar vivo esse touro que assola estas paragens. Já trançamos o laço de couro cru com que iremos laçá-lo. Interrompei a vossa fuga. Amanhã estareis reconstruindo os vossos lares. Bem sabeis que Héracles é infalível. Quem destruiu o Leão da Nemeia? Ele. Quem matou a Hidra de Lerna? Ele. Quem caçou o javali do Erimanto? Ele. Quem apanhou a Corça de Pés de Bronze? Ele. Quem limpou as Cavalariças de Augias? Ele. Quem afugentou do Estinfale aquelas aves antropófagas? Ele. Quem vai libertar a Ilha de Creta das devastações do touro louco? Ele...

A multidão rompeu em aplausos delirantes. Salvos! Salvos, afinal! ... Se Héracles estava ali, então nada mais tinham a temer... E as mulheres choravam e os homens dançavam num delírio de contentamento.

Súbito, no meio daquela festa, um mugido pavoroso. O monstro vinha vindo. Estabeleceu-se o pânico. As mulheres debandaram com as crianças e muitos homens fizeram o mesmo. Só os mais inteligentes ficaram ali junto de Héracles, pois estariam mil vezes mais seguros na companhia do herói invencível do que bobamente a correrem pelos campos.

Emília trepou a uma árvore. Seus olhinhos telescópicos faziam dela a mais preciosa das espias. E lá de cima "irradiava" informações.

— Estou vendo só a poeira do touro, bem longe ainda, mas nesta direção. Sim... É ele mesmo... Começo a distinguir a ponta dos chifres e agora toda a cabeça... O resto do corpo some-se dentro da nuvem de pó... Vem vindo do nosso lado... Quando encontra uma casinha, investe contra ela e com uma chifrada manda-a para o beleléu...

Pedrinho já havia entregue a Hércules o laço e dava-lhe as últimas instruções sobre o melhor modo de manejar a laçada. "Você dá várias voltas no ar, por cima da cabeça, e só arremessa quando o touro chegar a uns trinta passos de distância. A laçada tem que cair certinha sobre os chifres, isto é, tem que abarcar os chifres. E então você puxa com toda força — cerra a laçada. O resto — como ensinei: Você dá uma volta do laço num tronco de árvore e segura firme a ponta — e vai puxando, vai puxando, até forçar o touro a encostar os chifres no tronco."

Pedrinho era mestre naquilo. Não faltava nunca aos rodeios anuais das fazendas vizinhas do sítio de Dona Benta e, escondido da vovó medrosa, aprendera a laçar garrotes, já bem taludos e até potros de um ano. Hércules, porém, nunca havia laçado coisa nenhuma, de modo que se sentia bastante atrapalhado e com medo de falhar. Que fiasco, se ali diante daquele povo ele erra o golpe e o touro escapa!

Emília continuava a "espiar", e agora "espicava" como um *speaker* de rádio quando a bola vai se aproximando do gol.

— Vem vindo... Vejo-lhe o corpo inteiro... Que touro, meu Deus!... Bate longe o Beethoven do Coronel Teodorico... Tem pelo de zebu Guzerate... Encontrou um cupim... O cupim voou pelos ares... Chegou!... É hora, Lelé!... Drible e jogue o laço.

Hércules já estava girando no ar a laçada, à espera de que Pedrinho desse o sinal. Pedrinho deu o sinal:

— Agora!...

Hércules arremessou o laço, mas errou... A laçada colheu o touro pelas ancas, indo pegar um toco de pau que havia por ali. Sobreveio o pânico. Toda aquela gente debandou. Uns treparam na árvore de Emília. Outros sumiram-se no galope. Hércules largou do laço e apanhou a clava. Ia receber o touro em luta peito a peito. Ia fazer asneira — estragar tudo. Pedrinho interveio a tempo.

— Não, Hércules! Nada de clavas. Eu laço esse bicho — e veloz como um raio tomou o laço, deu a laçada e pôs-se a girá-la no ar.

Na fúria em que vinha, o touro varou por ali sem alcançar o herói, que se desviara agilmente, como fazem os toureiros na arena. O touro enganado e mais furioso ainda fez meia-volta e investiu novamente, mas dessa vez o arremesso da laçada colheu-o pelos chifres. Estava seguro. Pedrinho jogou a ponta do laço para Hércules e voou para cima da árvore de Emília. Hércules deu uma volta no tronco e fez como Pedrinho lhe havia ensinado. Desviava-se das marradas do touro e ia estirando o laço, de modo que o touro fosse ficando cada vez mais peado, mais próximo do tronco. E assim, encurta que encurta, breve o touro se viu com a testa colada ao tronco, isto é, com o tronco entalado entre seus chifres.

— Hurra! Hurra!... — berrou Emília. — Viva Pedrinho! Viva Hércules!...

O touro bufava, babava, urrava, fazia os mais tremendos esforços para arrancar-se dali — inutilmente. O laço de quatro tentos que Pedrinho trançara era dos que touro nenhum rebenta, e estava aguentando firme. O touro, afinal, exausto do esforço, aquietou-se.

— Já não tuge nem muge — berrou Emília. — Hurra! Hurra!...

Os cretenses que haviam fugido começaram a voltar, e logo ali em torno da árvore grande multidão se formou. Uns queriam linchar o touro. Outros diziam-lhe os mais feios nomes. Hércules interpôs-se.

— Não. Respeitemos o vencido. Tenho ordens para levá-lo a Micenas.

Uma dificuldade surgiu. Os que estavam empencados na árvore tinham medo de descer com aquele touro lá embaixo. Mas Emília deu o exemplo: atirou-se para os braços de Hércules. Os outros fizeram o mesmo. A alegria era imensa.

Todos falavam. Cada qual dizia uma asneira maior.

Hércules devia estar vexado, porque afinal de contas o herói da festa fora Pedrinho, não ele. Mas seu coração era generoso demais para dar abrigo a sentimentos inferiores. Em vez de sentir ciúmes, pegou o pequeno nos braços e disse:

— Eu queria ter um filho como você, Pedrinho! — e beijou-o.

Emília não se conteve: chorou de emoção; e até o Visconde, que era milho fervido, enxugou sua lagrimazinha...

Capítulo IV
O RASTREAMENTO

Depois que o povo se dispersou, Hércules disse:

— Muito bem. A primeira parte deste Trabalho está concluída. Temos agora cuidar do estômago e descansar... Amanhã partiremos para Micenas.

Meioameio saiu no galope do costume para prear os três carneiros, enquanto Emília ficou de cochichos com Minervino. Pedia-lhe qualquer coisa. Que coisa? O frasquinho vazio do filtro de Palas. Para quê? Para enchê-lo com a baba do touro louco. Seu museu lá no sítio ia enriquecer-se tremendamente com as maravilhas que lhe estavam a render os Trabalhos de Hércules.

Depois do jantar Pedrinho lembrou que o touro também tinha estômago. Era preciso alimentá-lo — e Meioameio foi arrancar uma grande braçada de capim, que jogou ao pé da árvore. Hércules deu uma folgazinha no laço para que o touro vencido pudesse comer.

Que noite foi aquela, passada sob as estrelas da ilha do Rei Minos, empanturrados de carneiro assado e glória! Não houve sonhos. Só sono e dos mais pesados. Sono tão pesado que ninguém percebeu nada do que se passou.

— Passou-se então qualquer coisa durante a noite?

— Sim. Quando lá no Olimpo a implacável Juno viu que o touro de Creta estava vencido e Hércules continuava incólume, a cólera lhe estufou o papo. E chamando um ratinho mandou-o que corresse até lá, roesse o laço e soltasse o touro. O ratinho obedeceu, de modo que pela manhã, quando Hércules acordou...

— Que é do touro?

Não havia touro nenhum no palanque...

Foi o maior desapontamento jamais ocorrido na Grécia. A vingativa Juno vencera. Todo o esforço do herói e de Pedrinho estava perdido. Tinham de capturar o monstro novamente.

Mas para onde se dirigira o touro? Pedrinho sabia "rastrear", isto é, seguir o rastro dos animais. Aprendera essa arte sutil com um velho campeiro do Coronel Teodorico. Rastrear em chão de terra desnuda é fácil, porque os rastros ficam impressos na lama ou pó — mas ali, naqueles campos revestidos de capim mimoso? Só mesmo um mestre rastreador e Pedrinho de novo assombrou o herói com a sua habilidade. Pelo acamado do capim e outros sinais que só os rastreadores percebem, pôde ir acompanhando o rumo levado pelo touro em fuga.

Trabalho de paciência e demorado, mas feliz. Pedrinho seguia na frente, rastreando, e os outros atrás. E assim foram indo, indo...

Súbito, um encontro imprevisto: Teseu, o grande herói! O encontro de Teseu e Hércules lembrou a Pedrinho o encontro do explorador Stanley com o Doutor Livingstone, lá no centro da África.

— Teseu da Ática? — disse Hércules estendendo a mão para Teseu.

— Héracles da Hélade? — disse Teseu, apertando a mão de Hércules.

Os dois heróis abraçaram-se e puseram-se a conversar. Hércules contou que viera à ilha por causa do famoso touro louco, e Teseu contou que estava ali para dar cabo do Minotauro.

— Do Minotauro? — exclamou Pedrinho com espanto. — Pois esse monstro ainda vive? — Sim — respondeu o herói da Ática, e aqui estou para libertar esta ilha de tão horrendo monstro. Não tem conta o número de vítimas que já fez. O Rei Minos houve por bem encarregar-me da missão. Mas quem é este menino, Héracles?

Hércules fez as apresentações e contou da maravilhosa ação do seu "oficial de gabinete" Pedro Encerrabodes de Oliveira na captura do touro de Creta, o qual, infelizmente, graças ao camundongo de Hera, tinha conseguido libertar-se e fugir. Depois apresentou Emília de Rabicó, e o Visconde de Sabugosa, o seu "escudeiro".

Teseu achou graça.

— E aquele centaurinho que lá vem com carneiros ao ombro?

Hércules contou toda a história da captura do jovem centauro e dos maravilhosos progressos que vinha fazendo.

Teseu estava simplesmente tonto com aquelas novidades; chegou a abrir a boca ao saber da aventura dos picapauzinhos com o Minotauro.

— Com que então viram vocês o Minotauro? Conseguiram entrar no labirinto e sair?

— Sim — respondeu Emília e desfiou toda a história, contou o truque dos carretéis de linha que usou, isto é, que foi desenrolando à medida que entrava, de modo a poderem guiar-se na saída.

Teseu não sabia nada de carretéis. Emília correu à sua famosa canastra e trouxe um.

— É isto. Linha número 50, J. P. Coat. Muito boa para pregar botões. Mede 200 jardas, ou 138 metros na medida decimal que usamos no mundo moderno. Tenho três carretéis. Posso ceder um...

Teseu aceitou.

Que dia aquele! Os picapauzinhos não cessavam de admirar o herói da Ática. Embora não tivesse a imponência de Hércules, Teseu revelava maior beleza. E que inteligência!...

Minervino desfiou-lhe a história, enquanto os dois heróis devoravam os carneiros.

— Ah, meus amiguinhos, vocês tiveram hoje a honra de travar conhecimento com o herói que quase eclipsou a glória de Héracles. Sua origem é real, pois é filho de Egeu, rei de Mégara. Foi Teseu quem conquistou a Ática — e como prêmio teve a cidade de Atenas, a glória da Hélade. Suas aventuras heroicas quase que se equiparam às de Hércules. A primeira foi a luta contra Corineto, que matava os viajantes a golpes de clava. Corineto quer dizer "o que combate com clava". Teseu matou-o e apossou-se de sua terrível clava —nunca mais abandonando-a. A Ática era vítima de malfeitores famosos, como Esciron, que obrigava os viandantes a lavar- lhe os pés no alto dum penedo e depois os arrojava ao mar, onde eram comidos por uma tartaruga monstruosa; como Sinos, que atava os viandantes a uma árvore encurvada até o chão e depois, largando-a, os arremessava longe, despedaçando-os; como Procusto, que "ajustava" as vítimas ao tamanho do seu leito, ora cortando um pedaço das pernas, ora esticando-as com a maior violência; como Cercion, que obrigava todo mundo a lutar com ele e depois matava os vencidos. A todos Teseu destruiu, com aplicação das mesmas torturas que esses homens perversos tinham inventado.

— Que peste o tal Procusto! — observou Pedrinho. — Já ouvi referências ao "leito de Procusto", mas não sabia o que era.

— E que mais fez Teseu? — quis saber Emília.

Minervino continuou:

— Ah, não tem conta! São infinitas as proezas de Teseu, e sempre norteadas para o bem. Ele é o amigo das liberdades,o castigador dos tiranos e monstros. Foi quem deu cabo de Fea, a javalina de Cromion, mãe daquele javali do Erimanto, vencido por Héracles. E até sei de coisas que ainda não aconteceram, mas vão acontecer.

— Como sabe? — perguntou Emília.

— Porque frequento o Olimpo, e lá ouço o que os deuses conversam sobre as coisas do porvir. Este touro de Creta, por exemplo. O que vai acontecer está escrito nas páginas do futuro.

— Está predeterminado — disse cientificamente o Visconde.

Minervino riu-se da "aranha-de-cartola" e continuou:

— Héracles levará vivo a Euristeu este touro de Creta, mas Euristeu o soltará novamente. E o touro louco irá numa corrida furiosa até aos arredores de Maratona, e assolará aquela região. O Rei Egeu mandará contra ele o herói Androgeu, futuro vencedor de todos os concursos de várias Panateneias — e esse herói sucumbirá na empresa. Teseu então atrever-se-á a ir atacar o touro, e o agarrará a unha, e o levará para Atenas, onde o passeará pela cidade; depois o sacrificará ao Apolo de Delfos. Mas isto ainda são coisas do futuro, como também a luta de Teseu contra as amazonas e tantas e tantas coisas mais. Agora veio ele a esta ilha para dar cabo do Minotauro.

— E vai vencer o Minotauro?

— Sim...

Terminada a refeição, os dois grandes heróis se despediram. Teseu lá se foi com o carretel de linha nº 50 na mão e Hércules e Pedrinho continuaram no rastreamento do touro. Vários dias se passaram assim, sem que o menino perdesse a pista do touro de Creta. E foram andando, andando até que deram com a entrada do famoso labirinto. O chão ali estava desnudo, de modo que os rastos do touro se misturavam com rasto de gente e outros animais.

Pedrinho desnorteou. Não podia garantir que o touro houvesse entrado.

— Pode ser que sim, pode ser que não — disse ele para Hércules. —O melhor é entrarmos para investigar.

O herói vacilou. Entrar no labirinto era fácil, mas como sair? Aquele labirinto dava lá dentro mil voltas, e fora construído justamente para que quem entrasse não pudesse mais sair. Emília sossegou o herói.

— Não tenha medo, Lelé. Para nós esse labirinto é "canja". Já estivemos lá dentro, fomos até onde mora o Minotauro e depois saímos com a maior facilidade.

— Como?

— Por meio da linha dos meus carretéis. Tenho três na canastra.

— Mas não os deu ao herói da Ática?

— Dei um. Ainda restam dois. Dois bastam...

Capítulo V
DÉDALO

A entrada no labirinto de Creta processou-se exatamente como da primeira vez, quando lá estiveram em procura de Tia Nastácia. Emília seguiu atrás de todos, desenrolando a linha. Por que atrás? Porque se seguisse na frente, os outros podiam embaraçar a linha nos pés e estava tudo perdido. Emília era muito previdente.

Foram entrando. Eram corredores e mais corredores, uma coisa sem fim. Em certo ponto a linha do segundo carretel acabou. E agora?

Pedrinho resolveu o caso. Fez fogo, obteve carvão e mandou que o Visconde viesse de carvãozinho em punho riscando o chão. Hércules não cessava de admirar aquele menino. Que engenho! Que habilidade para tudo! Tão simples a ideia do carvão...

Afinal chegaram ao fim, exatamente lá onde da outra vez os picapauzinhos haviam encontrado o Minotauro gordíssimo de tanto comer os bolos de Tia Nastácia. Mas, em vez de Minotauro o que viram lá foi um homem...

Hércules abordou-o.

— Quem és tu? Espero encontrar o Minotauro e dou com um homem...

— Sou Dédalo — respondeu o interpelado. —Tive um atrito com o Rei Minos e fui encerrado aqui...

— Dédalo? — repetiu Hércules com ar de espanto. — Dédalo, o mesmo construtor deste labirinto?

— Exatamente. Estou preso na arapuca por mim próprio construída...

O espanto foi geral. Dédalo preso na armadilha que ele mesmo concebera! Que coisa prodigiosa!...

O Visconde lembrou o caso do Doutor Guillotin, aquele francês que inventou a guilhotina e afinal acabou guilhotinado; e também veio com o célebre caso do touro de bronze de Perilo. Esse Perilo meteu-se um dia a mau, e concebeu a ideia de um novo suplício: um touro de bronze oco. Punha-se lá dentro a vítima e acendia-se um grande fogo embaixo. Ao sentir-se queimado vivo, o supliciado rompia aos urros — e a assistência tinha a impressão de que era o touro que estava urrando.

— Que bisca! — exclamou Pedrinho. — Monstro mau assim nunca vi.

— Pois esse malvado recebeu o castigo que merecia — continuou o Visconde.

— Como?

— Perilo construiu o touro oco e muito lampeiramente foi oferecê-lo ao tirano Fálaris. O tal Fálaris, que era outra peste, exclamou: "Ótimo! Façamos a experiência", e mandou acender fogo debaixo do touro e meter lá dentro ao próprio Perilo.

— Bem feito — berrou Emília. — Eu fazia exatissimamente a mesma coisa.

Dédalo suspirou.

— Pois foi o que a mim me aconteceu. Construí por ordem de Minos este labirinto e agora cá me vejo preso, também por ordem de Minos...

— Mas teve uma grande sorte — disse Pedrinho. — Vamos salvá-lo. Basta que nos acompanhe, que logo estará fora daqui.

Dédalo riu-se com grande tristeza.

— Impossível. Eu, que sou o construtor deste labirinto, sei que quem nele entra não sai mais...

— Bobagem, Dédalo. Aqui estamos nós que já estivemos cá e saímos. E agora entramos de novo e vamos de novo sair — e explicou o truque da linha inventado pela Emília.

Dédalo abriu a boca.

Depois pediram-lhe notícias do Minotauro.

— Já não existe. Esteve cá ontem um herói tremendo, que se atracou com o monstro e matou-o.

— Teseu! ... — gritou Pedrinho.

— E onde anda ele? Já saiu?...

— Ah, não! Nem sairá. Deve andar perdido aí por esses corredores sem fim.

— Pois havemos de salvá-lo também, — disse Pedrinho. — E o touro de Creta?

Dédalo não entendeu. Pedrinho explicou:

— O touro louco, sim. Nós o estamos perseguindo. Já o pegamos uma vez a laço e o amarramos a uma árvore. Mas Juno mandou de noite um ratinho roer o laço — e o boi fugiu. Estamos agora atrás dele. Viemos seguindo os rastos até à entrada do labirinto. Talvez haja penetrado aqui, não sei.

Dédalo foi de opinião que não havia entrado.

— Asseguro que não entrou. Depois da morte do Minotauro, o silêncio tem sido completo. Se houvesse entrado eu teria ouvido seus urros.

— E o cadáver do Minotauro? Onde está?

Dédalo levou-os ao ponto onde residia o Minotauro.

— Ei-lo!...

Sim. Lá estava o Minotauro estendido por terra, morto, mortíssimo.

— De que modo conseguiu Teseu vencê-lo?

— Em luta corpo a corpo. Atracou-se com ele e estrangulou-o. Que herói tremendo é Teseu!...

Longamente estiveram ali a examinar o Minotauro morto.

— Sim — observou Emília. — É o mesmo que vimos daquela vez, mas muito mais magro. Depois que raptamos Tia Nastácia, ficou sem quitutes...

Hércules acertou com Pedrinho um plano para salvar Teseu, e não foi difícil encontrá-lo. Dédalo tinha na cabeça todo o plano daquela construção, de modo que fez várias deduções, como as do Sherlock Holmes, e depois de meia hora de pesquisa deu com o herói da Ática.

Que festa foi o encontro! O pobre Teseu já estava desanimado e exausto de tanto andar por aqueles malditos corredores despistantes, mas quanto mais andava mais emaranhado ficava.

Tudo correu bem. Uma hora depois estavam todos fora do labirinto. Facílima fora a saída, graças ao risco de carvão do Visconde e ao fio de linha dos dois carretéis da Emília.

Ao ver-se de novo restituído à luz do dia, Teseu levantou os olhos para o céu e fez um agradecimento a Palas, a deusa de Atenas. Depois abraçou Hércules; também abraçou o Pedrinho e o Visconde e deu um beijo na Emília.

— Obrigado, amigos! Graças a vocês, acabo de ressuscitar. Sim, considero o meu caso um verdadeiro caso de ressurreição, pois já me considerava absolutamente morto...

— Por que não usou o carretel que eu dei, herói? — perguntou Emília.

— Usei-o, mas breve a linha se acabou. Duzentas jardas é pouco para este infernal labirinto.

Dédalo disse que só uma linha de oitocentos metros poderia ir da entrada até ao ponto final. Com um carretel só, de modo nenhum Teseu poderia arranjar-se.

As despedidas de Teseu e Dédalo foram comoventes. Cada um seguiu num rumo. Depois que se afastaram, Hércules olhou para Pedrinho.

— E agora, oficial? Perdemos a pista do touro...

Pedrinho voltou a examinar o chão. Súbito, deu um grito.

— Achei de novo o rasto! Ele chegou até aqui mas não entrou — e fez ver a Hércules o verdadeiro caminho tomado pelo touro.

— Pois continuemos a nossa perseguição — disse o herói.

O carro de Apolo já ia descambando e o estômago de Hércules já estava a reclamar carneiros. O centaurinho partiu no galope para a preia do costume, enquanto os outros se sentavam à margem dum riacho.

— Que dia cheio! — observou Pedrinho. — Quanta coisa!...

— E que lindo herói é Teseu! — disse Emília. — Que ar inteligente... Está me lembrando aquele atleta que Narizinho viu em Atenas e tanto a encantou.

Hércules não deixou de sentir uma ponta de ciúme diante daquele entusiasmo de Emília pela beleza do herói ático. Mas lá no íntimo deu-lhe razão. Os deuses fizeram-no, a ele, Hércules, musculoso demais, excessivo em tudo. Isso lhe assegurava a posição de Herói Nacional da Grécia—o maior de todos, o invencível. Mas privava-o da beleza sem par do herói de Atenas...

Capítulo VI
O HERÓI-MENINO

A perseguição ao touro louco consumiu mais dois dias. No terceiro, pela manhã, o encontro dum viandante veio confirmar as deduções de Pedrinho. Aquele homem ouvira um urro estranho em certa direção — e apontou:

— Lá naquele rumo. Suponho que se ocultou no capão de mato que se vê daqui.

Encaminharam-se todos para o bosque. Hércules à frente. Logo depois ouviram um urro.

— Ele! — exclamou Pedrinho. — Aquela voz é minha conhecida...

Hércules pediu o laço — mas que é do laço? O centaurinho esquecera-o na entrada do labirinto. Enquanto Meioameio ia no galope em busca do laço. Hércules, de clava em punho, foi avançando cautelosamente. Súbito, novo berro mais próximo — e o touro apareceu.

Apareceu na fímbria do bosque. O mesmo olhar chispante, os mesmos bufos. Escarvava o chão com fúria. Ao dar com o herói, urrou de novo e investiu em sua direção com ímpeto de bomba voadora. Hércules, de pé firme, esperou-o de clava erguida. Mas Pedrinho advertiu-o novamente:

— Nada de clava, Hércules! Não se esqueça de que tem de o pegar vivo.

O herói lembrou-se das ordens de Euristeu e largou a clava. Ia agarrar o touro a unha.

O touro aproximou-se com uma velocidade incrível e investiu. Hércules o esperou firme como um rochedo. Ah, que cena aquela!... Quando a marrada do touro colheu o herói pelo peito, um som balofo quebrou o silêncio reinante — *bá*! Mas o touro havia encontrado um contendor digno de si. Sua marrada foi como um golpe de martelo-pilão de encontro a um bloco de aço inamolgável. O touro estacou. Os braços do herói o haviam cingido pelos chifres — e Pedrinho sentiu um frêmito de entusiasmo diante daquela verdadeira escultura viva: os dois gigantes imobilizados, como se subitamente transfeitos em pedra. Nenhum dos dois se movia uma linha. Imóveis, imobilíssimos, como que congelados...

Os picapauzinhos deliravam. Aquela cena valia todas. O tremendo esforço de Hércules neutralizava o tremendo esforço do touro. Nenhum dos dois podia mover-se, mudar de posição. E assim iriam ficar até ao regresso de Meioameio.

Um galope. Era Meioameio que vinha vindo. Ao ver de longe o herói atracado com o touro, seu galope redobrou.

— Pronto! — disse ao chegar, jogando o rolo do laço para Pedrinho.

O pequeno herói do Picapau Amarelo tomou-o, fez a laçada e correu para o touro. Mas como podia colher na laçada os chifres do touro, se os chifres do touro estavam colocados aos flancos de Hércules? Emília gritou:

— Lace-o pelo pé!...

Era uma sugestão de bobinha. Uma laçada pelo pé escapa com o primeiro tranco de um boi. Pedrinho ia laçá-lo pelo pescoço. Isso era contra todas as regras dos rodeios, mas o único jeito naquele momento — e, desfazendo a laçada, lançou a argola por cima do cangote do touro. Restava agora alcançar a argola caída no chão do outro lado e refazer a laçada. Mas como puxar a argola caída do outro lado? Se houvesse por ali uma vara de gancho...

— O Visconde aqui! — berrou Pedrinho — e Emília empurrou em sua direção o sabuguinho. Pequeno como era, podia pegar a argola e trazê-la para o lado de cá, passando por baixo do pescoço do touro. O Visconde tremia. O touro podia esmagá-lo com uma patada. Não tinha coragem. Emília veio de lá e deu lhe um tranco. O Visconde foi cair bem em cima da argola. Encheu-se de ânimo. Agarrou a argola e, passando por baixo da papada do touro, veio entregá-la a Pedrinho. Pedrinho enfiou a outra ponta do laço na argola e assim refez a laçada. Jogou então a ponta do laço para Meioameio e gritou:

— Corra e estique...

Meioameio assim fez. Pegou na pontado laço e disparou. A laçada foi se fechando. Fechou-se completamente. O monstro estava seguro pelo pescoço.

— Corra uma volta do laço nessa árvore aí! — gritou Pedrinho; e Meioameio correu uma volta do laço em torno ao tronco da árvore indicada. — Agora segure firme! — gritou Pedrinho. Meioameio segurou firme.

— Pronto, Hércules! Pode largar o touro.

Hércules desprendeu-se daqueles chifres e deu um grande salto de banda. O touro, liberto, urrou e investiu contra o herói.

Hércules deu novo salto de banda — e assim várias vezes, enquanto Meioameio ia encurtando o laço. Momentos depois estava o touro novamente com a cabeça junto da árvore, como da primeira vez — mas o aperto da laçada em seu pescoço o ia estrangulando. Era preciso transferir a laçada do pescoço para os chifres. Como?

Pedrinho pensou depressa. O único jeito era fazer outra laçada na outra ponta do laço e passá-la pelos chifres do touro. E foi o que fez. Preso o touro ao tronco pela laçada dos chifres, e bem amarrado, podiam afrouxar a laçada que o prendia pelo pescoço. Meioameio executou habilmente a operação — e não sem tempo. O touro já estava de olhos esbugalhados e sem fôlego. Se demoram dois ou três minutos mais, adeus touro de Creta!...

Pronto! Lá estava o tremendo animalão novamente seguro e bem seguro. Emília bateu palmas. Hércules sorria e o Visconde assoprava-se todo. Ainda não estava completamente refeito do ato de heroísmo que realizara sem querer.

Hércules abraçou Pedrinho. Pela segunda vez reconheceu que um garoto como ele era novidade na Grécia.

— Muitos heróis temos tido por aqui, oficial; mas herói-menino, o primeiro que apareceu na Hélade foi você.

Emília reclamou um bom abraço no Visconde.

—Ele também contribuiu muito, Lelé. Foi quem passou a argola do lado de lá para o de cá.

Hércules apertou a mão do sabuguinho, dizendo:

—Meu valente escudeiro!

Ótimo. Estava tudo ótimo. Restava apenas vigilarem de noite para prevenir novo roimento do laço pelo camundongo de Juno. Emília teve a ideia de botar um gato preso ao tronco, mas onde encontrar um gato naquele ermo? A ideia vencedora foi a do Visconde: esfregar o laço com suco de erva-de-rato, que é venenosíssima. E como ninguém soubesse que erva era aquela, o sabuguinho científico explicou:

— As chamadas ervas-de-rato são muitas, todas da família *Palicurea*. Há a *Palicurea strepens*, de flores amarelas em cacho; há a *Palicurea noxia*, que é rubiácea. Há a *Palicurea nitotianoefolia*, outra rubiácea classificada por Martius. E há a *Palicurea rigida,* também chamada "Douradinha-do-campo..."

Emília quase deu nele.

— Estupor!... Em vez de tanta exibição de ciência, melhor que vá correndo ao bosque ver se encontra qualquer dessas *Palicureas*...

O Visconde foi e encontrou um pezinho da *Palicurea officinalis,* tão boa como qualquer outra para envenenar os ratinhos de Juno. Amassou aquelas folhas entre duas pedras chatas, fez um mingau e deu-o a Pedrinho.

— Basta que esfregue isto no laço.

Foi o que Pedrinho fez — e na manhã seguinte puderam observar o maravilhoso efeito da receitinha do Visconde: lá estava ao pé do tronco o cadáver do camundongo de Juno...

Muito bem. A primeira parte daquele Trabalho de Hércules fora feita. Restava a segunda, talvez a mais difícil: conduzir aquele touro até Micenas. A Ilha de Creta erguia-se a uns cem quilômetros do continente. Como atravessar esses cem quilômetros do Mediterrâneo com aquele touro no laço?

Puseram-se a estudar o problema. Emília pensou no pirlimpimpim. Com uma boa esfregadela do maravilhoso pó no focinho do touro, ia ele num só *fiunnn* para Micenas, mas para isso era necessário que Hércules também aspirasse o pó.

E Palas se opunha. Palas havia terminantemente proibido ao herói recorrer novamente ao tal pó transportador, visto como o seu coração hipertrofiado poderia não resistir.

— E se fizéssemos Meioameio seguir com o touro? — sugeriu Pedrinho.

Hércules opôs-se. Meioameio era ainda muito novo. Não aguentaria o touro lá na chegada. Ideia vem, ideia vai, ficou assentado o seguinte: Hércules atravessaria os cem quilômetros de mar a nado, puxando o touro, e eles iriam "a pó" esperá-lo numa praia do continente.

E assim foi feito. Logo depois do almoço, Pedrinho distribuiu as doses de pirlimpimpim, muito bem calculadas para um *fiunnn* até ao extremo do promontório de Maleia. Lá esperariam pelo herói com o boi — e seguiriam por terra para Micenas.

O promontório de Maleia ficava na parte da Hélade chamada Lacônia; Micenas ficava na parte chamada Argólida.

Hércules desamarrou da árvore o touro e lá seguiu com ele rumo ao mar, enquanto os outros aspiravam as doses do pirlimpimpim. Instantes depois despertavam numa praia do promontório de Maleia.

— Onde estará Hércules neste momento? — refletiu Pedrinho, logo que se viu livre da tontura. —Muito longe do mar ainda... Que acha, Visconde? Já terá Hércules chegado à praia?

— Oh, não! Pelos meus cálculos, ele tem de caminhar umas três horas.

— E quantas horas levará nadando?

O Visconde respondeu que um bom nadador pode vencer cem quilômetros em vinte horas — e pôs-se a discorrer sobre a natação. Em certo ponto Emília interrompeu-o.

— E aquela história de Leandro e Hero, que Dona Benta contou?

— Ah, isso foi muito triste — respondeu o sabuguinho. — Havia em Sestos uma sacerdotisa de Vênus de nome Hero, muito moça e linda. Sestos era uma cidadezinha situada na margem europeia do Helesponto, esse estreito que hoje se chama Dardanelos. Do outro lado do estreito ficava a cidade de Abidos, onde morava Leandro. Este rapaz conheceu Hero numa festa de Vênus e apaixonou-se e todas as noites atravessava o Helesponto a nado para ver a namorada.

— Que largura tinha o estreito naquele ponto?

— Mil e quinhentos metros — disse o Visconde. —Todas as noites Hero acendia um fogo no alto dum morro para guiar Leandro. Mas lá em certa ocasião ele passou sete dias sem aparecer. Sete vezes a coitadinha acendeu o fogo e nada.

— Que houve?

— Houve que Leandro, numa das suas travessias, foi apanhado por um temporal e afogou-se. As ondas levaram o seu cadáver às praias de Sestos. Ao ter conhecimento disso a pobre Hero lançou-se ao mar e morreu também...

Emília engoliu um soluço. O sabuguinho continuou. Contou que mais tarde o poeta inglês Byron, que andava pela Grécia, tentou e conseguiu repetir a façanha de Leandro. Atravessou o Helesponto a nado, exatamente no mesmo lugar.

— E não morreu afogado?

— Não. Foi morrer da febre apanhada em Missolonghi, uma cidade grega que ainda não existe, mas vai existir.

A história de Hero e Leandro entristeceu os picapauzinhos e comoveu o jovem centauro.

— E se Héracles não aguenta e também morre, como Leandro? — lembrou Emília. —Estou com medo...

Capítulo VII
A LOUCURA DO REI

Mas tudo acabou bem. No dia seguinte, pela manhã, foram para cima duma grande pedra aguardar o aparecimento do herói. O mar manso estendia diante deles as suas águas azuis. Minutos depois Emília, que era a grande "enxergadeira", gritou:

— Vendo dois pontinhos lá longe... Dirigem-se para cá... Duas cabeças, uma de homem, outra de boi... São eles, sim...

E eram mesmo. Dali uma hora Hércules safou-se do mar, puxando o touro por um chifre.

Que festa foi a recepção do herói! Hércules chegou cansadíssimo, completamente exausto. Felizmente o touro estava mais cansado ainda, se não teria fugido pela segunda vez.

A viagem dali até Micenas correu cheia de peripécias e lances heroicos. O caminho que seguiram passava pela parte leste da Arcádia — e muito insistiu o Visconde para uma paradinha em Estinfale. Mas como essa urbe ficasse muito fora de mão, o Visconde, suspirando, teve de desistir da sua esperança de rever a pastorinha Climene...

Afinal chegaram, e na forma do costume os picapauzinhos se dirigiram ao acampamento enquanto Hércules levava o touro para a cidade.

Que prazer encontrarem-se de novo naquele amável retiro, com o ribeirão a murmurejar como de costume e a floresta verdinha lá perto! O templo de Avia não fora bulido por ninguém. Perfeito como o haviam deixado. Lá se erguiam as estacas com as esculturas comemorativas dos Trabalhos de Hércules. Pedrinho fincou mais uma e pregou no topo a sétima escultura representando Hércules atracado com o touro.

Depois teve uma ideia:

— E se déssemos um pulo até a cidade?

Foram. Encontraram Micenas num grande tumulto por causa da chegada do herói. Todos já sabiam a história do touro de Creta, e estavam correndo para a praça do mercado a fim de vê-lo. Hércules amarrara-o lá num palanque e fora apresentar-se ao rei.

— Pronto, Majestade! — disse ele na sua voz mansa de herói bem-comportado diante da soberania. — Cumpri fielmente a missão que Vossa Majestade houve por bem confiar-me. O touro de Creta está amarrado num esteio na praça do mercado.

Euristeu fechou a carranca. Que responder? Estava já cansado das vitórias do herói. Indubitavelmente Palas tinha mais força de que Juno. E Euristeu consultou com os olhos o ministro Eumolpo, sempre ali muito lambetamente ao pé do trono. Eumolpo, que já tinha na cabeça um novo Trabalho destinado ao herói, cochichou três segundos com o soberano.

Euristeu desenfarruscou a cara e disse para Hércules:

— Muito bem. Agora o que tem a fazer é ir dar cabo dos cavalos de Diomedes.

Hércules não sabia que cavalos fossem aqueles. Eumolpo explicou:

— Diomedes é rei dos bistônios, na Trácia. Possui uns cavalos que só comem carne humana. Diomedes alimenta-os com os náufragos que as tempestades arrojam às costas do seu reino. Sua Majestade ordena que vás e liquides com esses cavalos antropófagos.

Hércules baixou a cabeça respeitosamente, murmurando:

— Assim será feito, Majestade!

Disse e saiu.

Euristeu ficou a conferenciar com Eumolpo. Estavam tramando qualquer coisa. Depois ordenou a um dos guardas:

— Vá à praça do mercado e solte o touro de Creta.

O guarda abriu a boca e ousou dizer:

— E que será do povo lá reunido, Majestade?

Euristeu fulminou-o com o olhar.

— Cumpra as minhas ordens e não discuta.

O guarda foi soltar o touro.

Enquanto isso os picapauzinhos chegavam à praça onde o povo se comprimia para ver o monstro prisioneiro. Os comentários ferviam.

— Que belo animal! — dizia um.

— Belo, sim, mas perigosíssimo. Olhe como baba de cólera e fumega. Parece até que espirra fogo...

—Tenho medo de Creta — dizia outro.—Já estive lá uma vez. Tudo são touros na ilha — e há aquele horrendo Minotauro preso no labirinto.

Pedrinho interveio:

— Houve o Minotauro. Já não existe.

— Como? Por quê? — e vários curiososo rodearam

— Sim — confirmou Pedrinho. — O grande herói Teseu da Ática lá esteve e estrangulou o monstro.

O espanto foi geral. Ninguém ainda sabia do grande acontecimento.

A roda de curiosos em torno dos picapauzinhos ia aumentando cada vez mais. O Visconde, sobretudo, provocava mil comentários. Uma aranha de cartola! E quando souberam que todos três haviam tomado parte na aventura do herói, o assombro não teve limites.

Nesse momento chegou o guarda do rei.

— Espalha! Espalha!... — gritou. —Vim com ordens de Sua Majestade para soltar este bicho.

Ninguém entendeu.

— Soltar o touro de Creta? Soltar um monstro que já fez tantos estragos no mundo?...

—Sim, são ordens de Sua Majestade e as ordens de Sua Majestade não se discutem — respondeu o guarda, já com a mão no laço para desfazer o nó.

Quando o povo percebeu que o touro ia mesmo ser solto, ah, caiu num grande pânico. Foi uma gritaria geral e um corre-corre, como nunca se viu. Uns voavam por aquelas ruas como lebres. Outros embarafustavam-se pelas casas e trancavam as portas por dentro.

O guarda soltou o touro e, coitado, foi a sua primeira vítima. O touro o colheu nos chifres e arremessou a vinte metros de distância, todo arrebentado. E quantos não morreram naquele dia... O monstro estava com o ódio represo, de maneira que ao ver-se solto explodiu num horrendo acesso de furor. Cada arranco que dava era uma criatura que caía em pandarecos. Pedrinho agarrou Emília e o Visconde pelas mãos e sumiu-se dali a toda — corria arrastando os coitadinhos. Minutos depois chegou ao ponto onde Meioameio os esperava. Jogou os dois sobre o lombo do jovem centauro, montou e disse:

— Fujamos no maior galope! O maldito Euristeu mandou soltar o touro.

Essas palavras valeram mais do que quanta espora há no mundo. Nunca Meioameio galopou com tamanha velocidade.

Chegados ao acampamento, uma ideia os assustou.

— E se o touro vem por aqui? E se nos reconhece e vinga-se? O melhor é treparmos àquela árvore — e Pedrinho apontou para a árvore mais alta.

Todos subiram, menos Meioameio. Sua defesa era o galope.

— Não posso compreender a ideia do tal rei mandando soltar o touro — observou Pedrinho lá no galho.

— Para mim ele é ainda mais demente que o touro.

— E Hércules que não vem? — impacientava-se Emília. — Será que vai atracar-se novamente com o touro lá na cidade?

— Acho que não — opinou o Visconde. — Agora me lembro do que disse Minervino. O touro vai para Maratona, onde será novamente capturado por Teseu. É o que está gravado nas páginas do livro do futuro.

Nesse momento:

— Lá vem Lelé!...—gritou Emília.

Sim, Hércules vinha vindo, de cabeça baixa, como absorto em apreensões. Chegou e riu-se de ver tantos "picapaus" na árvore.

— Desçam! — disse ele. — Nada há mais a recear. O touro já saiu da cidade e afundou por esses campos.

— Não virá deste lado?

— Não. Tomou outro rumo.

O alívio foi geral. Todos desceram.

— Qual a razão de haver Euristeu mandado soltar o touro? — perguntou Pedrinho.

— Não sei. Os desígnios de certos soberanos são inescrutáveis — foi a resposta de Hércules.

OS CAVALOS DE DIOMEDES

Capítulo I
OS CAVALOS DE DIOMEDES

Pedrinho não estava entendendo a Hélade.

— Mas afinal de contas — disse ele — isto aqui me parece mais uma salada de pequenos países do que um país só. Explique-me esta Hélade, Minervino.

O mensageiro de Palas explicou que o que chamavam Hélade não passava dum cacho de paisezinhos independentes, mas com a mesma língua e os mesmos deuses. Havia a Lacônia, a Messênia, a Argólida, a Fócida, a Tessália, a Magnésia...

— Chega! — berrou Emília. — Pare na Magnésia, se não é capaz de vir também o Bicarbonato...

— E é para um desses cocos do grande cacho helénico que vamos indo — continuou o mensageiro. — Vamos indo para a Trácia.

Sim, era para a Trácia que se iam encaminhando Hércules e seu bando, acompanhados do precioso Minervino. E Hércules ia para a Trácia porque era lá que ficava o reino dos bistônios, então governado por um rei de nome Diomedes, dono dos tais cavalos que comiam gente. Pedrinho havia observado que no mundo moderno os equinos eram todos herbívoros; carnívoro não existia nenhum. Mas numa Grécia em que havia de tudo, nada mais natural que também houvesse cavalos antropófagos.

— Eles não haviam nascido antropófagos — explicou Minervino. — Mas como Diomedes, em vez de capim ou aveia, só dava carne humana, foram mudando de gênio, tornando-se ferozes e por fim viraram uns horríveis monstros. Diomedes os alimenta com os náufragos que dão à praia — os náufragos estrangeiros; aos nacionais ele perdoa.

— Malvado! — exclamou Emília. — Por isso é que eu sou democrática. Isso de reis e tiranos é uma desgraça. Tratam os súditos do mesmo modo que os deuses do Olimpo tratam os homens.

Minervino aconselhou-a a não falar assim dos deuses, porque os deuses tudo viam e ouviam e eram muito vingativos. E a propósito contou uma conversa recentemente ouvida no Olimpo.

— Estava Hera falando em voz baixa com Zeus, o seu divino esposo. Dei um jeitinho e pude pescar um trecho...

Emília interrompeu-o:

— Mas então você mora no Olimpo, Minervino?

— Não; mas como estou trabalhando para a minha deusa Palas, volta e meia dou um pulo até lá para dar conta dos meus trabalhos e receber ordens. Foi numa dessas vezes que ouvi a tal conversa. Não sei se devo contar...

Minervino vacilava.

— Que diziam?

— Falavam justamente de você, Emília. Hera queixava-se a Zeus dum "pelotinho humano" que aparecera por aqui juntamente com uma "aranha de cartola" e um menino estrangeiro. O "pelotinho humano" — dizia ela — andava "interferindo" em muita coisa, e falava dos deuses com grande irreverência. Já por duas ou três vezes havia tratado a ela, a deusa suprema, de "peste" e "bisca". Ora, isso era inadmissível — e Hera pediu a Zeus que a fulminasse com seus raios. Zeus refranziu os sobrolhos e prometeu que sim. Mas logo depois que Hera se afastou, Palas, a quem informei de tudo, aproximou-se e disse: "Não dês atenção a Hera, Zeus. O tal 'pelotinho' está do meu lado e trabalhando muito bem na proteção de Héracles. Foi quem o salvou no caso do Javali do Erimanto. Hera enfureceu-se com isso e quer agora vingar-se." Zeus conhece muito bem aqueles deuses e deusas; anda a par das intrigalhadas todas e vai "temperando" o Olimpo com grande habilidade. Foi assim que naquele dia prometeu a Hera fulminar Emília e depois prometeu a Palas protegê-la.

— Então ele é pau de dois bicos?

— Mais ou menos. Zeus é manhoso. Sabe agir politicamente — e vai temperando. Mas vocês tomem muito cuidado com a língua. O peixe morre pela boca e as criaturas humanas morrem pela língua.

Depois dessa prosa o assunto recaiu sobre Diomedes, o rei dos bistônios. Minervino contou que os cavalos desse rei não eram cavalos e sim éguas. Quatro éguas, de nome Podargo, Lampon, Janto e Deno. Tão ferozes ficaram que viviam presas em correntes.

— E é verdade que têm cascos de bronze? — perguntou Pedrinho, que ouvira alguém dizer isso.

— Sim, têm cascos de bronze, como a corça do monte Cirineu que Hércules capturou.

— Hércules, não; nós...—corrigiu o menino.

O herói seguia lá atrás, como de costume; estava mentalmente conversando consigo mesmo. E de tanto parafusar, sentiu uma perturbação como se fosse recair na loucura. E o que em seguida fez, se não era loucura era coisa muito parecida. Hércules entreparou e gritou para os outros:

— Alto! Antes de seguir para a terra dos bistônios quero chegar a Delfos para uma consulta ao Oráculo.

— Sobre que, Lelé? — perguntou familiarmente Emília, mas Hércules não respondeu. Isso deixou a todos numa grande incerteza. "Que será?" Pedrinho foi de opinião que "havia qualquer coisa". Talvez houvesse Hércules cometido algum crime e o roesse o remorso.

Pedrinho acertou. Num acesso de cólera em Micenas havia ele matado sem razão nenhuma a um miceniano, e vinham daí os seus remorsos, aquele ar enfarruscado, aquele remoimento interior. E a súbita ideia que lhe veio de ir a Delfos também se ligava a esse fato. Hércules queria saber se o crime perpetrado fora uma ofensa a Apolo. Por que a Apolo? Porque a vítima estava sacrificando a Apolo no momento em que Hércules a abateu.

Depois de Micenas era Delfos a cidade grega mais conhecida dos picapauzinhos. Haviam estado lá durante a primeira vinda à Grécia em procura de Tia Nastácia; e fora graças à resposta do Oráculo que descobriram a negra no labirinto. Estiveram depois segunda vez para a salvação do Visconde, como já foi contado num dos capítulos destas histórias. E para lá iam agora pela terceira vez... Para quê? Ignoravam. Hércules andava fechadíssimo em copas.

Para chegarem a Delfos tinham de atravessar o istmo de Corinto e depois a Ática. Delfos ficava na Fócida. Tais viagens eram sempre a mesma coisa. Passavam por aldeias e pousavam em acampamentos improvisados, como aqueles de Micenas e Estinfale. Meioameio era o encarregado da mesa, e ora apresentava um boi assado, ora uns tantos carneiros.

Minervino já fazia parte do bando, embora com desaparecimentos súbitos quando voava para o Olimpo a fim de dar notícias ou receber ordens de sua deusa.

O Visconde andava mais "assentado". Aquela fúria de namoro e o entusiasmo pela vida de logo depois da fervura no caldeirão de Medeia iam passando. Ainda pensava em Climene, mas só de longe em longe e cada vez com menos amor.

Emília chegou a cochichar para Pedrinho: "Talvez nem seja preciso que Tia Nastácia conserte o Visconde. Ele está se consertando por si mesmo." E estava. O fogo de mocidade transmitido pelo caldeirão da feiticeira já era um fogo sem calor. O Visconde até parara de beber. Quando de passagem por uma aldeia lhe ofereciam vinho, ele recusava com toda a delicadeza.

Pedrinho, sempre apreensivo com o estranho estado d'alma de Hércules, volta e meia falava disso a Minervino.

— Hércules perdeu a expansibilidade. Não o vejo rir-se. Esquece de responder ao que perguntamos. Que será?... Tenho medo que lhe dê um novo acesso de loucura. Quem já ficou louco uma vez está sempre ameaçado de recaída, diz vovó.

E assim foi a viagem até Delfos, muito menos alegre e divertida do que as outras. Pairava sobre eles como que uma nuvem de tragédia.

Capítulo II
EM DELFOS

Há sempre maior prazer em voltar a uma cidade do que em visitá-la pela primeira vez. Aquela terceira entrada em Delfos regalou Pedrinho e Emília como uma volta para casa. Iam reconhecendo inúmeras coisas e recordando passagens das vezes anteriores. E até certas caras reconheciam.

— Olhem aquele homem cabeludo que vimos da primeira vez! — observou Emília apontando para um tipo asiático. —Parecido com o Zé Canhambora...

Eles haviam instalado o acampamento numa várzea dos arredores e lá deixaram Meioameio. O centaurinho não gostava dos centros urbanos. Não entendia o pavor que a sua presença causava. Hércules, sem dizer palavra, havia seguido para a cidade. Os três picapauzinhos foram a pé logo depois.

Delfos era uma cidade diferente de todas as outras. Um grande centro de peregrinação. Gente de todas as cidades gregas, e mesmo de muitas terras estrangeiras, afluía constantemente para lá, em consulta ao famoso Oráculo. Por causa da contínua interferência dos deuses nos negócios dos homens, a preocupação de todo mundo era "sondar" a vontade dos deuses por meio de consultas à Pítia, ou à pitonisa captadora das intenções do Olimpo. Os sacerdotes do Templo de Apolo viviam numa perpétua dobadoura, sem tempo para se coçar. E como nada fizessem de graça, o recebimento de presentes não tinha fim. E que presentes!... Até tijolos de ouro maciço eram ofertados ao Templo, em cujos depósitos se acumulavam imensas riquezas.

Os picapauzinhos encaminharam-se para o Templo e lá encontraram Hércules preparando-se para a consulta.

— Que será? — murmurou Emília. — Estou pegando fogo de tanta curiosidade...

Entraram. Ficaram a um canto, vendo e observando tudo. A Pítia estava atendendo ao mensageiro de um rei da Beócia interessado em conhecer o desfecho de uma guerra que vinha tramando. A Pítia atendeu-o. Depois de ouvir-lhe a pergunta, levantou os braços, curvou-se para os vapores que saíam da trípode e com um ar de desvairada murmurou o "vaticínio". Aqueles vapores tinham a propriedade de deixar a Pítia em estado de transe, como os médiuns que recebem um espírito. Emília deu um jeitinho de aproximar-se e ouviu a resposta:

— Antes que as folhas dos plátanos forrem o chão — um rei será apeado do trono.

O Oráculo falava sempre dum modo ambíguo, isto é, que tanto podia ser uma coisa como outra. E as respostas eram então "interpretadas" pelos sacerdotes — quase sempre a favor de quem oferecia os mais custosos presentes.

O emissário do rei da Beócia retirou-se e foi conferenciar com os sacerdotes. Era a vez de Hércules. O herói aproximou-se da Pítia. Emília fez-se menorzinha do que era e chegou mais perto ainda, ansiosa por não perder uma só palavra da consulta.

Mas aconteceu um fato estranhíssimoe inédito no Templo de Apolo. Ao ver Hércules chegar, a Pítia afastou-se da trípode!... Foi um assombro. Todos os presentes arregalaram os olhos e entreabriram as bocas.

Hércules, o grande herói nacional grego, havia recebido em pleno rosto uma bofetada de Apolo...

Como iria ele reagir? Resignar-se-ia àquilo ou...

O "ou" venceu. Hércules, tomado dum acesso de cólera que fez a assistência tremer de medo, avançou para a trípode, arrancou-a do chão e saiu com ela ao ombro para fora do Templo...

Emília correu ao encontro de Pedrinho e do Visconde e, tomados de pânico, foram voando para o acampamento. Lá chegaram sem fôlego, e foi a arquejar que Pedrinho contou a Meioameio o acontecido:

— Hércules foi... foi repelido pela Pítia! Assim que se aproximou ela... ela retirou-se para os fundos do Templo! E Hércules então agarrou a trípode, arrancou-a e saiu com ela erguida no ar... Saiu do Templo e sumiu-se...

Meioameio ficou assombrado. Nisto Minervino apareceu. Também estivera no Templo e observara tudo.

— Hércules é irmão de Apolo por parte de pai — disse ele. O que houve não passa de briga entre irmãos. A ofensa que Hércules fez a Apolo, arrancando de lá a trípode, é a maior de todas. Prevejo grandes catástrofes...

— E que vai fazer, Minervino?

— Vou já para o Olimpo consultar Palas — disse e afastou-se.

Os picapaus ficaram ali sozinhos, tontos duma vez, sem nenhuma ideia na cabeça.

— E agora? — exclamou Pedrinho. — Hércules sumiu. Estamos largados aqui nesta terra estranha e sujeitos a tudo...

Depois de muitas vacilações, Pedrinho resolveu que montassem em Meioameio e saíssem pelo mundo a ver se encontravam o herói. Lá cavalgaram o centaurinho, e lá partiram num desapoderado galope. Quando avistavam algum viandante, detinham-se para perguntar:

— Não viu Hércules? Não sabe dele?

Os viajantes nada sabiam e Meioameio retomava o galope. E assim até darem com um que pôde informar alguma coisa.

— Vi, sim, mas não sabia que fosse Hércules. Vi passar um herói de formas truculentas, com uma tripeça ao ombro...

— E que rumo tomou?

— Passou por mim resmungando palavras terríveis e lá se foi nesta direção.

Meioameio retomou o galope no rumo indicado, e assim chegaram às proximidades duma cidadezinha de nome Gítio, no interior do Peloponeso. De longe avistaram um homem de alentada estatura, com uma coisa aos ombros.

— É ele! — gritou Emília. — É Lelé com a trípode da Pítia...

O centaurinho voou ao encontro do herói, mas de súbito estacou. Outro herói havia surgido diante de Hércules. Pedrinho imediatamente o reconheceu:

—Apolo!... É o próprio deus Apolo, irmão de Hércules por parte de pai...

Nada mais verdadeiro. Era Apolo em pessoa que descera do Olimpo e na maior fúria ia atacar Hércules para retomar a trípode.

Os picapauzinhos sentiram os cabelos em pé. Luta entre dois irmãos — haverá nada mais terrível? E se Hércules era Hércules, Apolo era um deus. Ora, um deus não pode ser vencido por um humano. Logo, Hércules estava arriscado a perder a partida.

Os dois tremendos irmãos se defrontaram e romperam em acusações. Apolo declarou que a Pítia recusava-se a atendê-lo por causa do homicídio injusto que ele havia cometido em Micenas.

— Tu mataste um dos meus devotos! — acusou Apolo. — Por isso a Pítia recusou-se a receber-te.

Hércules respondeu:

— Irmãos somos, filhos do mesmo pai. Não reconheço tua superioridade sobre mim. Estou de posse da trípode e vou estabelecer o Oráculo de Héracles, em contraposição ao Oráculo de Apolo.

A luta de boca foi subindo de fúria, mas no momento em que eles iam atracar-se num pega horrível, eis que de súbito um raio desce do céu e espeta-se no chão entre os dois. Era um severo aviso de Zeus, o pai de ambos.

Hércules e Apolo estarreceram. Compreenderam a significação do aviso celeste. Se não acatassem aquele aviso, Zeus, na sua fúria, fulminá-los-ia com outro raio. E lá se imobilizaram um diante do outro como dois galos de briga que refletem no que fazer.

Mas Palas interveio. Fez que o acesso de furor do herói se acalmasse — e Hércules foi caindo em si. Pôs-se a falar menos exaltadamente. Discutiu o assunto com mais calma — e por fim cedeu. Reconheceu que ele, não Apolo, era o culpado. Sim, ele havia matado o devoto de seu irmão e arrancado a trípode do Templo. Nada mais justo que Apolo acudisse em defesa do que era seu — do seu devoto e da trípode de seu Templo. E Hércules entregou a Apolo o que era de Apolo. Em seguida, muito vexado do que sucedera, arrepiou caminho, evidentemente com a ideia de voltar por Delfos e reunir-se aos amigos deixados no acampamento.

Meioameio correu-lhe ao encontro. A surpresa do herói foi grande.

— Vocês aqui!...

— Sim — disse Pedrinho. — Vimos tudo. Estivemos no Templo e assistimos à desfeita da Pítia...

— Aquela bruxa! — acrescentou Emília.

Hércules então se abriu. Contou a história do seu homicídio em Micenas, explicando-o como mais uma tentativa de Hera para perdê-lo.

— Sim, foi a minha divina perseguidora quem me fez vir o sangue à cabeça e matar aquele homem. Foi também ela quem me fez arrebatar a trípode, desse modo ofendendo mortalmente ao meu irmão Apolo...

Nesse momento Minervino reapareceu, de volta do Olimpo. Contou que acabava de estar com a deusa Palas, que Palas soubera de tudo e fora agarrar-se com

Zeus para prevenir a horrorosa luta entre os dois irmãos. Disse mais que o acesso de furor de Hércules em Micenas fora mais um truque de Hera para desgraçar o seu perseguido.

Hércules suspirou.

— Que vida a minha! Não passo de um joguete das deusas do Olimpo... O ódio de Hera não arrefece...

Minervino consolou-o, dizendo que também a proteção de Palas não arrefecia.

— Minha boa deusa tem sempre os olhos sobre ti, Hércules. Inúmeras vezes já te salvou — e assim continuará agindo. Quem goza da proteção de minha deusa nada tem a recear.

Emília perguntou por que motivo era Palas tão poderosa. Minervino respondeu:

— Porque goza da predileção do deus supremo, já que passou os primeiros meses de sua existência em sua divina coxa. Além disso, Zeus e todos no Olimpo admiram-na e respeitam-na como a deusa da Sabedoria. Palas, grande Palas, teu mensageiro te admira e te venera do fundo do coração! Tu, sim, és a deusa das deusas...

Emília fez-lhe a mesma advertência que dias antes ele lhe fizera:

— Cuidado, hein? Se Hera ouve, vai sentir-se enciumada — e adeus Minervino...

Capítulo III
HÉRCULES ACALMA-SE

As cóleras de Hércules eram hercúleas. Não passavam com a facilidade com que passam as cóleras dos homens comuns. Havia se reconciliado com Apolo, mas mesmo assim refervia lá por dentro, como refervem as lavas de um vulcão. Isso explica a volta enorme que ele deu para chegar à Trácia. Em vez de seguir diretamente para lá, como era o natural, resolveu passar pelo reino da Líbia.

—Preciso espairecer — disse ele. — O fogo da cólera ainda me queima lá por dentro. Vou chegar até à Líbia.

Pedrinho admirou-se. A Líbia era no norte da África, uma terra muito quente. Ora, se Hércules estava ardendo em fogo interno, como então pensava na Líbia? Muito mais lógico que fosse para a terra dos hiperbóreos, onde tudo é gelo. Mas Minervino explicou que o grande herói era partidário da teoria médica do *similia similibus curantur*, isto é, para curar fogo, mais fogo — só isso poderia explicar aquela sua ideia da Líbia.

Depois contou que o rei da Líbia era um gigante de sessenta côvados de altura — Anteu, filho de Geia e Poseidon, ou Netuno, o deus do mar. E disse que muito receava um pega entre Hércules e esse gigante.

— Que é côvado? — perguntou Emília.

O Visconde respondeu que o côvado era uma medida muito antiga, equivalente a três palmos. Sessenta côvados equivaliam a 180 palmos, ou mais ou menos 36 metros.

— Trinta e seis metros de altura? — arrepiou-se Emília. — Mas então é gigante de verdade...

— Sim, só dez metros menor que a estátua da Liberdade no porto de Nova York.

Minervino contou que as "cóleras recolhidas" de Hércules só saravam com a realização duma proeza tremenda, e que aquela ideia de ida à Líbia tinha água no bico — não era para espairecer, não...

— Para mim, ele quer pegar-se com o gigante Anteu! E estou com medo disso...

— Por quê? — indagou Emília. — Acha então que Hércules, que já sustentou sobre os ombros o céu enquanto Atlas ia roubar o pomo das Hespérides, lá pode ser batido por um gigante?

— É que Anteu é invencível. Pode lutar quanto tempo for sem nunca se cansar.

— Por quê?

— Porque é filho de Geia, ou a Terra, Geia lhe transmite força pelos pés.

Emília teve uma ideia repentina.

— Se é assim, há um jeito de vencer esse gigante: basta suspendê-lo no ar, não deixando que seus pés toquem a terra!

Minervino entreabriu a boca. Sim, parecia estar ali uma solução...

Emília foi correndo conversar com o herói e puxou o caso de Anteu.

— É verdade mesmo que esse Anteu é invencível, Lelé?

Hércules respondeu que sim, por causa da força contínua que recebia de sua mãe Geia.

— Por onde recebe essa força? — perguntou a diabinha.

— Pelos pés — declarou Hércules. — Os que lutam com ele cansam-se, mas Anteu não se cansa porque Geia está continuamente lhe transmitindo força pelos pés.

— E se for erguido do chão e conservado no ar? Desse modo Geia não lhe poderá transmitir força nenhuma. É como a eletricidade lá no mundo moderno. Não havendo ligação, não há eletricidade.

Hércules enrugou a testa. A ideiazinha de Emília soou-lhe como uma tremenda revelação. Sim, ponderou lá consigo. Se eu o erguer... se eu o mantiver com os pés desligados da terra... E um sorriso imenso iluminou-lhe o rosto. Hércules havia compreendido uma grande coisa.

— Não havendo ligação, não há eletricidade. Sim, sim...—Se ele conseguisse desligar da terra os pés de Anteu, o gigante morreria por falta de força...

Hércules nada mais disse; limitou-se a agarrar Emília e a beijá-la. Parecia incrível, mas aquela minúscula criaturinha acabava de lhe ensinar o único meio de vencer um gigante invencível...

A viagem dali por diante tornou-se uma verdadeira festa. A alegria do herói manifestava-se de mil maneiras. A casmurrice desaparecera. Pôs-se a contar mil coisas de sua vida passada, desfiou um rosário sem fim de proezas tremendas e como alegria traz fome, o seu jantar daquela tarde foi o mais abundante de todos: Hércules devorou sete carneiros assados.

Anteu era o terror da Líbia. Seu maior gosto consistia em provocar para a luta todos os estrangeiros aparecidos por lá; matava-os, e com os ossos ia erguendo um horrível templo em honra a Netuno. Morava em Tíngis, onde fica hoje a cidade de Tânger — e Tíngis se chamava assim justamente por ter sido fundada por Tinge, a mulher de Anteu.

Para chegar até lá, o grupo de Hércules tinha de atravessar o Mediterrâneo, e surgiu uma dificuldade: Meioameio! Como não houvesse memória de centauro embarcado em navio, Pedrinho não achou conveniente que o centaurinho seguisse com eles. Podia acontecer muita coisa. Ficou resolvido que Meioameio os esperasse lá naquele promontório da Maleia onde já haviam estado.

Hércules era um em terra e outro no mar. Enjoou, coitado! E que coisa horrível foi o enjoo de Hércules!... Chegou a assustar as sereias e nereidas com os seus tremendos vômitos...

Afinal chegaram, e a entrada de Hércules em Tíngis foi uma verdadeira entrada triunfal. Até lá havia chegado a fama do grande herói heleno, de modo que a população, que vivia esmagada pelo despotismo daquele rei, encheu-se de esperanças. Quem sabe se o herói heleno não realizaria o sonho secreto de todos: libertar o reino do cruel despotismo de Anteu?

Todos queriam vê-lo e assombravam-se diante da sua impressionante musculatura. Anteu foi logo notificado da presença do grande heleno — e riu-se, como quem diz: "O templo que estou erigindo em honra a meu pai será enriquecido demais uma bela camada de ossos." E mandou desafiá-lo para a luta.

Hércules aceitou o desafio.

Na hora marcada a população inteira de Tíngis se reuniu na praça principal a fim de assistir a mais uma das lutas do soberano com um estrangeiro. Já estavam cansados de presenciar essas lutas e de testemunhar a invencibilidade de Anteu, mas daquela vez uma vaga esperança luzia em todos os corações.

— Como vai ser a luta, Lelé? — perguntou Emília. — Com clava ou com arco e flecha?

Hércules respondeu que seria luta corpo a corpo, sem armas, só de músculo contra músculo.

— E vou aplicar aquela sugestão sua, Emília; vou "desligar" o gigante, como lá no mundo moderno vocês desligam a tal eletricidade.

Minervino continuava apreensivo, mas quando soube que Hércules ia pôr em prática a ideia da Emília, murmurou mais aliviado: "Quem sabe?".

Chegou a hora. Nunca fora vista em Tíngis maior massa de povo. A expectativa era enorme. — Corriam de boca em boca mil versões sobre as façanhas realizadas por Hércules — a destruição do leão da lua, do javali do Erimanto, do touro de Creta, e muita gente apostava nele. Os partidários do tirano apostavam em Anteu, mas secretamente torciam pela vitória do grego.

Hércules apareceu na praça acompanhado de seus estranhos amigos — Minervino, Pedrinho, o Visconde e Emília. Inúmeros curiosos rodearam o grupo e não cessavam de espantar-se ante a curiosíssima figurinha da "aranha de cartola".

De repente, um murmúrio no povo. Era Anteu que vinha vindo. Chegou.

Emília teve uma pequena decepção. Em vez dum gigante de 36 metros de altura, do tamanho duma torre de igreja, viu aparecer um homem de apenas mais um palmo que Hércules.

— Por que isso? Não tinha ele então sessenta côvados? Quem conta um conto aumenta um ponto, diz o ditado. A altura de Anteu era só um palmo maior que a de Hércules; mas isso contado desde ali da Líbia até a Hélade, ia aumentando de pontos até dar sessenta côvados. Não havia dúvida, porém, de que Anteu era um gigante, como também Hércules era bastante agigantado. Sim: dois "massas".

Os formidáveis contendores mediram-se com os olhos. Anteu estava risonho o riso dos lutadores seguros de si e jamais derrotados. Tinha fama de invencível, e ninguém mais do que ele acreditava nessa invencibilidade. Hércules apresentou-se sereno como sempre. Seu rosto não revelava a menor expressão de inquietude.

— Preciso desses ossos! — disse Anteu numa gargalhada.

Em vez de replicar, Hércules atacou. Mas atacou como atacava sempre, confiante na sua força e certo de suplantar o adversário. Em todas as lutas vence o mais forte, o que bate mais, o que se cansa menos. O cansaço é a principal causa de todas as derrotas. Quem aguenta um minuto mais que o parceiro, está vencedor. Hércules não o ignorava. Naquele dia, porém, teve ocasião de verificar a "incansabilidade" de Anteu. Depois de meia hora de luta, atracado com o Número Um de todos os grandes lutadores da Antiguidade, Anteu apresentava-se ainda mais fresco do que uma bela manhã de maio. E sorria o sorriso descuidoso dos invencíveis.

O calor da luta fizera que Hércules esquecesse completamente a ideiazinha da Emília quanto à "desligação" do gigante; de modo que estava a lutar com Anteu como sempre lutara até ali. Mas estranhou uma coisa: nunca, em tempo algum, houve contendor que resistisse tanto. Em regra o nosso herói derrubava o adversário nos primeiros golpes. E Anteu resistia já de meia hora sem apresentar o mínimo sinal de cansaço. Hércules começou a inquietar-se.

Nesse momento Emília gritou:

— Desligue, Lelé!...

Um clarão iluminou o cérebro do herói. Lembrou-se da conversa sobre a eletricidade e do plano que ele havia concebido de destacar do solo os pés de Anteu. Como fora esquecer-se daquilo? Que cabeça a sua!... Mas estava salvo. A advertência de Emília viera muito a tempo.

Hércules deu então um golpe habilíssimo, do qual resultou ficar Anteu de pernas para o ar, completamente destacado da terra, e enquanto com uma das mãos lhe apertava o pescoço. com a outra o impedia de pousar os pés no chão. A força de Anteu esvaiu-se como por encanto. O gigante estrebuchou no ar e moleou o corpo...

O povo estava no maior estarrecimento de assombro. Ninguém falava. Todas as respirações suspensas, como no circo de cavalinhos quando a música para. Por alguns instantes Hércules ainda manteve suspenso aquele corpo sem vida; depois arremessou-o ao solo — e o gigante aplastou-se como um pano molhado que cai...

A multidão continuava paralisada de espanto. Seria possível? Estariam realmente libertos do odioso rei? E todos esfregavam os olhos, com medo de que fosse sonho. Mas quando se convenceram de que não era sonho e sim maravilhosa realidade, o hurra que o povo deu foi um urro uníssono que durou minutos e minutos.

— Viva Héracles, o herói invencível! Viva Héracles — o nosso libertador! Uma onda de gente lançou-se de rumo ao herói para erguê-lo e carregá-lo em triunfo. Hércules chamou Emília.

Ergueu-a e levou-a ao braço, como uma menina leva uma boneca. E lá seguiu para o palácio sob o delírio das aclamações. Uma voz gritou, indicando Emília:

—É o talismãozinho dele! Um talismã vivo!...

Hércules respondeu:

—Mais que isso. É o meu verdadeiro cérebro. É a minha dadeira de ideias...— palavras que ninguém podia entender.

Minervino seguia rente, com o Visconde erguido ao ombro e a mão dada a Pedrinho. E foi a primeira vez que Pedrinho lamentou não ser gente grande, pois, comprimido na imensa massa de povo, era arrastado pela onda e não via coisa nenhuma.

No palácio o povo quis que Hércules ocupasse o trono da Líbia. Um rei como aquele, que regalo! E num momento de embriaguez o herói quase aceitou a coroa tão espontaneamente oferecida. Mas o "talismã" chamou-o à ordem. "Não pense em tronos, Hércules. Dona Benta diz que o pior dos monstros é o povo, porque um dia aclama os chefes e no dia seguinte os destrói. Nada como ser 'herói em seco' — só, sem mais nada." Hércules deu-lhe razão e agradecendo a manifestação popular, declarou que o trono da Líbia tinha de ser ocupado pelo mais digno dos líbios. O povo que o escolhesse e o sentasse no trono por tanto tempo ocupado pelo cruel Anteu. Terminada a grande manifestação, Hércules foi ao templo de Netuno, feito com os ossos das pobres vítimas do gigante, e destroçou-o a pontapés. Emília gritou para Pedrinho que não se esquecesse de meter no bolso uma vértebra para o seu museuzinho.

À noite houve um grande banquete oferecido ao herói. Hércules comeu como nunca — e beberia de cair, se Emília não interviesse:

—Nada de excessos alcoólicos, Lelé. Muito perigoso. Você perde a cabeça e põe-se a fazer estragos nestes pobres líbios tão entusiastas.

Hércules obedeceu e só tomou água com mel.

No dia seguinte o herói amanheceu outro. Havia sarado completamente do acesso de "cólera recolhida". O Visconde observou que para os grandes heróis só os grandes remédios. "Um mortal comum cura-se com qualquer laxante de sulfato de magnésia, para um Hércules o purgante tem de ser um Anteu."

Um egípcio aproximou-se e disse:

— Grande Héracles, meu país também está necessitado de uma limpeza no trono. Temos como rei um verdadeiro monstro, talvez ainda pior que Anteu.

— Quem é ele?

— Busíris, filho de Posseidon e Lisianasa. Anteu lutava e matava todos os estrangeiros aportados na Líbia. Busíris sacrifica no altar de Zeus todos os que aportam ao Egito. Por que não vais lá e não libertas o nosso povo daquela calamidade feita homem?

Hércules olhou para Emília como quem pede parecer. Emília disse:

— O papel dos heróis é limpar de monstros o mundo. Vá, Lelé, e achate com o tal Busíris.

Hércules prometeu e, depois de despedir-se do novo rei e daquele bom povo, tomou o rumo do Egito.

Busíris no começo não se revelara cruel, e assim foi até o dia em que uma grande seca assolou o país. Nove anos durou tal seca. Os bois foram definhando todos. As plantações secaram-se. Gente morria de fome por todos os cantos. Vendo a gravidade da situação, um famoso adivinho daquela época, de nome Frásio, procurou o rei e disse:

— O meio de pôr fim à horrível estiagem que está destruindo o Egito é um só: sacrificar a Zeus um estrangeiro.

Frásio era estrangeiro, e Busíris fez como o tirano Fálaris: mandou agarrá-lo e sacrificá-lo no altar de Zeus. E como por coincidência viesse uma chuva no dia seguinte, Busíris convenceu-se de que o meio de fazer chover estava realmente naquilo — nunca mais cessou com os sacrifícios humanos.

Minervino advertiu ao herói do grande perigo que era para um estrangeiro penetrar no reino de Busíris, o qual possuía grandes exércitos. Mas aconselhado pela Emília o herói desprezou o conselho da prudência e transpôs as fronteiras do Egito.

Ao ter conhecimento do fato e dos propósitos de Hércules, Busíris enfureceu-se e lançou contra ele um exército de dez mil núbios ferozes como tigres. Hércules foi capturado, acorrentado e conduzido à presença de Sua Majestade.

— Sei o que fizeste para o meu grande amigo Anteu — disse-lhe Busíris—, mas vou vingar a majestade real ofendida pelo teu crime. Serás sacrificado amanhã no altar de Zeus.

Os picapauzinhos ficaram numa grande aflição. Pela primeira vez viam Hércules dominado e infamemente acorrentado. E como o exército de Busíris era um verdadeiro enxame de vespas ferozes, armadas de lanças pontiagudíssimas e escudos de couro de rinoceronte, Pedrinho e o sabuguinho consideraram tudo perdido. Unicamente Emília não perdeu a fé no herói.

— Ele arruma-se — dizia ela.

— Como, boba?

— Não sei; só sei que no último momento dá um jeito. Tenho a mais absoluta confiança em Lelé.

Mas apesar da confiança da Emília, Minervino, Pedrinho e o Visconde não viam de que modo o herói acorrentado pudesse arrumar-se — e estavam na maior angústia.

Chegou o dia do sacrifício. Numerosos sacerdotes dispuseram-se em redor do altar de Zeus à espera da vítima. E quem era a vítima a ser sacrificada a Zeus? Justamente um dos mais generosos e famosos filhos de Zeus...

Minervino e os picapauzinhos fora colocar-se num ponto de onde tudo podiam ver — o Visconde e Emília erguidos nos braços do mensageiro de Palas, Pedrinho de pé sobre um bloco de granito.

Súbito, a multidão rumorejou e abriu alas. Era Hércules que vinha vindo, seguido duma legião de soldados. Busíris e seus cortesãos ocupavam uma plataforma erguida às pressas para aquele fim.

Emília viu Hércules e a despeito de sua confiança no destino do herói teve vontade de chorar. Lá vinha ele acorrentado de pés e mãos e, por ironia, coberto de guirlandas de flores de lótus, que é a principal flor do Egito. O sacerdote sacrificador, lá diante do altar correu o dedo pelo fio da faca sagrada. "Se cortasse o dedo seria bem feito!" — pensou Emília.

Hércules parou diante do altar. Não havia mudado em coisa nenhuma. A sua confiança em si próprio só era igualada pela confiança de Emília no destino dele.

O sacrificador subiu a um banquinho, porque se tratava duma vítima muito alentada, e ergueu a faca. Ia cravá-la na garganta do herói...

Mas o que houve até parece mentira. Naquele momento Hércules contraiu os músculos num esforço potentíssimo — e as algemas de ferro que o ligavam às correntes se romperam como se fossem de vidro. Libertou-se e, agarrando as correntes, utilizou-se delas como se fossem a sua clava. Num ápice varreu a soldadesca toda.

O "espalha" foi dos nunca vistos. Corpos despedaçados voavam em todas as direções. A grita se fez imensa. Todo mundo fugia no maior pânico. O chão ficou juncado de escudos e lanças. Um grande claro se abriu em redor dele.

Lá na plataforma, Busíris e os cortesões agitavam os braços, sem saberem o que fazer. Muitos fugiram a tempo. Os que patetearam foram atingidos pelas correntes que o herói arremessou — e caíram esmoídos. Um elo da corrente alcançou Busíris pela testa, e a mioleira espirrou como espirra água de poça quando cai uma pedra em cima. Hércules havia libertado o mundo de mais um odioso rei. E como a mesma corrente havia alcançado Afidamante, filho de Busíris, e o arauto Calves, ficou o Egito também livre daquele filhote de serpente e do odioso anunciador das ordens cruéis do soberano esmigalhado.

Capítulo IV
AS ÉGUAS

Depois de mais aquele tremendo feito. Hércules ficou radicalmente curado de qualquer restinho de "cólera recolhida" que por acaso ainda houvesse em seu coração — e lembrou-se das éguas de Diomedes.

— Sim, temos de cuidar disso. Cada dia que passo aqui, mais vítimas lá nos bistônios são devoradas por aqueles monstros — e deu ordem de volta.

A volta de Hércules para a Grécia foi rápida, e ocorreu sem outro incidente além do novo enjoo que o assaltou na travessia do Mediterrâneo. Que horríveis os enjoos do herói!... O Visconde aconselhou-o a cheirar e morder um limão, mas nunca houve remédio mais inútil. Hércules só sarou quando pôs o pé no promontório da Maleia.

Lá estava Meioameio a esperá-los. Aproximou-se no galope, alegre e radiante como um menino que entra em férias. Pedrinho, Emília e o Visconde, todos falavam ao mesmo tempo. Cada qual queria ser o primeiro a contar os tremendos casos sucedidos na Líbia e no Egito.

Depois conversaram sobre Diomedes. Meioameio contou que dava pena o que se passava por lá. As éguas carnívoras tinham um apetite hercúleo. Devoravam uma vítima por dia. Quatro éguas, quatro vítimas. O infame Diomedes espalhara um verdadeiro batalhão de guardas pelas costas a fim de recolher os pobres náufragos. Era o que toda gente por ali dizia.

Prosseguindo na viagem, o grupo chegou à terra dos bistônios, onde acamparam fora da cidade em que residia o rei. Hércules, que estava cansadíssimo porque a viagem por mar o enfraquecera muito, determinou refazer-se com dois dias de repouso absoluto — e pediu a Pedrinho que fosse ver onde ficavam as éguas.

Pedrinho partiu com o Visconde.

As éguas viviam num estábulo de granito, solidamente acorrentadas. Quem tirou a limpo esse ponto foi o Visconde. Pedrinho ficou de longe, escondido atrás duma árvore. As comissões mais perigosas sempre cabiam ao sabuguinho. Pequeno como era, e com o seu ar de aranha de cartola, com facilidade se insinuava por toda parte sem que o percebessem. O seu reduzido tamanhinho facilitava tudo — e se por acaso levasse a breca, Tia Nastácia fazia outro. Sabugos não faltavam no sítio de Dona Benta.

O Visconde chegou até a entrar no estábulo das monstruosas éguas para verificar se tinham realmente cascos de bronze. Tinham. Ele bateu num deles com um pedregulho.

Terminado o repouso, Hércules levantou-se completamente refeito da viagem por mar e pronto para a realização da nova proeza. Seguiu o caminho indicado pelo Visconde, indo dar nos estábulos. Diante das éguas se deteve para estudar a situação. Eram quatro. Tinha de arrancá-las dali uma por uma; isso, porém, depois de destroçar uma dúzia de guardas ali postos por Diomedes. Essa parte foi a mais simples. Com doze golpes de clava Hércules abateu os doze guardas.

E agora? Como fazer com as éguas?

Lembrou-se duma coisa. Perto morava Abderos, um seu amigo. Submeteria as éguas e as levaria a Abderos para que as guardasse. Por que isso? Por que não as destruía duma vez? A explicação era a seguinte: Hércules desejava pregar em Diomedes uma grande peça: fazer que aquelas éguas, que já haviam comido tanta gente, também o comessem a ele. Deixava-as guardadas por Abderos; e depois de derrotar as forças de Diomedes e aprisionar esse rei, então o faria devorar pelas éguas. Um malvado daquela marca estava a reclamar um castigo assim. E Hércules subjugou uma por uma as éguas e as levou para a vila de Abderos.

— Conserve-as aqui até que eu traga a sobremesa que merecem estas devoradoras de gente.

Disse e voltou para desafiar Diomedes e suas forças.

O exército dos bistônios foi facilmente derrotado e Diomedes aprisionado. Hércules acorrentou-o e levou-o à morada de Abderos, mas lá passou por uma grande decepção: as éguas haviam devorado o seu pobre amigo...

A dor de Hércules foi imensa. Depois da dor veio a cólera — e, agarrando Diomedes, arremessou-o para cima dos monstros famintos. Pedargo foi a primeira que mordeu. Lampon, Janto e Deno vieram a seguir. Em segundos Diomedes se viu estraçalhado e transferido para o bucho das feras.

E agora? Matá-las? Não. Tinha de levá-las vivas a Euristeu, pois do contrário o desconfiado rei não acreditaria na realização do oitavo Trabalho de Hércules.

Mas como levá-las ali da Trácia até Micenas? Conduzir o touro de Creta fora fácil, porque o touro era um. Tratando-se de quatro éguas a dificuldade quadruplicava. A solução que Hércules achou foi muito simples: levá-las uma a uma. Para isso teria de fazer quatro vezes o trajeto dali a Micenas, ida e volta.

O que se fez. As éguas foram levadas uma a uma e deixadas escondidas lá na floresta do acampamento. Como não comiam capim, houve necessidade de alimentá-las com carne — e os rebanhos dos arredores sofreram forte devastação.

Depois de conduzir para a floresta as quatro éguas e de deixar lá o Visconde a guardá-las, o herói foi ao palácio como das outras vezes.

— Quero falar com Sua Majestade — disse ao porteiro — e o porteiro o introduziu à real presença. — Majestade, as éguas de Diomedes, comedoras de gente, já se acham aqui, conforme as ordens recebidas.

— Onde?

— Na floresta do nosso acampamento, guardadas pelo meu escudeiro.

Euristeu desapontou pela oitava vez. O despeito o fez morder os lábios. Olhou para Eumolpo. O ministro tinha a cara no chão. O rei segurou a barba. Ficou pensando por alguns segundos. Depois disse:

—Muito bem. Solte-as...

Hércules não discutia ordens. Não fez nenhum sinal de estranheza. Limitou-se a uma curvatura de cabeça.

— Assim será feito, Majestade — e voltando ao acampamento disse a Pedrinho: —Euristeu ordenou-me que soltasse as éguas.

— Soltá-las? — exclamou o menino, admiradíssimo. —Soltar essas feras antropófagas?...

— É o que me resta a fazer...

Pedrinho não compreendia aquela estranha submissão de Hércules ao rei. Com um peteleco podia mandá-lo para o beleléu, e no entanto humilhava-se diante dele, executava-lhe todas as ordens por mais absurdas que fossem, como faz o escravo para o senhor.

O Visconde estava sentadinho num toco de pau lá na fímbria da floresta.

Hércules gritou-lhe de longe:

— Solte as éguas, escudeiro!...

Emília espantou-se daquele absurdo. Que coisa!... Mandar o coitadinho soltar quatro monstros antropófagos, pesadamente acorrentados. A forcinha do Visconde não dava nem para erguer um dos elos das correntes. Será que o herói enlouquecera de novo? — cochichou ela para Pedrinho. E protestou:

— Isso também não, Lelé. É preciso respeitar a fraqueza humana.

Hércules deu uma grande risada.

— Estou brincando — e foi ele mesmo soltar as éguas.

Os picapauzinhos treparam à árvore mais próxima e foi lá de cima que assistiram ao terrifico espetáculo da galopada das éguas de Diomedes por aqueles campos afora...

Que destino tiveram tais monstros? Dias depois vieram a sabê-lo por Minervíno, quando o mensageiro de Palas voltou da mansão dos deuses.

— Foram devoradas por um bando de lobos nas encostas do monte Olimpo.

— Lobos? — exclamou Emília muito assustada. — Lá é possível que existam lobos capazes de devorar semelhantes monstros?

Minervino explicou que era um bando de lobos olímpicos. Revoltado contra o procedimento de Euristeu, o deus dos deuses lançou contra elas um bando de lobos ferocíssimos.

— Por que não as matou com aqueles raios fabricados por Hefaistos? — quis saber Emília.

— Porque Zeus reserva os seus raios para fulminar os homens.

No dia seguinte recebeu Hércules um chamado de palácio. Foi. O rei já havia conferenciado com Eumolpo e escolhido mais um Trabalho para o herói — o nono. E foi nestes termos que o comunicou:

—Hipólita, a rainha das amazonas, possui aquele cinto maravilhoso com que Ares a presenteou. Minha filha Admeta faz questão de ser dona desse cinto. É só.

Hércules voltou para o acampamento tão apreensivo como das outras vezes. Era tal qual o General Napoleão que, consultado sobre o que sentia antes de travada a batalha, respondeu: "Medo". Cada vez que Euristeu o incumbia dum trabalho, Hércules sentia medo. Assim foi naquele dia. Quando chegou ao acampamento ainda estava inquieto.

— Que vai ser agora? — perguntou Pedrinho, que lhe saíra ao encontro.

Hércules suspirou.

— Algo terrível. Admeta, a ambiciosa filha de Euristeu, quer ser dona do famoso cinto que Ares deu à rainha das amazonas. Tenho eu de ir ao reino dessas terríveis guerreiras em busca do tal cinto...

— Está com medo, Hércules?

— Medo propriamente não — declarou o herói —, mas não me iludo quanto às dificuldades desse trabalho. As amazonas são guerreiras terríveis e numerosíssimas — e o pior é que são mulheres. Nunca lutei contra mulheres, chego até a achar uma coisa sem jeito. Daí vem a minha preocupação.

Perto dali, lá defronte do Templo de Avia, estava Emília sentadinha ao lado do Visconde, falando mal de Juno.

— Bisca maior nunca vi! — dizia ela. — Má, má, má até ali. Parece até aquela negra lá perto da ponte, que matou a filha de tanta judiação. Ah, se eu fosse Zeus! Jogava aquela bisca lá de cima com um bom empurrão, e casava-me com Palas. Essa, sim, merece ser deusa.

O Visconde recordou a advertência de Minervino sobre o perigo de falar mal dos deuses.

— Ela não escuta — disse Emília. — Estou falando baixinho... Além disso, eu...

Emília não acabou a frase. Tentou concluí-la e não pôde. Ficara subitamente áfona, ou sem voz. Muda! Muda como um peixe! Pensava direitinho, queria falar e nada — de sua boca não saía som nenhum. O Visconde, impressionadíssimo, examinou-lhe a garganta. Depois foi correndo avisar Pedrinho, lá às voltas com Hércules.

— Pedrinho — disse ele — parece que Emília emudeceu...

— Emudeceu? Como? Que história é essa?...

— Emudeceu; ficou muda; perdeu a faculdade de falar.

— Como?...

— Estava conversando comigo muito bem, ali na porta do Templo, e de súbito parou no meio duma frase: "Além disso, eu...". Pôs-se a fazer caretas, esforçou-se e nada. Nada mais saiu, nem sai. Espiei a gargantinha dela. Tudo normal. É um mistério que não compreendo.

Pedrinho correu a ver. Encontrou Emília muito agitada, querendo falar e não podendo. Muda. Absolutamente muda! Na ânsia de explicar-se, foi lá à canastrinha, tirou um pedaço de papel e com um toco de lápis escreveu: "Quebrou-se lá dentro de mim alguma peça. Quero falar e não posso. Tenho medo de que seja castigo do céu; eu estava falando mal de Juno, a coitada, uma deusa tão bonita e boa! Se ela tem ódio a Hércules é com razão. Hércules não tem culpa nenhuma, bem sei, mas Juno tem razão. Coitada!... Há de sofrer muito com aquele marido tão ruim... Perdão! Zeus também não é ruim, coitado. Só que a trabalheira dele é demais...".

Pedrinho perguntou:

— Mas não pode mesmo falar nada, Emília?

E ela escreveu: "Não está vendo? Felizmente não fiquei surda e me arrumo deste modo: ouço e dou a resposta por escrito..."

— Mas isso não pode ficar assim, Emília. Temos de ver um jeito de curar essa mudez. Se for coisa do Olimpo, nós nos arranjaremos com Palas por intermédio de Minervino. E se for algum desarranjo fisiológico, podemos consultar os grandes médicos de Atenas — ou então procuraremos Medeia. Ela dá uma fervura e pronto. Emília escreveu: "Não quero que me fervam. Tenho medo de ficar cozida por dentro. A minha mudez há de ser mesmo coisa lá do Olimpo, porque veio exato no momento em que eu a chamava de bisca. Minervino me há de valer".

O mensageiro de Palas era um homem esquisito. Ora estava ali, ora não estava. Aparecia e desaparecia sem dizer adeus — mas naquele momento em que tanto precisava dele, nem sinal de Minervino.

O Visconde contou a Hércules a história da subitânea mudez da Emília.

— Pois é isso. Parou no meio da frase e nunca mais. Mudíssima, coitadinha...

Hércules não queria acreditar.

— Há de ser coisa passageira. Uma vez fiquei assim por causa dum forte resfriado. Perdi completamente a voz...

— Ficou áfono — disse o Visconde.

Hércules não entendeu. O sabuguinho explicou:

— Pois "áfono" (privado da voz) é uma palavra grega. "A" quer dizer "sem", e "phone" você sabe que é "voz". Nós lá no nosso mundo moderno usamos muitas palavras vindas daqui, como "fonógrafo", escrita da voz; "fotografia", escrita da luz, isto é... — e o Visconde explicava, explicava e Hércules não entendia. Apesar de grego, o herói ignorava as palavras gregas da ciência, que o Visconde, que era sabugo, tinha na ponta da língua.

Hércules admirava muito o Visconde. Ficava às vezes horas a ouvi-lo falar das tais coisas científicas, fazendo os maiores esforços para entendê-lo. Por causa daquela sua "ideia sobre a educação", o herói procurava educar-se nas cienciazinhas do escudeiro.

— Pois é — disse o Visconde. — Emília está áfona — sem voz — muda... Você também ficou áfono por causa do resfriado. E muito receio que a mudez da Emília seja uma vingança de Hera.

— Por quê?

— Porque Emília estava falando mal de Hera quando emudeceu. Emília não tem papas na língua. Diz tudo quanto sente. E como está de ponta com Hera, volta e meia a trata de "bisca"...

— Que é bisca? — perguntou Hércules.

O Visconde disse tudo o que sabia sobre a palavra "bisca" e rematou:

— Quando lá no sítio a gente quer falar mal duma pessoa, diz "é uma peste", "é uma praga" ou "é uma bisca". Emília vivia chamando Hera de bisca — e foi numa dessas vezes que emudeceu...

Hércules ficou pensativo. Depois levantou-se e foi ver a nova vítima da vingativa deusa.

— Então, Emília? É verdade que perdeu a fala?

Emília fez uma carinha de "sim" que deixou o herói seriamente condoído.

— Temos de cuidar dela — disse ele voltando-se para Pedrinho. — Palas, a boa deusa que tanto me tem valido, há de valer a ela também. Aguardemos a vinda do mensageiro.

A mudez da Emília foi um sério transtorno para o herói e os picapauzinhos. Emília era a alma do bando. Sem Emília ninguém se arrumava. — além de que só ela possuía o segredo mágico do faz-de-conta, esse supremo recurso das ocasiões de grande perigo. Se não fosse a aplicação do faz-de-conta na luta de Hércules com o Javali do Erimanto, onde estaria o herói naquele momento? Com certeza morto e enterrado. E como era assim, Hércules decidiu que a restauração da voz da Emília tinha muito mais importância para todos eles do que a conquista do cinto de Hipólita.

Capítulo V
A MUDEZ DA EMÍLIA

Todos os outros assuntos foram encostados. Hércules e Pedrinho não tiravam da cabeça o caso daquela misteriosa mudez. Como não pudessem encontrar uma "causa fisiológica", como dizia o Visconde, assentaram em que a causa era divina — evidentemente vingança de Juno.

A pobrezinha estava tão convencida disso que entrou a adular a deusa. O Visconde pilhou o papel em que ela acabava de escrever uma oração assim: "Divina Juno, a mais formosa das deusas, a mais bondosa de todas — protegei-nos! Se te ofendi, perdoa-me. Uma deusa tão importante não pode vingar-se duma pobrezinha como eu, feia, boba etc." e ia por aí além, com as maiores adulações possíveis. Depois pediu a Pedrinho que construísse um altar em honra a Juno e o encheu de flores.

Hércules estava profundamente comovido e a estranhar uma coisa: como é que já tendo sido pai de vários filhos nunca sentiu por nenhum deles o que sentia por aquele pelotinho de gente?

Dois dias passaram eles ali a só pensarem naquilo, cada vez mais ansiosos pela volta de Minervino. No terceiro dia pela manhã o mensageiro de Palas reapareceu.

— Que há? Que tristeza é essa? — disse ele, percebendo que algo de anormal havia acontecido.

Pedrinho explicou o caso da mudez.

— Hum! — exclamou o mensageiro. — Eu bem que avisei. Eu bem que andava prevendo isso. A irreverência da Emília tinha de acabar mal. Não conheço a causa da mudez; mas estou a jurar que é uma vingança de Hera...

— Vem vindo do Olimpo? — indagou Pedrinho. — Não ouviu nada por lá a respeito?

— Nada. Estive combinando com Palas a defesa de Hércules no novo Trabalho que ele vai empreender. As amazonas são as mais terríveis guerreiras que o mundo já viu. Palas fez-me mil recomendações.

— Pois só vejo uma saída — disse Pedrinho, — você voltar ao Olimpo para discutir o caso da Emília. Já que Palas se interessa tanto por Hércules, não há de querer que ele fique privado da ajuda da Emília. No caso do javali foi ela quem salvou tudo. E mesmo no caso de Anteu, se não fosse a sua lembrança da "desligação" é muito possível que a luta acabasse de outra maneira. E Hércules já disse que não dará um passo para a ida à terra das amazonas antes de resolver o caso da Emília. Volte já ao Olimpo para conversar com Palas.

Minervino concordou. Era de fato o que havia a fazer — e lá partiu para o Olimpo.

Encontrou os deuses a se banquetearem. O lindo Ganimedes, com uma ânfora de ouro em punho, estava a servi-los de néctar. Zeus, imponentíssimo em sua barba olímpica, comentava o caso da briga entre Apolo e Hércules.

— Ah, estes meus filhos! — disse ele depois de sorver um gole da divina bebida e lamber os beiços. — Vivem em rixas. Nós que devíamos dar o bom exemplo aos humanos, comportamo-nos ainda pior que eles. Que trabalho tenho para harmonizar estes deuses e deusas!... Hera me dá mil aborrecimentos com o seu inextinguível ódio a Hércules — e agora é Apolo que também se põe contra ele...

Apolo procurou justificar-se.

— Reconheço as qualidades de Hércules, mas também reconheço que frequentemente se excede. Desta vez, por exemplo. Não só se atreveu a matar um humano que me fazia um sacrifício, como foi a Delfos e arrancou de lá a trípode. Ora, isso também é demais...

— Fez muito bem! — disse Palas. — A Pítia ofendeu-o da maneira mais brutal. Ele queria consultá-la para conhecer o teu pensamento, Apolo, e certamente se submeteria ao que tu, por intermédio da Pítia, lhe dissesses. Mas a Pítia deu-lhe as costas...

— E fez o que devia fazer, — contraveio Apolo. — Estava informada do crime de Hércules contra a pessoa dum meu devoto.

— Sus! Sus!... — exclamou Zeus. — Basta de recriminações. Penso como Palas. Se Hércules foi consultar a Pítia, é que estava com remorsos na consciência e procurava ser guiado. Hércules não mata por maldade. Erra muitas vezes, eu o reconheço, mas erra de boa-fé.

Juno mordeu os lábios. A indulgência de Zeus para com o herói punha-a fora de si.

Foi nesse momento que Minervino entrou. Entrou na sala dos banquetes olímpicos e fez de longe um sinalzinho a Palas. A deusa levantou-se disfarçadamente e foi ver o que era.

— Que há?

— Há que Emília perdeu o dom da voz. Emudeceu subitamente no meio duma frase...

Palas fincou os olhos em Juno, que naquele momento cochichava ao ouvido de Hermes.

— Escute. Sobre que assunto estava Emília falando no momento de emudecer?

Minervino respondeu muito baixinho:

—Sobre Hera. Estava dizendo que bisca maior não pode haver.

Palas sorriu de satisfação, murmurando entre dentes:

—E não disse nada de mais... — E depois de uns instantes de pausa: — Pois já não tenho dúvida nenhuma: Emília emudeceu por interferência de Hera. Vejo nisso o dedo da "bisca". Depois daquele caso do javali do Erimanto, Hera jurou perder Emília. E na luta de Héracles com Anteu, ela também ouviu perfeitamente o conselhinho de Emília: "Desligue, Lelé!", e foi exatamente isso o que determinou a vitória. Observei tudo muito bem. Estávamos todos aqui assistindo à luta. Ao ouvir essas palavras Hera mordeu os lábios. Eu pensei cá comigo: "Pobre Emilinha! Nunca mais terá sossego...". E vem agora você com essa história da mudez...

Minervino disse que tanto Hércules como Pedrinho e o Visconde não viam outra solução afora a intervenção divina.

— Estão convencidos de que a mudez não sobreveio em consequência de nenhum distúrbio fisiológico, e sim da intervenção de Hera.

— E não erraram. Há de ter sido Hera, sim. Como está esperançosíssima de que Héracles perca a partida na expedição contra as amazonas, quer afastar a Emília...

E Palas ficou a refletir. Tinha de atrapalhar o jogo de Hera. Mas como? Depois duma breve pausa disse:

— Só vejo uma solução: Medeia. Hércules que a leve ao palácio de Medeia. Com uma boa fervura, a Emilinha fica totalmente nova e mais faladeira do que nunca. Aconselho isso.

O mensageiro fez uma reverência e saiu. Minutos depois chegava ao acampamento. Chamou Hércules de parte e deu-lhe conta da sua missão.

— Palas já está a par de tudo e acha que só uma boa fervura no caldeirão de Medeia poderá restituir a falinha da Emília.

Capítulo VI
O CALDEIRÃO DE MEDEIA

Foi um custo convencer Emília a se deixar ferver pela grande feiticeira.

— "Não quero, não quero" — escreveu no papelzinho. — "Tenho medo de ficar cozida por dentro."

Minervino explicou que isso era absurdo. A fervura que cozinha por dentro é a fervura comum das cozinheiras. A fervura da grande feiticeira era magia da mais alta, e com efeitos muito diversos.

— "Tenho medo, tenho medo"... — escreveu de novo Emília.

Pedrinho interveio.

— Medo! Medo!... Estou admirado de ver essa palavra neste papel. Você lá no sítio nunca teve medo de coisa nenhuma, e agora está que nem vovó. Qualquer dia se põe a ter medo também das baratas... Emília escreveu: "Pergunte ao Visconde o que ele sentiu".

Pedrinho perguntou.

— O que senti? — repetiu o Visconde. — Ah, um atordoamento delicioso quando a feiticeira me dividiu em pedacinhos com aquela faca; depois perdi os sentidos. Quando acordei, me vi moço e corado...

Emília escreveu: "É que ele estava louco. Já comigo vai ser diferente porque não estou louca. Só se me cloroformizarem..."

— Há clorofórmio por aqui? — perguntou Pedrinho ao mensageiro — e teve de explicar o que significava clorofórmio e quais os seus efeitos. Minervino respondeu que não, mas havia várias plantas dormideiras de um efeito maravilhoso.

— Com uma gota do caldo dessas plantas o paciente dorme e não sente dor nenhuma.

Emília escreveu que não era "paciente" e sim impaciente; e que se de fato esses sucos adormeciam uma criatura, então, então..." e parou.

— Então o quê? — perguntou Pedrinho.

— "Então pode ser" — escreveu ela.

Bom. A resistência de Emília estava meio vencida. A outra metade seria vencida lá por Medeia — e Hércules deu ordem de marcha. Partiram. No dia seguinte chegavam ao palácio da feiticeira.

Hércules explicou o caso. Medeia, porém, não trabalhava de graça; e como ainda não houvesse recebido o pagamento da cura do Visconde, aproveitou-se da situação.

— Sim, — disse ela. — Poderei ferver a nova doentezinha — mas... e aquela sua dívida, Hércules?

O pobre herói coçou a cabeça. Eles são todos a mesma coisa: nunca pensam em dinheiro. Dom Quixote era assim. Rolando também. Hércules, Teseu, Perseu, todos eram assim. E aquela exigência de Medeia o desnorteou.

Pedrinho meteu o bedelho:

— Emília tem uma canastrinha cheia de preciosidades. Pode muito bem pagar não só a cura do Visconde como a dela. Com o pomo de ouro, por exemplo...

— "Dar o meu pomo de ouro em pagamento da cura do Visconde? Oh, nunca!" — escreveu a muda no papelzinho.

— Cura do Visconde e a sua também, Emília. Não seja tão cigana. Que adianta possuir um pomo de ouro na canastra e ser muda? Pense bem.

Ao ouvir falar em pomo de ouro Medeia ficou toda assanhada. Não havia na Hélade quem não ambicionasse a posse da maravilha.

— E como conseguiu este pelotinho de gente um pomo com o qual todos os heróis vivem sonhando?

Hércules contou o caso do gigante Atlas. Medeia ficou mais assanhada ainda. Emília afinal cedeu.

— Sim. Vá lá. Fica o pomo pelas duas curas — e suspirou.

O pomo estava no acampamento de Micenas com a enorme pedra em cima. Só Hércules tinha a força necessária para removê-la — e lá vai o pobre Hércules para Micenas. Não havia o que ele não fizesse para o bem da sua dadeira de ideias. Enquanto o herói ia e vinha, ficaram todos hospedados no palácio de Medeia.

Passado algum tempo Hércules voltou. Vinha radiante, com o pomo na mão.

— Pronto!...

Medeia pegou na preciosidade e deslumbrou-se. Não havia dúvida que era realmente um dos tais pomos das Hespérides, de tanta fama no mundo inteiro.

Valia não duas, mais mil curas.

— Pois vamos começar a operação —disse ela e encaminhou-se para a sala da fervura com todos atrás. Lá estava a grande caldeira ao fogo. Medeia botou mais lenha, e já de faca na mão olhou para Emília dizendo: "Aproxime-se!". Emília, porém, correu a agarrar-se a Hércules. Parecia tomada de grande medo. Medeia avançou em sua direção com a faca de Barba Azul em punho. Emília berrou:

— Não! Nunca!... Ser picada por esse facão? Nunca!...

— Mas é preciso, Emília — murmurou Hércules com toda ingenuidade, sem perceber que Emília já estava falando e portanto curadíssima da mudez sem necessidade de fervura nenhuma. — É preciso. Não posso dispensar o concurso de minha "dadeira de ideias" na viagem ao reino das amazonas; e que me adianta uma dadeira de ideias muda?

Todos assombraram-se da lerdeza do herói. Estava ouvindo Emília falar e ainda convencido de sua mudez! Pedrinho, num verdadeiro delírio de contentamento, abriu-lhe os olhos:

— Não vê que ela sarou por si mesma, Hércules? Não vê que está falando?

Hércules arregalou os olhos e compreendeu — e que alegria a sua! Agarrou Emília e beijou-a. Depois abraçou Pedrinho e o Visconde. Tudo salvo! Tudo arrumado! A mudez desaparecera do modo mais misterioso. O herói desconfiou que havia sido coisa dos deuses e correu os olhos em redor em procura de Minervino.

Que é de Minervino? Sumira-se momentos antes. Ao ver o pavor de Emília diante da enorme faca, o mensageiro apiedara-se dela e voara ao Olimpo.

— Palas, minha grande deusa, tende dó da coitadinha! Lá está diante de Medeia com a maior cara de horror que ainda vi. Horror da faca de picar gente... Veja se descobre outro modo.

Palas compreendeu tudo e foi cochichar qualquer coisa ao ouvido de Zeus — e Zeus então operou o milagre: fez que a fala de Emília voltasse sem o recurso da fervura.

Que alegria lá no palácio de Medeia! Pedrinho dava pulos de contentamento. O Visconde assoprava-se todo — sinal da "euforia" dos sabugos científicos. E Hércules então, esse babava-se de gosto.

Emília falava e falava sem parar, como para reaver o tempo perdido. Ficou tal qual aquela boneca de pano que lá no sítio de Dona Benta tomou as pílulas falantes do Doutor Caramujo e falou pela primeira vez. Falou tanto que Medeia teve de tapar os ouvidos.

— Levem esta diabinha daqui que já estou tonta.

Mas Emília continuou a falar e reclamou a devolução do pomo.

— Eu concordei em dar o pomo em troca da cura do Visconde e da minha. Mas como sarei por mim mesma, acho que a senhora só tem direito à metade do pomo...

Hércules arregalou os olhos. Que esperteza!... Ele não havia se lembrado daquilo — e declarou a Medeia que Emília tinha razão. Se o pomo fora aceito como pagamento de duas curas, o pagamento de uma cura só tinha de ser meio pomo.

Medeia afinal cedeu, de tão tonta que estava com o falatório da diabinha. E como fosse uma pena partir ao meio uma tal preciosidade, propôs dar em troca do pomo inteiro um talismã dos mais preciosos: uma varinha de condão.

Os olhos de Emília chisparam. Seu maior sonho sempre fora possuir uma varinha de condão — para "brincar de virar as coisas". Medeia foi lá ao quarto dos badulaques e trouxe uma varinha de condão como as que as fadas usam.

— Aqui a tem...

Emília até tremeu ao pegar a vara e foi a virar mil coisas pelo caminho que ela voltou para o acampamento.

— Saí ganhando! Saí ganhando!...—gritava. —Com esta varinha eu viro em ouro os pomos que quiser — e fez experiência numa azeitona. Com um toque da varinha virou-a num lindo pelote de ouro. Hércules estava de boca aberta. Que prodígio de esperteza, a sua minúscula "dadeira de ideias!"...

O CINTO DE HIPÓLITA

Capítulo I
O CINTO DE HIPÓLITA

De volta ao acampamento Emília passou a tarde a virar e desvirar coisas. "Vira que vira, virade" eram as palavras que tinham de preceder ao toque da varinha — e o objeto em que a varinha tocava realmente virava na coisa pedida.

Até o Visconde ela virou em jacaré, e o desvirou, porque o jacaré estava arreganhando uma enorme boca vermelha para devorá-la. E virou o Templo de Avia em uma encantadora casinha de boneca. E virou a clava de Hércules em mão de pilão — e assim por diante. Depois desvirava e deixava tudo como antes.

Enquanto isso Hércules, de mão no queixo, seguia matutando no nono Trabalho que Euristeu lhe havia imposto: ir ao reino das amazonas conquistar o célebre zóster da rainha das amazonas, isto é, o cinto que Ares ou Marte dera a Hipólita, e ela usava como distintivo da sua realeza.

As amazonas formavam uma curiosa raça de mulheres guerreiras, filhas de Marte e Harmonia. Habitavam as paragens do Termodonte, perto de Temiscira, no Ponto. O Reino do Ponto ficava na Ásia Menor, junto ao Ponto Euxino.

As amazonas eram a contraparte feminina dos centauros; não que tivessem metade do corpo cavalo, metade mulher, mas, como só andassem a cavalo, pareciam formar com os cavalos um só corpo. Em seu reino não havia homens, só mulheres, e valorosíssimas — as maiores guerreiras da Antiguidade. Desde mocinhas comprimiam o seio esquerdo de modo a atrofiá-lo. Para quê? Para não atrapalhá-las no lançamento das flechas.

Além de valentíssimas eram de grande beleza e trajavam-se à moda dos bárbaros: vestes bem justas no corpo, barrete frígio, bombachas diferentes das dos gaúchos. Para a defesa traziam um escudo redondo; e como armas, o arco e o dardo.

Homem nenhum entrava no reino das amazonas, e o que ousasse fazê-lo era imediatamente destruído. Vinha daí a preocupação de Hércules. Como, sozinho, invadir aquele reino e arrancar da cintura de Hipólita um zóster que a não abandonava nunca? E Hércules pensava, pensava. Por fim resolveu levar bons companheiros. Só com a ajuda de outros heróis poderia conseguir alguma coisa e pensou em

Teseu, Peleu, Telamon e outros grandes amigos. Tinha, pois, antes de mais nada, de procurar esses heróis e propor-lhes a aventura. Mas moravam em cidades diferentes. Procurá-los todos e discutir o assunto era empresa demorada. Hércules chamou Pedrinho.

— Escute. Tenho de reunir vários amigos para a aventura das amazonas. Isso vai exigir uma série de viagens a uma série de terras. O melhor me parece que eu parta sozinho. Depois de formar o meu bando, venho buscar vocês.

Hércules partiu em primeiro lugar para Atenas em procura de Teseu, o herói da Ática. Os picapaus ficaram sozinhos.

O primeiro dia se passou numa "viração" furiosa. O "Vira que vira, virade" não parava. Até o ribeirão Emília virou num pastorzinho da Arcádia que não sabia falar, apenas "murmurejava", como murmurejam os ribeirões. E Pedrinho, que nunca fora um menino adulador, estava agora todo amor e cuidados com a Emília. Como não adular uma criaturinha armada de tanto poder? E por mais absurdo que isto pareça, até Juno lá no Olimpo começou a ter medo de Emília — segundo informações do mensageiro de Palas no dia seguinte.

— Acabo de chegar do Olimpo — disse ele. — Palas está radiante com a nova derrota de Hera no caso da mudez, e me disse que já agora nada tem Emília a recear das peças da deusa. "Se um leão for lançado contra Emília, ela o recebe com uma varada e transforma-o no que quiser — mosca, borboleta, pão-de-ló. Aquela varinha de condão é realmente um prodígio — mas é bom que ela saiba de uma coisa. Todas as varas de condão possuem um poder limitado. A de Emília só dá para cem viradas. Depois de cem viradas, torna-se uma vara comum, como as de marmelo, que só servem para surrar crianças. Avise-a disso".

Ao saber da limitação de sua varinha mágica, Emília quase chorou de desespero. Com a brincadeira do vira-vira ela já tinha gasto quase todo o poder da vara mágica — e de maneira tão boba, meu Deus!, virando até pedregulhos do chão, pedacinhos de pau, moscas... Pelos cálculos do Visconde, só devia haver na vara umas trinta viradas de resto! Quer dizer que Emília tinha desperdiçado setenta em puras bobagens. Cumpria-lhe agora poupar com o maior ciúme as restantes. E Emília, com um suspiro, guardou na sua canastrinha a vara de condão já quase no fim.

Depois perguntou ao Visconde:

— Que é "condão" Visconde? Às vezes a gente leva usando uma palavra toda a vida sem saber certo o que é.

O sabuguinho explicou que a palavra "condão" vinha da palavra persa "condo", que queria dizer "sábio ou adivinhador". De modo que na língua portuguesa condão significava "prerrogativa", "privilégio", "graça", "dom". E vara de condão queria dizer vara de adivinhar.

— Mas a minha vara não adivinha — objetou Emília. —Vira só.

— Adivinha, sim — respondeu o Visconde. — Quando você diz "Vira que vira, virade", ela adivinha o que você quer e executa a ordem.

Todos engoliram a explicação.

Lá pelas cinco horas estavam os três sozinhos ali no acampamento, à espera de Meioameio que saíra em procura de frutas e queijo para o jantar. De repente...

— Que é aquilo lá? — exclamou Pedrinho apontando. — Parece uma meninada...

Era realmente uma meninada que vinha naquela direção — uma molecada de Micenas. Vinham correndo, numa gritaria.

— Já sei! — berrou Emília. — Souberam da minha vara e vêm atacar-nos...

Numa das viradas ela havia virado um besouro em menino, e como naquela afobação se esquecera de desvirá-lo, o menino fugira e fora contar à molecada de Micenas a prodigiosa história. Os moleques ficaram no maior assanhamento e vinham em bando conquistar a vara.

Que fazer? A resistência era impossível, pois se tratava dum bando de vinte.

Recurso único: virá-los em qualquer coisa. Mas para virar vinte meninos era necessário gastar vinte viradas — e das trinta viradas que ainda sobravam na varinha só ficariam dez...

Emília berrou:

— Não quero! Não quero!... Não quero gastar quase todo o resto das minhas viradas àtoa...

— Não quer? Então muito pior. Tomam a vara — e zero...

Emília, na maior aflição, compreendeu que tinha de ceder. Mesmo assim pensou num jeito de economizar uma virada:

— Pois está bem. Vou virar dezenove moleques. O vigésimo você atraca-se com ele. Ou aguenta dois?

Pedrinho declarou que dois ele aguentava. Ela que virasse dezoito que ele dava conta dos dois restantes. Desse modo bastavam dezoito varadas. Emília ainda ficava com doze viradas na varinha.

Os moleques já vinham bem perto. Já se ouviam perfeitamente seus gritos. "A vara de condão é minha!" — berrava um. "É minha!" — berrava outro. "É de quem pegar!..." — berrava a maioria. Tal qual a molecada do século XX que corre atrás de balão queimado. Se os moleques de Micenas pegassem a vara, iriam espatifá-la — exatamente como os moleques modernos espatifam os balões caídos...

Capítulo II
A VIRADA

— E no que é que os viro? — perguntou Emília.

— Em moscas! — sugeriu Pedrinho.

— Em livros! — lembrou o Visconde, que andava com saudades de umas leituras.

Mas Emília, ciganinha como era, resolveu virá-los em coisas de utilidade prática de muita falta ali no acampamento — uma faca, um canivete daqueles gordos que têm saca-rolha, lima de unha, chavinha de parafuso etc., e em mais coisas que no momento veria.

Os moleques chegaram e pararam. O mais taludo adiantou-se e disse:

— Soubemos que há por aqui uma varinha de condão muito boa para virar coisas. Se nos entregarem por bem essa varinha, tudo acabará sem estragos. Se não entregarem por bem, entregarão por mal — e nós deixamos vocês todos reduzidos a pó de traque...

Emília ainda correu os olhos pelo campo, na esperança de avistar Meioameio. Com o centaurinho ali talvez lhe fosse possível economizar mais umas viradas. Não vendo sinal de Meioameio, respondeu ao insolente ultimato do moleque:

— A vara está aqui! Venham tomá-la, se são capazes. Viro a todos vocês em sapos horrendos...

A ameaça tonteou os meninos, mas como prudência não é coisa que existe em moleque da rua, o chefe do bando avançou para arrancar a vara das mãos de Emília. Ela, porém, mais que rápida, cantou o "Vira que vira" e transformou-o em canivete. E com a mesma presteza virou um segundo em faca. E deu uma varada num terceiro, virando-o em tesourinha de unha. Enquanto isso Pedrinho achatava dois com os seus tremendos golpes de caubói de cinema. Emília virou um quarto em rolinho de esparadrapo, lembrando-se da falta que isso fizera no dia da cortadura do dedo. E foi virando os outros. Meioameio apontou lá longe, mas muito tarde. Não tinha mais tempo de ajudar na guerra.

Estavam completamente derrotados os moleques de Micenas. Em vez deles só se viam por ali, espalhados pelo chão, os objetos de uso a que a vara mágica os reduzira. Dezenove moleques, dezenove objetos — isso porque, no calor da luta, Emília dera também uma varada num dos dois já derrotados por Pedrinho.

— Avé, avé, evoé!...—berrou a vitoriosa criaturinha, enquanto recolhia as preciosidades — o canivete de saca-rolha, a faca, a tesourinha, o rolo de esparadrapo...

Só havia escapado um atacante, mas lá estava nocaute, com Pedrinho ajoelhado em cima de seu peito e a berrar:

— Conheceu, papudo? Pensa que pica-pau tem medo de molecada grega?

Que festa foi aquilo! Emília, radiante como a deusa Palas, examinava um a um os objetos. Sua canastrinha nem dava para tanta coisa...

Depois, fez a conta das viradas restantes na varinha. Tinham sobrado onze. Ótimo! Com onze viradas na vara, quanta coisa não poderia fazer no futuro?

E o Visconde? Ninguém havia prestado atenção nele durante o calor da luta.

— Que é do Visconde? — berrou Emília.

Foram encontrá-lo caído no chão, a gemer.

— Que houve, Visconde? Que gemidos são esses?

— Estou ferido — disse ele com voz fraca. —Parece que me quebraram a perna...

Emília ergueu-o. O Visconde caiu de novo. Não podia aguentar-se de pé. Pedrinho veio examiná-lo.

— Sim, quebrou a perna esquerda, o coitadinho.

Nada mais certo. O pobre escudeiro estava com a perna esquerda quebrada — quebradíssima... Mas para quem dispõe dos milagres duma vara de condão, perna quebrada de Visconde é o de menos. Com uma simples varadinha troca-se uma perna quebrada por uma nova — e Pedrinho gritou:

— Emília, venha virar a perna quebrada do Visconde em perna nova.

A cigana aproximou-se. Examinou a fratura e disse:

— Com duas talas e um pouco de esparadrapo você conserta muito bem essa quebradura. Não vale a pena gastar uma virada com isto.

E daí não se arredou. Por mais que o menino insistisse, a ciganinha não se animou a gastar uma virada no conserto do Visconde.

— Bem diz Nastácia que você não tem coração, — queixou-se Pedrinho.

E ela:

— Tenho coração, sim, mas também tenho cabeça. Se com duas talas e um pouco de esparadrapo ele se arruma, por que hei de gastar com esta perna uma virada inteira, eu que só tenho onze na varinha? Não e não e não.

— Então não quer bem ao Visconde?

— Quero, sim, e muito — mas... e se eu não estivesse na posse da varinha? Tudo não se arranjaria muito bem com as talas? Pois faz de conta que não tenho vara nenhuma...

E não houve meio. Pedrinho teve de preparar duas talas e entalar entre elas a perninha quebrada do Visconde. Depois fez-lhe um par de muletas.

O moleque nocauteado ainda estava ali, sob a guarda do centaurinho. Que fazer dele? Soltá-lo era perigoso: voltaria correndo para Micenas, avisava lá o povo e as complicações poderiam ser terríveis.

Os pais iriam dar queixa ao Rei Euristeu — e nada mais natural que o "antipatia" mandasse uma escolta justar contas com eles. A solução era conservá-lo ali.

Chamava-se Melampo o jovem prisioneiro, muito vivo e ar de remador. Pedrinho propôs-lhe um negócio:

— Soltar nós não soltamos, porque você vai lá e conta tudo e temos complicações. Os vencidos na guerra são prisioneiros de guerra. Mas não queremos abusar da nossa força. Somos de bom coração e boa vontade. Proponho que fique aqui conosco, fazendo parte do nosso bando. As aventuras são tremendas — e contou a história dos oito Trabalhos de Hércules já realizados com a ajuda deles.

— E agora vamos seguir para o reino das amazonas, em busca dum tal cinto duma tal Hipólita. Quer ir conosco?

Perguntar a um menino daqueles se quer tomar parte em aventuras é o mesmo que perguntar a gato faminto se quer bofe. Melampo aceitou a proposta com o maior entusiasmo. E para animá-lo ainda mais Pedrinho disse:

— Para começo, pode dar um galope por esses campos montado em Meioameio.

O rosto de Melampo iluminou-se. Uma galopada de centauro, quanto não vale isso? Montou e lá se foi na disparada e de volta aderiu de coração ao grupo dos picapauzinhos, como se também fosse um neto de Dona Benta.

Os dias passados ali foram dos mais agradáveis que tiveram na Grécia. Melampo era mestre em brincadeiras. Ensinou a Pedrinho todos os brinquedos dos meninos de Micenas e foi ensinado em todos os brinquedos modernos. Quem não gostou da história foi Meioameio.

— Gente demais para o meu lombo — disse ele. — Se vocês arranjassem um jumentinho...

A ideia foi recebida com palmas. Um jumentinho para Melampo! Mas onde encontrar um jumentinho? Melampo sabia. Não havia o que Melampo não soubesse ali daqueles arredores. Contou que a certa distância ficava uma bela criação de cavalos e jumentos, dum homem rico lá da cidade. Podiam chegar até lá e...

Melampo montou em Meioameio e partiu no galope em procura do jumentinho. Emília ficou a consolar o Visconde.

RECONTOS · OS DOZE TRABALHOS DE HÉRCULES

— Isso sara — dizia ela. — E se não sarar, Tia Nastácia troca essa perna por outra, novinha e linda. —Depois, mudando de assunto: — Que quer dizer *Avé, avé, evoé?*... Eu vivo berrando esse *Ale guá* dos gregos mas sem saber o que significa.

O sabuguinho científico, gemendo, gemendo, explicou que naquela célebre guerra entre os deuses e os titãs, Zeus transformou o seu filho Baco num leão terribilíssimo e atiçou-o em cima dos gigantes com estas palavras: *"Eu, uie, evohé, Bacche!"* — Bem, meu filho, coragem Baco! —Nas festas ao deus Baco os seus adoradores repetiam essas palavras sacramentalmente.

— Mas o *avé, avé, evoé*? — insistiu Emília.

— Isso é asneirinha sua, Emília. "Avé" quer dizer "Salve". "Evoé!" quer dizer "coragem." Salve, salve, coragem! é asneirinha sua, Emília.

— E o "Ave" da "Ave Maria" também é "salve"?

— Sim. Tanto faz dizer Ave Maria como Salve Maria... Ai, ai, ai... Como me está doendo a perna...

Capítulo III
O ASNO DE OURO

Meioameio e Melampo voltaram trazendo pelo cabresto um belo asno de peludas e compridas orelhas, e antes de apear já Melampo gritou para Pedrinho:

— Não foi necessário furtar jumento nenhum lá da criação do tal homem. Encontramos este sem dono logo ali adiante...

Todos correram para ver. Emília achou-o com "muito ar" do Burro Falante.

— Por que ar?

— Tem ar até de falar — disse Emília; — e dirigiu-lhe a palavra: — Não será você também dos tais que falam, asno?

— Sim — foi a resposta. — E falo porque sou homem e não asno. Esta aparência que estão vendo não é a com que nasci.

Meninos comuns que ouvissem essas palavras da boca dum asno haviam de encher-se de verdadeiro terror — mas os picapauzinhos eram crianças que não se admiravam de coisa nenhuma neste mundo. Tudo lhes parecia naturalíssimo. Em vez de se sentirem tomados de terror, pediram ao asno que contasse a sua história.

E o asno contou:

— Chamo-me Lúcio. Em certa excursão que fiz a uma cidade da Tessália hospedei-me em casa do velho Milon, ao qual me haviam recomendado; e lá vim a saber que sua esposa era uma grande mágica. Quem mo revelou foi a criada Fótis. "Se quiser convencer-se, espie aquele quarto. É nele que a esposa de Milon prepara as suas feitiçarias." Espiei e vi a velha esfregando-se com uma pomada — e logo se transformou em coruja e saiu voando pela janela. Fiquei ansioso por fazer a mesma experiência: transformar-me em coruja e gozar a delícia dum passeio noturno pelos céus da Tessália.

Com a ajuda de Fótis, penetrei no quarto da feiticeira e lá dei com uma bela coleção de potinhos de pomada. Cada uma transformava uma pessoa numa certa coisa. Peguei na que me pareceu pomada de coruja e esfreguei-me todo. Mas, ai de mim!... Eu havia errado de potinho e a pomada que passei no corpo me transformou em asno em vez de coruja. Meu desespero foi enorme. Que fazer? Fótis me disse que só havia um meio de perder aquela forma e readquirir o aspecto humano: comer rosas. Mas como não houvesse rosas por ali, eu tinha de esperar pelo dia seguinte. Era noite fechada. Fiz o que podia fazer: fui em procura duma cocheira; de manhã eu sairia pelo mundo em procura de rosas. Súbito, um rumor estranho. Eram ladrões que tinham vindo assaltar a casa de Milon — e lá me levaram pelo cabresto para uma caverna muito escura nas montanhas. E como eu resistisse a coices, quantas pancadas me deram! Fiquei mais morto que vivo, quase descadeirado. Lá pela madrugada passei por um soninho e tive um sonho.

Nesse sonho a deusa Ísis me apareceu e disse: "Breve haverá uma festa em minha honra. Quando o sacerdote vier com a braçada de rosas que costumam depositar em meu altar, aproxime-se e coma uma. Voltará imediatamente à sua antiga forma humana". Fiquei radiante por dentro, mas como sair dali? Os ladrões não me levavam ao pasto — e preso lá fiquei longos dias, até que ontem foi a caverna assaltada por ladrões de outro bando.

Houve luta e mortes. Aproveitei-me da confusão para fugir...

— E foi pegado por Meioameio, não é assim?

— Exatamente. Eu vinha vindo pela estrada, quando me surge à frente este centaurinho. Murchei as orelhas, submissamente — pois que pode fazer um pobre asno diante dum centauro? E agora estou aqui...

Pedrinho ficou radiante. Dispor de um asno para conduzir Melampo já era uma grande coisa, mas dispor de um asno falante era mil vezes melhor — e propôs-lhe um negócio.

— Nós não somos daqui, somos do mundo moderno, lá do sítio de vovó. Viemos para tomar parte nos Trabalhos do famoso Hércules. Conhece-o?

O asno respondeu que não havia na Hélade quem desconhecesse o grande herói.

— Pois é isso. Somos os companheiros e ajudantes de Héracles. Já estivemos em oito Trabalhos e agora vamos caçar o cinto da Hipólita, a rainha das amazonas. Proponho um negócio: você adere ao nosso bando na qualidade de cavalgadura de Melampo. No fim das aventuras, come as rosas do sacerdote de Ísis e volta a ser Lúcio. Topa?

O asno coçou a cabeça. Aquilo de tornar-se cavalgadura dum menino desconhecido não era nada agradável, mas que fazer? Acabou concordando.

— Pois está fechado. Fico na qualidade de cavalgadura deste menino. No fim, como as rosas e pronto.

Melampo deu um pulo para cima do lombo do asno e disse:

— Pois vamos a um passeio por estes campos. Quero ver se é bom de andadura.

O asno resignou-se. Não tinha prática nenhuma de levar cavaleiros em seu lombo. Trotou desajeitadamente. Levou esporadas do calcanhar de Melampo. Mas como fosse muito inteligente, breve se ajeitou às suas novas funções de cavalgadura.

Estavam nisso, quando Hércules apareceu. Vinha com um fulgor de satisfação nos olhos. Ao ver aqueles personagens novos, um asno e um menino desconhecido, fez cara de ponto de interrogação. Emília explicou:

— Este é o Melampo, nosso ex-prisioneiro de guerra e agora amigo. E este é um tal Lúcio que em vez de pomada de coruja usou pomada de quadrúpede.

Hércules não entendeu. Foi preciso que Pedrinho tudo explicasse miudamente. Depois contou que havia sido muito feliz em sua excursão.

— Estive com Teseu, Peleu, Telamon, Sólon e outros heróis. Todos aderiram ao meu plano de ataque às amazonas e estão a preparar-se. Vim buscar vocês. Amanhã partiremos. Vamos nos reunir em Temiscira, no Ponto.

— Teseu ainda continua lindo? — indagou Emília, que na aventura de Creta muito se impressionara com a beleza do herói.

— Sim — respondeu Hércules. — A beleza de Teseu é quase divina. Encontrei-o em Atenas às voltas com um touro capturado nos campos de Maratona. Sabem que touro era?

Ninguém sabia.

— Aquele mesmo que pegamos em Creta e Euristeu soltou. Teseu conduziu-o a Atenas a fim de sacrificá-lo no altar de Palas. E o meu escudeiro?... — perguntou Hércules, notando a ausência do sabuguinho. — Não o estou vendo...

Pedrinho contou a história do assalto dos meninos de Micenas, a luta havida, as dezenove viradas da varinha, o aprisionamento de Melampo e por fim a desgraça do Visconde.

— Levou um tranco dos tais moleques e quebrou a perna. Já a encanei e fiz-lhe um par de muletas. Agora está dormindo um soninho.

Hércules foi vê-lo. Lá estava o Visconde numa cama de musgos da floresta, a dormir um sono agitado. De vez em vez saíam-lhe da boca palavras inconexas.

— Está delirando, — explicou Pedrinho. — Febre alta...

Hércules ficou apreensivo. Se estava febrento assim o seu escudeiro, como poderiam partir no dia seguinte?

— Dá-se um jeito— disse Emília. —Pode ir numa redinha no lombo de Lúcio. Amanhã a febre passa. Logo que acordar hei de fazê-lo beber um chazinho de quina.

— E onde acha quina por aqui, Emília? — perguntou Pedrinho.

— Na farmácia do Faz-de-conta... — respondeu ela, muito lampeira.

Capítulo IV
RUMO A TEMISCIRA

Hércules tinha de ir por mar até ao Ponto Euxino, que era como então se chamava o Mar Negro de hoje. Por lá ficava o tal reino do Ponto, perto da Capadócia — a terra de S. Jorge. Próximo de Temiscira, a capital desse reino, é que deviam reunir-se para a aventura das amazonas os amigos convidados por Hércules.

A viagem por mar correu péssima para o herói, com aquela sua mania de enjoar o tempo inteiro, mas foi boa para a perninha do Visconde. Os ossos da quebradura soldaram-se; mesmo assim ficou mancando e não dispensava as muletas. Meioameio também foi — e também enjoou. Era a primeira vez que um centauro entrava em navio.

No desembarque tiveram uma agradável surpresa. Foram recebidos pelo mais lindo e amável dos deuses: Zéfiro.

— Mas Zéfiro não é um vento? — perguntou Emília. E o Visconde:

— Sim. Para os modernos é um agradável ventinho de primavera. Para os gregos é um deus — e que lindo deus! Suave, tão fresquinho, tão perfumado das primeiras flores da primavera! Tem lindas asas de borboleta e a fronte cingida duma coroa de "primaveras".

Pedrinho observou que no sítio de Dona Benta havia muitos pés de "primaveras".

— As lá do sítio são outras — disse o Visconde. —São buganvílias, nome dado em honra a Bougainville, um famoso navegador francês. As daqui são flores duma plantinha rasteira que abrem no começo da primavera. Zéfiro usa na cabeça violetas e "primaveras" das daqui. Tem o corpo diáfano...

— Que é diáfano? — quis saber Emília.

— É um vocábulo composto de duas palavras gregas: "dia", através, e "phaino", eu brilho... Diáfano quer dizer quase transparente, ou translúcido. Quando a luz atravessa completamente um corpo, como no caso do cristal, diz-se que o corpo é transparente e quando não o atravessa completamente e sim "mal e mal", diz-se que é diáfano.

O Visconde explicava as coisas tal qual Dona Benta: havia aprendido com ela.

— Muito bem — disse Emília. — Zéfiro tem o corpo diáfano; e que mais?

— Muito lépido e leve, desliza pelo espaço graciosamente, com uma cesta de flores na mão — daí os perfumes que vai espalhando à sua passagem. Zéfiro casou-se com Clóris, a mesma divindade que os romanos chamavam Flora, e é o pai de Carpo, uma das três Graças.

— Quais são as outras?

— Essas lindas divas têm nomes variáveis. Chamam-se Aglaia, Tália e Eufrosina, segundo diz o antiquíssimo poeta Hesíodo em seu poema sobre os deuses. Outros dizem que são Cleta, Pasiteia e Pito; outros, que são Faena, Hegémona e Auxo; outros, que são Talo, Auxo e esta Carpo, filha de Zéfiro. As Graças em grego chamavam-se Cárites, nome que vem de caris, isto é, graça, alegria, agrado, amabilidade. E são um encanto as três Cárites. Só se preocupam de uma coisa: agradar — e possuem de fato o maravilhoso dom de agradar. Tudo no mundo que é macio, fino, afável, gostoso vem das Cárites...

— Que mimo!... — exclamou Emília. — Já estou me encantando com elas. E juro que das três a mais bonita e agradável é Carpo, a filha de Zéfiro e Flora. Que delícia ser filha dum vento ou brisa tão leve e da deusa das flores perfumadas! —e Emília ficou de narizinho para o ar, num enlevo, respirando com delícia o Zéfiro que perpassava.

O Visconde continuou:

— Zéfiro teve mais filhas: as Brisas...

— As Brisas? — berrou Emília. — Que amor!... Qual a diferença que há entre ventos e brisas?

— A mesma que há entre adultos e criancinhas. O vento é o pai — forte, valente, enérgico; a brisa é uma menininha de três ou quatro anos que só cuida de brincar.

— Eu que sou? Brisa ou vento?

O Visconde olhou bem para ela e respondeu:

— Você, às vezes, Emília, é um verdadeiro pé-de-vento...

Enquanto assim conversavam a bordo da barca de vela, o pobre herói, de bruços na amurada, com os olhos muito brancos, vomitava as tripas. Pedrinho olhava-o com expressão condoída.

— Mas não haverá um remédio para tanto enjoo? Nossa viagem vai ser longa — mais de trezentos quilômetros. E se Hércules morre?

Emília teve uma ideia.

— Visconde, os gregos possuem um deus para cada coisa. Será que não há um para o enjoo?

— Ignoro — respondeu o sabuguinho. — Pergunte a Melampo.

Nada mais inútil do que perguntar certas coisas a Melampo. Apesar de grego, sabia muito menos da história e das lendas gregas do que o Visconde, um simples sabugo. Melampo era mestre só numa coisa: reinações. Chegava até ao absurdo de, ali naquela barca tão apertadinha, montar no asno de ouro e fingir que estava galopando. E fincava-lhe os calcanhares como se fossem esporas e batia-lhe nas ancas tapas estalados...

O Visconde contou que a história de Lúcio transformado em asno ia ser narrada por um escritor romano chamado Apuleio, que ainda estava no calcanhar da bisavó. Ao saber disso, o asno derrubou as orelhas. "Quer dizer que vou me prestar para a risota do mundo, ai, ai..."

Antes do embarque já havia Lúcio descoberto uma linda roseira carregada de rosas e quase chorou de desespero.

Bastava abocanhar uma delas e estaria devolvido à sua forma humana. Mas teve de engolir em seco. Estava ligado àquele grupinho pela palavra de honra. O pior era que sua função ali se resumia a uma coisa só: funcionar como besta de carga dum moleque de Micenas...

Afinal chegaram — e não foi sem tempo. Hércules parecia Tony Galento quando foi tirado a braços do ringue.

Teve de apoiar-se em Meioameio para não cair. O Visconde aconselhou-lhe um repouso de dois dias em terra.

— Sim — acrescentou Emília — porque desse jeito, Lelé, se aparecer por aqui alguma das amazonas, quem perde o cinto é você — e apontou para a pele de leão invulnerável. Depois da luta contra o leão da Nemeia o herói nunca mais abandonara a preciosa pele.

Pedrinho encarregou-se de procurar um sítio adequado ao repouso de Hércules. Escolheu um grupo de árvores, cuja sombra ficou sendo o "sanatório". Lá a vítima do enjoo se deitou e regalou-se com a delícia de sentir-se em terra firme. No dia seguinte Hércules amanheceu quase bom. O chazinho que lhe deu o Visconde era um porrete para "herói enjoado" — como disse Emília.

Melampo fora bater papo com uns viandantes lá na estrada. Perguntou-lhes se os outros heróis já estavam em Temiscira. Ninguém sabia de herói nenhum. Quando o menino contou que fazia parte da comitiva de Héracles, o qual estava no "sanatório" descansando de sua viagem por mar, todos espantaram-se; e um deles, o mais corajoso, foi fazer uma visita ao herói. Encontrou-o estirado à sombra da árvore, comendo um carneiro assado. A fome já havia renascido. Emília explicou:

— Ontem parecia um bacalhau de porta de venda. Hoje até fome tem. Chegou tão descadeirado, o pobre...

O visitante supôs que o "descadeirado" se referia a alguma derrota em luta. Por maiores que sejam os heróis, às vezes apanham boas tundas no lombo, como tanto aconteceu a Dom Quixote.

— Quem o descadeirou?

— Um gigante chamado Mar — respondeu Emília — o único que derrota Lelé. Queria que você visse como ele ficou de olho branco...

À tarde chegou outro navio: era o de Peleu — e também ressurgiu Minervino. Hércules foi receber o recém-vindo enquanto o mensageiro de Palas atendia à curiosidade dos pica-paus contando quem era Peleu.

— Oh!, um grande e famoso herói —disse ele. — Rei de Iolcos, irmão de Telamon. Foi o verdadeiro causador da guerra de Troia...

— Como? — exclamou Pedrinho. —Pois a causadora da guerra de Troia não foi Helena, a mulher do rei Menelau?

— Foi — mas quem meteu Helena no embrulho, se não Peleu? Logo, o verdadeiro causador de tudo foi ele.

— Conte lá isso.

— Peleu, depois de muitas aventuras, tomou posse da cidade de Iolcos e fez-se rei. E como estivesse viúvo, desposou a Nereida Tétis.

— Que é nereida? — quis saber Emília.

Minervino coçou a cabeça. A eterna curiosidade de Emília não tinha fim.

— As nereidas são as filhas de Nereu e Dóris. As nereidas personificam as particularidades das ondas: o movimento, a cor, o marulho. Glauce é a nereida do azul; Talia, a da cor verde; Cimodoceia, a do marulho; Dinamene, a dos movimentos rápidos dos vagalhões... Pois bem: Peleu casou-se com Tétis, lá na gruta de Quiron, no Monte Pélio. Foi um dos mais importantes casamentos da antiguidade. Até os deuses vieram assistir à cerimônia e trouxeram os mais lindos presentes. Peleu havia mandado convite para todas as divindades, maiores e menores, exceto uma: Éris ou a Discórdia. E estavam no melhor da festa, quando a terrível Éris surgiu. Chegou e colocou em cima duma pedra um pomo de ouro com esta inscrição: À mais bela! Aquilo era uma provocação às três grandes deusas ali presentes: Juno, Palas e Vênus. A qual fazer-se a entrega do pomo? Como decidir qual das três a mais bela? Tornou-se necessário um julgamento. Convidam para julgador ao jovem Páris, um príncipe filho do rei de Troia. Páris olha para as três divindades e entrega o pomo a Vênus.

— E fez muito bem — disse Emília — porque Vênus é a deusa da beleza.

— Isso pensamos nós, mas Juno e Palas não tinham a nossa opinião. Roeram-se por dentro de ódio—e quem pagou foi Troia. Para se vingarem do julgamento daquele juiz, provocaram a guerra entre os gregos e os troianos, da qual Troia saiu completamente destruída. Se não fosse Peleu apaixonar-se por Tétis e promover aquela festa, não teria havido a guerra de Troia...

Hércules apresentou a sua comitiva ao rei de Iolcos, o qual muito estranhou que um herói tão grande andasse com um escudeiro tão pequeno e esquisito, de cartola e muleta. Mas gostou muito de Pedrinho e Emília. Ao saber da atuação desta nos casos do javali do Erimanto e do gigante Anteu, suspirou.

— Ah, quanto desejava eu dispor duma "dadeira de ideias" assim! Minha vida tem sido das mais atormentadas porque sempre me faltam boas ideias nos momentos decisivos. E este asno?

— É Lúcio! — gritou Emília, — um homem que virou asno porque no escuro do laboratório da feiticeira errou de pomada. E fala como gente, Senhor Peleu. Quer ver?

E para o asno:

— Diga alguma coisa.

Lúcio, muito desapontado daquele papel de "fenômeno" exibido em feira, disse, depois dum suspiro:

— Bem-vindo seja a estas paragens o nobre rei de Iolcos...

Peleu quase caiu para trás de susto. Era a primeira vez que via um asno falante. Emília deu uma grande risada.

— Isto de asnos falantes diz Dona Benta que é o que há mais no mundo. Diz que até nos tronos há asnos falantes — e nos congressos, nos ministérios, nas academias. Mas só asnos de dois pés e com forma humana. Asno falante de quatro pés, só sei deste. Lá no sítio também temos um burro falante, mas asno não é burro. Chama-se o Conselheiro — e como fala bem! Só diz coisas filosóficas — sabe o que é, herói?

Peleu já estava tonto com a parolice de Emília.

Pedrinho aproveitou um momento em que a ex-boneca fez uma pausa para engolir e disse:

— Já sabemos da sua história, senhor Peleu, e muito lamentamos a desastrada sentença de Páris no caso das três deusas, lá na festa do seu casamento.

— Por quê? — exclamou Peleu, admirado.

— Porque foi dali que saiu a Guerra de Troia.

Peleu franziu a testa. Jamais havia pensado em tal coisa. Emília meteu o bedelho:

— Aquele Páris não tinha a menor habilidade. Se fosse Salomão, a sentença seria uma beleza e todos ficariam contentes.

— E qual seria a sentença desse tal Salomão? — quis saber Peleu.

— Ele dividiria o pomo em três pedaços e daria um a cada deusa, dizendo: "Empatou!".

— Mas um juiz não pode empatar — observou Peleu. — Justamente quando as coisas empatam é que os homens recorrem aos juízes. Que é uma sentença se não um desempate?

Emília atrapalhou-se, mas não querendo dar o braço a torcer, veio com outra solução das suas:

— Salomão chegava ao ouvido de uma dizia: "A mais bela é você, mas não diga nada às outras". Cochichando as mesmas para as três, deixava-as contentíssimas e sem guerra nenhuma.

Peleu riu-se e voltou à carga:

— Mas Páris tinha de entregar o pomo a uma das três...

— Eu, se tivesse de entregar o pomo, fazia um passe de mágica e sumia o pomo na manga. E depois, com cara inocente: "Ué! Que fim levou o pomo?", e desse modo embrulhava a todos...

— Já sei — interrompeu Pedrinho. — Embrulhava a todos e ia guardar o pomo lá na sua canastrinha. Ah, Peleu, esta bicha só nós é que sabemos o que ela é.

Peleu fez uma festinha com o dedo no queixo de Emília e voltou a tratar com Hércules o assunto das amazonas.

— Estive pensando, Hércules, que talvez nos seja possível conseguir às boas o que à força vai ser bastante duro. Proponho que mandemos à Rainha Hipólita um parlamentar.

— É uma ideia — disse Hércules—, e eu poderia enviar o meu escudeiro, se não fosse o desastre que o pôs de perna quebrada. Talvez Pedrinho possa substitui-lo — e, voltando-se, chamou o menino. — Escute, oficial. Tenho de mandar um mensageiro à Rainha Hipólita. O Visconde era o naturalmente indicado, mas a fratura da perna o põe fora de serviço. Pensei em você. Quer ir ter com Hipólita em nosso nome?

Pedrinho esfriou. Nunca em sua vida lhe haviam feito uma proposta semelhante. Apresentar-se como parlamentar à presença duma rainha — e que rainha! Hipólita, a grande Hipólita do cinto! A surpresa daquelas palavras deixou-o tonto por uns instantes.

— Vamos, responda! — insistiu Hércules.

Pedrinho, afinal, desengasgou:

— Estou às ordens.

Hércules voltou os olhos para Peleu como quem diz: "Está vendo que firmeza de decisão?". E para o menino:

— Pois apronte-se, que vamos redigir a mensagem. Logo depois partia Pedrinho montado em Meioameio, levando no bolso a mensagem de Hércules e Peleu a Hipólita:

> Formosa rainha das invencíveis amazonas! Incumbidos estamos de uma empresa que muito nos vexa: apresentar ao Rei Euristeu o vosso zóster. Altos interesses humanos e divinos assim o querem. Mas longe de nós a ideia de usar da violência contra a rainha das formosas guerreiras; e, assim sendo, esperamos que nos conceda um encontro no qual o assunto possa ser discutido. Respeitosamente beijam a linda mão da rainha das amazonas,
>
> Peleu e Héracles.

Evidentemente o estilo da mensagem denunciava o dedo de Peleu. Hércules era ali no golpe. Na pena, coitado!...

Pedrinho lá se foi no galope e depois de muito andar pressentiu sinais de mudança.

— Meioameio — disse ele —, parece que estamos chegando. Sinto um cheiro de estrebaria no ar. Deve haver muito cavalo no reino das amazonas.

O centaurinho concordou. Seu ótimo faro disse-lhe que a menos de meia légua encontrariam a primeira amazona — e assim foi. Vencida a meia légua, ouviram um trote, e logo depois deram com uma guerreira amazona, de aspecto hostil e lança erguida. Pedrinho empalideceu, mas dominou-se. Quem leva missões como a dele não pode fraquear — e foi com voz deliberadamente firme que abordou a guerreira.

— Senhora — disse ele —, aqui estou na qualidade de mensageiro de Hércules e Peleu, dois tremendos heróis, e deles trago uma mensagem para a Rainha Hipólita. Quererá ter a gentileza de dizer-me onde posso encontrá-la?

A amazona mediu-o de alto a baixo e sorriu. Um menino apenas. As instruções que todas recebiam eram para matar qualquer homem que cruzasse as fronteiras do reino; não falavam em menino. E a amazona, baixando a lança, respondeu:

— Na tenda branca à margem esquerda do Rio Termodonte. Lá encontrará a nossa grande rainha — e mostrou o rumo.

Pedrinho respirou, enquanto Meioameio dizia:

— Ela nada fez porque você ainda é um menino. Se se tratasse dum homem feito, ah, tê-lo-ia espetado com a lança! Às vezes vale a pena ser-se crila...

Pedrinho tomou pelo rumo indicado e depois de algum tempo defrontou o Termodonte — um riozinho à toa.

— Margem esquerda, disse ela. É a de lá.

Ponte era coisa que não havia. Tiveram de atravessar a nado. Depois foram andando. Súbito, viram ao longe uma espécie de campo de guerra, com barracas e movimento de animais.

— Deve ser lá — disse Pedrinho. — Mulheres guerreiras hão de viver em acampamentos como aquele.

E de fato era lá o acampamento da Rainha Hipólita. Assim que as amazonas viram chegar um centaurinho cavalgado por um "homem", voaram com as lanças em riste para recebê-los conforme as ordens. Mas vendo tratar-se dum potrinho de centauro e dum filhote de homem, detiveram-se, como havia feito a outra.

— Quem é você, menino?

O neto de Dona Benta respondeu com voz firme:

— Sou Pedrinho Encerrabodes de Oliveira, oficial de gabinete do Senhor Héracles. Trago desse grande herói e do Rei Peleu uma mensagem para Hipólita, a rainha das amazonas.

As guerreiras entreolharam-se, trocando palavras que Pedrinho não pôde ouvir. Depois:

— Siga-nos! —disseram. —Nós o escoltaremos até à tenda de Hipólita — e lá se foram com o menino à frente.

Que estranhas aquelas criaturas! Que fortes! E que aspecto belicoso!

Acostumado a ver nas mulheres do século xx uns seres delicados, frágeis, graciosos, Pedrinho espantava-se do porte imponente e da rija musculatura das amazonas. Cada qual era o que se chama "uma mulher e tanto". Belas, sim duma beleza forte de estátua. E que cavaleiras! Realmente davam ideia de centauras, isto é, de formarem um só corpo com os cavalos. Uma que passou a galope num formoso cavalo branco trouxe a Pedrinho a lembrança das correrias do William Boyd nas fitas americanas.

A escolta deteve-se diante da tenda real. Uma das amazonas apeou e entrou. Logo depois aparecia a majestosa figura da rainha. Bela, sim! Bela como as estátuas. O zóster que trazia à cintura indicava a sua dignidade realenga.

Pedrinho gaguejou:

— Majestade, eu... eu venho da parte de Hércules com esta... esta mensagem — e com mão trêmula tirou do bolso o pergaminho.

Hipólita estendeu a mão muito branca e tomou-o. Desenrolou-o e leu. Parece que lhe soube bem o estilo porque sorriu. Depois disse:

— Este meu zóster, presente de meu pai Ares, anda a virar a cabeça de muitas princesas. Como posso desfazer-me dele sem prejuízo da minha dignidade de rainha das amazonas? Dizei a Hércules, ó pequeno mensageiro, que o caso não pode ser decidido levianamente. Ele que venha conversar comigo. Darei ordens às minhas guerreiras para que o acolham gentilmente.

Pedrinho, ainda trêmulo, fez uma saudação de cabeça e com o calcanhar ordenou a Meioameio que rodasse para trás.

O fato de vir montado num centaurinho havia causado grande surpresa àquelas mulheres. Inúmeras tinha acorrido de todos os lados para verem a maravilha. E comentavam, cochichavam umas ao ouvido das outras.

Meioameio afastou-se dali a passo, como que também peado pelo medo. Mas assim que se viu a certa distância, disparou no galope.

De volta ao acampamento deu Pedrinho contas a Hércules do desempenho de sua missão, transmitindo-lhe com toda a fidelidade as palavras de Hipólita. Hércules olhou para Peleu.

— Parece que tudo vai bem. Se a rainha nos marcou um encontro, é que não está hostil.

Capítulo V
TUDO VAI BEM

No dia seguinte chegaram as naus de Teseu e dos outros heróis. Desembarcaram e foram para o navio de Hércules combinar o plano de assalto às amazonas.

A notícia do bom acolhimento da mensagem causou-lhes agradável impressão.

— Ótimo se não houver luta — disse Telamon. — Conquanto sejam guerreiras terríveis, a mim me repugna ter de lutar contra mulheres. Ficarei satisfeitíssimo se chegarmos a um acordo com Hipólita.

Estavam ainda no navio de Hércules a discutir o assunto, quando Emília gritou:

— Lá vem vindo um bando de guerreiras! — e era verdade. Hipólita aproximava-se da praia seguida de enorme séquito de amazonas.

O encontro da grande rainha com os heróis foi dos mais auspiciosos. Trataram-se como amigos velhos, e não tardou que a beleza de Teseu amolecesse o coração de Hipólita. Ficou tão amável que com surpresa de todos se propôs entregar-lhe o zóster. Hércules, radiante, viu que tudo ia acabar em festa — e assim seria se não fosse a intervenção de Juno.

Sim, de Juno, porque a vingativa deusa, que lá do Olimpo acompanhava o desenvolvimento da aventura, avermelhou de cólera ao perceber a amável disposição da rainha das amazonas. E que faz? Desce imediatamente à terra, disfarça-se em amazona e com ar muito aflito entra a promover o levante das guerreiras que de longe assistiam à conferência de Hipólita com os heróis.

— Eles vão raptar a nossa rainha! Se a não defendermos, Hipólita estará perdida — e tais e tantas coisas disse que acabou virando a cabeça de todas.

— Ataquemo-los já! Não temos um minuto a perder. Salvemos a nossa amada rainha!...

E o que houve então foi coisa que abalou a terra. Como que movidas por mola única, as amazonas lançaram-se ao mais terrível dos ataques contra os heróis. Vinham cegas de ódio, no galope furioso de seus cavalos brancos, as lanças em riste, os olhos a despedirem fagulhas. Hipólita quis intervir, mas não pôde. O tropel do ataque abafava-lhe a voz. Colhidos de surpresa, os heróis mal tiveram tempo de tomar suas armas.

E foi a luta que os poetas gregos contam — luta de gigantes. Golpes de clava tremendos, lançaços, avanços e recuos.

Teseu defendia-se como um leão encurralado. Os golpes de Telamon reboavam. Sólon derrubou duas com uma só clavada. Tão terrível foi o pega que o carro de Apolo, já a descambar no horizonte, como que entreparou, assustado.

Os picapaus haviam corrido para bordo. Só Melampo ficara em terra. O bobinho julgou que aquilo fosse como as lutas dos moleques lá de Micenas — lutas de brincadeira, sem outras consequências além de arranhões, galos na testa, manchas roxas pelo corpo — mas foi cruelmente pisado pela pata dos animais.

Em certo momento Hércules tomou uma resolução decisiva. Ficar ali naquela luta era acabar perdendo a batalha. Por maior que fosse a potência do seu grupo, como vencer o número? Eles eram um punhado; as amazonas, uma legião. Nas lutas entre o valor e o número quem sempre acaba vencendo é o número. O jeito eram irem combatendo e recuando na direção dos navios — e de repente agarrar Hipólita e levá-la para bordo como refém.

Lá no navio de Hércules os pica-paus, em companhia de Minervino, estavam vendo tudo como de uma frisa de teatro.

— Hera, Hera! — exclamava o mensageiro. — Bem que Palas me advertiu. Vendo que tudo ia acabar em acordo, a rancorosa divindade veio em pessoa arengar e amotinar as amazonas...

Emília ia dizendo "Que bisca!" mas engoliu em seco e deu um tapa na boca. Pedrinho estranhou a ausência de Melampo.

— Está lá ele! — gritou o Visconde. — Caído no chão — talvez morto. Vi quando foi meter-se na refrega.

O combate continuava cada vez mais furioso, mas os heróis já estavam recuando. Defendiam-se como leões e recuavam — recuavam na direção dos navios. Súbito, Hércules, que durante toda a luta não se afastara de Hipólita, agarrou-a pela cintura e voou para o navio. Seus companheiros também abandonaram a luta e se sumiram nas naus. O desapontamento das amazonas foi imenso. Não tinham contado com aquele golpe estratégico. Em campo raso eram poderosíssimas, mas que poderiam fazer contra os heróis refugiados a bordo?

Hércules berrou da amurada:

— Detende-vos, valorosas guerreiras! Tenho comigo um precioso refém: Hipólita. E de bom grado a libertarei se depuserdes as armas.

As amazonas entreolharam-se, como que indecisas. Que fazer? Uma delas, a mais feroz de todas, justamente a que as havia amotinado, gritou que não, que não deporiam as armas, que lutariam até o fim, que abordariam as naus.

— É Hera quem fala — observou Minervino. — Conheço-lhe o tom da voz... — e Emília correu a cochichar para Hércules que a que estava estimulando as outras era a bisc... era a boa deusa Hera. O herói compreendeu tudo e falou de novo para as guerreiras:

— Sei quem vos amotinou no momento em que tudo obtínhamos de Hipólita pacificamente, mas sei também de que nada valerá essa intervenção. A grande Palas me protege e permitiu-me capturar a vossa grande rainha. Se não depuserdes as armas, levantarei âncora e partirei com Hipólita prisioneira. Se de fato amais à vossa grande rainha, deixai de atender à voz do despeito e atentei unicamente no que vos digo.

As amazonas entreolharam-se de novo e compreenderam a situação. Ou baixavam as armas ou perdiam a sua rainha e de nada valeram os gritos histéricos da falsa amazona que as havia amotinado. Baixaram as lanças em sinal de trégua.

Hércules então disse a Hipólita:

— Grande rainha, fomos ambos prejudicados pela vingativa deusa que me persegue. O acordo feliz que estávamos a justar desfechou na desastrosa luta em que tantas guerreiras perderam a vida e vi-me na contingência de aprisionar nesta nau aquela a quem eu só queria render homenagens. Mas restituir-vos-ei *incontinenti* à liberdade se, cumprido o acordo feito, me entregardes o vosso zóster.

Hipólita não fez objeção nenhuma. Destacou da cintura o zóster e entregou-o a Hércules.

— Ei-lo. Levai-o à princesa que tanto o ambiciona. Rainha sou por força do sangue e do devotamento de minhas súditas — não por força dum objeto material.

Hércules tomou o cinto e beijou-lhe a mão, dizendo:

— O mais humilde súdito da grande Hipólita, a rainha das invencíveis amazonas.

Emília sorriu e olhou para Pedrinho. "E não é que ele sabe falar? Lida com as damas que nem Dom Quixote." Estava finda a missão que Euristeu incumbira a Hércules. Admeta ia usar na cintura o zóster de Hipólita — mas nem por isso adquiriria a imponente beleza da rainha das amazonas, nem a sua esplêndida majestade. Uma coisa é nascer-se rainha, outra vestir-se de rainha. Hipólita nascera rainha e era-o até à ponta das unhas. Com grande majestade respondera a Hércules e com a maior dignidade deixou o navio para ir juntar-se ao bando de suas guerreiras.

Teseu lá de seu barco tudo via. A beleza de Hipólita o tinha impressionado tão tremendamente que na hora da partida dos outros heróis declarou a sua intenção de ficar.

— Ficar? — exclamou Peleu com espanto.

— Sim. Hércules aprisionou Hipólita e Hipólita aprisionou o meu coração. Já não poderei viver sem ela.

Horas depois os navios levantavam ferro — todos, menos o de Teseu. O herói da Ática ficou e casou-se com Hipólita.

De volta para Micenas, depois de mais uma desagradável travessia do mar, Hércules teve uma aventura de todo inesperada. Ao passar por certa aldeia foi detido por um mensageiro de Litierses, filho de Midas, rei da Frígia. Esse homem possuía ali uma suntuosa propriedade onde passava uma verdadeira vida de filho de rei, a regalar-se com banquetes e vinhos dos mais preciosos. E divertia-se de um modo muito extravagante: obrigando aos que passavam pela estrada a servirem-no por um dia nas tarefas da lavoura — ceifar trigo, colher uvas ou azeitonas; e à tarde cortava-lhes a cabeça e jogava os corpos no Rio Meandro.

— Litierses ordena-te que vás limpar o seu chiqueiro de porcos — disse o mensageiro.

Hércules riu-se.

— Quem é Litierses? — perguntou.

— O filho do Rei Midas. Mora aqui nesta grande propriedade e executa todos os trabalhos com um dia apenas de tarefa imposto aos passantes.

— E se o passante recusa-se?

— Ele corta-lhe a cabeça e joga-o no Meandro.

— E se o passante submete-se e dá o dia de serviço reclamado?

— Ele corta-lhe a cabeça e joga-o no Meandro.

Hércules respondeu:

— Leve-me à presença de Litierses. Desejo ter com ele um pequeno entendimento.

O homem obedeceu. Levou-o à presença do filho de Midas.

— Com que então — disse o herói com a maior calma — esta propriedade é lavrada à custa do trabalho e da vida dos passantes?

Litierses, que estava à mesa se banqueteando, deu uma grande gargalhada violenta.

— Claro, homem! Vou assim executando os trabalhos agrícolas e ao mesmo tempo engordando os peixinhos do rio. Não acha inteligente o meu processo?

Hércules engasgou de cólera e, agarrando o malvado, cortou-lhe a cabeça com a própria faca com que o filho do rei se servia — e foi jogá-lo no Meandro, dizendo:

— Os peixinhos devem estar sequiosos por esta sobremesa.

Pedrinho assombrou-se com a facilidade com que na Grécia os heróis mandavam gente para o outro mundo. Roubar, matar — tudo coisas naturalíssimas. Hércules matou aquele filho de rei e lá prosseguiu na viagem como se não houvesse havido coisa alguma. E nada de polícia, inquérito, processo, júri, promotor, juiz, sentença, cadeia. Tudo muito rápido e expedito.

O Visconde observou que nos tempos modernos havia a "justiça organizada", mas ali a Justiça eram os heróis. Eles andavam à caça dos maus, como lá no mundo moderno faz a polícia. E pegavam-nos e liquidavam-nos com a maior simplicidade. Que era Hércules, afinal de contas, senão a Justiça em pessoa? Às vezes errava e matava inocentes — mas que justiça neste mundo não erra?

Depois da luta das amazonas, Pedrinho descera à praia em busca de Melampo e havia encontrado o menino desacordado e muito cheio de machucaduras. Com a ajuda de Minervino conduzira-o para bordo, onde o deixou entregue aos cuidados do Visconde. O sabuguinho estava se revelando um excelente médico. Entendia de chás e pomadas como qualquer curandeiro. E assim foi que antes de finda a viagem marítima já estava Melampo completamente "novo", como se tivesse saído do caldeirão de Medeia.

E como ia o Asno de Ouro? Cada vez mais cheio de suspiros pelo termo daquelas aventuras. Volta e meia encontrava rosas pelo caminho. Uma só que comesse e estaria restituído à forma humana. Tinha entretanto de respeitar a palavra e permanecer peludo até o fim das façanhas do herói. Ísis em sonho lhe falara nas "rosas de seu sacerdote", mas o Visconde era de opinião que isso não passava de bobagem.

— Não há diferença nenhuma entre uma rosa na roseira e essa mesma rosa nas mãos dum sacerdote.

Mas não foi assim. Certa vez em que o Asno de Ouro, enfurecido com as esporadas de Melampo, pregou um coice na palavra de honra e comeu a primeira rosa encontrada, ficou desapontadíssimo: continuou o mesmo asno de sempre, só que com uma rosa no papo. Tinha pois, de aguardar pacientemente as rosas do sacerdote de Ísis.

E afinal chegaram a Micenas. Chegaram e tiveram uma grande decepção: o acampamento estava destruído! Do Templo de Avia, tão bonitinho, só viram destroços. As estacas com as esculturas das façanhas de Hércules jaziam caídas no chão, sem escultura nenhuma.

— Juro que os moleques de Micenas vieram até cá em procura dos outros e nos escangalharam o acampamento! disse Pedrinho. Só há uma coisa que não muda no mundo: os moleques! Que diferença entre os nossos lá do século XX e estes aqui do século... Que século é este em que estamos, Visconde?

— Certeza não tenho, mas calculo que é o XII ou XIII antes de Cristo.

Pedrinho ficou de olho parado. Depois disse, como que falando consigo mesmo:

— Parece incrível que estejamos a trinta e dois ou trinta e três séculos do nosso, isto é, a 3.200 ou 3.300 anos de distância do nosso tempo...

Emília suspirou.

— Uma coisa me aborrece, Pedrinho. É que depois da nossa volta ninguém vai acreditar uma isca do que contarmos. Dizem logo, com aquelas caras muito bobas: "É imaginação... É fantasia de criança...". E, no entanto, nós estamos realmente no "fundo das idades" — como diz o Visconde. Com meus olhos estou vendo o nosso Lelé com a sua clava e a sua pele de leão. Estou vendo Melampo com a sua cara suja. Estou vendo suspiros lá nas tripas deste Asno de Ouro. Estou vendo Miner... Que é de Minervino? — e Emília correu os olhos em redor. Não havia por ali Minervino nenhum.

— Com certeza voltara ao Olimpo a fim de combinar novas coisas com Palas — sugeriu Pedrinho.

— Para mim ele foi mas é ver a cara de Juno, — disse a ex-boneca. — A bisc... a grande deusa deve estar com o nariz bem comprido. Chegou até a descer à terra e disfarçar-se em amazona — e que amazona — e que ganhou? Zero. Coitada!...

Aquele "Coitada!" de Emília era uma desajeitadíssima e irônica adulação a Juno.

Hércules levantou-se para ir a Micenas dar conta ao rei do novo Trabalho realizado. Emília gritou:

— Não vá ainda, Lelé. Deixe-me brincar um pouquinho com o zóster de Hipólita.

Não havia capricho do diabrete a que o herói resistisse — e lá lhe deu ele o cinto para brincar...

Emília ajeitou-o na cinta e, pegando numa vara, berrou:

— Companheiras! Vinde rodear a vossa rainha ameaçada de rapto por este bando de heróis. Ataquemo-los e destruamo-los. Eles querem roubar este presente que meu pai Ares me deu... — e avançou para Hércules com a varinha em riste como se fosse lança.

Hércules ria-se, ria-se...

Capítulo VI
Os bois de Gerião

Hércules só voltou da cidade ao cair da noite.

— Euristeu alegrou-se muito com o cinto de Hipólita. Parece que desta vez não se aborreceu com a minha vitória, tanto era o empenho de sua filha Admeta em possuir aquele zóster.

— E que outro Trabalho ele marcou?

— Quer que eu traga para Micenas os bois selvagens do mais horrendo gigante que há nesta Hélade — um de várias cabeças...Gerião.

— Já sei — disse Pedrinho. — Ele quer esses bois para ter o gosto de soltá-los. Euristeu é o maior soltador de monstros. Só preciosidades como o cinto de Hipólita é que ele não solta. Espertinho... E onde fica esse tal Gerião?

— Muito longe daqui, na Ilha de Eritia, no Mar Jônio. Mar, mar... — e Hércules fez cara de vítima — estava se lembrando dos enjoos...

Pedrinho correu a contar aos outros o que tinha ouvido.

— Mais boi? — exclamou Emília. — Como há bois nesta Grécia!...

O Visconde aproximou-se, *toque, toque, toque,* na sua muletinha. Veio sugerir que o verdadeiro era soltar Melampo.

— Não nos adianta nada —explicou. —Passa o tempo a judiar de Lúcio e não tem juízo nenhum. Um perfeito louquinho. Aquela sua ideia de meter-se na luta entre os heróis e as amazonas é de menino que já teve meningite. Bem capaz de se meter em outras funduras e babau...

Pedrinho deu razão ao Visconde, mas Emília protestou.

— Não! Nada disso. Se o soltarmos, vai correndo a Micenas e conta a história das minhas viradas e pronto — estamos no maior dos embrulhos. Ele que fique até o fim. Depois da última aventura nós o soltaremos a ele e ao Asno de Ouro.

O centaurinho vinha no galope com o jantar aos ombros. Todos suspiraram. Emília disse:

— Ando com medo que de repente viremos rebanho. Já estou tão enjoada que só de pensar em carneiro já sinto um embrulho no estômago. Hoje só quero frutas — e mandou que Melampo montasse no asno e fosse em busca de frutas — figos, maçãs, morangos, o que houvesse.

Melampo foi, mas como não encontrasse fruta nenhuma pelas redondezas teve a ideia absurdíssima de ir procurá-las na feira de Micenas. E lá... ah!... lá foi pilhado pelo seu pai e agarrado, de modo que Lúcio voltou num trote muito sem jeito e de lombo abanando.

— Que é de Melampo? — indagou Pedrinho, já com um pressentimento nas tripas.

— Foi ao mercado em busca de frutas e lá o pai o agarrou...

Era a pior coisa que podia acontecer. Pedrinho ficou pálido como cera.

— Estamos perdidos!... Daqui a pouco vem cá o exército inteiro do "antipatia" nos assaltar que nem uma Alemanha e como é? Tenho de prevenir Hércules.

O herói também não gostou daquilo. Ficou no ar, sem saber que fazer. Chamou Emília.

— E agora, figurinha?

— Agora — disse ela — o remédio é um só: partimos já, já, já — e quem vai montado no Lúcio sou eu.

Depois pediu ao herói que recuasse a pedra que escondia os seus bilongues. Estava com medo de deixar lá a canastrinha.

Hércules afastou a pedra e Emília tirou do fundo a canastra, Abriu-a e guardou lá dentro mais uma lembrança: a mensagem a Hipólita. Ao ser aprisionada a bordo, a rainha das amazonas deixara cair do cinto o pergaminho — e Emília bifou-o.

Não era fácil levar aquela canastra em cima do lombo de Lúcio. Pedrinho veio estudar o caso.

— Só com um contrapeso — disse ele. — As cargas dos asnos tem que ser duas, uma de cada lado.

— Pois arranje um contrapeso.

Pedrinho pensou, pensou. Teve uma ideia:

— O Visconde!... Com as muletas o Visconde mal pode aguentar-se em cima do centaurinho. Faço um picuá de cipó e ponho-o como contrapeso da canastra.

E assim foi. Meioameio voou à floresta em busca de cipós. Pedrinho teceu com muita habilidade um picuá onde o sabuguinho podia ir comodamente reclinado.

— Venha, Lúcio!

O asno aproximou-se, suspirando. Pedrinho dispôs sobre o seu lombo o picuá, já com o Visconde contrapesando a canastra.

— Ótimo!... Até galopar com isso em cima Lúcio pode.

Em seguida montou Emília e pulou para o lombo de Meioameio.

— Pronto, Hércules! Podemos partir.

O herói tomou a frente, em marcha rumo à Ilha de Eritia. Nesse momento soou um tropel de cavalos à distância. Eram os homens de Euristeu. Tudo exatinho como a ex-boneca previra. Melampo contara ao pai a história das viradas da Emília e a notícia breve se espalhou pela cidade inteira. Os pais e parentes dos dezenove meninos virados em objetos foram ao palácio dar queixa a Euristeu.

— Majestade, a feiticeirinha que anda em companhia de Hércules usou dum talismã mágico e virou nossos filhos em objetos. Melampo, o único que se salvou, acaba de reaparecer e nos contou tudo.

Euristeu olhou para Eumolpo. Depois avermelhou de cólera e deu um grande berro:

— Já! Ordeno aos meus guardas reais que partam sem demora a cavalo em perseguição de Hércules e do seu bando. Quero-os aqui, vivos ou mortos!...

Minutos depois cem cavaleiros partiam a toda para o "camping" dos picapaus, com Melampo à frente levado como guia. Mas nada mais encontraram a não ser a fogueira dos assados ainda fumegantes e os destroços comuns a todos os acampamentos.

— Maldição! — exclamou o comandante. —Fugiram...

Hércules com o seu bandinho já estava a uma légua dali.

OS BOIS DE GERIÃO

Capítulo I
OS BOIS DE GERIÃO

Hércules seguia na frente. Depois vinha Meioameio com Pedrinho no lombo. O asno Lúcio com Emília montada de banda como as mulheres que usam silhão e com o Visconde no picuá, vinha na retaguarda. Aposto que bem poucos sabem o que é "silhão" e o que é "picuá"!...

Silhão é uma sela de um estribo só, em que as mulheres de saia comprida cavalgam de banda; as que usam culotes montam à moda dos homens. E picuá é uma coisa facílima de compreender, vendo, mas difícil de explicar com palavras. Uma espécie de dois bolsos ligados entre si, de modo que cada um fique numa banda do animal. E a carga que vai num dos bolsos faz contrapeso à que vai do outro.

Pedrinho havia feito um picuá de cipó, de modo que a canastrinha ficasse dum lado como contrapeso do Visconde, e o Visconde ficasse do outro lado como contrapeso da canastrinha. E assim, um contrapesando o outro, o picuá se equilibrava muito bem sobre o lombo de Lúcio.

O asno já não dava suspiro nenhum. Que gostosura lhe foi ver-se livre de Melampo! Emília era um peso-pluma. Quanto pesaria na balança? Uns oito quilos, se tanto. E o Visconde? Ah, esse não chegava nem a um quilo. Mas como, então, podia servir de contrapeso a uma canastrinha cheia de coisas, onde havia até uma pena de bronze? A explicação é que o Visconde pesava pouco, mas sua ciência pesava muito.

Emília de prosa com Lúcio, fê-lo contar sua vida inteirinha desde que nasceu. Depois perguntou:

— Que ideia aquela de virar coruja?

Lúcio respondeu depois de profundo suspiro:

— Arrastamento. Puro arrastamento. Vendo a velha virar em coruja e sair pela janela, fui arrastado a fazer a mesma coisa. Não acontece isso a você às vezes?

— Está claro que acontece. Mas como é que vai pegar uma pomada de coruja e pega uma de quadrúpede? Não havia rótulo nos potinhos?

— Havia, mas estava escuro no quarto da velha, e talvez os rótulos estivessem trocados justamente para castigo dos intrusos. Essas feiticeiras são umas danadas — e a prosa foi por aí afora.

Pedrinho também não parava de conversar com Meioameio.

— Que mina, isso da gente ser metade homem metade cavalo! Fica-se com as vantagens dos dois — a enorme força, os quatro pés e a velocidade dos cavalos e a inteligência e a fala do homem. Mas uma coisa não compreendo: como é que sendo vocês, centauros, tão superiores a nós não centauros, tendo o mesmo cérebro que nós e muito mais força física e meios naturais de defesa, como é que não dominaram os homens?

Meioameio, que já estava com a inteligência bem desenvolvida e tinha observado e aprendido muita coisa, deu uma resposta certa:

— Por causa dele — e apontou para Hércules com o beiço.

— Como?

— Por causa dele, sim. Quem foi que destruiu quase todos os centauros? Ele. Como é que os centauros hão de dominar os homens, se ele não deixa haver centauros? Há pouquíssimos hoje. Nossa raça está se perdendo — por quê? Por causa dele...

Hércules seguia lá adiante, imerso em pensamentos. Estava a parafusar em Gerião. Como seria realmente esse Gerião? Cada qual afirmava uma coisa. Um, que era filho de Crisaor (o irmão de Pégaso) e da oceânide Calírroe; e que nascera com três cabeças e seis pernas. Outros davam-lhe seis cabeças e três pernas — uma grande trapalhada. Mas fosse como fosse, nada mais terrível do que esse monstro da Ilha de Eritia, dono de bois ainda mais belos que os de Creta.

Como todos os grandes heróis, Hércules no começo duma aventura mostrava-se inquieto; o sangue-frio só lhe vinha, e da maneira mais absoluta, quando defrontava o perigo.

E assim lá seguiam eles de rumo à Ilha de Eritia, cada qual preocupado com uma ordem de ideias.

Chegados à costa, Hércules mandou Pedrinho em busca de um navio que os levasse à ilha e ficou sentado por ali, num grande desânimo só de pensar no enjoo que ia padecer. Pedrinho conseguiu um bonito barco de vela de sessenta toneladas — um verdadeiro iatezinho de navegação costeira. Seu capitão, o velho Agatirso, assustou-se com a presença do jovem centauro — e mais ainda com o asno falante e a aranha de cartola. Mas acostumou-se depressa. Pedrinho fê-lo contar o que sabia do Rei Gerião.

— Então é rei também? — admirou-se Emília. — Que terra de reis e bois isto aqui! Quantos... O Visconde explicou que os reis gregos nada tinham com os reis modernos. Não passavam de chefes duma cidade ou dum limitado território. Mais ou menos como um "chefe político", um "coronel" das cidades do interior. O "mandão", o "cacique".

— Sim, continuou Agatirso. Gerião é o rei da ilha, mas um rei monstruoso. Tem três cabeças...

— Ouço dizer mil coisas — disse Pedrinho. Uns falam em seis pernas e três cabeças, outros em seis cabeças e três pernas. Como será realmente esse monstro?

Agatirso sabia ao certo. Declarou até que já o tinha visto com seus próprios olhos.

— Tem três cabeças, sim — mas duas pernas só. A tal história das seis pernas não passa de fantasia.

— E que tal é como rei?

— Ah, a maior das pestes! Riquíssimo em rebanhos. Furta o gado de todo mundo e não há quem lhe furte um só cordeirinho...

— Por quê?

— Porque seus rebanhos são guardados não só pelo pastor Eurition, outro monstro de duas cabeças, como também por um terrível dragão de sete cabeças.

— Na ilha do Minotauro eram bois, aqui são cabeças... comentou Emília. Três no rei, duas no pastor, sete no dragão. Que cabeçada!...

Agatirso continuou:

— Além da sua ferocidade, Gerião tem fama de ser a criatura mais forte que o mundo jamais produziu. Luta no campo com os outros mais bravios como se fossem carneirinhos — e até o dragão o teme. E como goza de uma saúde excelente, ai de nós! Temos de suportá-lo ainda por muitos anos...

— Isso não — objetou Pedrinho. —Não é nada impossível que de repente apareça um herói que dê cabo dele.

O velho Agatirso soltou uma risada gostosa.

— Dar cabo dele? Ah, ah, ah...Gerião é invencível. Herói nenhum ousa fazer-lhe frente, fica de pernas bambas só de avistá-lo.

E vendo Hércules de olho muito branco, caído por ali, já arrasado pelo enjoo, cochichou para Pedrinho: "Está vendo? O seu herói só de ouvir falar em Gerião já está bambo".

— Oh, não! — explicou Pedrinho. — Aquilo é enjoo. Hércules suporta tudo no mundo, menos viagem de mar. Ah, enjoa mesmo, vomita até os bofes.

Agatirso fingiu engolir a explicação: no fundo estava convencidíssimo de que a doença do herói era puro medo.

Muitas coisas ainda contou o velho capitão do barco. O rei de Eritia juntara o seu maravilhoso rebanho à custa dos vizinhos. Ia avançando nas terras alheias e pegando o mais bonito. Ficou assim com a flor do gado das redondezas.

— E dele ninguém tira um carrapato, de medo do pastor de duas cabeças e do dragão, sei — disse Pedrinho. — Mas quer apostar que Hércules varre com essa cabeçaria toda e leva os bois de Gerião para Micenas? Foi a ordem que recebeu do rei de lá; e quando Hércules recebe uma ordem do tal rei, cumpre-a com o maior rigor. Quantas coisas tremendas já não o vimos executar! — e desfiou a história dos nove trabalhos de Hércules já realizados.

Mesmo assim Agatirso olhava com desprezo para o "herói enjoado" e sorria com o maior ceticismo. Positivamente não acreditava que aquele massa-bruta valesse alguma coisa. Marinheiro que não enjoa despreza o embarcadiço que enjoa.

Capítulo II
Oceano

Aqueles mares da Grécia tinham um azul especial, um azul muito anilado e transparente. A conversa passou de Gerião para o mar.

— O mar é o meu elemento — disse o velho marujo. — Desde bem menino que moro sobre as ondas. Posseidon é o meu grande deus.

O Visconde sabia mais de Posseidon, ou Netuno, do que aquele velho marujo. Emília deu-lhe a palavra.

— Fale de Posseidon, Visconde.

O sabuguinho tossiu o pigarro e falou.

— Posseidon é uma das grandes divindades do Olimpo, irmão de Zeus e Plutão, o deus dos infernos. Para mim o maior dos deuses é justamente Posseidon, porque o mar é muito maior que a terra. Pelo menos é o deus com maior número de adoradores, porque no mar há milhões de vezes mais vidas do que na terra.

— E filho de quem era esse deus? — perguntou Emília.

— De Saturno. Este Saturno era o tal que devorava os filhos — e se não devorou Posseidon foi porque sua esposa Reia o enganou: apresentou-lhe embrulhado num pano um potrinho recém-nascido. Saturno devorou-o certo de que era o filho.

Emília fez cara de superioridade.

— Que reis e que deuses há por aqui! Comer carne de cavalo pensando que é carne humana...

Pedrinho admirou-se daquela observação.

— Ora esta! Como podia ele distinguir?

— Pois se eu fosse Saturno distinguiria perfeitamente.

— Como, Emília, se você jamais comeu nem uma carne nem outra?

Emília viu que era mesmo e calou-se. O Visconde prosseguiu:

— Os três grandes filhos de Saturno, salvos de sua fome, foram Zeus, Posseidon e Plutão. A Posseidon coube o reino das águas, os oceanos, os rios e mares por isso recebeu o tridente como símbolo do seu império.

— Como é que um tridente — ou garfo de três dentes — pode ser símbolo dum império?

O Visconde explicou muito bem.

— O império das águas é habitado por peixes e outros animais "caçáveis" com espeto, ou com tridente, ou com fisga. Melhor dizermos fisga. O tridente de Netuno era uma fisga de três pontas, com a qual ele fisgava os peixes que queria e também cutucava os cavalos da sua carruagem marinha. E furava a terra para dar nascimento aos rios. E quebrava rochedos, e batia nos vagalhões para apaziguá-los. Ora, nada disso Netuno poderia fazer com um chicote, por exemplo, ou com uma colher, ou com esses cetros todos bordadinhos que os reis de hoje usam. Nada mais natural, pois, que o tridente ficasse como o símbolo do império das águas.

— *Uf!...* — exclamou Emília. — E onde arranjou o tal tridente?

— Dizem uns que lhe foi dado pelo seu irmão Zeus. Outros, que foi um presente dos Ciclopes, aqueles gigantes de um só olho na testa. Agradecidos a Netuno por haver sustentado a causa de Zeus na luta contra os titãs, deram-lhe o tridente.

— Que história é essa? — exclamou Pedrinho. — Pois Netuno, irmão de Zeus, lá podia ser contra ele?

— Podia e foi inimigo de Zeus durante muito tempo, quando morava no Olimpo. Várias vezes conspirou contra Zeus, de cujas ordens fazia pouco caso. Daí vem a sua expulsão do Olimpo e o seu exílio para a Troada, onde, ajudado por Apolo, ergueu os muros da cidade de Troia.

— Estou gostando de Netuno — disse Emília, que era muito revolucionária. — Rebelar-se contra Zeus, que lindo!

O Visconde continuou, com grande admiração do velho Agatirso, que apesar de grego era muito fraco em mitologia:

— Ah, era um deus vingativo e terrível. Foi quem suscitou o monstro que destruiu a Troada, e mais tarde aquele outro que quase devorou Andrômeda, e depois o touro maravilhoso que emergiu das águas e Minos não teve ânimo de sacrificar. Durante a guerra de Troia tomou o partido dos gregos e daí veio o desastre dos troianos. Fez mil coisas, inclusive contestar a Palas o direito de ser a padroeira de Atenas. A fim de decidir a briga, Zeus declarou que daria Atenas a quem fizesse o mais útil presente aos homens. E vai Netuno, então, bate na terra com o tridente e faz surgir o cavalo, animal que até aquele momento não existia...

— Espere, Visconde! — berrou Emília. — Se o cavalo não existia e foi criado por Netuno, como é que sua mãe enganou Saturno, dando-lhe a comer um potrinho em vez do próprio filho recém-nascido?

O Visconde suspirou.

— Ah, isso é um dos maiores mistérios da mitologia. Muitos sábios já quebraram a cabeça no estudo do problema. Eu não sei. O que sei é que apesar do cavalinho que Saturno comeu, quem com um golpe do tridente deu origem ao cavalo foi Netuno. O cavalo iria ser o maior amigo do homem. Era, pois, o maior presente que um deus poderia fazer à humanidade.

— E derrotou Palas?

— Não. A inteligentíssima Palas contrapôs ao cavalo outro presente de ainda maior utilidade: a oliveira.

Emília protestou. Não concordou que a oliveira fosse de maior utilidade que o cavalo, porque "sem a oliveira os homens se arranjariam perfeitamente mas sem o cavalo, como? Diz Dona Benta que sem o cavalo o homem estaria até hoje andando a pé".

— Pode ser — disse o Visconde — mas Zeus não pensava assim; e quem ficou a padroeira de Atenas foi Palas, em vez de Netuno. E vai Netuno então e, furioso, lançou o mar contra toda a Ática e a submergiu. É na Ática que fica Atenas.

— Sei disso. Já estive lá. E depois?

— Depois casou-se com Anfitrite — e foi grande vitória sua, porque esta filha de Oceano e Dóris não queria saber dele. Achava-o muito feio e até repugnante. Aquelas barbas verdes de algas marinhas, aquela catinga de maresia... E além disso era o pai de quanto monstro há nos oceanos.

— E onde mora Netuno? — quis saber Pedrinho.

— No fundo do Mar Egeu. É lá que tem os seus famosos cavalos-marinhos de crina de ouro e patas de palmípede, impetuosíssimos. Às vezes também usa uma carruagem em forma de concha, puxada por quatro delfins.

— Deve ser imponente Netuno a galope nesse carro!...

— Imponentíssimo. Ele sai de diadema de pérolas e nácar na cabeça, com o tridente numa das mãos e outra estendida como para acalmar as ondas. E quando anda nessa grande concha por sobre a tona do mar amansado, os monstros marinhos sobem das profundezas e seguem-no, os delfins brincalhões vão rebolando na frente.

— Estou achando muita graça nos deuses gregos. Eles, a bem dizer, não são deuses — são verdadeiros romances policiais. Bem diz Dona Benta que nunca houve imaginação mais rica que a dos gregos.

Pedrinho estava pensando em Andrômeda. Quis saber quem era. O sabuguinho contou.

— Andrômeda era filha de Cefeu, rei da Etiópia, e de Cassiopeia sua esposa. Um dia Cassiopeia teve a audácia de disputar um concurso de formosura com as nereidas do séquito de Netuno — e Netuno, furiosíssimo, lançou contra o reino de Cefeu um monstro horrendo. Cefeu, no maior desespero, consultou o Oráculo de Amon, que era o oráculo de Delfos lá da África. E o oráculo de Amon responde que o meio de aplacar a ira de Netuno era expor à fúria do monstro a bela Andrômeda.

— E o pai malvado teve a coragem de fazer isso...

— Sim, deixou que a linda jovem fosse entregue às nereidas, as quais a amarraram a uma penedia da praia para que o monstro a comesse.

— E comeu-a? — perguntou Emília aflita.

— Quase. Quando foi chegando com aquela imensa boca vermelha escancarada, eis que aparece... adivinhe quem?

— Hércules?...

— Não! Perseu, o mesmo que matou a Górgona. Vinha montado... adivinhe no quê?

— Em Pégaso! — berrou Emília.

— Sim, em Pégaso. Perseu matou o monstro e... adivinhe o que fez?

— Desamarrou-a e casou-se com ela...

— Isso mesmo. Você é uma danadinha para adivinhar, Emília.

Agatirso estava de boca aberta. Nunca imaginou que pudesse haver tanta ciência na barriga de uma aranha de cartola.

Nisto um dos marinheiros da barca deu um grito: "Terra! Terra!...". Hércules, que estava caído à popa, com os olhos mais brancos do que nunca, deu um suspiro...

Capítulo III
Na ilha de Gerião

O desembarque operou-se como das outras vezes, com o herói apoiado ao ombro de Meioameio, mais bambo do que se tivesse levado uma boa sova do tridente de Netuno. Pedrinho teve de repetir a mesma cura de "herói enjoado", lá das praias de Temiscira. Depois que se viu "novo", Hércules disse:

— Bom. Agora temos de arquitetar um plano. A força do rei desta ilha já sei que está sobretudo no dragão de sete cabeças e no pastor de duas. Tenho de me aproximar com muito jeito para dar cabo do dragão e do pastor — só depois irei justar contas com o rei monstruoso.

— Como vai atacar o dragão, Lelé? — quis saber Emília.

— Com as minhas flechas — e ao dizer isso, tirou-as do carcás e examinou-lhes as pontas. Desde aquela aventura em que se viu quase perdido diante de um monstro porque Emília havia "humanizado" as suas flechas, o herói nunca mais se meteu a uma empresa sem primeiramente examiná-las.

— Fiquem aqui — disse ele. — Vou sozinho — e lá se foi.

Os pica-paus ficaram ouvindo as histórias de Agatirso. Não há velho marinheiro que não saiba de muita coisa interessante relativa ao mar. Pedrinho, que era um grande pescador lá no ribeirão do sítio, só queria histórias de peixes. Já Emília só se interessava pelas de monstros.

— E a tal serpente marinha de que falam tanto? — perguntou ela. — Nunca jamais encontrou alguma?

Não há marinheiro que não fale das serpentes marinhas que vivem nas grandes profundidades e às vezes sobem à tona. Agatirso também tinha a sua.

— Certa vez — disse ele, — vindo eu em minha barca da Ilha de Paros para a de Naxos, dei de repente com um mar agitadíssimo, mas duma agitação diferente de todas as que eu conhecia. Era como se lá no fundo estivesse havendo um terremoto. Não posso compreender como me salvei. Que vagalhões horríveis! Levantavam-se como torres e depois afundavam como verdadeiros abismos. Uma hora levei assim, agarrado ao toco de mastro de meu bote...

— Por que ao toco?

— Porque era só o que restava do lindo mastro de meu bote. Já no começo um vagalhão o despedaçou como se fosse uma hastezinha de capim seco. Ficou o toco — e muito que isso me valeu. A ele me agarrei de unhas e dentes durante mais de uma hora. Por fim a tormenta foi serenando — e eu respirei. Estava salvo, graças à bondade de Palas, a minha padroeira. E foi então que vi uma coisa nunca vista em meus anos e anos de voga nestes mares.

— Viu a serpente marinha...

— Sim, vi... Mas no primeiro momento, nem compreendi o que fosse. Uma cabeça hedionda e como que aflitíssima borbotava pela boca muito aberta uma porção de coisas vermelhas. E aquele enormíssimo corpo de cobra boiava sobre o mar como uma série de SS emendados.

Lá no fim, a cauda — uma cauda que batia na água. O monstro deu-me a ideia de estar na agonia. Um vagalhão arrancou dali meu barco — e foi só. Não enxerguei mais nada.

Agatirso enxugou a testa. A simples lembrança daquelas cenas fazia-o suar. O Visconde deu uma explicaçãozinha muito boa.

— É que tinha havido no fundo do mar algum terremoto, ou alguma súbita erupção vulcânica, e o convulsionamento das águas deslocou uma dessas serpentes marinhas das grandes profundidades, arremessando-a à superfície. Ora, a diferença de pressão é muito grande e o organismo do monstro não suportou a súbita passagem da alta pressão do fundo para a pouca pressão da tona — e estourou.

— Como estourou?

— Rebentou-se todo por dentro, por falta de pressão. É por isso que este homem a viu botando para fora todas as vísceras. O que ele viu foi uma serpente marinha lá das profundas, estourada em consequência da pouca pressão atmosférica da superfície.

O velho marinheiro ficou admiradíssimo da segurança do Visconde, embora não entendesse aquela história de "pressão atmosférica".

E ainda estavam a falar em serpentes marinhas e peixes, quando Hércules reapareceu.

— O caso é difícil — disse ele. — O dragão oculta-se numa das várias cavernas lá existentes. É delas que inopinadamente salta sobre os atacantes. Perto está sempre o pastor de duas cabeças. Quem ataca o pastor arrisca-se a ser atacado pelo dragão — e não podendo prever de que caverna vai sair o dragão, pode ser apanhado de surpresa. Vim pensar sobre o que fazer.

Hércules na verdade não tinha vindo pensar coisa nenhuma e sim saber a opiniãozinha da Emília. Percebeu logo que era um desses casos em que a inteligência vale mais que a força bruta. E olhou para ela.

Emília segurou o queixo e pôs-se a refletir. De repente disse:

— Eureca!...

Todos ficaram muito atentos, curiosos de saber o que ela havia "eurecado". Emília ainda pensou mais um bocadinho, como que aperfeiçoando a ideia. Depois perguntou:

— Quantas cavernas são?

— Umas vinte.

— Pois o jeito é um só, Lelé: descobrir em que caverna mora o dragão. Feito isso, o resto se torna fácil.

— Sim — concordou o herói. — Se eu tiver a certeza de que o dragão está neste ou naquele buraco, posso atacar o pastor e em seguida apontar minha flecha para a boca do buraco certo.

— Exatamente — concordou Emília.

— Podemos fazer uma coisa: vou junto com você e lá aplico o meu meio de descobrir a caverna certa de onde vai sair o monstro.

— Que meio é esse? — indagou Hércules; e ela, muito espevitada:

— Não posso dizer; perde o efeito. Mas juro que marco direitinho qual é a caverna do dragão.

Hércules deu a mão a Emília e lá se foram. Pedrinho pensou consigo: "Qual será o meio que ela vai usar? O faz-de-conta ou a varinha de condão?".

De um certo ponto, entre duas grandes pedras, Hércules mostrou a Emília, lá longe, o pastor de duas cabeças e as várias cavernas. Numa estava o dragão, mas em qual? Quem fosse lutar com o pastor podia ficar com o dragão pelas costas — e como era? A prudência mandava, primeiro certificar-se do ponto certo onde se escondia o dragão: só em seguida atacar o pastor.

Hércules pôs os olhos em Emília como quem diz: "E então?" Emília ergueu para ele a sua carinha cavorteira e disse:

— Nada mais simples. Tape os olhos que eu já digo em que caverna está o dragão.

Hércules tapou os olhos — e Emília, muito rápida, foi apontando com o dedinho para as cavernas e dizendo lá consigo:

"Faz de conta que não está nesta nem nesta — nem nesta", e assim apontou todas menos uma. "Logo, está nesta última." E para Hércules, alto:

— Pronto! Já resolvi o problema. O dragão está escondido naquele buraco da esquerda — aquele lá... e apontou bem direitinho.

Hércules ficou assombrado: Não podia compreender de que maneira ela chegara a semelhante conclusão. Quis saber. Indagou.

— Não digo! — respondeu a diabinha. —Tenho os meus segredos, como Medeia tem os dela...

O herói não insistiu. Ninguém no mundo estava mais convencido de que o pelotinho humano era na realidade uma curiosíssima feiticeira dos séculos futuros. E, sendo assim, não teve a menor dúvida de que o antro do monstro fosse realmente o indicado.

— Então posso atacar o pastor, certo de que o dragão vai sair daquela caverna?

Emília respondeu com majestosa segurança:

— PODE!

Era o tom de Medeia e Circe. Era o tom dos oráculos. Era o tom de Palas e Hércules não duvidou nem por um milésimo de segundo.

— Bom. Fique aqui — disse ele. — Vou dar a volta e atacar o pastor por aquele lado de lá.

— Por quê?

— Porque assim ficarei de frente para a caverna do dragão. Meu receio era atacar o pastor pela frente e ter o dragão pelas costas.

Emília ficou ali e Hércules deu a volta para atacar o pastor do ponto certo.

Teve de ir agachado e oculto pelas pedras. Se se erguesse, o pastor o veria imediatamente, porque uma criatura de quatro olhos vê ao mesmo tempo a norte, sul, leste e oeste.

Súbito, Hércules pôs-se de pé num pulo, já com o arco esticado — e a primeira flecha voou, assobiando. O pastor viu o pulo de Hércules e também levou a mão ao arco — mas a flecha de Hércules o pegou antes que ele lançasse a sua. E logo a seguir foi alcançado por outra.

Não era preciso mais. Duas cabeças, duas flechas...

Tudo ocorreu num abrir e fechar de olhos, mas mesmo assim o dragão oculto numa das cavernas pressentiu o que se passava lá fora e apareceu... Apareceu justamente na boca da caverna indicada por Emília!

"Exatinho como eu disse", pensou a ex-boneca. "O meu 'faz-de-conta' é infalível..."

Ao ver surgir o dragão, Hércules enviou-lhe uma flecha à cabeça número um, atingindo-a num dos olhos. O herói tinha de lançar sete flechas, uma para cada cabeça, mas isso antes que o dragão o alcançasse. E com que rapidez vinha o dragão em seu rumo! Só a extrema rapidez dos flechaços o salvaria. E Hércules, *zós, zás, zós...* duas, três, quatro, cinco, seis flechas, todas muito bem cravadas em cada olho direito de cada uma das seis cabeças. Faltava só a sétima — mas não houve tempo: o dragão estava próximo demais para o tiro de flecha — quase junto dele. Hércules então recorreu à clava — e com um só golpe — mas daqueles!!! — amassou a sétima e última cabeça do monstro como uma pessoa qualquer amassa uma bola de papel de estanho. Emília ouviu o *blaf* e viu o dragão cair estrebuchante. Das seis cabeças atingidas uma língua muito vermelha ainda saía e entrava, e a ponta da cauda do monstro "fazia assim", agitada pelo veneno...

Capítulo IV
AVÉ, AVÉ, EVOÉ!

— *Avé, avé, Evoé*!... — berrou Emília lá onde Hércules a deixara; e foi correndo ver os dois monstros vencidos. Mortos, mortíssimos... E que portentos! Um homem de duas cabeças é tão horrível como um homem sem cabeça nenhuma. Produz na gente o verdadeiro arrepio do horror. E o dragão era um lagarto enorme com enxerto de outros bichos — verdadeira monstruosidade de pesadelo. Não tinha a cor verde do dragão de S. Jorge que ela vira na lua; era malhado de preto e amarelo. Emília pensou: "Levo ou não levo uma lembrança destes monstros". Mas deu uma cuspidinha de lado: "Não vale a pena".

Depois de contemplar por alguns instantes as suas vítimas, Hércules pensou em Gerião. Como abordá-lo? Os reis vivem em palácios, e invadir um palácio é o mesmo que invadir um lar. O lar é inviolável. O jeito era um só: ficar de tocaia por ali até que o rei aparecesse.

Gerião logo saberia do acontecido e fatalmente viria ver o que houve. E assim pensando Hércules resolveu esconder-se numa das cavernas e esperar. Tomou Emília pela mãozinha e foi para a de onde saíra o dragão. Entrou.

O teto da caverna estava todo enfeitadinho de pingentes negros: — uns morcegões que se assustaram e lá se sumiram mais para o fundo. Hércules sentou-se, com Emília ao colo.

— Como foi que descobriu a caverna certa? — perguntou-lhe. — Conte o grande segredo.

— Pois é o faz-de-conta, Lelé. Desde que eu fiz de conta que não era nas outras cavernas que o dragão estava, então tinha de ser nesta...

Hércules fez cara de quem não entendia aquela história.

— Escute — explicou Emília pegando-lhe na mão. — Você tem aqui cinco dedos. Se tira quatro quantos ficam?

— Fica um...

— Exatamente. Pois foi o que fiz com as cavernas. Eram vinte. Tirei dezenove — ficou uma: esta aqui... Tão simples.

Emília achava simples, mas para Hércules o mecanismo do "faz-de-conta" era um mistério verdadeiramente impenetrável.

— O que me admira — disse ele — é que esse processo não falha nunca...

— Nem pode falhar — ajuntou Emília. — Se você faz de conta que uma coisa não é, está claro que ela não é. Se você faz de conta que é, está claro que é. Tão simples.

Estavam nessa discussão quando um rapagote, de passagem por ali, estranhou a ausência de Eurition e correu os olhos em redor. Ao descobrir o seu cadáver, e logo adiante o do dragão, deu um berro de pavor e saiu voando rumo ao palácio do rei.

— Majestade! Encontrei Eurition e o dragão mortos a flechaços!...

Gerião estufou de surpresa, fúria e ódio; como tivesse três cabeças, fazia cada coisa com uma — surpreendia-se com a primeira, enfurecia-se com a segunda e odiava com a terceira. Para falar também usava as três bocas: dizia uma palavra com a primeira, dizia a seguinte com a segunda e a imediata com a terceira; depois, *da capo* à primeira como nas músicas.

Mas ao ouvir aquilo Gerião nada disse. Estufou só. Faiscou com os olhos e saiu a passos precipitados, rumo ao pedregal das cavernas, conduzido pelo rapazola.

Hércules e Emília viram-no sem ser vistos. Que estranho gigante aquele! Três cabeças e seis braços, além do mais uma curiosa espécie de asas egípcias. Trazia três escudos nos braços esquerdos e três lanças nas mãos direitas. Hércules percebeu logo que a luta ia ser tremenda, pois era um gigante equivalente a três. Suas flechas de nada valeriam contra tantos escudos, e sua clava teria contra si a réplica de três lanças agindo simultaneamente. Que fazer? Hércules olhou para Emília.

Num relance a "dadeira de ideias" apreendeu a essência do caso e disse:

— Ele é fortíssimo da cintura para cima e fraco da cintura para baixo.

— Por quê?

— Porque tantas cabeças, tantos braços, tantos capacetes, escudos e lanças, são muita coisa para só duas pernas. Esqueça o que está da cintura para cima e ataque as pernas. Demolida a base, a torre cai.

O rosto de Hércules iluminou-se. Não podia haver coisa mais clara — e nem ele, nem todos os heróis que anteriormente haviam lutado com Gerião, tinham percebido aquele ponto vulnerável!...

Hércules ajeitou ao arco uma flecha e emergiu da caverna. Gerião imediatamente o avistou. Quem dispõe de seis olhos em três cabeças não perde nada e vê depressa. Gerião viu-o e fechou-se na defesa, coberto pelos três escudos e os capacetes de bronze — mas a seta de Hércules não veio apontada para as "partes nobres do corpo", o peito, o coração, a cabeça, e sim para a humilde parte do chamada joelho — e lá entre os ossinhos do joelho direito de Gerião se cravou a primeira seta do herói. E a segunda seta, vinda logo atrás da primeira, também se cravou no joelho esquerdo. Ah, foi a conta!...Gerião, com todas as suas cabeças e todos aqueles braços e escudos e lanças e capacetes, desabou como essas grandes chaminés de tijolo quando uma explosão de dinamite rebenta na base. Um peito de herói pode ser tremendo, o coração do herói pode ser como o de Ricardo Coração de Leão; mas se o joelho dobra, aquilo tudo lá por cima vem logo abaixo, de cambulhada.

Escangalhado nos joelhos, Gerião, o monstruoso rei invencível, desabou em cima dos corpos de Eurition e do bicho de sete cabeças. Hércules aproximou-se e facilmente o matou com três golpes de clava, — *pá, pá, pá,* — um em cada crânio.

— *Avé, avé, Evoé*!... — berrou Emília, correndo a arrancar um botão de ouro da túnica do gigante — um lindo souvenir.

Hércules contemplava os três cadáveres. Quanto havia sofrido o mundo ali dos arredores por causa da associação daqueles três monstros! Já fortíssimos individualmente, com a associação se haviam tornado invencíveis. Mas lá estavam por terra, extintos. Por quê? Porque não haviam contado com o valor de Hércules em íntima associação com a esperteza da Emília. O herói estava compreendendo o valor da "associação".

Muito bem. Euristeu lhe havia ordenado que levasse para Micenas os bois de Gerião. Não lhe ordenara que desse cabo desse rei. Mas como tomar os seus bois sem matá-lo? E como matá-lo sem preliminarmente matar ao pastor Eurition e ao bicho de sete cabeças?

A primeira parte do Décimo Trabalho estava executada — e Hércules iria ver como fora simples diante da segunda parte: o transporte da boiada de Gerião para Micenas. O problema do transporte sempre foi muito sério em todos os países, sobretudo na Antiguidade, antes das estradas de ferro, dos caminhões e automóveis, dos grandes navios e mais meios existentes hoje. Na Grécia daqueles tempos só havia o lombo de animal, a carreta de duas rodas... e que mais? Só. Os próprios deuses não iam além da carreta. Tinham-na mais enfeitada e rica do que a dos homens — mas que era o carro de Apolo se não uma carreta? E a carruagem de Netuno? Essa nem carreta era, sim um trenó, já que não tinha rodas. Tanto os homens como os deuses não iam além da carreta.

Como transportar tantos bois dali a Micenas?

Hércules e Emília foram ver a boiada de Gerião. Encontraram-na invernando numa pradaria ótima

— Que capim é este? — perguntou Emília; e sua pergunta ficou sem resposta porque Hércules não entendia nada de forragens. Emília viu logo que não era o catingueiro lá do sítio de Dona Benta — e guardou uma folhinha para o Visconde classificar.

Bem numerosa a ponta de gado de Gerião. Numerosa para aquele tempo e aquela ilha, mas longe de equivaler ao gado de uma grande fazenda moderna. E nada de zebu. Tudo gado europeu.

— Quantas cabeças acha que há aqui, Emília? — perguntou Hércules, que era um "perna-de-pau" em matéria de cálculo.

Emília correu os olhos e disse:

— Quinhentas e dez, fora os bezerrinhos de ano.

Hércules caiu em meditação. Como botar em Micenas toda aquela boiada? Consultou Emília, e ela:

— Euristeu não sabe quantos bois existem aqui, de modo que tanto faz levar todos como uns dez apenas. Além disso, acho uma grande injustiça pegar estes bois roubados aos criadores vizinhos e levá-los a um rei distante e tão antipático. O justo será entregá-los aos seus verdadeiros donos e levar para Micenas só uma pequena amostra, aí uns dez ou doze...

Hércules achou simplesmente maravilhosa a ideia.

Capítulo V
A BOIADA

Enquanto esperavam pela volta de Hércules, os outros, lá na praia, ouviram mais coisas do império de Netuno contadas pelo Visconde. Como sabia coisas o raio do sabugo!

— Antes de Netuno, quem era o dono do mar? — perguntou Pedrinho.

— Antes? Era Nereu, filho do Oceano e da Terra. Nereu desposou Dóris e teve cinquenta filhas, as tais nereidas que mais tarde a deusa Flora admitiu em sua corte e transformou em náiades, dríades e napeias.

— Admitiu-as para quê?

— Para que tomassem conta do riquíssimo tesouro do seu império. Essas ninfas casaram-se com os filhos de Tritão e passaram a morar nas grutas cheias de avencas e samambaias, nas úmidas barrocas dos rios, nas clareiras das matas onde folgam os faunos e silvanos. Logo que Netuno se sentou no trono das águas, outorgou ao velho Nereu o dom de tomar as formas que quisesse. Nereu tornou-se também um hábil adivinho — e foi quem previu a queda de Troia. Mora num recanto do Mar Egeu, rodeado de muitas nereidas que o divertem com cantos e danças. É um velho muito calmo, muito justiceiro e moderado em tudo. Tem olhos verdes e barba cor do céu.

Pedrinho perguntou ao marinheiro se por acaso havia visto alguma nereida.

— Sim — respondeu Agatirso. — Vi duas numa praia da Ilha de Naxos.

— E as tais dríades e napeias? Também viu alguma?

— Muitas. As napeias são as ninfas das campinas, e as dríades são as ninfas das árvores. Cada velha árvore das florestas tem a sua dríade morando ali.

Pedrinho mostrou-se cético nesse ponto.

— Está aí uma coisa que só vendo.

— Pois vi muitas, como também já topei com várias hamadríades...

— Quais são essas?

— As que moram dentro das árvores. Quando derrubam as árvores, elas se libertam e ficam vagueando pelas redondezas...

Lúcio e o centaurinho pouco falavam, mas ouviam com a maior atenção. Súbito, Meioameio tomou a palavra e disse:

— Eu também tenho visto inúmeras. O mundo está cheio dessas criaturas. E como são lindas!...

Perto da praia havia uma floresta de árvores muito antigas, quase que só carvalheiras e castanheiros seculares.

Pedrinho olhou.

— Será que naquela mata há dríades?

— Claro que há — respondeu Agatirso. — Nunca houve floresta sem dríades.

— E se fôssemos lá para ver?

Foram, Pedrinho no lombo de Meioameio, o Visconde montado em Lúcio. Que mata linda! Velha como o mundo. Aqueles carvalhos deviam ter mil anos. O frescor ambiente parecia um sorvete evaporado. E tudo na penumbra, com sombras mais espessas aqui e ali e, de vez em quando um raio de sol que furava o dossel de folhas e vinha numa lista bater no chão. Troncos musgosos. Parasitas — e aquele silêncio majestoso das grandes matas seculares.

— Olhe lá!... — exclamou Lúcio apontando para certo ponto. — A hamadríade daquele tronco está sentada em cima dele.

Pedrinho olhou. Realmente lá estava, a pequena distância, um tronco tombado já de muitos anos, todo orelhas-de-pau e outros cogumelos de cor empalamada, e avencas e samambaias. Tudo isso o menino viu, mas foi só.

— Vejo o pau podre e nada mais...

Lúcio escondera-se numa moita para não assustar a hamadríade e continuou apontar com os olhos, dizendo:

— Pois lá está ela sentadinha no velho tronco morto. Nele habitou até o dia em que a velha árvore caiu. Libertou-se então e não sai das imediações. Passeia, dança, brinca; depois volta a sentar-se no tronco, que nem borboleta.

— E como é ela?

— Linda — respondeu Lúcio com ênfase. — Muito diáfana. Usa um lindo véu finíssimo sobre o corpo e na cabeça uma coroa de flores silvestres. Não pode existir nada mais delicado que uma hamadríade. Parece um sonho de leveza...

Pedrinho olhava, olhava e não via coisa nenhuma. Perguntou ao centauro:

— Também vê alguma coisa Meioameio?

— Como não? E, olhe!... acaba de levantar-se. Parece que pressentiu a nossa presença. Vai fugir... Fugiu...

O Visconde também nada vira. Por quê?

— Talvez porque vocês não sejam deste nosso tempo, — sugeriu o asno. — Talvez os olhos de vocês tenham perdido a faculdade de ver certas coisas. Eu vejo

perfeitamente as dríades dos bosques. Olhe, está uma saindo daquela touceira...
—e apontou com a língua. Meioameio confirmou a afirmação de Lúcio. Havia, sim, aparecido outra representante dessas belas "almas da natureza", e justamente a alma da mais velha árvore daquele bosque. Súbito, fugiu com extrema agilidade e leveza. É que pressentira a aproximação de um fauno.

Meioameio e Lúcio viram por ali outras hamadríades, vários faunos e três silvanos — sem que Pedrinho e o Visconde enxergassem coisa nenhuma. Não há maior lástima do que ter olhos modernos...

Quando saíram da floresta, avistaram lá ao longe uma grande ponta de gado. Era Hércules que vinha vindo com os bois de Gerião. Correram-lhe ao encontro ansiosos por novidades.

— Então? — exclamou Pedrinho. — Como foi a coisa?

— A maior das "canjas" — respondeu Emília. — "Orientei" Hércules e foi só, *zás-trás*, nó cego. "Matamos" o pastor de duas cabeças, "matamos" o dragão e depois "matamos" o tal rei.

Hércules foi leal. Não achou que Emília estivesse a gabar-se. Confirmou todos aqueles "amos".

— Ajudou-me muito desta vez, sim, — disse ele. — A sua descoberta do antro exato em que se escondia o dragão foi elemento decisivo na minha vitória; e a ideia de ferir Gerião nas pernas, em vez de na cabeça e no peito, como me parecia o certo, foi a melhor ideia de Emília até hoje.

— E que vai fazer com esses bois todos?

— Entregá-los aos donos. Para Micenas só levo dez — outra lembrança ótima cá da Emília.

Hércules ordenou a Agatirso que fosse espalhar pelas redondezas a grande notícia do fim trágico de Gerião. E que os donos dos bois aparecessem para recebê-los de volta.

— E agora... — disse Hércules mudando de assunto.

— Já sei, quer comer! — berrou Emília. Mas desta vez o centaurinho não tem necessidade de sair pelo mundo à cata de carneiros. Assa um boi de Gerião e pronto.

À tarde só havia ali cinzas e ossos. Os mugidos em tom de lamento dos bois de Gerião choravam a morte de um companheiro. Mas o herói arrotava, feliz.

Nesse dia não houve mais nada. Ficaram por ali a digerir boi e logo que anoiteceu dormiram como anjos de papo cheio.

No dia seguinte, logo cedo, começaram a chegar as vítimas dos roubos de gado. Que alegria! Como se confessaram agradecidos ao herói pelo tremendo bem que lhes tinha feito! Gerião era a desgraça da zona. Já de anos vinha fazendo da vida ali um inferno. Depredava os campos vizinhos para apossar-se do melhor. A gratidão daqueles homens era tanta, que prometeram erguer ali um templo a Hércules, o seu grande benfeitor.

O herói mandou que fossem apartando o gado de cada um. De sua parte ele só tomava dez vacas, para satisfazer a vontade do rei de Micenas.

— E agradeçam isso cá à minha "dadeira de ideias" — disse no fim do discurso. — Se não fosse a sua sugestãozinha tão razoável, eu levaria todos estes bois para Euristeu.

Os homens vieram agradecer à Emília, com promessas de no futuro templo de Héracles construírem também um altarzinho em sua honra.

— E com que nome devemos venerá-la, gentil menininha?

— Emília, Marquesa de Rabicó! — respondeu ela com toda a lambetice.

Naquele dia não se cuidou de outra coisa senão separar os bois deste ou daquele, sob a fiscalização de Agatirso. E no dia seguinte cuidaram da volta.

A viagem para o continente através do Mar Egeu teria sido um encanto, se não fosse o inevitável enjoo do herói. Lá ficou ele novamente caído na proa, de olhos muito brancos, mais morto que vivo. Entrementes os pica-paus assistiram a um espetáculo que nunca supuseram possível a passagem de Netuno e Anfitrite em seus carros!...

Quem primeiro viu qualquer coisa, lá muito longe, foi, como sempre, Emília.

— Estou vendo!... Será baleia? Será navio?... Uma coisa estranha lá, lá bem longe! — e apontava.

Todos olharam naquela direção e realmente viram algo estranho e incompreensível. Só depois que o "mistério" se aproximou é que compreenderam — e foi um deslumbramento.

— Netuno!... O carro de Netuno...

E era mesmo. Netuno ia passando em seu maravilhoso carro de cavalos-marinhos de crinas de ouro. Como eram majestosos! Vinham nadando e espadanando a água com as mãos dianteiras, que erguiam e desciam como para cavar. Em vez de cascos tinham pés de palmípedes. A carruagem era de deslizamento, como os trenós. O deus do mar vinha imponentemente sentado com o tridente na mão esquerda e a direita estendida para as ondas em gesto de "Acalmai-vos diante de vosso deus Posseidon." À frente rebolavam inúmeros delfins brincalhões; e dum lado e de outro, adiante e atrás, volta e meia emergiam carantonhas de estranhíssimos monstros do mar.

Os picapauzinhos estavam maravilhados. Nunca lhes passou pela cabeça a possibilidade de assistirem a um tão grandioso espetáculo. Pedrinho gostou imenso do tipo de Netuno, com aquelas longas barbas verdes como algas e o diadema. Emília regalou-se com os cavalos marinhos de pés de pato. Agatirso caíra em êxtase. Ele, um marinheiro, um homem do mar, ver o grande deus das águas em toda a sua pompa, isso era arrasador! Lúcio ficou o tempo todo de boca aberta e as orelhas espetadas para cima como espeques. Meioameio era todo olhos.

Depois do carro de Netuno passou o de Anfitrite, mais lindo ainda. Era uma enormíssima concha de nácar puxada por muitas parelhas de delfins, alvos como a neve.

Emília bateu palmas e deu gritinhos, como se aquilo fosse um carro de préstito carnavalesco. O Visconde chamou-lhe a atenção:

— Cuidado com estas deusas. São muito desconfiadas e por qualquer coisinha castigam os humanos. Palmas lá no nosso mundo é aplauso. Aqui pode ser vaia...

O mar, amansado pelo gesto de Netuno, estava que nem um espelho, sem o menor encrespamento da superfície. Em espelho assim o céu se reflete tão lindo que quem olha só vê céu, em cima e embaixo.

Só Hércules não viu coisa nenhuma. Quando caía naquele enjoo, nada no mundo, nem Emília, o interessava. Quem quiser saber o que ele sentia, vá viajar de barco e enjoe. Que alívio quando o barco desceu a âncora num porto do continente! Pedrinho tomou a si o desembarque dos bois e a sua condução até Micenas.

Boi caminha pelos próprios pés, mas tem de ser "tocado" — e eles viraram tocadores de gado. Pedrinho seguia à frente, no lombo de Meioameio; Emília em Lúcio; e o Visconde no picuá vinha atrás, em companhia de Hércules. Volta e meia Pedrinho "aboiava", isto é, cantava um som monótono, *Ôooo...* como via fazer nas fazendas de gado vizinhas de Dona Benta.

O comboio seguiu beirando a praia, com o azul do Mar Egeu dum lado e a costa do outro. Súbito, gritou Emília:

— Um gavião... Uma ave qualquer esquisita!... — e apontava para o céu. Todos olharam, inclusive os bois, e realmente viram a atravessar o Egeu, muito alta no céu, uma grande ave. Vinha na direção deles, mas subindo sempre. De repente houve qualquer coisa, porque a ave vacilou, e pererecou lá em cima, perdeu o equilíbrio e começou a cair.

— Levou bala! — gritou Emília. — Vem caindo...

Sim, vinha caindo com velocidade recrescente e afinal caiu no mar bem perto da praia.

— Que será? — exclamava Pedrinho. — Ave não é. Me deu impressão dum paraquedista sem paraquedas.

Como um ponto negro, o "paraquedista" boiava sobre as ondas que o vinham trazendo à praia. A "torcida" foi grande para que chegasse logo. Era um homem. Era um náufrago do espaço. E talvez ainda estivesse vivo, apenas desacordado. Quando o corpo trazido pelas ondas deu à praia, todos correram-lhe ao encontro.

— Que esquisito! Um homem com uns restos de asas nas costas...

O Visconde pôs-se a aplicar no náufrago as regras clássicas do socorro aos afogados, consistentes em restabelecer a respiração interrompida. Todos o ajudavam, e tanto fizeram que o náufrago respirou, a princípio entrecortadamente, depois com maior regularidade. Em seguida abriu os olhos. Ficou uns minutos assim, tonto. Por fim falou:

— Onde estou eu?

— Entre amigos — respondeu Pedrinho. — Sente-se mal? Quem é você?

O náufrago gemeu, com expressão de sofrimento. Não havia dúvida que estava muito machucado da queda.

— Diga o seu nome — insistiu Pedrinho — e o náufrago com voz débil:

— Ícaro, filho de Dédalo...

— Dédalo, o construtor do labirinto de Creta?

— Sim — gemeu o infeliz. — O Rei Minos encarcerou-me lá com meu pai, mas sem que meu pai soubesse. Procurei encontrar-me com ele, inutilmente. Aquela infinidade de corredores me atrapalhava dum modo horrível.

— Está claro — observou Emília. — Sem carretel aquilo não vai. — O náufrago arregalou os olhos. — Sim — continuou Emília. — Estivemos com o senhor seu pai lá no labirinto, no dia em que Teseu matou o Minotauro. Depois salvamos Teseu, também atrapalhado com os infinitos corredores — e saímos todos. Mas Dédalo não parecia desconfiar que seu filho estivesse no labirinto. Não nos falou coisa nenhuma.

— Não podia saber. Puseram-me incomunicável.

— E como saiu daquele horror de prisão?

— Pelo ar...

— Pelo ar?...

Ícaro explicou:

— Havia por ali, nos escuros, muita coruja e muito morcego. Pus-me a juntar penas de coruja e asas secas de morcegos mortos. Depois descobri uma colméia de abelhas lá num canto. Comi o mel e fiz uma grande bolota de cera. Foi nesse momento que me veio a ideia.

— Que ideia?

— De voar. De armar com as penas de coruja e as asas de morcego um grande par de asas que se ajustassem aos meus ombros. Depois faria como as aves — batia as asas e saía voando...

— Mas se essa ideia veio quando esteve fazendo a bolota de cera, para que juntou as penas de coruja? — quis saber Emília, que era muito meticulosa. — Não foi já com a ideia do par de asas?

— Não. Juntei aquelas penas para fazer um colchão. A ideia de voar veio com o pelote de cera.

— Mas que tem a cera com as penas? Não estou entendendo...

— É que eu podia construir o meu par de asas com as penas de coruja e as asinhas dos morcegos, emendadas com cera...

— E construiu...

— Sim, construí o excelente par de asas que me permitiu escapar do labirinto e voar por sobre este Mar Egeu. Voei perfeitamente até certo momento. Depois tive uma lembrança desastrada: ir subindo, subindo, para espiar bem de perto o carro de Apolo...

— Nós vimos a subida e estranhamos — observou o Visconde.

— Para aterrissar aqui não havia necessidade de subir tanto.

— Eu sabia disso, mas a curiosidade de ver de perto o carro de Apolo me dominou. Fui subindo, e à medida que ia subindo aumentava o calor dos raios do sol. Súbito, senti que a cera que ligava as penas de coruja estava amolecendo. Precipitei-me na descida. Era tarde. As penas se desagregaram, minhas asas se desfizeram, derretidas, e eu caí...

— Teve muita sorte de cair na água do mar. Se caísse em terra, estava agora como o sapo que foi à festa do céu. E agora?

Ícaro, cada vez mais arquejante, não teve forças para responder. Foi fechando os olhos e morreu.

Hércules estivera ali todo o tempo a acompanhar a cena e a ouvir as últimas palavras do filho de Dédalo. Comoveu-se com o passamento do rapaz.

— Bom — disse por fim. — Temos de enterrá-lo com todas as honras — e foi ele mesmo abrir numa pequena elevação da costa o túmulo de Ícaro.

Enterraram-no à moda grega. Hércules colocou uma laje em cima, na qual Emília escreveu:

AQUI JAZ ÍCARO, O PAI DA AVIAÇÃO ERRADA

— O pai da aviação certa, sem cera nem penas de coruja, é outro...

Finda a cerimônia fúnebre, Pedrinho aboiou e a caravana pôs-se novamente em marcha. Emília ia contando ao asno Lúcio as proezas da aviação moderna.

— Nem queira saber, Lúcio, o horror que essa invenção nos saiu! Há os tais aviões, umas aves de metal, aperfeiçoadíssimas, que voam de todos os modos possíveis e a todas as alturas e de lá arremessam sobre as cidades enormes bombas.

— Que é bomba?

— São uns cilindros de ferro, ocos, cheio de TNT.

— Que é TNT?

— Um explosivo.

— Que é explosivo?

— Uma coisa, um pó que explode, isto é, arrebenta, pega fogo, faz bum! e escangalha tudo em redor; derruba casas, manda gente despedaçada para o beleléu. O horror dos horrores.

— E para que isso? — indagou o asno, surpreso.

— Não sei, Lúcio — e também não sabem os próprios homens que fazem isso. Há lá as tais "guerras mundiais". De vinte em vinte anos rebenta uma e todos os países entram na dança, uns a destruírem e incendiarem as cidades dos outros, e a matarem todos os homens jovens e perfeitos.

— E os imperfeitos?

— Aos velhos, doentes e aleijados, a esses não acontece coisa nenhuma. Ficam em casa lendo os jornais e ouvindo o rádio. Para a matança só são remetidos os perfeitos de corpo. Se um tem um defeitozinho qualquer na vista, por exemplo, já não serve.

O asno achou muito estranho aquilo. O razoável seria mandar para o matadouro os velhos e estropiados e deixar com vida os moços perfeitos. Manifestou essa ideia, e depois quis saber quem é que lançava os países uns contra os outros.

— Ninguém — respondeu Emília. — Todos os chefes começam dizendo que só querem a paz, a paz, a paz — só falam em paz. Não querem a guerra. E o povo, está claro, também não quer a guerra, porque na guerra quem morre e paga o pato é o povo. As mães não querem a guerra porque perdem seus filhos. As irmãs não a querem porque perdem os irmãos. As noivas não a querem porque perdem os noivos. Ninguém, absolutamente ninguém, quer a guerra — mas a guerra vem.

— Como vem?

— Vem por si mesma. Começa. Estoura. Rebenta. Lá um belo dia a gente abre o jornal da manhã e lê numas letras deste tamanho: rebentou a guerra... E logo depois está o mundo inteiro dentro da guerra, com os aviões a derramarem bombas do céu e com a matança embaixo feita cientificamente, por meio de maravilhosas máquinas de matar, criadas pelos maiores gênios do mundo moderno.

— E depois da matança?

— Quando se cansam de matar, e os navios estão todos no fundo dos oceanos, e as cidades são montanhas de cacaria, e só se ouve o choro de milhões e milhões de mães e irmãs e noivas e esposas, e já não há casas onde o povo morar, e nem há pão para o povo comer, e a miséria fica o horror dos horrores, então a guerra para... vem a paz. E sabe o que é paz no mundo moderno, Lúcio? Apenas um descansinho para o desfecho de nova guerra...

O Asno de Ouro estava com todos os pelos arrepiados e a dar graças ao Olimpo de viver naquele tempo. O tal mundo moderno ficou em sua cabeça como a imagem do pior dos infernos.

Capítulo VI
FAETONTE

Pedrinho discutia com Meioameio umas reformas que andava com ideia de fazer no sítio de Dona Benta.

— Aquilo lá é um amor de sítio, — dizia ele, — mas tem o defeito de todas as coisas modernas: falta de poesia. As árvores do pomar, por exemplo. Excelentes árvores, muito nossas amigas, com os galhos musguentos e até com erva-de-passarinho. Todos os anos enchem-se de flores e depois carregam-se de frutas — laranjas, pitangas, jabuticabas...

— Como são estas últimas?

— Umas redondas, pretinhas, deliciosíssimas. Dão pregadas no tronco. Cada um de nós tem um pé só seu. Há também cambucás, grumixamas, sapotis, cabeludas, abacaxis, ameixas, pêssegos... um monte!

— E cereja tem?

— Não. Nunca vi por lá nenhum pé de cereja, e é pena, porque são muito bonitinhos.

Ali na Grécia, volta e meia eles davam com pés de cerejas carregadíssimos.

— Mas se as árvores são assim tão bondosas, de que se queixa você? — perguntou o centaurinho.

— Não estou me queixando das coitadas, tão nossas amigas, mas acho que lhes falta o que vejo aqui nestas: ninfas, dríades e hamadríades. Ponho-me a imaginar que linda não seria a dríade e a hamadríade da minha jabuticabeira, ou da "pitangueira velha", que é a de Emília, ou da mangueira Bourbon de Narizinho. A gente ali a chupar as jabuticabas, a derrubar pitangas ou mangas, e as ninfas em redor espiando a gente... Poesia é isso, Meioameio. Nosso século tem muita máquina, tem até máquina de voar; mas em matéria de poesia não chega aos pés disto aqui.

Pedrinho fez pausa, cismando. Depois:

— Ando a pensar numa coisa: e se levássemos umas duas ou três dríades para soltar lá no sítio?

Meioameio respondeu que só consultando o Visconde, muito mais entendido que ele em coisas da Grécia — e foram para a retaguarda consultar o Visconde lá no seu picuá.

— Acha possível, Visconde, que possamos levar para o sítio um lote de ninfas, dríades e hamadríades?

O Visconde refletiu uns instantes e respondeu:

— Só com o consentimento de Flora. Essas ninfas são as guardiãs dos tesouros dessa grande deusa e só poderão sair daqui com sua ordem.

— E onde poderemos descobrir a deusa Flora?

— Dizem que mora nas Ilhas Afortunadas...

— Que ilhas são essas? Nunca ouvi falar...

— Também não sei, e parece que ninguém sabe. Os romanos falavam muito nas *Insulae Fortunatae*, sem dizer ao certo onde ficavam. Uns achavam que era a oeste da Líbia; outros que eram as Ilhas Canárias.

Pedrinho quedou-se pensativo. Depois disse:

— Lá no acampamento de Micenas, quando Hércules for entregar a Euristeu esse gado, nós podemos tomar uma pitada de pirlimpimpim e dar um pulo às Ilhas Afortunadas.

Lúcio e Emília, que ignoravam a conversa anterior sobre a introdução de ninfas no sítio de Dona Benta, exclamaram ao mesmo tempo: Para quê?

Quando Pedrinho expôs a sua ideia de uma criação de ninfas no pomar, o entusiasmo de Emília foi tamanho que escorregou do lombo de Lúcio, caindo de ponta cabeça no chão.

— Ai, ai, ai... — exclamou erguendo-se e espanando-se. — Uma ideia dessas... Como é que nasceu na sua cabeça, Pedrinho, em vez de na minha?

Emília ficava enciumada sempre que uma boa ideia acudia aos outros. Todas as "ideias boas", todas as "ideias-mães", tinham de ser dela. E que ideia melhor que a de Pedrinho? Levar ninfas para o sítio, botar cada árvore do pomar com a sua dríade, entalar dentro de cada tronco uma hamadríade... Oh, sim e a dríade mais bonita tinha de ser a da sua pitangueira velha...

A sorte da caravana estava em que os bois de Gerião até pareciam gado Gir, de tão mansos. Não chifravam ninguém. Caminhavam muito direitinhos, tal qual uma ponta dos mansíssimos bois de carro lá de Dona Benta. Mesmo assim, em certo momento, "estouraram".

— Em que momento?

Ah, num dos momentos mais trágicos da humanidade, quando por um triz a terra escapou da maior das desgraças: ser torrada inteirinha pelo sol. A coisa foi assim: um filho de Céfalos e Eos, de nome Faetonte, extasiado de ver Apolo dirigindo o carro do sol, teve a má ideia de lhe pedir que o deixasse guiar um bocadinho. Apolo achou graça e disse: "Venha..."e deixando o carro passou as rédeas a Faetonte. Mas cavalo é cavalo. Tanto faz ser cavalinho aqui na terra como cavalo de Apolo. Quando está num veículo e há mudança de cocheiro, estranha. Os cavalos de Apolo, que nunca tinham sido guiados senão por esse deus, estranharam o novo cocheiro — espantaram-se — e foi aquele horror. O sol, que é quem anda naquele veículo de luz, perdeu o equilíbrio e caiu — ou começou a cair em cima da terra.

Emília deu um berro:

— Lá vem vindo o sol para cima da gente!... — Hércules olhou, viu que era mesmo e, zás, mão no arco. Ia cometer a loucura de matar o sol com uma flechada! A música parou. Pedrinho perdeu a voz, como nos pesadelos. Lúcio deu um zurro:

— Não faça isso, herói! Sem sol, como vai o mundo arranjar-se no escuro? — Hércules não ouviu. Estava de arco esticado, apontando...

Mas lá no Olimpo, Zeus, que tudo vê, acudiu a tempo. Fulminou com um dos seus raios o imbecilíssimo Faetonte e fez que Apolo fosse correndo tomar conta do carro. A ordem se restabeleceu no céu mas a boiada de Gerião havia estourado. Colhidos pelo pânico, os bois romperam por ali afora, cada qual numa direção. E que luta foi para sossegá-los e reuni-los de novo!...

Quando a paz se restabeleceu, Emília suspirou.

— Ai que susto! Senti lá dentro de mim uma pontada que nem as de Dona Benta. Acontece cada coisa por aqui...Eh, Grécia!

Foi o último incidente ocorrido na viagem para Micenas. No dia seguinte chegaram.

Hércules deu ordem ao centaurinho para tomar conta dos bois enquanto ele ia a Micenas apresentar-se ao rei — e lá foi. Emília tirou do picuá o Visconde; depois abriu a canastrinha para ver senão faltava qualquer coisa.

Capítulo VII
Nos domínios de Clóris

Enquanto Hércules se explicava com o Rei Euristeu, os picapauzinhos deram um pulo até ao reino de Clóris. Foram só os três. Meioameio e Lúcio ficaram — este pastando, aquele assando carneiros.

O pulo às Ilhas Afortunadas foi feito "a pó". Três pitadinhas do pirlimpimpim, três *fiuns* e pronto. Acordaram diante do maravilhoso palácio de Clóris, a mesma que mais tarde seria pelos romanos chamada Flora.

Que curioso palácio aquele! Tudo lá eram flores, cores lindas e perfumes, frutas deliciosas, musgos, avencas, samambaias e mais mimos vegetais. Pedrinho adiantou-se e parou diante do porteiro: um lindo cravo vermelho.

— Senhor cravo — disse ele — somos viandantes vindos de longes terras para um entendimento com a deusa Clóris. Poderá ela receber-nos?

O cravo examinou-os com a maior curiosidade e mandou um recado à deusa por um goivo que brincava por ali. Logo depois veio a resposta. Sim, Clóris ia recebê-los imediatamente. Que entrassem.

Pedrinho entrou, acompanhado de Emília e do Visconde a manquitolar nas suas muletas. Um lírio do vale seguia na frente, guiando-os através dum jardim de sonho. Depois, uns degraus de macio musgo. Depois, a sala de recepção da amável deusa.

Clóris, em todo o esplendor de sua beleza, recebeu-os com um sorriso amável.

— Bem-vindos sejam ao meu perfumado reino! Que querem?

Pedrinho explicou tudo. Contou quem eram, onde residiam lá nos tempos modernos e falou do pomar de Dona Benta, das árvores de frutas nele existentes, das flores do jardim, muitas das quais Flora desconhecia. Crisandálias, por exemplo, uma flor com que a deusa nem sequer sonhara.

— Mas nosso pomar tem um defeito — disse Pedrinho. — Falta-lhe alma. Falta-lhe a poesia que vejo nesta Hélade tão linda. Nossas árvores não possuem cada uma a sua dríade. Dentro dos troncos não há nenhuma hamadríade. Não temos napeias nas campinas nem ninfas nas fontes. Nem nenhuma nereida no ribeirão. Viemos consultar a mais perfumosa das deusas se não nos poderá arranjar pelo menos umas três dríades e outras tantas hamadríades...

Clóris estranhou a proposta. Nunca lhe haviam falado assim. Um pedido de ninfas!... Que curioso. Mas para onde iriam essas ninfas? — os pica-paus lhe contaram as mil coisas do sítio de Dona Benta, ela sorriu, realmente encantada. Em seus olhos Emília leu um sincero desejo de também conhecer aquele paraisozinho moderno. Clóris só não pôde perceber como era o tal Quindim.

— Cascudo? Com um chifre só em cima do nariz?

— Sim — disse o Visconde —, e por ter o chifre no nariz é que se chama rinoceronte. Rino em grego é nariz, como todos aqui sabem.

Clóris achou uma graça imensa no Visconde. Em sua qualidade de deusa dos vegetais, conhecia todas as espigas do mundo e todos os sabugos — menos aquele, falante e de cartola. E uma ideia lhe passou pela cabeça: ceder as ninfas que Pedrinho queria em troca do sabugo de cartola.

— Faço o negócio — disse ela. — Cedo seis das minhas ninfas, à escolha, mas em troca deste maravilhoso sabugo falante.

A estranha proposta atrapalhou os picapauzinhos. Puseram-se a conferenciar aos cochichos. Por fim Emília tomou a palavra e, muito xeretamente, disse:

— Deusa, nós aceitamos a sua proposta com uma condição: depois de acabadas as nossas aventuras com Hércules e voltados ao sítio de Dona Benta, discutiremos com ela o assunto. Se Dona Benta concordar com a troca do Visconde, voltaremos a estas ilhas para fechar o negócio.

E assim ficou. Conversaram com a deusa ainda algum tempo e depois se despediram.

Que maravilha o palácio de flora! O chão, forrado de frutas vivas, que de repente mudavam de forma, viravam ninfinhas e saíam dançando. Os perfumes do ar também assumiam formas mimosíssimas de pequenos sátiros e faunos aéreos, muito diáfanos, que dançavam com as pomidríades. Pomidríades, chamavam-se as ninfinhas das frutas. E depois eram as cores que tomavam forma e dançavam no ar a dança das pétalas.

Nisto um recuo geral de todos aqueles mimos aéreos — não recuo de medo, mas de reverência, Zéfiro, o esposo de Flora, vinha entrando de seu passeio pelo mundo. Puro vento esse deus, o mais suave e agradável de todos. Entrou seguido de mil perfumes — os perfumes das flores que andou beijando pelo caminho, e foi sentar-se ao lado de Flora. Lá ficaram de mãos dadas, olhando para suas lindas filhas também ali presentes — as Brisas.

Tanta beleza, tanto perfume, tanto movimento de formas diáfanas no ar, deixaram os picapauzinhos completamente tontos, como que embriagados por um ópio divino. Clóris e Zéfiro, sempre de mãos dadas, olhavam para eles e sorriam. Foi com dificuldade que Pedrinho mediu as pitadas do pirlimpimpim e as distribuiu.

Até o *fiun* soou trêmulo de emoção e todos ainda se sentiam trêmulos quando despertaram no acampamento de Micenas.

— Ainda estou sentindo uma tremura — murmurou Emília, que foi a primeira a falar. Pedrinho suspirou e, com ar de quem acaba de sair dum sonho da manhã, disse: — É o tremor da beleza...

Os carneiros assados do centaurinho rescendiam. Aquele cheiro os fez voltará realidade — um cheiro que já não falava à imaginação e sim ao paladar. Lúcio tosava os capins ali perto.

— E Hércules? — perguntou Pedrinho.

— Deve estar chegando — respondeu Meioameio; e indagou do que se passara no pulo ao reino de Flora.

Emília respondeu:

— Nem queira saber... Tão lindo, tão lindo tudo aquilo, que ficamos com as pernas moles...

— Mas arranjaram as ninfas?

— Sim. Conseguimos várias em troca do Visconde. Flora encantou-se com o sabuguinho. Vamos voltar lá para fazer o negócio. — Meioameio admirou-se da facilidade com que se desfaziam dum velho companheiro. Emília piscou e cochichou-lhe ao ouvido: "Flora vai ser tapeada. Vamos trazer outro Visconde feito pela Tia Nastácia, tão parecido com este que ela não desconfia. Desse modo apanhamos as ninfas e conservamos o nosso velho Visconde".

Ao ouvir aquilo, o sabuguinho, que havia ficado profundamente triste com a negociação, renasceu. Sua cara iluminou-se dum sorriso — e, aproximando-se de Emília, abraçou-a comovidíssimo.

Hércules apontou lá longe. Todos puseram os olhos nele. Vinha com o mesmo ar de sempre — apreensivo, com o medo no coração. Chegou. Sentou-se e foi pegando um dos carneiros assados. Pedrinho interpelou-o:

— E então? Soltamos ou não soltamos os bois desta vez?

O herói sorriu e disse:

— Ao saber que os bois eram mansos. Euristeu decidiu guardá-los em seus estábulos. Só aos monstros ele manda soltar.

— E o novo Trabalho?

— Tenho de ir ao reino das Hespérides em busca dos pomos de ouro...

O POMO DAS HESPÉRIDES

Capítulo I
O pomo das Hespérides

A viagem de Hércules em busca dos pomos de ouro foi das mais movimentadas. Antes de partir teve de andar indagando onde é que ficava o jardim das Hespérides. Uns achavam que era no país dos hiperbóreos, lá muito ao norte, mas o Visconde objetava:

— Não pode ser. A zona hiperbórea, ou polar, é muito fria para favorecer o crescimento duma árvore de pomos. O jardim das Hespérides tem que ser incompatível com os gelos do norte. Deve ficar em clima quente ou temperado.

Por fim Hércules se convenceu de que o maravilhoso jardim ficava no extremo ocidental da terra, isto é, bem a oeste. Naquele tempo a "terra" era quase que só a Europa, e o tal extremo ocidental devia ser a península ibérica, onde ficam a Espanha e Portugal.

Emília quis saber o que era "pomo". O Visconde explicou que a palavra "pomo" vinha do latim "pomum" e queria dizer "fruta".

— Mas é mais poético dizer pomo em vez de fruta — acrescentou. —Fruta dá ideia de mercado ou de verdureira de esquina. Pomo é palavra de luvas de pelica.

— Enjoado! — berrou Emília que era muito plebeia. — Só porque vem do latim já está com história. Luvas de pelica! O fedor... Pois eu digo fruta e acabou.

— Mas se pomo é fruta em geral, — interveio Pedrinho, — que fruta são os tais pomos do jardim das Hespérides? E, antes de mais nada, quem são essas tais Hespérides?

O Visconde sabia. Não havia o que ele não soubesse. Contou que se tratava das filhas do gigante Atlas com a ninfa Hespéris.

— São quatro, Egle, Eritia, Aretusa e Hestia, cada qual mais encantadora. O jardim das Hespérides é uma pura maravilha que vive tentando os homens e os deuses. Em nenhum outro existem as árvores dos pomos de ouro. Aquilo é um encanto e as quatro irmãs são verdadeiras fadas. Cantam como sereias, dançam como zéfiros e sabem tomar todas as formas. Quando os argonautas lá estiveram e, quase mortos de sede, lhes pediram que indicassem uma fonte, elas se transformaram em areia. E como eles continuassem a pedir água, a areia se transformou em árvore.

— Eu me transformaria em torneira para salvar os coitados — disse Emília. — Que adianta areia ou árvore para quem está morrendo de sede?

Pedrinho quis saber como era o dragão de guarda ao jardim das Hespérides.

— Ah, o mais monstruoso de todos! Cem cabeças que não tiram os olhos dos pomos.

Emília estava assombrada. — "Cem cabeças!..." Aquele de Gerião que tinha sete já me pareceu tão cabeçudo e vamos agora lidar com um de cem...

O Visconde ainda contou que por ocasião do casamento de Juno com Zeus, o dote da noiva consistiu em meia dúzia daqueles pomos — e nunca houve dote maior! E o pomo com que a Discórdia surgiu na festa do casamento de Peleu fora colhido lá.

— Mas além de serem de ouro, que outra virtude têm esses pomos? — quis saber Pedrinho.

— Fazem que o amor nasça com a maior violência no coração de quem os toca.

O grupo estava a caminho da Espanha. Hércules seguia na frente, pensando no modo de atacar o dragão. Já dera cabo de uma hidra de nove cabeças e dum dragão de sete — mas que fazer com um de cem? Atacá-lo com suas flechas, de pouco adiantaria, porque toma tempo lançar cem flechas e o dragão o alcançava. Só se houvesse um jeito de adormecê-lo...

Lúcio, abanando as orelhas, vinha logo atrás, com Emília de banda em seu lombo e o picuá com a canastra e o Visconde na garupa. Volta e meia o Asno de Ouro suspirava de saudades da sua antiga forma humana. Aquelas aventuras de Hércules não tinham fim — e ele condenado a andar de quatro até que a última se realizasse...

Fechava a marcha Meioameio, com Pedrinho no lombo. A amizade entre os dois crescia aos metros. Tratavam-se como irmãos e era um imaginar coisas a fazer no sitio de Dona Benta que não tinha fim.

— Com seis ninfas lá, das mais bonitas, e você, um centauro, aquilo fica o suco dos sucos.

— Por que não leva também uma mudinha da árvore dos pomos de ouro?

A ideia encantou o menino e fê-lo gritar para a Emília:

— Olhe o que Meioameio lembrou: levarmos uma mudinha da árvore dos pomos de ouro. Que tal, Emília?

A ex-boneca deu uma risada gostosa.

— Quando vocês acordam, eu já dormi, sonhei, acordei e estou longe. Já pensei e repensei nisso. Muda o mais certo é não encontrarmos nenhuma; sementes, sim — hei de encontrar sementes. Aquela grandíssissima ladrona da Medeia me roubou o pomo de Atlas, mas vou desforrar — vou levar do jardim das Hespérides pelo menos três dos mais madurinhos.

O Visconde, lá no picuá, fechou a cara. Não gostou que Emília tratasse daquele modo a grande mágica que o havia curado com a fervura no caldeirão. O pomo fora dado em pagamento dessa cura, com pleno consentimento de Emília. Além disso Emília recebera de volta uma vara de condão preciosíssima. Como então tratava Medeia de ladrona? O Visconde fez-lhe ver isso. E ela:

— Ladrona, sim. Cobrar pela fervura dum sabugo um pomo daqueles é ser ladroníssima. Nunca a hei de perdoar. Fui enganada naquele negócio. Julguei que a vara de condão fosse das perpétuas, e não das de só cem viradas. Fui roubada, sim... — e daí não saiu.

Na vara de condão de Emília só restavam onze viradas, que ela retinha com o maior ciúme para uso no sítio de Dona Benta. Se não fosse assim, os Trabalhos de Hércules se tornariam verdadeiras "canjas". Na conquista do pomo das Hespérides, por exemplo. Com uma varada ela poderia virar o dragão em pulga mas ficaria só com dez viradas na vara e portanto...

— Portanto o que, Emília?

— Portanto, não. Já fiz de conta que não tenho vara nenhuma e pronto. Não se toca mais no assunto. Tinha graça eu gastar com Lelé as únicas viradinhas que me restam, um herói tão ajudado por Palas e outros deuses!...

Hércules ia atravessando uma zona perigosa. Pedrinho receou encontros e lutas. Sabia do gênio esquentado do herói. Por qualquer coisinha o sangue lhe subia à cabeça e a pancadaria trovejava.

Os pressentimentos de Pedrinho saíram certos. Logo adiante surgiu um carro puxado por fogosíssimos corcéis que seguia na mesma direção de Hércules. Em vez de sair do caminho, o herói plantou-se bem no meio da estrada, com as mãos na cintura. Meioameio e Lúcio pularam de lado, deixando-o sozinho. Fatalmente, no galope em que vinham, aqueles cavalos iam atropelar o grande Hércules.

Mas não foi assim. O condutor estacou-os com um violento puxão das rédeas.

— Quem és tu, homem atrevido, que interrompes a marcha do carro de Cicno, filho de Ares?

Era esse Cicno um famoso domador de cavalos, realmente filho do deus Marte com Cirene. Abusando da sua origem divina, vivia cometendo em toda parte os maiores abusos. Hércules, que não lhe ignorava o mau renome, respondeu com voz de trovão:

— Desce do carro, automedonte, e passa de largo puxando os animais. Hércules sou, filho de Zeus e Alcmena.

— Vai ser um fim de mundo — murmurou Emília, toda encolhidinha lá no lombo de Lúcio. — São filhos de deuses os dois...

Capítulo II
O DEUS E O HERÓI

Aquele pega Cicno, gravemente ofendido pelas palavras de Hércules, deu rédeas e estimulou os cavalos para que o atropelassem, mas, rápido, o herói os agarrou pelos freios e os arrancou da carruagem. Cicno ficou na cômica situação dum cocheiro sentado na boleia dum carro sem cavalo nenhum. Teve de saltar em terra e aceitar a luta em igualdade de condições.

Foi tão curto quão tremendo de ímpeto. Cicno desfere um potentíssimo golpe com a sua terrível lança de bronze, mas a ponta da lança resvala pela pele invulnerável do leão da Nemeia. Hércules responde com o arremesso do dardo, apanhando Cicno pela garganta, na parte descoberta entre o capacete e o escudo. Fora golpe mortal. O filho de Marte cai como que ferido por um raio de Zeus.

Era a primeira vez que os picapauzinhos viam Hércules manejar o dardo, uma lança curta de arremessar contra o adversário. Como previra muitas lutas naquele décimo Trabalho, o herói fortalecera-se de mais aquela arma.

Assim que Cicno, trespassado na garganta, veio por terra, um rugido reboou e o próprio Marte apareceu em socorro do filho.

A luta entre Hércules e Marte o deus da guerra foi dessas coisas que a palavra humana jamais descreverá. Pedrinho tapou os olhos com as mãos, de puro horror, e Emília o imitou — mas ficou espiando pelo vão dos dedos. O Visconde, esquecido das muletas, pulou fora do picuá e foi colocar-se longe dali. Meioameio tremia da cabeça aos cascos, e Lúcio não arredou pé de onde estava. Ficara estarrecido, numa verdadeira paralisação de todos os músculos.

Marte vestia o traje clássico do deus da guerra e terçava um gládio curto ereto. Hércules ia defender-se com o escudo de Cicno e a clava. Os dois tremendos contendores trocaram olhares chamejantes de ódio e arremessaram-se um contra o outro. O deus Marte estava acostumado a ver o inimigo rolar por terra ao primeiro embate. Era um tranco e pronto. Mas com a firmeza duma rocha Hércules resistiu ao tranco do deus tremendo.

Nesse momento uma voz soou imperiosa: "Detende-vos, Ares! Hércules é teu irmão." Era a voz de Palas, que descera da mansão dos deuses para pôr fim àquele horror. Marte, porém, cego de ódio, não lhe ouve as palavras e ataca o herói com o gládio que nunca repetiu golpe. — Palas corre a tempo e desvia a direção do golpe. O deus, endoidecido de cólera, ergue de novo o gládio — e Hércules aproveita o momento para o ferir no pulso. Ao erguer a lâmina, o pulso de Marte ficara fora da proteção do escudo!...

Assombro dos assombros! Pela primeira vez no mundo um homem feria um deus em combate — e que deus: Ares, o deus da guerra!... Para quem luta com espada ou gládio, um rasgão no pulso já significa inutilizamento completo — mas Hércules ainda desfere contra o deus um golpe da clava. O deus cai...

Ao verem aquilo, Fobo e Deimos, os condutores do carro de Marte, lançam-se em seu socorro, levam-no para o carro e disparam rumo ao Olimpo no maior dos galopes. Hércules havia vencido na luta ao próprio Marte!... Prodigioso! Quando

Pedrinho tirou as mãos dos olhos e, ainda cheio de susto, perguntou o que tinha havido, Emília respondeu:

— Eu também tapei a cara, mas vi tudo. Lelé espetou com a ponta do dardo o pulso do deus e depois derrubou-o com um golpe da clava. E então acudiram os dois homens do carro e sumiram-se com ele...

— Derrotou Marte?... — exclamou Pedrinho no maior dos assombros. — Impossível. Um homem não derrota um deus...

— Pois Lelé derrotou o pior dos deuses, justamente o da guerra! Lelé é o número dos números — e pulando do lombo de Lúcio, Emília foi correndo abraçar o herói.

— Erga-me, Lelé! — disse ela olhando para cima, porque o alentado herói era "lá em cima". Hércules ergueu-a no braço, sentadinha ali como uma criança nova — e Emília beijou-o no queixo. Nem lhe alcançava as faces, a pequenitota.

— Sim, senhor, Lelé! Bichão maior nunca imaginei. Vencer até ao deus da guerra! É batatal... Escute: quem era a linda moça que apareceu no momento psicológico e desviou aquele golpe de Marte?

— Palas...

— Palas? — repetiu Emília admiradíssima. — Que pena eu não ter sabido...

— Por quê?

— Para vê-la melhor. Quando a gente não sabe quem é uma pessoa não a vê bem, bem, bem...

Logo que ele a depôs no chão, Emília correu a contar a Pedrinho toda a história da luta a que o bobo assistira mas não vira — de medo.

— Medo de que Pedrinho?

— Homem, nem sei, Emília. Pareceu me tão tremendo aquilo, que tive medo que fosse o fim do mundo — e fechei os olhos como nos pesadelos.

Nos pesadelos, quando ia caindo num abismo, ele fechava os olhos e pronto salvava-se.

— Pois não sabe o que perdeu — continuou Emília. — Vi tudo, tudo. Vi quando Palas chegou...

— Quê?... Palas também tomou parte no barulho?

— Ela nunca abandona o nosso grande amigo. E veio no momentinho justo, quando a espada de Marte ia alcançando Lelé. Palas, então, com o dedo, desviou o golpe. E quando Marte caiu, já ferido no pulso e com uma clavada na cabeça, aparecem os dois estafermos lá do carro. Vi quando agarraram Marte nos braços e lá se foram num galope louco.

— E eu sei o nome desses dois ajudantes — disse o Visconde, que estava ouvindo a conversa. — Fobo e Deimos.

— Fobo e Deimos? — repetiu Pedrinho. — O nome daqueles dois satélites do planeta Marte?

— Sim — confirmou o Visconde. — Os astrônomos deram aos satélites de Marte os nomes de Fobo e Deimos exatamente por isto; porque nesta luta contra Hércules foram eles que o acudiram.

Muito bem. Finda uma batalha, é o dever do vencedor enterrar os mortos e Hércules enterrou Cicno. Emília, como de costume, veio com o seu epitafiozinho:

Aqui jaz um domador de cavalos
que encontrou quem o domasse.

Aqueles fatos tinham ocorrido à beira dum rio de nome Equedoro, no qual Hércules tomou o seu banho "espadanado" de sempre, e depois todos fizeram o mesmo. Como na Grécia Heroica não houvesse comodidades modernas, v.g. banheiro de água quente e fria, eles adotavam o sistema dum banho ao ar livre em todos os ribeirões encontrados. O único que não podia tomar banho era o Visconde, porque os sabugos são muito porosos; se caem na água, embebem-se de todo e emboloram. Emília jamais se esqueceu da "fase verde" do primitivo Visconde, quando umedeceu e foi encontrado completamente coberto de bolor azul-esverdeado.

Dali partiram para as margens do rio Eridiano (justamente o que os latinos chamavam Pádus e os italianos de hoje chamam Pó). Esse rio estava ganhando fama porque dias antes caíra por lá o cadáver de Faetonte, o tonto que se metera a guiar o carro do sol e fora fulminado por Zeus. Hércules tivera informação de que à margem desse rio moravam umas ninfas, filhas de Zeus e Têmis, que sabiam muita coisa sobre o jardim das Hespérides.

Lá acamparam, e depois de mais uma suculentíssima refeição de carneiros o herói ordenou a Pedrinho que desse uma volta pelos arredores e indagasse do paradeiro das ninfas. O oficial pulou em Meioameio e lá se foi no galope. Uma hora mais tarde voltava com a informação certa: as ninfas filhas de Zeus e Têmis tinham residência a meia légua dali, num bosque.

Hércules foi vê-las sozinho.

— Esperem-me aqui — recomendou. — Não me demorarei muito.

Enquanto o esperava, Pedrinho foi ao banho — e de relance viu à beira d'água uma nereida, ou a ninfa do rio.

Viu-a muito de relance, porque assim que ela o percebeu, mergulhou que nem uma sereia.

Pedrinho admirou-se duma coisa: como é que viu tão bem aquela nereida e não viu as dríades do bosque na aventura de Gerião? Tudo mistérios, naquela Grécia de mistérios. De volta do banho deu com o herói já de volta.

— Então? — indagou Pedrinho.

— Encontrei-as, sim, mas houve erro da parte do meu informante. Quem está no segredo da localização do jardim das Hespérides é outra pessoa, não elas. É Nereu, o velho deus do mar deposto por Netuno. Temos de ir em procura desse venerável ancião — mas como arrancar-lhe o segredo?

Mestre que era em arrancar a vida aos monstros, o herói atrapalhava-se quando tinha de descobrir um segredo. Com ele era ali na violência. Para as coisas que necessitavam de miolo, o herói tinha de apelar para os picapauzinhos.

— Que acha que devo fazer? — perguntou ao menino — e como este engasgasse chamou Emília. Emília veio, xeretíssima. Sempre que Hércules dava a honra de chamá-la, vinha toda a rebolar-se, certa de que o mundo inteiro estava assistindo à cena.

— Que quer de mim, amor? — disse ao chegar.

— Uma consulta. Tenho de ir ao palácio do velho Nereu, que é quem sabe da exata localização do jardim das Hespérides. Mas estou atrapalhado com um problema: como arrancar ao antigo deus do mar o segredo?

Emília segurou o queixo e enrugou a testa. Depois seus olhos brilharam como brilho do eureca...

— Podemos fazer com ele o que fizeram com a Cuca lá no sítio — e contou toda a história do amarramento da Cuca e do suplício do pingo na testa. Foi o meio de obrigá-la a fazer o que eles queriam — isso naquela história do saci. Hércules deu plena aprovação à luminosa ideia.

Capítulo III
NO PALÁCIO DE NEREU

Dias depois chegaram ao velhíssimo palácio do velho Nereu. Velho, velho, velho. Não podia haver maior velhice. De tão velho, estava já todo coberto de musgos e algas, ostras e mariscos. Parecia menos um deus do que um casco de navio encalhado. O seu palácio era uma gruta de velhíssimos e carcomidos rochedos à beira-mar. As ondas entravam e saíam, e entravam novamente — e assim já de séculos e séculos — *sécula seculórum*. Cada ondada das ondas era como bafo de ar que o velho deus craquento respirava — e assim ia vivendo a sua vida sem fim, porque enquanto houver ondas haverá vida em Nereu. Foi o que os picapauzinhos sentiram ao espiar de longe aquele casco de deus encalhado lá na gruta imensa que lhe servia de palácio.

Tudo pedra, com o teto de estalactites em cima e pontas e mais pontas de estalagmites embaixo. E quanta alga verdinha como cana, e vermelha, e de todas as cores do limo! E quantas conchas e quantos caramujos dos enormes!E polvos passeando por ali, e caranguejos caranguejando. Até aquele Bernardo, o Eremita da festa de casamento de Narizinho lá estava — isto é, um tataravosíssimo antepassado do Bernardo, o Eremita de Narizinho.

E um cheiro de maresia velha, e uma umidade pesada, e uma penumbra de meter medo, com morcegões avoengos dos morceguinhos modernos. Velhice era ali — Velhice da água, das ondas, dos bichos marinhos, das pedras. Emília sentiu-se logo velhinha, das bem corocas, e até começou a caducar, com uma fala muito trêmula, e pegou num bordão para apoiar-se. Sentia-se arcada como as italianas muito velhas e toda enrugadinhas de rosto. Até catacega ficou.

— Me dê sua mão, visvisconde, balbuciou ela — e enquanto lá esteve não largou da mão do sabuguinho.

Nereu estava dormindo, reclinado em seu leito de pedras negras cobertas de limo e cracas. Hércules parou diante dele. Que fazer para induzir uma criatura daquelas a contar um segredo? A sugestão de Emília não prestava. Pingo na testa!... Que adianta pingar água na testa duma múmia de deus já sem sensibilidade nenhuma e a viver toda a vida sob chuva de pingos que caíam do teto? E Hércules olhou para Emília com ar desanimado.

Apesar de velhinha e aparentemente caduca, Emília ainda funcionava muito bem de cabeça. Percebeu logo que naquele caso de nada valia o remédio usado contra a Cuca na aventura do saci e disse:

— O jeeito Lelé, ééé sugestionar esta múmia e faazer que ela soonhe em voz alta.

Pedrinho aprovou a ideia e, chegando perto de Nereu, começou a sugestioná-lo à sua moda, murmurando com voz disfarçada e grossíssima:

— Deus, deus do mar! Nereu, grande Nereu, ó vós que sabeis todos os segredos do mundo porque sois velho como o mundo!

Emília ia repetindo no outro ouvido de Nereu, como um eco, as últimas palavras de Pedrinho:

— ...muundo...

Pedrinho continuou:

— Sabeis todos os segredos menos um só...

— ...uumsóó... — repetiu o eco.

— Todos, menos o segredo da localização do jardim das Hespérides...

—...Hespérides — repetiu Emília em sua vozinha trémula de eco velho.

Nereu, mergulhado no sonho, ouviu aquele som estranho, tão diferente dos que ouvia habitualmente por ali, das ondas que entravam e saíam. E lembrou-se do jardim das Hespérides. E sorriu um feio sorriso desdentado de velho velhíssimo. E falou em voz alta, como certas pessoas falam nos sonhos:

— Sim... sei... as Hespérides... lembro-me sim. Quatro... Lá no jardim perto de Tíngis...

Não era preciso mais. Sem querer o velho Nereu revelara no sonho o que ninguém no mundo sabia: o jardim das Hespérides ficava perto da cidade de Tíngis, a mesma em que eles haviam estado em aventura anterior. Fora lá que Hércules vencera Anteu, o filho de Geia.

— Nada mais temos a fazer aqui — disse Hércules. — Saiamos deste úmido palácio entorpecedor.

Saíram. À proporção que ia se aproximando das portas da imensa gruta, a ex-boneca ia remoçando. Primeiro botou fora o bordão em que se apoiava. Depois endireitou o corpo. E quando se viu restituída à luz do sol, estava já sem a menor tremura da falinha.

— Uf!... — exclamou, espreguiçando-se e desentorpecendo os músculos. — Velhice das que pegam na gente, é a primeira que vejo. Nós chamamos de velhas Dona Benta e Tia Nastácia, mas perto de Nereu as duas nem nasceram ainda...

Hércules confessou que também havia sentido um entorpecimento dos músculos. Não havia dúvida que as velhices muito velhas contagiavam até os próprios heróis.

Depois de se restaurarem aos raios do sol e de trocarem mil impressões sobre o velho Nereu, puseram-se a caminho da Líbia.

Emília observou que não encontrava na gruta nenhuma nereida "dançando e cantando para distrair o velho pai", como lhe haviam contado. Com certeza, vendo que Nereu não saía nunca daquele sono de deus do mar aposentado, elas tinham fugido para cantar e dançar em lugares mais alegres.

A viagem à Líbia foi repetição da primeira. Hércules, coitado, enjoou como nunca, e chegou à praia da Líbia com o olho mais branco que manjar-branco. Mas restabeleceu-se prontamente e seguiu para Tíngis.

O povo da cidade o recebeu com grandes honras. Houve festas e mais festas, presentes e mais presentes. Emília ganhou um escaravelho de ouro, fabricado pelos ourives do Egito, terra vizinha. Mas ninguém na cidade pôde informar coisa nenhuma sobre o jardim das Hespérides.

Hércules olhou para Emília como quem pede opinião — e ela:

— Nereu disse que o jardim ficava perto daqui, mas não declarou onde. A palavra perto na boca dum diabo velho como aquele pode significar uma boa lonjura.

— E que acha que devemos fazer?

— O remédio, Lelé, parece-me um só: aplicar o faz-de-conta — e aplicou-o: — Faz de conta que fica a dois dias de marcha rumo sul.

Hércules continuava a não entender muito bem aquele negócio do faz-de--conta, mas já se habituara a não duvidar dos seus efeitos. Voltou-se para os outros e deu ordem de marcha: — Vamos caminhar rumo sul durante dois dias. O jardim das Hespérides é lá.

— Lá onde, Hércules? — reclamou Pedrinho. — Dois dias é "tempo" não é "lugar".

O herói olhou novamente para Emília — e Emília, lampeirissimamente:

—Com dois dias de marcha batida chegaremos a um certo lugar. O jardim das Hespérides é aí e pronto! Aposto um pomo!

Diante daquela firmeza nada mais restava senão porem-se a caminho, e puseram-se a caminho, com o pobre Lúcio sobrecarregado com os presentes recebidos. Muitas rosas vira ele em Tíngis e grande vontade lhe veio de comê-las mas era um asno de palavra. Havia prometido aguentar até o fim e aguentaria.

O terreno era dos arenosos — beira de deserto. Árvore dos países temperados, nenhuma. Só palmeiras, sobretudo tamareiras. Pedrinho regalou-se de comer tâmaras no cacho e levou um sortimento no lombo de Lúcio. Meioameio dava galopadas gostosas, porque para um centauro nada melhor do que as planícies sem tropeços. Em certo ponto viram uma miragem estampada no céu.

— Que maravilha! — exclamou Pedrinho; e o Visconde explicou que a miragem reproduz como um espelho o que está embaixo.

— Então essa miragem está reproduzindo o jardim das Hespérides! — berrou Emília. — Estou vendo a árvore dos pomos de ouro, carregadinha...

E era mesmo. Logo adiante avistaram, lá bem longe, um começo de jardim.

O jardim das Hespérides, afinal...

Capítulo IV
No jardim

Um jardim encantado no meio do deserto! De longe parecia um oásis como todos os oásis. Que é um oásis? O Visconde explicou:

— A causa dos desertos é a falta d'água. Planta é um bichinho que não vive sem água. Nos pontos do mundo onde não chove, não há rios, e portanto não há água, e portanto não há vida de espécie nenhuma. A vida nasceu da água e só vive com água. Mas em certos pontos desses desertos, existem, aqui e ali, fontes de águas subterrâneas, que vêm de longe e brotam à superfície; e então as sementes que o vento traz germinam e viram capões de mato. Oásis é isso: um capão de mato no meio do deserto.

— Que mato? — perguntou Emília.

— Em geral, palmeiras e outras plantinhas desérticas, como os cactos. Nascem e crescem ali na nesga de chão que a fonte umedece. E é graças aos oásis que os beduínos podem atravessar o deserto. Organizam caravanas de camelos que varam de um oásis a outro, como os trens varam duma estação a outra, como as tropas varam de um pouso a outro.

— E por que usam esses beduínos camelos e não cavalos?

— Porque o camelo adaptou-se ao deserto. Aprendeu a encher-se de água quando a encontra e a passar dias e dias sem beber nem um pingo.

— Então são caixas d'água ambulantes...

— Isso mesmo. Levam-na consigo — e muitas vezes, nos grandes apuros, os beduínos matam os camelos para beber a água que eles guardam lá dentro.

Emília cuspiu, com cara de nojo.

— Grande porcaria...

— Quando a sede vem os homens bebem até as águas mais sujas — elas viram o néctar dos deuses... Não há maior tortura que a da sede — e assim conversando sobre sede e fome, camelos e águas limpas e sujas, a expedição foi se aproximando daquele jardim-oásis. Que lindo! Como se regalaram só de vê-lo à distância! Muitas palmeiras como nos oásis comuns, mas debaixo das palmeiras numerosas plantas das que dão flores lindas e frutas gostosas.

Hércules parou. Tinha de planejar a entrada no jardim, e todo cuidado seria pouco. Havia o dragão de cem cabeças de guarda àquilo. Em que ponto ficava o dragão? Escondido nalguma gruta, como o da ilha de Eritia? E o herói, na forma do costume, volveu os olhos para os picapaus. Eles é que sabiam pensar certo nas ocasiões difíceis.

— Então, oficial? — exclamou Hércules olhando para o seu oficial de gabinete.

Pedrinho estava muito atento, como que a procurar se havia uma entrada no jardim. Não viu nenhuma. Podiam entrar por onde quisessem. Uma solução lhe veio:

— Podemos mandar o Visconde assuntar.

Emília aprovou a ideia, mas com um aperfeiçoamento:

— E o Visconde pode ir camuflado, vestido de folhas secas, como aquele "bicho-folhagem" das histórias.

O sabuguinho suspirou. Era sempre assim. Só nos momentos perigosos se lembravam dele.

Havia ali pelo chão muitas folhas trazidas pelo vento. Pedrinho juntou uma porção para camuflar o Visconde.

— Há cera em sua canastra, Emília?

Havia um pelotinho. Que é que não havia na canastra emiliana? E lá abriu ela a canastra e tirou a bolota de cera.

E sabem que cera? A de Ícaro. Enquanto os outros ouviam as derradeiras palavras do pobre moço caído lá no mar e lançado à praia pelas ondas, Emília, sempre tão prática, ia tirando com a unha os restos da cera do coto daquelas asas derretidas pelo sol.

Com aquela cera Pedrinho fez do Visconde um perfeito bicho-folhagem, do qual nem as Hespérides nem o dragão desconfiariam — e lá foi o Visconde investigar.

Meia hora depois regressava.

— Vi tudo — disse ele. — As Hespérides moram num maravilhoso palácio no centro do jardim. Bem na frente há uma árvore carregada dumas frutas do tamanho de laranjas-limas, dum amarelo de ouro. Deve ser a que procuramos.

— Por que não trouxe um pomo? Não os havia pelo chão?

Pedrinho riu-se.

— Que ingenuidade! Pois é lá possível que pomos de ouro andem pelo chão, como as laranjas lá do nosso pomar? As Hespérides juntam todos e guardam-nos como as maiores preciosidades do mundo. E o dragão, Visconde?

— Estava lá de guarda, sim. Encontrei-o dormindo com metade das cabeças. As outras vigiavam, com os olhos muito abertos.

— São cem mesmo?

— Não contei, mas é cabeça que não acaba mais.

— E as Hespérides? — quis saber Emília.

— Vi três passeando pelo jardim. Lindas! Impossível criaturas mais lindas — e o Visconde, que era grande apreciador da beleza feminina, revirou os olhos para o céu.

Bom. Hércules ficou instruído da situação. Restava agora estudar o meio de destruir o monstro. Atacá-lo com flecha já vira ser absurdo. Que fazer? e o herói olhou para Emília. "Que fazer, Emilinha?"

A ex-boneca segurou o queixo e franziu a testa. Era assim que "espremia" a caixa das ideias, fazendo que espirrasse alguma. Depois de uns instantes seus olhos brilharam — sinal de ideia espirrada.

— O meio é narcotizar esse bicho...

Pedrinho fez cara de decepção.

— Soluções teóricas são muito fáceis. Narcotizar!... E onde o narcótico, boba? No deserto, não há farmácia nas esquinas.

Emília pensava, pensava. Hércules não tirava dela os olhos. Como fazer? Evidentemente Emília estava remoendo uma ideia qualquer, com ar de quem quer e não quer. Por fim disse, depois dum profundo suspiro:

— O jeito é um só: fabricarmos ópio...

A decepção cresceu. Pedrinho soltou um "Oh!" de desapontamento e Lúcio olhou para o centaurinho. Emília, porém, os surpreendeu com uma resposta inesperada:

— Podemos fabricar ópio com a varinha de condão. Arranjem-me um pouco d'água.

O rosto de Pedrinho iluminou-se diante da imprevista generosidade da cigana. Ia ceder uma das viradas de sua vara! Milagre puro! Só o amor poderia explicar aquilo. "Será que está apaixonada por Hércules?"

Pedrinho despejou na palma da mão do herói um pouco d'água da sua frasqueira, enquanto Emília, com muitos suspiros, abria a canastra em busca da varinha.

— Abaixe essa mão, Lelé — disse depois ao herói, que estava com a mão em concha com a água dentro. Hércules abaixou-a à alturinha da ex-boneca.

Emília deu um último suspiro, dos mais puxados, e: "Vira que vira, virade!" tocou na água com a varinha. Imediatamente a água virou num caldo grosso e preto. O Visconde veio provar.

—Sim, é ópio do legítimo!

Muito bem. Estava obtido o ópio. Como agora fazer o dragão beber aquilo? Emília perguntou ao Visconde:

— Não viu se o dragão tinha algum bebedouro perto, como o das galinhas e pintos?

O Visconde refranziu a testa, como procurando recordar-se.

— Creio que tinha... Tinha, sim, agora me lembro.

— Pois então volte lá e despeje este ópio na água do bebedouro.

Hércules continuava com a mão em concha, com aquele caldo preto dentro. De que modo dar aquilo ao Visconde?

Hércules atrapalhava-se com qualquer coisa. Teve novamente de olhar para Emília.

— Pois despeje na cartolinha dele, Lelé.

O herói sorriu. Tudo tão simples para Emília — e lá foi o caldo preto para a cartola do Visconde. Encheu-a de transbordar.

— Pronto, vá! — ordenou Emília — e o visconde-folhagem lá se foi, passo a passo, segurando com toda a atenção as abinhas da cartola, de medo de tropeçar e derramar aquilo. Voltou ao jardim e... não apareceu mais.

Depois de meia hora de espera todos ficaram nervosos. Por que não voltava o Visconde? Que lhe teria acontecido? As hipóteses eram muitas. "Quem sabe se foi descoberto e comido pelo dragão?" — dizia um. "Quem sabe se alguma Hespéride havia dado com a maçaroca a mexer-se e a levara para o palácio como uma curiosidade da natureza?"

Duas horas se passaram e nada. Por fim Pedrinho tomou uma resolução: mandar Lúcio ver o que havia.

O pobre do Asno de Ouro tremeu da cabeça aos pés. Seus pelos arrepiaram-se, mas Emília explicou que se fosse muito cautelosamente e espiasse de longe, de dentro das moitas, podia ver sem ser visto e verificar se o dragão bebera a água com ópio.

— Como posso saber disso? — murmurou o pobre asno, ainda trêmulo.

— Se o dragão estiver acordado, é que não bebeu. Se estiver dormindo é que bebeu. Tão simples...

E Lúcio não teve remédio senão ir, mas foi com um pensamento mau na cabeça: "Eles não têm dó de mim? Pois então me desligo da palavra dada — e se houver no jardim rosas, mastigo as que puder", e com esse plano lá se foi cautelosamente de rumo ao jardim. Todos ficaram à espera na maior ansiedade.

E se o dragão houvesse comido o Visconde e comesse também o pobre asno?

Capítulo V
O DRAGÃO DE CEM CABEÇAS

Mas não foi assim. Minutos depois voltava Lúcio, pé ante pé, de cabeça baixa e orelhas caidíssimas, como se andando assim ninguém o enxergasse. Não tendo encontrado rosa nenhuma, vinha dar contas da missão.

— Sim — disse ele. —Encontrei o monstro dormindo com todas as cabeças.

Os olhos de Hércules brilharam. Emília deu um pinote e Pedrinho bateu palmas. Tudo ia correndo maravilhosamente bem. Com o dragão adormecido pelo ópio, a façanha de Hércules se tornava uma brincadeira de criança. Era só chegar e com a clava ir macetando aquelas cabeças.

— E o Visconde? — perguntou Pedrinho. — Não o viu?

— Vi, sim. Vi uma das patas do dragão apoiada numa coisa ou maçaroca de folhas secas que deve ser o Visconde. Ele aproximou-se demais e...

Hércules correu a mão pela clava, alisando-a. Depois ergueu-se e disse: — Vou com Pedrinho. Os outros esperem-me aqui — e foi com o seu oficial. Entraram no jardim com a perícia com que os índios entram no mato, sem fazer o menor barulho. Foram varando, varando por entre as plantas, na maior parte desconhecidas de ambos. Súbito, uma clareira à frente. Lá estava diante deles o palácio das Hespérides! Pedrinho tremeu de entusiasmo.

— Que maravilha! — exclamou em voz baixa. — Parece coisa de sonho...

E diante do palácio viram uma árvore com frutas amarelas — evidentemente os pomos de ouro. E lá estava de guarda à árvore o dragão de cem cabeças — mas dormindo, coitado, com todo aquele cabeçame aplastado no chão. Pedrinho encheu-se de coragem e disse:

— Me dá a sua clava, Hércules. Eu mesmo esmago pelo menos metade daquelas cabeças.

O herói riu-se. Pedrinho nem pôde erguer a tremenda clava. Devia pesar umas quatro arrobas. Mas vendo ali no chão um pedaço de pau de bom tamanho, apanhou-o.

— Com isto me arranjo. O tacape dos índios lá da minha terra é um pau mais ou menos assim — e lá se foi de tacape em punho rumo ao dragão adormecido. Caminhava cautelosamente, pé ante pé, como o asno, e já de tacape erguido. E ia descarregar o primeiro golpe numa das cabeças, quando deu com o Visconde. Exatinho como Lúcio dissera: estava seguro sob uma das patas do monstro. Pedrinho entreparou, sempre de tacape levantado.

—Está vivo, Visconde? — perguntou. —

—Sim — respondeu uma vozinha espremida de sabugo esmagado por pata de dragão.

— "E aguenta até matarmos este bicho? — ainda perguntou o menino.

— Sim — respondeu de novo o "empatado".

Pedrinho sossegou e, erguendo o tacape no máximo, desceu-o com toda a força sobre a cabeça número um do dragão. Era dura. Foi o mesmo que dar uma paulada numa pedra. Pedrinho ergueu de novo o tacape e desferiu segunda pancada com mais força — e ficou ali, *bá, bá, bá*, a malhar tacapadas na cabeça número um. Hércules, ali perto, ria-se. Pedrinho já estava a suar e frouxo — e não conseguiu esmoer nem sequer uma das cem cabeças. Parou olhou para Hércules, desanimado.

— Agora é que vejo que isto de ser herói não é para todos! Não aguento mais — e jogando o tacape, sentou-se, ofegante.

Hércules então ergueu a clava e esmoeu de um golpe a cabeça número um, e depois a número dois — e assim todas, uma por uma, até a noventa e sete. Quando faltavam apenas três, o dragão acordou e arreganhou para ele três horríveis bocarras vermelhas, com mais dentes que as dos crocodilos, e com línguas de ponta de flecha. E atacou.

Hércules saltou para trás num pulo de tigre, arrastando consigo Pedrinho. Senão fosse isso, adeus neto de Dona Benta! Sentado ali a descansar, como estava, e desprevenido, foi o puxão de Hércules que o salvou.

Uma flecha partiu do arco do herói — e outra — e outra. As últimas três cabeças do monstro penderam e foram juntar-se às noventa e sete já esmagadas.

Nesse momento uma voz soou atrás deles:

— *Avé, Avé, Evoé*!

Os dois voltaram o rosto. Era Emília que, não resistindo à tentação de ver com seus olhos a matança do dragão, deixara os companheiros e viera sozinha. Lá estava ela trepada a uma árvore...

O grito de Emília ecoou no palácio das Hespérides. Aretusa, ocupada em tricotar um cinto para Juno, ouviu aqueles "Avés" e estranhou, por que além delas só havia no jardim maravilhoso o dragão. Ora o dragão era mudo como as serpentes — só silvava de vez em quando, *tsi, tsi, tsi*, como a Kaa do *Livro da Selva*. E a moça correu a ver do que se tratava.

Dando com o herói e um menino lá perto do dragão imóvel, evidentemente morto, Aretusa soltou o grito das sereias:

— Humanos!...

Suas três irmãs acudiram à janela Egle, Hestia e Eritia, cada qual mais linda.

Emília, lá do galho da árvore, percebeu e sussurrou para Hércules:

— Já viram você, Lelé. Estão de olhos arregaladíssimos olhando para cá...—e desceu.

Nada mais tinham a fazer ali. Agora, ao palácio!

— E o Visconde? — berrou Emília.

Sim, o Visconde! Entretidos com tanta coisa, Hércules e seu oficial tinham-no esquecido completamente lá sob a pata do dragão morto. A pergunta de Emília chamou-os à realidade. Pedrinho foi até lá com ela. Ergueu com esforço a pata do monstro, enquanto Emília puxava o sabuguinho. Como estava amarrotado!

Despiram-no das folhas secas e examinaram-lhe o corpo. A barriga toda amassada, a cartolinha entortada...

Hércules dirigiu-se ao palácio das Hespérides. Aretusa veio recebê-lo à porta e com espanto do herói o reconheceu.

— Hércules! — exclamou. — Não me surpreende a tua presença aqui. O oráculo de Amon já o tinha previsto.

Estava falando com a maior gentileza, sem hostilidade nenhuma no tom; isso muito alegrou Pedrinho, fazendo-o pressentir que tudo iria acabar bem. Aretusa fez o herói entrar e chamou as outras:

—Egle, Hestia, Eritia, venham ver quem está aqui...

Pedrinho tonteou. Nunca supôs que houvesse criaturas de tanta beleza — e pela primeira vez sentia não ser gente grande, para namorá-las. Hércules fez as apresentações do costume. Aretusa achou Emília muito engraçadinha, mas notou no Visconde um cheiro muito esquisito...

— Parece ópio...

— É ópio, sim! — berrou Emília muito lampeira. — Ele trouxe caldo de ópio na cartola para adormecer o dragão...

— Ah, foi assim? — exclamaram as Hespérides, aparentemente satisfeitas com a morte do dragão, e Aretusa contou a história da árvore dos pomos de ouro. Juno, ao ter notícia da árvore maravilhosa, mandara para ali o dragão de cem cabeças para guardá-la, pois não queria que ninguém no mundo possuísse nem um pomo sequer. Todos os produzidos eram guardados e enviados para ela no Olimpo.

— Para quê? — indagou Emília, com a sua carinha de ex-boneca insaciavelmente curiosa. — Para comê-los — respondeu Aretusa.

— Oh, então esses pomos são comestíveis?

— Sim, e deliciosos.

— Mas não são de ouro?

— Só na cor. Tornam-se de ouro ao toque de certas varas feiticeiras.

Pedrinho, que havia saído da sala, reapareceu com quatro pomos na mão e um ar muito desapontado:

—São laranjas! — disse, ao apresentá-las a Hércules.

Hércules mordeu uma. Era de fato laranja.

A decepção foi grande. Laranja, laranja... Por que então aquele empenho pela posse duma fruta que abundava em todos os países do Mediterrâneo? Hestia explicou que abundava agora: antes só havia ali aquele pé. As "laranjeiras" dos países do Mediterrâneo eram produtos das sementes que Juno jogara lá de cima. A laranjeira inicial, a primeira aparecida no mundo, era a daquele jardim.

— Mas como foi então que Atlas esteve aqui e levou um pomo de ouro maciço, que eu bem vi, porque esteve na minha canastra uma porção de tempo?

— Porque a pedido dele nós o tocamos com a nossa varinha mágica.

Atlas é nosso pai e esteve cá justamente no único dia em que o dragão dormiu com as cem cabeças. Colheu uma. Desapontou tal qual vocês agora — então, para contentá-lo, Aretusa virou a laranja em pomo de ouro.

Emília contou que também possuía uma vara de condão, dada por Medeia em troca daquele pomo de ouro de Atlas.

As Hespérides muito se admiraram daquilo — e Egle achou que Emília estava habilitada a tornar-se uma pequena fada.

O característico das fadas é a posse das varinhas de condão. Emília enfunou-se toda.

— A vara dela já está só com dez viradas — disse Pedrinho para abater-lhe o orgulho. —Tinha cem quando a recebeu de Medeia. Mas a boba, no maior assanhamento, passou a manhã inteira lá no acampamento a virar isto naquilo. Gastou em bobagens quase todas as viradas da varinha...

As Hespérides sorriram.

Capítulo VI
A VOLTA

A estada deles no palácio das Hespérides foi um contínuo deslumbramento. Banquetes, passeios pelo jardim maravilhoso, danças e músicas à noite. Hércules sentia-se em tamanho enlevo que nem pensava em voltar. Bem que passaria o resto da vida ali. Quem o chamou à ordem foi Pedrinho.

— Isto não deixa de ser ótimo, mas nós temos obrigações. Euristeu lá está à sua espera e vovó anda ansiosa pelo nosso retorno. Este décimo primeiro Trabalho chegou praticamente ao fim. Temos de voltar...

Nesse momento, Egle, que havia chegado à janela, abriu-se numa exclamação:

— Venham ver! Venham ver!... Um centaurinho e um asno...

Hércules explicou a presença ali de mais aqueles dois estranhos personagens. Depois declarou que com grande pesar de coração tinham de partir. Aretusa veio com uma cesta de laranjas — os famosíssimos pomos de ouro. Pedrinho descascou uma em cuia e provou: laranja-lima da boa! Deu uma metade a Hércules e chupou a outra.

As despedidas foram comoventes. Emília ganhou uma porção de coisas lindas e Pedrinho lá se foi com a cesta de pomos.

A volta correu acidentada. Aqueles desertos da Líbia sempre foram assolados por animais ferozes, que viviam atacando as aldeias dos beduínos — leões, chacais, hienas. Hércules liquidou com todos. Depois tomaram uma nau para atravessia do Mediterrâneo e aportaram na Ilha de Rodes para descanso. Lá aconteceu um caso esquisito. Hércules, depois de sarar do enjoo, saíra a passeio com Pedrinho, um passeio a pé pelos arredores do porto. Súbito, aparece à frente deles um carro de bois. O herói estava com fome. Desencangou a junta de bois, comeu um e sacrificou o outro a Palas, sua divina protetora. O carreiro fugiu e do alto dum morro deu de berrar contra o herói as maiores injúrias mas tudo ficou por isso. Quando Hércules tinha um boi inteiro no estômago, agia como as sucuris — não ligava a mínima importância a provocações. E dessa aventura nasceu um costume curioso: quando mais tarde os habitantes de Rodes instituíram sacrifícios em honra de Hércules, costumavam como parte das cerimônias injuriá-lo, como o fizera o carreiro...

Prosseguindo na viagem, foi o navio impelido por um grande temporal para muito longe da sua rota — de modo que quando deram acordo estavam mais próximos do Cáucaso do que de Micenas.

Tudo arte de Hera. Furiosa com o novo triunfo do herói no caso das Hespérides, a vingativa deusa encomendara a Netuno aquele temporal, o mais violento que ainda se viu. A nau que os transportava naufragou nuns arrecifes do Mar Negro, mas Hércules e os picapauzinhos foram salvos por um cardume de delfins — uns delfins a serviço de Palas.

Foi o que sugeriu o sabuguinho.

— Mas como, Visconde, pode Palas ter a seu serviço delfins de Netuno? — objetou Emília. — Não é Netuno quem comanda todos os seres do mar?

— É, mas não existe governo sem oposição. Sempre que um ser marinho se descontenta com a política do governo — que é Netuno — passa para a oposição — que é Palas.

Os únicos desastres do naufrágio foram a molhadela do corpo do Visconde e a entrada de água dentro da canastrinha da Emília. Teve ela de abri-la e estender ao sol todos os objetos, depois de bem lavados em água doce.

Pedrinho também lavou o Visconde, que ficara com o corpo salgadíssimo — e dessa lavagem resultou maior encharcamento ainda. Sabugo de milho bebe água como esponja.

— Vai repetir-se aquilo que houve no começo da vida do Visconde — observou Emília.— Vai esverdear de bolor...

Pedrinho não viu nisso mal nenhum, porque sua intenção, logo que voltasse ao sítio, era entregá-lo a Tia Nastácia para uma reforma do corpo. Ela aproveitaria as perninhas, os braços e a cartola num belo sabugo novo — e eles enterrariam o sabugo velho num canteiro da horta. Era assim que a Medeia-Náscia reformava o Visconde, sem necessidade de fervura nenhuma.

Depois de restabelecer-se de mais aquela viagem por mar, Hércules rumou na direção do Cáucaso, que é a famosa montanha plantada entre a Europa e a Ásia. Por quê? Por que em vez de seguir para Micenas se pôs Hércules a caminho do Cáucaso?

Por causa de Prometeu. Já de muito tempo andava com ideia de uma visita a esse titã de fígado devorado pelo abutre de Zeus, e que ocasião melhor que aquela em que um temporal o lançava quase aos pés do Cáucaso?

Quando Hércules lhes comunicou a grande ideia, Pedrinho e Emília abraçaram-no comovidos. Ambos sabiam a história de Prometeu, contada por Dona Benta.

— Prometeu era um dos titãs que se rebelaram contra Zeus, e depois de vencido recebeu uma tortura horrenda: ficar eternamente amarrado ao Elbruz, o pico mais alto do Cáucaso.

— Quantos metros? — exigiu Emília.

— Tem 5.657 metros, cantou o sabuguinho — e continuou, de gozar a admiração de Hércules:— Pois é. Zeus condenou-o a ficar amarrado naquele pico eternamente, e a ser eternamente bicado por um abutre...

— Sei — disse Pedrinho. — Bicado no fígado. O abutre come o fígado de Prometeu diariamente, e diariamente o fígado renasce... Os deuses sempre foram vingativos. Daí vem aquele dito: "A vingança é o manjar dos deuses" — e ninguém jamais verificou isso melhor do que esse titã. O suplício de Prometeu é de arrepiar os cabelos.

— Mas que é que ele prometeu? — perguntou Emília.

— Prometeu não prometeu coisa nenhuma; fez coisa mais importante: deu ao homem o elemento inicial do progresso, que é o fogo.

— E onde foi ele achar fogo?

— No céu. Naquele tempo os homens cá na terra viviam na maior barbárie, exatamente como os bichos. Moravam em cavernas, comiam carne crua — uns perfeitos peludos. E isso porque não dispunham do fogo. Sem o fogo não há metais e sem metais não há civilização. O bicho-homem estava impedido de civilizar-se por falta de fogo.

— E então aparece Prometeu e promete dar fogo ao homem— xeretou Emília.

— Espere. As coisas estavam nesse ponto quando veio ao mundo o titã Prometeu, irmão de Atlas. Mostrou desde logo ser um verdadeiro gênio criador. Foi ele quem deu ao homem isso a que chamamos "civilização". Foi ele quem sugeriu a construção de naus no tempo do Dilúvio, com as quais a raça humana se salvou do afogamento geral. Foi ele quem ensinou ao homem as primeiras artes. Em suma, tanta coisa fez em benefício da humanidade que Zeus se indignou e por fim o puniu da maneira mais cruel.

— Mas então Zeus é um malvado! — berrou Emília num súbito acesso de indignação...

— Emília, Emília!... — advertiu Pedrinho. — Lembre-se de que está na Grécia com todos os deuses vivinhos lá em cima, talvez nos escutando...

Mas a ex-boneca estava revoltada demais e nessas ocasiões esquecia-se de tudo. E continuou:

— Malvado, sim. Peste!... Sustento o que digo até nas fuças dele, e ele que me venha amarrar num Cáucaso para ver o que acontece!... O titã só estava fazendo o bem, ensinando as artes. Como poderiam os homens viver na terra sem as artes — a arte de fazer panelas de barro, a arte de cozinhar, a arte de construir casas? E como poderiam arranjar-se sem o fogo? E o tal Zeus duma figa amarra o coitado no Cáucaso para que um estupor de abutre lhe fosse eternamente devorando o fígado? Malvado, sim. Casca de ferida...

Todos estavam assustadíssimos, com os olhos no céu à espera dos terríveis raios do deus supremo. Pedrinho correu para ela e tapou-lhe com a mão a boca. Mas Hércules sorria da maneira mais estranha, como que subitamente iluminado. É que ele sempre achara uma grande injustiça divina aquele suplício infligido ao titã, mas nunca tivera a coragem de o dizer, nem sequer a si mesmo.

Ninguém na Grécia punha em dúvida os decretos de Zeus. Ninguém duvidava de Zeus nem da sua alta sabedoria. A adulação era geral. Todo mundo lhe fazia sacrifícios nos templos e altares caseiros. Pois era num ambiente assim, de perpétuo terror pânico e medo à vingança de tão vingativos deuses, que Emília de Rabicó, aquela figurinha lá do sítio de Dona Benta, ex-boneca de pano feita por Tia Nastácia, arrostava o deus dos deuses, dava-lhe de "malvado", de "peste" e até de "casca de ferida" pelas ventas! E por fim lançou um grito de revolta:

— Pois vamos libertar Prometeu! Vamos matar aquele estupor de abutre e desacorrentar o pai do fogo e de todas as artes!...

Tão tremendas palavras soaram dentro de Hércules como a voz da sua própria consciência, acordada depois de longo período de mudez. Sim. Era aquele o seu pensamento secreto e nunca sussurrado nem para si mesmo. O sonho inconsciente de Hércules sempre fora libertar Prometeu. Esse sonho inconsciente acabava de fazer-se consciente graças à revolta e ao grito de guerra de Emília. E aconteceu então um fato assombroso: Hércules, o tremendo e invencível Hércules, o homem mais forte que o mundo jamais produziu, chorou... Chorou de pura emoção. E agarrando Emília e beijando-a na testa disse: Você é a própria voz da minha consciência, criaturinha...

Capítulo VII
PROMETEU

— A raiva de Zeus contra o titã vem de várias coisas — disse o Visconde. — Houve primeiramente a história do touro.

— Que touro?

— Prometeu havia sacrificado a Zeus um touro, mas Zeus estranhou o cheiro da fumaça. Espia e descobre tudo: o touro não era touro de verdade, sim uma armação de vime e palha... A partir desse dia Prometeu ficou marcado. Em seguida veio a história de ensinar as artes aos homens. E se depois de grandemente se aperfeiçoarem nas artes os homens virassem deuses? Zeus não gostou da brincadeira. E por fim veio o grande crime:

Prometeu roubou o fogo do céu para dá-lo ao homem. Ah, aí Zeus explodiu e inventou a incrível tortura do abutre a comer um fígado vivo e renascente.

— E quando foi isso?

— Há milhares e milhares de anos...

— Quer dizer então que o pobre Prometeu está lá há milhares de anos e não há ninguém que se anime a libertá-lo? — berrou Emília, vermelha de cólera. É preciso então que eu, uma coitadinha lá da roça, me lembre disso? Porcaria...

— Que é que é porcaria, Emília? — perguntou Pedrinho.

— A humanidade, bobão, pois não vê? Os homens que andam a regalar-se com os benefícios das artes ensinadas pelo titã, com os assados de carneiro e boi feitos no fogo que ele lhes deu, sem que ninguém se lembre de ir tirá-lo de lá — de matar aquele estupor de abutre e jogar aquelas correntes no nariz de Zeus.

Pedrinho agarrou-a de novo e tapou-lhe a boca. Ficou assim uns instantes, com os olhos no céu, à espera dos raios do Olimpo. Mas não aconteceu coisa nenhuma. Em vez de raios, quem surgiu foi Minervino.

— Viva!... pensamos que já se havia esquecido de nós. Há tanto tempo não aparece...

— Apareci hoje para defendê-los de vários perigos próximos.

— Desceu diretamente do Olimpo?

— Sim...

— Não notou se Zeus está assim com cara de quem comeu e não gostou?

— Zeus deve estar sonhando com Europa, Leda ou qualquer das suas antigas namoradas, porque ainda não acordou esta manhã. Certos sonhos fazem-no despertar muito tarde.

Pedrinho respirou. Zeus não tinha ouvido o desabafo da Marquesa de Rabicó...

Minervino contou mil coisas. Palas estava radiante com o desfecho da aventura das Hespérides e queria agora guiá-los naquelas montanhas.

— Ela já sabe que Lelé vai libertar Prometeu? — perguntou Emília.

— Já.

— Como, se essa ideia nasceu agorinha mesmo na cabeça dele?

— Os deuses adivinham o pensamento dos mortais. Palas leu na cabeça de Hércules esse pensamento e mandou-me acompanhá-lo.

Emília contou que havia visto Palas no momento em que ela desceu para impedir a luta entre Hércules e Marte.

— Sim, Palas desceu — confirmou Minervino. — Eu acompanhei-a.

— E Marte? Como vai do ferimento no pulso? — perguntou Pedrinho. — Que coisa esquisita um herói derrotar um deus, e logo que deus, o da guerra...

— Não há o que um homem não faça quando tem Palas do seu lado. Minha deusa é a grande deusa. Quem goza de sua proteção nada tem a recear, nem mesmo de Zeus. Palas faz dele o que quer.

Foram caminhando rumo ao Cáucaso. Os primeiros contrafortes já estavam perto. Começou a subida. Enquanto a marcha fora no plano, Lúcio não protestou muito. Limitava-se a uns suspirinhos de longe em longe. Mas na voz de "subida de morro", estrilou.

— Não aguento mais! — disse. — Gentinha, Visconde de sabugo, canastra cheia de laranjas e não sei quantos presentes, tudo em cima do meu lombo e serra acima, ah, não!... Tenham paciência. Lembrem-se de que não sou burro de nascença, dos que suportam cargas de oito arrobas. Sou gente com forma de burro. Minha força é de gente, não de burro e tanto chorou que Emília dividiu o carregamento com Minervino, o qual se ofereceu para levar uma parte enquanto estivessem em zona montanhosa.

Já estavam em pleno Cáucaso. O pico de Elbruz aparecia ao longe. Era lá que gemia preso a grossas correntes o maior benfeitor dos homens. Emília vibrava de cólera a essa ideia. Seus olhinhos telescópicos não se despregavam do pico semienvolto em nuvens. Súbito, depois de mais umas horas de caminhada, Emília deu um berro.

— Estou vendo! Estou vendo um homem nu de mãos atadas às costas. Está meio sentado numa pedra, com a cabeça reclinada para trás, como que também apoiada na pedra. Meu Deus! Que cara de dor ele tem!... A gente percebe que é dor de fígado comido. Mas não vejo abutre nenhum... Esperem... Vem vindo um enorme. Chegou. Vem "recomer" o mesmo fígado que comeu ontem e renasceu de noite...

Todos olhavam para o rochedo e não viam nada. Emília era mesmo telescópica. Mas não houve fantasia nenhuma naquela sua visão antes dos outros, porque quando se aproximaram um pouco mais, todos distinguiram a cena por ela descrita. Lá estava o titã preso ao rochedo, com o abutre a lhe bicar o fígado. E até os gemidos do grande mártir todos chegaram a perceber dali.

— Há milhares de anos que ele geme de dor — disse o Visconde. — Há milhares de anos que o abutre lhe rói o fígado e só agora aparece quem se proponha a libertá-lo. Não há dúvida que a ingratidão é própria do homem...

O Viscondinho não era só ciência; às vezes também filosofava.

Para libertar Prometeu, Hércules tinha primeiramente de destruir o abutre. Que abutre era aquele? Ah, um abutre de Zeus, eterno também, pois que teria de ficar eternamente a devorar o fígado eternamente renovado de Prometeu. Ora, sendo assim, como poderia o herói matar o que era eterno? Esta observação acudiu a Pedrinho.

O mensageiro de Palas respondeu:

— Minha deusa já ponderou sobre isso. Hércules tem que atacá-lo nos olhos. Não o matará, já que é um abutre eterno, mas o cegará para sempre. E, cego que esteja, não poderá impedir a libertação do titã.

Emília não gostou da ideia de Palas.

— Fica cego e que tem isso? Fica cego e não sai dali de junto de Prometeu, continuando a comer-lhe o fígado da mesma maneira e bicando quem aproximar-se. Os cegos comem tanto como os não cegos, embora não vejam a comida.

— E os cegos acabam ficando com os outros sentidos de tal modo agudos que por fim dispensam os olhos — acrescentou o Visconde. — Acho que Emília tem razão. Cegar o abutre não adianta nada.

Minervino atrapalhou-se e começou a dizer: "Mas Palas..." Emília interrompeu-o:

— Sim, Palas, a boa Palas, a grande Palas cochilou. Não há quem não cochile. Dona Benta diz que até Homero cochilava. Não quero que Lelé se limite a cegar o abutre. Temos de fazê-lo cair num laço — e enquanto estiver preso, vamos lá e libertamos o titã.

Hércules achou excelente a ideia de sua "dadeira" e encarregou Pedrinho de pegar o abutre. O menino pulou de contente. Isso de laços e armadilhas era com ele. Sabia pegar toda sorte de passarinhos, com peneira, com arapuca, com laçada de crina de cavalo, com visgo e até com anzol. Certa vez, quando tinha sete anos, pegou um urubu no quintal com anzol — e muito boas palmadas levou de sua mãe Tonica por causa da judiação. Ora, a diferença entre os passarinhos lá no sítio e aquele enorme abutre era só de tamanho. Logo, bastava que ele fizesse uma armadilha proporcional.

Pedrinho pensou, pensou, e por fim resolveu seguir pelo caminho mais simples e rápido: o do anzol. Mas onde anzol?

— Você não terá por acaso um anzol na sua canastrinha, Emília? — perguntou ele por perguntar — e a resposta assombrou o herói, que estava acompanhando tudo:

— Tenho!... — respondeu ela.

E tinha! Entre as muitas miudezas da sua "canastra de badulaques" havia um anzol grande que Emília "achara" no quarto de Pedrinho. O menino reconheceu-o imediatamente.

— Este é o meu anzol de pegar piabanha! Você, Emília... — mas perdoou-lhe o roubinho porque havia resultado em bem. Encastoou o anzol num cordel bem forte e...

— E isca? Que isca ponho aqui?

Hércules opinou que um fígado de carneiro seria ótimo, mas a "dadeira" não concordou.

— Se esse abutre anda há milhares de anos comendo fígado, juro que está "por aqui" de fígado e quer o que for, contanto que não seja fígado.

Capítulo VIII
O ABUTRE

Hércules arregalou os olhos. Como era claro aquilo! Como era inteligente tudo quanto a "dadeira" dizia!

Pedrinho iscou o anzol com um rim de carneiro.

E agora? Quem ia largar o anzol isca do lá perto do abutre?

Quem mais, se não o Visconde? Pedrinho chamou-o e deu-lhe instruções:

— Você vai galgando o pico e lá em cima arrasta-se por trás do abutre e larga a isca num lugar bem visível. Nós ficamos aqui segurando a ponta do cordel.

O Visconde suspirou que nem Lúcio, mas foi. Galgou o pico e lá em cima arrastou-se por trás do abutre. Mas em vez de largar a isca, teve a bela ideia de jogá-la bem diante do bico da ave. A isca nem chegou a cair no chão. O abutre, enjoadíssimo de fígado e sequioso por variedade, sentiu o cheiro do rim e pegou-o no ar.

— Fisgado! — berrou o Visconde. — Puxem!...

Pedrinho puxou o cordel; mas com o arranco que ao sentir-se preso o abutre deu, o arrastado foi Pedrinho e não ele.

E se num movimento rapidíssimo Hércules não levasse a mão ao cordel, lá iria Pedrinho pelos ares, levado pelo abutre em voo. Imagine-se (o que é imprudência de criança) que ele havia atado a pontado cordel em torno da cintura!...

Depois que o herói segurou o cordel a situação mudou completamente. O abutre, que já ia entrando em "voo planado", capotou com o arranco, focinhou, lá veio como um paraquedista cujo paraquedas se engasga. Hércules ia encurtando o cordel, como quem recolhe um peixe do espaço.

Ao tê-lo ao alcance da mão, agarrou-o pelos pés e subjugou-o. Bem que a monstruosa ave se debateu! Mas se nem monstros como o leão da Nemeia podiam com o herói, que esperava aquele abutre?

Emília insultou-o:

— Bem se vê que é ave de zero cérebro! Que adianta debater-se assim? Sossegue, estupor, antes que Lelé perca a paciência e esmoa essa cabeça, como fez com as cem do dragão lá do jardim.

Parece que a ameaça valeu, porque o abutre sossegou. Hércules amarrou-o pelos pés a um tronco de árvore e disse:

—Pronto! Podemos ir desencadear Prometeu.

Emília pôs as mãozinhas na cintura.

— Que cabeça, meu Deus! Pois você tem coragem, Lelé, de deixar este abutre, de bico mais cortante que alicate, preso só pelos pés? Assim que virarmos as costas, ele aplica a bicanca no amarrilho, come a corda e vai voando para o rochedo e chega muito antes de nós...

Hércules abriu a boca. "É mesmo! ..." — exclamou com cara de bobo e ficou olhando para Emília à espera de solução. Emília nem segurou o queixo para pensar. Tão simples aquilo...

— Pois é só cortar-lhe a ponta duma das asas, como faz Tia Nastácia com as galinhas muito voadeiras...

E foi o que fizeram. Hércules cortou a ponta duma das asas do abutre com a faca da Emília, isto é, com o moleque de Micenas virado em faca — e pronto.

Estava o abutre inutilizado. Para o verificar, soltou-o. O pobre abutre de Zeus — o "estupor" — como dizia Emília, tentou voar, desequilibrou-se, pererecou e por fim rodou pelas perambeiras abaixo, a debater-se.

Bom. Estavam livres do abutre. Restava agora subir ao pico e desacorrentar o herói, o que Hércules fez num instante. Fortíssimas aquelas correntes, mas de que valia força de corrente para Hércules? Ele agarrou-as e despedaçou-as como se fossem de vidro.

Ah, ninguém descreve o suspiro de alívio do titã ao ver-se libertado! Seu primeiro movimento foi cair nos braços de Hércules em lágrimas — em lágrimas os dois. E Pedrinho, Emília e o Visconde também choraram de emoção.

— Livre, livre afinal! — exclamou Prometeu. — Livre, depois de séculos e séculos de martírio pelo crime de haver dado o fogo aos homens...

HÉRCULES E CÉRBERO

Capítulo I
HÉRCULES E CÉRBERO

Hércules já realizara onze grandes Trabalhos, saindo plenamente vitorioso. Estava agora incumbido do último e o mais difícil. Tinha de descer ao sombrio reino de Hades, e trazer de lá o famoso Cérbero.

— Que é esse reino? — quis saber Pedrinho; e o mensageiro de Palas explicou:

— É o reino subterrâneo para onde vão as sombras dos mortos. À entrada está Cérbero, o horrível mastim de três cabeças e cauda de dragão — três cabeças diferentes. A missão de Cérbero é impedir que os heróis penetrem nos domínios de Hades. Só isso. Porque os heróis se atrevem às maiores loucuras até a se baterem com os deuses, como no caso de Héracles e Ares. Os deuses, pois, têm que tomar precauções.

Emília quis saber pormenores do deus Hades. Minervino contou.

— É irmão de Zeus e Posseidon, de Hera e Deméter. Filho do velhíssimo deus Cronos, que é o Tempo. Na repartição do mundo coube-lhe o reino dos infernos subterrâneos, de onde só saiu uma vez para raptar Perséfone, filha de Deméter, com a qual se casou.

— Está aí uma coisa que não compreendo — disse Pedrinho. — Como é que a filha duma deusa do Olimpo se conforma em deixar a beleza do céu para ir morar na feiúra do inferno? Maior mau gosto nunca vi...

— É que ela não foi morar lá por gosto. Hades raptou-a — e foi o rapto mais célebre do mundo.

— Conte, conte...

— Aquilo não passou de uma conspiração. Condoído da sorte de seu irmão Hades, Zeus consentiu nesse rapto. Que linda era Perséfone! Estava um dia brincando na praia com as filhas do Oceano e a colher flores num prado vizinho: rosas, belas violetas, gladíolos. Súbito, deu com um jacinto maravilhoso de brilho e aroma. Não parecia um jacinto comum...

— E aposto que não era — adivinhou Emília.

— Sim, não era. Aquilo fazia parte da conspiração. A maravilhosa flor brotara justamente para atrair Perséfone ao ponto onde ia abrir-se o solo e da fenda irromper Hades em seu carro de corcéis infernais. Agarrada pela cintura, a pobre Perséfone foi levada aos gritos para dentro da terra...

— E Deméter, sua mãe, não fez coisa nenhuma lá no Olimpo?

— Sim. Fez um barulho medonho, até que afinal conseguiu um entendimento: Perséfone passaria metade do ano com ela no Olimpo e outra metade no inferno com Hades.

Pedrinho tentou imaginar como seria o palácio de Hades. Não conseguindo formar ideia, consultou Minervino.

— Ah, um palácio severíssimo, de colunas de prata, rodeado de altas rochas. À sua frente espraia-se a Lagoa Estígia, de águas paradas. Como lá não existem ventos, nunca as agitam a menor ondulação. Nela despejam vários rios que descem como torrentes da superfície da terra. Para chegar ao palácio é preciso atravessar a lagoa. Só existe uma barca, a do velho Caronte. Mediante o pagamento de um óbulo, o sinistro barqueiro transporta a sombra dos mortos.

— Eu sei! — berrou Emília. — Daí vem o costume grego de enterrar os mortos com uma moedinha no peito. É para pagamento a Caronte. Já vimos isso em nossa primeira viagem a esta Grécia.

— Sim. Todos têm que pagar o seu transporte. No reino de Hades há várias zonas. Para as mais sombrias, lá nos abismos do Tártaro, vão as sombras dos inimigos dos deuses. As sombras dos amigos dos deuses ficam nas zonas mais agradáveis, onde em vez de trevas há penumbras. São os Campos Elísios.

— E como é a corte desse deus Hades?

— Na entrada fica o temível Cérbero de três cabeças, filho do titã Tifon e da ninfa Equidana — "ninfa imortal e perpetuamente livre do envelhecimento". Cérbero deixa entrar as sombras, mas não permite que nenhuma saia. Depois há os três juízes que julgam os mortos e os mandam para esta ou aquela zona: Radamanto, Minos e Éaco...

Um arrepio perpassou pelo corpinho de Emília — *brr...* Viu-se lá, diante dos três severíssimos juízes, interpelada a respeito dos insultos que andou lançando contra Zeus e Hera... Minervino continuou:

— Depois de Hades e sua esposa Perséfone, vêm as divindades infernais menores. Em primeiro lugar as Queres ou as Moiras, que são gênios da morte e da vingança; perseguem todos os culpados, sejam homens ou deuses, e não descansam antes de castigá-los. As Queres são negras de dentes alvíssimos e olhos ferozes, sanguinárias e implacáveis. Atiram-se sobre os que caem nas lutas, arrancam-lhes a alma, e lá se vão com elas para o reino de Hades.

— Então andam pela terra?

— Sim, mas invisíveis para os vivos. São as matadoras dos homens. Andam pela terra matando gente para lhes arrancar a alma.

— Bom, então isso é o que lá no mundo moderno nós chamamos Morte — observou Pedrinho. Aqui são verdadeiras cachorras de caça — caçadoras de almas...

— E que mais há lá? — quis saber Emília.

— Há as Harpias — continuou Minervino. São aves com cabeça de mulher, asas e garras. Também andam pelo mundo caçando gente para abastecer de sombras o reino de Hades. E há as Erínias, ou Eumênides, que do mesmo modo que as Harpias, são demônios de asas com cabelos de serpentes. Também caçam almas. Voam às vezes com um archote em punho, outras vezes com um látego. A voz delas é como a dos touros enrouquecidos. Por onde passam, as plantas morrem, vítimas do seu hálito pestilento. As Erínias caçam as almas dos culpados e sobretudo as dos maus filhos.

E Minervino ainda contou muita coisa do reino de Hades, deixando-os arrepiados e com muito pouco desejo de acompanhar Hércules em sua aventura.

O grande herói estava imerso em profunda meditação. Aquele Trabalho nada tinha de semelhante aos anteriores. Obrigava-o a preparar-se. Cumpria-lhe, antes de mais nada, iniciar-se nos "mistérios de Elêusis", a fim de conquistar a boa vontade de Deméter, mãe da rainha dos infernos.

— Temos que ir a Elêusis — disse ele — e para lá partiu o bandinho, do mesmo modo que havia partido para tantos outros lugares. Hércules à frente, abrindo a marcha. Depois, Pedrinho montado em Meioameio. Depois, o pobre Lúcio com o picuá e Emília montada de banda, como as amazonas de saia comprida.

Os presentes ganhos das Hespérides e mais coisas tinham ficado no acampamento, debaixo da grande pedra.

Chegados a Elêusis surgiu uma complicação. Nos famosos mistérios de Deméter não podiam iniciar-se os de fora — e Hércules era ali um estrangeiro. O meio foi fazer-se adotar por Filio, um seu amigo residente lá. Depois outra complicação: Hércules estava manchado pelo crime da matança dos centauros. Teve de submeter-se a uma purificação. Só depois disso pôde iniciar-se nos mistérios de Elêusis e conquistar as boas graças de Deméter.

E agora? Por que porta penetrar no reino de Hades? Havia diversas. Uma, o Rio Aqueronte, que em vez de despejar-se no mar despejava-se num pantanoso lago de exalações pestilentas, perto da cidade de Efira. Era esse lago uma das bocas do inferno. Outra boca era uma fenda no Cabo Tenaro, na Lacônia. Hércules escolheu esta última.

Bom. O herói ia penetrar no Hades, mas seus companheiros? Seria absurdo levá-los também. Hércules deu as suas razões e ordenou que ficassem por ali à espera. Pedrinho respirou. Se havia uma coisa no mundo que não desejasse fazer era aquilo: penetrar no inferno. Mas com grande surpresa de todos Emília disse:

— Pois eu vou. Não posso abandonar Lelé justamente na sua aventura mais perigosa. Quem sabe se não vai precisar de mim por lá?

O herói comoveu-se com tamanha dedicação; seus olhos umedeceram-se, e mais ainda quando o sabuguinho declarou:

—E eu também. Dona Benta me recomendou que não largasse da Emília.

Hércules ainda tentou demover os dois pequenitotes de um passo tão perigoso. Não conseguiu. Quando Emília encasquetava uma ideia, não era à toa: não havia no mundo o que a demovesse.

E Hércules, Emília e o Visconde desceram pela fenda que dava nos campos fronteiros à Lagoa Estígia.

Capítulo II
NO INFERNO

A primeira coisa que Emília e o Visconde viram ao pisarem naquele plaino foi uma grande quantidade de sombras de mortos. Sombra não tem medo de sombra, mas foge de quem não o é e todas fugiram ao darem com o herói e mais as duas criaturinhas vivas. Fugiram, desapareceram ao longe. Só duas ficaram: a sombra de Meleagro e da Medusa degolada por Perseu. Meleagro era amigo, pois fora um dos companheiros de Hércules na expedição dos argonautas, mas a Medusa era a Medusa e Hércules armou o dardo para combatê-la. Uma voz o advertiu:

— Não vês que é uma sombra, Héracles?

Voz de Minervino! Sem que eles vissem o mensageiro de Palas também descera ao Hades. Hércules baixou a arma, desapontado. Depois seguiu rumo à barca de Caronte. Tinham de atravessar a Lagoa Estígia. Surgiu uma complicação. O velho Caronte só transportava sombras, não vivos. Recusou-se a recebê-los em sua barca.

— Mas nós trazemos os óbulos — xereteou Emília.

Caronte baixou os olhos para aquele pelotinho de gente e até se assustou: e mais ainda quando deu com o sabuguinho de cartola. De cartola e falante, pois o Visconde também meteu o bedelho.

— Sou o escudeiro deste grande herói e aconselho ao velho Caronte a não nos atrapalhar. Meu amo já se desempenhou das mais temerosas incumbências do rei Euristeu, e não será um velho barqueiro quem lhe irá barrar o passo.

O espanto de Caronte não tinha limites. Hércules, que estava disposto a agir com prudência, olhou para Emília.

—Que fazer, dadeira?

Emília aplicou o faz-de-conta.

— Faz de conta que somos sombras -- mal disse isso e já o rosto de Caronte demudou. Enfitou-os de novo com maior atenção e por fim disse:

— Perdoem-me. Pareceu-me a princípio que eram seres vivos, agora vejo que são sombras — e estendeu a mão para receber os óbolos. Hércules não se lembrara desse detalhe. Não havia trazido óbolo nenhum. Nem Emília, nem o Visconde. Quem salvou a situação foi Minervino. Tirou do bolso quatro óbolos e apresentou-os ao velho. Emília interveio:

— Esperem! São três óbolos só. O Visconde não paga, porque não é gente.

Caronte não compreendeu — mas Emília explicou tão bem a "sabuguice" do Visconde que o velho se deu por convencido. "Vá lá, três óbolos" e recebeu-os da mão do mensageiro de Palas. Emília enfiou no bolso o quarto — para o seu museuzinho!...

A barca de Caronte atravessou a lagoa. Todos saltaram do outro lado. Começava ali a mansão de Hades. Atrás do palácio é que ficava a porta do inferno, com o cão de três cabeças de guarda. Era um pátio imenso, cheio de sombras com vários vivos que de um modo ou de outro tinham atravessado a lagoa e lá estavam prisioneiros.

— Olhe quem está cá!... — berrou Emília apontando.

Hércules olhou. Era Teseu...

Mas encadeado, como o titã no Cáucaso. Hércules dirigiu-se ao grande herói e perguntou como viera parar ali. Teseu contou a sua estranha aventura. Ele e Pirilo, seu companheiro tinham imaginado a mais tremenda de todas as aventuras: desceram ao Hades para raptar Helena e também Perséfone, a esposa de Hades.

Emília estremeceu ao ouvir tal confissão. Que loucura! Vá que Pirilo pensasse em raptar Helena; mas o atrevimento de Teseu com sua ideia de raptar a própria esposa do deus dos infernos era dessas coisas para as quais a ex-boneca só tinha em seu vocabulário uma palavra: "batata!".

— Pois cá viemos — disse Teseu. — Enganamos Caronte, atravessamos a Estígia. Chegamos a entrar no palácio de Hades, o qual nos recebeu muito bem mas só na aparência. Mandou-me sentar em certo assento. Sem desconfiar de coisa nenhuma, sentei-me — e imediatamente senti minhas carnes aderidas àquele assento, de baixo do qual saíram serpentes que se enlearam em meu corpo. Mesmo assim consegui escapar. Fui, porém, agarrado e encadeado aqui a esta pedra...

Hércules não respeitava cadeias de bronze. Fez com as que prendiam o herói da Ática o mesmo que com as do titã lá no Cáucaso: despedaçou-as com um empuxão violento. Estava livre o grande Teseu.

— Obrigado, Héracles. Vamos agora libertar o meu companheiro.

Mas na voz de libertar Pirilo, tudo mudou. A terra foi sacudida de um violento terremoto. Era sinal de que os altíssimos deuses se opunham à libertação do audacioso maluco que planejara o rapto de Perséfone.

— Não convém insistir — cochichou Minervino ao ouvido do herói. — O crime de Pirilo é grande: é dos que os deuses supremos jamais perdoam; — e Hércules desistiu da ideia. Lá deixou Pirilo entregue à sua infeliz sorte.

Hércules, coitado, tinha um grande coração. Os horrores que por ali viu confrangeram-no. Entre outras coisas, sombras de defuntos que estavam esperando a vez de transpor as portas e se estorciam nos horrores da sede. Tanta água ali perto e sombras morrendo de sede...

— Por que não bebem a água da lagoa? — indagou Emília — e Minervino respondeu que eram ainda mais salgadas que as do mar.

Hércules, compadecido, teve uma lembrança feliz. Degolou um dos bois do rebanho de Hades que pastava por ali e deu o sangue às sombras sequiosas.

Aquele rebanho, porém; era guardado pelo pastor Menetes, o qual acudiu em defesa do boi capturado, com palavras de desafio ao herói. Hércules agarrou-o pela cintura e amassou-o, quebrando-lhe várias costelas. Nesse momento, um grito. Era Perséfone. Tinha presenciado a cena e correra a salvar o pastor. Pediu a Hércules que o largasse. Hércules atendeu.

— Deusa— disse ele—, não vim para brigar, senão para conferenciar com o vosso divino esposo.

— Acompanhe-me — respondeu Perséfone, e introduziu-o à presença do rei. Minervino, Emília e o Visconde seguiram atrás, como três sarnas.

Hades estava no trono. Um deus sombrio, soturno, cujo nome os gregos não gostavam de pronunciar. Todas as coisas a ele associadas eram terríveis e tétricas. Nada em seu reino que lembrasse as amenidades do Olimpo. Emília esfriou ao vê-lo. Teve medo. Foi uma das raras vezes em que realmente teve medo.

Hércules adiantou-se e disse:

— Divindade, aqui estou por ordem de Euristeu para levar vivo a Micenas o cão Cérbero.

Hades sorriu — e que sorriso impressionante! Era o sorriso dum deus que conhece a sua quase onipotência. Perséfone, ao seu lado, majestosamente bela, tinha os olhos na figura titânica do famoso herói. Conhecia toda a sua história e em seus músculos sentia a força de Zeus, cujo sangue corria nas veias de Hércules.

Depois daquele apavorante sorriso de Hades e duma pausa de alguns segundos — a mais sinistra pausa que se possa imaginar — o deus dos infernos disse:

— Cumpri a ordem do vosso rei. Levai Cérbero, mas não consinto que o ataqueis com arma nenhuma.

Hades tinha a mais absoluta certeza de que corpo a corpo, sem uso de arma nenhuma, Hércules, ou qualquer outro herói, jamais conseguiria apoderar-se do guardador da porta do inferno. E se lhe deu licença para levar Cérbero, foi na convicção de que o herói acabaria nos dentes do monstro. O seu sorriso era o antegozo do fim trágico duma criatura considerada invencível.

— Ide.

Foi assim que deu por encerrada a audiência. Hércules fez uma saudação para retirar-se. Perséfone o deteve.

— Quem são essas figurinhas que o acompanham?— perguntou com os olhos em Emília e no Visconde.

Hércules fez a apresentação de seu escudeiro e da sua "dadeira".

— Dadeira? — repetiu Perséfone, que pela primeira vez ouvia semelhante palavra.

— Sim — respondeu Hércules respeitosamente. — Emília me fornece ideias nos momentos graves. Sua inteligência me assombra; — e a pedido da deusa contou duas ou três passagens da criaturinha.

Perséfone fez um ar apiedado. "Héracles já esteve demente. Correu que sarara. Vejo agora que sua loucura é das incuráveis..." foi o pensamento da deusa.

O herói retirou-se acompanhado das "sarnas". Dirigiu-se para a porta do inferno.

— Lá está ele!... — berrou Emília.

Ele sim. Cérbero... Lá estava à porta da mansão das sombras o horrendo mastim de três cabeças. Bem certo o que diziam: três cabeças diferentes, corpo de mastim e cauda de dragão.

Cumprindo as exigências do deus, Héracles abandonou as armas que trazia, inclusive a pele do leão. Como a usasse feito escudo, lealmente considerava aquilo arma.

Mas a dadeira interpôs-se.

— Isso não, Lelé! Hades falou em armas, não falou em pele.

— Mas esta pele tem sido o meu escudo, já que é invulnerável.

— Isso sabemos nós e mais ninguém.E como ninguém sabe que essa pele é o melhor dos escudos, meu conselho é que não a ponha de lado.

Hércules, indeciso, olhou para o Visconde e para o mensageiro de Palas. Ambos foram da mesma opinião. Três votos contra um. Hércules, que já havia largado a pele revestiu-a novamente — e foi o que lhe valeu!...

Emília ficou de coração parado e fôlego suspenso quando o herói se dirigiu para Cérbero com o mesmo passo firme com que se dirigira para o touro de Creta. Impavidez era ali! Coragem era ali!

Ao vê-lo avançar, Cérbero piscou três vezes com os seus seis olhos, porque nunca em vida sua acontecera semelhante coisa: um homem desarmado avançar contra ele. Mas a vacilação foi rápida. Seus olhos espirraram fogo, seus dentes se arreganharam — e Cérbero atirou-se contra o herói com o ímpeto dos mastins que se sabem invencíveis.

O herói desviou-se do bote e agarrou-o por dois pescoços, um braço em redor de cada um. Mas o terceiro pescoço de Cérbero não teve braço que o agarrasse... e com aquela cabeça livre o canzarrão atacou. Ferrou uma dentada no ombro do herói, que o teria liquidado se não fosse a pele invulnerável.

Nela se quebraram metade dos dentes da boca atacante. Que luta tremenda foi! O jeito de Hércules era um só: matar uma das cabeças agarradas para libertar um braço, e com esse braço agarrar o pescoço da cabeça atacante. O herói tinha ordem para levar a Micenas o cão vivo, mas Euristeu não falara em levá-lo com as três cabeças vivas. Num esforço gigantesco Hércules torceu um dos pescoços agarrados; depois que viu a respectiva cabeça morta, com os olhos esbugalhados e a língua pendente, desembaraçou o braço e colheu o pescoço da cabeça livre.

Estava terminada a luta. Cérbero moleou o corpo. Sua cauda de dragão aplastou-se no solo.

Minervino, que para ali viera por ordem de Palas e tudo previra, aproximou-se com uma corda ajeitada em forma de focinheira. Hércules enfiou-a num dos focinhos do mastim; depois ajeitou outra focinheira no outro focinho. O terceiro dispensava esse cuidado — era o focinho da cabeça morta.

Pronto. Só restava conduzir até Micenas aquele molambo mais morto que vivo — e lá saiu Hércules com ele às costas.

Quando Hades viu o herói passar pela frente do palácio com Cérbero às costas, quase morreu de paixão. Pulou do trono para lançar contra ele todas as fúrias infernais. Perséfone o deteve.

— Palavra de deus não volta atrás — disse a majestosa deusa. — Fui testemunha de que o autorizaste a capturar Cérbero, se o atacasse sem armas — e Héracles não usou arma nenhuma.

Hades caiu em si e voltou para o trono a remorder-se de ódio impotente. Estava preso pela sua própria palavra.

Quando Caronte viu reaparecer o herói com o cão às costas, seguido das três sarnas, teve um colapso. Caiu sem sentidos no fundo da barca. Minervino tomou-lhe o remo e fez a travessia. Minutos depois estavam todos na superfície da terra, onde se juntaram aos companheiros.

Pedrinho arregalou os olhos no maior assombro. Depois fez bico. Ele, um heroizinho tão promissor, havia estragado a sua carreira — havia ficado na rabada!

Um momento de medo o fizera permanecer na segurança da terra superficial enquanto Emília e o Visconde ousavam a imensa proeza de penetrar na mansão de Hades...

— Então, Emília? — perguntou ele muito desconchavado; e ela, toda importante:

— Pois é. Fomos lá e *salvamos* Teseu e conversamos com Hades e Perséfone e *liquidamos* com a prosa de Cérbero. Nossa aventura vai ser a mais célebre de todas nos anais das grandes façanhas do mundo.

— Eu, eu... — tentou Pedrinho desculpar-se.

— Você pexoteou, Pedrinho, e vai ficar de cara à banda por toda a vida. Teve ocasião de fazer uma coisa que nenhum menino moderno jamais fez nem fará e perdeu-a. Agora é chorar na cama.

Pedrinho não se conteve: chorou ali mesmo.

— E agora, Lelé? — perguntou Emília. — Vai levar esse monstro às costas até Micenas? Bobagem. Cachorro é ali na focinheira e puxando por uma corda.

Hércules viu que era mesmo. Largou Cérbero no chão. Estava vivo, mas de corpo mole como os lutadores nocautes. Minervino obteve mais corda e, improvisando duas coleiras, passou-as pelos dois pescoços. O terceiro ficou sem coleira porque pertencia à cabeça morta.

— Eu puxo-o, — disse Pedrinho — e foi o seu triste consolo naquele Trabalho de Hércules: puxar pela corda o monstruoso mastim derrotado...

Capítulo III
DESAPONTAMENTO DO REI

Quando iam se aproximando de Micenas, Pedrinho voltou-se para Hércules e gritou:

— Ando com uma ideia, amigo: entrarmos na cidade todos juntos, assim em procissão...

— Por quê? — perguntou o herói lá atrás.

— Para despedida. Meu palpite é que Euristeu não vai "nos" dar nenhum outro Trabalho.

Hércules sorriu.

— Você não o conhece, oficial. Ele já me impôs doze Trabalhos e imporá outros e outros, sempre com a esperança de que um dia eu fracasse. E não tem culpa, coitado. Não passa dum instrumento de Hera.

— Não tem culpa mas bem que podia ser mais delicado, Lelé — interveio Emília. — O modo como trata você, todo importante, como quem tem o Olimpo na barriga, me deixa tinindo de raiva.

Uma ideia lhe passou pela cabecinha: vingar-se de Euristeu — e imediatamente lhe acudiu o meio.

— Uma coisa, Lelé: por que não havemos de entrar todos juntos no palácio de Euristeu? Estou com vontade de conhecer aquilo lá por dentro.

Era mentira. Não estava querendo conhecer coisa nenhuma e sim "dizer uma boa" nas fuças do "antipatia".

Hércules objetou, achou inconveniente a entrada em massa no salão de audiências do rei, mas Emília insistiu e destruiu completamente a objeção do herói com vários argumentos "batatais". Hércules cedeu.

— Pois não seja essa a dúvida. Entraremos todos juntos no palácio de Euristeu.

Chegados a Micenas, não se dirigiram ao "camping" como de costume — foram penetrando na cidade com a maior sem cerimônia. O fato de passarem com Cérbero pelas ruas — Cérbero, C é r b e r o, CÉRBERO!... o tremendíssimo e terribilíssimo mastim infernal, parecia-lhes a coisa mais natural do mundo. E para maior assombro dos povos, vinha Cérbero, C é r b e r o, o tremebundo CÉRBERO, puxado pelo cabresto. E puxado por quem? Por um menino... Aquilo era até profanação, um verdadeiro fim da Grécia Heroica.

A multidão começou a juntar-se. Todo mundo acudia às janelas e portas para ver a passagem do cortejo.

As ruas encheram-se. Formou-se logo o clássico "acompanhamento de procissão". Centenas de criaturas sem serviço e toda a molecada formaram um magote atrás deles.

Súbito, uma voz na multidão gritou:

— É ela!... É ela!... A feiticeirinha que virou nossos filhos em coisas. Temos de agarrá-la e entregá-la à justiça.

Emília tremeu lá em cima de Lúcio, mas reagiu de pronto e voltando-se para Hércules, lá atrás, gritou com voz ressentida:

— Lelé, olhe aqui um cara-de-coruja me ameaçando...

Hércules fechou o sobrecenho e olhou para a janela de onde havia saído a voz. A voz engoliu em seco. Emudeceu. O olhar de Hércules parecia o olhar da Medusa. Petrificava as pessoas.

Chegaram defronte ao palácio de Euristeu e foram entrando. Os guardas, assustadíssimos com a visão de Cérbero, jogaram as armas e sumiram-se. O grupo foi varando, atravessando corredores e salas até chegar ao salão das audiências. Lá estava Euristeu no trono, com Eumolpo, o xereta, ao lado. Ao ver surgir aquele monstro de três cabeças, seguro pela corda dum menino montado em centauro, e depois um asno com uma feiticeirinha em cima, e mais um milho de cartola no picuá e lá no fim o invencível Hércules, Euristeu desmaiou. A cena fora muito imprevista e muito forte para os seus reais nervos. Eumolpo, a tremer de medo, abanava o amo, borrifava-lhe água no rosto.

RECONTOS   OS DOZE TRABALHOS DE HÉRCULES

O desmaio de Euristeu foi curto. Seus olhos abriram-se. Emília, então, que estava com o discurso preparado, "lascou":

— Senhor rei, aqui estamos de novo e para nunca mais. Chega de Trabalhos. Não somos "servos da gleba" e Lelé é mais que um herói — é um semideus maior e melhor que muitos deuses lá do Olimpo. Tem um coração que só eu sei. Por isso não quero que ele continue executando trabalhos perigosíssimos, inventados por esse cara-de-coruja que está aí todo treme-treme. Não quero e não quero, ouviu? Doze Trabalhos já. Boa conta.

"Uma dúzia. Além disso, Dona Benta está ansiando pela nossa volta, coitada. O grande Héracles vem comunicar ao pequeno Euristeu que vai soltar neste salão o bicho encomendado e partir para longes terras. Tenho dito."

O discurso de Emília achatou Euristeu como se fosse uma sola de sapato. Viram-no olhar para Eumolpo como quem pede socorro, mas Eumolpo perdera até a voz, de medo!

Pedrinho então soltou Cérbero ali na sala e fincou a espora em Meioameio sinal de retirada. O Asno de Ouro rodou nos pés — e Emília ainda espichou um palminho de língua para o estarrecido soberano. Hércules também girou nos calcanhares e lá se foram todos. Na sala do trono só ficaram os três: Cérbero, a olhar para aqueles dois homens com expressão de quem já não entende coisa nenhuma deste mundo, e Euristeu e Eumolpo agarrados um ao outro de medo do monstro.

Mas quando Hércules e seus companheiros alcançaram a rua, deram com um grupo de autoridades locais. A mais graduada de todas deteve o asno e disse apontando para Emília:

— Em nome da lei, está presa!

— Homessa! Por quê?

— Por crime de feitiçaria. Seu processo está concluso. Em dia deste ano, lá na margem do ribeirão, a acusada virou em objeto de uso caseiro dezenove meninos desta cidade.

Hércules, que tinha se aproximado para ver o que era, quis "espalhar" a justiça. Mas o Visconde ergueu-se lá no picuá e falou:

— Nada de violências, Hércules! Se até os deuses do Olimpo encerram suas brigas com entendimentos, como no rapto de Perséfone, por que nós, mortais, não fazermos o mesmo? Na qualidade de advogado e defensor perpétuo de Emília, proponho o arquivamento do processo em troca da "desvirada" dos meninos de Micenas.

Ninguém entendeu. Os juízes e xerifes entreolharam-se com caras de asno. O Visconde explicou:

— Sim. Do mesmo modo como a acusada virou os meninos em objetos, poderá agora virar os objetos em meninos, desse modo devolvendo-os à forma primitiva.

Os juízes e xerifes entreolharam-se de novo; e como na multidão estivessem os pais e mães dos dezenove meninos, uma grita se levantou:

— Sim, sim! Ela que desvire nossos filhos e suma-se destas plagas.

Estava lavrada pelo povo a decisão do processo. Com a restituição dos meninos, ficava o dito por não dito.

Emília enrugou a testa. Depois sorriu.

Com incrível rapidez havia formulado e resolvido um problema. Qual o problema? Este: "De que modo uma varinha de condão, já só com dez viradas, pode desvirar dezenove meninos virados em objetos?". Sim, porque se ela gastara dezenove viradas para virá-los, tinha agora de gastar outras tantas para desvirá-los.

Este o problema. Agora, a solução: "Enfileirar no chão os dezenove objetos, um junto do outro como teclas dum teclado de piano, e depois, com a ponta da vara, dar uma "escala corrida", como fazem com a unha certos tocadores de piano — rrrrrrrrr... Desse modo, com um mesmo toque da vara ela desviraria os dezenove moleques. Gastaria, pois, só uma virada.

A solução teórica do problema foi essa. Restava saber se a experiência a confirmaria.

Tudo pensou e resolveu Emília em meio segundo. Seu pensamento era um relâmpago.

Tomando então a palavra, disse:

— Senhores, prontifico-me a fazer aqui na praça deste palácio o que o Visconde de Sabugosa propôs e os pais dos meninos querem. A varinha de condão de Medeia está naquela canastra.

Pedrinho veio descer o picuá e despejá-lo do Visconde e da canastra.

Emília abriu-a, tirou a vara e em seguida, entre suspiros, foi atirando os dezenove objetos obtidos com as dezenove viradas —o canivete, a tesourinha, a faca de ponta, o rolinho de esparadrapo... Ao tirar o rolinho, Emília pensou: "Já me utilizei de um pedaço. Será que o menino vai aparecer com falta de orelha ou nariz?". Depois de tirá-los todos, colocou-os no chão da rua em forma de teclado de piano, um coladinho ao outro. Restava só correr por cima deles a ponta da vara e pronto.

Mas Emília, sem certeza de que o seu processo de "escala corrida" fosse dar certo, "pensou para adiante", como fazem os jogadores de xadrez, e tomou certas disposições que no momento ninguém entendeu.

— Pedrinho — disse ela —, monte e fique firme em Meioameio. Lúcio, mantenha-se aqui bem perto de mim. Você, Visconde, monte já. E, finalmente, voltando-se para Hércules:

— Erga-me em seus braços, Lelé. Tenho um particular a dizer no ouvido.

O herói ergueu-a. O particular de Emília era o seguinte:

—Vou dar uma varada em "escala corrida" sobre aquele teclado de objetos, mas não posso garantir que essa ideia dê bom resultado. Se der, muito bem: os meninos reaparecerão e está tudo acabado. Se não der, eu tenho que os desvirar um por um, cada qual com uma virada. Ora, só tenho na vara dez viradas. Ficam, pois, nove meninos sem desvirada — e como é? A justiça aqui me agarra, me prende e me condena. Para evitar isso é que estou tomando estas disposições estratégicas. Corro a vara. Deu certo? Muito bem. Não deu certo? Ah, você desce a marreta neste povo, espalha os juízes e xerifes enquanto nós nos botamos no maior galope rumo ao acampamento. Lá arrumamos tudo num ápice, cheiramos o "pim" e adeus, Hélade! Se isto acontecer, é possível que não nos vejamos mais, Lelé e quero despedir-me aqui mesmo, e deu lhe um beijo na face. Largue-me no chão agora.

O herói, profundamente comovido, largou-a no chão. Emília voltou para onde estavam os objetos dispostos como teclado. Tomou a vara e disse para o povo:

— Atenção! Vou correr a vara por sobre estes dezenove objetos para o reaparecimento dos dezenove meninos. O reaparecimento se realizará meio minuto depois do toque.

A espertíssima criatura sabia muito bem que tanto as viradas como as desviradas eram instantâneas, mas inventou a história do meio minuto para ganhar tempo. Se a coisa falhasse, enquanto os micenianos estivessem esperando passar meio minuto eles fincavam o pé no mundo e pronto!

Emília correu os olhos nos seus companheiros para verificar se todos estavam a postos — e só então riscou a escala *rrrrrrrr*... cada "r" correspondendo a um objeto. Tudo correu exatinho conforme a teoria: os dezenove objetos viraram instantaneamente em dezenove meninos!

Que festa foi! Dezenove pais e dezenove mães lançaram-se aos dezenove meninos reaparecidos e abraçaram-nos com os olhos rasos de lágrimas. Todos já haviam perdido a esperança de rever os coitadinhos.

Emília, de mãos na cintura, gozava a cena. Que triunfo o seu!

Capítulo IV
DESASNAMENTO DE LÚCIO

Tudo estava correndo muito bem. O povo de Micenas, que minutos antes só pensava no linchamento de Emília e seus companheiros, passou ao extremo oposto.

Eram aplausos e mais aplausos, e festinhas e convites para uma coisa e outra.

Mas Hércules e os pica-paus nada aceitaram. Só queriam uma coisa: a volta para o acampamento. Lá estava o banho do ribeirão, o Templo de Avia. Lá estava a liberdade de movimentos e a ausência de "corpos estranhos", como dizia o Visconde. "Que é o povo? Um conglomerado ou ajuntamento de corpos estranhos entre si." E Emília costumava dizer: "Povo? Passo".

De volta ao acampamento e depois do jantar, que era o último que iam ter juntos ali na Grécia Heroica, veio à berlinda o caso de Lúcio. Que fazer? Soltá-lo seria um desastre: logo adiante o pegariam e lá ficaria ele novamente escravo, talvez dalgum mau amo, desses que não têm dó de meter o chicote nos pobres animais. Lúcio pensou nisso e implorou que o não soltassem. Queria que o levassem a uma festa de Ísis. Unicamente devorando as rosas que os sacerdotes costumam depor no altar da deusa é que Lúcio poderia desasnar-se, voltando à sua forma humana.

— Quem é essa Ísis? — perguntou Emília.

O mensageiro de Palas, que misteriosamente aparecia e desaparecia, respondeu:

— É a mesma Deméter em sua primitiva forma egípcia. No começo não havia Deméter — havia Ísis, uma deusa importada do Egito. Em certos lugares há ainda hoje adoradores de Ísis que a festejam justamente nesta época do ano.

Bom. Tinham de sair pelo mundo em procura de velhos adoradores de Ísis. Emília danou:

— Maçada! Nós com tanta urgência de voltar ao Picapau Amarelo e este estupor...

Pedrinho interveio:

— Pare com os insultos, Emília! Que culpa tem Lúcio do que aconteceu? Largá-lo aqui será a maior das crueldades. Ele tem sido um ótimo companheiro, com grandes serviços prestados, sobretudo a você.

— Reconheço — disse Emília —, mas que é um estupor, isso é. Foi-nos útil, mas agora está atrapalhando.

Lúcio quase chorou de sentimento. Suas orelhas murcharam com a maior humildade. Emília condoeu-se.

— Pois vamos em busca da tal Ísis. Eu às vezes digo certas coisas só por ímpeto — não é de coração.

As orelhas de Lúcio levantaram-se de novo.

Depois do banho no ribeirão e do sono daquela noite, o mais sossegado que dormiram na Grécia, lá se foram no dia seguinte atrás dos adoradores de Ísis.

De caminho ia Hércules revelando tudo o que lhe tumultuava no coração. Confessou-se gratíssimo pelo que os pica-paus haviam feito. Chegou até a declarar que pelo menos um terço de seus triunfos cabia mais a eles do que a ele.

— Sim, porque se não fosse Emília, é bem possível que o javali do Erimanto me houvesse pegado. E no caso do boi de Creta, o verdadeiro herói foi Pedrinho.

— E o Visconde também — acrescentou Emília. — Não se esqueça da argola.

Hércules concordou.

— Sim, todos três me ajudaram muito. Todos três revelaram grande inteligência, fazendo-me compreender que se a força é uma grande coisa, a inteligência é a força das forças. Vem daí a minha ideia sobre a educação...

Quando Hércules se punha a desenvolver a sua ideia sobre a educação, os três picapauzinhos bocejavam. Tudo quanto ele dizia, certo de que eram ideias originais e pela primeira vez saídas de um cérebro, não passava de ideias emboloradas e até já aposentadas no mundo moderno. Emília fechou a discussão daquele ponto com um exemplo:

— Claro que é assim, Lelé. Pois não vê o Visconde? Nasceu sabugo, como todos os sabugos do mundo, mas com a educação recebida de Dona Benta virou o que é: um sábio de cartola.

E assim, conversando sobre cem coisas, chegaram a uma aldeia muito velha. Nas aldeias velhas há sempre homens e mulheres muito velhos, gente conservadora e apegada ao passado. Quem sabe se não existiam ali devotos de Ísis?

Pedrinho foi perguntar a um ancião de longas barbas brancas que viu sentado a uma porta.

— Bom velho, dizei-me: não haverá nesta aldeia devotos duma antiquíssima deusa egípcia de nome Ísis?

O ancião ergueu para ele os olhos embaciados e sorriu.

— Como não, menino? Há muitos devotos, e eu sou um velho sacerdote de Ísis.

Pedrinho gritou para o bando lá atrás:

— Pronto!... Demos no centro do alvo! Há adoradores de Ísis aqui e até sacerdotes. Este bom velho é um.

Todos se aproximaram do sacerdote e o atropelaram com perguntas e mais perguntas.

— E quando se realizam as festas de Ísis?

— Justamente hoje, à tarde. As rosas estão no ponto.

Ísis era festejada com rosas, de modo que sua festa anual tinha de coincidir com o apogeu das rosas. E como havia rosas naquela aldeia! Lúcio espichava os olhos para os jardinzinhos e engolia em seco.

Emília observou:

— Esta nossa última aventura até parece fita de xerife do meio para o fim: tudo dá certinho, como se houvesse combinação...

Passaram o dia ali na aldeia, rodeados daqueles pobres campônios de bocas abertas e olhos arregalados. Héracles entre eles! Um centaurinho! Um menino dos séculos futuros! Uma feiticeirinha de língua solta! Um Asno de Ouro! Um aranho de cartola!... O assombro da pobre gente não tinha fim.

Tão alegre estava Lúcio com a ideia de seu próximo desasnamento que volta e meia zurrava.

— Por que zurra, Lúcio, já que fala tão bem?

— Por despedida — respondeu ele. — Zurro para despedir-me desta pele que daqui a pouco vou abandonar.

À tardinha começaram os preparativos para a festa de Ísis. Toda gente colhia rosas e mais rosas. O velho sacerdote armou o altar. Hércules e o bandinho colocaram-se na primeira fila. Ia ter começo a cerimônia.

O velho sacerdote saiu lá duma sacristia e aproximou-se do altar com uma cesta de rosas nos braços, em atitude ofertória, como quem traz bandeja de café.

— É hora, Lúcio! — sussurrou Emília.

Lúcio precipitou-se sobre as rosas com tamanho ímpeto que lá derrubou o velho e gulosamente devorou as rosas, com cesta e tudo. Sobreveio o tumulto.

— Blasfêmia! Blasfêmia! ... — e muitos fiéis se lançaram de porretes em punho contra o irreverente. Iam desancá-lo. Iam massacrá-lo. Iam linchá-lo...

Mas... que é do asno? Misteriosamente desaparecera. Procura que procura, nada! Nada de asno! Muita gente esfregou os olhos, como quem diz: "Estarei sonhando?". O velho sacerdote levantou-se, tonto, e: "Que é das minhas rosas?". Nem asno, nem rosas. Em vez disso, um moço estranho a conversar com a pequena feiticeira.

— Que bonito rapaz você é, Lúcio! — dizia ela. — Vire de costas, quero ver. Vá até ali e volte... Sim, sim, um rapagão. É de Atenas?

— Não. Sou de Corinto...

Emília pôs as mãos na cintura e balançou a cabeça.

— Que mundo este nosso! Quem há de dizer que um moço de Corinto, bonito e desempenado como este, já foi o meu burro de carga...

Bom. Lúcio já não tinha mais nada a fazer ali. Sua ânsia de voltar para casa era enorme. Rever a família, os amigos, a noiva...

— Adeus, adeus, amigos! — disse ele. — Nunca me esquecerei das nossas aventuras, nem da bondade com que me trataram. Adeus, Héracles, o grande! Adeus Pedrinho, pequeno herói moderno! Adeus centaurinho gentil! Adeus, Visconde, o mais sábio dos sabugos! Adeus, Emília — pequenina fada que se aqui ficasse revolucionaria esta Grécia inteira...

Só não se despediu da canastrinha. Emília reclamou:

— Ela também é personagem, Lúcio.

E ele, já longe:

— Adeus, canastrinha mais rica de preciosidades que todos os museus do mundo...

Lúcio, muito lépido e radiante com a reconquista de sua forma antiga, ia pulando de contente. Dava três passos e um pulinho...

Hércules sorria feliz. Pela primeira vez se sentia plenamente satisfeito. Mas um pensamento melancólico lhe enrugou a testa. Emília percebeu.

— Que repentina tristeza é essa, Lelé?

Do peito do herói saiu um suspiro.

— Nossa associação está no fim — disse ele. — Daqui a pouco vocês partem e fico mais sozinho do que nunca, aqui nesta terra de monstros e deuses vingativos. Acostumei-me tanto com vocês que... — e engasgou. Era a comoção.

Emília não disse nada — mas levou aos olhos o seu lencinho...

Capítulo V
BELEROFONTE

Depois da partida de Lúcio, deram começo aos arranjos para a viagem.

Que fazer das coisas ali do acampamento? Deixar de pé o Templo de Avia para que os moleques de Micenas viessem profaná-lo? Nunca! Deixar fincados os espeques com as esculturas dos trabalhos de Hércules? Não.

Emília veio com uma lembrança.

— Podemos demolir o templo, arrancar as estacas e fazer uma grande fogueira em honra a Palas.

— Feliz ideia! — exclamou uma voz conhecida. Emília olhou. Era Minervino, "o aparece-e-desaparece". Estava ali de novo.

— Vem vindo do Olimpo?

— Sim. Acabo de estar com Palas. Minha deusa mostra-se encantadíssima com você, Emília. Anda a contar histórias da "feiticeirinha" a todas as deusas do Olimpo.

— E Hera?

— Ah, Hera está cada vez mais rabujenta e furiosa. Tem feito mil queixas ao seu divino esposo, mas Zeus dá lá sua risadinha e é só. Ele conhece a esposa que tem. Os Doze Trabalhos que por meio de Euristeu ela impôs a Hércules resultaram em doze derrotas. Hera já não sabe o que inventar. E vai enfurecer-se ainda mais com essa fogueira que vocês vão acender em honra a Palas.

— Pois que se enfureça — berrou Emília. — Já "passei" essa deusa. É o mesmo que não existir. E mudando de assunto: como é o seu verdadeiro nome, Minervino? Isto de "Minervino" foi invenção minha.

— Donde veio a ideia?

— De Minerva, que vai ser o futuro nome de Palas em Roma, como explicou o Visconde. Todos estes deuses vão mudar de terra. Seu nome verdadeiro qual é?

— Belerofonte...

Emília arregalou os olhos, no maior dos assombros.

— Belerofonte, aquele herói que nos apareceu lá no sítio montado no Pégaso?

— Isso mesmo...

O espanto de Emília continuava.

— Mas a cara, o ar, os modos de Belerofonte não lembram você, Minervino...

— É que, como mensageiro de Palas, mudo de aspecto conforme as circunstâncias.

Emília duvidou. Seria Belerofonte mesmo? E para "caçá-lo" perguntou:

— Então diga: qual o outro herói que estava lá naquele tempo? O vestido de lata?

— Dom Quixote de la Mancha, foi como vocês mo apresentaram. Tinha um escudeiro gorducho, muito comilão. Sancho Pança, creio...

Emília encantou-se. Não havia a menor dúvida: aquele Minervino era o mesmo Belerofonte de outrora, o famoso herói grego que lá surgira montado no cavalo de asas.

— E onde anda Pégaso? Sabe que Pedrinho o viu nascer do corpo degolado da Medusa? Degolado por Perseu?

— Sim. Ele me contou tudo.

Estavam ainda a rememorar passagens de Dom Quixote no sítio, quando um tropel lhes distraiu a atenção. Um cavaleiro vinha no galope. "Quem será?"

Era um dos guardas do palácio de Euristeu. Chegou, pulou do cavalo e dirigiu-se para Hércules com cara muito aflita.

— Senhor herói — disse ele precipitadamente—, vim pedir socorro. Está um horror no palácio. Sua Majestade Euristeu e o primeiro ministro continuam estarrecidos diante da figura horrenda do Cérbero lá na sala do trono. Não podem sair de medo do monstro, e os guardas não se animam a entrar para socorrer o soberano. Vim a galope implorar que volte e tire do palácio aquela abantesma.

Hércules riu-se, com ar de dó.

— Medo de Cérbero! — exclamou. — Mas Cérbero não é mais Cérbero, o antigo e terrível guardião do reino de Hades. Não passa de sombra do que foi. Está vencido, destruído por dentro.

— Mas não se arreda de lá, senhor herói, e com os quatro olhos que lhe restam olha para o rei de um modo que arrasa o nosso soberano. E como ninguém ousa tirá-lo da sala, vim voando pedir socorro.

Hércules, sempre a sorrir, deu ordem a Pedrinho que fosse buscar Cérbero. Pedrinho saltou sobre o lombo de Meioameio, fincou o Visconde na garupa e lá partiu a galope para a cidade.

Sem o Visconde ele não se arranjava.

Chegado ao palácio, Pedrinho foi entrando. Na sala do trono viu tudo como no começo: Euristeu encolhido no trono e Eumolpo a seu lado, pálido e trêmulo.

O mastim de Hades olhava-os com uns olhos sem expressão e por isso mesmo terríveis para aqueles dois poltrões. Pedrinho, que havia levado um rolo de corda, fez gesto ao Visconde para que atasse a corda a uma das coleiras de Cérbero. O sabuguinho suspirou mas cumpriu a ordem: atou a corda à coleira de Cérbero, sem que o monstro opusesse a menor resistência. Em seguida Pedrinho puxou-o para fora. Lá na rua cavalgou Meioameio e tocou para o acampamento. A multidão aglomerada nas ruas assistiu maravilhada àquela estranhíssima cena: um menino, montado num centaurinho e com uma aranha de cartola na garupa, a puxar pelo cabresto o monstro mais impressionante para a imaginação dos helenos — Cérbero, Cérbero, CÉRBERO, o terrível guardião do reino dos mortos!

— E agora? — exclamou Emília quando os viu chegarem ao acampamento. — Que vamos fazer deste estupor? — Tudo para Emília era estupor.

Hércules achou melhor matá-lo e enterrá-lo por ali. Emília opôs-se.

— Não. Estou com uma ideia: levá-lo para o sítio de Dona Benta — e pôs-se a rir. Estava imaginando o susto de Tia Nastácia...

Ficou assentado isso. Levariam Meioameio e Cérbero.

Muito bem. Agora, a fogueira e o sacrifício a Palas. Pedrinho demoliu o Templo de Avia e amontoou tudo.

Pronta que foi a fogueira, o Visconde atafulhou capins bem secos e acendeu-a com o último fósforo da caixa de fósforos da canastrinha da Emília. Minutos depois um lindo fogaréu lançava rumo ao Olimpo rolos negros de fumaça.

Emília adiantou-se e, erguendo os olhos para o céu, disse com voz de sacerdotisa:

— Palas, divina Palas, nós te agradecemos os benefícios e a ajuda constante com que nos honraste em nossas aventuras. Tu és a deusa mais bela e boazinha de todas. Não andas a perseguir os grandes heróis, como uma tal que eu conheço. Peço-te que apareças um dia lá em casa para regalo e glória de Dona Benta e Narizinho. O teu mensageiro Belerofonte sabe onde é; já nos deu a honra de sua presença nos dias em que também lá esteve D. Quixote. Está ali um bem precisado de tua gloriosa ajuda, grande Palas! É um herói o contrário de Héracles: em vez de dar, apanha sempre. Mas com tua ajuda, grande deusa, dará cabo até do mágico Freston que tanto o persegue. Tenho dito.

Todos aplaudiram o seu discursinho e Belerofonte deu-lhe um beijo na testa — por conta de Palas.

Capítulo VI
DESPEDIDAS

Tudo estava pronto para a volta. Emília abriu mais uma vez a canastrinha para dar balanço na colheita. Não faltava nada. Fechou-a de novo com a chavinha que trazia pendente dum cordel ao pescoço.

— Por mim podemos partir.

A bagagem de Pedrinho era pequena; só as esculturas comemorativas.

O Visconde nunca andou com bagagens. Apenas trazia uma coisa consigo, a velha cartola — e lá estava com ela na cabeça, mais amarrotada do que nunca.

O peso da pata do dragão das Hespérides tinha-a deixado que nem lata de monturo.

Pedrinho mediu as pitadas do pó de pirlimpimpim e deu uma para cada um.

Depois calculou a de Meioameio e a forte dose a esfregar nos focinhos de Cérbero. Mas antes de aspirarem o pó tinham de despedir-se do herói.

Ah, como foram comoventes as despedidas!

— Hércules — disse Pedrinho —, vamos partir, mas levamos no coração a imagem do nosso grande amigo e bondoso companheiro de tantas aventuras. Aprendemos a conhecer o maior coração que ainda existiu nesta Hélade, o herói que é a verdadeira justiça sob forma humana... — e Pedrinho engasgou. Estava emocionado demais.

Emília tomou a palavra.

— Lelé, se eu fosse dizer tudo quanto sinto, ficava aqui a falar durante dez séculos. Você foi a primeira criatura que realmente me encheu as medidas. Conheci lá no sítio inúmeros heróis da Fábula: Dom Quixote, Belerofonte, Peter Pan, o Príncipe Codadad, Aladino, os anões de Branca-de-Neve. Nenhum se compara a você, Lelé, porque além da maior força você tem o maior dos corações. Pedrinho engasgou no discurso e eu já estou começando a me engasgar. Você, Lelé... — e não podendo conter as lágrimas, Emília rompeu em choro e atirou-se aos braços do herói.

Hércules recebeu-a, também com os olhos rasos d'água. Ele, o grande herói nacional grego que jamais chorava, estava chorando...

O Visconde passou a mão disfarçadamente pelos olhos e tomou a palavra.

— Hércules! — disse ele. — Permita que eu também levante minha débil e fraca voz para uma saudação de despedida. Neste grande momento eu queria ter a eloquência de Demóstenes ou Cícero para bem dizer tudo quanto me passa pela mente. Mas a emoção embarga-me a voz. Não posso continuar, como Pedrinho e Emília não puderam...

E o Visconde também engasgou.

Belerofonte abriu a boca para falar, mas não saiu nada. Engasgadíssimo também. Houve uma longa pausa de silêncio — a pausa do engasgo geral.

Quando serenaram, Hércules tomou a palavra e disse:

— Meus amigos: não sei falar. Não recebi a educação...—Emília olhou para Pedrinho. ...—que é o que transforma as criaturas. Minha educação foi só física, como muito bem diz o meu escudeiro. Criaram-me ao ar livre, ensinaram-me a desenvolver unicamente os músculos e a agilidade. Quanto ao resto, fiquei como nasci: um terreno baldio, como diz a Emília, onde o mato cresceu sem disciplina. Ela acha que uma criatura sem educação é como um terreno onde só há mato. A educação é que transforma esse terreno em canteiro de cultura das artes e ciências úteis e belas. Muito aprendi com vocês. Minhas conversas com Emília, com o Visconde e Pedrinho foram verdadeiras lições de que jamais me esquecerei. Sempre convivi entre brutos — reis cruéis, deuses vingativos, heróis do meu molde, gente "ineducada", como diz o Visconde. Fui encontrar "produtos da educação" em vocês. No meu oficial Pedrinho vi um modelo de herói dum novo tipo. Apreciei muito as suas qualidades, e sobretudo a sua prudência. Por que não desceu conosco aos infernos? Por prudência — e hoje eu percebo que a prudência deve ser uma das mais belas qualidades do que vocês chamam "herói moderno".

Pedrinho baixou os olhos. Hércules prosseguiu:

— Emília me enlevou pela sua presença de espírito, pela vivacidade e prontidão da inteligência, pelo engenho de sair-se bem de todos os apuros. E que ideias felizes! A de cortar a ponta de uma das asas do abutre de Prometeu foi "batatal", como ela diz. Tão simples o expediente — e nem que eu pensasse cem anos me ocorreria. Certas coisas da "dadeira" estão acima do meu entendimento. O "faz-de-conta", por exemplo. Penso e penso nisso e não entendo. Vi, senti, presenciei os maravilhosos efeitos desse "recurso supremo", mas confesso que não entendi. Emília explicou-mo com a sua admirável clareza — mas não entendi.

Emília riu-se para Pedrinho. Hércules continuou:

— E que direi do meu escudeirinho? Há nele uma alma generosíssima de herói sob as singelas exterioridades dum grande sábio. É o tipo do "herói resignado".

Como é modesto e humilde! Não o vi gabar-se nem uma só vez. Executa as incumbências mais perigosas sem um só protesto...

— Isso não! — berrou Emília. — Bem que ele suspira.

— Sim, suspira apenas. Haverá nada mais eloquente que a humildade do suspiro? Em situações em que o comum das criaturas se debate, protesta, grita, ele suspira com toda a discrição. Tenho em meus ouvidos todos os seus suspirinhos: quando recebeu ordem de levar o anzol iscado ao abutre de Prometeu, quando teve de pegar a argola do laço na aventura do touro de Creta, quando foi deitar ópio na água do dragão de cem cabeças... Foi o único do nosso grupo que sofreu desastre, pois quebrou a perna e quem o viu lamuriar-se, queixar-se?

— Ele não sente dor — disse Emília. — É sabugo...

— Nós é que não sentimos a dor dos outros — respondeu Hércules. — Se o Visconde é um ser vivo, claro que tem de sentir dor. Quando, na chegada, Pedrinho me propôs o Visconde para escudeiro, ri-me, como era natural. Julguei que fosse brincadeira. Hoje, duvido que qualquer outro escudeiro me ajudasse tanto. Posso até afirmar que um ou dois dos meus trabalhos chegaram a feliz termo graças à sua discreta e oportuna atuação.

O Visconde, de cabeça baixa, ouvia modestamente os louvores do herói. Hércules ainda disse muita coisa elogiosa sobre seus companheiros; depois ia voltando ao assunto educação. Mas Emília interrompeu-o:

— Pare aí, Lelé. Já conhecemos as suas ideias sobre o assunto. A educação é que faz as criaturas, não é isso? Já sabemos.

Hércules parou. Pedrinho veio apertar-lhe a mão. O herói abraçou-o. Depois veio o Visconde com a mãozinha espichada. Hércules abraçou-o duas vezes. Depois veio Emília com os dois braços abertos. Atirou-se-lhe ao pescoço, abraçou-o e beijou-o furiosamente. Parecia um sabiá bicando laranja.

Havia chegado a hora da partida. Pedrinho deu as últimas instruções. Depois mandou que o Visconde esfregasse o pirlimpimpim nos focinhos de Cérbero, que lá estava de cabeças pendidas, amarrado a um tronco. O Visconde suspirou discretamente e foi cumprir a ordem. Hércules riu-se, ponderando lá consigo: "A prudência dos heróizinhos modernos...".

O Visconde esfregou o pó nos dois focinhos de Cérbero sem que o pobre cão desse por isso. Soou um *fiun* grosso, como de bordão de Viola — e Cérbero desapareceu...

— Agora nós! — gritou Pedrinho. — Adeus, Hércules, grande amigo!

— Adeus, Lelé! — berrou Emília.

— Adeus, zênite da mitologia grega! — saudou cientificamente o Visconde.

Hércules respondeu numa só palavra, dirigida a todos:

— Adeus!...

Pedrinho contou: Um... Dois... e três! Quatro *fiuns* soaram ao mesmo tempo e os quatro companheiros de Hércules sumiram-se como por encanto.

O herói ainda ficou ali por longo tempo, sentado a uma pedra, junto à fogueira do sacrifício a Palas. E como até Belerofonte houvesse desaparecido, não teve com quem desabafar. Depois levantou-se e lá seguiu de cabeça baixa para a cidade de Corinto. Ia em procura de Lúcio para conversar sobre os picapauzinhos.

Era um meio de matar as saudades...

Copyright © 2023 by Global Editora

1ª Edição, Editora Nova Aguilar, São Paulo 2023

Jefferson L. Alves – diretor editorial
Jiro Takahashi – editor executivo
Gustavo Henrique Tuna – gerente editorial
Flávio Samuel – gerente de produção
Jefferson Campos – assistente de produção
Homem de Melo & Troia Design – capa e projeto gráfico
Ana Dobón e Danilo David – editoração eletrônica
Márcia Benjamim, Luiz Maria Veiga e Fernanda Lubatchewsky Ishibe – revisão
Ana Lima Cecílio e Ana Lucia de Oliveira Brandão – curadoria e organização dos textos

Agradecimentos a Antonio Carlos D'Angelo, da Biblioteca Infantojuvenil Monteiro Lobato, pelo apoio com os exemplares da edição original da *Obra completa* de Monteiro Lobato (São Paulo: Brasiliense, 1947/1948).

Agradecimentos à diretora Marta Nosé Ferreira, da Biblioteca Infantojuvenil Monteiro Lobato, pela cessão das imagens das pranchas da exposição "Emília: a boneca de Lobato", realizada em 2008. As pranchas dos primeiros ilustradores das obras de Monteiro Lobato compõem o caderno iconográfico do volume 1 desta edição.

Agradecimentos à equipe do Cedae (Centro de Documentação Cultural Alexandre Eulálio), do Instituto dos Estudos da Linguagem da Unicamp (Universidade de Campinas), pela cessão das fotos utilizadas no caderno iconográfico do volume 3 desta edição.

Dados Internacionais de Catalogação na Publicação (CIP)
(Câmara Brasileira do Livro, SP, Brasil)

Lobato, Monteiro, 1882-1948
Monteiro Lobato : obra completa, v. 1 : livros infantis e juvenis, caderno iconográfico. – 1. ed. – São Paulo : Editora Nova Aguilar, 2023.

ISBN 978-65-89645-35-1

1. Literatura infantojuvenil 2. Lobato, Monteiro 1882-1948 I. Título.

22-132395   CDD-028.5

Índices para catálogo sistemático:

1. Literatura infantil 028.5
2. Literatura infantojuvenil 028.5

Cibele Maria Dias - Bibliotecária - CRB-8/9427

Obra atualizada conforme o
NOVO ACORDO ORTOGRÁFICO DA LÍNGUA PORTUGUESA

EDITORA
NOVA AGUILAR

Editora Nova Aguilar
Rua Pirapitingui, 111 — Liberdade
CEP 01508-020 — São Paulo — SP
Tel.: (11) 3277-7999
e-mail: novaaguilar@novaaguilar.com.br

Direitos reservados.
Colabore com a produção científica e cultural.
Proibida a reprodução total ou parcial desta
obra sem a autorização do editor.

Impresso na Índia

Nº de Catálogo: **10041**